O CAPITAL

KARL MARX
O CAPITAL
CRÍTICA DA ECONOMIA POLÍTICA

Livro 1
O processo de produção do capital

1ª edição

Tradução
Reginaldo Sant'Anna

Rio de Janeiro
2024

Copyright © 1998 para a tradução

Título original: *Das Kapital: Kritik der politischen Ökonomie. Erster Band.*
Buch I: Des Produktions-prozess des Kapitals

Diagramação: Abreu's System
Projeto gráfico de box e capa: Casa Rex

Todos os direitos reservados. É proibido reproduzir, armazenar ou transmitir partes deste livro, através de quaisquer meios, sem prévia autorização por escrito.

Texto revisado segundo o Acordo Ortográfico da Língua Portuguesa de 1990.

Direitos desta tradução adquiridos pela
EDITORA CIVILIZAÇÃO BRASILEIRA
Um selo da
EDITORA JOSÉ OLYMPIO LTDA.
Rua Argentina, 171 – 3º andar – São Cristóvão
Rio de Janeiro, RJ – 20921–380
Tel.: (21) 2585–2000.

Seja um leitor preferencial Record.
Cadastre-se no site www.record.com.br
e receba informações sobre nossos lançamentos e nossas promoções.

Atendimento e venda direta ao leitor:
sac@record.com.br

CIP-BRASIL. CATALOGAÇÃO NA PUBLICAÇÃO
SINDICATO NACIONAL DOS EDITORES DE LIVROS, RJ

M355c   Marx, Karl, 1818-1883
     O capital : crítica da economia política – o processo de produção do capital / Karl Marx ; tradução Reginaldo Sant'Anna. – 1. ed. – Rio de Janeiro : Civilização Brasileira, 2024.

     Tradução de: Das kapital : kritik der politischen ökonomie. erster band. buch I : des produktionsprozess des kapitals
     ISBN 978-65-5802-139-1

     1. Economia. 2. Capital (Economia). I. Sant'Anna, Reginaldo. II. Título.

                  CDD: 335.4
24-93677   CDU: 330.85

Meri Gleice Rodrigues de Souza - Bibliotecária - CRB-7/6439

Impresso no Brasil
2024

Dedicado ao meu inesquecível amigo, o impávido, leal e nobre vanguardeiro do proletariado

WILHELM WOLFF

Nasceu em Tarnau, em 21 de junho de 1809

Morreu no exílio, em Manchester, em 9 de maio de 1864

SUMÁRIO

NOTA DO TRADUTOR   13

PREFÁCIO DA 1ª EDIÇÃO   15

POSFÁCIO DA 2ª EDIÇÃO   19

PREFÁCIO DA EDIÇÃO FRANCESA   29

POSFÁCIO DA EDIÇÃO FRANCESA   31

PREFÁCIO DA 3ª EDIÇÃO   33

PREFÁCIO DA EDIÇÃO INGLESA   37

PREFÁCIO DA 4ª EDIÇÃO   41

LIVRO 1
O PROCESSO DE PRODUÇÃO DO CAPITAL

PRIMEIRA SEÇÃO
MERCADORIA E DINHEIRO

I. A mercadoria   51

1. Os dois fatores da mercadoria: valor de uso e valor
   (substância e quantidade do valor)   53
2. O duplo caráter do trabalho materializado na mercadoria   59
3. A forma do valor ou o valor de troca   65

A) A forma simples, singular ou fortuita do valor   66

1. Os dois polos da expressão do valor: a forma relativa do valor
   e a forma de equivalente   66
2. A forma relativa do valor   67
   a) O que significa   67
   b) Determinação quantitativa da forma relativa do valor   70
3. A forma de equivalente   73
4. A forma simples do valor em seu conjunto   77

B) Forma total ou extensiva do valor   79
1. Forma extensiva do valor relativo   79
2. A forma de equivalente particular   80
3. Defeitos da forma total ou extensiva do valor   81

C) Forma geral do valor   82
1. Mudança do caráter da forma do valor   82
2. Desenvolvimento mútuo da forma relativa do valor
   e da forma de equivalente   84
3. Transição da forma geral do valor para a forma dinheiro   86

D) Forma dinheiro do valor   86
1. O fetichismo da mercadoria: seu segredo   87

II. O processo de troca   101

III. O dinheiro ou a circulação das mercadorias   111

1. Medida dos valores   113
2. Meio de circulação   122
   a) A metamorfose das mercadorias   122
   b) O curso do dinheiro   132
   c) A moeda. Os símbolos de valor   142
3. O dinheiro   146
   a) Entesouramento   147
   b) Meio de pagamento   151
   c) O dinheiro universal   158

SEGUNDA SEÇÃO
A TRANSFORMAÇÃO DO DINHEIRO EM CAPITAL

IV. Como o dinheiro se transforma em capital   165

1. A fórmula geral do capital   167
2. Contradições da fórmula geral   175
3. Compra e venda da força de trabalho   186

TERCEIRA SEÇÃO
A PRODUÇÃO DA MAIS-VALIA ABSOLUTA

V. Processo de trabalho e processo de produzir mais-valia   199

1. O processo de trabalho ou o processo de produzir valores de uso   201
2. O processo de produzir mais-valia   209

VI. Capital constante e capital variável 223

VII. A taxa da mais-valia 237

1. O grau de exploração da força de trabalho 239
2. O valor do produto expresso em partes proporcionais do produto 246
3. A "última hora" de Senior 250
4. O produto excedente 254

VIII. A jornada de trabalho 257

1. Os limites da jornada de trabalho 259
2. A avidez por trabalho excedente. O fabricante e o boiardo 263
3. Ramos industriais ingleses onde não há limites legais à exploração 271
4. Trabalho diurno e noturno. Sistema de revezamento 285
5. A luta pela jornada normal de trabalho. Leis que prolongam compulsoriamente a jornada de trabalho, da metade do século XIV ao fim do século XVII 292
6. A luta pela jornada normal de trabalho. Limitação legal do tempo de trabalho. A legislação fabril inglesa de 1833 a 1864 305
7. A luta pela jornada normal de trabalho. Repercussões da legislação fabril inglesa nos outros países 325

IX. Taxa e massa de mais-valia 331

QUARTA SEÇÃO
A PRODUÇÃO DA MAIS-VALIA RELATIVA

X. Conceito de mais-valia relativa 345

XI. Cooperação 357

XII. Divisão do trabalho e manufatura 373

1. Dupla origem da manufatura 375
2. O trabalho parcial e sua ferramenta 377
3. As duas formas fundamentais da manufatura: manufatura heterogênea e manufatura orgânica 380
4. Divisão do trabalho na manufatura e divisão do trabalho na sociedade 389
5. Caráter capitalista da manufatura 397

XIII. A maquinaria e a indústria moderna   407

1. Desenvolvimento da maquinaria   409
2. O valor que a maquinaria transfere ao produto   424
3. Consequências imediatas da produção mecanizada sobre o trabalhador   432
    a) Apropriação pelo capital das forças de trabalho suplementares.
        O trabalho das mulheres e das crianças   432
    b) Prolongamento da jornada de trabalho   440
    c) Intensificação do trabalho   446
4. A fábrica   457
5. Luta entre o trabalhador e a máquina   465
6. A teoria da compensação para os trabalhadores desempregados
    pela máquina   476
7. Repulsão e atração dos trabalhadores pela fábrica.
    Crises da indústria têxtil algodoeira   485
8. Revolução que a indústria moderna realiza na manufatura,
    no artesanato e no trabalho em domicílio   498
    a) Eliminação da cooperação baseada no ofício e na divisão do trabalho   498
    b) Repercussões do sistema fabril sobre a manufatura
        e o trabalho em domicílio   499
    c) A manufatura moderna   501
    d) O moderno trabalho em domicílio   504
    e) Transição, para a indústria mecanizada, da manufatura e do trabalho
        em domicílio modernos. A aplicação das leis fabris a essas atividades
        acelera a transição   509
9. Legislação fabril inglesa, suas disposições relativas à higiene e à educação e
    sua generalização a toda produção social   520
10. Indústria moderna e agricultura   542

QUINTA SEÇÃO
PRODUÇÃO DA MAIS-VALIA ABSOLUTA
E DA MAIS-VALIA RELATIVA

XIV. Mais-valia absoluta e mais-valia relativa   547

XV. Variações quantitativas no preço da força de trabalho
e na mais-valia   559

1. Duração e intensidade do trabalho, constantes;
    produtividade do trabalho, variável   561

2. Duração e produtividade do trabalho, constantes;
   intensidade do trabalho, variável 565
3. Produtividade e intensidade do trabalho, constantes;
   duração do trabalho, variável 567
4. A duração, a produtividade e a intensidade do trabalho
   variam simultaneamente 568

XVI. Diversas fórmulas da taxa de mais-valia 573

SEXTA SEÇÃO
O SALÁRIO

XVII. Transformação do valor ou do preço da força de trabalho em salário 581

XVIII. O salário por tempo 591

XIX. Salário por peça 601

XX. Diversidade entre os salários das nações 611

SÉTIMA SEÇÃO
ACUMULAÇÃO DE CAPITAL

XXI. Reprodução simples 623

XXII. Transformação da mais-valia em capital 637

1. A reprodução ampliada. Transmutação do direito de propriedade
   da produção mercantil em direito de propriedade capitalista 639
2. Concepção errônea da economia política sobre a reprodução ampliada 648
3. Divisão da mais-valia em capital e renda. Teoria da abstinência 651
4. Circunstâncias que determinam o montante da acumulação,
   independentemente da divisão proporcional da mais-valia em capital e
   renda; grau de exploração da força de trabalho; produtividade do trabalho;
   diferença crescente entre capital empregado e consumido;
   grandeza do capital adiantado 658
5. O pretenso fundo do trabalho 669

XXIII. A lei geral da acumulação capitalista 673

1. Não se alterando a composição do capital, a procura da força de trabalho
   aumenta com a acumulação 675

2. Decréscimo relativo da parte variável do capital com o progresso da acumulação e da concentração que a acompanha   683
3. Produção progressiva de uma superpopulação relativa ou de um exército industrial de reserva   690
4. Formas de existência da superpopulação relativa. A lei geral da acumulação capitalista   702
5. Ilustração da lei geral da acumulação capitalista   710
   a) Inglaterra de 1846 a 1866   710
   b) As camadas miseravelmente pagas do proletariado industrial inglês   717
   c) A população nômade   727
   d) Efeito das crises sobre a parte mais bem remunerada da classe trabalhadora   731
   e) O proletariado agrícola britânico   736
   f) Irlanda   760

XXIV. A chamada acumulação primitiva   777

1. O segredo da acumulação primitiva   779
2. Expropriação dos camponeses   782
3. Legislação sanguinária contra os expropriados, a partir do século xv. Leis para rebaixar os salários   798
4. Gênese do arrendatário capitalista   806
5. Repercussões da revolução agrícola na indústria. Formação do mercado interno para o capital industrial   808
6. Gênese do capitalista industrial   812
7. Tendência histórica da acumulação capitalista   823

XXV. A teoria moderna da colonização   827

TABELA DE PESOS, MEDIDAS E MOEDAS INGLESES   839

ÍNDICE ONOMÁSTICO   841

ÍNDICE ANALÍTICO   847

NOTA DO TRADUTOR

Esta tradução direta do texto em alemão de *O capital*, de novo publicada, abrange três livros: o primeiro trata do processo de produção do capital; o segundo, do processo de circulação do capital; e o terceiro, do processo global da produção capitalista. A tradução do Livro 1 baseou-se na quarta edição (1890) revista por Engels; a do Livro 2 e a do 3, respectivamente, na segunda (1893) e na primeira (1894) edições por ele preparadas.

Engels, nos próprios prefácios que redigiu, descreve como conseguiu levar avante esses empreendimentos, de acordo com os manuscritos e as instruções deixados por Marx, que morrera em 1883.

Republicou todas aquelas edições, em 1965, a editora Dietz, de Berlim. Foram antes submetidas à minuciosa revisão, por equipes comuns dos Institutos de Marxismo-Leninismo de Moscou e de Berlim, as quais restauraram a pureza dos textos originais, eliminando erros de impressão, e conferiram as citações, compulsando diretamente as fontes utilizadas. Reproduzi entre colchetes as letras, palavras ou sílabas acrescentadas por essa conferência. As adições feitas por Engels trazem as iniciais F.E.

Os comentários, explicações e observações agregados à obra, nas reedições de 1965, foram a principal fonte que utilizei para redigir as notas de pé de página que aparecem assinaladas por algarismos romanos.

Adotei os índices analíticos daquelas reedições, mas neles introduzi acréscimos. Entre estes figuram novas seções especiais como a das leis dialéticas, a das categorias dialéticas e a das definições. Nesta agrupei um bom número de definições ou elementos delas, considerando sobretudo o encadeamento dos conceitos.

Procurei pôr na linguagem mais simples possível os difíceis assuntos tratados pelo autor, os quais se estendem muito além da esfera econômica, abrangendo os mais variados domínios do conhecimento humano.

Marx era um leitor diligente em várias línguas, antigas e modernas, conforme transparece, a cada passo, nas expressões, frases ou citações, gregas, latinas, ou em idiomas atuais. Com raras exceções, apresentei todas elas em

O CAPITAL

português, a fim de facilitar a leitura corrente e evitar encher os volumes de inúmeras notas explicativas.

Estão no final de cada livro o índice analítico, o onomástico e um quadro com as equivalências dos pesos, medidas e moedas ingleses utilizados por Marx e que mantive na maioria dos casos.

REGINALDO SANT'ANNA

PREFÁCIO DA 1ª EDIÇÃO

Entrego hoje ao público o primeiro volume da obra que continua meu livro *Contribuição à crítica da economia política*, editado em 1859. Houve este grande intervalo entre as duas publicações em virtude de enfermidade que me acometeu durante muitos anos, interrompendo frequentemente meu trabalho.

Está resumido no Capítulo I deste volume o conteúdo da publicação anterior.[1] Não tive em mira apenas a conexão e a inteireza exigidas pelos assuntos tratados. Melhorou-se a exposição. Tanto quanto o permitiam as circunstâncias, foram desenvolvidos aqui muitos pontos antes apenas mencionados; mas, por outro lado, apenas apontaram-se agora questões antes expostas pormenorizadamente. Foram, naturalmente, eliminadas as partes referentes à história da teoria do valor e do dinheiro. Todavia, o leitor do livro anterior encontrará nas notas do Capítulo I novas fontes relativas à história daquela teoria.

Todo começo é difícil em qualquer ciência. Por isso, o Capítulo I é o que oferece maior dificuldade à compreensão, notadamente a seção que contém a análise da mercadoria. Nele procurei expor, com a maior clareza possível, o que concerne especialmente à análise da substância e da magnitude do valor.[2] A forma do valor, a qual tem no dinheiro sua figura acabada, é muito vazia e simples. Apesar disso, tem o espírito humano, há mais de dois mil anos, tentado em vão devassá-la, embora conseguisse analisar, pelo menos com aproximação, formas muito mais complexas e ricas de conteúdo. Por quê? Porque é mais fácil estudar o organismo, como um todo, do que suas células. Além disso, na análise das formas econômicas, não se pode utili-

---

1 O Capítulo I foi transformado, na edição seguinte, em Primeira Seção, com três capítulos.

2 Isto pareceu-me ainda mais necessário, ao verificar que F. Lassalle, no seu livro contra Schulze-Delitzsch, cometeu graves equívocos, quando tratou do que chama a "quintessência intelectual" de minha explanação sobre aqueles temas. De passagem, uma observação: propósitos de propaganda, naturalmente, levaram F. Lassalle, sem indicar a fonte, a retirar de minhas obras, quase literalmente, utilizando inclusive a terminologia que criei, todas as teses teóricas gerais de seus trabalhos econômicos, por exemplo, sobre o caráter histórico do capital, sobre a conexão entre as relações e o modo de produção etc. etc. Não me refiro, naturalmente, ao que fez com essas teses, desdobrando-as ou procurando aplicá-las na prática, coisas com as quais nada tenho a ver.

zar nem microscópio nem reagentes químicos. A capacidade de abstração substitui esses meios. A célula econômica da sociedade burguesa é a forma mercadoria, que reveste o produto do trabalho, ou a forma de valor assumida pela mercadoria. Sua análise parece, ao profano, pura maquinação de minuciosidades. Trata-se, realmente, de minuciosidades, mas análogas àquelas da anatomia microscópica.

Excetuada a parte referente à forma do valor, não se poderá alegar contra este livro dificuldade de compreensão. Estou, naturalmente, pressupondo leitor que queira aprender algo novo; desejoso, portanto, de pensar por sua própria conta.

O físico observa os processos da natureza, quando se manifestam na forma mais característica e estão mais livres de influências perturbadoras, ou, quando possível, faz ele experimentos que assegurem a ocorrência do processo, em sua pureza. Nesta obra, o que tenho de pesquisar é o modo de produção capitalista e as correspondentes relações de produção e de circulação. Até agora, a Inglaterra é o campo clássico dessa produção. Este é o motivo por que a tomei como principal ilustração de minha explanação teórica. Se o leitor alemão, farisaicamente, encolher os ombros diante da situação dos trabalhadores ingleses, na indústria e na agricultura, ou se, com otimismo, tranquilizar-se com a ideia de não serem tão ruins as coisas na Alemanha, sinto-me forçado a adverti-lo: *"De te fabula narratur!"* [A história é a teu respeito!]

Intrinsecamente, a questão que se debate aqui não é o maior ou menor grau de desenvolvimento dos antagonismos sociais oriundos das leis naturais da produção capitalista, mas estas leis naturais, estas tendências que operam e se impõem com férrea necessidade. O país mais desenvolvido não faz mais do que representar a imagem futura do menos desenvolvido.

Mas ponha-se isto de lado. É muito pior que a da Inglaterra a situação nos lugares da Alemanha onde se implantou a produção capitalista, por exemplo, nas fábricas propriamente ditas, e isto por faltar o contrapeso das leis fabris. Nos demais setores, a Alemanha, como o resto da parte ocidental do continente europeu, é atormentada não apenas pelo desenvolvimento da produção capitalista, mas também pela carência desse desenvolvimento. Além dos males modernos, oprime a nós alemães uma série de males herdados, originários de modos de produção arcaicos, caducos, com seu séquito de relações políticas e sociais contrárias ao espírito do tempo. Somos atormentados pelos vivos e, também, pelos mortos. *Le mort saisit le vif.* [O morto tolhe o vivo.]

PREFÁCIO DA 1ª EDIÇÃO

Comparada com a inglesa, é precária a estatística social da Alemanha e dos demais países da Europa Ocidental. Apesar disso, chega para descerrar o véu, o suficiente para que se pressinta, atrás dele, um rosto de Medusa. Estremeceríamos diante de nossa própria situação, se nossos governos e parlamentos, como ocorre na Inglaterra, constituíssem comissões de inquérito periódicas sobre as condições econômicas, dando-lhes plenos poderes para apurar a verdade, e se se conseguissem, para esse fim, homens competentes, imparciais, rigorosos, como os inspetores de fábrica da Inglaterra, seus médicos informantes sobre saúde pública, seus comissários incumbidos de investigar a exploração das mulheres e das crianças, as condições de habitação e de alimentação etc. Perseu tinha um capacete que o tornava invisível, para perseguir os monstros. Nós, de nossa parte, nos embuçamos com nosso capuz mágico, tapando nossos olhos e nossos ouvidos, para poder negar as monstruosidades existentes.

Não nos apeguemos a ilusões. Consequências, na Europa, da Guerra da Independência Americana do século XVIII e da Guerra Civil Americana do século XIX: a primeira fez soar o toque de alerta para a classe média; a segunda, o toque de alerta para a classe trabalhadora. Na Inglaterra, é palpável o processo revolucionário. Depois de alcançar certo nível, terá de repercutir sobre o continente. Aí assumirá ele formas mais brutais ou mais humanas, conforme o grau de desenvolvimento da classe trabalhadora. Pondo de lado motivos de índole nobre, o interesse mais egoísta impõe às classes dominantes que eliminem todos os obstáculos, legalmente removíveis, que estorvam o progresso da classe trabalhadora. Por esta razão, além de outras, tratei, extensamente, neste volume, da história, do conteúdo e dos resultados da legislação fabril inglesa. Uma nação deve e pode aprender de outra. Ainda quando uma sociedade tenha desvendado o significado da lei natural que rege seu movimento – e o objetivo final desta obra é descobrir a lei econômica do movimento da sociedade moderna –, não pode ela suprimir, por saltos ou por decreto, as fases naturais de seu desenvolvimento. Mas ela pode encurtar e reduzir as dores do parto.

Uma palavra para evitar possíveis equívocos. Não foi róseo o colorido que dei às figuras do capitalista e do proprietário de terras. Mas, aqui, as pessoas só interessam na medida em que representam categorias econômicas, em que simbolizam relações de classe e interesses de classe. Minha concepção do desenvolvimento da formação econômico-social como um processo histórico-natural exclui, mais do que qualquer outra, a responsabilidade do indivíduo por relações, das quais ele continua sendo, socialmente, criatura, por mais que, subjetivamente, se julgue acima delas.

A pesquisa científica livre, no domínio da economia política, não enfrenta apenas adversários da natureza daqueles que se encontram também em outros domínios. A natureza peculiar da matéria que versa levanta contra ela as mais violentas, as mais mesquinhas e as mais odiosas paixões, as fúrias do interesse privado. A Igreja Anglicana, por exemplo, prefere absolver uma investida contra 38 dos seus 39 artigos de fé a perdoar um ataque contra $^1/_{39}$ de suas rendas. Hoje em dia, o próprio ateísmo não passa de um pecadilho, em confronto com a blasfêmia de criticar as relações consagradas de propriedade. Neste domínio, todavia, observa-se evidente progresso. Consulte-se, por exemplo, o Livro Azul, publicado há poucas semanas, *Correspondence with Her Majesty's Missions Abroad (Regarding Industrial Questions and Trade Unions)*. Os representantes estrangeiros da Coroa Britânica dizem aí, sem rodeios, que na Alemanha, na França e, em suma, em todos os países civilizados do continente europeu, é tão visível e tão inevitável como na Inglaterra uma transformação nas relações existentes entre o capital e o trabalho. Ao mesmo tempo, do outro lado do Atlântico, Mr. Wade, vice-presidente dos Estados Unidos, declara, em comícios, que, depois de abolida a escravatura, entra na ordem do dia a transformação das relações do capital e da propriedade da terra. São os sinais dos tempos, que não se deixam encobrir por mantos purpúreos ou negras sotainas. Não significam a ocorrência de milagres amanhã. Eles mostram como as classes dominantes já começam a pressentir que a sociedade atual não é um ser petrificado, mas um organismo capaz de mudar, constantemente submetido a processos de transformação.

O segundo volume desta obra tratará do processo de circulação do capital (Livro 2) e das formas concretas do processo de produção capitalista considerado globalmente (Livro 3); e o volume terceiro e último (Livro 3), da história da teoria.

Acolherei, com a maior satisfação, as manifestações da crítica científica. E quanto aos preconceitos da chamada opinião pública, torno minha, agora como dantes, a máxima do grande Florentino:

Segui il tuo corso, e lascia dir le genti!
[Segue teu rumo, e não te importes com o que os outros digam!]

KARL MARX
LONDRES, 25 DE JULHO DE 1867

POSFÁCIO DA 2ª EDIÇÃO

De início, tenho de apresentar esclarecimentos, aos leitores da primeira edição, sobre as modificações que foram nesta introduzidas. Como se pode ver facilmente, foi dada ao livro uma ordenação mais metódica. As notas adicionais estão sempre assinaladas como notas da segunda edição. As alterações mais importantes, com relação ao próprio texto, são as seguintes:

No Capítulo i, 1, faz-se, com maior rigor científico, a dedução do valor por meio da análise das igualdades em que se exprime qualquer valor de troca, e dá-se um tratamento destacado à conexão, apenas mencionada na primeira edição, entre a substância do valor e a determinação da sua magnitude pelo tempo de trabalho socialmente necessário. O Capítulo i, 3 ("A forma do valor etc."), está totalmente refundido, entre outros motivos, para evitar a dupla exposição do assunto feita na edição anterior. Observarei, de passagem, que foi meu amigo, o Dr. L. Kugelmann, de Hanôver, que me levou a fazer aquela exposição dupla. Estava naquela cidade, como seu hóspede, na primavera de 1867, quando chegaram de Hamburgo as primeiras provas do livro, e ele convenceu-me de que, para a maioria dos leitores, era necessária uma explicação supletiva, mais didática, da forma do valor. A última seção do Capítulo I, intitulada "O fetichismo da mercadoria etc.", está, em grande parte, modificada. O Capítulo iii, 1 ("Medida dos valores"), foi aprimorado, pois o assunto, na primeira edição, tinha sido tratado de maneira descuidada, em virtude da análise sobre a matéria já apresentada em minha obra *Contribuição à crítica da economia política*, Berlim, 1859. O Capítulo vii, especialmente a Segunda Seção, está bastante refundido.

Não se faz mister pormenorizar alterações feitas ao longo do texto, frequentemente de natureza estilística. Estendem-se por todo o livro. Apesar disso, acho agora, depois de rever a tradução francesa a publicar-se em Paris, que não poucas partes do original alemão requerem, umas, um trabalho que as refunda radicalmente; outras, mais apurada correção de estilo ou mais caprichada eliminação de descuidos ocasionais. Faltou-me tempo para isso, pois só no outono de 1871, e em meio a outras tarefas prementes, recebi a notícia de que a obra se esgotara, tendo a segunda edição de começar a imprimir-se em janeiro de 1872.

A melhor recompensa para o meu trabalho é a compreensão que *O capital* rapidamente encontrou em amplos círculos da classe trabalhadora alemã. Homem situado economicamente no mundo burguês, Herr Mayer, industrial de Viena, em brochura que publicou durante a guerra francoprussiana, pôs em evidência que a grande capacidade teórica, considerada patrimônio hereditário teuto, desapareceu por completo das chamadas classes cultas da Alemanha, ressurgindo, entretanto, em sua classe trabalhadora.

A economia política, na Alemanha, continua sendo, até hoje, uma ciência estrangeira. Em sua obra *Exposição histórica do comércio, indústria* etc., notadamente nos dois primeiros volumes publicados em 1830, Gustav von Gülich já faz um exame de grande parte das circunstâncias históricas que estorvaram o desenvolvimento, na Alemanha, do modo de produção capitalista e, em consequência, a formação da sociedade burguesa. Faltava, portanto, o material vivo da economia política. Ela foi importada da Inglaterra e da França como produto acabado; seus professores alemães não passavam de discípulos. A expressão teórica de uma realidade estrangeira transformava-se, em suas mãos, num amontoado de dogmas, que eles interpretavam, ou melhor, cujo sentido deformavam, de acordo com o mundo circunstante, pequeno-burguês. Para dissimular a sensação de impotência científica, impossível de suprimir de todo, e a consciência perturbada por não dominar realmente a matéria que tinham de ensinar, ostentavam erudição histórica e literária ou misturavam à economia outros assuntos tomados de empréstimo às chamadas ciências camerais, administrativas, produzindo uma mixórdia de conhecimentos, purgatório por que tem de passar o desesperado candidato ao serviço público alemão.

A partir de 1848, a produção capitalista se tem desenvolvido rapidamente na Alemanha, onde florescem, nos dias que correm, a especulação e a fraude. Mas os fados continuam adversos aos nossos especialistas. Quando podiam ser imparciais no trato da economia política, faltavam à realidade alemã as condições econômicas modernas. Quando surgiram estas, surgiram em circunstâncias que não permitem mais seu estudo imparcial sem ultrapassar os limites burgueses. A economia política burguesa, isto é, a que vê na ordem capitalista a configuração definitiva e última da produção social, só pode assumir caráter científico enquanto a luta de classes permaneça latente ou se revele apenas em manifestações esporádicas.

POSFÁCIO DA 2ª EDIÇÃO

Vejamos o exemplo da Inglaterra. Sua economia política clássica aparece no período em que a luta de classes não estava desenvolvida. Ricardo, seu último grande representante, toma, por fim, conscientemente, como ponto de partida de suas pesquisas, a oposição entre os interesses de classe, entre o salário e o lucro, entre o lucro e a renda da terra, considerando, ingenuamente, essa ocorrência uma lei perene e natural da sociedade. Com isso, a ciência burguesa da economia atinge um limite que não pode ultrapassar. Ainda no tempo de Ricardo e em oposição a ele, aparece a crítica à economia burguesa, na pessoa de Sismondi.[1]

Na Inglaterra, o período seguinte, de 1820 a 1830, destaca-se por intensa atividade científica no campo da economia política. Nesse período divulgou-se e difundiu-se a teoria de Ricardo e se travou a luta dessa teoria com a velha escola. Celebraram-se luzentes torneios. Do que se realizou, então, pouca coisa chegou ao conhecimento do continente europeu, pois a polêmica, em grande parte, encontra-se esparsa em artigos de revistas, publicações ocasionais e panfletos. O caráter imparcial dessa polêmica explica-se pelas circunstâncias da época, embora a teoria de Ricardo, excepcionalmente, já fosse utilizada como instrumento de ataque à economia burguesa. A indústria acabava de sair da infância, e a prova disso é ter ela iniciado, com a crise de 1825, o ciclo periódico de sua vida moderna. Além disso, dois fatores, um político e outro econômico, continuavam empurrando a luta entre o capital e o trabalho para segundo plano: o político era a contenda entre os governos agrupados em torno da Santa Aliança, apoiados em forças feudais, e a massa popular conduzida pela burguesia; e o econômico, a disputa entre o capital industrial e a propriedade aristocrática da terra, que, na França, se disfarçava sob a oposição entre o pequeno e o grande proprietário de terras, e, na Inglaterra, irrompera abertamente, desde as leis aduaneiras de proteção aos cereais. A literatura da economia política na Inglaterra, durante esse período, lembra a fase de agitação ocorrida na França após a morte de Quesnay, como o verão de São Martinho recorda a primavera. Com o ano de 1830, sobreveio a crise decisiva.

A burguesia conquistara poder político, na França e na Inglaterra. Daí em diante, a luta de classes adquiriu, prática e teoricamente, formas mais definidas e ameaçadoras. Soou o dobre de finados da ciência econômica burguesa. Não interessava mais saber se este ou aquele teorema era ver-

---

1 Vide minha obra *Contribuição à crítica* etc., p. 39.

dadeiro ou não; mas importava saber o que, para o capital, era útil ou prejudicial, conveniente ou inconveniente, o que contrariava ou não a ordenação policial. Os pesquisadores desinteressados foram substituídos por espadachins mercenários, a investigação científica imparcial cedeu seu lugar à consciência deformada e às intenções perversas da apologética. Todavia, mesmo aqueles importunos folhetos que a liga contra a proteção aduaneira aos cereais, chefiada pelos fabricantes Cobden e Bright, lançava aos quatro cantos, possuíam, se não um interesse científico, pelo menos um interesse histórico, pela sua polêmica contra a aristocracia proprietária das terras. Mas, desde Sir Robert Peel, desapareceu, com a legislação livre-cambista, esse último estimulante da economia vulgar.

Repercutiu também na Inglaterra a revolução continental de 1848. Aqueles que ainda zelavam por sua reputação científica e não queriam passar por meros sofistas e sicofantas das classes dominantes procuravam harmonizar a economia política do capital com as reivindicações do proletariado, agora impossíveis de ignorar. Surge assim um oco sincretismo que encontra em Stuart Mill seu mais conspícuo representante. É a declaração de falência da economia "burguesa", que o grande erudito e crítico russo N. Tchernichevski pôs magistralmente em evidência na sua obra *Esboço da economia política segundo Mill*.

Quando o modo de produção capitalista atingiu a maturidade na Alemanha, já tinha rumorosamente revelado antes, na França e na Inglaterra, através de lutas históricas, seu caráter antagônico, e o proletariado alemão já possuía uma consciência de classe mais pronunciada que a burguesia alemã. Por isso, quando parecia possível, na Alemanha, uma ciência burguesa da economia política, tornara-se ela impossível.

Nessas circunstâncias, dividiram-se seus porta-vozes em dois grupos. Uns, astutos, ambiciosos e práticos, se engajaram sob a bandeira de Bastiat, o mais superficial e, por isso mesmo, o mais bem-sucedido representante da economia vulgar apologética; outros, ciosos da dignidade catedrática de sua ciência, seguiam Stuart Mill, procurando conciliar o inconciliável. Os alemães, na fase decadente da economia burguesa, continuaram sendo o que tinham sido na sua fase clássica: simples aprendizes, repetidores e imitadores, modestos vendedores em domicílio dos grandes atacadistas estrangeiros.

O desenvolvimento histórico peculiar da sociedade alemã impossibilitava qualquer contribuição original para a economia burguesa, embora não

POSFÁCIO DA 2ª EDIÇÃO

impedisse sua crítica. E se esta crítica representa a voz de uma classe, só pode ser a da classe cuja missão histórica é derrubar o modo de produção capitalista e abolir, finalmente, todas as classes: o proletariado.

Os porta-vozes da burguesia teuta, cultos ou não, procuraram, com a violência, evitar qualquer repercussão desta obra, conforme tinham conseguido fazer com minhas publicações anteriores. Quando viram que essa tática não servia mais para as condições da época, passaram a escrever, sob o pretexto de criticar meu livro, prédicas "tranquilizantes da consciência burguesa". Mas, até hoje, não conseguiram refutar os lutadores de maior porte que encontraram na imprensa operária. A respeito vejam-se, por exemplo, os artigos de Joseph Dietzgen no *Volksstaat*.[2]

Uma excelente tradução russa de *O capital* foi publicada na primavera de 1872. A edição de 3.000 exemplares está quase esgotada. Já em 1871, N. Sieber, professor de economia política da Universidade de Kiev, em seu livro *Teoria do valor e do capital de David Ricardo*, informava sobre minha teoria do valor, do dinheiro e do capital, em suas linhas gerais, apontando-a como continuação necessária da doutrina de Smith e Ricardo. O que surpreende o europeu ocidental, ao ler esse livro consciencioso, é a sólida coerência teórica.

O método empregado nesta obra, conforme demonstram as interpretações contraditórias, não foi bem compreendido.

Assim, a *Revue Positiviste*, de Paris, increpa-me que trato a economia metafisicamente e, ao mesmo tempo – adivinhem –, que me limito à análise crítica de uma situação dada em vez de prescrever fórmulas (comtistas?) de utilidade para o futuro. O Prof. Sieber contraria os que me arguem de metafísico, ao observar:

---

2 Os embusteiros palradores da economia vulgar censuram a linguagem e o estilo de minha obra. Ninguém pode criticar seus defeitos literários mais severamente do que eu mesmo. Não obstante, para proveito e alegria desses cavalheiros e de seu público, citarei dois pareceres: um inglês e um russo. O periódico *Saturday Review*, de orientação hostil às minhas ideias, diz, ao noticiar a primeira edição alemã: "O estilo empresta até aos problemas econômicos mais áridos um peculiar encanto (*charm*)." O *Jornal de São Petersburgo*, na sua edição de 20 de abril de 1872, observa, entre outras coisas: "A exposição, excetuadas algumas partes demasiadamente especializadas, distingue-se por estar ao alcance de todas as inteligências, pela clareza e, apesar da altitude científica da matéria, pela vivacidade acima do comum. A esse respeito, não existe a menor semelhança entre o autor e a maioria dos eruditos alemães, que escrevem seus livros numa linguagem tão indigesta e tão árida que faz estourar a cabeça dos seres humanos normais." Se o mesmo efeito explosivo ocorre com os leitores da atual literatura catedrática alemã, nacional e liberal, não será na cabeça.

O CAPITAL

"Do ponto de vista da teoria propriamente dita, o método utilizado por Marx é o dedutivo de toda a escola inglesa e os defeitos e as virtudes dessa escola são comuns aos melhores economistas teóricos."

M. Block, em seu trabalho *Les Théoriciens du Socialisme en Allemagne: Extrait du Journal des Économistes, Juillet et Août 1872*, torna patente que meu método é analítico e diz, entre outras coisas:

"Com essa obra coloca-se Marx entre os mais eminentes espíritos analíticos."

Os censores alemães vociferam, tachando-a de sofisticação hegeliana. O periódico de São Petersburgo *Mensageiro europeu*, em artigo que trata apenas de *O capital* (número de maio de 1872, pp. 427 a 436), considera meu método de pesquisa rigorosamente realista, mas, meu método de expor, por desgraça, dialético-alemão. E diz:

"À primeira vista, a julgar pela forma aparente da exposição, Marx é o maior filósofo idealista, no sentido germânico, isto é, no sentido pejorativo da palavra. Na realidade, porém, ele é infinitamente mais realista que todos os seus predecessores no domínio da crítica econômica. [...] Não se pode, de maneira nenhuma, acoimá-lo de idealista."

A melhor resposta que posso dar ao autor do artigo, encontro em alguns trechos de sua própria crítica, cuja transcrição interessa, provavelmente, àqueles leitores para os quais não é acessível o original russo.

Depois de citar um trecho do prefácio de minha obra *Contribuição à crítica da economia política*, Berlim, 1859, pp. IV a VII, onde ventilei o fundamento materialista do meu método, prossegue o autor:

"Para Marx só uma coisa importa: descobrir a lei dos fenômenos que ele pesquisa. Importa-lhe não apenas a lei que os rege, enquanto têm forma definida e os liga relação observada em dado período histórico. O mais importante de tudo, para ele, é a lei de sua transformação, de seu desenvolvimento, isto é, a transição de uma forma para outra, de uma ordem de relações para outra. Descoberta esta lei, investiga ele, em pormenor, os efeitos pelos quais ela se manifesta na vida social. [...] Em consequência, todo o esforço de Marx visa demonstrar, através de escrupulosa investigação científica, a necessidade de determinadas ordens de relações sociais e, tanto quanto possível, verificar, de maneira irrepreensível, os fatos que lhes servem de base e de ponto de partida. Para atingir seu objetivo, basta provar a necessidade da ordem atual e, ao mesmo tempo, a necessidade de outra ordem, na qual se transformará, inevitavelmente, a primeira, acreditem ou não os seres humanos, tenham ou não consciência da transformação. Marx observa o movimento social como um processo histórico-natural, governado por leis independentes da vontade, da consciência e das intenções dos seres humanos, e que, ao contrário, determinam a vontade, a consciência e as intenções. [...] Se o elemento consciente desempenha papel tão subordinado na história da civilização, é claro que a investigação crítica da própria civilização não pode ter por fundamento as formas ou os produtos da consciência. O que lhe pode servir de ponto de partida, portanto, não é a ideia, mas, exclusivamente, o fenômeno externo. A inquirição crítica limitar-se-á a comparar, a confrontar um fato, não com a ideia, mas com outro fato. O que lhe importa é que ambos os fatos se investiguem da maneira mais precisa, e que constituam, comparando-se um com o outro, forças diversas do desenvolvimento; mas, acima de tudo, releva a essa inquirição que se estudem, com não menos rigor, a série das ordens de relações, a sequência e a ligação em que os estágios de desenvolvimento aparecem. Mas, dir-se-á, as leis econômicas são sempre as mesmas, sejam elas utilizadas no presente ou no passado. É isto que Marx contesta. Não existem, segundo ele, essas leis abstratas. Ao contrário, cada período histórico, na sua opinião, possui suas próprias leis. Outras leis começam a reger a vida quando ela passa de um estágio para outro, depois de ter vencido determinada etapa do desenvolvimento. Em uma palavra, a vida econômica oferece-nos um fenômeno análogo ao da história da evolução em outro domínio, o da biologia. [...] Os velhos economistas não compreenderam a natureza das leis econômicas, porque as equiparavam às leis da física e da química. [...] Uma análise mais profunda dos fenômenos demonstra que os organismos sociais se distinguem entre si de maneira tão fundamental como as diferentes espécies de organismos animais ou vegetais. E não somente isto, o mesmo fenômeno rege-se por leis inteiramente diversas em consequência da estrutura diferente daqueles organismos, da modificação de determinados órgãos, das condições diversas em que eles funcionam etc. Marx nega, por exemplo, que a lei da população seja a mesma em todos os tempos e em todos os lugares. [...] Afirma, ao contrário, que cada estágio de desenvolvimento tem uma lei própria de população. Com o desenvolvimento diferente das forças produtivas, mudam as relações sociais e as leis que as regem. Quando Marx fixa, como seu propósito, pesquisar e esclarecer, desse ponto de vista, a ordem econômica capitalista, está ele apenas estabelecendo, com máximo rigor científico, o objetivo que deve ter qualquer investigação correta da vida econômica. [...] O valor científico dessa pesquisa é patente: ela esclarece as leis especiais que regem o nascimento, a existência, o desenvolvimento, a morte de determinado organismo social, e sua substituição por outro de mais alto nível. E esse é o mérito do livro de Marx."

Ao retratar, fielmente, o que chama de meu verdadeiro método, pintando o emprego que a ele dei com cores benévolas, que faz o autor senão caracterizar o método dialético?

É mister, sem dúvida, distinguir, formalmente, o método de exposição do método de pesquisa. A investigação tem de apoderar-se da matéria, em seus pormenores, de analisar suas diferentes formas de desenvolvimento e de perquirir a conexão íntima que há entre elas. Só depois de concluído esse trabalho é que se pode descrever, adequadamente, o movimento real. Se isto se consegue, ficará espelhada, no plano ideal, a vida da realidade pesquisada, o que pode dar a impressão de uma construção *a priori*.

Meu método dialético, por seu fundamento, difere do método hegeliano, sendo a ele inteiramente oposto. Para Hegel, o processo do pensamento – que ele transforma em sujeito autônomo sob o nome de ideia – é o criador do real, e o real é apenas sua manifestação externa. Para mim, ao contrário, o ideal não é mais do que o material transposto para a cabeça do ser humano e por ela interpretado.

Critiquei a dialética hegeliana, no que ela tem de mistificação, há quase 30 anos, quando estava em plena moda. Ao tempo em que elaborava o primeiro volume de *O capital*, era costume dos epígonos impertinentes, arrogantes e medíocres que pontificavam nos meios cultos alemães, comprazerem-se em tratar Hegel tal e qual o bravo Moses Mendelssohn, contemporâneo de Lessing, tratara Spinoza, isto é, como um "cão morto". Confessei-me, então, abertamente discípulo daquele grande pensador, e, no capítulo sobre a teoria do valor, joguei, várias vezes, com seus modos de expressão peculiares. A mistificação por que passa a dialética nas mãos de Hegel não o impediu de ser o primeiro a apresentar suas formas gerais de movimento, de maneira ampla e consciente. Em Hegel, a dialética está de cabeça para baixo. É necessário pô-la de cabeça para cima, a fim de descobrir a substância racional dentro do invólucro místico.

A dialética mistificada tornou-se moda na Alemanha, porque parecia sublimar a situação existente. Mas, na sua forma racional, causa escândalo e horror à burguesia e aos porta-vozes de sua doutrina, porque sua concepção

POSFÁCIO DA 2ª EDIÇÃO

do existente, afirmando-o, encerra, ao mesmo tempo, o reconhecimento da negação e da necessária destruição dele; porque apreende, de acordo com seu caráter transitório, as formas em que se configura o devir; porque, enfim, por nada se deixa impor; e é, na sua essência, crítica e revolucionária.

Para o burguês prático, as contradições inerentes à sociedade capitalista patenteiam-se, de maneira mais contundente, nos vaivéns do ciclo periódico experimentados pela indústria moderna e que atingem seu ponto culminante com a crise geral. Esta, de novo, se aproxima, embora ainda se encontre nos primeiros estágios; mas, quando tiver o mundo por palco e produzir efeitos mais intensos, fará entrar a dialética mesmo na cabeça daqueles que o bambúrrio transformou em eminentes figuras do novo sacro império prussiano-alemão.

KARL MARX
LONDRES, 24 DE JANEIRO DE 1873

PREFÁCIO DA EDIÇÃO FRANCESA

Londres, 18 de março de 1872

Ao cidadão Maurice La Châtre.

Prezado cidadão:

Concordo com sua ideia de publicar a tradução de *O capital* por fascículos. Desta forma, a obra será mais acessível à classe trabalhadora, e para mim importa mais este motivo que qualquer outro.

Mas, além desta vantagem, há a considerar o reverso da medalha: o método de análise que utilizei e que ainda não fora aplicado aos problemas econômicos torna bastante árdua a leitura dos primeiros capítulos, e é de temer-se que o público francês, impaciente por chegar às conclusões e ávido por conhecer a conexão entre os princípios gerais e as questões imediatas que o apaixonam, venha a enfastiar-se da obra por não tê-la completa, desde logo, em suas mãos.

Contra esta desvantagem nada posso fazer, a não ser, antecipadamente, prevenir e acautelar os leitores sequiosos de verdade. Não há estrada real para a ciência, e só têm probabilidade de chegar a seus cimos luminosos aqueles que enfrentam a canseira para galgá-los por veredas abruptas.

KARL MARX

POSFÁCIO DA EDIÇÃO FRANCESA

Ao leitor:

J. Roy impôs-se traduzir esta obra, de maneira fiel e mesmo literal, empregando, para isso, todo o esforço possível, e cumpriu sua missão com incansável esmero. Mas justamente seu laborioso esmero levou-me a alterar o texto, a fim de torná-lo mais acessível ao leitor. As modificações que fiz dia a dia, por ser o livro editado em fascículos, não se levaram a cabo com o mesmo cuidado e tinham de dar origem a desigualdades de estilo.

Depois que tomara a peito este trabalho de revisão, resolvi realizá-lo, também, no texto original utilizado (a segunda edição alemã), e, desse modo, alguns tópicos foram simplificados, outros completados, acrescentados dados complementares, estatísticos e históricos, incorporadas observações críticas etc. Desse modo, esta edição francesa, quaisquer que sejam seus defeitos literários, possui valor científico próprio, independente do original, e interessa mesmo aos leitores que dominam a língua alemã.

Reproduzo, mais abaixo, as passagens do prefácio da segunda edição alemã, referentes ao desenvolvimento da economia política, na Alemanha, e ao método empregado nesta obra.[1]

KARL MARX
LONDRES, 28 DE ABRIL DE 1875

---

1 Vide minha obra *Contribuição à crítica* etc., p. 39.

PREFÁCIO DA 3ª EDIÇÃO

Marx não logrou a satisfação de preparar, para ser impressa, esta terceira edição. O estupendo pensador, diante de cuja grandeza até os adversários agora se inclinam, morreu no dia 14 de março de 1883.

Sobre mim – que com ele perdi o melhor e o mais fiel dos amigos, o amigo de quatro décadas, a quem mais devo do que posso exprimir em palavras – recai, agora, a obrigação de cuidar desta terceira edição e também a de preparar para publicação os manuscritos que deixou do segundo volume. Ao leitor tenho de prestar contas do desempenho da primeira parte de minha obrigação.

De início, tencionava Marx refundir, em grande parte, o texto do primeiro volume, formulando mais rigorosamente certos assuntos teóricos, acrescentando novos e completando e atualizando os dados históricos e estatísticos. Fizeram-no renunciar ao projeto a enfermidade e o veemente desejo de concluir o segundo volume. Conformou-se então em alterar apenas o indispensável, adicionar apenas aqueles acréscimos já contidos na edição francesa (*Le Capital. Par Karl Marx*, Paris, Lachâtre, 1873), publicada na ocasião.

Entre seus papéis encontrou-se um exemplar em alemão contendo correções feitas por ele em vários lugares e referências remissivas à edição francesa; achou-se também um exemplar em francês, onde ele marcou precisamente as passagens a utilizar. Estas correções e acréscimos limitam-se, com poucas exceções, à última parte do livro, intitulada "O processo de acumulação do capital". O texto estava aí mais próximo do rascunho primitivo, mas as partes precedentes tinham sido aperfeiçoadas mais a fundo. O estilo na parte final era, por isso, mais vivo, saído de um jato, porém mais descuidado, salpicado de anglicismos e, em alguns pontos, pouco claro, ocorrendo, às vezes, lacunas no processo de exposição, por terem sido apenas esboçados alguns argumentos importantes.

No tocante ao estilo, revira Marx, esmeradamente, vários capítulos, o que, além de suas frequentes instruções, me proporcionara norma a seguir na supressão dos termos técnicos ingleses e de outros anglicismos.

O CAPITAL

Os acréscimos e complementações que fiz tê-los-ia feito o próprio Marx, substituindo o estilo fluente em francês pelo seu alemão conciso; minha tarefa limitou-se, portanto, a traduzi-los e incorporá-los, do melhor modo possível, ao texto original.

Nenhuma palavra, portanto, foi modificada, nesta terceira edição, quando eu não tinha a certeza de que Marx a modificaria. Não podia admitir em *O capital* a algaravia usual, utilizada pelos economistas alemães, esse jargão em que, por exemplo, aquele que, mediante dinheiro, extrai trabalho de outros, chama-se de *dador* de trabalho (Arbeit*geber*), e *recebedor* de trabalho (Arbeit*nehmer*), aquele de quem se extrai trabalho, mediante salário. Em francês, *travail*, na linguagem corrente, significa também "ocupação". Mas os franceses, com razão, considerariam louco o economista que apelidasse o capitalista de *donneur de travail* e o trabalhador de *receveur de travail*.

Achei também inconveniente reduzir aos novos equivalentes alemães a moeda, os pesos e as medidas ingleses utilizados ao longo do texto. Quando apareceu a primeira edição, os espécimes de pesos e medidas, na Alemanha, eram tantos quantos os dias do ano; além disso, havia duas modalidades de marco (antes, o *Reichsmark* só circulava na cabeça de Soetbeer, que o inventou nas proximidades de 1840), duas de florim e, pelo menos, três qualidades de *taler*, entre eles um cuja unidade se chamava de "dois terços novos". Nas ciências naturais, dominava o sistema métrico; no mercado mundial, os pesos e medidas ingleses. Nessas circunstâncias, as unidades de medida inglesas impunham-se a um livro que tinha de basear-se em dados, em regra, extraídos das condições industriais da Inglaterra. E este motivo continua válido até hoje, tanto mais que, no mercado mundial, não houve, a esse respeito, modificações importantes, e nele ainda vigoram, em regra, os pesos e medidas ingleses, notadamente nas indústrias preponderantes, a de ferro e a de algodão.

Por fim, um esclarecimento sobre o modo de citar, pouco compreendido, empregado por Marx. Quando se trata de informações e descrições relacionadas apenas com fatos, as citações, como as dos Livros Azuis ingleses, por exemplo, servem apenas de meros elementos de comprovação. Outra é a norma quando se citam as asserções teóricas de outros economistas. A citação, neste caso, visa unicamente mostrar onde, como e por quem foi, pela primeira vez, expresso um pensamento econômico emergido no curso do processo histórico. Importa apenas que a proposição em debate

PREFÁCIO DA 3ª EDIÇÃO

tenha significação para a história da ciência, seja a expressão teórica mais ou menos adequada da situação da sua época. Marx não leva em conta, de modo nenhum, o valor absoluto ou relativo da proposição, do seu próprio ponto de vista ou a circunstância de ela já pertencer totalmente ao passado. Assim, essas citações constituem uma sequência de notas ao correr do texto, esclarecedoras da história da ciência econômica, e patenteiam os mais importantes progressos da teoria econômica, classificados por data e por autor. E isto era indispensável numa ciência cujos historiadores até agora se têm destacado pela ignorância tendenciosa, quase sem escrúpulos. Compreende--se, então, por que Marx, de acordo com o posfácio da segunda edição, só tivesse citado economistas alemães em casos extremamente raros. É provável que o segundo volume saia à luz no curso do ano de 1884.

FRIEDRICH ENGELS
LONDRES, 7 DE NOVEMBRO DE 1883

PREFÁCIO DA EDIÇÃO INGLESA

Sai agora à luz a versão inglesa de *O capital*. É um acontecimento que dispensa justificação. Entretanto, é legítima a pergunta por que se retardou tanto a edição inglesa, quando, há vários anos, as teorias deste livro têm sido constantemente citadas, atacadas, defendidas, explicadas e deformadas pela imprensa periódica e pela literatura quotidiana, tanto na Inglaterra quanto nos Estados Unidos.

Quando, após a morte do autor, em 1883, se tornou claro que se impunha, realmente, uma edição inglesa da obra, prontificou-se Samuel Moore, velho amigo de Marx e do autor destas linhas, a pessoa talvez mais familiarizada com o livro, a tomar a seu cargo a tradução, que os testamenteiros literários de Marx instavam para que fosse publicada. Ficou acertado que eu compararia a tradução com o original e proporia as modificações que me parecessem aconselháveis. Verificou-se, com o tempo, que as ocupações profissionais impediam Moore de concluir a tradução tão rapidamente quanto todos desejávamos, e, por isso, aceitamos, satisfeitos, a oferta do Dr. Aveling de incumbir-se de uma parte do trabalho; ao mesmo tempo, a Sra. Aveling, a filha mais jovem de Marx, ofereceu-se para conferir as citações e reproduzir o texto original das numerosas passagens vertidas por Marx para o alemão, extraídas dos autores e livros azuis ingleses. Pondo-se de lado algumas exceções inevitáveis, ela cumpriu plenamente sua tarefa.

Foram traduzidos pelo Dr. Aveling as seguintes partes do livro: 1. os Capítulos x (A jornada de trabalho) e xi (Taxa e massa da mais-valia); 2. a Parte vi (O salário, compreendendo os Capítulos xix a xxii); 3. do Capítulo xxiv, Seção 4 (Circunstâncias que etc.), até ao fim do livro, abrangendo a última parte do Capítulo xxiv, o Capítulo xxv e toda a Parte viii (os Capítulos xxvi a xxxiii); 4. os dois prefácios do autor. Todo o resto do livro foi traduzido por Moore.[1] Cada tradutor é responsável apenas pela sua parte, cabendo-me uma responsabilidade geral pelo conjunto.

---

1 A numeração dos capítulos da edição inglesa não coincide com a da edição alemã.

O CAPITAL

Nosso trabalho baseou-se inteiramente na terceira edição alemã, por mim preparada com a ajuda das indicações feitas por Marx, determinando as passagens da segunda edição a substituir pelas assinaladas no texto francês, editado em 1873.[1] As modificações introduzidas no texto da segunda edição coincidiam geralmente com as alterações que Marx, numa série de instruções de próprio punho, prescrevera para uma versão inglesa que se tencionou editar, há dez anos, na América, ideia que foi abandonada principalmente por faltar um tradutor experimentado e idôneo. Essas instruções manuscritas foram postas à nossa disposição pelo nosso velho amigo F.A. Sorge, de Hoboken, Nova Jersey. Havia nelas a indicação de alguns trechos a mais a serem extraídos da edição francesa; mas, como eram bem mais antigas que as últimas instruções para a terceira edição, achei que só devia fazer uso delas em caráter excepcional, especialmente quando fossem úteis para nos tirar de dificuldades. Do mesmo modo, utilizou-se o texto francês, na maioria das passagens difíceis, para esclarecer o que o autor se dispunha a suprimir, sempre que se tinha de eliminar, na tradução, algo da integridade do original.

Persiste, contudo, uma dificuldade, e dela não podemos livrar o leitor: o emprego de certas expressões em sentido diferente do usual na vida quotidiana e do consagrado no domínio da economia política. Isto era inevitável. Cada concepção nova de uma ciência acarreta uma revolução nos termos especializados dessa ciência. Isto se evidencia melhor na química: toda a sua terminologia, em cada período de mais ou menos vinte anos, muda radicalmente, e é difícil encontrar um composto orgânico que não tenha tido uma série de nomes. A economia política, de modo geral, se tem contentado em colher, tal como se encontram, as expressões da vida comercial e industrial, operando com elas sem se dar conta de que se está restringindo ao círculo estreito das ideias que elas exprimem. Assim, a economia política clássica – embora tivesse consciência plena de o lucro e a renda serem apenas subdivisões, frações da parte não paga, saída do produto que o trabalhador tem de fornecer ao patrão (o primeiro que dela se apropria, ainda que não seja seu último e exclusivo dono) –, apesar disso, nunca chegou a ultrapassar as ideias usuais de lucro e renda, nunca examinou esta parte não paga do produto (chamada, por Marx, de mais-valia), em seu conjunto, como um

---

1 *Le Capital. Par Karl Marx* tradução de M.J. Roy, inteiramente revista pelo autor, Paris, Lachâtre. A tradução contém, especialmente na última parte do livro, importantes modificações e aditamentos ao texto da segunda edição alemã.

todo, e, por isso, nunca atingiu uma compreensão clara, nem de sua origem e natureza, nem das leis que regem a posterior distribuição de seu valor. Dentro dessa linha de orientação, o conceito de indústria, desde que não inclua agricultura e artesanato, está compreendido no termo manufatura, e, com isso, se apaga a diferença entre dois períodos da história econômica, importantes e essencialmente diversos: o período da manufatura propriamente dita, baseada no trabalho manual, e o da indústria moderna, fundamentada na maquinaria. Uma teoria que considera a moderna produção capitalista mero estágio transitório da história econômica da humanidade tem, naturalmente, de utilizar expressões diferentes daquelas empregadas por autores que encaram esse modo de produção como imperecível e final.

É talvez oportuno um esclarecimento sobre o método de citar de Marx. Na maioria dos casos, as citações servem, como é usual, para documentar asserções feitas no texto. Mas, em muitos casos, são transcritas passagens de economistas para evidenciar quando, onde e por quem foi expresso, pela primeira vez, determinado ponto de vista. Citam-se apenas as opiniões que expressam, de maneira mais ou menos adequada, as condições da produção social e da troca predominantes em determinada época, não entrando absolutamente em consideração o conceito de Marx sobre elas ou sua validade geral. Essas citações, que acompanham o texto, constituem, por isso, notas esclarecedoras da história econômica.

Nossa tradução compreende apenas o primeiro livro da obra. Mas o primeiro livro em si mesmo é, até certo ponto, um todo, e, durante vinte anos, passou por obra autônoma. O segundo livro que editei em alemão, em 1885, fica decididamente incompleto sem o terceiro, que não pode ser publicado antes do fim de 1887. Quando sair à luz, no original, o livro terceiro, terá chegado a ocasião de pensar em preparar uma edição inglesa de ambos.

O capital, no continente europeu, é chamado de "Bíblia da classe operária". Ninguém que esteja a par do movimento operário negará que as conclusões sustentadas nesta obra se tornam, cada dia mais, os princípios fundamentais do movimento da classe trabalhadora, na Alemanha, na Suíça, na França, na Holanda, na Bélgica, na América e mesmo na Itália e Espanha; que, por toda a parte, a classe trabalhadora vê nelas, cada vez mais, a expressão mais adequada da sua situação e dos seus anseios. E neste momento, também na Inglaterra, as teorias de Marx exercem poderosa influência sobre o movimento socialista que se expande nos meios "ilustrados" não menos que nos meios operários. Mas isto não é tudo. Aproxima-se, depressa, o tempo em que se imporá uma investigação, em profundidade, da situação econômica da Inglaterra, como irresistível necessidade nacional. O funcionamento do sistema industrial da Inglaterra – impossível sem permanente e rápida expansão da produção e, portanto, dos mercados – está emperrado. O livre-cambismo esgotou seus recursos; até Manchester perdeu a fé no seu antigo Evangelho econômico.[2] A indústria estrangeira, que se desenvolve rapidamente, enfrenta a produção inglesa, por toda a parte, em mercados defendidos por tarifas aduaneiras, em mercados neutros e mesmo deste lado do Canal. Enquanto a produtividade cresce em progressão geométrica, a expansão dos mercados, na melhor das hipóteses, se realiza numa progressão aritmética. O ciclo decenal de estagnação, prosperidade, superprodução e crise, que se repetiu sempre de 1825 a 1867, parece ter realmente chegado ao seu fim; mas para lançar-nos no lodaçal desesperante de uma depressão duradoura, crônica. O almejado período de prosperidade reluta em voltar; quando acreditamos divisar os sinais que o anunciam, começam eles a desaparecer. Entrementes, em cada inverno, renova-se a pergunta: "O que fazer com os desempregados?" Enquanto se avoluma, a cada ano, o número deles, não há ninguém para responder a essa pergunta; e quase podemos prever o momento em que os desempregados perderão a paciência e encarregar-se-ão de decidir seu destino, com suas próprias forças. Num instante desses, deverá ser ouvida a voz de um homem cuja teoria é, toda ela, resultado de uma vida inteira de estudos da história econômica e da situação da Inglaterra, tendo concluído, desses estudos, que, pelo menos na Europa, a Inglaterra é o único país onde a inevitável revolução social poderá realizar-se inteiramente por meios pacíficos e legais. Por certo, nunca se esqueceu de acrescentar ser pouco provável que as classes dominantes inglesas se submetessem a essa revolução pacífica e legal sem *proslavery rebellion*, a rebelião pró-escravatura.

FRIEDRICH ENGELS

5 DE NOVEMBRO DE 1886

---

2 Na reunião trimestral da Câmara de Comércio de Manchester efetuada hoje à tarde, houve animado debate sobre a questão do livre-cambismo. Foi apresentada uma resolução, declarando que "há quarenta anos, se tem esperado, em vão, que outras nações sigam o exemplo livre-cambista da Inglaterra, e a Câmara considera, agora, chegado o tempo de mudar essa diretiva". A resolução foi recusada pela maioria de apenas um voto, havendo 21 a favor e 22 contra. ([...] *Standard*, 1º de novembro de 1886.)

PREFÁCIO DA 4ª EDIÇÃO

A quarta edição pôs-me nos ombros o encargo de proceder a uma revisão do texto e das notas, tanto quanto possível, definitiva. Poucas palavras, a seguir, sobre o modo como a fiz.

Depois de confrontar, mais uma vez, a edição francesa e as notas manuscritas de Marx, transferi para o texto alemão novos acréscimos que dela tirei. Encontram-se nas pp. 80 (terceira edição, p. 88), 458 a 460 (terceira, pp. 509 e 510), 547 a 551 (terceira, p. 600), 591 a 593 (terceira, p. 644) e na nota 79[I] da p. 596 (terceira, p. 648). De conformidade com as edições francesa e inglesa, incorporei ao texto (quarta edição, pp. 461 a 467)[II] a longa nota sobre os trabalhadores das minas (terceira edição, pp. 509 a 515). Há outras emendas, destituídas de importância, de caráter puramente técnico.

Acrescentei, ainda, algumas notas explicativas, principalmente quando parecia serem exigidas pela mudança das circunstâncias históricas. Estas observações adicionais estão colocadas entre colchetes e assinaladas com minhas iniciais ou com a marca D.H.[III]

A edição inglesa, aparecida há algum tempo, tornara necessária uma revisão completa das numerosas citações. A filha mais jovem de Marx, Eleanor, tomara a seu cargo a exaustiva tarefa de confrontar todas as passagens citadas com o original, de modo que o texto das citações de fonte inglesa, muito mais numerosas, aparecesse na forma de origem e não retraduzido do alemão. Para esta quarta edição alemã, tinha de consultar a edição inglesa. Assim, fui levado a descobrir uma série de lapsos. Erros ao copiar, dos cadernos, as referências a páginas, e descuidos tipográficos acumulados no decurso de três edições. Aspas ou reticências colocadas nos lugares errados, o que é inevitável num volume tão grande de citações, tiradas de registros manuscritos. Às vezes, a tradução menos feliz de uma

---

I Vide, neste volume, p. 133, pp. 531-534, 642-647, 664-691, p. 693.

II Neste volume, pp. 533-541.

III Neste volume, assinaladas com as iniciais F.E.

O CAPITAL

palavra. Certas citações tiradas dos velhos cadernos de Paris, dos anos de 1843 a 1845, quando Marx não sabia inglês e lia os economistas britânicos nas edições francesas e, ao reproduzir, em alemão, passagens da versão francesa, não podia evitar ligeira mudança de colorido, como ocorreu com Steuart, Ure e outros, casos em que se tinha, agora, de utilizar o texto original em inglês. Corrigiram-se esses e outros casos semelhantes de falhas e descuidos de reduzida significação. Comparando-se esta edição com a anterior, ver-se-á que todo este processo extenuante de correção nada alterou no livro, digno de menção. Uma única citação apenas não se pôde encontrar; fora tirada de Richard Jones (quarta edição, nota 47 da p. 562);[I] Marx, provavelmente, enganou-se ao mencionar o título do livro. Todas as demais citações conservam, por inteiro, seu poder comprobatório, se não o tiveram robustecido por esse trabalho de revisão.

Cabe recordar, aqui, uma velha história.

Até hoje, só veio ao meu conhecimento um caso em que se pôs em dúvida a autenticidade de uma citação de Marx. Continuou revolteando após sua morte, e, por isso, não posso silenciar sobre o assunto.

Saiu publicado em *Concordia*, de Berlim, órgão da federação dos industriais alemães, em 7 de março de 1872, um artigo anônimo, com o título: "Como cita Karl Marx." Aí, afirma-se, de envolta com exuberante aparato de indignação moral e de expressões não parlamentares, que era falsa a citação por Marx, tirada do discurso pronunciado a 16 de abril de 1863 por Gladstone a propósito do orçamento (transcrita na saudação inaugural da Associação Internacional dos Trabalhadores, de 1864, e repetida em *O capital*, I, p. 617, 4ª edição, e pp. 670-671, 3ª edição).[II] Assevera o articulista que, na reprodução (quase oficial) do *Hansard*, das notas taquigráficas do discurso, não consta nenhuma palavra da frase atribuída a Gladstone: "Este aumento inebriante de riqueza e de poder [...] confina-se, inteiramente, às classes possuidoras." "Esta frase", diz ele, "não se encontra em nenhuma parte do discurso de Gladstone. O que se afirma, aí, é exatamente o contrário." E acrescenta em negrita: "*Marx inventou a frase, mentindo formal e materialmente.*"

Marx, para quem remeteram esse número de *Concordia*, no mês seguinte, em maio, respondeu ao anônimo no *Volksstaat* de 1º de julho.

I Neste volume, p. 658.

II Vide, neste volume, pp. 713-714.

PREFÁCIO DA 4ª EDIÇÃO

Como não se lembrava mais de que jornal tinha tirado a transcrição, contentou-se em apontar duas publicações inglesas que continham o trecho citado, indicando, além disso, informação do *Times*, em que Gladstone diz:

> "That is the state of the case as regards the wealth of this country. I must say for one, I should look almost with apprehension and with pain upon this augmentation of wealth and power, if it were my belief that it was confined to classes who are in easy circumstances. This takes no cognizance at all of the condition of the labouring population. The augmentation I have described and which is founded, I think, upon accurate returns, is an augmentation entirely confined to classes possessed of property."[1]

Gladstone, nesse trecho, diz que lastimaria se assim fosse, mas que assim era: este aumento inebriante de poder e riqueza estava limitado inteiramente às classes possuidoras. Quanto ao *Hansard*, quase oficial, acrescenta Marx:

> "M. Gladstone, na edição posterior, remendada, cautelosamente riscou a passagem que seria comprometedora para um chanceler do Tesouro inglês. Demais, isto é consagrado uso parlamentar britânico, sem qualquer semelhança com o remendo parlamentar do pequeno Lasker para lograr Bebel."

O autor anônimo irrita-se cada vez mais. Em sua resposta (*Concordia*, 4 de julho), desprezando as fontes não oficiais, em tom pudibundo procura impingir a doutrina de que os discursos parlamentares têm de ser citados de conformidade com a reconstituição taquigráfica; a reprodução do *Times* (onde está a frase "inventada") e a do *Hansard* (onde ela não está) são, segundo ele, materialmente idênticas, e diz que o teor da primeira é "exatamente o oposto ao daquela passagem, tristemente célebre, da saudação inaugural", e, assim, teve o cuidado de silenciar sobre a presença literal "daquela passagem tristemente célebre" no texto do *Times*, em face do "exatamente oposto" que pretende inculcar. Apesar de tudo isso, sente que está encalhado e que só um novo truque pode salvá-lo. Exibindo, conforme a amostra apresentada, "impudente mendacidade", orna seu artigo com expressões edificantes, como "*mala fides*", "desonra", "mentira forjada",

---

1 É o que ocorre com a riqueza deste país. De minha parte, devo dizer que veria com inquietação e pena este aumento de riqueza e poder, se acreditasse estar ele confinado às classes abastadas. De modo nenhum se fez caso, aqui, da população trabalhadora. O aumento que acabo de descrever e que se fundamenta, penso, em informes exatos, é um aumento inteiramente limitado às classes possuidoras.

O CAPITAL

"aquela citação falsa", "mendacidade descarada", "uma citação inteiramente falsificada", "essa falsificação", "apenas infame" etc., mas, ao mesmo tempo, acha necessário transpor seu jogo para outro campo e promete, por isso, "explicar, num segundo artigo, o sentido que nós" (o autor anônimo que não é mentiroso) "damos ao conteúdo das palavras de Gladstone". Como se o caso tivesse alguma coisa a ver com sua prometida opinião pessoal. Esse segundo artigo aparece em *Concordia* de 11 de julho.

Marx, novamente, responde pelo *Volksstaat* de 7 de agosto, indicando, então, o *Morning Star* e o *Morning Advertiser* de 17 de abril de 1863, que também publicaram a referida passagem. Segundo ambos, Gladstone disse que veria com inquietação etc. este aumento inebriante de riqueza e poder, se o acreditasse restrito às classes realmente abastadas (*classes in easy circumstances*); mas que este aumento estava limitado às classes possuidoras (*entirely confined to classes possessed of property*). As duas publicações reproduzem, portanto, literalmente, a passagem que se tachou de "inventada". Além disso, confrontando os textos do *Hansard* e do *Times*, mostrou Marx mais uma vez que a passagem, inserida igualmente no discurso publicado, na manhã seguinte, em três jornais independentes entre si, indiscutivelmente proferida, faltava no texto do *Hansard*, por ter sido revisto segundo "costume" notório, isto é, Gladstone a "escamoteou depois", segundo as palavras de Marx. Declara, por fim, que não mais dispunha de tempo para prosseguir em debates com o autor anônimo. Este, parece, já tinha obtido o bastante para se saturar; pelo menos, nunca mais chegou a Marx a remessa de outros números de *Concordia*.

Com isso, parecia o assunto definitivamente encerrado. É verdade que nos chegaram, a partir de então, uma ou duas vezes, rumores de pessoas que tinham relações com a Universidade de Cambridge, sobre um inaudito crime literário que teria sido praticado por Marx; mas apesar das investigações feitas, nada de concreto se conseguia apurar. Inopinadamente, a 26 de novembro de 1883, oito meses depois da morte de Marx, surge no *Times* uma carta, datada de Trinity College, Cambridge, assinada por Sedley Taylor, na qual o homenzinho, extemporaneamente, lançando-se ao mais tolo cometimento cooperativo, descerrou o segredo sobre os boatos de Cambridge e sobre o autor anônimo de *Concordia*.

> "O que se patenteia extraordinário é ter sido reservado ao *Professor Brentano* (antes, em Breslau; hoje, em Strasburgo) descobrir a má-fé que, evidentemente, ditou aquela citação, na saudação (inaugural) do discurso de Gladstone.

PREFÁCIO DA 4ª EDIÇÃO

O Sr. Karl Marx tentou defender a citação, e teve a audácia de afirmar, em meio às contorções agônicas a que o lançaram os magistrais ataques desfechados por Brentano, que o Sr. Gladstone remendara o relato do seu discurso no *Times* de 17 de abril de 1863, antes da publicação do *Hansard*, para riscar uma passagem que, naturalmente, comprometia um chanceler do Tesouro inglês. Quando Brentano, recorrendo a minuciosa confrontação dos textos, provou que os relatos do *Times* e do *Hansard* coincidiam em excluir, de maneira absoluta, o sentido que a citação capciosamente isolada emprestara às palavras de Gladstone, bateu Marx em retirada sob o pretexto de falta de tempo."

Este, afinal, o segredo. E, assim, repercutiu gloriosamente em Cambridge, nessa delirante produção cooperativa, a campanha anônima do Sr. Brentano em *Concordia*. Esse São Jorge da Federação dos industriais alemães brandiu sereno sua espada, "desfechando magistral ataque", enquanto o dragão infernal, Marx, arrojado a seus pés, estertorava "logo nas vascas da agonia".

Mas toda essa descrição épica, puxando a Ariosto, nada mais é que um expediente para encobrir os truques do nosso São Jorge. Aqui não se fala mais de "mentiras", de "falsificações", e sim de "citação capciosamente isolada" (*craftily isolated quotation*). Fugiu-se inteiramente à questão, e São Jorge e seu escudeiro cambridgiano sabiam muito bem por quê.

Eleanor Marx, em face da recusa do *Times* de publicar sua contestação, respondeu pelo mensário *To-Day* de fevereiro de 1884, reconduzindo o debate à questão que o tinha originado: se Marx havia ou não "inventado" a passagem que citou. Replicando, diz o Sr. Sedley Taylor:

> "A questão de averiguar se determinada passagem figurou ou não no discurso de Gladstone" era, na sua opinião, "de reles importância" na contenda entre Marx e Brentano, "comparada com a de verificar se a citação fora feita com a intenção de reproduzir ou de deformar o sentido expresso por Gladstone."

E, então, admite que o relato do *Times* continha contradição nas palavras; mas... o contexto onde elas se inseriam mostrava corretamente, isto é, no sentido liberal gladstoniano, o que Gladstone quis dizer (*To-Day*, março de 1884). O mais cômico, no caso, é que nosso homenzinho de Cambridge empenha-se em citar o discurso não pela reprodução do *Hansard*, segundo a "doutrina" do anônimo Brentano, mas pela do *Times*, classificada pelo mesmo Brentano de "feita necessariamente de afogadilho". Está claro o motivo: o *Hansard* não publicara a passagem fatal.

O CAPITAL

Foi fácil a Eleanor Marx dissolver essa argumentação, no mesmo número de *To-Day*. Ou o Sr. Taylor lera as peças da controvérsia de 1872 e, nesse caso, tinha mentido, ao mesmo tempo "simulando" e "dissimulando", ou não as lera e, nesse caso, cumpria-lhe ficar calado. De qualquer modo, constatou-se que, em nenhum momento, ousara sustentar a acusação, levantada por seu amigo Brentano, de ter Marx "inventado" a frase. Ao contrário, segundo ele, não se trata de invenção, mas de omissão de uma frase importante. Mas exatamente essa frase está transcrita na página 5 da saudação inaugural, algumas linhas acima da passagem que se tachou de "inventada". E no tocante à "contradição" que havia no discurso de Gladstone, quem senão Marx fala das "sucessivas e gritantes contradições de Gladstone nos discursos relacionados com o orçamento de 1863 a 1864", conforme se vê na nota 105[I] da p. 618 de *O capital* (3ª edição, p. 672). Marx simplesmente não se lança à empresa de diluí-las na zurrapa liberal, à moda de Sedley Taylor. Conclusão final de Eleanor Marx: "Ao contrário, Marx nada ocultou, digno de ser transcrito; nada inventou. Reproduziu, retirou do esquecimento certa passagem do discurso de Gladstone, pronunciada sem a menor sombra de dúvida, mas que, seja como for, encontrou seu caminho fora do *Hansard*."

Com isto, o Sr. Sedley Taylor não voltou mais à carga, e, desse conluio professoral, tramado durante duas décadas e em dois grandes países, resultou que ninguém mais se atreve a questionar a probidade literária de Marx e que o Sr. Sedley, doravante, dará provavelmente tão pouco crédito à literatura belicosa dos boletins do Sr. Brentano quanto o Sr. Brentano à infalibilidade papal do *Hansard*.

F. ENGELS
LONDRES, 25 DE JUNHO DE 1890

I Nesta edição, ver nota 105, p. 715.

LIVRO 1
O processo de produção do capital

PRIMEIRA SEÇÃO

MERCADORIA E DINHEIRO

I.
A mercadoria

1. OS DOIS FATORES DA MERCADORIA: VALOR DE USO E VALOR (SUBSTÂNCIA E QUANTIDADE DO VALOR)

A riqueza das sociedades onde rege a produção capitalista configura-se em "imensa acumulação de mercadorias",[1] e a mercadoria, isoladamente considerada, é a forma elementar dessa riqueza. Por isso, nossa investigação começa com a análise da mercadoria.

A mercadoria é, antes de mais nada, um objeto externo, uma coisa que, por suas propriedades, satisfaz necessidades humanas, seja qual for a natureza, a origem delas, provenham do estômago ou da fantasia.[2] Não importa a maneira como a coisa satisfaz a necessidade humana, se diretamente, como meio de subsistência, objeto de consumo, ou indiretamente, como meio de produção.

Cada coisa útil, como ferro, papel etc., pode ser considerada sob duplo aspecto, segundo qualidade e quantidade. Cada um desses objetos é um conjunto de muitas propriedades e pode ser útil de diferentes modos. Constituem fatos históricos a descoberta dos diferentes modos, das diversas maneiras de usar as coisas,[3] e a invenção das medidas, socialmente aceitas, para quantificar as coisas úteis. A variedade dos padrões de medida das mercadorias decorre da natureza diversa dos objetos a medir e também de convenção.

A utilidade de uma coisa faz dela um valor de uso.[4] Mas essa utilidade não é algo aéreo. Determinada pelas propriedades materialmente inerentes à mercadoria, só existe através delas. A própria mercadoria, como ferro, trigo, diamante etc., é, por isso, um valor de uso, um bem. Esse caráter

---

1 Karl Marx, *Contribuição à crítica da economia política*, Berlim, 1859, p. 3.

2 "Desejo envolve necessidade; é o apetite do espírito e tão natural como a fome para o corpo. [...] A maioria [das coisas] tem valor porque satisfaz as necessidades do espírito." (Nicholas Barbon, *A Discourse on Coining the New Money Lighter. In Answer to Mr. Locke's Considerations* etc., Londres, 1696, pp. 2-3.)

3 "As coisas possuem uma virtude intrínseca [como Barbon designa valor de uso], igual em toda a parte, como a propriedade do ímã de atrair o ferro." (*Op. cit.*, p. 6.) A propriedade do ímã só se tornou útil depois de se descobrir, por meio dela, a polaridade magnética.

4 O valor natural de qualquer coisa consiste em sua capacidade de prover as necessidades ou de servir às comodidades da vida humana. (John Locke, "Some Considerations on the Consequences of the Lowering of Interest", 169, em *Works*, ed. Londres, 1777, v. II, p. 28.) No século XVII, ainda se encontra com frequência nos escritores ingleses "worth" significando valor de uso e "value" valor de troca, em conformidade com o espírito de um idioma que sói expressar o fenômeno original, com um termo germânico, e o reflexo, com um termo latino.

O CAPITAL

da mercadoria não depende da quantidade de trabalho empregado para obter suas qualidades úteis. Ao se considerarem valores de uso, sempre se pressupõem quantidades definidas, como uma dúzia de relógios, um metro de linho, uma tonelada de ferro etc. Os valores de uso fornecem material para uma disciplina específica, a merceologia.[5] O valor de uso só se realiza com a utilização ou o consumo. Os valores de uso constituem o conteúdo material da riqueza, qualquer que seja a forma social dela. Na forma de sociedade que vamos estudar, os valores de uso são, ao mesmo tempo, os veículos materiais do valor de troca.

O valor de troca revela-se, de início, na relação quantitativa entre valores de uso de espécies diferentes, na proporção em que se trocam,[6] relação que muda constantemente no tempo e no espaço. Por isso, o valor de troca parece algo casual e puramente relativo, e, portanto, uma contradição em termos, um valor de troca inerente, imanente à mercadoria.[7] Vejamos a coisa mais de perto.

Qualquer mercadoria se troca por outras, nas mais diversas proporções, por exemplo, uma quarta de trigo por x de graxa, ou por y de seda ou z de ouro etc. Ao invés de um só, o trigo tem, portanto, muitos valores de troca. Mas, uma vez que cada um dos itens, separadamente – x de graxa ou y de seda ou z de ouro –, é o valor de troca de uma quarta de trigo, devem x de graxa, y de seda e z de ouro, como valores de troca, ser permutáveis e iguais entre si. Daí se deduz, primeiro: os valores de troca vigentes da mesma mercadoria expressam, todos, um significado igual; segundo: o valor de troca só pode ser a maneira de expressar-se, a forma de manifestação de uma substância que dele se pode distinguir.

Tomemos duas mercadorias, por exemplo, trigo e ferro. Qualquer que seja a proporção em que se troquem, é possível sempre expressá-la com uma igualdade em que dada quantidade de trigo se iguala a alguma quantidade de ferro, por exemplo, 1 quarta de trigo = n quintais de ferro. Que significa essa igualdade? Que algo comum, com a mesma grandeza, existe em duas

---

5 Na sociedade burguesa reina a ficção jurídica de que todo ser humano, como comprador, tem um conhecimento enciclopédico das mercadorias.

6 "O valor consiste na relação de troca que se estabelece entre uma coisa e outra, entre a quantidade de um produto e a de outro." (Le Trosne, "De l'intérêt social", em *Physiocrates*, ed. Daire, Paris, 1846, p. 889.)

7 "Nada pode ter um valor de troca intrínseco." (N. Barbon, *op. cit.*, p. 6.) Ou, como diz Butler: "O valor de uma coisa é exatamente o que ela dá em troca."

coisas diferentes, em uma quarta de trigo e em *n* quintais de ferro. As duas coisas são, portanto, iguais a uma terceira, que, por sua vez, delas difere. Cada uma das duas, como valor de troca, é redutível, necessariamente, a essa terceira.

Evidencia-se isto com um simples exemplo geométrico. Para determinar e comparar a área dos polígonos, decompomo-los em triângulos. O próprio triângulo pode converter-se, também, numa expressão inteiramente diversa de sua figura visível – a metade do produto da base pela altura. Do mesmo modo têm os valores de troca de ser redutíveis a uma coisa comum, da qual representam uma quantidade maior ou menor.

Essa coisa comum não pode ser uma propriedade das mercadorias, geométrica, física, química ou de qualquer outra natureza. As propriedades materiais só interessam pela utilidade que dão às mercadorias, por fazerem destas valores de uso. Põem-se de lado os valores de uso das mercadorias, quando se trata da relação de troca entre elas. É o que evidentemente caracteriza essa relação. Nela um valor de uso vale tanto quanto outro, quando está presente na proporção adequada. Ou como diz o velho Barbon:

> "Um tipo de mercadoria é tão bom quanto outro, se é igual o valor de troca. Não há diferença ou distinção em coisas de igual valor de troca."[8]

Como valores de uso, as mercadorias são, antes de mais nada, de qualidade diferente; como valores de troca, só podem diferir na quantidade, não contendo, portanto, nenhum átomo de valor de uso.

Se prescindirmos do valor de uso da mercadoria, só lhe resta ainda uma propriedade, a de ser produto do trabalho. Mas, então, o produto do trabalho já terá passado por uma transmutação. Pondo de lado seu valor de uso, abstraímos, também, das formas e elementos materiais que fazem dele um valor de uso. Ele não é mais mesa, casa, fio ou qualquer outra coisa útil. Sumiram todas as suas qualidades materiais. Também não é mais o produto do trabalho do marceneiro, do pedreiro, do fiandeiro ou de qualquer outra forma de trabalho produtivo. Ao desaparecer o caráter útil dos produtos do trabalho, também desaparece o caráter útil dos trabalhos neles corporificados;

---

8 "One sort of wares are as good as another, if the value be equal. There is no difference or distinction in things of equal value." Barbon acrescenta: "Cem libras esterlinas de chumbo ou de ferro valem tanto quanto cem libras esterlinas de ouro ou de prata." (N. Barbon, *loc. cit.*, p. 7.)

desvanecem-se, portanto, as diferentes formas de trabalho concreto, elas não mais se distinguem umas das outras, mas reduzem-se, todas, a uma única espécie de trabalho, o trabalho humano abstrato.

Vejamos o que é esse resíduo dos produtos do trabalho. Nada deles resta, a não ser a mesma objetividade impalpável, a massa pura e simples do trabalho humano em geral, do dispêndio de força de trabalho humana, sem consideração pela forma como foi despendida. Esses produtos passam a representar apenas a força de trabalho humana gasta em sua produção, o trabalho humano que neles se armazenou. Como configuração dessa substância social que lhes é comum, são valores, valores-mercadorias.

Na própria relação de permuta das mercadorias, seu valor de troca revela-se, de todo, independente de seu valor de uso. Pondo-se de lado o valor de uso dos produtos do trabalho, obtém-se seu valor como acaba de ser definido. O que se evidencia comum na relação de permuta ou no valor de troca é, portanto, o valor das mercadorias. Mais adiante, voltaremos a tratar do valor de troca como o modo necessário de expressar-se o valor ou a forma de este manifestar-se. O valor será estudado, agora, independentemente de sua forma.

Um valor de uso ou um bem só possui, portanto, valor, porque nele está corporificado, materializado, trabalho humano abstrato. Como medir a grandeza do seu valor? Por meio da quantidade da "substância criadora de valor" nele contida, o trabalho. A quantidade de trabalho, por sua vez, mede-se pelo tempo de sua duração, e o tempo de trabalho, por frações do tempo, como hora, dia etc.

Se o valor de uma mercadoria é determinado pela quantidade de trabalho gasta durante sua produção, poderia parecer que, quanto mais preguiçoso ou inábil um ser humano, tanto maior o valor de sua mercadoria, pois ele precisa de mais tempo para acabá-la. Todavia, o trabalho que constitui a substância dos valores é o trabalho humano homogêneo, dispêndio de idêntica força de trabalho. Toda a força de trabalho da sociedade – que se revela nos valores do mundo das mercadorias – vale, aqui, por força de trabalho única, embora se constitua de inúmeras forças de trabalho individuais. Cada uma dessas forças individuais de trabalho se equipara às demais, na medida em que possua o caráter de uma força média de trabalho social e atue como essa força média, precisando, portanto, apenas do tempo de trabalho em média necessário ou socialmente necessário para a produção de uma mercadoria. Tempo de trabalho socialmente necessário é o tempo de trabalho requerido para produzir-se um valor de uso qualquer, nas condições de produção socialmente normais existentes e com o grau social médio de destreza e intensidade do trabalho. Na Inglaterra, após a introdução do tear a vapor, o tempo empregado para transformar determinada quantidade de fio em tecido diminuiu aproximadamente a metade. O tecelão inglês que então utilizasse o tear manual continuaria gastando, nessa transformação, o mesmo tempo que despendia antes, mas o produto de sua hora individual de trabalho só representaria meia hora de trabalho social, ficando o valor anterior de seu produto reduzido à metade.

O que determina a grandeza do valor, portanto, é a quantidade de trabalho socialmente necessária ou o tempo de trabalho socialmente necessário para a produção de um valor de uso.[9] Cada mercadoria individual é considerada aqui exemplar médio de sua espécie.[10] Mercadorias que contêm iguais quantidades de trabalho, ou que podem ser produzidas no mesmo tempo de trabalho, possuem, consequentemente, valor da mesma magnitude. O valor de uma mercadoria está para o valor de qualquer outra, assim como o tempo de trabalho necessário à produção de uma está para o tempo de trabalho necessário à produção de outra. "Como valores, as mercadorias são apenas dimensões definidas do tempo de trabalho que nelas se cristaliza."[11]

A grandeza do valor de uma mercadoria permaneceria, portanto, invariável, se fosse constante o tempo do trabalho requerido para sua produção. Mas este muda com qualquer variação na produtividade (força produtiva) do trabalho. A produtividade do trabalho é determinada pelas mais diversas circunstâncias, dentre elas a destreza média dos trabalhadores, o grau de desenvolvimento da ciência e sua aplicação tecnológica, a organização social do processo de produção, o volume e a eficácia dos meios de produção e as condições naturais. A mesma quantidade de trabalho, nas quadras

---

9 Nota da 2ª edição: "The value of them (the necessaries of life) when they are exchanged the one for another, is regulated by the quantity of labour necessarily required, and commonly taken in producing them." "O valor dos objetos, quando se permutam, é determinado pela quantidade de trabalho necessariamente exigida e comumente gasta para produzi-los." (*Some Thoughts on the Interest of Money in General, and Particularly in the Public Funds* etc., Londres, pp. 36-37). Não traz data esse notável trabalho anônimo do século passado. De seu conteúdo infere-se que apareceu no tempo de Jorge II, por volta de 1739 ou 1740.

10 "Todos os produtos da mesma espécie formam, a bem dizer, uma só massa, cujo preço é determinado de modo geral, sem se levar em conta circunstâncias especiais." (Le Trosne, *op. cit.*, p. 893.)

11 K. Marx, *op. cit.*, p. 6.

O CAPITAL

favoráveis, se incorpora em 8 toneladas de trigo e, nas desfavoráveis, em apenas 4. A mesma quantidade de trabalho extrai mais metal de uma mina rica que de uma pobre. Diamantes dificilmente se acham à flor do solo, e encontrá-los custa, em média, muito tempo de trabalho. Em consequência, materializam, em volume diminuto, muito trabalho. William Jacob duvida que o ouro tenha, em algum tempo, pago o seu valor por inteiro. Para o diamante, essa opinião é ainda mais válida. Segundo Eschwege, em 1823, a produção global, durante oitenta anos, das minas de diamante no Brasil não atingira, ainda, o importe do produto médio de ano e meio dos engenhos de açúcar e das plantações de café naquele país, embora ela custasse muito mais trabalho e representasse, portanto, mais valor. Com minas mais ricas, a mesma quantidade de trabalho incorporar-se-ia em mais diamantes e o valor destes cairia. Se se conseguisse, com pouco trabalho, transformar carvão em diamante, este poderia ficar mais barato que tijolo. Generalizando: quanto maior a produtividade do trabalho, tanto menor o tempo de trabalho requerido para produzir uma mercadoria, e, quanto menor a quantidade de trabalho que nela se cristaliza, tanto menor seu valor. Inversamente, quanto menor a produtividade do trabalho, tanto maior o tempo de trabalho necessário para produzir um artigo e tanto maior seu valor. A grandeza do valor de uma mercadoria varia na razão direta da quantidade e na inversa da produtividade do trabalho que nela se aplica.[I]

Uma coisa pode ser valor de uso sem ser valor. É o que sucede quando sua utilidade para o ser humano não decorre do trabalho. Exemplos: o ar, a terra virgem, seus pastos naturais, a madeira que cresce espontânea na selva etc. Uma coisa pode ser útil e produto do trabalho humano sem ser mercadoria. Quem, com seu produto, satisfaz a própria necessidade gera valor de uso, mas não mercadoria. Para criar mercadoria, é mister não só produzir valor de uso, mas produzi-lo para outros, dar origem a valor de uso social.

[E mais. O camponês medieval produzia o trigo do tributo para o senhor feudal, o trigo do dízimo para o cura. Mas, embora fossem produzidos para terceiros, nem o trigo do tributo nem o do dízimo eram mercadoria. O produto, para se tornar mercadoria, tem de ser transferido a quem vai

---

I A 1ª edição continua: Conhecemos, agora, a *substância* do valor. É o trabalho. Conhecemos *a medida de sua magnitude*. É o tempo de trabalho. Resta analisar sua *forma*, o sinete que se imprime sobre o valor, o valor de troca. Mas, antes, é mister desenvolver mais pormenorizadamente as definições já formuladas.

servir como valor de uso por meio de troca.][11a] Finalmente, nenhuma coisa pode ser valor se não é objeto útil; se não é útil, tampouco o será o trabalho nela contido, o qual não conta como trabalho e, por isso, não cria nenhum valor.

2. O DUPLO CARÁTER DO TRABALHO MATERIALIZADO NA MERCADORIA

A mercadoria apareceu-nos, inicialmente, como duas coisas: valor de uso e valor de troca. Mais tarde, verificou-se que o trabalho também possui duplo caráter: quando se expressa como valor, não possui mais as mesmas características que lhe pertencem como gerador de valores de uso. Fui quem primeiro analisou e pôs em evidência essa natureza dupla do trabalho contido na mercadoria.[12] Para compreender a economia política, é essencial conhecer essa questão, que, por isso, deve ser estudada mais de perto.

Tomemos duas mercadorias: um casaco e 10 metros de linho. A primeira com o dobro do valor da segunda, de modo que, se 10 metros de linho = 1 v, o casaco = 2 v.

O casaco é valor de uso que satisfaz uma necessidade particular. Para produzi-lo, precisa-se de certo tipo de atividade produtiva, determinada por seu fim, modo de operar, objeto sobre que opera, seus meios e seu resultado. Chamamos simplesmente de trabalho útil aquele cuja utilidade se patenteia no valor de uso do seu produto ou cujo produto é um valor de uso. Desse ponto de vista será considerado sempre associado a seu efeito útil. Sendo casaco e linho valores de uso qualitativamente diversos, também diferem qualitativamente os trabalhos que dão origem à sua existência – o ofício de alfaiate e o de tecelão. Se aquelas coisas não fossem valores de uso qualitativamente diversos e, por isso, produtos de trabalhos úteis qualitativamente diferentes, não poderiam elas, de nenhum modo, se contrapor uma à outra como mercadorias. Casacos não se permutam por outros tantos casacos iguais; valores de uso idênticos não se trocam.

No conjunto formado pelos valores de uso diferentes ou pelas mercadorias materialmente distintas, manifesta-se um conjunto correspondente

---

11a Nota da 4ª edição: O trecho que intercalei entre colchetes destina-se a evitar o erro, muito frequente, de achar que Marx considera mercadoria qualquer produto, desde que não seja consumido pelo produtor, mas por outro. — F.E.

12 *Op. cit.*, pp. 12, 13 e *passim*.

dos trabalhos úteis diversos – classificáveis por ordem, gênero, espécie, subespécie e variedade –, a divisão social do trabalho. Ela é condição para que exista a produção de mercadorias, embora, reciprocamente, a produção de mercadorias não seja condição necessária para a existência da divisão social do trabalho. Na velha comunidade indiana, há a divisão social do trabalho, sem que os produtos se convertam em mercadorias. Ou um exemplo mais próximo: em cada fábrica existe a divisão sistemática do trabalho, mas essa divisão não leva os trabalhadores a trocarem seus produtos individuais. Só se contrapõem, como mercadorias, produtos de trabalhos privados e autônomos, independentes entre si.

Está, portanto, claro: o valor de uso de cada mercadoria representa determinada atividade produtiva subordinada a um fim, isto é, um trabalho útil particular. Valores de uso não podem se opor como mercadorias quando neles não estão inseridos trabalhos úteis qualitativamente distintos. Numa sociedade cujos produtos assumem, geralmente, a forma de mercadoria – isto é, numa sociedade de produtores de mercadorias –, essa diferença qualitativa dos trabalhos úteis executados, independentes uns dos outros, como negócio particular de produtores autônomos, leva a que se desenvolva um sistema complexo, uma divisão social do trabalho.

Para o casaco, tanto faz ser usado pelo alfaiate ou pelo freguês do alfaiate. Em ambos os casos, funciona como valor de uso. A existência da relação entre o casaco e o trabalho que o confecciona não depende de o ofício de alfaiate se tornar uma profissão especial, um ramo autônomo da divisão social do trabalho. Antes de surgir um alfaiate, o ser humano costurou durante milênios, pressionado pela necessidade de vestir-se. Mas o casaco, o linho, ou qualquer componente da riqueza material que não seja dado pela natureza, tinha de originar-se de uma especial atividade produtiva, adequada a determinado fim e que adapta certos elementos da natureza às necessidades particulares do homem. O trabalho, como criador de valores de uso, como trabalho útil, é indispensável à existência do homem – quaisquer que sejam as formas de sociedade –, é necessidade natural e eterna de efetivar o intercâmbio material entre o homem e a natureza e, portanto, de manter a vida humana.

Os valores de uso casaco, linho etc., enfim, as mercadorias, são conjunções de dois fatores, matéria fornecida pela natureza e trabalho. Extraindo-se a totalidade dos diferentes trabalhos úteis incorporados ao casaco, ao linho etc., resta sempre um substrato material, que a natureza, sem inter-

A MERCADORIA

ferência do homem, oferece. O homem, ao produzir, só pode atuar como a própria natureza, isto é, mudando as formas da matéria.[13] E mais. Nesse trabalho de transformação, é constantemente ajudado pelas forças naturais. O trabalho não é, por conseguinte, a única fonte dos valores de uso que produz, da riqueza material. Conforme diz William Petty, o trabalho é o pai, mas a mãe é a terra.

Passemos, agora, da mercadoria, como objeto útil, para o valor das mercadorias.

Ficou estabelecido que o casaco vale duas vezes mais que o linho. Mas essa diferença puramente quantitativa não nos interessa no momento. E, se o casaco tem o dobro do valor de 10 metros de linho, 20 metros de linho têm valor igual ao do casaco. Como valores, casaco e linho são coisas de igual substância, expressões objetivas de trabalho de natureza igual. Mas o ofício de alfaiate e o de tecelão são trabalhos qualitativamente diversos. Há estágios sociais em que a mesma pessoa, alternativamente, costura e tece, em que esses dois tipos diferentes de trabalho são apenas modalidades do trabalho do mesmo indivíduo e não ofícios especiais, fixos, de indivíduos diversos, do mesmo modo que o casaco feito hoje por nosso alfaiate e as calças que fará amanhã não passam de variações do mesmo trabalho individual. Verifica-se, a uma simples inspeção, que, em nossa sociedade capitalista, se fornece uma porção dada de trabalho humano, ora sob a forma do ofício de alfaiate, ora sob a forma do ofício de tecelão, conforme as flutuações da procura de trabalho. É possível que essa variação na forma do trabalho não se realize sem atritos, mas tem de efetivar-se. Pondo-se de lado o desígnio da atividade produtiva e, em consequência, o caráter útil do trabalho, resta-lhe apenas ser um dispêndio de força humana de trabalho. O trabalho do alfaiate e o do tecelão, embora atividades produtivas qualitativamente diferentes, são ambos dispêndios humanos produtivos de cérebro, músculos, nervos, mãos etc., e, desse modo, são ambos trabalho

---

13 "Todos os fenômenos do universo, provocados pela mão do homem ou pelas leis gerais da física, não constituem, na realidade, criações novas, mas apenas transformação da matéria. Associação e dissociação são os únicos elementos que o espírito humano acha ao analisar a ideia de produção; o mesmo ocorre com a produção do valor" (valor de uso, embora o próprio Verri, nessa polêmica com os fisiocratas, não saiba claramente de que valor está falando) "e da riqueza, quando a terra, o ar e a água transformam-se, nos campos, em trigo, ou quando, pela intervenção do homem, a secreção de um inseto se transforma em seda, ou diversas peças de metal se ordenam para formar um despertador." (Pietro Verri, *Meditazioni sulla economia politica*, impresso, primeiro, em 1771, na edição dos economistas italianos, de Custodi, parte moderna, v. xv, pp. 21-22.)

O CAPITAL

humano. São apenas duas formas diversas de despender força humana de trabalho. Sem dúvida, a própria força humana de trabalho tem de atingir certo desenvolvimento, para ser empregada em múltiplas formas. O valor da mercadoria, porém, representa trabalho humano simplesmente, dispêndio de trabalho humano em geral. Com o trabalho humano ocorre algo análogo ao que se passa na sociedade burguesa, onde em geral um banqueiro desempenha um papel importante e fica reservado ao simples ser humano uma função inferior.[14] Trabalho humano mede-se pelo dispêndio da força de trabalho simples, a qual, em média, todo homem comum, sem educação especial, possui em seu organismo. O *trabalho simples* médio muda de caráter com os países e estágios de civilização, mas é dado numa determinada sociedade. Trabalho complexo ou qualificado vale como trabalho simples *potenciado* ou, antes, *multiplicado*, de modo que uma quantidade dada de trabalho qualificado é igual a uma quantidade maior de trabalho simples. A experiência demonstra que essa redução sucede constantemente. Por mais qualificado que seja o trabalho que gera a mercadoria, seu valor a equipara ao produto do trabalho simples e representa, por isso, uma determinada quantidade de trabalho simples.[15] As diferentes proporções em que as diversas espécies de trabalho se reduzem a trabalho simples, como sua unidade de medida, são fixadas por um processo social que se desenrola sem dele terem consciência os produtores, parecendo-lhes, por isso, estabelecidas pelo costume. Para simplificar, considerar-se-á, a seguir, força de trabalho simples toda espécie de força de trabalho, com o que se evita o esforço de conversão.

Ao considerar os valores do casaco e do linho, prescindimos da diferença dos seus valores de uso, e, analogamente, ao focalizar os trabalhos que se representam nesses valores, pomos de lado a diferença entre suas formas úteis, a atividade do alfaiate e a do tecelão. Os valores de uso casaco e linho resultam de atividades produtivas, subordinadas a objetivos, associadas com pano e fio, mas os valores casaco e linho são cristalizações homogêneas de trabalho; os trabalhos contidos nesses valores são considerados apenas dispêndio de força humana de trabalho, pondo-se de lado sua atuação

---

14 Vide Hegel, *Philosophie des rechts*, Berlim, 1840, pp. 250-190.

15 Repare o leitor que não se trata aqui de salário ou do valor que o trabalhador recebe por seu tempo de trabalho, mas do valor da mercadoria no qual se traduz seu tempo de trabalho. Não existe ainda a categoria salário neste estágio de nossa exposição.

produtiva relacionada com o pano e o fio. O trabalho do alfaiate e o do tecelão são os elementos que criam valores de uso, casaco e linho, exatamente por força de suas qualidades diferentes; só são substância do valor do casaco e do valor do linho quando se põem de lado suas qualidades particulares, restando a ambos apenas uma única e mesma qualidade, a de serem trabalho humano.

Casaco e linho são valores, mas valores que têm uma determinada grandeza, e, conforme nosso pressuposto, o casaco vale o dobro de 10 metros de linho. Donde se origina essa diferença nas grandezas dos valores? Decorre de estar contido no linho metade do trabalho que se encerra no casaco, tendo de ser despendida força de trabalho para a produção deste durante o dobro do tempo requerido para a produção daquele.

Se o trabalho contido na mercadoria, do ponto de vista do valor de uso, só interessa qualitativamente, do ponto de vista da grandeza do valor só interessa quantitativamente e depois de ser convertido em trabalho humano, puro e simples. No primeiro caso, importa saber como é e o que é o trabalho; no segundo, sua quantidade, a duração de seu tempo. Uma vez que a grandeza do valor de uma mercadoria representa apenas a quantidade de trabalho nela contida, devem as mercadorias, em determinadas proporções, possuir valores iguais.

Permanecendo invariável a produtividade de todos os trabalhos úteis exigidos para a produção de um casaco, a magnitude do valor dos casacos eleva-se com a respectiva quantidade. Se um casaco representa x dias de trabalho, dois casacos representarão $2x$. Admitamos que se duplique o trabalho necessário para a produção de um casaco, ou que se reduza à metade. No primeiro caso, um casaco passa a ter um valor que antes possuíam dois; no segundo, dois casacos passam a ter o valor de um, embora, em ambas as hipóteses, o casaco tenha a mesma utilidade de antes e o trabalho útil nele contido continue sendo da mesma qualidade. Mudou, porém, a quantidade de trabalho despendida em sua produção.

Uma quantidade maior de valor de uso cria, *per se*, maior riqueza material: dois casacos representam maior riqueza que um. Com dois casacos podem agasalhar-se dois homens, com um casaco, só um etc. Não obstante, ao acréscimo da massa de riqueza material pode corresponder uma queda simultânea no seu valor. Esse movimento em sentidos opostos se origina do duplo caráter do trabalho. Produtividade é sempre produtividade de trabalho concreto, útil, e apenas define o grau de eficácia da atividade produtiva adequada a certo fim, em dado espaço de tempo. O trabalho útil torna-se, por isso, uma fonte mais ou menos abundante de produtos, na razão direta da elevação ou da queda de sua produtividade. Por outro lado, nenhuma mudança na produtividade atinge intrinsecamente o trabalho configurado no valor. Uma vez que a produtividade pertence à forma concreta, útil, de trabalho, não pode ela influir mais no trabalho quando abstraímos de sua forma concreta, útil. Qualquer que seja a mudança na produtividade, o mesmo trabalho, no mesmo espaço de tempo, fornece sempre a mesma magnitude de valor. Mas, no mesmo espaço de tempo, gera quantidades diferentes de valores de uso: quantidade maior quando a produtividade aumenta, e menor, quando ela decai. Consideremos ainda a variação da produtividade. A mesma variação da produtividade que acresce o resultado do trabalho e, em consequência, a massa dos valores de uso que ele fornece reduz a magnitude do valor dessa massa global aumentada quando diminui o total do tempo do trabalho necessário para sua produção. E vice-versa.

Todo trabalho é, de um lado, dispêndio de força humana de trabalho, no sentido fisiológico, e, nessa qualidade de trabalho humano igual ou abstrato, cria o valor das mercadorias. Todo trabalho, por outro lado, é dispêndio de força humana de trabalho, sob forma especial, para um determinado fim, e, nessa qualidade de trabalho útil e concreto, produz valores de uso.[16]

---

16 Nota da 2ª edição: Para demonstrar que "apenas o trabalho é a medida definitiva e real com que se avalia e compara o valor de todas as mercadorias em todos os tempos", diz Adam Smith: "Quantidades iguais de trabalho, em todos os tempos e em todos os lugares, devem ter o mesmo valor para o trabalhador. No seu estado normal de saúde, força e atividade e com o grau médio de destreza que possua, tem sempre de ceder a mesma porção de lazer, liberdade e felicidade." (*Wealth of Nations*, v. 1, cap. 5, [pp. 104-105.]) De um lado, A. Smith confunde, aí (embora nem sempre), a determinação do valor pela quantidade de trabalho despendido na produção da mercadoria com a determinação dos valores das mercadorias pelo valor do trabalho, e procura, por isso, demonstrar que iguais quantidades de trabalho têm sempre o mesmo valor. Por outro lado, pressente ele que o trabalho, enquanto representado no valor da mercadoria, só conta como dispêndio de força de trabalho, mas concebe esse dispêndio apenas como sacrifício de ócio, liberdade e felicidade, sem considerar que é também uma função normal da vida. Tem por certo em vista o moderno assalariado. O antecessor anônimo de A. Smith, citado na nota 9, diz de maneira muito mais precisa: "Um homem gastou uma semana para fabricar um artigo de consumo. [...] e a pessoa que lhe dará outro em troca, para melhor determinar o equivalente exato, bastará computar o que lhe custa o mesmo trabalho e o mesmo tempo; isto, com efeito, não é mais do que trocar o trabalho empregado por um homem numa coisa, durante certo tempo, pelo trabalho de outro em outra coisa, durante o mesmo tempo. (*Some Thoughts on the Interest of Money in General* etc., p. 39.) [Nota da 4ª edição: A língua inglesa tem a vantagem de possuir duas palavras distintas para designar esses dois aspectos diferentes do trabalho. O trabalho que gera valores de uso e se determina quantitativamente chama-se de "work", distinguindo-se, assim, de "labour", o trabalho que cria valor e que só pode ser avaliado qualitativamente. Vide nota na tradução inglesa, p. 14. — F.E.]

A MERCADORIA

3. A FORMA DO VALOR OU O VALOR DE TROCA

As mercadorias vêm ao mundo sob a forma de valores de uso, de objetos materiais, como ferro, linho, trigo etc. É a sua forma natural, prosaica. Todavia, só são mercadorias por sua duplicidade, por serem ao mesmo tempo objetos úteis e veículos de valor. Por isso, patenteiam-se como mercadorias, assumem a feição de mercadoria, apenas na medida em que possuam dupla forma, aquela forma natural e a de valor.

A realidade do valor das mercadorias difere de Dame Quickly, por não sabermos por onde apanhá-la.[I] Em contraste direto com a palpável materialidade da mercadoria, nenhum átomo de matéria se encerra no seu valor. Vire-se e revire-se, à vontade, uma mercadoria: a coisa-valor se mantém imperceptível aos sentidos.

As mercadorias, recordemos, só encarnam valor na medida em que são expressões de uma mesma substância social, o trabalho humano; seu valor é, portanto, uma realidade apenas social, só podendo manifestar-se, evidentemente, na relação social em que uma mercadoria se troca por outra. Partimos do valor de troca ou da relação de troca das mercadorias, para chegar ao valor aí escondido. Temos, agora, de voltar a essa forma de manifestação do valor.

Todo mundo sabe, mesmo os que nada mais saibam, que as mercadorias possuem forma comum de valor, que contrasta com a flagrante heterogeneidade das formas corpóreas de seus valores de uso. Esta forma comum é a forma dinheiro do valor. Importa realizar o que jamais tentou fazer a economia burguesa, isto é, elucidar a gênese da forma dinheiro. Para isso, é mister acompanhar o desenvolvimento da expressão do valor contida na relação de valor existente entre as mercadorias, partindo da manifestação mais simples e mais apagada até chegar à esplendente forma dinheiro. Assim, desaparecerá o véu misterioso que envolve o dinheiro.

A mais simples relação de valor é, evidentemente, a que se estabelece entre uma mercadoria e qualquer outra mercadoria de espécie diferente. A relação de valor entre duas mercadorias é, portanto, a expressão de valor mais simples de uma mercadoria.

I Shakespeare, *Henrique IV*, parte 1ª, ato III, cena III.

A) A FORMA SIMPLES, SINGULAR OU FORTUITA DO VALOR

x da mercadoria A = y da mercadoria B, ou
x da mercadoria A vale y da mercadoria B
20 metros de linho = 1 casaco, ou
20 metros de linho valem 1 casaco

1. OS DOIS POLOS DA EXPRESSÃO DO VALOR: A FORMA RELATIVA DO VALOR E A FORMA DE EQUIVALENTE

Todo o segredo da forma do valor encerra-se nessa forma simples do valor. Na sua análise reside a verdadeira dificuldade.

Duas mercadorias diferentes, A e B – em nosso exemplo, linho e casaco –, representam, evidentemente, dois papéis distintos. O linho expressa seu valor no casaco, que serve de material para essa expressão de valor. O papel da primeira mercadoria é ativo; o desempenhado pela segunda, passivo. O valor da primeira mercadoria apresenta-se como valor relativo; ela se encontra sob a forma relativa do valor. A segunda mercadoria tem a função de equivalente ou se acha sob a forma de equivalente.

A forma relativa do valor e a forma de equivalente se pertencem uma à outra, se determinam, reciprocamente, inseparáveis, mas, ao mesmo tempo, são extremos que mutuamente se excluem e se opõem, polos da mesma expressão do valor. Essas formas são aplicadas a duas mercadorias diferentes, sempre que a expressão do valor as relacione uma com a outra. Não posso, por exemplo, expressar em linho o valor do linho. 20 metros de linho = 20 metros de linho não é nenhuma expressão de valor. A igualdade aí tem outro sentido: 20 metros de linho não são mais do que 20 metros de linho, uma quantidade determinada do valor de uso, linho. O valor do linho só pode ser expresso relativamente, isto é, em outra mercadoria. A forma relativa do valor do linho pressupõe, por isso, que alguma outra mercadoria se contrapõe ao linho como equivalente. Por outro lado, essa outra mercadoria que figura como equivalente não pode achar-se, ao mesmo tempo, sob a forma relativa do valor. Não é ela que expressa seu valor. Apenas fornece o material para a expressão do valor da outra mercadoria.

Naturalmente, a expressão 20 metros de linho = 1 casaco, ou 20 metros de linho valem 1 casaco, compreende, também, a relação inversa, 1 casaco = 20 metros de linho, ou 1 casaco vale 20 metros de linho. Mas, aí, tenho de inverter a equação, para exprimir relativamente o valor do casaco; e, ao fazer

A MERCADORIA

isso, o equivalente passa a ser o linho e não o casaco. Na mesma expressão do valor, a mesma mercadoria não pode aparecer, ao mesmo tempo, sob as duas formas. Elas se repelem polarmente.

Para saber se uma mercadoria se encontra sob a forma relativa do valor ou sob a forma oposta, a de equivalente, basta reparar a posição que ocasionalmente ocupa na expressão do valor, se é a mercadoria cujo valor é expresso ou se é a mercadoria através da qual se expressa o valor.

2. A FORMA RELATIVA DO VALOR

a) O que significa

Para descobrir por que a expressão simples do valor de uma mercadoria se contém na relação de valor de duas mercadorias, é mister, primeiro, considerar essa relação inteiramente dissociada de seu aspecto quantitativo. Faz-se, geralmente, o contrário, vendo-se na relação de valor apenas a proporção em que se equiparam determinadas quantidades de duas mercadorias diferentes. Esquece-se que duas coisas diferentes só se tornam quantitativamente comparáveis depois de sua conversão a uma mesma coisa. Somente como expressões de uma mesma substância são grandezas homogêneas, por isso, comensuráveis.[17]

Para se afirmar que 20 metros de linho = 1 casaco, ou = 20 ou x casacos, isto é, que uma dada quantidade de linho vale uma quantidade maior ou menor de casacos, para se estabelecer qualquer proporção dessa natureza, é necessário admitir, simultaneamente, que linho e casacos, como grandezas de valor, são expressões de uma mesma coisa, ou coisas da mesma natureza. Linho = casaco é o fundamento da equação.

Mas as duas mercadorias, equiparadas qualitativamente, não desempenham o mesmo papel. Só é expresso o valor do linho. E como? Através de sua relação com o casaco, por ser este seu equivalente ou com ele permutável. Nessa relação, o casaco representa a forma de existência do valor, é a figura do valor, pois somente nessa qualidade é idêntico ao linho. Por outro lado, o valor próprio do linho se revela ou recebe uma expressão precisa,

---

17 Os poucos economistas que, como S. Bailey, se ocuparam com a análise da forma do valor não podiam chegar a nenhum resultado, primeiro, porque confundem forma do valor e valor; segundo, porque, sob a influência do espírito burguês, prático e imediato, fixam sua atenção, *a priori* e com exclusividade, no aspecto quantitativo da questão. "O poder de dispor da quantidade [...] é o que faz o valor." (*Money and Its Vicissitudes*, Londres, 1837, p. 11; autor, S. Bailey.)

pois somente como valor pode o linho relacionar-se com o casaco, que lhe antepõe igual valor e é com ele permutável. Um exemplo analógico. O ácido butírico é um corpo diferente do formiato de propilo. Ambos, entretanto, são constituídos das mesmas substâncias químicas, carbono (C), hidrogênio (H) e oxigênio (O), combinadas em proporções iguais, de acordo com a fórmula $C_4H_8O_2$. Igualar ácido butírico e formiato de propilo significa, primeiro, considerar formiato de propilo apenas forma de existência de $C_4H_8O_2$ e, segundo, afirmar que ácido butírico é também composto de $C_4H_8O_2$. Através da equiparação do formiato de propilo com o ácido butírico expressa-se sua igual substância química, deixando-se de lado sua forma física.

Ao dizermos que, como valores, as mercadorias são trabalho humano cristalizado, nossa análise as reduz a uma abstração, a valor, mas não lhes dá forma para esse valor, distinta de sua forma física. A questão muda quando se trata da relação de valor entre duas mercadorias. Aí a condição de valor de uma se revela na própria relação que estabelece com a outra.

Quando o casaco, como figura do valor, é equiparado ao linho, iguala-se o trabalho inserido naquele com o contido neste. Sem dúvida, o trabalho concreto do alfaiate, que faz o casaco, difere do executado pelo tecelão, que faz o linho. Mas, equiparado ao do tecelão, reduz-se o trabalho do alfaiate àquilo que é realmente igual em ambos os trabalhos, sua condição comum de trabalho humano. Por esse meio indireto, diz-se que o trabalho do tecelão, ao tecer valor, não possui nenhuma característica que o diferencie do trabalho do alfaiate, sendo, portanto, trabalho humano abstrato. Só a expressão da equivalência de mercadorias distintas põe à mostra a condição específica do trabalho criador de valor, porque ela realmente reduz à substância comum, a trabalho humano, simplesmente, os trabalhos diferentes incorporados em mercadorias diferentes.[17a]

Não basta, porém, expressar o caráter específico do trabalho que cria o valor do linho. A força humana de trabalho em ação ou o trabalho humano

---

17a Nota da 2ª edição: Um dos primeiros economistas que, depois de William Petty, examinou a natureza do valor, o famoso Benjamin Franklin, diz: "Uma vez que o comércio nada mais é que a permuta de um trabalho por outro, é o trabalho a medida mais adequada para mensurar o valor de todas as coisas" (*The Works of B. Franklin* etc., editado por Sparks, Boston, 1836, vol. II, p. 267.) Ao estimar o valor das coisas pelo trabalho, faltava a Franklin a consciência de estar pondo de lado a multiplicidade dos trabalhos permutados, para reduzi-los a trabalho humano abstrato, igual. Diz, contudo, o que não sabe. Ele fala, primeiro, de "um trabalho", depois, de "outro trabalho", enfim, de "trabalho" sem qualificativos, como substância do valor de todas as coisas.

cria valor, mas não é valor. Vem a ser valor, torna-se valor, quando se cristaliza na forma de um objeto. Para expressar o valor do linho como massa de trabalho humano, temos de expressá-la como algo que tem existência material diversa da do próprio linho e, ao mesmo tempo, é comum a ele e a todas as outras mercadorias. Fica assim resolvido nosso problema.

Na relação de valor com o linho, considera-se o casaco, por ser um valor, qualitativamente igual ao linho, coisa da mesma natureza. O casaco, nessa relação, passa por coisa através da qual se manifesta o valor, ou que representa o valor por meio de sua forma física palpável. O casaco, o corpo dessa mercadoria, é um simples valor de uso. O casaco, como qualquer quantidade do melhor linho, tampouco expressa valor. Isto demonstra que o casaco, dentro da sua relação com o linho, significa mais do que fora dela, como certos seres humanos que se tornam mais importantes quando se metem num casaco agaloado.

Na produção do casaco gastou-se, realmente, força de trabalho humano, sob a forma de trabalho do alfaiate. Nele acumulou-se, portanto, trabalho humano. Daí ser ele "depositário de valor", embora não se consiga entrever essa qualidade nem mesmo no mais puído dos casacos. E, na relação de valor com o linho, é considerado apenas desse ponto de vista, ou seja, como valor corporificado, como encarnação do valor. O linho reconhece no casaco, mesmo abotoado, a alma igual à sua através do valor. Mas o casaco não pode representar valor para o linho sem assumir aos olhos dele a figura de um casaco. Assim, o indivíduo A não pode reconhecer em B um rei, se aos olhos de A a realeza não assume o aspecto corpóreo de B – traços fisionômicos, cabelos e outras características, aspecto que muda com o soberano reinante.

Na relação de valor, em que o casaco constitui o equivalente do linho, a figura do casaco é considerada a materialização do valor. O valor da mercadoria linho é expresso pelo corpo da mercadoria casaco, o valor de uma mercadoria pelo valor de uso de outra. Como valor de uso, o linho revela-se, aos nossos sentidos, coisa diferente do casaco; como valor, é igual ao casaco, passa a ter a feição de um casaco. Assim, recebe o linho uma forma de valor diferente da forma natural que possui. Sua condição de valor aparece ao igualar-se com o casaco, do mesmo modo que a índole de carneiro do cristão se manifesta ao assimilar-se ele ao cordeiro de Deus.

Como se vê, a mesma coisa que nos disse, antes, a análise do valor das mercadorias, diz-nos, agora, o linho, ao entrar em contato com outra mercadoria, o casaco. Transmite seu pensamento numa linguagem peculiar, a das mercadorias. Para revelar que o trabalho humano abstrato cria seu valor, diz que o casaco, ao ser equivalente a ele e, portanto, um valor, é constituído de trabalho idêntico ao que o fez. Para expressar que sua sublime objetivação de valor difere da sua tessitura material, diz ele que o valor se apresenta sob a figura de um casaco e, por isso, ele mesmo, como valor, iguala-se a um casaco, como se ambos fossem produtos idênticos. Observe-se, de passagem, que, além do hebraico, possui a linguagem das mercadorias muitos outros dialetos, mais ou menos precisos. A palavra alemã "Wertsein", por exemplo, ao indicar que B é o equivalente de A, exprime, de modo menos contundente que os verbos neolatinos valere, valer, valor, que essa equiparação é a própria expressão do valor de A. Paris vale bem uma missa.

Por meio da relação de valor, a forma natural da mercadoria B torna-se a forma do valor da mercadoria A, ou o corpo da mercadoria B transforma-se no espelho do valor da mercadoria A.[18] Ao relacionar-se com a mercadoria B como figura do valor, materialização de trabalho humano, a mercadoria A faz do valor de uso B o material de sua própria expressão de valor. O valor da mercadoria A, ao ser expresso pelo valor de uso da mercadoria B, assume a forma relativa.

b) Determinação quantitativa da forma relativa do valor

Para expressar o valor de qualquer mercadoria, aludimos sempre a dada quantidade de objeto útil: 15 toneladas de trigo, 100 quilos de café etc. Essa quantidade dada de mercadoria contém uma quantidade determinada de trabalho humano. A forma do valor tem de exprimir não só valor em geral, mas valor quantitativamente determinado ou magnitude de valor. Na relação de valor da mercadoria A com a mercadoria B, do linho com o casaco, a mercadoria casaco, como encarnação de valor, equipara-se ao linho, não só qualitativamente, mas também em termos quantitativos; a 20 metros de linho iguala-se determinada quantidade do corpo do valor ou do equivalente, 1 casaco.

---

18 O que sucede à mercadoria ocorre, de certo modo, ao ser humano. O homem se vê e se reconhece primeiro em seu semelhante, a não ser que já venha ao mundo com um espelho na mão ou como um filósofo fichtiano para quem basta o "eu sou eu". Através da relação com o homem Paulo, na condição de seu semelhante, toma o homem Pedro consciência de si mesmo como homem. Passa, então, a considerar Paulo – com pele, cabelos, em sua materialidade paulina – a forma em que se manifesta o gênero homem.

A MERCADORIA

A equação 20 metros de linho = 1 casaco, ou 20 metros de linho valem 1 casaco, pressupõe que em 1 casaco há substância de valor em porção igual à que existe em 20 metros de linho, que as duas quantidades de mercadorias custam o mesmo trabalho ou igual tempo de trabalho. O tempo de trabalho necessário para a produção de 20 metros de linho ou de 1 casaco se altera com qualquer variação na produtividade dos respectivos trabalhos especializados – o do tecelão e o do alfaiate. É mister, por isso, analisar mais de perto a influência dessa variação sobre a expressão da magnitude do valor.

I – Varia o valor do linho,[19] ficando constante o do casaco. Se se duplicar o tempo de trabalho necessário à produção do linho, em virtude, admitamos, de se terem esgotado progressivamente as terras das plantações que fornecem a fibra, o valor do linho duplicar-se-á também. Em vez de 20 metros de linho = 1 casaco, teríamos 20 metros de linho = 2 casacos, uma vez que 1 casaco contém apenas metade do trabalho encerrado em 20 metros de linho. Se, ao contrário, reduzir-se à metade o tempo de trabalho necessário à produção de linho, em consequência, por exemplo, de melhores teares, cairá também à metade o seu valor. Agora, portanto, 20 metros de linho = ½ casaco. O valor relativo da mercadoria A, isto é, seu valor expresso na mercadoria B, aumenta ou diminui na razão direta do valor da mercadoria A, desde que permaneça constante o valor da mercadoria B.

II – Constante o valor do linho; variável, o do casaco. Dobrando-se, nessas circunstâncias, o tempo de trabalho necessário para a produção do casaco, em virtude, imaginemos, de tosquia desfavorável, teríamos, em vez de 20 metros de linho = 1 casaco, 20 metros de linho = ½ casaco. Se, ao contrário, o valor do casaco caísse à metade, então, 20 metros de linho = 2 casacos. Permanecendo constante o valor da mercadoria A, aumenta ou diminui seu valor relativo, seu valor expresso na mercadoria B, na razão inversa da variação do valor de B.

Comparando-se os casos compreendidos nos itens I e II, vê-se que a mesma variação de magnitude do valor relativo pode decorrer de causas opostas. Assim, de 20 metros de linho = 1 casaco, origina-se: 1) a equação 20 metros de linho = 2 casacos, ou por ter duplicado o valor do linho ou por ter caído à metade o valor dos casacos; 2) a equação 20 metros de

---

19 O vocábulo "valor", como já ocorreu algumas vezes atrás, designa aqui valor quantitativamente determinado, isto é, magnitude do valor.

O CAPITAL

linho = ½ casaco, ou por se ter reduzido à metade o valor do linho ou por ter dobrado o valor do casaco.

III – As quantidades de trabalho necessárias para a produção do linho e do casaco variam simultaneamente no mesmo sentido e na mesma proporção. Nessa hipótese, temos, inalteravelmente, 20 metros de linho = 1 casaco, quaisquer que sejam as variações dos valores. Descobre-se a alteração dos seus valores, ao compará-los com uma terceira mercadoria cujo valor tenha permanecido constante. Se os valores das mercadorias sobem ou descem, ao mesmo tempo e na mesma proporção, permanecerão constantes seus valores relativos. Sua verdadeira variação de valor é inferida de produzir-se, em geral, no mesmo tempo de trabalho, quantidade de mercadorias maior ou menor que antes.

IV – Os tempos de trabalho necessários para produzir, respectivamente, linho e casaco, e, portanto, seus valores, variam simultaneamente na mesma direção, mas em grau diferente, ou em sentidos opostos etc. Para descobrir a influência de todas as combinações possíveis dessas variações sobre o valor relativo de uma mercadoria, basta utilizar as hipóteses compreendidas nos itens I, II e III.

A verdadeira variação da magnitude do valor não se reflete, portanto, clara e completa em sua expressão, isto é, na equação que expressa a magnitude do valor relativo. E o valor relativo de uma mercadoria pode variar, embora seu valor permaneça constante. Seu valor relativo pode permanecer constante, embora seu valor varie e, finalmente, não é mister que sejam coincidentes as variações simultâneas ocorrentes na magnitude do valor e na expressão da magnitude do valor relativo.[20]

---

20 Nota da 2ª edição: Os economistas vulgares exploraram, com a habitual sagacidade, essa discordância entre a magnitude e a expressão relativa do valor. Por exemplo: "Admita que *A* baixa, por subir *B*, com o qual se permuta, embora, na ocasião, não decresça o trabalho empregado em *A*, e sua lei geral do valor cai por terra. [...] Se se admite que, ao subir o valor de *A* em relação ao de *B*, o valor de *B* cai relativamente ao de *A*, fica destruída, pela base, a grande proposição de Ricardo, de ser o valor de uma mercadoria sempre determinado pelo trabalho nela encerrado; pois, se a mudança no custo de *A* altera não só o próprio valor em relação a *B*, com que se troca, mas também o valor de *B* relativamente ao de *A*, sem ter ocorrido nenhuma variação na quantidade de trabalho para produzir *B*, então desmoronam-se duas doutrinas: a que assevera ser o valor de um artigo regulado pelo trabalho nele contido, e a que afirma ser o valor de um artigo regulado pelo seu custo." (S. Broadhurst, *Political Economy*, Londres, 1842, pp. 11-14.)

Raciocinando do mesmo modo, poderia o Sr. Broadhurst dizer: Considere as frações $^{10}/_{20}$, $^{10}/_{50}$, $^{10}/_{100}$ etc. O número 10 permanece invariável, mas, apesar disso, decresce sempre sua magnitude proporcional em relação aos denominadores 20, 50, 100. Logo, desmorona-se o grande princípio de ser a grandeza de um número inteiro como dez, por exemplo, "regulada" pela quantidade de unidades nele contidas.

A MERCADORIA

3. A FORMA DE EQUIVALENTE

Já vimos que a mercadoria *A* (o linho), ao exprimir seu valor por meio do valor de uso de mercadoria diferente, a mercadoria *B* (o casaco), imprime a esta última forma de valor peculiar, a forma de equivalente. O linho revela sua condição de valor, ao igualar-se ao casaco, sem que este adote uma forma de valor diferente de sua forma corpórea. Na realidade, o linho expressa sua própria condição de valor por ser o casaco por ele diretamente permutável. Assim, a mercadoria assume a forma de equivalente, por ser diretamente permutável por outra.

Quando um tipo de mercadoria, casaco, serve de equivalente a outro tipo, linho, ostentando assim a propriedade de ser diretamente permutável pelo linho, não se estabelece, em consequência, a proporção em que serão trocadas. Esta depende, dada a magnitude do valor do linho, da grandeza do valor do casaco. Desempenhe o casaco a função de equivalente e o linho, a de valor relativo, ou, ao contrário, o linho, a de equivalente, e casaco, a de valor relativo – o valor do casaco continua, como dantes, determinado pelo tempo de trabalho necessário à sua produção, independentemente, portanto, da forma do valor. Mas, quando a mercadoria casaco ocupa, na expressão de valor, a posição de equivalente, seu valor não adquire nenhuma expressão quantitativa. Ao contrário, passa a ser a expressão quantitativa não de valor, mas de uma coisa.

Por exemplo: 40 metros de linho valem o quê? Dois casacos. Desempenhando o casaco, no caso, o papel de equivalente, sendo o valor de uso casaco o corpo do valor do linho, basta determinada quantidade de casacos para expressar determinada quantidade de valor do linho. Dois casacos podem, por isso, expressar a magnitude do valor de 40 metros de linho, mas nunca a magnitude do próprio valor, a magnitude do valor dos dois casacos. A compreensão superficial do fenômeno de o equivalente possuir sempre, na equação do valor, a forma de mera quantidade de uma coisa, de um valor de uso, induziu Bailey, além de muitos dos antecessores e sucessores, a ver, na expressão do valor, apenas uma relação quantitativa. Ao contrário, a forma de equivalente não contém nenhuma determinação do valor da mercadoria que a assume.

A primeira peculiaridade que salta aos olhos, ao observar-se a forma de equivalente, é que o valor de uso se torna a forma de manifestação do seu contrário, isto é, do valor.

O CAPITAL

A forma natural ou física da mercadoria torna-se forma de valor. Mas, note-se, essa conversão ocorre com uma mercadoria *B* (casaco, trigo, ferro etc.) no quadro da relação de valor, em que outra mercadoria qualquer (linho etc.) com ela se confronta, e apenas dentro dos limites dessa relação. Uma vez que nenhuma mercadoria se relaciona consigo mesma como equivalente, não podendo transformar seu próprio corpo em expressão de seu próprio valor, tem ela de relacionar-se com outra mercadoria, considerada equivalente, ou seja, fazer da figura física de outra mercadoria sua própria forma de valor.

Podemos ilustrar isso recorrendo a uma medida própria das mercadorias, como realidades materiais, isto é, valores de uso. Um tijolo, sendo um corpo, pesa, tem um peso, mas não podemos determinar seu peso olhando ou apalpando-o. Tomamos, para isso, diversos pedaços de ferro, com os pesos previamente fixados. Consideradas em si mesmas, nem a forma corpórea do ferro nem a do tijolo são formas de manifestação do peso. Entretanto, para expressar o peso do tijolo, colocamo-lo em relação de peso com o ferro. Nessa relação, o ferro é considerado um corpo, que representa peso e nada mais. Quantidades de ferro, portanto, servem apenas para medir o peso do tijolo e, perante a materialidade deste, representam pura encarnação da gravidade, a forma de esta manifestar-se. O ferro só desempenha esse papel no quadro dessa relação, em que o tijolo, ou qualquer outro corpo cujo peso se quer achar, com ele se confronta. Se ambas as coisas não tivessem peso, não poderiam entrar nessa relação, e uma não serviria de expressão do peso da outra. Lancemo-las sobre a balança e veremos que, sob o ângulo exclusivo da gravidade, são a mesma coisa e, por isso, em determinada proporção possuem peso idêntico. Como medida de peso, o ferro, com sua realidade material, representa, perante o tijolo, apenas a gravidade, do mesmo modo que, em nossa expressão de valor, o objeto material casaco representa, perante o linho, apenas valor.

Aí termina, entretanto, a analogia. O ferro representa, na expressão do peso do tijolo, uma propriedade natural comum aos dois corpos, a de terem peso; enquanto o casaco, ao exprimir o valor do linho, representa uma qualidade que não é física, mas puro elemento social: o valor que é comum a ambos.

A forma relativa do valor de uma mercadoria (o linho) expressa seu valor por meio de algo totalmente diverso do seu corpo e de suas propriedades (o casaco); essa expressão está assim indicando que oculta uma relação social.

O oposto sucede com a forma de equivalente. Ela consiste justamente em que o objeto material, a mercadoria, como o casaco, no seu estado concreto, expressa valor, possuindo de modo natural, portanto, forma de valor. Isto só vigora na relação de valor em que a mercadoria casaco ocupa a posição de equivalente em face da mercadoria linho.[21] Ora, as propriedades de uma coisa não se originam de suas relações com outras, mas antes se patenteiam nessas relações; por isso, parece que o casaco tem, por natureza, a forma de equivalente, do mesmo modo que possui as propriedades de ter peso ou de conservar calor. Daí o caráter enigmático da forma de equivalente, o qual só desperta a atenção do economista político, deformado pela visão burguesa, depois que essa forma surge, acabada, como dinheiro. Empenha-se, então, em explicações, para dissolver o misticismo que envolve o ouro e a prata, acrescentando-lhes mercadorias menos esplendentes e sempre recitando, monótona e prazerosamente, o catálogo das mercadorias vulgares, que, noutros tempos, desempenharam o papel de equivalente das demais. Não suspeita que a mais simples expressão de valor, como 20 metros de linho = 1 casaco, já requer a solução do enigma da forma de equivalente.

O corpo da mercadoria que serve de equivalente passa sempre por encarnação de trabalho humano abstrato e é sempre o produto de um determinado trabalho útil, concreto. Esse trabalho concreto torna-se, portanto, expressão de trabalho humano abstrato. Considera-se o casaco, por exemplo, simples corporificação do trabalho humano abstrato, e o trabalho do alfaiate, nele realmente aplicado, apenas a forma em que se realizou o trabalho humano abstrato. Na expressão de valor do linho, a utilidade do trabalho do alfaiate não consiste em que ele faça um casaco, hábitos ou até monges, mas em que produza um corpo que denota valor, massa de trabalho, portanto, que absolutamente não se distingue do trabalho objetivado no valor do linho. Para ser esse espelho de valor, o trabalho do alfaiate tem de refletir, apenas, a propriedade abstrata de ser trabalho humano.

Despende-se trabalho humano tanto na forma do trabalho do alfaiate quanto na do trabalho do tecelão. Ambos possuem a propriedade comum de serem trabalho humano e, por isso, podem ser considerados apenas desse ponto de vista em certos casos, quando se trata, por exemplo, da produção de valor. Nada disso é misterioso. Mas, na expressão de valor da mercadoria,

---

21 É curioso o que sucede com essas conceituações reflexas. Um homem, por exemplo, é rei porque outros com ele se comportam como súditos. Esses outros acreditam que são súditos, porque ele é rei.

a coisa fica invertida. Conforme sabemos, o trabalho do tecelão produz, na sua qualidade comum de trabalho humano e não na sua forma concreta, o valor do linho. Para exprimir isso, é ele confrontado com o trabalho do alfaiate, o trabalho concreto que cria o equivalente ao linho, como forma palpável, materializada, de trabalho humano abstrato.

É, portanto, uma segunda propriedade da forma de equivalente o trabalho concreto tornar-se forma de manifestação de seu contrário, trabalho humano abstrato.

Considerando-se esse trabalho concreto do alfaiate simples expressão de trabalho humano em geral, passa ele a identificar-se com outro trabalho, com o incorporado no linho. Em consequência, não obstante seja trabalho privado, como qualquer outro que produz mercadorias, é também trabalho em forma diretamente social. Justamente, por isso, está representado num produto diretamente permutável por outra mercadoria. É, portanto, uma terceira propriedade da forma equivalente tornar-se o trabalho privado a forma do seu contrário, trabalho em forma diretamente social.

As duas últimas propriedades da forma de equivalente ficam ainda mais compreensíveis, se voltarmos ao grande pesquisador que primeiro analisou a forma do valor, além de muitas formas do pensamento, da sociedade e da natureza: Aristóteles.

De início, exprime ele, claramente, que a forma dinheiro da mercadoria é apenas a figura ulteriormente desenvolvida da forma simples do valor, isto é, da expressão do valor de uma mercadoria em outra qualquer, dizendo: "'5 camas = 1 casa' não se distingue de '5 camas = tanto de dinheiro'."

Reconheceu ele, ainda, que a relação de valor, existente nessa expressão, determina que a casa seja qualitativamente igualada à cama e que, sem essa igualização, não poderiam coisas de aparência tão diversa ser comparadas como grandezas comensuráveis. "A troca", diz ele, "não pode existir sem a igualdade, nem a igualdade, sem a comensurabilidade." Estaca nesse ponto, desistindo de prosseguir na análise da forma do valor. "É, porém, verdadeiramente impossível que coisas tão diversas sejam comensuráveis", isto é, qualitativamente iguais. Essa igualização tem de ser algo estranho à verdadeira natureza das coisas, portanto, um simples "expediente para atender às necessidades práticas".

O próprio Aristóteles nos diz, assim, o que o impede de prosseguir na análise: a ausência do conceito de valor. Que é o igual, a substância comum que a casa representa perante a cama na expressão do valor da cama?

A MERCADORIA

Tal coisa "não pode, em verdade, existir", diz Aristóteles. Por quê? A casa representa, perante a cama, uma coisa que a iguala à cama, desde que represente o que é realmente igual em ambas: o trabalho humano.

Aristóteles, porém, não podia descobrir, partindo da forma do valor, que todos os trabalhos são expressos, na forma dos valores das mercadorias, como um só e mesmo trabalho humano, como trabalho de igual qualidade. É que a sociedade grega repousava sobre a escravatura, tendo por fundamento a desigualdade dos homens e de suas forças de trabalho. Ao adquirir a ideia da igualdade humana a consistência de uma convicção popular é que se pode decifrar o segredo da expressão do valor, a igualdade e a equivalência de todos os trabalhos, por que são e enquanto são trabalho humano em geral. E mais, essa descoberta só é possível numa sociedade em que a forma mercadoria é a forma geral do produto do trabalho, e, em consequência, a relação dos homens entre si como possuidores de mercadorias é a relação social dominante. O gênio de Aristóteles resplandece justamente na sua descoberta da relação de igualdade existente na expressão do valor das mercadorias. Somente as limitações históricas da sociedade em que viveu impediram-no de descobrir em que consistia, "verdadeiramente", essa relação de igualdade.

4. A FORMA SIMPLES DO VALOR EM SEU CONJUNTO

A forma simples do valor de uma mercadoria se contém em sua relação de valor ou de troca com outra mercadoria diferente. O valor da mercadoria *A* expressa-se qualitativamente por meio da permutabilidade direta da mercadoria *B* com a mercadoria *A*. É expresso quantitativamente através da permutabilidade de determinada quantidade da mercadoria *B* com quantidade dada da mercadoria *A*. Em outras palavras, o valor de uma mercadoria assume expressão fora dela, ao manifestar-se como valor de troca. De acordo com hábito consagrado, se disse, no começo deste capítulo, que a mercadoria é valor de uso e valor de troca. Mas isto, a rigor, não é verdadeiro. A mercadoria é valor de uso ou objeto útil e "valor". Ela revela seu duplo caráter, o que ela é realmente, quando, como valor, dispõe de uma forma de manifestação própria, diferente da forma natural dela, a forma de valor de troca; e ela nunca possui essa forma, isoladamente considerada, mas apenas na relação de valor ou de troca com uma segunda mercadoria diferente. Sabido isto, não causa prejuízo aquela maneira de exprimir-se, servindo, antes, para poupar tempo.

O CAPITAL

Nossa análise demonstrou que a forma ou a expressão do valor da mercadoria decorre da natureza do valor da mercadoria, não sendo verdade que o valor e sua magnitude se originem da expressão do valor da mercadoria; do valor de troca. Apegaram-se, entretanto, a essa quimera os mercantilistas, seus discípulos modernos, como Ferrier, Ganilh etc.,[22] e os antípodas, os modernos caixeiros-viajantes do livre-cambismo, como Bastiat e quejandos. Os mercantilistas põem em relevo o aspecto qualitativo da expressão do valor, a forma de equivalente assumida pela mercadoria, forma que encontra no dinheiro sua configuração definitiva; os modernos mascates do livre--cambismo, ao contrário, tendo de livrar-se de sua mercadoria a qualquer preço, ressaltam o aspecto quantitativo da forma do valor relativo. Em consequência, para eles, só existem valor e sua magnitude na expressão que adquirem por meio da relação de troca, ou seja, nas citações dos boletins diários de preços. O escocês Macleod, em sua missão de ordenar e adornar, com a maior erudição possível, as confusas ideias de Lombardstreet,[I] consegue realizar uma miscigenação entre os supersticiosos mercantilistas e os mascates iluminados do livre-cambismo.

Examinando mais de perto a expressão do valor da mercadoria *A*, contida na sua relação de valor com a mercadoria *B*, vimos que, dentro do seu domínio, se considera a forma natural da mercadoria *A* figura de valor de uso, e a forma natural de mercadoria *B* apenas forma de valor. A contradição interna, oculta na mercadoria, entre valor de uso e valor, patenteia-se, portanto, por meio de uma oposição externa, isto é, através da relação de duas mercadorias, em que uma, aquela cujo valor tem de ser expresso, figura apenas como valor de uso, e a outra, aquela na qual o valor é expresso, é considerada mero valor de troca. A forma simples do valor de uma mercadoria é, por conseguinte, a forma elementar de manifestar-se a oposição nela existente, entre valor de uso e valor.

Em todos os estágios sociais, o produto do trabalho é valor de uso; mas só um período determinado do desenvolvimento histórico, em que se representa o trabalho despendido na produção de uma coisa útil como propriedade "objetiva", inerente a essa coisa, isto é, como seu valor, é que transforma o produto do trabalho em mercadoria. Em consequência, a

---

22 Nota da 2ª edição: F.L.A. Ferrier, subinspetor da alfândega, *Du gouvernement consideré dans ses rapports avec le commerce*, Paris, 1805, e Charles Ganilh, *Des systèmes d'économie politique*, 2ème éd., Paris, 1821.

I A rua dos grandes banqueiros de Londres.

forma simples de valor da mercadoria é também a forma-mercadoria elementar do produto do trabalho, coincidindo, portanto, o desenvolvimento da forma-mercadoria com o desenvolvimento da forma do valor.

Percebe-se, à primeira vista, a insuficiência da forma simples do valor, forma embrionária que atravessa uma série de metamorfoses para chegar à forma preço.

A expressão do valor da mercadoria A através de uma mercadoria B qualquer serve apenas para distinguir o valor de A do seu próprio valor de uso, colocando A em relação de troca exclusiva com outra mercadoria particular qualquer dele diferente; não traduz sua igualdade qualitativa e proporcionalidade quantitativa com todas as outras mercadorias. A forma relativa simples do valor de uma mercadoria corresponde à forma de equivalente singular de outra. Assim, o casaco, na expressão do valor relativo do linho, possui forma de equivalente ou forma de permutabilidade direta apenas em relação a esse único tipo de mercadoria, o linho.

Todavia, a forma simples do valor converte-se, por si mesma, numa forma mais completa. Na verdade, ela expressa o valor de uma mercadoria A apenas numa mercadoria de outra espécie. Pouco importa qual seja a espécie dessa segunda mercadoria, se casaco, ferro ou trigo etc. À medida que estabelece relação de valor com esta ou aquela espécie de mercadoria, A adquire diversas expressões simples de valor.[22a] O número das possíveis expressões de valor dessa única mercadoria só é limitado pelo número das mercadorias que lhe são diferentes. Sua expressão singular de valor converte-se numa série de expressões simples de valor, sempre ampliável.

B) FORMA TOTAL OU EXTENSIVA DO VALOR

z da mercadoria $A = u$ da mercadoria B, ou $= v$ da mercadoria C, ou $= w$ da mercadoria D, ou $= x$ da mercadoria E, ou = etc.

(20 metros de linho = 1 casaco, ou = 10 quilos de chá, ou = 40 quilos de café, ou = 1 quarta de trigo, ou = 2 onças de ouro, ou = ½ tonelada de ferro, ou = etc.)

1. FORMA EXTENSIVA DO VALOR RELATIVO

O valor de uma mercadoria, do linho, por exemplo, está agora expresso em inúmeros outros elementos do mundo das mercadorias. O corpo de

---

22a Nota da 2ª edição: Homero, por exemplo, expressa o valor de uma coisa numa série de coisas diferentes.

O CAPITAL

qualquer outra mercadoria torna-se o espelho onde se reflete o valor do linho.[23] Desse modo, esse valor, pela primeira vez, se revela efetivamente massa de trabalho humano homogêneo. O trabalho que o cria se revela expressamente igual a qualquer outro. Por isso, não importa a forma corpórea assumida pelos trabalhos, seja ela qual for, casaco, trigo, ferro ou ouro etc. Através da forma extensiva em que manifesta seu valor, está o linho, agora, em relação social não só com uma mercadoria isolada de espécie diferente, mas também com todo o mundo das mercadorias. Como mercadoria, é cidadão do mundo. Ao mesmo tempo, da série infindável das expressões da forma extensiva se infere que ao valor não importa a forma específica do valor de uso em que se manifesta.

Na primeira forma, 20 metros de linho = 1 casaco, poderia ser fortuito o fato de essas duas mercadorias serem permutáveis em determinada relação quantitativa. Na segunda, se percebe imediatamente um fundo que essencialmente difere dessa ocorrência casual, determinando-a. Continua o mesmo o valor do linho, seja ele expresso em casaco, em café ou ferro etc., não importando o número das diferentes mercadorias nem o de seus donos. Desaparece a relação eventual de dois donos individuais de mercadorias. Evidencia-se que não é a troca que regula a magnitude do valor da mercadoria, mas, ao contrário, é a magnitude do valor da mercadoria que regula as relações de troca.

2. A FORMA DE EQUIVALENTE PARTICULAR

Cada mercadoria, casaco, chá, trigo, ferro etc., é considerada equivalente na expressão do valor do linho e, portanto, encarnação de valor. A forma natural de cada uma dessas mercadorias é uma forma de equivalente particular, junto a muitas outras. Do mesmo modo, as variadas, determinadas,

---

23 Por isso, fala-se do valor do linho em casaco, quando se quer exprimi-lo em casaco, ou do seu valor em trigo, quando se quer exprimi-lo em trigo etc. Cada expressão dessas diz que seu valor é o que se manifesta nos valores de uso casaco, trigo etc. "Denotando o valor de cada mercadoria sua relação de troca, podemos chamá-lo de valor em trigo, valor em pano, de acordo com a mercadoria com que se compara, e, por isso, há milhares de espécies diferentes de valor, tantas quantas as mercadorias existentes, e todas essas espécies são igualmente reais e igualmente nominais." (*A Critical Dissertation on the Nature, Measures, and Causes of Value; Chiefly in Reference to the Writings of Mr. Ricardo and his Followers. By the Author of Essays on the Formation* etc. *on Opinions*, Londres, 1825, p. 39.) S. Bayley, o autor dessa obra anônima, que, a seu tempo, levantou muita celeuma na Inglaterra, imaginava, ao apontar as variegadas expressões do valor relativo da mesma mercadoria, ter provado a impossibilidade de qualquer determinação do conceito de valor. A acrimônia com que o atacou a escola ricardiana, na *Westminster Review*, por exemplo, demonstra que ele, apesar das suas limitações, tocou em pontos vulneráveis da teoria de Ricardo.

concretas e úteis espécies de trabalho, contidas nos corpos das diferentes mercadorias, consideram-se, agora, formas particulares de efetivação ou de manifestação do trabalho humano em geral.

3. DEFEITOS DA FORMA TOTAL OU EXTENSIVA DO VALOR

Primeiro, a expressão do valor fica incompleta, por nunca terminar a série que a representa. A cadeia em que uma equiparação se liga a outra distende-se sempre com cada nova espécie de mercadoria que surge, fornecendo material para nova expressão do valor. Segundo, é um mosaico multifário de expressões de valor díspares, desconexas. Se, por fim, se expressasse o valor relativo de toda mercadoria nessa forma extensiva, a forma relativa de valor de cada mercadoria seria uma série infindável de expressões de valor, ao lado das formas relativas de valor de cada uma das demais mercadorias. Os defeitos da forma extensiva do valor relativo refletem-se na forma de equivalente que lhe corresponde. Uma vez que a forma natural de cada tipo de mercadoria é uma forma de equivalente particular, ao lado de inumeráveis outras, só existem, no final de contas, formas de equivalente limitadas, cada uma excluindo as demais. Do mesmo modo, a espécie determinada de trabalho concreto, útil, contido em cada mercadoria equivalente particular é apenas forma particularizada de manifestação do trabalho humano, incompleta, portanto. Este possui, na verdade, sua forma completa ou total de manifestação no circuito inteiro daquelas formas particulares. Mas, falta uma forma unitária de manifestação do trabalho humano.

A forma extensiva do valor relativo consiste numa soma de expressões ou equações da primeira forma, como:

20 METROS DE LINHO = 1 CASACO
20 METROS DE LINHO = 10 QUILOS DE CHÁ ETC.

Cada uma dessas equações contém, reciprocamente, a equação idêntica:

1 CASACO = 20 METROS DE LINHO
10 QUILOS DE CHÁ = 20 METROS DE LINHO ETC.

Quando um produtor troca seu linho por muitas outras mercadorias, expressando seu valor numa série de outras mercadorias, é porque muitos outros donos de mercadorias trocam suas mercadorias por linho e, em consequência, traduzem os valores de suas diversas mercadorias em linho. Se invertermos, portanto, a série, 20 metros de linho = 1 casaco, ou = 10 quilos de chá, ou = etc., isto é, se exprimirmos a forma recíproca já implicitamente contida na série, temos:

C) FORMA GERAL DO VALOR

1. MUDANÇA DO CARÁTER DA FORMA DO VALOR

As mercadorias expressam, agora, seus valores (1) de maneira simples, isto é, numa única mercadoria e (2) de igual modo, isto é, na mesma mercadoria. É uma forma de valor simples, comum a todas as mercadorias, portanto, geral.

As formas *A* e *B* chegaram apenas a expressar o valor de uma mercadoria como algo diverso do próprio valor de uso ou do seu corpo.

A forma *A* proporciona equações como: 1 casaco = 20 metros de linho, 10 quilos de chá = ½ tonelada de ferro etc. O valor do casaco, na expressão, é igual ao do linho; o do chá, igual ao do ferro. Mas, igual ao do linho e igual ao do ferro, expressões do valor do casaco e do chá, são tão diferentes quanto linho e ferro. É claro que essa forma só funciona praticamente em estágios primitivos, quando os produtos do trabalho se transformam em mercadorias através da troca fortuita, ocasional.

A forma *B* distingue o valor de uma mercadoria do próprio valor de uso, de maneira mais completa que a primeira. Com efeito, o valor do casaco revela-se em todas as formas possíveis, iguala-se ao do linho, ao do ferro, ao do chá, enfim, a toda mercadoria menos a casaco. Além disso, fica diretamente excluída toda forma comum de valor das mercadorias, pois, na expressão de valor de cada mercadoria, todas as demais mercadorias aparecem apenas sob a forma de equivalente. A forma extensiva do valor só ocorre realmente quando um produto de trabalho, gado, por exemplo, é trocado por outras mercadorias diferentes, não excepcionalmente, mas já em caráter habitual.

A forma que aparece depois, *C*, expressa os valores do mundo das mercadorias numa única e mesma mercadoria, adrede separada, por exemplo, o linho, e representa os valores de todas as mercadorias através de sua igualdade com o linho. Então, o valor de cada mercadoria, igualado ao do linho, se distingue não só do valor de uso dela mas de qualquer valor de uso, e justamente por isso se exprime de maneira comum a todas as mercadorias. Daí ser esta a forma que primeiro relaciona as mercadorias, como valores, umas com as outras, fazendo-as revelarem-se, reciprocamente, valores de troca.

As duas formas anteriores expressam o valor de cada mercadoria isolada, seja numa única mercadoria de espécie diversa, seja numa série de mercadorias diferentes. Em ambos os casos, assumir uma forma de valor é, por assim dizer, negócio privado de cada mercadoria, onde não há participação das outras, que desempenham, em confronto com ela, o papel meramente passivo de equivalente. A forma geral do valor, ao contrário, surge como obra comum do mundo das mercadorias. O valor de uma mercadoria só adquire expressão geral porque todas as outras mercadorias exprimem seu valor através do mesmo equivalente, e toda nova espécie de mercadoria tem de fazer o mesmo. Evidencia-se, desse modo, que a realidade do valor das mercadorias só pode ser expressa pela totalidade de suas relações sociais, pois essa realidade nada mais é que a "existência social" delas, tendo a forma do valor, portanto, de possuir validade social reconhecida.

Igualadas, agora, ao linho, todas as mercadorias revelam-se não só qualitativamente iguais, como valores, mas também quantitativamente comparáveis, como magnitudes de valor. Espelhando-se num mesmo e único material, em linho, essas magnitudes, por seu lado, se medem mutuamente. Por exemplo, 10 quilos de chá = 20 metros de linho, e 40 quilos de café = 20 metros de linho. Logo, 10 quilos de chá = 40 quilos de café. Ou 1 quilo de café contém ¼ da substância do valor, o trabalho, contida em 1 quilo de chá.

A forma geral do valor relativo do mundo das mercadorias imprime à mercadoria eleita equivalente, o linho, o caráter de equivalente geral. Sua própria forma natural é a figura comum do valor desse mundo, sendo, por isso, o linho diretamente permutável por todas as outras mercadorias. Considera-se sua forma corpórea a encarnação visível, a imagem comum, social, de todo trabalho humano. O trabalho têxtil, o trabalho privado que produz linho, ostenta, simultaneamente, forma social, a forma de igualdade com todos os outros trabalhos. As inumeráveis equações em que consiste a forma geral de valor equiparam, sucessivamente, ao trabalho contido no linho qualquer trabalho encerrado em outra mercadoria e convertem, portanto, esse trabalho têxtil em forma geral de manifestação do trabalho humano sem mais qualificações. Assim, o trabalho objetivado no valor da mercadoria é representado não só sob o aspecto negativo em que se põem de lado todas as formas concretas e propriedades úteis dos trabalhos reais; ressalta-se, agora, sua própria natureza positiva. Ele é, agora, a redução de todos os trabalhos reais a sua condição comum de trabalho humano, de dispêndio de força humana de trabalho.

A forma geral do valor, que torna os produtos do trabalho mera massa de trabalho humano sem diferenciações, mostra, através de sua própria estrutura, que é a expressão social do mundo das mercadorias. Desse modo, evidencia que o caráter social específico desse mundo é constituído do caráter humano geral do trabalho.

2. DESENVOLVIMENTO MÚTUO DA FORMA RELATIVA DO VALOR E DA FORMA DE EQUIVALENTE

A forma de equivalente desenvolve-se em correspondência com o grau de progresso da forma relativa do valor. Mas, note-se, o desenvolvimento da primeira é apenas expressão e resultado do desenvolvimento da segunda.

A forma relativa do valor, simples ou isolada, de uma mercadoria torna a outra equivalente singular. A forma extensiva do valor relativo exprime o valor de uma mercadoria em todas as outras que recebem a forma de equivalentes particulares diferentes. Por fim, uma espécie particular de mercadoria adquire a forma de equivalente geral, em virtude de todas as outras mercadorias converterem-na em material da forma única e geral de valor que consagraram.

A oposição entre ambos os polos, a forma relativa do valor e a forma de equivalente, progride à medida que se desenvolve a forma do valor.

Já contém essa oposição a primeira forma, 20 metros de linho = 1 casaco, sem, contudo, fixá-la. Lendo-se a equação da esquerda para a direita, ou da direita para a esquerda, cada um dos dois membros, linho e casaco, ora se põe na forma relativa do valor, ora na forma de equivalente. É difícil, no caso, capturar a oposição entre os dois polos.

A MERCADORIA

Na forma *B*, uma mercadoria de cada vez tem a possibilidade de estender totalmente sua forma relativa, ou possui ela mesma forma extensiva do valor relativo porque e enquanto com ela se confrontam todas as outras mercadorias, como equivalentes. Aí, não se pode mais trocar os dois lados da equação, como 20 metros de linho = 1 casaco, ou = 10 quilos de chá, ou = 1 quarta de trigo etc., sem modificar todo o seu caráter e sem converter a forma extensiva do valor em forma geral.

A forma *C*, posterior, proporciona, por fim, ao mundo das mercadorias forma relativa generalizada e social do valor, por estarem e enquanto estiverem excluídas todas as mercadorias, com exceção de uma única, da forma equivalente geral. Uma mercadoria, o linho, assume, por isso, a forma de permutabilidade direta com todas as outras mercadorias, ou se reveste de forma diretamente social, por não estarem e enquanto não estiverem nessa forma as demais.[24]

Reciprocamente, a mercadoria que figura como equivalente geral fica excluída da forma relativa do valor unitário e, portanto, geral do mundo das mercadorias. O linho, isto é, qualquer mercadoria que se encontre em forma de equivalente geral, para participar, ao mesmo tempo, da forma geral do valor relativo, terá de converter-se em equivalente de si mesmo. Teremos, então: 20 metros de linho = 20 metros de linho, uma tautologia que não exprime nem valor, nem magnitude de valor. Para expressar o valor relativo do equivalente geral, temos de inverter a forma *C*. Ele não possui nenhuma forma em comum com as outras mercadorias, mas se expressa na série infinita de todas as outras mercadorias. Desse modo, a forma extensiva do valor relativo, a *B*, revela-se a forma específica do valor relativo da mercadoria que serve de equivalente geral.

---

24 Na verdade, a forma de permutabilidade direta e geral não evidencia desde logo que é uma forma antitética de mercadoria, ao mesmo tempo inseparável da forma de permutabilidade indireta, e que se comporta, portanto, em relação a esta como o polo positivo em relação ao polo negativo do ímã. Supor que se possa imprimir a toda mercadoria a condição de permutabilidade direta seria o mesmo que imaginar a possibilidade de converter todos os católicos em papa. Para o burguês tacanho, que vê na produção de mercadorias o ponto culminante da liberdade humana e da independência individual, o ideal seria que todas as mercadorias fossem diretamente permutáveis. Reproduz essa utopia filistina o sistema de Proudhon, um socialismo que, conforme já mostrei, nem o mérito da originalidade possui. Antes dele, Gray, Bray e outros tinham levado a cabo a mesma tarefa, com melhores resultados. O que não impede a escola proudhoniana de grassar, hoje em dia, em certos círculos, com o nome de ciência. Nunca uma escola usou e abusou tanto da palavra ciência, e sabemos que "onde faltam ideias encaixa-se, em tempo hábil, uma palavra".

3. TRANSIÇÃO DA FORMA GERAL DO VALOR PARA A FORMA DINHEIRO

A forma de equivalente geral é, em suma, forma de valor. Pode, portanto, ocorrer a qualquer mercadoria. Por outro lado, uma mercadoria só assume forma de equivalente geral (forma C) por estar e enquanto estiver destacada como equivalente por todas as outras mercadorias. E só a partir do momento em que esse destaque se limita, terminantemente, a uma determinada mercadoria é que adquire a forma unitária do valor relativo do mundo das mercadorias consistência objetiva e validade social universal.

Então, mercadoria determinada, com cuja forma natural se identifica socialmente a forma de equivalente, torna-se mercadoria-dinheiro, funciona como dinheiro. Desempenhar o papel de equivalente universal torna-se sua função social específica, seu monopólio social, no mundo das mercadorias. Determinada mercadoria, o ouro, conquista essa posição privilegiada entre as mercadorias que figuram na forma B, como equivalentes singulares, e, na forma C, expressam, em comum, no linho seu valor relativo. Substituindo, na forma C, o linho pela mercadoria ouro, temos:

D) FORMA DINHEIRO DO VALOR

Ocorrem modificações substanciais na transição da forma A para a B e da B para a C. Em compensação, a forma D só difere da C por possuir o ouro, em vez do linho, a forma de equivalente geral. O ouro é, na fórmula D, o que era o linho na C, equivalente geral. O progresso consiste em se ter identificado agora, definitivamente, a forma de direta permutabilidade geral ou forma de equivalente geral com a forma específica da mercadoria ouro, por força de hábito social.

O ouro se confronta com outras mercadorias, exercendo a função de dinheiro, apenas por se ter, antes, a elas anteposto na condição de mercadoria. Igual a outras mercadorias, funcionou também como equivalente singular em operações isoladas de troca, ou equivalente particular junto a outros equivalentes. Pouco a pouco, passou a desempenhar em círculos mais ou menos vastos o papel de equivalente geral. Ao conquistar o monopólio desse papel de expressar o valor do mundo das mercadorias, torna-se mercadoria-dinheiro, e só a partir do momento em que se converteu em mercadoria-dinheiro distingue-se a forma D da forma C, ou a forma geral do valor transforma-se em forma dinheiro do valor.

A expressão simples e relativa do valor de uma mercadoria, por exemplo, o linho, através de uma mercadoria que já esteja exercendo a função de mercadoria-dinheiro, por exemplo, o ouro, é a forma preço. Daí a forma preço do linho:

20 METROS DE LINHO = 2 ONÇAS DE OURO

OU, SE, EM LINGUAGEM MONETÁRIA, 2 LIBRAS ESTERLINAS FOR O NOME DE

2 ONÇAS DE OURO, 20 METROS DE LINHO = 2 LIBRAS ESTERLINAS.

O difícil, para se conceituar a forma dinheiro, é compreender a forma de equivalente geral e, em consequência, a forma geral do valor, a forma C. A forma C deriva da forma B, a forma extensiva, e o elemento constitutivo desta é a forma A: 20 metros de tela de linho = 1 casaco ou x da mercadoria $A = y$ da mercadoria B. Assim, a forma mercadoria, isto é, a mercadoria equivalente da forma simples do valor, é o germe da forma dinheiro.

1. O FETICHISMO DA MERCADORIA: SEU SEGREDO

À primeira vista, a mercadoria parece ser coisa trivial, imediatamente compreensível. Analisando-a, vê-se que ela é algo muito estranho, cheio de sutilezas metafísicas e argúcias teológicas. Como valor de uso, nada há de misterioso nela, quer a observemos sob o aspecto de que se destina a satisfazer necessidades humanas, com suas propriedades, quer sob o ângulo de que só adquire essas propriedades em consequência do trabalho humano. É evidente que o ser humano, por sua atividade, modifica do modo que lhe é útil a forma dos elementos naturais. Modifica, por exemplo, a forma da madeira, quando dela faz uma mesa. Não obstante, a mesa ainda é madeira, coisa prosaica, material. Mas, logo que se revela mercadoria, transforma-se em algo ao mesmo tempo perceptível e impalpável. Além de estar com os pés no chão, firma sua posição perante as outras mercadorias e expande as

O CAPITAL

ideias fixas de sua cabeça de madeira, fenômeno mais fantástico do que se dançasse por iniciativa própria.[25]

O caráter misterioso da mercadoria não provém do seu valor de uso, tampouco dos fatores determinantes do valor. E, para isso, há motivos. Primeiro, por mais que difiram os trabalhos úteis ou as atividades produtivas, a verdade fisiológica é que são funções do organismo humano, e cada uma dessas funções, não importa a forma ou o conteúdo, é essencialmente dispêndio do cérebro, dos nervos, músculos, sentidos etc. do homem. Segundo, quanto ao fator que determina a magnitude do valor, isto é, a duração daquele dispêndio ou a quantidade do trabalho, é possível distinguir claramente a quantidade da qualidade do trabalho. O tempo de trabalho que custa produzir os meios de subsistência interessou, necessariamente, aos homens, em todas as épocas, embora em grau variável com o estágio do desenvolvimento.[26] Por fim, desde que os homens, não importa o modo, trabalhem uns para os outros, adquire o trabalho uma forma social.

O caráter misterioso que o produto do trabalho apresenta ao assumir a forma de mercadoria, donde provém? Dessa própria forma, claro. A igualdade dos trabalhos humanos fica disfarçada sob a forma da igualdade dos produtos do trabalho como valores; a medida, por meio da duração, do dispêndio da força humana de trabalho, toma a forma de quantidade de valor dos produtos do trabalho; finalmente, as relações entre os produtores, nas quais se afirma o caráter social dos seus trabalhos, assumem a forma de relação social entre os produtos do trabalho.

A mercadoria é misteriosa simplesmente por encobrir as características sociais do próprio trabalho dos homens, apresentando-as como características materiais e propriedades sociais inerentes aos produtos do trabalho; por ocultar, portanto, a relação social entre os trabalhos individuais dos produtores

---

25 Quando o mundo parecia estar tranquilo, recorde-se, a China e as mesas começaram a bailar, *pour encourager les autres.*

26 Nota da 2ª edição: Entre os antigos germanos, a unidade para medir a terra era a área que podia ser lavrada num dia, e, por isso, deram-lhe o nome de *Tagwerk*[I] ou *Tagwanne (jurnale ou Jurnalis, terra jurnalis, jornalis ou diurnalis), Mannwerk, Mannskraft, Mannsmaad, Mannshauet.* Vide Georg Ludwig von Maurer. *Einleitung zur Geschichte der Mark – Hof – usw. Verfassung,* Munique, 1854, pp. 129 e segs.

I O *Tagwerk*, medida agrária antiquada, varia, conforme usos regionais, de 25 a 35 ares, aproximadamente. Em português, temos a palavra *jeira*, com os seguintes sentidos arcaicos: área que podia ser lavrada por uma junta de bois num dia; antiga medida agrária que variava, conforme o lugar, de 19 a 36 hectares; serviço de lavoura obrigatório e gratuito. Outros significados: serviço de um jornaleiro em cada dia; salário por dia de serviço.

e o trabalho total, ao refleti-la como relação social existente, à margem deles, entre os produtos do seu próprio trabalho. Através dessa dissimulação, os produtos do trabalho se tornam mercadorias, coisas sociais, com propriedades perceptíveis e imperceptíveis aos sentidos. A impressão luminosa de uma coisa sobre o nervo óptico não se apresenta como sensação subjetiva desse nervo, mas como forma sensível de uma coisa existente fora do órgão da visão. Mas, aí, a luz se projeta realmente de uma coisa, o objeto externo, para outra, o olho. Há uma relação física entre coisas físicas. Mas a forma mercadoria e a relação de valor entre os produtos do trabalho, a qual caracteriza essa forma, nada têm a ver com a natureza física desses produtos nem com as relações materiais dela decorrentes. Uma relação social definida, estabelecida entre os homens, assume a forma fantasmagórica de uma relação entre coisas. Para encontrar um símile, temos de recorrer à região nebulosa da crença. Aí, os produtos do cérebro humano parecem dotados de vida própria, figuras autônomas que mantêm relações entre si e com os seres humanos. É o que ocorre com os produtos da mão humana, no mundo das mercadorias. Chamo a isso de fetichismo, que está sempre grudado aos produtos do trabalho, quando são gerados como mercadorias. É inseparável da produção de mercadorias.

Esse fetichismo do mundo das mercadorias decorre, conforme demonstra a análise precedente, do caráter social próprio do trabalho que produz mercadorias.

Objetos úteis se tornam mercadorias, por serem simplesmente produtos de trabalhos privados, independentes uns dos outros. O conjunto desses trabalhos particulares forma a totalidade do trabalho social. Processando-se os contatos sociais entre os produtores, por intermédio da troca de seus produtos de trabalho, só dentro desse intercâmbio se patenteiam as características especificamente sociais de seus trabalhos privados. Em outras palavras, os trabalhos privados atuam como partes componentes do conjunto do trabalho social, apenas através das relações que a troca estabelece entre os produtos do trabalho e, por meio destes, entre os produtores. Por isso, para os últimos, as relações sociais entre seus trabalhos privados aparecem de acordo com o que realmente são, como relações materiais entre pessoas e relações sociais entre coisas, e não como relações sociais diretas entre indivíduos em seus trabalhos.

Só com a troca, adquirem os produtos do trabalho, como valores, uma realidade socialmente homogênea, distinta da sua heterogeneidade de objetos úteis, perceptível aos sentidos. Esta cisão do produto do trabalho em coisa útil e em valor só atua, na prática, depois de ter a troca atingido tal

O CAPITAL

expansão e importância que se produzam as coisas úteis para serem permutadas, considerando-se o valor das coisas já por ocasião de serem produzidas. Desde esse momento, manifestam, efetivamente, os trabalhos dos produtores duplo caráter social. De um lado, definidos de acordo com sua utilidade, têm de satisfazer determinadas necessidades sociais e de firmar-se, assim, como parte componente do trabalho total, do sistema da divisão social do trabalho que espontaneamente se desenvolve. Por outro lado, só satisfazem as múltiplas necessidades de seus próprios produtores na medida em que cada espécie particular de trabalho privado útil pode ser trocada por qualquer outra espécie de trabalho privado com que se equipara. A igualdade completa de diferentes trabalhos só pode assentar numa abstração que põe de lado a desigualdade existente entre eles e os reduz ao seu caráter comum de dispêndio de força humana de trabalho, de trabalho humano abstrato. O produtor particular apreende esse duplo caráter social dos trabalhos particulares apenas sob os aspectos que se manifestam, praticamente, no intercâmbio, na troca dos produtos. Assim, percebe o caráter socialmente útil de seus trabalhos particulares sob o aspecto de o produto do trabalho ter de ser útil, e útil aos outros, e o caráter social da igualdade dos diferentes trabalhos apresenta-se a ele sob o aspecto da igualdade de valor que se estabelece entre essas coisas materialmente diversas, os produtos do trabalho.

Os homens não estabelecem relações entre os produtos do seu trabalho como valores por considerá-los simples aparência material de trabalho humano de igual natureza. Ao contrário. Ao igualar, na permuta, como valores, seus diferentes produtos, igualam seus trabalhos diferentes, de acordo com sua qualidade comum de trabalho humano. Fazem isto sem o saber.[27] O valor não traz escrito na fronte o que ele é. Longe disso, o valor transforma cada produto do trabalho num hieróglifo social. Mais tarde, os homens procuram decifrar o significado do hieróglifo, descobrir o segredo de sua própria criação social, pois a conversão dos objetos úteis em valores é, como a linguagem, um produto social dos homens. A descoberta científica ulterior de os produtos do trabalho, como valores, serem meras expressões materiais do trabalho humano despendido em sua produção é importante na história do desenvolvimento da humanidade, mas não dissipa de ne-

---

27 Nota da 2ª edição: Galiani, por isso, depois de dizer que o valor é uma relação entre pessoas ("La ricchezza é una ragione tradue persone"), deveria ter acrescentado: oculta sob um invólucro material. (Galiani, *Della maneta*, p. 221, t. III, coleção "Scrittori Classici Italiani di Economia Politica", parte moderna, Milão, 1803.)

A MERCADORIA

nhum modo a fantasmagoria que apresenta, como qualidade material dos produtos, o caráter social do trabalho. O que é verdadeiro apenas para essa determinada forma de produção, a produção de mercadorias – a saber, que o caráter social específico dos trabalhos particulares, independentes entre si, consiste na identidade deles como trabalho humano e assume nos produtos a forma de valor –, parece aos produtores de mercadorias tão natural e definitivo, apesar daquela descoberta, quanto o ar, que continuou a existir tal como era antes, após a ciência tê-lo decomposto em seus elementos.

O que, na prática, interessa aos que trocam os produtos é saber quanto de outras mercadorias podem receber pela sua; em que proporções, portanto, os produtos se trocam. Na medida em que o costume fixa essas proporções, parecem elas derivar da natureza dos produtos do trabalho, e passa-se a considerar, por exemplo, que 1 tonelada de ferro e 2 onças de ouro têm igual valor, do mesmo modo que 1 quilo de ouro e 1 quilo de ferro têm igual peso, apesar das diferentes propriedades físicas e químicas. Na realidade, a condição de ter valor só se fixa nos produtos do trabalho quando eles se determinam como quantidades de valor. Estas variam sempre, independentemente da vontade, da previsão e dos atos dos participantes da troca. Para estes, a própria atividade social possui a forma de uma atividade das coisas sob cujo controle se encontram, ao invés de as controlarem. É mister haver produção de mercadorias plenamente desenvolvida, antes de a experiência dar origem a este conhecimento científico: os trabalhos particulares realizados independentemente uns dos outros, mas interdependentes, em todos os sentidos, como parcelas naturalmente integrantes da divisão social do trabalho, são, de modo contínuo, ajustados às proporções requeridas pela sociedade. É que, nas eventuais e flutuantes proporções de troca dos produtos desses trabalhos particulares, impõe-se o tempo de trabalho socialmente necessário à sua produção, que é a lei natural reguladora, que não leva em conta pessoas, como a lei da gravidade, por exemplo, quando uma casa se desmorona.[28] A determinação da quantidade do valor pelo tempo do trabalho é, por isso, um segredo oculto sob os movimentos visíveis dos valores relativos das mercadorias. Sua descoberta destrói a aparência de ca-

---

28 "Que pensar de uma lei que só pode impor-se através de revoluções periódicas? É uma lei natural que assenta sobre a inconsciência daqueles cuja ação está sujeita a ela." (Friedrich Engels, "Umrisse zu einer Kritik der Nationalökonomie", *DeutschFranzösische Jahrbücher*, ed. por Arnold Ruge e Karl Marx, Paris, 1844.)

sualidade que reveste a determinação das quantidades de valor dos produtos do trabalho, mas não suprime a forma material dessa determinação.

Refletir sobre as formas da vida humana e analisá-las cientificamente é seguir rota oposta à do seu verdadeiro desenvolvimento histórico. Começa-se depois do fato consumado, quando estão concluídos os resultados do processo de desenvolvimento. As formas que convertem os produtos do trabalho em mercadorias, constituindo pressupostos da circulação das mercadorias, já possuem a consistência de formas naturais da vida social, antes de os homens se empenharem em apreender, não o caráter histórico dessas formas, que eles, ao contrário, consideram imutáveis, mas seu significado. Assim, só a análise dos preços das mercadorias levava à determinação da magnitude do valor, só a expressão comum, em dinheiro, das mercadorias induzia a estabelecer-se sua condição de valor. É, porém, essa forma acabada do mundo das mercadorias, a forma dinheiro, que realmente dissimula o caráter social dos trabalhos privados e, em consequência, as relações sociais entre os produtores particulares, ao invés de pô-las em evidência. Quando afirmo que casaco, botas etc. estabelecem relações com o linho, como encarnação universal do trabalho humano abstrato, causa espanto o absurdo da afirmação. Mas, quando os produtores de casaco, botas etc. estabelecem relação entre essas mercadorias e o linho (ou entre elas e o ouro ou a prata, o que nada muda na substância da coisa), como equivalente universal, ou encarnação universal do trabalho humano abstrato, é precisamente sob aquela forma absurda que expressam a relação entre seus trabalhos particulares e o trabalho social total.

Formas dessa natureza constituem as categorias da economia burguesa. São formas de pensamento socialmente válidas, portanto objetivas, ajustadas às relações desse modo de produção historicamente definido, a produção de mercadorias. Todo o mistério do mundo das mercadorias, todo o sortilégio e a magia que enevoam os produtos do trabalho, ao assumirem estes a forma de mercadorias, desaparecem assim que examinamos outras formas de produção.

A economia política adora imaginar experimentos robinsonianos.[29] Façamos, por isso, Robinson aparecer em sua ilha. Moderado por natu-

---

29 Nota da 2ª edição: Ricardo também não está livre de mancadas robinsonianas. "Ele transforma o pescador e o caçador primitivos em donos de mercadorias, peixe e caça, que permutam na proporção do tempo de trabalho incorporado nesses valores de troca. Cai, então, no anacronismo de fazer o pescador e o caçador selvagens consultarem as tabelas de anuidades, de uso corrente na Bolsa de Londres em 1817, para calcular o valor correspondente aos instrumentos de trabalho. Os 'Paralelogramas de Owen' parecem ter sido a única forma de sociedade que conhecia além da burguesa." (Karl Marx, *Contribuição à crítica* etc., pp. 38-39).

reza, tem, entretanto, de satisfazer diferentes necessidades e, por isso, é compelido a executar trabalhos úteis diversos, fazer instrumentos, fabricar móveis, domesticar lhamas, pescar, caçar. Não falaremos de suas orações e de coisas análogas, pois Robinson se compraz nelas, considera restauradoras atividades dessa natureza. Apesar da diversidade de suas funções produtivas, sabe que não passam de formas diversas de sua própria atividade, portanto, de formas diferentes de trabalho humano. A própria necessidade obriga-o a distribuir, cuidadosamente, seu tempo entre suas diversas funções. Se uma absorve parte maior ou menor de sua atividade que outra, é porque há maiores ou menores dificuldades a vencer para se conseguir o proveito ambicionado. É o que a experiência lhe ensina, e nosso Robinson, que salvou do naufrágio o relógio, o livro-razão, tinta e caneta, começa, como bom inglês, a organizar a contabilidade de sua vida. Sua escrita contém um registro dos objetos úteis que possui, das diversas operações requeridas para sua produção e, finalmente, do tempo de trabalho que em média lhe custam determinadas quantidades dos diferentes produtos. Todas as relações entre Robinson e as coisas que formam a riqueza por ele mesmo criada são tão simples e límpidas que até Max Wirth as entenderia, sem grande esforço intelectual. Elas já contêm, no entanto, tudo o que é essencial para caracterizar o valor.

Deixemos a ilha de Robinson, cheia de sol, e penetremos na sombria Idade Média europeia. Nela não há o indivíduo independente; todos são dependentes: servos e senhores feudais, vassalos e suseranos, leigos e clérigos. A dependência pessoal caracteriza tanto as relações sociais da produção material quanto as outras esferas da vida baseadas nessa produção. Mas, justamente porque as relações de dependência pessoal constituem o fundamento social incontroverso, não se faz mister que os trabalhos e os produtos assumam feição fantasmagórica, diversa de sua realidade. Eles entram na engrenagem social como serviços e pagamentos em produtos. A forma diretamente social do trabalho é aqui a forma concreta do trabalho, sua particularidade, e não sua generalidade abstrata, como ocorre com a produção de mercadorias. A corveia, como o trabalho que produz mercadorias, mede-se pelo tempo, mas cada servo sabe que quantidade de sua força pessoal de trabalho despende no serviço do senhor. O dízimo pago ao cura é mais palpável que sua bênção. No regime feudal, sejam quais forem os papéis que os homens desempenham ao se confrontarem, as relações sociais entre as pessoas na realização de seus trabalhos revelam-se como suas próprias relações pessoais, não se dissimulando em relações entre coisas, entre produtos do trabalho.

Para estudar o trabalho em comum, isto é, a associação direta de trabalho, não é mister recuar à forma comunitária que aparece naturalmente no limiar da história de todos os povos civilizados.[30] Constitui um exemplo próximo a indústria patriarcal rural de uma família camponesa, que produz, para as próprias necessidades, trigo, gado, fio, tela de linho, peças de roupa etc. Essas coisas diversas são, para a família, produtos diversos do seu trabalho, mas não se confrontam entre si como mercadorias. As diferentes espécies de trabalho que dão origem a esses produtos – lavoura, pecuária, fiação, tecelagem, costura etc. – são, na sua forma concreta, funções sociais, por serem funções da família, que tem, como a produção de mercadorias, sua própria e espontânea divisão do trabalho. Diferenças de sexo e de idade e as condições naturais do trabalho, variáveis com as estações do ano, regulam sua distribuição dentro da família e o tempo que deve durar o trabalho de cada um de seus membros.

As forças individuais de trabalho operam, naturalmente, como órgãos da força comum de trabalho da família e, por isso, o dispêndio das forças individuais de trabalho, medido pelo tempo de sua duração, manifesta-se, aqui, simplesmente em trabalhos socialmente determinados.

Suponhamos, finalmente, para variar, uma sociedade de homens livres, que trabalham com meios de produção comuns e empregam suas múltiplas forças individuais de trabalho, conscientemente, como força de trabalho social. Reproduzem-se aqui todas as características do trabalho de Robinson, com uma diferença: passam a ser sociais, ao invés de individuais. Todos os produtos de Robinson procediam de seu trabalho pessoal, exclusivo, e, por isso, eram, para ele, objetos diretamente úteis. Em nossa associação, o produto total é um produto social. Uma parte desse produto é utilizada como novo meio de produção. Continua sendo social. A outra parte é consumida

---

30 Nota da 2ª edição: "É ridículo o preconceito, difundido recentemente, de que a forma primitiva da propriedade comum é especificamente eslava ou exclusivamente russa. Sua existência pode ser comprovada entre os romanos, germanos, celtas, e dela ainda se encontra, hoje, na Índia, um mostruário completo de exemplares variados, embora parcialmente em ruína. Estudo em maior profundidade das formas asiáticas de propriedade coletiva, especialmente das indianas, comprovaria como diversas formas transmutadas decorrem das diferentes formas de propriedade coletiva natural. Assim, por exemplo, os diferentes tipos originais de propriedade privada entre os romanos e germanos podem ser inferidos de formas diferentes da propriedade comum indiana." (Karl Marx, *Introdução à crítica* etc., p. 10.)

pelos membros da comunidade. Tem, portanto, de ser distribuída entre eles. O modo dessa distribuição variará com a organização produtiva da sociedade e com o correspondente nível de desenvolvimento histórico dos produtores. Somente para fazer um paralelo com a produção de mercadorias, pressupomos que a participação de cada produtor nos bens de consumo se determina pelo seu tempo de trabalho. O tempo de trabalho desempenharia, portanto, duplo papel. Sua distribuição socialmente planejada regula a proporção correta das diversas funções do trabalho para as diversas necessidades. Além disso, o tempo de trabalho serve para medir a participação individual dos produtores no trabalho comunitário e sua cota pessoal na parte do produto global destinada ao consumo. Neste caso, as relações sociais dos indivíduos no tocante a seus trabalhos e aos produtos de seus trabalhos continuam meridianamente claras, tanto na produção quanto na distribuição.

De acordo com a relação social de produção que tem validade geral numa sociedade de produtores de mercadorias, estes tratam seus produtos como mercadorias, isto é, valores, e comparam, sob a aparência material das mercadorias, seus trabalhos particulares, convertidos em trabalho humano homogêneo. Daí ser o cristianismo, com seu culto do homem abstrato, a forma de religião mais adequada para essa sociedade, notadamente em seu desenvolvimento burguês, o protestantismo, o deísmo etc. Nos modos de produção da velha Ásia e da Antiguidade em geral, a transformação do produto em mercadoria e a do ser humano em produtor de mercadorias desempenham papel secundário, que vai se tornando importante à medida que as comunidades entram em dissolução. Povos comerciantes, propriamente, só existiram nos interstícios da Antiguidade, como os deuses de Epicuro que habitavam nos intermúndios ou os judeus que vivem nos poros da sociedade polonesa. Aqueles organismos de produção da sociedade antiga são bem mais simples e transparentes que o burguês; mas, ou assentam na imaturidade do homem individual que não se libertou ainda do cordão umbilical que o prende a seus semelhantes na comunidade primitiva, ou se fundamentam nas relações diretas de domínio e escravidão. Têm, por condição, baixo nível de desenvolvimento das forças produtivas do trabalho, correspondendo-lhes relações inibidas, nas esferas da vida material, sejam entre os homens ou entre estes e a natureza. Essa inibição real se reflete, de maneira idealizada, nos velhos cultos da natureza e nas antigas religiões nacionais. O reflexo religioso do mundo real só pode desaparecer quando as condições práticas das atividades cotidianas

O CAPITAL

do homem representem, normalmente, relações racionais claras entre os homens e entre estes e a natureza. A estrutura do processo vital da sociedade, isto é, do processo da produção material, só pode desprender-se do seu véu nebuloso e místico no dia em que for obra de homens livremente associados, submetida a seu controle consciente e planejado. Para isso, precisa a sociedade de uma base material ou de uma série de condições materiais de existência, que, por sua vez, só podem ser o resultado natural de um longo e penoso processo de desenvolvimento.

A economia política analisou, de fato, embora de maneira incompleta,[31] o valor e sua magnitude, e descobriu o conteúdo que ocultam. Mas nunca se perguntou por que ocultam esse conteúdo, por que o trabalho é representado pelo valor do produto do trabalho, e a duração do tempo de trabalho, pela magnitude desse valor.[32] Fórmulas que pertencem, cla-

---

31 A análise de Ricardo sobre a magnitude do valor, a melhor, é, contudo, insuficiente, como se verá nos Livros 3 e 4 desta obra. Quanto ao valor em geral, a economia política clássica não distingue, expressamente e com plena consciência, entre o trabalho representado no valor e o mesmo trabalho representado no valor de uso do produto. É claro que faz, de fato, essa distinção, ao considerar o trabalho, ora qualitativa, ora quantitativamente. Mas não lhe ocorre que a distinção puramente quantitativa dos trabalhos pressupõe sua unidade qualitativa, sua homogeneidade, sua redução, portanto, a trabalho humano abstrato. Ricardo, por exemplo, afirma estar de acordo com Destutt de Tracy, quando este diz que "é certo que nossas faculdades físicas e mentais são nossa riqueza original, que o emprego dessas faculdades, o trabalho sob qualquer de suas formas, é nosso tesouro original, e que tudo o que chamamos de bens provém desse emprego [...]; em consequência, também é certo que todos esses bens representam, simplesmente, o trabalho que os produziu e que, se têm um valor ou mesmo dois valores distintos, só podem obtê-los do valor do trabalho donde promanam". (Ricardo, *The Principles of Pol. Econ.*, 3ª ed., Londres, 1821, p. 334[I]) Observamos apenas que Ricardo atribui sua interpretação mais profunda a Destutt. Este diz realmente que todos os bens que constituem a riqueza "representam simplesmente o trabalho que os produziu", mas que obtêm seus "dois valores distintos" (valor de uso e valor de troca) do "valor do trabalho". Cai assim no lugar-comum da economia vulgar, que pressupõe o valor de uma mercadoria (aqui, o trabalho), para logo determinar, como consequência, o valor das outras. Ricardo entende Destutt como se este tivesse dito que o trabalho (não o valor do trabalho) está representado no valor de uso e no valor de troca. Ele mesmo atenta tão pouco para o duplo caráter do trabalho representado duplamente no valor de uso e no valor, que, em todo o capítulo, "Valor e riqueza", se extenua batalhando contra as trivialidades de um J. B. Say. No fim, se surpreende em ver que há concordância entre ele e Destutt quanto a ser o trabalho fonte de valor, apesar de Destutt estar de acordo com Say quanto ao conceito de valor.

I Vide Destutt de Tracy, *Elements d'idéologie. IVe e Ve parties*, Paris, 1826, pp. 35-36.

32 Uma das falhas principais da economia política clássica é não ter conseguido devassar – partindo da análise da mercadoria e, particularmente, do valor da mercadoria – a forma do valor, a qual o torna valor de troca. Seus mais categorizados representantes, como A. Smith e Ricardo, tratam com absoluta indiferença a forma do valor ou consideram-na mesmo alheia à natureza da mercadoria. O motivo não decorre apenas de a análise da magnitude do valor absorver totalmente sua atenção. Há uma razão mais profunda. A forma do valor do produto do trabalho é a forma mais abstrata, mais universal, do modo de produção burguês, que, através dela, fica caracterizado como uma espécie particular de produção social, de acordo com sua natureza histórica. A quem considere esse modo de produção a eterna forma natural da produção social, escapará, necessariamente, o que é específico da forma

A MERCADORIA

ramente, a uma formação social em que o processo de produção domina o homem, e não o homem o processo de produção, são consideradas pela consciência burguesa uma necessidade tão natural quanto o próprio trabalho produtivo. Por isso, dão às formas pré-burguesas de produção social o mesmo tratamento que os santos padres concedem às religiões pré-cristãs.[33]

---

do valor e, em consequência, da forma mercadoria e dos seus desenvolvimentos posteriores, a forma dinheiro, a forma capital etc. Encontram-se, por isso, economistas que concordam plenamente em ser a magnitude do valor medida pelo tempo de trabalho, mas sustentam, em relação ao dinheiro, figura conclusa do equivalente geral, as ideias mais contraditórias e extravagantes. Confunde-nos, por exemplo, o acervo de lugares-comuns constituído das precárias definições de dinheiro que apresentam, ao estudarem os problemas bancários. Por isso, surgiu, em sentido contrário, um sistema mercantilista restaurado (Ganilh etc.) que vê no valor apenas a forma social ou, antes, o fantasma insubstancial dessa forma. — E, para esclarecer de uma vez por todas, direi que, no meu entender, economia política clássica é toda a economia que, desde W. Petty, investiga os nexos causais das condições burguesas de produção, ao contrário da economia vulgar, que trata apenas das relações aparentes, rumina, continuamente, o material fornecido, há muito tempo, pela economia científica, a fim de oferecer uma explicação plausível para os fenômenos mais salientes, que sirva ao uso diário da burguesia, limitando-se, de resto, a sistematizar pedantemente e a proclamar como verdades eternas as ideias banais, presunçosas, dos capitalistas sobre seu próprio mundo, para eles o melhor dos mundos.

33 "Os economistas têm uma maneira de proceder singular. Para eles só há duas espécies de instituições, as artificiais e as naturais. As do feudalismo são instituições artificiais; as da burguesia, naturais. Equiparam-se, assim, aos teólogos, que classificam as religiões em duas espécies. Toda religião que não for a sua é uma invenção dos homens; a sua é uma revelação de Deus. — Desse modo, havia história, mas, agora, não há mais." (Karl Marx, *Misère de la philosophie. Réponse à la Philosophie de la misère de M. Proudhon*, 1847, p. 113). O Sr. Bastiat é realmente engraçado, imaginando que os antigos gregos e romanos viviam apenas do saque. Se há povos que vivem de rapina durante muitos séculos, deve existir sempre algo para saquear, ou têm de reproduzir-se continuamente as coisas que são objeto de saque. Por isso, parece que também os gregos e os romanos tinham um processo qualquer de produção, portanto, uma economia, que constituía a base material do seu mundo, do mesmo modo que a economia burguesa constitui a do mundo de hoje. Ou quer Bastiat dizer, talvez, que um modo de produção baseado na escravatura se fundamenta num sistema de rapina? Assim, ele enverada por senda perigosa. Se um pensador portentoso, como Aristóteles, errou em sua apreciação sobre o trabalho escravo, por que um economista pigmeu, como Bastiat, estaria certo em sua apreciação sobre o trabalho assalariado? É oportuna, aqui, uma breve resposta à objeção levantada por um periódico teuto-americano, quando apareceu meu livro *Contribuição à crítica da economia política*, 1859. Segundo ele — minha ideia de ser cada determinado modo de produção e as correspondentes relações de produção, em suma, "a estrutura econômica da sociedade a base real sobre que se ergue uma superestrutura jurídica e política, e à qual correspondem determinadas formas de consciência social"; de "o modo de produção da vida material condicionar o processo da vida social, política e intelectual em geral" —, tudo isto seria verdadeiro no mundo hodierno, onde dominam os interesses, mas não na Idade Média, sob o reinado do catolicismo, nem em Roma ou Atenas, sob o reinado da política. De início, é estranho que alguém se compraza em pressupor o desconhecimento por outrem desses lugares-comuns sobre a Idade Média e a Antiguidade. O que está claro é que nem a Idade Média podia viver do catolicismo, nem o mundo antigo, da política. Ao contrário, é a maneira como ganhavam a vida que explica por que, numa época, desempenhava o papel principal a política, e, na outra, o catolicismo. De resto, basta um pouco de conhecimento da história da República Romana para saber que sua história secreta é a história da propriedade territorial. Já Dom Quixote pagou pelo erro de presumir que a cavalaria andante era compatível com qualquer estrutura econômica da sociedade.

A polêmica monótona e estulta sobre o papel da natureza na criação do valor de troca, além de outros fatos, demonstra que uma parte dos economistas está iludida pelo fetichismo dominante no mundo das mercadorias ou pela aparência material que encobre as características sociais do trabalho. Sendo o valor de troca uma determinada maneira social de exprimir o trabalho empregado numa coisa, não pode conter mais elementos materiais da natureza do que uma cotação de câmbio.

A forma mercadoria é a mais geral e mais elementar da produção burguesa, razão por que surgiu nos primórdios, embora não assumisse a maneira dominante e característica de hoje em dia. Pela mesma razão, parece ainda relativamente fácil penetrar em seus atributos fetichistas. Nas formas mais desenvolvidas se desvanece essa aparência de simplicidade. Donde provieram as ilusões dos mercantilistas? Segundo eles, o ouro e a prata, na função do dinheiro, não representavam uma relação social de produção, mas eram objetos naturais com peculiares propriedades sociais. E a economia moderna que, sobranceira, sorri desdenhosa para aquelas ilusões, não manifesta evidente fetichismo quando trata do capital? Há quanto tempo desapareceu a quimera fisiocrática de a renda da terra originar-se do solo e não da sociedade?

Sem maior avanço nesta análise, limitamo-nos a ilustrar com mais alguns elementos o fetichismo da mercadoria. Se as mercadorias pudessem falar, diriam: "Nosso valor de uso pode interessar aos homens. Não é nosso atributo material. O que nos pertence como nosso atributo material é nosso valor. Isto é o que demonstra nosso intercâmbio como coisas mercantis. Só como valores de troca estabelecemos relações umas com as outras." O economista, o intérprete da alma da mercadoria, assim fala:

> "Valor" (valor de troca) "é propriedade das coisas, riqueza" (valor de uso) "do homem. Valor, nesse sentido, implica necessariamente troca, riqueza não."[34] "Riqueza (valor de uso é atributo do homem; valor, atributo das mercadorias. Um homem ou uma comunidade é rico, uma pérola ou um diamante é valioso. [...] Uma pérola ou um diamante tem valor como pérola ou diamante."[35]

---

34 "Value is a property of things, riches of man. Value, in this sense, necessarily implies exchanges, riches do not." (*Observations on Some Verbal Disputes in Pol. Econ., Particularly Relating to Value, and to Supply and Demand*, Londres, 1821, p. 16).

35 "Riches are the attribute of man, value is the attribute of commodities. A man or a community is rich, a pearl or a diamond is valuable. [...] A pearl or a diamond is valuable as a pearl or diamond." (S. Bailey, *op. cit.*, pp. 165 e segs.)

Até hoje, nenhum químico descobriu valor de troca em pérolas ou diamantes. Os economistas que descobriram essa substância química e blasonam profundidade crítica acham, entretanto, que o valor de uso das coisas não depende de suas propriedades materiais, e que o valor, ao contrário, é materialmente um atributo das coisas. O que lhes robustece a opinião é a circunstância peculiar de que o valor de uso se realiza para as pessoas sem troca, por meio de relação direta entre a coisa e a pessoa, enquanto o valor só se realiza através da troca, isto é, por meio de um processo social. Quem não se lembra aqui do bom Dogberry, ensinando ao vigilante noturno Seacoal:

> "Ser dotado de um belo físico é uma dádiva das circunstâncias, mas ler e escrever é um dom da natureza."[36]

---

36 O autor de *Observations* e S. Bailey inquinam Ricardo de ter convertido o caráter relativo do valor de troca em algo absoluto. Ricardo, ao contrário, reduz a relatividade aparente que essas coisas, diamantes e pérolas, por exemplo, possuem como valores de troca. É verdadeira a relação oculta por trás dessa aparência, a relação existente entre elas como meras expressões do trabalho humano. Se os adeptos de Ricardo respondem a Bailey de modo impetuoso, mas não convincente, foi apenas porque não encontraram no mestre nenhum esclarecimento sobre a íntima conexão existente entre valor e sua forma, o valor de troca.

II.
O processo de troca

Não é com seus pés que as mercadorias vão ao mercado, nem se trocam por decisão própria. Temos, portanto, de procurar seus responsáveis, seus donos. As mercadorias são coisas; portanto, inermes diante do homem. Se não é dócil, pode o homem empregar força, em outras palavras, apoderar-se dela.[37] Para relacionar essas coisas, umas com as outras, como mercadorias, têm seus responsáveis de comportar-se, reciprocamente, como pessoas cuja vontade reside nessas coisas, de modo que um só se aposse da mercadoria do outro, alienando a sua, mediante o consentimento do outro, através, portanto, de um ato voluntário comum. É mister, por isso, que reconheçam, um no outro, a qualidade de proprietário privado. Essa relação de direito, que tem o contrato pró-forma, legalmente desenvolvida ou não, é uma relação de vontade, em que se reflete a relação econômica. O conteúdo da relação jurídica ou de vontade é dado pela própria relação econômica.[38] As pessoas, aqui, só existem, reciprocamente, na função de representantes de mercadorias e, portanto, de donos de mercadorias. No curso de nossa investigação, veremos, em geral, que os papéis econômicos desempenhados pelas pessoas constituem apenas personificação das relações econômicas que elas representam, ao se confrontarem.

O que distingue particularmente a mercadoria do seu possuidor é a circunstância de ela ver em qualquer outra apenas a forma de manifestar-se o próprio valor. Igualitária e cínica de nascença, está sempre pronta a trocar corpo e alma com qualquer outra mercadoria, mesmo que esta seja mais repulsiva do que Maritornes. O proprietário, com os cinco ou mais sentidos, supre a percepção que a mercadoria não tem do conteúdo material da outra. Para ele, a mercadoria que possui não tem nenhum valor de uso

---

37 No século XII, renomado por sua piedade, aparecem, como mercadorias, coisas muito melindrosas. Assim, um poeta francês daquele tempo menciona entre as mercadorias que se encontravam na feira de Landit, além de fazendas, sapatos, couros, instrumentos agrícolas, peles etc., "mulheres libertinas".

38 Proudhon começa inferindo seu ideal de justiça, de "justiça eterna", das relações jurídicas correspondentes à produção de mercadorias, com o que, diga-se de passagem, proporciona um testemunho, consolador para todos os bons burgueses, de que a produção de mercadorias é uma forma tão eterna quanto a justiça. Em seguida, procura remodelar, de acordo com seu ideal, a real produção de mercadorias e o verdadeiro direito que lhe corresponde. Que pensar de um químico que, em vez de estudar as leis das transformações moleculares da matéria e de resolver problemas na base dessas leis, queira remodelar o processo dessas transformações, empregando as ideias eternas de "naturalidade" e "afinidade"? Quando se diz que a agiotagem contrária à "justiça eterna", à "equidade eterna", à "mutualidade eterna"... e a outras "verdades eternas", sabe-se, por acaso, mais sobre ela do que sabiam os padres da Igreja, quando afirmavam que ela era contrária à "graça eterna", à "fé eterna", à "vontade eterna de Deus"?

direto. Do contrário, não a levaria ao mercado. Ela tem valor de uso para outros. Para ele, só tem diretamente um valor de uso, o de ser depositária de valor e, assim, meio de troca.[39] Por isso, quer aliená-la por mercadoria cujo valor de uso lhe satisfaça. Todas as mercadorias são não valores de uso, para os proprietários, e valores de uso, para os não proprietários. Todas têm, portanto, de mudar de mãos. Mas essa mudança de mãos constitui sua troca, e sua troca as relaciona umas com as outras como valores e realiza-as como valores. As mercadorias têm de realizar-se como valores, antes de poderem realizar-se como valores de uso.

Por outro lado, têm elas de evidenciar que são valores de uso, antes de poderem realizar-se como valores, pois o trabalho nelas despendido só conta se foi empregado em forma útil para outros. Só através da troca se pode provar que o trabalho é útil aos outros, que seu produto satisfaz necessidades alheias.

Cada proprietário de uma mercadoria só a cede por outra cujo valor de uso satisfaz necessidade sua. Assim, a troca é, para ele, processo puramente individual. Além disso, quer realizar sua mercadoria como valor, em qualquer outra mercadoria do seu agrado, com o mesmo valor, possua ou não sua mercadoria valor de uso para o proprietário da outra. A troca passa então a ser, para ele, processo social. Mas não há possibilidade de o mesmo processo ser simplesmente individual e ao mesmo tempo simplesmente social e geral, para todos os proprietários de mercadorias.

Todo possuidor de mercadoria considera cada mercadoria alheia equivalente particular da sua, e sua mercadoria, portanto, equivalente geral de todas as outras mercadorias. Mas todos os possuidores raciocinam do mesmo modo. Assim, não há equivalente geral, e o valor relativo das mercadorias não possui forma geral em que se equiparem como valores e se comparem como magnitudes de valor. Não se estabelecem relações entre elas, como mercadorias, confrontando-se apenas como produtos ou valores de uso.

Em sua perplexidade, nossos possuidores de mercadorias pensam como Fausto: "No princípio era a ação." Agem antes de pensar. As leis oriundas da natureza das mercadorias revelam-se através do instinto natural dos seus

---

39 "Pois duplo é o uso de cada coisa. Um é próprio à coisa como tal, o outro não, como uma sandália, que serve para calçar e pode ser trocada por outro objeto. Ambos são valores de uso da sandália, pois quem a permuta pelo que lhe falta, por exemplo, alimento, utiliza a sandália como sandália. Mas não em seu modo natural de uso. Pois a finalidade da sua existência não é a permuta." (Aristóteles, *De Republica*, Livro I, Cap. 9).

O PROCESSO DE TROCA

possuidores. Só podem estabelecer relações entre suas mercadorias, como valores e, por conseguinte, como mercadorias, comparando-as com qualquer outra que se patenteie equivalente geral. É o que nos mostrou a análise da mercadoria. Mas apenas a ação social pode fazer de determinada mercadoria equivalente geral. A ação social de todas as outras mercadorias elege, portanto, uma determinada para nela representarem seus valores. A forma corpórea dessa mercadoria torna-se, desse modo, a forma de equivalente com validade social; ser equivalente geral torna-se função especificamente social da mercadoria eleita. Assim, ela vira dinheiro.

> "Todos eles têm um mesmo desígnio, e entregarão sua força e seu poder à besta. E que só possa comprar ou vender quem tiver o sinal, a saber, o nome da besta ou o número do seu nome." (Apocalipse.)

O dinheiro é um cristal gerado necessariamente pelo processo de troca, e que serve, de fato, para equiparar os diferentes produtos do trabalho e, portanto, para convertê-los em mercadorias. O desenvolvimento histórico da troca desdobra a oposição, latente na natureza das mercadorias, entre valor de uso e valor. A necessidade, para o intercâmbio, de exteriorizar essa oposição exige forma independente para o valor da mercadoria e persiste até que, finalmente, é satisfeita com a duplicação da mercadoria em mercadoria e dinheiro. Os produtos do trabalho se convertem em mercadorias no mesmo ritmo em que determinada mercadoria se transforma em dinheiro.[40]

A troca direta dos produtos assume, sob um aspecto, a forma da expressão simples do valor e, sob outro, não. A forma simples do valor é: x da mercadoria A = y da mercadoria B. A forma da troca direta dos produtos é: x do objeto útil A = y do objeto útil B.[41] Os objetos A e B, aqui, não são mercadorias, antes da troca, mas só viram mercadorias, através dela. Um objeto útil só pode se tornar valor de troca depois de existir como não valor

---

40 Por aí se vê como são astuciosos os socialistas pequeno-burgueses, ao pretenderem eternizar a produção de mercadorias e, ao mesmo tempo, suprimir a "oposição entre dinheiro e mercadoria", eliminando, portanto, o dinheiro que só existe nessa oposição. É como se pretendessem abolir o papa e deixar de pé o catolicismo. Vide mais pormenores sobre o assunto em minha obra *Contribuição à crítica da economia política*, pp. 61 e segs.

41 A própria troca direta de produtos encontra-se em seus primórdios, quando não se permuta um objeto útil por outro diferente, mas, como é frequente entre os selvagens, uma massa caótica de coisas, como equivalente, por uma terceira.

de uso, e isto ocorre quando a quantidade do objeto útil ultrapassa as necessidades diretas do seu possuidor. As coisas são extrínsecas ao homem e, assim, por ele alienáveis. Para a alienação ser recíproca, é mister que os homens se confrontem, reconhecendo, tacitamente, a respectiva posição de proprietários particulares dessas coisas alienáveis e, em consequência, a de pessoas independentes entre si. Essa condição de independência recíproca não existe entre os membros de uma comunidade primitiva, tenha ela a forma de uma família patriarcal, de uma velha comunidade indiana ou de um estado inca etc. A troca de mercadorias começa nas fronteiras da comunidade primitiva, nos seus pontos de contato com outras comunidades ou com membros de outras comunidades. Mas, virando os produtos mercadorias na vida externa da comunidade, por contágio, também se tornam mercadorias dentro dela. De início, sua relação quantitativa de troca é inteiramente casual. São permutáveis por mútua vontade de seus possuidores de aliená-las reciprocamente. Nesse ínterim, arraiga-se, progressivamente, a necessidade de objetos úteis vindos de fora. A repetição constante da troca torna-a um processo social regular. Por isso, com o tempo, passa-se a fazer para a troca, intencionalmente, pelo menos uma parte dos produtos do trabalho. A partir desse momento, consolida-se a dissociação entre a utilidade das coisas destinadas à satisfação direta das necessidades e a das coisas destinadas à troca. Seu valor de uso dissocia-se do seu valor de troca. Demais, a proporção quantitativa em que se trocam fica dependente de sua própria produção. O costume imprime-lhes o caráter de magnitudes de valor.

Na troca direta de produtos, cada mercadoria é, para seu possuidor, meio de troca; para seu não possuidor, equivalente, mas só enquanto for, para ele, valor de uso. O artigo de troca, nesse caso, não adquire ainda nenhuma forma de valor desligada independente de seu próprio valor de uso ou da necessidade individual do permutante. A necessidade dessa forma desenvolve-se com o número e a variedade crescentes das mercadorias que entram no processo de troca. O problema surge simultaneamente com os meios de sua solução. Um intercâmbio em que os possuidores de mercadorias trocam seus artigos por outros diferentes, comparando-os, não poderia jamais funcionar se nele não houvesse determinada mercadoria eleita, pela qual se trocam as diferentes mercadorias de diferentes possuidores e com a qual se comparam como valores. Essa mercadoria especial, tornando-se o equivalente de outras mercadorias diferentes, recebe imediatamente, embora dentro de estreitos limites, a forma de equivalente geral ou social.

Essa forma de equivalente geral surge e desaparece com o efêmero contato social que lhe deu vida. É atribuída, alternativa e transitoriamente, a esta ou aquela mercadoria. Mas, com o desenvolvimento da troca de mercadorias, fixa-se, exclusivamente, em tipos especiais de mercadorias, ou cristaliza-se na forma dinheiro. De início, a casualidade determina a que espécie de mercadoria ficará ligada. Todavia, duas circunstâncias, em geral, decidem. A forma dinheiro adere aos mais importantes artigos fornecidos pelo estrangeiro, os quais, na realidade, se constituem em formas espontâneas de manifestação do valor de troca dos produtos da economia interna, ou se fixa no objeto útil, que representa o elemento principal do patrimônio nativo alienável, o gado, por exemplo. Os povos nômades são os primeiros a desenvolver a forma dinheiro, porque toda a sua fortuna é formada por bens móveis, diretamente alienáveis, e seu gênero de vida os põe constantemente em contato com comunidades estrangeiras, induzindo-os à troca dos produtos. Os homens, frequentes vezes, fizeram de seu semelhante, na figura do escravo, a primitiva forma dinheiro, mas nunca utilizaram terras para esse fim. Essa ideia só podia aparecer numa sociedade burguesa já desenvolvida. Data do último terço do século XVII, e só se tentou concretizá-la, em escala nacional, um século mais tarde, na revolução burguesa da França.

À medida que a troca de mercadorias rompe os laços locais e que se cristaliza cada vez mais trabalho humano em geral no valor das mercadorias, passa a forma dinheiro a localizar-se nas mercadorias que, por natureza, se prestam à função social de equivalente universal, os metais preciosos.

"Embora ouro e prata não sejam, por natureza, dinheiro, dinheiro, por natureza, é ouro e prata",[42] conforme demonstra a coincidência entre suas propriedades naturais e suas funções monetárias.[43] Até agora, conhecemos apenas a função do dinheiro de servir de forma sob a qual se manifesta o valor das mercadorias ou de material em que se expressam socialmente as magnitudes de valor das mercadorias. A forma adequada de manifestar-se o valor ou de materializar-se o trabalho humano abstrato e, portanto, igual, só pode ser uma matéria cujos espécimes isolados possuam idêntica qualidade. Depois, uma vez que é puramente quantitativa a diferença das magnitudes de valor, tem a mercadoria dinheiro de ser

---

42 Karl Marx, *loc. cit.*, p. 135. "Os metais [...] são, por natureza, dinheiro." (Galiani, *Della moneta*, na coleção de Custodi, parte moderna, t. III, p. 137.)

43 Mais pormenores em minha obra acima referida, capítulo "Os metais preciosos".

suscetível de variações meramente quantitativas, divisível, portanto, à vontade, podendo, ao mesmo tempo, recompor-se. Ouro e prata possuem, por natureza, essas propriedades.

É duplo o valor de uso da mercadoria dinheiro. Além de possuir o valor de uso inerente a sua qualidade de mercadoria – o ouro, por exemplo, serve para obturar dentes, de matéria-prima para artigos de luxo etc. –, adquire um valor de uso formal que decorre de sua função social específica.

Sendo todas as mercadorias meros equivalentes particulares do dinheiro, e o dinheiro o equivalente universal delas, comportam-se elas em relação ao dinheiro, como mercadorias especiais em relação à mercadoria universal.[44]

Já vimos que a forma dinheiro é apenas o reflexo, que adere a uma única mercadoria, das relações existentes entre todas as mercadorias. Que dinheiro é mercadoria[45] constitui, assim, uma descoberta apenas para o que analisa sua forma acabada e perfeita, tomando-a como ponto de partida. O processo de troca dá à mercadoria que transforma em dinheiro, não o valor dela, mas sua forma específica de valor. A confusão entre esses dois elementos, valor e sua forma, induziu ao erro de se considerar imaginário o valor do ouro e da prata.[46] Além disso, por ser possível substituir o ouro em certas funções por meros símbolos dele mesmo, supôs-se, erroneamente, que era mero símbolo. Mas nessa ideia falsa se contém o pressentimento de que a forma dinheiro de uma coisa é exterior à própria coisa, sendo pura forma de se manifestarem relações humanas atrás dela ocultas. Nesse

---

44 "O dinheiro é a mercadoria universal." (Verri, *op. cit.,* D. 16.)

45 "Ouro e prata (lingotes de metais preciosos, conforme podemos designar genericamente) são em si mesmos mercadorias com valores que sobem e descem. Um lingote de ouro ou prata estima-se de maior valor quando menor peso dele compra quantidade maior do produto ou da manufatura do país etc." ([S. Clement], *A Discourse of the General Notions of Money, Trade, and Exchange, as They Stand in Relations to Each Other. By a Merchant*. Lond., 1695, p. 7.) "Prata e ouro, cunhados ou não, embora utilizados para avaliar todas as outras coisas, não são menos mercadoria do que vinho, óleo, fumo, pano ou tecido." ([J. Child], *A Discourse Concerning Trade, and that in Particular of the East-Indies* etc., Londres, 1689, p. 2.) "A fortuna e a riqueza do reino não podem ser, propriamente, confinadas ao dinheiro, nem se devem excluir o ouro e a prata do rol das mercadorias." ([Th. Papillon], *The East-India-trade a Most Profitable Trade*, Londres, 1677, p. 4.)

46 "Ouro e prata, antes de ser dinheiro, têm valor como metais." (Galiani, *op. cit.,* [p. 72].) Locke diz: "A concordância geral dos homens deu à prata, em virtude das qualidades que a tornam adequada para ser dinheiro, um valor imaginário." (John Locke, "*Some Considerations etc.*", 1691, em *Works*, ed. 177, v. II, p. 15.) Law diz o contrário: "Como poderiam nações diferentes dar um valor imaginário a qualquer coisa [...] ou como se poderia manter esse valor imaginário?" Revela que pouco entendia da matéria, ao afirmar: "A prata trocava-se pelo valor de uso que possuía, ou seja, por seu valor real; convertida em dinheiro adquiriu um valor adicional." (Jean Law, "Considerations sur le numéraire et le commerce" em E. Daire *Édit. des économistes financiers du XVIII siècle*, pp. 469-470.)

O PROCESSO DE TROCA

sentido, cada mercadoria seria um símbolo, pois, como valor, é apenas invólucro material do trabalho humano nela despendido.[47] Consideram-se meros símbolos os caracteres sociais adquiridos pelas coisas ou os caracteres materiais assumidos pelas qualificações sociais do trabalho na base de um determinado modo de produção, e, ao mesmo tempo, se sustenta que eles são ficções arbitrárias sancionadas pelo consentimento universal. Era esse o modo de proceder típico do Iluminismo em voga no século XVIII, para eliminar, pelo menos transitoriamente, a aparência misteriosa das formas então enigmáticas das relações entre os homens, cuja origem não se podia ainda decifrar.

Observou-se, anteriormente, que a forma de equivalente atribuída a uma mercadoria não implica a determinação quantitativa de sua magnitude de valor. Sabe-se que ouro é dinheiro, sendo, portanto, permutável com todas as outras mercadorias, mas nem por isso se sabe quanto valem, por exemplo, 10 quilos de ouro. Como qualquer mercadoria, o dinheiro só pode exprimir sua magnitude de valor de modo relativo em outras mercadorias. Seu próprio valor é determinado pelo tempo de trabalho exigido para sua produção e expressa-se na quantidade (que cristalize o mesmo tempo de trabalho) de qualquer outra mercadoria.[48] A verificação da magnitude de seu valor relativo ocorre em sua fonte de produção, por meio de

---

47 "O dinheiro é o símbolo delas (as mercadorias) (V. de Forbonnais, *Élements du commerce*, nova ed., Leyde, 1766, t. II, p. 143.) "Como símbolo é atraído pelas mercadorias." (*Op. cit.*, p. 155.) "O dinheiro é símbolo de uma coisa e a representa." (Montesquieu, *Esprit des lois, Oeuvres*, Lond., 1767, t. II, p. 3.) "O dinheiro não é mero símbolo, porque ele próprio é riqueza; não representa valores, a eles equivale." (Le Trosne, *op. cit.*, p. 910.) "Sob o ângulo da ideia de valor, considera-se a coisa apenas um símbolo, encarando-se não ela mesma, mas o que ela vale." (Hegel, *op. cit.*, p. 100.) Muito antes dos economistas, puseram os juristas em voga a ideia de ser o dinheiro apenas um símbolo e de ser o valor dos metais preciosos puramente imaginário, prestando um serviço de sicofantas ao poder real, cujo direito de falsificar moeda defenderam durante toda a Idade Média, fundamentando-o nas tradições do Império Romano e nos conceitos sobre moeda das Pandectas. Em decreto de 1346, diz seu bom discípulo Philippe de Valois: "Ninguém pode nem deve levantar dúvidas quanto a ser nossa exclusiva atribuição e de nossa Majestade Real a função monetária, a fabricação, a qualidade e a provisão de moedas, todas as disposições legais a elas relativas, a modalidade do seu curso, o seu preço, conforme nos compraza e bom nos pareça." Era dogma jurídico romano o poder do imperador de decretar o valor do dinheiro. Era expressamente proibido dar ao dinheiro o tratamento de mercadoria: "A ninguém é permitido comprar dinheiro, pois, criado para uso público, é proibido transformá-lo em mercadoria." Há uma boa exposição sobre a matéria, de G. F. Pagnini: "Saggio sopra il giusto pregio delle cose", 1751, em Custodi, parte moderna, t. II. Pagnini argumenta contra os senhores juristas, notadamente na segunda parte do seu trabalho.

48 Se uma pessoa, para levar a Londres uma onça de prata extraída do Peru, precisar do mesmo tempo que empregaria para produzir um *bushel* de trigo, então uma mercadoria é o preço natural da outra; se a mesma pessoa, com a exploração de novas e mais ricas minas, obtiver duas onças de ouro com o mesmo esforço empregado anteriormente para obter uma, o preço do trigo de 10 xelins

O CAPITAL

troca direta. Quando entra em circulação, como dinheiro, seu valor já está fixado. Nas últimas décadas do século XVII, avançara a análise monetária, evidenciando que dinheiro é mercadoria, mas esse passo era apenas o começo. A dificuldade não reside em demonstrar que dinheiro é mercadoria, mas como, por que e através de que meios dinheiro é mercadoria.[49]

Conforme já vimos, na expressão mais simples do valor, x da mercadoria A = y da mercadoria B, a coisa (B) que representa a magnitude de valor da outra (A) parece possuir forma de equivalente, independentemente dessa relação, como propriedade social de sua natureza. Investigamos como se consolidou essa falsa aparência. Ela se impôs quando a forma de equivalente geral se fundiu com a forma corpórea de determinada espécie de mercadoria ou se cristalizou na forma dinheiro. Segundo essa aparência ilusória, uma mercadoria não se torna dinheiro somente porque todas as outras nela representam seu valor, mas, ao contrário, todas as demais nela expressam seus valores, porque ela é dinheiro. Ao se atingir o resultado final, a fase intermediária desaparece sem deixar vestígios. As mercadorias, então, sem nada fazerem, encontram a figura do seu valor, pronta e acabada, no corpo de uma mercadoria existente fora delas e ao lado delas. Ouro e prata já saem das entranhas da terra como encarnação direta de todo trabalho humano. Daí a magia do dinheiro. Os homens procedem de maneira atomística no processo de produção social e suas relações de produção assumem uma configuração material que não depende de seu controle nem de sua ação consciente individual. Esses fenômenos se manifestam na transformação geral dos produtos do trabalho em mercadorias, transformação que gera a mercadoria equivalente universal, o dinheiro. O enigma do fetiche dinheiro é, assim, nada mais do que o enigma do fetiche mercadoria em forma patente e deslumbrante.

---

por *bushel* será tão barato, agora, quanto antes o preço de 5 xelins, *caeteris paribus*. (William Petty, *A Treatise of Taxes and Contributions*, Londres, 1667, p. 31.)

49 O Professor Roscher, depois de nos ensinar que "as definições de dinheiro são classificáveis em dois grupos, as que o consideram mais e as que o consideram menos que uma mercadoria", apresenta um catálogo heteróclito de obras sobre moeda, em que não transparece a mais remota visão da verdadeira história da teoria e, a seguir, doutrina: "De resto, não se pode negar que a maioria dos economistas modernos não atentaram bastante para as peculiaridades que distinguem o dinheiro das demais mercadorias." (Afinal, mais do que uma mercadoria, ou menos...) "Até certo ponto, não é totalmente destituída de fundamento a reação semimercantilista de Ganilh etc." (Wilhelm Roscher, *Die Grundlagen der Nationalökonomie*, 3ª ed., 1858, pp. 207-210). Mais! Menos! Não... bastante! Até certo ponto! Não totalmente! Que modo de precisar ideias. E o Sr. Roscher, modestamente, batiza essas ecléticas frioleiras professorais de "método anatômico-fisiológico" da economia política. Todavia, é mérito exclusivo dele ter descoberto que dinheiro é "uma mercadoria agradável".

III.
O dinheiro ou a circulação das mercadorias

1. MEDIDA DOS VALORES

A fim de simplificar, pressuporemos sempre que o ouro é a mercadoria dinheiro.

A primeira função do ouro consiste em fornecer às mercadorias o material para exprimirem o valor ou em representar os valores das mercadorias como grandezas que têm a mesma denominação, qualitativamente iguais e quantitativamente comparáveis. Assim, exerce a função de medida universal dos valores e só por meio desta função o ouro, a mercadoria equivalente específica, se torna dinheiro.

Não é através do dinheiro que as mercadorias se tornam comensuráveis. Ao contrário. Sendo as mercadorias, como valores, encarnação de trabalho humano e, por isso, entre si comensuráveis, podem elas, em comum, medir seus valores por intermédio da mesma mercadoria específica, transformando esta em sua medida universal do valor, ou seja, em dinheiro. O dinheiro, como medida do valor, é a forma necessária de manifestar-se a medida imanente do valor das mercadorias, o tempo de trabalho.[50]

A expressão do valor de uma mercadoria em ouro (x da mercadoria $A = y$ da mercadoria ouro) é sua forma dinheiro ou seu preço. Uma equação apenas – por exemplo, 1 tonelada de ferro = 2 onças de ouro – basta, agora, para representar o valor do ferro de maneira socialmente válida. A equação não tem mais de ser o elo de uma cadeia onde figuram as equações de valor de todas as outras mercadorias, porque a mercadoria equivalente, o ouro, já possui o caráter de dinheiro. A forma geral do valor relativo das mercadorias tem agora o mesmo aspecto da forma primitiva, simples, singular do valor relativo. Por outro lado, a expressão extensiva do valor relativo ou a série

---

50 Perguntar por que o dinheiro não representa diretamente o próprio tempo de trabalho – de modo que uma nota representasse x horas de trabalho – equivale simplesmente a interrogar por que, dada a produção de mercadorias, os produtos do trabalho têm de ser representados como mercadorias, pois a forma mercadoria implica seu desdobramento em mercadoria e mercadoria dinheiro. Ou equivale a perguntar por que o trabalho particular não pode ser tratado como trabalho diretamente social, o seu contrário. Já me ocupei, pormenorizadamente, do utopismo superficial de uma "moeda-trabalho" num regime de produção de mercadorias (*Op. cit.*, pp. 61 e segs.). Observaria ainda que a "moeda-trabalho" de Owen não é mais dinheiro do que um bilhete de teatro. Owen pressupõe trabalho diretamente socializado, uma forma de produção diametralmente oposta à produção de mercadorias. O certificado do trabalho registra apenas a participação individual do produtor no trabalho comum e seu direito com referência à parte do produto comum, destinada a consumo. Mas não ocorre a Owen pressupor a produção de mercadorias e, apesar disso, querer contornar as condições necessárias dessa produção, por meio de remendos monetários.

O CAPITAL

infindável das expressões do valor relativo torna-se a forma específica do valor relativo da mercadoria dinheiro. Esta série, entretanto, já está socialmente implícita nos preços das mercadorias. Basta ler ao revés as cotações de uma lista de preços para achar apresentada, nas mais diversas mercadorias, a magnitude do valor do dinheiro. O dinheiro, em compensação, não tem preço. Para participar dessa forma unitária do valor relativo das outras mercadorias, teria de referir-se a si próprio, como o equivalente de si mesmo.

Como forma do valor, o preço ou a forma dinheiro das mercadorias se distingue da sua forma corpórea, real e tangível. O preço é uma forma puramente ideal ou mental. O valor do ferro, do linho, do trigo etc. existe nessas coisas, embora invisível; é representado por meio da equiparação delas ao ouro, da relação delas com o ouro, relação que só existe, por assim dizer, nas suas cabeças. O responsável pela mercadoria tem, por isso, de lhe emprestar a língua ou de pôr-lhe etiqueta, anunciando seu preço ao mundo exterior.[51] Uma vez que é puramente ideal a expressão dos valores das mercadorias em ouro, só se pode empregar, para esse fim, ouro ideal ou imaginário. Todo dono de mercadoria sabe que não transformou sua mercadoria em ouro, quando dá a seu valor a forma de preço ou a forma idealizada de ouro e que não precisa de nenhuma quantidade de ouro real para estimar em ouro milhões de valores de mercadorias. Em sua função de medida do valor tem, por isso, o dinheiro apenas a serventia de dinheiro ideal ou figurado. Essa circunstância deu origem às mais absurdas teorias.[52] Embora apenas o dinheiro idealizado sirva para medir o valor, depende o preço, inteiramente, da substância real do dinheiro. O valor, ou seja, a quantidade de trabalho humano contida, por exemplo, numa tonelada de ferro, é expresso numa quantidade imaginária da mercadoria ouro, que

---

51 Os selvagens ou semisselvagens usam a língua de outro modo. O capitão Parry, por exemplo, observa, com referência aos habitantes da costa ocidental da baía de Baffin: "Neste caso" (quando há troca de produtos) "… lambem-no (o que lhe foi entregue) "duas vezes, com a língua, com o que pareciam considerar o negócio satisfatoriamente concluído." Do mesmo modo, entre os esquimós orientais, o permutante, ao receber o artigo, o lambia. Se a língua, no Norte, serve de órgão de apropriação, não admira que, no Sul, se considere a barriga o órgão da riqueza, avaliando os cafres a fortuna de uma pessoa pelo volume da pança. Os cafres são muito vivos, e a melhor prova disso é a coincidência de dois fatos: o relatório oficial britânico de saúde pública de 1864 deplora a carência de substâncias gordurosas em grande parte da classe trabalhadora, e, no mesmo ano, um certo Dr. Harvey (não o que descobriu a circulação do sangue) ganha uma fortuna com receitas que, a acreditarmos nas suas promessas, extrairiam os excessos de banha da burguesia e da aristocracia.

52 Vide Karl Marx, *Contribuição à crítica* etc., "Teorias sobre a unidade de medida do dinheiro", pp. 53 e segs.

encerra quantidade igual de trabalho. Conforme seja a medida do valor o ouro, a prata ou o cobre, o valor da tonelada de ferro é expresso por preços totalmente diversos, ou é representado por quantidades inteiramente diversas de ouro, prata ou cobre.

Por isso, se duas mercadorias diferentes, ouro e prata, servem simultaneamente de medida do valor, passam todas as mercadorias a possuir duas espécies de preços, o preço em ouro e o preço em prata, que correm, tranquilos, paralelamente, enquanto não houver alterações na relação de valor entre ouro e prata, igual, por exemplo, a 1:15. Alterando-se essa relação, altera-se também a relação entre os preços em ouro e os preços em prata das mercadorias, demonstrando, assim, realmente que duplicar a medida do valor contraria a função dessa medida.[53] As mercadorias, com preços determinados, apresentam-se sob a forma: a da mercadoria $A = x$ de ouro, b da mercadoria $B = z$ de ouro, c da mercadoria $C = y$ de ouro etc., em que a, b e c representam quantidades determinadas das mercadorias A, B, C; x, y, z, determinadas quantidades de ouro. Os valores das mercadorias transformaram-se, assim, em diferentes quantidades imaginárias de ouro, portanto em magnitudes de ouro, em grandezas homogêneas, apesar da imensa variedade de formas corpóreas. Comparam-se como se fossem essas diferentes quantidades de ouro e medem-se entre si, desenvolvendo-se a

---

53 Nota da 2ª edição: "Nos países onde ouro e prata exercem, por lei, simultaneamente, a função de dinheiro, isto é, de medida do valor, sempre se tentou, em vão, trata-los como se fossem um único e mesmo material. Pressupor que o mesmo tempo de trabalho tem de concretizar-se em quantidades de ouro e prata que guardam invariavelmente entre si a mesma proporção é admitir também que ouro e prata são o mesmo material, e que uma quantidade determinada do metal menos valioso, a prata, constitui fração invariável de dada quantidade de ouro. Do governo de Eduardo III até o tempo de Jorge II, a história monetária inglesa consiste numa série contínua de perturbações, por colidir a relação de valor legalmente fixada entre ouro e prata com as oscilações reais do valor dos dois metais. O metal subestimado era retirado da circulação, fundido e exportado. Modificava-se, então, legalmente a relação de valor entre ambos os metais, mas a nova relação nominal, como ocorrera com a antiga, logo entrava no mesmo conflito com a real relação de valor. — Em nossa época, a queda diminuta e transitória no valor do ouro em relação à prata, em virtude da procura indiana e chinesa de prata, produziu, na França, o mesmo fenômeno, na mais alta escala: exportação de prata, que o ouro expulsa de circulação. Durante os anos de 1855, 1856 e 1857, na França, o excedente da importação sobre a exportação de ouro montou a 41.580.000 libras esterlinas, ao passo que o excedente da exportação sobre a importação de prata foi de 14.704.000 libras esterlinas. Com efeito, nos países onde ambos os metais são legalmente medidas do valor e, por isso, têm de ser aceitos como meios de pagamento, podendo, entretanto, qualquer um pagar com ouro ou com prata, ganha um ágio o metal cujo valor sobe e mede seu valor, como qualquer outra mercadoria, no metal superavaliado, enquanto apenas este serve de medida do valor. Toda a experiência histórica, nesse domínio, se reduz a que, em toda parte onde duas mercadorias estão legalmente providas com a função de medida do valor, só uma delas se mantém efetivamente nessa função." (Karl Marx, *op. cit.*, pp. 52-53.)

necessidade técnica de relacioná-las com uma quantidade fixa de ouro, a qual sirva de unidade de medida. Essa unidade se subdivide, depois, em partes alíquotas e se torna padrão. Antes de se tornar dinheiro, o ouro, a prata e o cobre já possuem essas medidas-padrão em seus estalões de peso, de modo que uma libra-peso, por exemplo, ao servir de unidade, se subdivide em onças etc., e, mediante adições, forma um quintal etc.[54] Por isso, na circulação monetária metálica, os nomes primitivos dos padrões de dinheiro, ou seja, dos estalões dos preços, provieram dos nomes que preexistiam de padrões de peso.

Medida dos valores e estalão dos preços são duas funções inteiramente diversas desempenhadas pelo dinheiro. É medida dos valores por ser a encarnação social do trabalho humano; estalão dos preços, por ser um peso fixo de metal. Como medida de valor, serve para converter os valores das diferentes mercadorias em preços, em quantidades imaginárias de ouro; como estalão dos preços, mede essas quantidades de ouro. A medida dos valores mensura as mercadorias como valores; o estalão dos preços, ao contrário, mede as quantidades de ouro segundo uma quantidade fixa de ouro, não o valor de uma quantidade de ouro segundo o peso de outra. Para fazer do ouro estalão dos preços, determinado peso dele tem de ser eleito unidade de medida. Neste e em todos os casos em que se trata de determinar a medida de grandezas homogêneas, é da maior importância a imutabilidade dos meios de medida. O estalão dos preços preenche tanto melhor sua função quanto mais invariavelmente a mesma quantidade de ouro sirva de unidade de medida. A função de medida dos valores, entretanto, só pode desempenhá-la o ouro, por ser produto do trabalho, valor, portanto, potencialmente variável.[55]

É claro que uma variação no valor do ouro não traz nenhum prejuízo à sua função de estalão dos preços. Por mais que varie o valor do ouro,

---

54 Nota da 2ª edição: A singularidade, na Inglaterra, de a libra esterlina não ser uma parte alíquota da onça de ouro, embora esta sirva de unidade do padrão monetário, explica-se do seguinte modo: "Originalmente, nossa cunhagem se adaptava apenas ao emprego da prata; por isso, uma onça de prata pode sempre subdividir-se em certo número adequado de peças de moeda; tendo o ouro sido amoedado posteriormente, quando a cunhagem estava adaptada para a prata, não se podia mais cunhar uma onça de ouro num número de peças que fossem partes alíquotas." (Maclaren, *A Sketch of the History of the Currency*, Londres, 1858, p. 16.)

55 Nota da 2ª edição: É de pasmar a confusão, nas obras inglesas, entre medida dos valores (*measure of value*) e estalão dos preços (*standard of value*). As funções e, em consequência, seus nomes são constantemente trocados.

O DINHEIRO OU A CIRCULAÇÃO DAS MERCADORIAS

quantidades determinadas de ouro mantêm entre si a mesma proporção de valor. Caia de 1.000% o valor do ouro, 12 onças de ouro terão agora, do mesmo modo que antes, 12 vezes o valor de uma onça, e, no caso dos preços, apenas importa a proporção que guardam entre si diversas quantidades de ouro. Uma vez que uma onça de ouro não muda seu peso com a queda ou ascensão de seu valor, tampouco se altera o peso de suas partes alíquotas. Assim, o ouro, no seu papel de estalão fixo dos preços, presta sempre o mesmo serviço, qualquer que seja a variação do seu valor.

A variação do valor do ouro também não impede sua função de medida do valor. Ela atinge simultaneamente todas as mercadorias e, não se modificando as demais circunstâncias, deixa inalterados seus valores relativos recíprocos, embora se expressem todos em preços-ouro, mais altos ou mais baixos que os anteriores.

O que ocorre, ao representar-se o valor de uma mercadoria pelo valor de uso de outra qualquer, reproduz-se ao se avaliar qualquer mercadoria em ouro; pressupõe-se apenas que, numa ocasião dada, a produção de uma determinada quantidade de ouro custa uma dada quantidade de trabalho. Com relação ao movimento dos preços das mercadorias, vigoram, geralmente, as leis anteriormente explanadas que regem a expressão elementar do valor relativo.

Só pode haver subida geral dos preços das mercadorias, permanecendo inalterável o valor do dinheiro, quando os valores das mercadorias sobem, não se modificando os valores das mercadorias quando cai o valor do dinheiro. E, ao contrário, só pode suceder queda geral dos preços das mercadorias, mantendo-se inalterável o valor do dinheiro, quando os valores das mercadorias caem, não se alterando os valores das mercadorias quando o valor do dinheiro sobe. Não se conclua daí que a ascensão do valor do dinheiro determine queda proporcional nos preços das mercadorias, e a descensão, subida proporcional nesses preços. Isto só vigora para mercadorias de valor inalterado. Mantêm os mesmos preços aquelas mercadorias, por exemplo, cujo valor sobe na mesma proporção e no mesmo tempo em que ascende o valor do ouro. Se seu valor sobe mais lento ou mais rápido que o valor do dinheiro, a queda ou a ascensão dos seus preços será determinada pela diferença entre a variação do valor delas e a do dinheiro; e assim por diante.

Voltemos a observar a forma preço.

Os nomes dos pesos (dos metais que passam a servir de dinheiro) constituem as denominações do dinheiro. Mas, com o tempo, os pesos

O CAPITAL

metálicos do dinheiro vão divergindo dos pesos originais, e isto por causas históricas diversas, sendo decisivas as seguintes: 1. Introdução de dinheiro estrangeiro em povos menos desenvolvidos, o que sucedeu na antiga Roma, onde as moedas de prata e de ouro circularam, inicialmente, como mercadorias estrangeiras. Os nomes monetários estrangeiros divergem dos nomes nativos dos pesos. 2. Com o desenvolvimento da riqueza, o metal menos nobre é expulso da função de medida do valor pelo metal mais nobre. O cobre pela prata, a prata pelo ouro, por mais que essa sequência contrarie[56] a cronologia poética. Libra, por exemplo, era, naquele tempo, o nome monetário de uma verdadeira libra–peso de prata. Quando o ouro suplantou a prata na função de medida do valor, o mesmo nome associou-se a uma fração de libra de ouro, fração que poderia ser $^1/_{15}$ ou outra, segundo a relação de valor entre o ouro e a prata. Libra, nome da moeda, passa a diferir de libra, nome usual de determinado peso.[57] 3. A falsificação do dinheiro praticada durante séculos pelos príncipes, do peso original das moedas, deixou apenas o nome.[58]

Esses processos históricos deram origem ao costume de distinguir as designações monetárias das designações correntes dos pesos dos metais. Sendo o padrão monetário puramente convencional, mas necessitando de validade geral, acaba sendo regulado por lei. Certo peso do metal nobre, por exemplo, uma onça de ouro, é dividido, oficialmente, em partes alíquotas, as quais são batizadas com nomes legais, como libra, dólar etc. Essa parte alíquota, que é então considerada a unidade propriamente dita do dinheiro, é subdividida em outras partes alíquotas, com nomes legalmente fixados, como xelim, pêni etc.[59] Determinado peso de metal continua sendo padrão do dinheiro metálico. A alteração que se verifica decorre da subdivisão e da denominação oficiais introduzidas.

---

56 De resto, ela também não possui validade histórica universal.

57 Nota da 2ª edição: Assim, a libra esterlina inglesa designa menos de um terço do seu peso original; a libra escocesa (antes da união entre Escócia e Inglaterra), apenas $^1/_{36}$; a libra francesa, $^1/_{74}$; o maravedi espanhol, menos de 1/1.000; o real português, uma proporção ainda menor.

58 Nota da 2ª edição: "As moedas, com sua designação hoje imaginária, são as mais antigas em todas as nações; todas foram reais, no passado, e, porque eram reais, com elas se faziam as contas." (Galiani, *Della moneta, op. cit.*, p. 153.)

59 Nota da 2ª edição: O Sr. David Urquhart, em sua obra *Familiar Words*, assinala a monstruosidade (!) de hoje em dia, de uma libra esterlina, a unidade do padrão monetário inglês, ser igual a cerca de ¼ de onça de ouro: "Isto é falsificar uma medida e não fixar um padrão." Vê nessa "denominação falsa" do peso do ouro, como em tudo o mais, a influência deturpadora da civilização.

O DINHEIRO OU A CIRCULAÇÃO DAS MERCADORIAS

Os preços, ou as quantidades de ouro em que se transformam, idealmente, os valores das mercadorias, são agora expressos nos nomes de moedas, ou seja, nos nomes legalmente válidos do padrão-ouro. Em vez de dizer que uma quarta de trigo é igual a uma onça de ouro, diremos, na Inglaterra, que é igual a 3 libras esterlinas, 17 xelins e 10½ pence. Assim, as mercadorias expressam com nomes monetários, o que valem, e o dinheiro serve de dinheiro de conta quando é mister fixar o valor de uma coisa em sua forma dinheiro.[60]

O nome de uma coisa é extrínseco às suas propriedades. Nada sei de um homem por saber apenas que se chama Jacó. Do mesmo modo, todo vestígio de relação de valor desaparece dos nomes das moedas libra, táler, franco, ducado etc. A confusão que decorre do sentido misterioso atribuído a esses símbolos cabalísticos torna-se maior por expressarem os nomes das moedas valor e, ao mesmo tempo, partes alíquotas de um peso de metal, de acordo com o padrão monetário.[61] Por outro lado, é necessário que o valor adquira essa forma, diversa da imensa variedade física do mundo das mercadorias e dotada de objetividade simples, puramente social.[62]

O preço é a designação monetária do trabalho corporificado na mercadoria. Desse modo, é uma tautologia[63] afirmar a equivalência da mercado-

---

60 "Perguntado para que os gregos precisavam de dinheiro, respondeu Anacharsis: para fazer contas." (Athen[aeus], *Deipnos*, Livro IV, 49, v. 2, [p. 120], ed. Schweighauser, 1802.)

61 Nota da 2ª edição: O ouro, na sua serventia de estalão dos preços, aparece com nome igual ao dos preços, expressando-se, por exemplo, em 3 libras esterlinas, 17 xelins e 10½ pence tanto uma onça de ouro quanto o valor de uma tonelada de ferro. Por isso, tachou-se esse nome contábil, 3 libras esterlinas, 17 xelins e 10½ pence, de preço monetário do ouro. Surgiu daí a estranha concepção de que o ouro (ou a prata) é estimado por sua própria substância material e, ao contrário de todas as outras mercadorias, tem seu preço fixado pelo Estado. Confunde-se a fixação de nomes contábeis de determinados pesos de ouro com a determinação do valor desses pesos." (Karl Marx, *op. cit.*, p. 52.)

62 Vide "Teorias sobre a unidade de medida do dinheiro", em *Contribuição à crítica da economia política* etc., pp. 53 e segs. As ideias quiméricas de elevar ou rebaixar o preço do dinheiro cunhado, consistentes em o Estado transferir os nomes legais das moedas, dados a pesos determinados de ouro ou prata, para pesos maiores ou menores e, assim, com ¼ de onça, ao invés de 20 xelins, cunhar 40 – essas fantasias, desde que não objetivem operações financeiras canhestras contra os credores do Estado ou contra os credores particulares, mas "milagrosas curas" econômicas, foram tratadas tão exaustivamente por Petty (em *Quantulumcunque Concerning Money. To the Lord Marquis of Halifax*, 1682), que seus sucessores imediatos, Sir Dudley North e John Locke, para não falar nos posteriores, puderam apenas divulgar suas ideias. "Se a riqueza de uma nação", observa ele, "pudesse ser decuplicada por ato governamental, seria de estranhar que os nossos governos não tivessem, há muito tempo, decretado atos com esse objetivo." (*Op. cit.*, p. 36.)

63 "Ou, então, se tem de admitir que um valor de 1 milhão em dinheiro vale mais que um valor igual em mercadorias" (Le Trosne, *op. cit.*, p. 919) e, portanto, "que um valor vale mais que um valor igual".

ria com o montante de dinheiro que é o seu preço, do mesmo modo que a expressão do valor relativo de uma mercadoria é sempre a expressão da equivalência entre duas mercadorias. Mas, se o preço, ao revelar a magnitude do valor da mercadoria, revela a relação de troca da mercadoria com o dinheiro, não decorre daí necessariamente a recíproca de que o preço, ao revelar a relação de troca da mercadoria com o dinheiro, revele a magnitude do valor da mercadoria. Trabalho socialmente necessário de igual grandeza cristaliza-se em 1 quarta de trigo e em 2 libras esterlinas (cerca de meia onça de ouro). As duas libras esterlinas são a expressão monetária da magnitude de valor de 1 quarta de trigo, ou seu preço. Admitamos que as circunstâncias elevem sua cotação a 3 libras esterlinas, ou compilam-na a cair a 1 libra; então, 1 libra esterlina é uma expressão demasiadamente baixa da magnitude do valor do trigo, e 3 libras, uma expressão alta demais, mas, apesar disso, são os preços do trigo, pois, primeiro, são sua forma de valor e, segundo, indicam sua relação de troca com o dinheiro. Não se alterando as condições de produção, em outras palavras, não se modificando a força produtiva do trabalho, deve-se continuar despendendo para a reprodução de uma quarta de trigo o mesmo tempo de trabalho social. Esta circunstância não depende da vontade do produtor do trigo, nem da dos outros donos de mercadorias. A magnitude do valor da mercadoria expressa uma relação necessária entre ela e o tempo de trabalho socialmente necessário para produzi-la, relação que é imanente ao processo de produção de mercadorias. Com a transformação da magnitude do valor em preço, manifesta-se essa relação necessária através da relação de troca de uma mercadoria com a mercadoria dinheiro, de existência extrínseca à mercadoria com que se permuta. Nessa relação, pode o preço expressar tanto a magnitude do valor da mercadoria quanto essa magnitude deformada para mais ou para menos, de acordo com as circunstâncias. A possibilidade de divergência quantitativa entre preço e magnitude de valor, ou do afastamento do preço da magnitude de valor, é, assim, inerente à própria forma preço. Isto não constitui um defeito dela, mas torna-a a forma adequada a um modo de produção em que a regra só se pode impor através de média que se realiza, irresistivelmente, através da irregularidade aparente.

A forma preço não só admite a possibilidade de divergência quantitativa entre magnitude de valor e preço, isto é, entre magnitude de valor e sua própria expressão em dinheiro, mas também pode esconder uma contradição qualitativa, de modo que o preço deixa de ser expressão do valor, em-

O DINHEIRO OU A CIRCULAÇÃO DAS MERCADORIAS

bora dinheiro seja apenas a forma do valor das mercadorias. Coisas que, em si mesmas, não são mercadorias – por exemplo, honra, consciência etc. –, podem seus donos considerar alienáveis por dinheiro, e, assim, receber, por meio de seu preço, a forma de mercadoria. Uma coisa pode, formalmente, ter um preço, sem ter um valor. A expressão preço torna-se, aqui, imaginária, como certas grandezas da matemática. Além disso, a forma preço imaginária pode ocultar uma relação de valor verdadeira, embora indireta, como, por exemplo, o preço da terra não cultivada, que não tem nenhum valor, por não se ter nela realizado nenhum trabalho humano.

Do mesmo modo que a forma relativa do valor em geral, o preço expressa o valor de uma mercadoria (por exemplo, uma tonelada de ferro), tornando uma quantidade determinada do equivalente (por exemplo, uma onça de ouro) diretamente permutável por essa mercadoria (o ferro). Mas o preço não assegura, com isso, a permutabilidade direta do ferro pelo ouro. Para atuar praticamente como valor de troca, tem a mercadoria de desprender-se de seu corpo natural, de transformar-se de ouro idealizado em ouro real, mesmo quando transubstanciar-se lhe seja mais difícil do que à "Ideia" hegeliana a passagem da necessidade para a liberdade, a uma lagosta o desprender-se de sua casca ou a São Jerônimo o despojar-se do velho Adão.[64] Ao lado de sua contextura real, pode a mercadoria, o ferro, por exemplo, possuir, no preço, a forma ideal do valor ou a figura idealizada do ouro, mas, realmente, não pode ser, ao mesmo tempo, ferro e ouro. Para lhe dar um preço, basta igualá-la a ouro idealizado. A fim de prestar a seu dono o serviço de equivalente geral, tem ela de ser substituída por ouro. Se o dono do ferro se confrontasse com o proprietário de uma mercadoria profana e chamasse sua atenção para o preço do ferro como se já fosse dinheiro, o proprietário lhe retrucaria com aquela resposta que São Pedro, no céu, dá a Dante, ao acabar este de recitar o credo:

> "Cuidadosamente examinados
> Já estão o peso e a lei dessa moeda.
> Mas, dize-me, tens dela em tua bolsa?"

---

64 São Jerônimo teve de pelejar muito, durante sua juventude, contra a carne material, conforme patenteia a luta que travou, no deserto, contra as lindas mulheres que lhe apareciam na imaginação. Na idade avançada, teve ainda de se bater contra a carne espiritual. "Acreditei", diz ele, "estar em espírito diante do juiz supremo. – Quem és tu? – perguntou uma voz. – Sou um cristão. – Mentes – trovejou o juiz supremo. – Não passas de um ciceroniano."

A forma preço implica a alienabilidade das mercadorias contra dinheiro e a necessidade dessa alienação por dinheiro. Por outro lado, o ouro funciona como medida ideal do valor apenas porque já operava, no processo de troca, como mercadoria dinheiro. Atrás da mensuração ideal dos valores, espreita o metal sonante.

2. MEIO DE CIRCULAÇÃO

a) A metamorfose das mercadorias

Já vimos que a troca de mercadorias encerra elementos contraditórios e mutuamente exclusivos. A diferenciação das mercadorias em mercadorias e dinheiro não faz cessar essas contradições, mas gera a forma dentro da qual elas se podem mover. Este é, afinal de contas, o método de solucionar contradições reais. É uma contradição, por exemplo, ser um corpo, continuamente, atraído e repelido por outro. A elipse é uma das formas de movimento em que essa contradição se dá e se resolve ao mesmo tempo.

O processo de troca realiza a circulação social das coisas, ao transferir as mercadorias daqueles para quem são não valores de uso para aqueles perante quem são valores de uso. O produto de uma espécie útil de trabalho é reposto pelo de outra. Ao chegar ao destino em que serve de valor de uso, a mercadoria saiu da esfera da troca para entrar na esfera do consumo. Só a primeira nos interessa aqui. Temos, portanto, de observar todo o processo do ponto de vista da forma, apenas, isto é, examinar a mudança de forma ou a metamorfose das mercadorias, através da qual se processa a circulação social das coisas.

A concepção totalmente defeituosa a respeito dessa metamorfose decorre, pondo-se de lado as ideias obscuras e confusas sobre valor, de a mudança de forma de qualquer mercadoria se realizar pela troca de duas mercadorias, uma mercadoria comum e a mercadoria dinheiro. Atentando-se apenas para esse aspecto material, para a troca de mercadoria por dinheiro, deixa-se de ver o que deve ser visto, isto é, o que se passa com a forma. Não se percebe que o ouro, quando mercadoria apenas, não é dinheiro, e que as outras mercadorias, ao expressarem seus preços em ouro, este passa a ser a forma dinheiro das próprias mercadorias.

As mercadorias, tal como são, entram no processo de troca. Este produz uma bifurcação da mercadoria em mercadoria e dinheiro, estabelecendo-se entre estes uma oposição externa em que se patenteia a oposição, imanente

O DINHEIRO OU A CIRCULAÇÃO DAS MERCADORIAS

à mercadoria, entre valor de uso e valor. Na oposição externa, as mercadorias se confrontam, como valores de uso, com o dinheiro, como valor de troca. Mas ambos os lados que se confrontam são mercadorias, isto é, unidades de valor de uso e valor. Essa unidade de contrários manifesta-se em cada um dos dois polos, que se opõem em suas relações recíprocas. A mercadoria é realmente valor de uso, e seu valor se expressa apenas idealmente no preço que a equipara ao ouro, seu oponente, que representa a figura real do seu valor. A substância material do ouro serve apenas para encarnar o valor de dinheiro. Por isso, é realmente valor de troca. Seu valor de uso se expressa apenas idealmente na série das expressões do valor relativo em que se equipara a todas as mercadorias que com ele se comparam e formam o circuito de suas reais modalidades de uso. É dentro dessas formas antitéticas das mercadorias que se move e se concretiza o *processo de troca*.

Acompanhemos o dono de qualquer mercadoria, por exemplo, nosso velho conhecido tecelão de linho, ao palco do processo de troca, ao mercado. Sua mercadoria, 20 metros de linho, tem preço determinado: 2 libras esterlinas. Troca-a por essas duas libras e, homem de velha cepa, permuta, de volta, as duas libras por uma Bíblia familiar do mesmo preço. O linho, não sendo, para ele, mais do que mercadoria, veículo de valor, permuta por ouro, a figura do valor do linho, e, através de nova alienação, se desfaz do ouro para adquirir outra mercadoria, a Bíblia, que vai, como objeto útil, para sua casa, a fim de satisfazer necessidades de instrução edificante. O processo de troca da mercadoria se realiza através de duas metamorfoses opostas e reciprocamente complementares – a mercadoria converte-se em dinheiro e o dinheiro reconverte-se em mercadoria.[65] As fases dessa transformação constituem atos do dono da mercadoria: venda, troca da mercadoria por dinheiro; compra, troca do dinheiro por mercadoria, e unidade de ambas as transações, vender para comprar.

Do ponto de vista do tecelão, o resultado final do negócio é possuir ele uma Bíblia em vez de linho; em lugar de sua mercadoria primitiva, outra do mesmo valor, mas de utilidade diversa. Do mesmo modo, obtém ele seus meios de subsistência e de produção. Para ele, todo o processo possi-

---

65 "Mas, do [...] fogo provém tudo, disse Heráclito, e de tudo, o fogo, como do ouro, os bens, e dos bens, o ouro." (F. Lassalle, *Die Philosophie Herakleitos des Dunkeln*, Berlim, 1858, v. 1, p. 222.) Em nota referente a essa passagem, à p. 224, n. 3, Lassalle erroneamente considera o dinheiro mero símbolo de valor.

bilita-lhe apenas trocar o produto do seu trabalho por produto do trabalho alheio, enfim, permutar produtos.

No processo de troca sucedem as seguintes mudanças de forma:

$$\underset{M}{\text{MERCADORIA}} \quad - \quad \underset{D}{\text{DINHEIRO}} \quad - \quad \underset{M}{\text{MERCADORIA}}$$

De acordo com o conteúdo material, o resultado de todo o processo é troca de mercadoria (M) por mercadoria (M), circulação do trabalho social materializado, e, atingido esse resultado, chega o processo a seu fim.

M – D. Primeira metamorfose da mercadoria ou venda. O valor da mercadoria, ao pular do seu corpo para o corpo do ouro, executa o que já chamei de salto-mortal da mercadoria. Fracassando o salto, não é a mercadoria que se frustra, mas o possuidor. A divisão social do trabalho tanto especializa seu trabalho quanto pluraliza suas necessidades. Por isso mesmo, seu produto serve-lhe apenas de valor de troca. Mas o produto só lhe proporciona a forma equivalente geral, socialmente válida, depois de convertido em dinheiro, e este se encontra no bolso alheio. Para tirá-lo de lá, a mercadoria tem de ser, antes de tudo, valor de uso para o dono do dinheiro, e o trabalho nela despendido tem de possuir, portanto, forma socialmente útil, ou de ser reconhecido como elemento da divisão social do trabalho. Mas a divisão social do trabalho é um organismo de produção que se formou e continua a evolver, natural e espontaneamente, à margem da consciência dos produtores de mercadorias. A mercadoria pode ser produto de nova espécie de trabalho, que se destina a satisfazer necessidades emergentes ou mesmo criar necessidades até então desconhecidas. Função que era, ontem, uma dentre muitas do mesmo produtor de mercadorias pode, hoje, destacar-se do conjunto, tornar-se autônoma e, assim, enviar ao mercado seu produto parcial como mercadoria independente. Podem estar amadurecidas ou imaturas as circunstâncias para esse processo dissociativo. O produto satisfaz hoje determinada necessidade social. Amanhã perde, talvez, sua posição, parcial ou totalmente, para um produto semelhante. Mesmo o trabalho do nosso tecelão de linho, embora seja um elemento comprovado da divisão social do trabalho, não tem, por isso, assegurado o valor de uso de seus 20 metros de linho. Estando saturada, pelos produtores rivais, a necessidade social de linho – pois ela tem limites, como tudo o mais –, o produto do nosso amigo torna-se excedente, supérfluo e inútil. A cavalo

O DINHEIRO OU A CIRCULAÇÃO DAS MERCADORIAS

dado não se olha o dente, mas ele não vai ao mercado para presentear ninguém. Admitido, porém, seja reconhecido o valor de uso de seu produto e o dinheiro atraído pela mercadoria, surge, então, a pergunta com relação ao dinheiro: Quanto? A resposta já se encontra no preço da mercadoria, o qual evidencia a magnitude do valor dela. Pomos de lado eventuais erros de cálculo, puramente subjetivos, que são logo corrigidos pela objetividade do mercado. Supomos que tenha despendido no produto o tempo de trabalho que, em média, é socialmente necessário. O preço da mercadoria é apenas a denominação em dinheiro da quantidade de trabalho social nela incorporado. Mas, sem pedir licença ao nosso tecelão e sem lhe dar conhecimento disso, entraram numa fase de transformação as velhas e consagradas condições de produção de tecido de linho. O que, ontem, sem sombra de dúvida, era o tempo de trabalho socialmente necessário para a produção de um metro de linho, deixa de o ser, hoje, conforme o dono do dinheiro se empenha em provar com as cotações dos diferentes competidores do nosso amigo. Para a infelicidade deste, há no mundo muitos tecelões. Mas admitamos, por fim, que contenha cada peça de linho existente no mercado apenas o tempo de trabalho socialmente necessário. Apesar disso, a totalidade das peças pode conter tempo de trabalho superfluamente despendido. Uma vez que o mercado não absorve a quantidade global de linho, ao preço normal de 2 xelins por metro, fica demonstrado que foi gasta em tecelagem de linho uma porção excessiva do tempo de trabalho total da comunidade. Haveria o mesmo efeito se cada tecelão, individualmente, tivesse despendido em seu produto mais do que o tempo de trabalho socialmente necessário. Todos eles são atingidos pelas consequências. É como se todo o linho existente no mercado fosse um único artigo de comércio, e cada peça, mera parte alíquota. E, de fato, o valor de cada metro é apenas materialização da mesma quantidade, socialmente fixada, de trabalho humano homogêneo.[I]

Evidentemente, a mercadoria ama o dinheiro, mas "nunca é sereno o curso do verdadeiro amor".[II] Os componentes dispersos do organismo social de produção, configurados na divisão social do trabalho, têm suas

---

I Em carta de 28 de novembro de 1878, a N.F. Danielson, tradutor russo de *O capital*, altera Marx a última frase, conforme segue: "E, de fato, o valor de cada metro é apenas materialização de uma parte da quantidade do trabalho social despendido na totalidade do linho." Em exemplar, de uso pessoal de Marx, da 2ª edição alemã, se encontra a mesma correção, embora não tenha sido feita por seu próprio punho.
II Shakespeare, *Sonho de uma noite de verão*, 1º ato, 1ª cena.

funções e proporcionalidade determinadas de maneira espontânea e aleatória. Por isso, descobrem nossos donos de mercadorias que a mesma divisão do trabalho, ao fazer deles produtores privados, torna independente deles o processo social de produção e as próprias relações que mantêm dentro do processo, e, ainda, que a independência recíproca das pessoas se integra num sistema de dependência material de todas as partes.

A divisão do trabalho transforma o produto do trabalho em mercadoria, tornando, assim, necessária a transformação desta em dinheiro. Ao mesmo tempo, torna aleatória essa transubstanciação. Observaremos, aqui, o fenômeno em sua pureza, pressupondo sua ocorrência normal. Mas, quando ele ocorre (não sendo a mercadoria invendável), temos, de qualquer modo, a metamorfose da mercadoria, mesmo que seja a preço anormalmente acima ou abaixo da magnitude do valor.

O vendedor substitui sua mercadoria por ouro; o comprador, seu ouro por mercadoria. O que se percebe é o fenômeno de mercadoria e ouro, 20 metros de linho e 2 libras esterlinas, mudarem de mão e de lugar, isto é, sua troca. Mas por que coisa se troca a mercadoria? Pela configuração do seu próprio valor, pelo equivalente universal. E o ouro? Por uma configuração particular do seu valor de uso. Por que exerce o ouro a função de dinheiro diante do linho? Porque o preço deste, 2 libras esterlinas, ou seja, sua denominação monetária, já o equipara a ouro, na função de dinheiro. Ocorre o abandono da forma mercadoria, ao ser alienada a mercadoria, isto é, no momento em que seu valor de uso atrai, de fato, o ouro que existia antes, de maneira puramente ideal, em seu preço. A realização do preço, ou da forma ideal do valor da mercadoria, é, por isso, a realização simultânea e oposta do valor de uso ideal do dinheiro; a transformação de mercadoria em dinheiro é, ao mesmo tempo, transformação de dinheiro em mercadoria. É um processo único encerrando duas operações: venda, para o possuidor da mercadoria; compra, para o dono do dinheiro. Em outras palavras, venda é compra, M – D é ao mesmo tempo D – M.[66]

Não consideramos, até agora, nenhuma outra relação econômica entre os homens, além da que se estabelece entre possuidores de mercadorias, e, nela, os homens só se apropriam do produto do trabalho alheio alienando

---

66 "Toda venda é compra." (Dr. Quesnay, "Dialogues sur le commerce et les travaux des artisans", em *Physiocrates*, éd. Daire, I. Partie, Paris, 1846, p. 170.) Ou, conforme diz Quesnay em suas *Maximes générales*: "Vender é comprar."

O DINHEIRO OU A CIRCULAÇÃO DAS MERCADORIAS

o produto do próprio trabalho. Para um possuidor de mercadoria confrontar-se com outro que exerce a função de dono do dinheiro, é necessário que o produto do trabalho do segundo possua, por natureza, a forma dinheiro, seja, portanto, materialmente dinheiro, ouro etc., *ou*, então, que sua mercadoria já se tenha metamorfoseado, desprendendo-se da forma original de objeto útil. Para funcionar como dinheiro, tem o ouro de penetrar no mercado por algum ponto. Esse ponto se encontra na sua fonte de produção, onde o ouro, como produto imediato do trabalho, se troca por outro produto do trabalho do mesmo valor. Mas, a partir desse momento, passa a representar os preços realizados das mercadorias.[67] Excetuada sua permuta, na fonte de produção, por mercadoria, o ouro, nas mãos de qualquer possuidor de mercadoria, é a matéria em que se transformou a mercadoria alienada, o produto da venda ou da primeira metamorfose da mercadoria: M – D.[68] O ouro se tornou dinheiro ideal ou medida do valor, porque as mercadorias nele mediam seus valores, viam nele a figura do seu valor, idealmente contraposta a seu corpo útil. Torna-se dinheiro real, porque as mercadorias, por meio de sua alienação geral, fazem dele a encarnação real do seu valor, a figura em que se transforma seu corpo útil. Com essa metamorfose, apaga a mercadoria qualquer vestígio de seu valor de uso natural e do trabalho útil particular que lhe deu origem, para se transformar na materialização uniforme e social de trabalho humano homogêneo. O dinheiro não deixa transparecer a espécie de mercadoria nele convertida. Qualquer mercadoria, ao assumir a forma dinheiro, é igualzinha a qualquer outra. Dinheiro pode ser excremento, mas excremento não é dinheiro. Admitiremos que as duas peças de ouro, pelas quais nosso tecelão de linho cede sua mercadoria, são a imagem transformada de uma quarta de trigo. A venda de linho, M – D, é, ao mesmo tempo, sua compra, D – M. Mas, com a venda do linho, tem início um movimento que se conclui com a operação oposta, a compra da Bíblia; a compra do linho leva ao fim um movimento iniciado com a operação oposta, a venda do trigo. M – D (linho – dinheiro) a primeira fase de M – D – M (linho – dinheiro – Bíblia), é, ao mesmo tempo, D – M (dinheiro – linho), a última fase do outro movimento, M – D – M (trigo – dinheiro – linho). A primeira metamorfose de

---

67 "O preço de uma mercadoria só pode ser pago com o preço de outra." (Mercier de la Rivière, "L'Ordre naturel et essentiel des sociétés politiques", em *Physiocrates*, éd. Daire, II. Partie, p. 554.)
68 "Para ter esse dinheiro, é necessário ter vendido." (*Op. cit.*, p. 543.)

O CAPITAL

uma mercadoria, a conversão da forma mercadoria em dinheiro, é sempre a segunda metamorfose oposta de outra mercadoria, a reconversão da forma dinheiro em mercadoria.[69]

D – M. A compra, segunda metamorfose ou metamorfose final da mercadoria. O dinheiro é a mercadoria absolutamente alienável, por ser a forma a que se convertem todas as outras mercadorias ou o produto da alienação geral delas. Lê todos os preços ao revés, e retrata-se, desse modo, nos corpos de todas as mercadorias, os quais lhe proporcionam a matéria de sua própria transformação em mercadoria. Ao mesmo tempo, os preços, os olhares amorosos que lhe jogam as mercadorias, revelam os limites da convertibilidade do dinheiro, isto é, sua própria quantidade. Desaparecendo a mercadoria, ao se transformar em dinheiro, não se percebe, examinando-o, de que modo chegou às mãos do seu possuidor, nem a coisa que nele se transformou. Qualquer que seja sua origem, "não cheira".[I] Representa mercadoria vendida e, ao mesmo tempo, mercadorias compráveis.[70]

D – M, a compra, é, ao mesmo tempo, venda, e, por isso, a última metamorfose de uma mercadoria é, simultaneamente, a primeira metamorfose de outra. Para nosso tecelão de linho, o curso da vida de sua mercadoria chega ao fim com a Bíblia em que reconverteu as duas libras esterlinas. Mas o vendedor da Bíblia transforma as duas libras esterlinas liberadas pelo tecelão de linho em aguardente. D – M, a fase final de M – D – M (linho – dinheiro – Bíblia), é, ao mesmo tempo, M – D, a primeira fase de M – D – M (Bíblia – dinheiro – aguardente). Fornecendo o produtor de mercadorias apenas um produto especializado, vende-o, muitas vezes, em grandes quantidades, sendo constrangido por suas múltiplas necessidades a distribuir constantemente, em numerosas compras, a soma de dinheiro recebido. Nessas condições, uma venda leva a muitas compras de diferentes mercadorias, e a metamorfose final de uma mercadoria constitui uma soma de primeiras metamorfoses de outras mercadorias.

Observando a metamorfose total de uma mercadoria, vemos, de início, que consiste em dois movimentos que se opõem e se completam, M – D

---

69 Constitui exceção, conforme já vimos, o produtor de ouro ou de prata, que troca seu produto diretamente por outra mercadoria, isto é, sem o ter vendido antes.

I Palavras do imperador romano Vespasiano, referindo-se ao dinheiro obtido com a tributação relativa a latrinas e mictórios públicos, criticada pelo filho.

70 "O dinheiro representa, em nossas mãos, as coisas que podemos desejar adquirir e, ainda, as que vendemos por esse dinheiro." (Mercier de la Rivière, *op. cit.*, p. 586.)

e D – M. Essas duas transformações opostas da mercadoria realizam-se por meio de duas ações sociais antitéticas do possuidor da mercadoria e se refletem nos papéis econômicos opostos que ele desempenha: a função de vendedor e a de comprador. Ao transformar-se qualquer mercadoria, ambas as suas formas, a forma mercadoria e a forma dinheiro, aparecem simultâneas em polos opostos, e seu possuidor, na função de vendedor e na de comprador, se confronta, respectivamente, com outro comprador e outro vendedor. A mercadoria experimenta, sucessivamente, duas transmutações opostas: a mercadoria vira dinheiro e o dinheiro vira mercadoria, e, paralelamente, o mesmo possuidor de mercadoria desempenha os papéis de vendedor e comprador. Não há imutabilidade de função, mudando as pessoas continuamente de papel, na circulação das mercadorias.

A metamorfose total de uma mercadoria pressupõe, em sua estrutura mais simples, quatro extremos e três personagens. No início, com a mercadoria se confronta o dinheiro, a configuração do seu valor, possuindo realidade corpórea na bolsa alheia. Assim, o possuidor de dinheiro se defronta com o possuidor de mercadoria. E, logo que a mercadoria vira dinheiro, este se torna a transitória forma de equivalente dela, cujo valor de uso ou conteúdo existe nos corpos de outras mercadorias. Como termo final da primeira transformação da mercadoria, é o dinheiro, ao mesmo tempo, ponto de partida da segunda. Assim, o vendedor no primeiro ato se torna comprador, no segundo, quando com ele se defronta um terceiro possuidor de mercadoria, na função de vendedor.[71]

As duas fases ou movimentos opostos da metamorfose das mercadorias formam um circuito: forma mercadoria, abandono da forma mercadoria, volta à forma mercadoria. A própria mercadoria assume aqui aspectos opostos. Para seu possuidor, ela é, no ponto de partida, não valor de uso, e, no termo final, valor de uso. Desse modo, o dinheiro se revela, no início, o sólido cristal do valor no qual a mercadoria se transforma, para desvanecer-se, depois, sob a simples forma de equivalente dela.

As duas metamorfoses que formam o circuito de uma mercadoria constituem, ao mesmo tempo, as metamorfoses parciais opostas de duas outras mercadorias. A mesma mercadoria (linho) inicia a série de suas próprias metamorfoses e encerra a metamorfose completa de outra mercadoria (trigo).

---

71 "Há, portanto, quatro termos e três contratantes, dos quais um intervém duas vezes." (Le Trosne, 1. *loc. cit.*, p. 909.)

O CAPITAL

Durante a primeira transformação, a venda, desempenha ela esses dois papéis, diretamente. Na forma de crisálida, isto é, de ouro, realiza sua metamorfose final e conclui a primeira metamorfose de uma terceira mercadoria. O circuito percorrido pelas metamorfoses de cada mercadoria entrelaça-se, portanto, inextricavelmente com os circuitos das outras mercadorias. O conjunto de todos os circuitos constitui a circulação das mercadorias.

A circulação das mercadorias difere formal e essencialmente da troca imediata de produtos. Basta olhar retrospectivamente o que sucedeu. O tecelão de linho trocou, sem dúvida, o linho pela Bíblia, a mercadoria própria pela de outrem. Mas esse fenômeno só é verdadeiro para ele. O vendedor da Bíblia, que prefere o calor ao frio, não pensou em permutar a Bíblia por linho, do mesmo modo que o tecelão não sabe que o trigo se trocou por seu linho etc. A mercadoria de *B* substitui a mercadoria de *A*, mas *A* e *B* não trocam, mutuamente, suas mercadorias. Pode realmente ocorrer que *A* e *B* comprem reciprocamente, um do outro, mas essa relação especial não é determinada pelas condições gerais da circulação das mercadorias. Por um lado, vê-se como a troca de mercadorias rompe com as limitações individuais e locais da troca imediata dos produtos e desenvolve a circulação dos produtos do trabalho humano. Por outro, desenvolve-se todo um ciclo de espontâneas conexões sociais, incontroláveis pelos que intervêm nas operações. O tecelão de linho pode vender seu linho, porque o camponês vendeu o trigo; o apologista do copo, sua Bíblia, porque o tecelão vendeu seu linho; o destilador, sua aguardente, porque outro vendeu a água da vida eterna, e assim por diante.

O processo de circulação não se extingue, como se dá com a troca direta de produtos, ao mudarem de lugar ou de mão os valores de uso. O dinheiro não desaparece quando sai definitivamente do circuito das metamorfoses de dada mercadoria. Ele se deposita em qualquer ponto da circulação que as mercadorias desocupam. Por exemplo, na metamorfose global do linho: linho–dinheiro–Bíblia, primeiro, sai o linho da circulação, e o dinheiro entra no seu lugar; depois, sai a Bíblia, e o dinheiro toma seu lugar. A substituição de mercadoria por mercadoria faz a mercadoria dinheiro depositar-se numa terceira mão.[72] A circulação poreja, continuamente, dinheiro.

---

72 Apesar de ser este um fenômeno bastante evidente, dele não cogitam os economistas, em sua maioria, notadamente o livre-cambista vulgar.

O DINHEIRO OU A CIRCULAÇÃO DAS MERCADORIAS

Nada mais absurdo que o dogma de haver um equilíbrio necessário, determinado pela circulação das mercadorias, entre as compras e as vendas, pois cada venda é compra, e vice-versa. Se com isso se quer dizer que o número das vendas realizadas iguala o número das compras, expressa-se mera tautologia. Mas o intento é demonstrar que o vendedor conduz seu comprador ao mercado. Venda e compra são ato único, idêntico, ao constituir relação mútua entre duas pessoas, polarmente opostas, entre o possuidor da mercadoria e o possuidor do dinheiro. Constituem atos polarmente opostos, quando praticados pela mesma pessoa. A identidade de venda e compra tem por consequência tornar inútil a mercadoria, que, lançada na retorta alquimista da circulação, não vira dinheiro, não a vende *seu* possuidor nem a compra, por conseguinte, o possuidor do dinheiro. Essa identidade faz com que, terminado o processo de venda e compra, se constitua um ponto de repouso, um intervalo na vida da mercadoria, o qual pode durar mais ou menos tempo. Uma vez que a primeira fase da mercadoria é, ao mesmo tempo, venda e compra, esse processo, embora parcial, é autônomo. O comprador passa a ter a mercadoria; o vendedor, o dinheiro, isto é, uma mercadoria capaz de entrar em circulação a qualquer tempo. Ninguém pode vender sem que alguém compre. Mas ninguém é obrigado a comprar imediatamente, apenas por ter vendido. A circulação rompe com as limitações de tempo, de lugar e individuais, impostas pela troca de produtos, ao dissociar a identidade imediata que, nesta última, une a alienação do produto próprio e a aquisição do alheio, gerando a antítese entre venda e compra. Dizer que esses atos antitéticos, independentes entre si, possuem uma unidade interior equivale a dizer que essa unidade interior transparece através de antíteses externas. Se essa independência exterior dos dois atos – interiormente dependentes por serem complementares – prossegue se afirmando além de certo ponto, contra ela prevalece, brutalmente, a unidade, por meio de uma crise. A contradição imanente à mercadoria, que se patenteia na oposição entre valor de uso e valor, no trabalho privado, que tem, ao mesmo tempo, de funcionar como trabalho social imediato, no trabalho concreto particular, que, ao mesmo tempo, só vale como trabalho abstrato geral, e que transparece na oposição entre a personificação das coisas e a representação das pessoas por coisas – essa contradição imanente atinge formas completas de manifestar-se nas fases opostas da metamorfose das mercadorias. Essas formas implicam a possibilidade, mas apenas a possibilidade, das crises. Para a conversão dessa possibilidade em realidade,

O CAPITAL

é mister todo um conjunto de condições, que não existem, ainda, do ponto de vista da simples circulação das mercadorias.[73] Em suas funções de intermediário da circulação das mercadorias, assume o dinheiro o papel de meio de circulação.

b) O curso do dinheiro

A metamorfose por meio da qual se realiza o intercâmbio dos produtos do trabalho, M – D – M, exige que o mesmo valor na forma de mercadoria constitua o ponto de partida do processo e volte ao mesmo ponto também na forma de mercadoria. Por isso, o movimento das mercadorias constitui um circuito. Por outro lado, a forma desse movimento impede o dinheiro de percorrer um circuito. O resultado é o afastamento constante do dinheiro do seu ponto de partida, e não a volta a esse ponto. Enquanto o vendedor guarda o dinheiro, a figura em que se transformou sua mercadoria, não ultrapassa esta a primeira fase de sua transformação ou apenas percorreu a primeira metade da sua circulação. Concluída a operação vender para comprar, afasta-se o dinheiro das mãos que o estavam guardando. Quando o tecelão, depois de ter comprado a Bíblia, vende novamente linho, volta o dinheiro, sem dúvida, às suas mãos. Mas não volta por meio da circulação da primeira partida de 20 metros de linho, que fez o dinheiro sair das mãos do tecelão para as mãos do vendedor da Bíblia. Só volta ao renovar-se ou repetir-se o mesmo processo de circulação de outra partida de sua mercadoria, o qual se conclui com o mesmo resultado que o anterior. A forma de movimento que a circulação de mercadorias imprime ao dinheiro é, por isso, seu afastamento constante do ponto de partida, seu fluir das mãos de um possuidor de mercadoria para as de outro, enfim, o seu curso (*currency, cours de la monnaie*).

---

73 Vide minhas observações sobre James Mill, em *Contribuição à crítica* etc., pp. 74-76. A esse respeito, dois pontos caracterizam o método da economia apologética. Primeiro, ele identifica a circulação das mercadorias com a troca imediata dos produtos, simplesmente omitindo suas diferenças. Segundo, procura negar as contradições do processo capitalista, reduzindo as relações de seus agentes de produção às relações mais simples que decorrem da circulação das mercadorias. Produção e circulação de mercadorias são, porém, fenômenos que sucedem nos mais diferentes modos de produção, embora com extensão e importância diversas. Quando se conhecem apenas as categorias abstratas da circulação, comuns a todos esses modos de produção, é impossível saber qualquer coisa sobre as diferenças características desses modos de produção, não havendo condições para julgá-los. Em nenhuma outra ciência, além da economia política, predomina tanta jactância, construída com as vulgaridades mais elementares. J.B. Say, por exemplo, acha que pode ajuizar das crises, por saber que mercadoria é produto.

O DINHEIRO OU A CIRCULAÇÃO DAS MERCADORIAS

O curso do dinheiro é a repetição constante e monótona do mesmo processo. A mercadoria do lado do vendedor, o dinheiro nas mãos do comprador, com a função de meio de compra. Cumpre essa função ao realizar o preço da mercadoria. Realizando-o, a mercadoria se transfere das mãos do vendedor para as do comprador, ao mesmo tempo que o dinheiro sai das mãos do comprador para as do vendedor, para repetir o mesmo processo com outra mercadoria. Está encoberta a circunstância de essa forma única do movimento do dinheiro ser consequência da dupla forma do movimento da mercadoria. A própria circulação das mercadorias gera a aparência contrária. A primeira metamorfose da mercadoria transparece tanto no movimento do dinheiro quanto no da mercadoria, mas a segunda se manifesta exclusivamente através do movimento do dinheiro. Na primeira metade da circulação, troca a mercadoria de lugar com o dinheiro. Com isso, sua figura de uso sai da circulação e entra na esfera do consumo.[74] Ocupa seu lugar a figura do valor dela, o dinheiro, a larva da mercadoria. A mercadoria percorre a segunda metade da circulação não mais sob sua própria pele, mas sob a pele do dinheiro. Com isso, a continuidade do movimento cabe apenas ao dinheiro, e esse movimento que, do ponto de vista da mercadoria, contém duas operações opostas, do ponto de vista do dinheiro encerra sempre a mesma operação, sua troca de posição, de cada vez, com nova mercadoria. O resultado da circulação das mercadorias, a reposição de uma mercadoria por outra, toma a aparência de ter sido consequência não da mudança da forma das mercadorias, mas da função, desempenhada pelo dinheiro, de meio de circulação, que põe a circular as mercadorias, inertes por natureza, transferindo-as das mãos em que são não valores de uso para as mãos em que são valores de uso, dando-lhes sempre uma direção oposta a seu próprio curso. Afasta as mercadorias, constantemente, da esfera da circulação, tomando seus lugares, distanciando-se, assim, do ponto de partida. Embora o movimento do dinheiro não seja mais do que uma expressão da circulação das mercadorias, esta aparenta, ao contrário, ser apenas o resultado do movimento do dinheiro.[75]

---

74 Mesmo quando a mercadoria é objeto de repetidas vendas, fenômeno que, por ora, não consideramos, passa ela, com a última venda, do domínio da circulação para o do consumo, como meio de subsistência ou de produção.

75 "Não tem [o dinheiro] outro movimento além daquele que lhe imprimem os produtos." (Le Trosne, 1. *loc. cit.*, p. 885.)

O CAPITAL

Por outro lado, cabe ao dinheiro a função de meio de circulação apenas porque é o valor das mercadorias, como realidade independente. Por isso, seu movimento, ao desempenhar o papel de meio de circulação, é apenas o movimento das próprias mercadorias, ao mudarem suas formas. Este tem, portanto, de refletir-se visivelmente no curso do dinheiro. Assim, por exemplo, o linho muda sua forma mercadoria em sua forma dinheiro. O último extremo de sua primeira metamorfose M – D, a forma dinheiro, torna-se, então, o primeiro extremo da sua última metamorfose D – M, sua reconversão a um objeto útil, a Bíblia. Mas cada uma dessas duas mudanças de forma concretiza-se por meio da troca entre mercadoria e dinheiro, através da mudança recíproca de posições. Chegam às mãos do vendedor como imagem alienada da mercadoria as mesmas peças de dinheiro que o abandonam, como a imagem da mercadoria absolutamente alienável. Mudam de lugar duas vezes. A primeira metamorfose do linho traz essas peças de dinheiro para o bolso do tecelão, a segunda tira-as do bolso dele. As duas mudanças opostas da forma da mesma mercadoria refletem-se nas duas mudanças do dinheiro, uma em direção oposta à outra.

Se ocorrerem metamorfoses unilaterais de mercadorias, meras vendas ou meras compras, como queiram, o mesmo dinheiro só mudará de lugar uma vez. Sua segunda mudança de posição exprime, sempre, a segunda metamorfose da mercadoria, a reconversão de dinheiro em mercadoria. Na repetição frequente da troca de posições das mesmas peças de dinheiro, reflete-se não só a série de metamorfoses de uma única mercadoria, mas também o entrelaçamento das inumeráveis metamorfoses do universo das mercadorias em geral. Não é mister explicar que tudo isso se aplica apenas à forma simples de circulação das mercadorias, que está sendo agora objeto de nossa observação.

Toda mercadoria, ao entrar em circulação, mudando, pela primeira vez, de forma, entra para dela sair e ser substituída por outra. O dinheiro, ao contrário, sendo meio de circulação, permanece na esfera da circulação, onde desempenha, continuamente, seu papel. Surge, assim, o problema de saber quanto dinheiro absorve, constantemente, essa esfera.

Ocorrem todo dia num país, ao mesmo tempo e em lugares diferentes, muitas metamorfoses parciais de mercadorias, ou, em outras palavras, numerosas vendas e numerosas compras. Em seus preços, já estão as mercadorias idealmente equiparadas a quantidades de dinheiro. Ora, a

O DINHEIRO OU A CIRCULAÇÃO DAS MERCADORIAS

forma direta de circulação que estamos observando confronta corporeamente dinheiro e mercadoria, aquele no polo da compra e esta no polo da venda. Por conseguinte, o montante de meios de circulação exigido pela circulação do mundo das mercadorias já está determinado pela soma dos preços das mercadorias. Com efeito, o dinheiro apenas representa, de maneira real, a soma ou montante de ouro já expresso idealmente na soma dos preços das mercadorias. As duas somas são, portanto, necessariamente iguais. Sabemos, todavia, que, não se alterando os valores das mercadorias, seus preços variam com o valor do ouro (o material do dinheiro), subindo na proporção em que ele desce e descendo na proporção em que ele sobe. Suba ou desça, por esse modo, a soma dos preços das mercadorias, a massa do dinheiro circulante tem de subir ou descer, na mesma proporção. Neste caso, a variação na massa dos meios de circulação provém, sem dúvida, do próprio dinheiro, mas não da sua função de meio de circulação, e sim da sua função de medida do valor. Os preços das mercadorias variam, primeiro, na razão inversa do valor do dinheiro, e a massa dos meios de circulação varia na razão direta do preço das mercadorias. Sucederia o mesmo fenômeno se, por exemplo, em vez de cair o valor do ouro, a prata o substituísse na função de medida do valor, ou, em vez de subir o valor da prata, o ouro a retirasse dessa função. No primeiro caso, a quantidade de prata em curso seria maior que a quantidade de ouro substituída; no segundo, a quantidade de ouro em curso seria menor que a de prata. Em ambas as hipóteses, o valor do material do dinheiro, isto é, da mercadoria que serve de medida dos valores, ter-se-ia alterado; em consequência, ter-se-iam alterado também os preços das mercadorias que expressam seus valores em dinheiro e a quantidade do dinheiro corrente, cuja função é realizar esses preços. Vimos que a esfera da circulação das mercadorias tem uma abertura pela qual o ouro (em suma, o material do dinheiro) penetra como mercadoria de dado valor. Este valor se pressupõe na função, desempenhada pelo dinheiro, de medida do valor, portanto, ao se fixarem os preços. Caindo o valor da medida do valor, essa queda se manifesta, primeiro, na variação dos preços das mercadorias, permutadas diretamente com os metais preciosos, na posição de mercadorias, nas fontes de produção. Especialmente nos estágios menos desenvolvidos da sociedade burguesa, grande parte das demais mercadorias continua, durante longo tempo, a ser estimada pelo antiquado e ilusório valor do metal que serve de dinheiro. Entrementes, uma mercadoria contagia a outra, através da relação de valor; os preços em ouro e os preços em prata das mercadorias equiparam-se, progressivamente, nas proporções determinadas pelos próprios valores desses metais, até que, por fim, todos os valores das mercadorias são estimados de acordo com o novo valor do metal que constitui o dinheiro. Esse processo de equiparação é acompanhado pelo aumento contínuo dos metais preciosos que afluem, ao substituir as mercadorias por eles diretamente permutadas. Já se encontra disponível no mercado o montante excedente de metal, necessário à realização dos preços, ao se generalizar o nível corrigido dos preços das mercadorias ou ao se estimarem os valores delas de acordo com o novo valor do metal, mais baixo. A observação, de um ponto de vista unilateral, dos fatos sobrevindos à descoberta de novas minas de ouro e prata, levou, no século XVII e principalmente no XVIII, à conclusão errônea de que a ascensão dos preços das mercadorias se originava da maior quantidade de ouro e prata na função de meio de circulação. A seguir, consideraremos dado o valor do ouro, conforme ocorre no momento de se fixarem preços.

Admitindo-se isto, o montante dos meios de circulação é determinado pela soma dos preços a realizar das mercadorias. Suponhamos, ainda, dado o preço de cada espécie de mercadoria; então, a soma dos preços das mercadorias depende, evidentemente, da quantidade total de mercadorias em circulação. É fácil de compreender que, se 1 quarta de trigo custa 2 libras esterlinas, 100 quartas custarão 200; 200, 400, e assim por diante; a quantidade de dinheiro que, na venda, troca de lugar com o trigo tem de crescer com a quantidade de trigo.

Admitindo-se dada a quantidade de mercadorias, o montante de dinheiro em curso oscila com as flutuações dos preços das mercadorias. Sobe e desce, por crescer ou diminuir a soma dos preços das mercadorias com as variações dos preços. Para isso, não é necessário que os preços de todas as mercadorias subam ou desçam ao mesmo tempo. A elevação ou a queda dos preços de certo número dos artigos importantes basta para aumentar ou diminuir a soma dos preços a realizar de todas as mercadorias e, em consequência, para lançar mais ou menos dinheiro em circulação. A variação dos preços das mercadorias, quer corresponda a verdadeiras variações de valor, quer a meras oscilações dos preços do mercado, exerce o mesmo efeito sobre o montante dos meios de circulação.

Imaginemos certo número de vendas ou de metamorfoses parciais, independentes entre si, simultâneas, paralelas, por exemplo, de 1 quarta de trigo, 20 metros de linho, 1 Bíblia, 4 galões de aguardente. Se o preço de cada artigo for 2 libras esterlinas, a soma de preços a realizar é de 8 libras, e tem de entrar em circulação um montante de dinheiro de 8 libras. Mas se, ao contrário, as mesmas mercadorias formam os elos da nossa conhecida cadeia de metamorfoses: 1 quarta de trigo – 2 libras esterlinas – 20 metros de linho – 2 libras esterlinas – 1 Bíblia – 2 libras esterlinas – 4 galões de aguardente – 2 libras esterlinas, as duas libras esterlinas terão feito circular as diversas mercadorias, uma após outra, realizando sucessivamente seus preços e, por conseguinte, a soma deles, 8 libras, para finalmente repousar nas mãos do destilador. Executam-se quatro movimentos. Esse deslocamento repetido das mesmas peças de dinheiro representa a dupla metamorfose da mercadoria, o movimento dela em duas fases opostas de circulação e o entrelaçamento das metamorfoses de mercadorias diferentes.[76] As fases opostas e mutuamente complementares percorridas por esse processo não podem ocorrer simultaneamente, mas de maneira sucessiva. Desse modo, mede-se por períodos a duração do processo, e o número de movimentos das mesmas peças de dinheiro, num tempo dado, mensura a velocidade do curso do dinheiro. Admitamos que dure um dia o processo de circulação daquelas mercadorias. Assim, a soma de preços a realizar importa em 8 libras esterlinas; o número de movimentos das mesmas peças de dinheiro durante o dia, 4; e o montante de dinheiro em curso, 2 libras esterlinas. Isto é, para um dado período do processo de circulação, temos:

$$\frac{\text{Soma dos preços das mercadorias}}{\text{Número de movimentos das peças de dinheiro do mesmo nome}} = \text{Montante do dinheiro que funciona como meio de circulação}$$

Esta lei tem validade genérica. O processo de circulação de um país, num período dado, compreende muitas vendas (ou compras) isoladas, simultâneas e paralelas, isto é, metamorfoses parciais em que as peças de dinheiro só mudam de posição uma vez ou executam apenas um movimento. Mas esse processo abrange também muitas séries de metamorfoses

---

76 "São os produtos que o põem [o dinheiro] em movimento e o fazem circular. [...] A velocidade do seu movimento [do dinheiro] supre a sua quantidade. Quando necessário, desliza de mão em mão, sem parar um instante." (Le Trosne, *op. cit.*, pp. 915-916.)

que, ora correm paralelas, ora se entrelaçam com um número maior ou menor de elos, e através das quais o dinheiro faz um número maior ou menor de movimentos. Dado o número total dos movimentos de todas as peças de dinheiro do mesmo nome em curso, pode-se obter o número médio de movimentos de uma peça isolada ou a velocidade média da circulação do dinheiro. O montante de dinheiro lançado no processo de circulação, num momento dado, é naturalmente determinado pela soma dos preços das mercadorias que circulam, simultâneas e paralelas. Mas, uma vez em curso, as peças monetárias se tornam, por assim dizer, solidárias entre si. Se uma aumenta a velocidade do seu curso, a outra a reduz ou sai inteiramente da circulação, uma vez que esta só pode absorver um montante de dinheiro que, multiplicado pelo número médio de movimentos de sua unidade monetária, seja igual à soma dos preços a realizar. Se aumenta o número dos movimentos das peças de dinheiro, diminui o número das peças em circulação. Diminuindo o número dos movimentos, aumenta o número total dessas peças. Dada a velocidade média, fica determinado o montante de dinheiro que pode servir de meio de circulação, e, por isso, basta, por exemplo, lançar em circulação determinada quantidade de notas de libras esterlinas, para dela sair a mesma quantidade de libras esterlinas em ouro, um truque bem conhecido dos banqueiros.

O processo de circulação das mercadorias, isto é, seu circuito através de metamorfoses opostas, só transparece através do curso do dinheiro, e se revelam, por meio da velocidade desse curso, a velocidade da metamorfose delas, o entrelaçamento contínuo das séries de metamorfoses, a celeridade do giro social das coisas, a rapidez com que as mercadorias desaparecem da circulação e são substituídas por novas. Na velocidade do curso do dinheiro se patenteia, portanto, a unidade fluente das fases opostas e complementares: conversão da forma de uso em forma de valor e reconversão da forma de valor em forma de uso, ou, em outras palavras, a unidade dos dois processos, o de venda e o de compra. O retardamento do curso do dinheiro, ao contrário, é o sintoma de que os dois processos se dissociam e se fazem reciprocamente independentes, e reflete a paralisação da metamorfose das mercadorias, do giro social das coisas. A própria circulação não indica a origem dessa estagnação; apenas põe o fenômeno em evidência. O público, que vê, com o retardamento do uso do dinheiro, aparecer e desaparecer o dinheiro com menos frequência em todos os pon-

O DINHEIRO OU A CIRCULAÇÃO DAS MERCADORIAS

tos da periferia da circulação, tende a atribuir esse fenômeno à quantidade insuficiente dos meios de circulação.[77]

A quantidade total de dinheiro que funciona como meio de circulação, em cada período, é determinada pela soma dos preços das mercadorias em circulação e pela velocidade com que se sucedem as fases opostas das metamorfoses. Dessa velocidade depende a proporção daquela soma de preços que pode ser realizada pela mesma moeda. A soma dos preços das mercadorias depende da quantidade e dos preços das mercadorias. Os três fatores – o movimento dos preços, a quantidade das mercadorias em circulação e a velocidade do curso do dinheiro – podem variar em sentidos diferentes e em proporções diversas. A soma dos preços a realizar e a quantidade por ela determinada dos meios de circulação variarão com as múltiplas combinações daqueles três fatores variáveis. Assinalaremos apenas as mais importantes na história dos preços das mercadorias.

Permanecendo invariáveis os preços das mercadorias, a quantidade dos meios de circulação pode aumentar, por aumentar a quantidade das mercadorias em circulação, ou por diminuir a velocidade do curso do dinheiro ou por ambos os motivos; e pode diminuir (a quantidade dos meios de circulação) por diminuir a quantidade das mercadorias ou por aumentar a velocidade da circulação delas.

---

77 "Sendo o dinheiro [...] a medida comum da compra e da venda, todo mundo que tem algo para vender, mas não acha comprador, propende logo a pensar que a causa disso é a falta de dinheiro, no reino ou no país; por isso, há uma grita geral contra a falta de dinheiro, o que é um grande erro. [...] De que precisam essas pessoas que gritam por dinheiro? [...] O agricultor se queixa [...] pensa que, se houvesse dinheiro no país, teria ele um preço para seus bens. Então, parece que precisa não de dinheiro, mas de um preço para seu trigo e gado, que desejaria vender, mas não pode. [...] Por que não pode obter um preço? [...] 1. Ou há trigo e carne demais no país, e a maioria dos que vão ao mercado tem, como ele, necessidade de vender, e poucos de comprar; ou 2. está paralisada a exportação; ou 3. o consumo decresce, quando as pessoas, por exemplo, em razão do empobrecimento, reduzem suas despesas. Em consequência, não é o aumento puro e simples da quantidade de dinheiro que favoreceria os bens do agricultor, mas a supressão de uma dessas três causas, que deprimem realmente o mercado. [...] O comerciante e o lojista precisam de dinheiro do mesmo modo, isto é, não encontram saída para os artigos com que transacionam, pois o mercado falha. [...] Uma nação nunca progride melhor do que quando as riquezas fluem de mão em mão." (Sir Dudley North, *Discourses upon trade*, Londres, 1691, pp. 11-14 *passim*.) Todas as parlapatices de Herrenschwand redundam em sustentar que o acréscimo dos meios de circulação pode eliminar as contradições oriundas da natureza das mercadorias e que se manifestam, por consequência, na circulação delas. Se é uma ilusão popular atribuir as paralisações na produção e na circulação à carência dos meios de circulação, não se infira daí como verdade que uma carência real dos meios de circulação, em virtude, por exemplo, de erros oficiais ao regular o curso do dinheiro, não possa, por sua vez, provocar paralisações.

O CAPITAL

Havendo elevação geral dos preços das mercadorias, a quantidade dos meios de circulação pode permanecer constante, se a quantidade das mercadorias em circulação diminui em proporção que compense o aumento de seu preço, ou se a velocidade do curso do dinheiro cresce em proporção que compense a elevação dos preços, sem que se altere a quantidade das mercadorias em circulação. Na mesma hipótese de ascensão dos preços, a quantidade dos meios de circulação pode decrescer, em virtude de ser mais rápido que a elevação dos preços o decréscimo da quantidade das mercadorias ou o aumento da velocidade do curso monetário.

Havendo queda geral nos preços das mercadorias, a quantidade dos meios de circulação pode permanecer constante, se a quantidade de mercadorias aumenta em proporção que compense a queda de seu preço, ou se a velocidade do curso do dinheiro diminui em proporção que compense o declínio dos preços; a quantidade dos meios de circulação pode aumentar, se a quantidade de mercadorias crescer mais rapidamente ou se a velocidade da circulação das mercadorias diminuir mais depressa que os preços.

As variações dos diferentes fatores podem compensar-se reciprocamente, de modo que, apesar das suas incessantes flutuações, permanece constante a soma dos preços das mercadorias a realizar, e, em consequência, a quantidade de dinheiro que circula. Por isso, principalmente ao se observarem períodos longos, verifica-se um nível médio muito mais constante da quantidade de dinheiro que circula em cada país, com menores desvios desse nível do que se esperaria à primeira vista, desde que se ponham de lado fortes perturbações ocasionadas pelas crises industriais e comerciais e, mais raramente, pelas mudanças no valor do dinheiro.

A lei segundo a qual a quantidade dos meios de circulação é determinada pela soma dos preços das mercadorias em circulação,[78] pode ser

---

78 "O dinheiro é exigido em certa medida e proporção para impulsionar o comércio de uma nação; demais ou de menos ser-lhe-ia prejudicial. Ocorre aí o que sucede com o pequeno comércio de varejo, onde certa proporção de *farthings* é necessária para trocar por moedas de prata e para saldar as contas que não podem ser liquidadas com as menores moedas de prata. [...] Assim como a proporção de *farthings* exigida pelo varejo depende do número dos compradores, da frequência das suas compras e, sobretudo, do valor das menores moedas de prata, a proporção do dinheiro (peças de ouro e prata) depende da frequência das transações e da importância dos parâmetros." (William Petty, *A Treatise on Taxes and Contributions*, Londres, 1667, p. 17.) A. Young defendeu a teoria de Hume contra os ataques de S. Stewart e outros, em seu livro *Political Arithmetic*, Londres, 1774, no qual figura o capítulo "Prices depend on quantity of money",[I] n. 112 e segs. Em *Contribuição à crítica* etc., escrevi à página 149: "[Adam Smith] descarta-se tacitamente do problema relativo à quantidade de moeda em circulação, ao tratar o dinheiro erroneamente como se fosse mercadoria e nada mais." Isto só

O DINHEIRO OU A CIRCULAÇÃO DAS MERCADORIAS

expressa da seguinte maneira: dada a soma dos valores das mercadorias e dada a velocidade média das metamorfoses delas, a quantidade de metal precioso na função de dinheiro em curso depende do valor desse metal. A ilusão de que os preços das mercadorias são determinados pela quantidade dos meios de circulação, e esta pela quantidade dos metais preciosos existentes num país,[79] é uma ilusão fundamentada por seus primitivos adeptos na hipótese absurda de que as mercadorias entram na circulação sem preço e o dinheiro sem valor, e, uma vez na circulação, se permute uma parte alíquota da massa de mercadorias por uma parte alíquota do monte de metais preciosos.[80]

---

acontece quando discorre sobre dinheiro, especificamente. Em certas ocasiões, por exemplo, ao criticar os anteriores sistemas da economia política, faz afirmativas acertadas: "A quantidade de moeda em cada país é regulada pelo valor das mercadorias que ela tem de fazer circular. [...] O valor dos bens comprados e vendidos anualmente em cada país exige certa quantidade de dinheiro, para circularem e serem distribuídos aos seus consumidores; mas esse valor não pode mobilizar dinheiro além dessa quantidade. O canal da circulação atrai necessariamente soma bastante para supri-lo, e nada mais além disso." (*Wealth of Nations*, [vol. III], 1. IV, cap. I, [pp. 87, 89].) Procedendo de modo semelhante, A. Smith começa sua obra fazendo uma apoteose da divisão do trabalho, ao tratar especificamente dela. Depois, no último livro que trata das fontes de renda pública, reproduz, de passagem, as críticas de seu mestre A. Ferguson contra a divisão do trabalho.

79 "Os preços das coisas se elevam certamente, em qualquer país, à medida que aumenta a quantidade de ouro e prata em poder das pessoas; em consequência, num país em que diminua a quantidade de ouro e prata, os preços de todas as coisas devem cair proporcionalmente a esse decréscimo." (Jacob Vanderlint, *Money Answers All Things*, Londres, 1734, p. 5.) Comparando cuidadosamente esse livro com os *Essays* de Hume, cheguei à conclusão de que Hume conhecia e utilizou a obra de Vanderlint, importante sob outros aspectos. A ideia de que a quantidade dos meios de circulação determina os preços encontra-se em Barbon e em outros autores bem mais antigos. "O comércio livre não traz inconvenientes, mas grandes vantagens, pois, se diminuir o dinheiro efetivo da nação – o que as proibições procuram evitar –, as outras nações que receberem o dinheiro verificarão que todas as coisas subirão de preço na medida em que nelas aumenta o numerário. E [...] os produtos de nossas manufaturas e as demais mercadorias ficarão tão baratos que a balança comercial se tornará favorável a nós, voltando o dinheiro a fluir para nosso país." (*Op. cit.*, pp. 43-44.)

80 É evidente que o preço de cada espécie de mercadoria forma um elemento do preço total de todas as mercadorias em circulação. Mas é totalmente incompreensível como os valores de uso entre si incomensuráveis se possam permutar, na sua totalidade, pela quantidade global de ouro e prata existente num país. Reduzindo-se o mundo das mercadorias a uma única mercadoria geral de que cada mercadoria é apenas uma parte alíquota, obteríamos as seguintes extravagantes equações: mercadoria geral = x quintais de ouro, mercadoria A = parte alíquota da mercadoria geral = mesma parte alíquota de x quintais de ouro. É o que diz seriamente Montesquieu: "Se equiparamos a quantidade de ouro e de prata que há no mundo com a soma de mercadorias nele existentes, poderemos sem dúvida equiparar cada produto ou mercadoria com certa quantidade de dinheiro. Suponhamos que só haja no mundo um único produto ou mercadoria, ou que só se compre uma mercadoria, e que ela seja divisível como dinheiro: determinada porção dessa mercadoria corresponderá a determinada parte total do dinheiro, a metade da totalidade das mercadorias à metade da quantidade global de dinheiro, e assim por diante. [...] A determinação dos preços das coisas depende sempre, fundamentalmente,

O CAPITAL

c) A moeda. Os símbolos de valor

A forma de moeda assumida pelo dinheiro decorre de sua função de meio de circulação. O peso de ouro, idealizado no preço ou nome em dinheiro das mercadorias, tem de confrontá-las na circulação, objetivado em peças de ouro do mesmo nome, em moedas. A cunhagem, do mesmo modo que o estalão dos preços, torna-se atribuição do Estado. Nas diversas roupas nacionais vestidas pelo ouro e pela prata no exercício da função de moeda, para tirá-las no mercado mundial, transparece a separação entre as esferas nacionais de circulação das mercadorias e a esfera internacional.

A moeda de ouro e o ouro em barras só se distinguem pela aparência, e o ouro pode apresentar-se sob uma ou outra dessas formas.[81] Ao deixar de ser moeda, o destino do ouro é o cadinho. As moedas se desgastam no curso, umas mais, outras menos. Começa o processo de dissociação entre o título e a substância do ouro, entre o peso nominal e o peso real. Moedas de igual nome se tornam de valor diverso, por divergirem os respectivos pesos. O peso do ouro na serventia de meio de circulação difere do peso do ouro considerado estalão de preços, cessando assim de ser o verdadeiro

---

da razão existente entre o total das coisas e o total do dinheiro." (Montesquieu, *op. cit.*, t. III, pp. 12- -13.) Desenvolvem essa teoria Ricardo, seu discípulo James Mill, Lord Overstone e outros, conforme assinalo em *Contribuição à crítica* etc., pp. 140-146, e p. 150 e segs. Com sua habitual lógica eclética, J. Stuart Mill consegue sustentar simultaneamente o parecer de seu pai James Mill e a opinião oposta. Fazendo-se um confronto entre o texto do seu compêndio *Princípios de economia política* e o prefácio da 1ª edição em que se anuncia como o novo Adam Smith, não se sabe o que mais admirar, se a ingenuidade do homem ou a do público que o aceita credulamente como Adam Smith, com o qual tanto se assemelha quanto o general Williams Kars von Kars ao Duque de Wellington. São escassas e pobres as pesquisas originais de J. Stuart Mill no domínio da economia política, encontrando-se todas elas arrumadas em sua brochura aparecida em 1844, *Some Unsettled Questions of Political Economy*. Locke expressa diretamente a conexão entre a ausência de valor do ouro e da prata e a determinação do valor deles pela quantidade: "Tendo a humanidade consentido em atribuir um valor imaginário ao ouro e à prata, [...] o valor intrínseco que se dá a esses metais é a sua quantidade, e nada mais." ("Some Considerations etc.", 1691, em *Works*, ed. 1888, vol. II, p. 15.)

81 Está além de meu objetivo tratar de pormenores como tributação de cunhagem e outros seme- lhantes. Todavia, a propósito da admiração que o romântico sicofanta Adam Müller vota à imensa liberalidade do governo inglês, ao cunhar gratuitamente moedas, lembrarei o seguinte parecer de Sir Dudley North: "A prata e o ouro têm altos e baixos, como as demais mercadorias. As remessas que chegam da Espanha [...] são transportadas à Torre e cunhadas. Pouco depois surge uma procura de barras para exportação. Se não há nenhuma e tudo está reduzido a moedas, o que fazer? Fundi-las de novo; não há prejuízo, uma vez que a cunhagem nada custa ao proprietário. Mas a nação teve o prejuízo e pagou para tecer a palha em que se ceva o burro. Se o comerciante [o próprio North era um dos comerciantes mais importantes ao tempo de Carlos II] fosse obrigado a pagar o preço da cunhagem, ele não teria mandado sua prata à Torre, sem refletir, e o dinheiro cunhado manteria sempre um valor acima da prata não amoedada." (North, *op. cit.*, p. 18.)

O DINHEIRO OU A CIRCULAÇÃO DAS MERCADORIAS

equivalente das mercadorias, cujos preços realiza. Registra as confusões daí decorrentes a história monetária da Idade Média e da era moderna, até o século XVIII. A tendência natural do processo de circulação, de converter a moeda de ouro em simulacro da quantidade de ouro que deveria ter em símbolo do peso metálico oficial, é reconhecida pelas leis mais modernas relativas ao limite de perda metálica além do qual as peças de ouro deixam de ter curso legal ou são desmonetizadas.

O próprio curso do dinheiro, ao separar o peso real do peso nominal da moeda, a existência metálica desta de sua existência funcional, traz latente a possibilidade de o dinheiro metálico ser substituído, em sua função de moeda, por senhas feitas de outro material, por meros símbolos. O papel de dinheiro simbólico desempenhado pelas peças de prata e cobre, substituindo moedas de ouro, encontra sua explicação histórica nos obstáculos técnicos à cunhagem de frações ínfimas de ouro e de prata, e na circunstância de servirem primitivamente de medida do valor metais menos nobres (a prata sucede ao cobre; o ouro, à prata), os quais circulavam como dinheiro no momento em que foram destronados pelo metal mais nobre. Substituem o ouro nas faixas de circulação das mercadorias onde as moedas mudam de mãos mais rapidamente e, em consequência, se desgastam mais rapidamente, isto é, nas faixas onde compras e vendas em pequena escala se renovam sem cessar. Para impedir esses satélites de ocuparem permanentemente o lugar do ouro, fixa a lei as proporções reduzidas em que podem substituir o ouro, tendo de ser aceitos como meio de pagamento. Os cursos particulares seguidos pelas diferentes espécies de moeda se entrelaçam naturalmente uns com os outros. A moeda divisionária aparece ao lado do ouro, para pagar importâncias que sejam frações das menores moedas de ouro; o ouro penetra continuamente na circulação miúda, sendo dela continuamente expulso ao permutar-se por moeda divisionária.[82]

---

82 "Se não há moedas de prata em quantidade além da necessária para os pequenos pagamentos, não é possível juntá-las em quantidades suficientes para pagamentos maiores. [...] A utilização do ouro para os pagamentos importantes implica necessariamente seu emprego no comércio a retalho: os que dispõem de moeda de ouro pagam com ela suas pequenas compras, recebendo de volta com a mercadoria comprada o saldo em prata. Com isso, o excedente que, de outro modo, estorvaria o retalhista se lança e se dispersa na circulação geral. Mas, se há prata suficiente para fazer os pequenos pagamentos sem recorrer às moedas de ouro, o comerciante retalhista terá de receber prata em pagamento das compras, e esta acumular-se-á necessariamente em suas mãos." (David Buchanan, *Inquiry into the Taxation and Commercial Policy of Great Britain*, Edinburgh, 1844, pp. 248-249.)

O CAPITAL

O peso das peças de prata e cobre é determinado arbitrariamente pela lei. No curso, desgastam-se mais rapidamente que a moeda de ouro. A função monetária delas torna-se de fato totalmente independente do seu peso e, em consequência, de todo valor. A função de numerário do ouro se dissocia inteiramente de seu valor metálico. Coisas relativamente sem valor, pedaços de papel, podem substituí-lo no exercício da função de moeda. O caráter puramente simbólico está de algum modo dissimulado nas peças de dinheiro metálicas. Revela-se plenamente no dinheiro papel. Com efeito, a dificuldade está no primeiro passo.

Aqui aludimos apenas ao papel-moeda, o dinheiro papel do Estado, com curso compulsório. Origina-se diretamente do curso metálico. O dinheiro de crédito pressupõe, ao contrário, condições que ainda nos são desconhecidas do ponto de vista da circulação simples das mercadorias. Mas, observemos de passagem, se o verdadeiro dinheiro papel, o papel--moeda, nasce da função, exercida pelo dinheiro, de meio de circulação, o dinheiro de crédito tem sua raiz natural na função do dinheiro, de meio de pagamento.[83]

O Estado lança em circulação pedaços de papel que levam impressas as respectivas denominações monetárias, como 1 libra esterlina, 5 libras ester- linas etc. Ao circularem realmente em lugar da quantia de ouro de mesma denominação, governam seu movimento apenas as leis do curso do dinheiro. Uma lei específica da circulação do papel só pode originar-se da sua função de representar o ouro. Tal lei existe e diz que a emissão de papel-moeda tem de limitar-se à quantidade de ouro (ou, se for o caso, de prata) que realmente circularia se não fosse substituída por símbolos. A quantidade de ouro que a circulação pode absorver oscila continuamente acima ou abaixo de certo nível médio. Todavia, a massa do meio circulante em dado país nunca desce abaixo

---

83 O mandarim Wan-mao-in, ministro da Fazenda, teve a ideia de submeter projeto ao Filho do Céu, com a intenção secreta de converter os assinados do Império em bilhetes de banco conversíveis. O relatório do Comitê de Assinados passou-lhe uma sarabanda. Não se informa se recebeu as tradicionais vergastadas de bambu. "O Comitê", diz o final do relatório, "examinou cuidadosamente o projeto e é de parecer que todo ele é vantajoso para os comerciantes, sem trazer qualquer proveito para a coroa." (*Arbeiten der Kaiserlich Russischen Gesandtschaft zu Peking über China*. Aus dem Russischen von Dr. K. Abel und F. A. Meckenburg, vol. I, Berlim, 1858, p. 54.) Sobre a contínua desmetalização das moedas de ouro pelo seu curso, diz um governador do Banco da Inglaterra, depondo perante a Comissão de Leis Bancárias da Câmara dos Lordes: "Todo ano fica com o peso abaixo do legal uma nova classe de soberanos [soberano é o nome da libra esterlina em ouro]. A classe que passa um ano sem perder peso perde-o pelo desgaste no ano seguinte, o bastante para que a balança o recuse." (*House of Lords Committee*, 1848, nº 429.)

O DINHEIRO OU A CIRCULAÇÃO DAS MERCADORIAS

de certo mínimo que a experiência revela. O montante desse mínimo e seu movimento ininterrupto na esfera da circulação em nada se alteram com a mudança contínua de seus elementos ou com a substituição incessante por novas das peças de ouro que o compõem. Por isso, pode essa massa mínima ser substituída por símbolos de papel. Se hoje está adequadamente atendida a capacidade de absorção dos canais de circulação, podem amanhã estar congestionados em virtude de mudança na circulação das mercadorias. Perde-se, então, toda medida. Se o papel ultrapassa sua medida – a quantidade de moedas de ouro de igual nome que poderia circular –, expõe-se ao descrédito geral, mas ainda assim representa a quantidade de ouro determinada pelas leis imanentes do mundo das mercadorias, portanto, só a quantidade de ouro suscetível de ser representada. Se a massa de papel-moeda for o dobro do que deve ser, 1 libra esterlina, em vez de designar ¼ de onça, será a denominação monetária de $^1/_8$ de onça. É como se o ouro tivesse experimentado uma alteração em sua função de medir os preços. Os mesmos valores que se expressavam antes por meio do preço de 1 libra esterlina expressam-se agora pelo preço de 2 libras esterlinas.

O papel-moeda é um símbolo que representa ouro ou dinheiro. O papel-moeda representa simbolicamente as mesmas quantidades de ouro em que se expressam idealmente os valores das mercadorias, e esta é a única relação existente entre ele e esses valores. O papel-moeda só é símbolo de valor por representar quantidade de ouro, a qual é quantidade de valor como todas as quantidades das outras mercadorias.[84]

Finalmente, pergunta-se por que o ouro pode ser substituído por meros símbolos destituídos de valor. Conforme já vimos, só pode operar-se essa substituição enquanto exerce exclusivamente a função de moeda ou de meio de circulação. As peças de ouro isoladas não exercem essa função com a exclusividade que se patenteia nas peças desgastadas que continuam

---

84 Nota da 2ª edição: A falta de clareza acerca das diferentes funções do dinheiro, até nos melhores autores sobre a matéria, revela-se na seguinte passagem de Fullarton: "Em nosso comércio interno, todas as funções do dinheiro usualmente preenchidas por moedas de ouro e prata podem ser desempenhadas, com a mesma eficácia, por notas inconversíveis que só possuem o valor artificial, baseado em convenção, que a lei lhes dá. Isto é, a meu ver, incontestável. Um valor dessa espécie pode preencher todas as utilidades de um valor intrínseco, e tornar mesmo supérfluo um padrão de valor, desde que a quantidade de suas emissões não ultrapasse os limites adequados." (Fullarton, *Regulation of Currencies*, 2ª edição, Londres, 1845, p. 21.) Por ser a mercadoria dinheiro substituível na circulação por meros símbolos de valor, considera-a supérflua nas suas funções de medir o valor e de servir de estalão dos preços.

a circular. As peças de ouro são meras moedas ou meros meios de circulação apenas quando se encontram em curso. Mas o que não vale para cada moeda de ouro é válido para a quantidade mínima de ouro substituível por papel-moeda. Ela permanece continuamente na esfera da circulação, de maneira incessante desempenha a função de meio de circulação e por isso existe para esse fim apenas. Seu movimento representa o ininterrupto revezamento das fases opostas da metamorfose das mercadorias M – D – M, em que a figura do valor das mercadorias confronta-as apenas para desaparecer de novo imediatamente. A existência autônoma do valor de troca da mercadoria é um elemento efêmero que a faz ser imediatamente substituída por outra. Por isso, basta a existência apenas simbólica do dinheiro num processo em que ele passa ininterruptamente de mão em mão. Sua existência funcional absorve, por assim dizer, a material. Reflexo objetivo, mas transitório dos preços das mercadorias, funciona somente como símbolo de si mesmo e, por isso, pode ser substituído por símbolos.[85] É necessário unicamente que o símbolo do dinheiro tenha a validade social própria do dinheiro, e esta adquire-a o papel que o simboliza, através do curso forçado. A coerção do Estado vigora apenas na esfera interna da circulação, contida dentro das fronteiras de uma comunidade, e só nela desempenha o dinheiro plenamente sua função de meio de circulação, e assim pode ter no papel-moeda pura existência funcional, exteriormente distinta de sua substância metálica.

3. O DINHEIRO

É dinheiro a mercadoria que serve para medir o valor e, diretamente ou através de representante, serve de meio de circulação. Por conseguinte, ouro (ou prata) é dinheiro. Desempenha o papel de dinheiro diretamente, quando tem de estar presente com sua materialidade metálica, como mercadoria dinheiro, portanto, e não idealmente, como sucede em sua função de medida do valor, nem através de representação por símbolos, como

---

85 O ouro e a prata, ao servirem de moeda ou de meio de circulação, acabam sendo representados por símbolos de si mesmos, e daí deriva Barbon o direito de o governo valorizar o dinheiro, dando a uma moeda de ouro de menor peso o nome de outra de maior peso, pagando aos credores com moeda do mesmo nome em que se contraiu a dívida, mas de menor peso. "O dinheiro se desgasta e se torna mais leve pelas múltiplas vezes em que muda de mão. [...] É a denominação e a aceitação geral do dinheiro o que as pessoas observam nas transações, e não a quantidade de prata. [...] É a autoridade do Estado que faz do metal dinheiro." (N. Barbon, *op. cit.*, pp. 25, 29-30.)

ocorre em sua função de meio de circulação. Desempenha o papel de dinheiro diretamente ou por meio de representante, quando configura com exclusividade o valor ou a única existência adequada do valor de troca das mercadorias, em oposição à existência delas como valores de uso.

a) Entesouramento

A rotação contínua das duas metamorfoses opostas das mercadorias ou o incessante revezamento da venda e da compra transparecem no curso ininterrupto do dinheiro, no seu movimento contínuo na circulação. Interrompida a série de metamorfoses, não se complementando as vendas com as compras, imobiliza-se o dinheiro ou transforma-se, como diz Boisguillebert, de móvel em imóvel, de moeda corrente em dinheiro de modo geral.

Já nos primórdios do desenvolvimento da circulação das mercadorias desenvolvem-se a necessidade e a paixão de reter o produto da primeira metamorfose, a forma transfigurada da mercadoria, a crisálida áurea.[86] Vende-se mercadoria não para comprar mercadoria, mas para substituir a forma mercadoria pela forma dinheiro. A transformação passa a ter fim em si mesma, ao invés de servir de meio da circulação das coisas. Impede-se a imagem transformada da mercadoria de funcionar como forma absolutamente alienável, de caráter fugaz. O dinheiro petrifica-se em tesouro; o vendedor de mercadorias, em entesourador.

É justamente nos começos da circulação das mercadorias que apenas os valores de uso supérfluos se convertem em dinheiro. Ouro e prata se tornam assim expressões sociais do supérfluo ou da riqueza. Essa forma ingênua de entesouramento perpetua-se em povos que têm um sistema de produção tradicional ajustado ao próprio consumo e correspondente a um conjunto fixo de necessidades. É o caso dos povos asiáticos, notadamente da Índia. Vanderlint, que imagina serem os preços das mercadorias num país determinados pela quantidade de ouro e prata nele existente, pergunta por que as mercadorias indianas são tão baratas. E responde: porque os hindus enterram o dinheiro. De 1602 a 1734, observa, enterraram 150 milhões de libras esterlinas em prata que veio originalmente da América para a

---

86 "Riqueza em dinheiro não passa de [...] riqueza dos produtos convertidos em dinheiro." (Mercier de la Rivière, *op. cit.*, p. 557.) "Um valor na forma de produtos apenas mudou de forma." (Ibidem, p. 486.)

O CAPITAL

Europa.[87] De 1856 a 1866, a Inglaterra exportou para Índia e China (o metal exportado para a China refluiu para a Índia, na maior parte) 120 milhões de libras esterlinas em prata que tinha sido adquirida em permuta por ouro australiano.

Com o desenvolvimento maior da produção de mercadorias, tem cada produtor de assegurar materialmente para si mesmo o *nervus rerum*, a garantia ou "penhor social".[88] Suas necessidades renovam-se incessantemente e impõem a compra ininterrupta de mercadorias alheias, enquanto a produção e a venda das próprias mercadorias demandam tempo e dependem de circunstâncias fortuitas. Para comprar sem vender, é mister ter antes vendido sem comprar. Essa operação numa escala generalizada parece contradizer-se. Nas suas fontes de produção, os metais nobres permutam--se diretamente com outras mercadorias. Aí ocorrem vendas (do lado do possuidor da mercadoria) sem compra (do lado do possuidor do ouro e da prata).[89] E vendas posteriores sem compras subsequentes apenas possibilitam a distribuição dos metais preciosos entre todos os possuidores de mercadorias. Assim, aparecem em todos os pontos do intercâmbio tesouros de ouro e de prata mais ou menos importantes. Desperta a avidez pelo ouro a possibilidade que oferece de conservar valor de troca como mercadoria, ou mercadoria como valor de troca. Ao ampliar-se a circulação das mercadorias, aumenta o poder do dinheiro, a forma de riqueza sempre disponível e absolutamente social.

> "O ouro é excelso. Com ele, constituem-se tesouros, e quem o tem faz o que quer no mundo. O ouro faz até as almas atingirem o paraíso." (Colombo, em carta da Jamaica, 1503.)

Não revelando o dinheiro aquilo que nele se transforma, converte-se tudo em dinheiro, mercadoria ou não. Tudo se pode vender e comprar. A circulação torna-se a grande retorta social a que se lança tudo, para ser devolvido sob a forma de dinheiro. Não escapam a essa alquimia os ossos

---

87 "Com essa prática mantêm em baixo nível os preços dos seus artigos e manufaturas." (Vanderlint, *op. cit.*, pp. 95-96.)

88 "Dinheiro é um penhor." (John Bellers, *Essays about the Poor, Manufactures, Trade, Plantations, and Immorality*, Londres, 1669, p. 13.)

89 A categoria compra supõe que o ouro ou a prata utilizado na compra já é a forma transfigurada da mercadoria ou o produto da venda.

O DINHEIRO OU A CIRCULAÇÃO DAS MERCADORIAS

dos santos e, menos ainda, itens mais refinados, como coisas sacrossantas, "*res sacrosanctae extra commercium hominum*".[90] No dinheiro desaparecem todas as diferenças qualitativas das mercadorias, e o dinheiro, nivelador radical, apaga todas as distinções.[91] Mas o próprio dinheiro é mercadoria, um objeto externo, suscetível de tornar-se propriedade privada de qualquer indivíduo. Assim, o poder social torna-se o poder privado de particulares. A sociedade antiga denuncia o dinheiro como elemento corrosivo da ordem econômica e moral.[92] A sociedade moderna, que, já nos seus primórdios, arranca Plutão pelos cabelos das entranhas da terra,[93] saúda no ouro o Santo Graal, a resplandecente encarnação do princípio mais autêntico da sua vida.

A mercadoria, como valor de uso, satisfaz uma necessidade particular e constitui um elemento específico da riqueza material. Mas o valor da mercadoria mede o grau de sua força de atração sobre todos os elementos

---

90 Henrique III, rei cristianíssimo da França, despojou os mosteiros de suas relíquias, para convertê-las em moedas. É conhecido o papel que desempenhou na história da Grécia o roubo, pelos fócios, dos tesouros do templo de Delfos. Na Antiguidade, o deus do comércio morava nos templos. Estes eram os "bancos sagrados". Os fenícios, povo mercantil por excelência, consideravam o dinheiro a figura transformada de todas as coisas. Era lógico, portanto, que as virgens que se entregavam aos estranhos, nas festas de Astarteia, ofertassem à deusa do amor o dinheiro recebido em pagamento.

91 "Ouro, amarelo, fulgurante, ouro precioso!
Uma porção dele basta para fazer do preto, branco; do louco, sensato;
Do errado, certo; do vilão, nobre; do velho, jovem; do covarde, valente.
[...] Ó deuses, não estais vendo? Por que
Afasta ele vossos sacerdotes e os servos dos vossos altares
E arranca o travesseiro do justo que nele repousa a cabeça?
Esse escravo amarelo
Ata e desata vínculos sagrados; abençoa o amaldiçoado;
Doura a lepra; honra ladrões,
Dá-lhes títulos, genuflexões e homenagens,
Colocando-os no conselho dos senadores;
Faz a viúva anciã casar de novo.
[...] Metal execrável,
És da humanidade a vil prostituta."
(Shakespeare, *Timon de Atenas*.)

92 Nada suscitou nos homens tanta ignomínia como o ouro.
É capaz de arruinar cidades,
De expulsar os homens de seus lares;
Seduz e deturpa o espírito nobre
Dos justos, levando-os a ações abomináveis;
Ensina ao mortal os caminhos da astúcia e da perfídia,
E o induz a realizar obras amaldiçoadas pelos deuses.
(Sófocles, *Antígona*.)

93 "A avareza espera arrancar o próprio Plutão do centro da terra." (Athen[aeus], *Deipnos*.)

dessa riqueza e, por conseguinte, a riqueza social do seu possuidor. O possuidor de mercadoria, na fase cultural bárbara, mesmo um camponês da Europa Ocidental, não separa o valor da forma do valor, vendo no acréscimo de ouro e prata entesourados acréscimo de valor. O valor do dinheiro, entretanto, flutua em virtude da própria variação do seu valor ou da variação do valor das mercadorias. Isso, porém, não impede que duzentas onças de ouro continuem contendo mais valor do que cem, trezentas mais do que duzentas e assim por diante, nem que a forma metálica natural desse artigo permaneça sendo a forma equivalente universal das mercadorias, a encarnação social direta de todo trabalho humano. O desejo de entesourar é por natureza insaciável. Do ponto de vista da qualidade ou da forma, o dinheiro não conhece fronteiras: é o representante universal da riqueza material, pois é conversível em qualquer mercadoria. Mas qualquer porção real de dinheiro é quantitativamente limitada, sendo meio de compra de eficácia restrita. Essa contradição entre a limitação quantitativa e o aspecto qualitativo sem limites impulsiona permanentemente o entesourador para o trabalho de Sísifo da acumulação. Conduz-se ele como o conquistador que vê em cada país conquistado apenas uma nova fronteira a ser ultrapassada.

Para reter o ouro como dinheiro ou fator de entesouramento, é mister impedi-lo de circular ou de servir de meio de compra, quando se transforma em artigo de consumo. O entesourador sacrifica à idolatria do ouro os prazeres da carne. Esposa o evangelho da abstenção. Mas só pode tirar em dinheiro da circulação o que lhe dá em mercadoria. Quanto mais produz, mais pode vender. Diligência, poupança e avareza são suas virtudes cardeais; vender muito, comprar pouco, a suma de sua economia política.[94]

Ao lado da forma direta, assume o entesouramento a forma estática de objetos de ouro e prata. Cresce com o enriquecimento da sociedade burguesa. "Sejamos ricos ou pareçamos ricos" (Diderot). Forma-se um mercado cada vez mais amplo de ouro e prata, independente das funções de dinheiro desses metais, e, a seu lado, se constitui uma fonte latente de suprimento de dinheiro, a que se recorre notadamente em períodos de crise social.

---

94 "Aumentar o mais possível o número dos vendedores de toda mercadoria, diminuir o mais possível o número dos compradores, eis aí a síntese das operações da economia política." (Verri, *op. cit.*, pp. 52-53.)

O DINHEIRO OU A CIRCULAÇÃO DAS MERCADORIAS

O entesouramento desempenha diversas funções na economia da circulação metálica. A primeira delas decorre das condições em que se processa o curso das moedas de ouro e prata. Vimos como a quantidade de dinheiro em curso diminui e aumenta incessantemente com as contínuas flutuações na amplitude e na velocidade da circulação das mercadorias e nos seus preços. É necessário, portanto, que seja capaz de contrair-se e expandir-se. Ora tem o dinheiro de ser atraído para servir de moeda, ora a moeda tem de ser repelida para servir de dinheiro acumulado. Para a quantidade de moeda em curso corresponder sempre às necessidades da esfera de circulação, é mister que a quantidade de ouro ou de prata existente num país exceda a absorvida na função de moeda. O dinheiro sob a forma de tesouro preenche essa condição. As reservas entesouradas servem de canais ao mesmo tempo adutores e de derivação do dinheiro circulante, o qual, por isso, nunca transborda os canais do seu curso.[95]

b) Meio de pagamento

Na forma direta da circulação das mercadorias, até agora observada, aparece a mesma magnitude de valor sob dois aspectos, mercadoria num polo, e dinheiro, no polo oposto. Os possuidores das mercadorias entram em contato como representantes de valores que realmente existem e se igualam. Com o desenvolvimento da circulação das mercadorias, vão aparecendo as condições em que a alienação da mercadoria se separa, por um intervalo de tempo, da realização do seu preço. Basta indicar as mais simples dessas condições. Uma espécie de mercadoria exige, para ser produzida, um tempo mais longo que outra. A produção de diversas mercadorias depende de diferentes estações do ano. Uma mercadoria se fabrica no seu

---

95 "Para o funcionamento do comércio da nação, é necessária uma soma determinada de dinheiro metálico, a qual varia, sendo maior ou menor conforme exijam as circunstâncias. [...] Esse fluxo e refluxo de dinheiro regula-se por si mesmo, sem qualquer ajuda dos políticos. [...] Há um revezamento: escasso o dinheiro, amoedam-se barras, escassas as barras, funde-se dinheiro." (Sir D. North, *op. cit., [postscript]*, p. 3.) John Stuart Mill, durante muito tempo funcionário da Companhia das Índias Orientais, confirma que os ornamentos de prata continuam a exercer na Índia a função direta de tesouro. "Os ornamentos de prata aparecem e são amoedados, quando se eleva a taxa de juros, e voltam à forma original, quando a taxa de juros cai." (J. S. Mill's Evidence, in *Reports on Bank Acts*, 1857, ns. 2084-2101.) Segundo um documento parlamentar de 1864, referente à exportação e importação de ouro e prata pela Índia, a importação de ouro e prata ultrapassou a exportação em 19.367.764 libras esterlinas. Nos oito anos que precederam 1864, o excesso da importação sobre a exportação dos metais preciosos montou a 109.652.917 libras esterlinas. No curso do presente século, cunharam-se na Índia mais de 200 milhões de libras esterlinas.

próprio mercado, outra tem de fazer uma longa viagem. Um possuidor de mercadoria pode, assim, estar pronto para vender, antes que outro esteja pronto para comprar. Com a constante repetição das mesmas transações entre as mesmas pessoas, as condições de venda das mercadorias regulam-se pelas condições de produção. Outras vezes, o que se vende é o uso, por determinado espaço de tempo, de certas espécies de mercadorias, uma casa, por exemplo; só após o decurso do prazo fixado recebe o comprador o valor de uso da mercadoria; compra-a antes de pagá-la. Um vende mercadoria existente, outro compra como mero representante de dinheiro, ou de dinheiro futuro. O vendedor torna-se credor; o comprador, devedor. A metamorfose da mercadoria, ou o desenvolvimento da forma do valor, assume então novo aspecto, e, em consequência, o dinheiro adquire nova função. Ele se torna meio de pagamento.[96]

O caráter de credor ou devedor decorre aqui da circulação simples das mercadorias. A mudança na forma dessa circulação imprime esse novo cunho ao vendedor e ao comprador. De início, os papéis de devedor e credor são transitórios e desempenhados alternadamente pelos mesmos agentes, do mesmo modo que os de vendedor e comprador. Mas a oposição passa a ser menos agradável e tem maior capacidade de cristalizar-se.[97] Os papéis de credor e devedor podem vir à cena independentes da circulação das mercadorias. A luta de classes do mundo antigo desenrola-se principalmente sob a forma de uma luta entre credor e devedor, e, em Roma, leva à ruína o devedor plebeu, convertido em escravo. Na Idade Média, a luta termina arruinando o devedor feudal, que perde o poder político com a base econômica. A forma dinheiro, ou a relação monetária entre credor e devedor, reflete nessas lutas o antagonismo mais profundo das condições econômicas de existência das partes envolvidas.

Voltemos à esfera da circulação das mercadorias. Cessou o aparecimento simultâneo dos equivalentes, mercadoria e dinheiro, nos dois polos do processo de venda. O dinheiro passa a exercer duas funções. Primeiro,

---

96 Lutero distingue entre dinheiro, meio de compra, e dinheiro, meio de pagamento. "Causa-me um duplo prejuízo, de modo que não posso pagar aqui, nem comprar ali." (Martinho Lutero, *An die Pfarrhern, wider den Wucher zu predigen*, Wittenberg, 1540.)

97 As relações entre devedor e credor no comércio inglês do início do século XVIII foram fixadas da seguinte maneira: "É tal o espírito de crueldade que reina aqui na Inglaterra entre os comerciantes que não se encontraria nada semelhante em nenhuma sociedade humana nem em nenhum outro país do mundo." (*An Essay on Credit and the Bankrupt Act*, Londres, 1707, p. 2.)

serve de medida do valor, ao determinar-se o preço da mercadoria. O preço contratualmente fixado mede a obrigação do comprador, ou a soma de dinheiro a pagar em data estabelecida. Segundo, o dinheiro serve de meio ideal de compra. Embora só exista na promessa do comprador, motiva a transferência da mercadoria. O dinheiro só entra realmente em circulação na data do pagamento, quando passa das mãos do comprador para as do vendedor. No processo de entesouramento, interrompe-se a circulação com a primeira fase; retira-se da circulação a forma transfigurada da mercadoria, o dinheiro. Mas, agora, o meio de pagamento penetra na circulação, depois de a mercadoria ter sido dela expulsa. O dinheiro já não exerce mais a função de intermediário do processo. Leva-o a uma conclusão, configurando em si mesmo a existência absoluta do valor de troca ou a mercadoria universal. O vendedor transforma mercadoria em dinheiro, para satisfazer com ele necessidades: o entesourador, para preservar a mercadoria sob a forma de dinheiro; o devedor, para poder pagar. Se não pagar, ocorrerá a venda judicial de seus bens. A forma do valor da mercadoria, o dinheiro, torna-se, portanto, o próprio fim da venda, em virtude de uma necessidade social oriunda das próprias condições do processo de circulação.

O comprador converte dinheiro em mercadoria, antes de ter convertido mercadoria em dinheiro, ou realiza a segunda metamorfose antes da primeira. A mercadoria do vendedor circula, mas realiza o preço apenas sob a forma de um direito sobre o dinheiro a receber. É objeto do consumo de outrem antes de converter-se em dinheiro. Só posteriormente sucede a primeira metamorfose.[98]

As obrigações vencidas em dado período representam a soma dos preços das mercadorias cuja venda deu origem a essas obrigações. A quantidade de dinheiro necessária para realizar essa soma de preços depende sobremodo da velocidade do curso dos meios de pagamento. A velocidade está condicionada por duas circunstâncias: pelo encadeamento das relações entre credores e devedores (A recebe o dinheiro de B, transfere-o ao seu credor C, e assim por diante); e pela duração dos intervalos entre as diversas datas

---

98 Nota da 2ª edição: No texto, não cogito de uma forma oposta, e o motivo está claro na citação seguinte de minha obra aparecida em 1859: "Ao contrário, pode o dinheiro ser alienado como verdadeiro meio de compra no processo D – M e assim realizar-se o preço da mercadoria, antes de realizar-se o valor de uso do dinheiro, isto é, de alienar-se a mercadoria. É o que sucede na forma quotidiana dos pagamentos adiantados, ou na forma em que o governo inglês compra ópio aos camponeses da Índia. Nesses casos, entretanto, o dinheiro opera na forma que já conhecemos de meio de compra. [...] Naturalmente que se adianta capital sob a forma de dinheiro. [...] Mas este aspecto está fora do âmbito da circulação simples." (*Zur Kritik* etc., pp. 119-120.)

O CAPITAL

de pagamento. A cadeia de pagamentos sucessivos ou de primeiras metamorfoses retardadas distingue-se fundamentalmente do entrelaçamento das séries de metamorfoses já estudado. O curso dos meios de circulação não expressa apenas a conexão entre vendedores e compradores; esta nasce naquele e com aquele curso. O movimento dos meios de pagamento, ao contrário, expressa uma conexão social que existia antes dele.

Simultaneidade e contiguidade das vendas estabelecem limites à substituição da quantidade de moeda pela velocidade do curso. Mas, por outro lado, proporcionam nova alavanca à economia dos meios de pagamento. Com a concentração dos pagamentos no mesmo lugar, desenvolvem-se naturalmente organizações e métodos especiais para liquidá-los. Esta era, por exemplo, a função dos *virements* em Lyon, na Idade Média. Bastará confrontar os créditos de *A* contra *B*, de *B* contra *C*, de *C* contra *A*, e assim por diante, para, até certo ponto, se anularem reciprocamente como grandezas positivas e negativas. Assim, fica restando apenas um saldo para pagar. Quanto maior a concentração dos pagamentos, tanto menores, relativamente, o saldo e a quantidade dos meios de pagamento em circulação.

A função do dinheiro como meio de pagamento envolve uma contradição direta. Enquanto os pagamentos se compensam, ele serve apenas idealmente de dinheiro de conta ou de medida dos valores. Quando têm de ser efetuados pagamentos reais, a função do dinheiro deixa de ser a de meio de circulação, de forma transitória e intermediária do intercâmbio das coisas materiais, para ser a de encarnar o trabalho social, a existência independente do valor de troca, a mercadoria absoluta. Esta contradição manifesta-se na fase especial das crises industriais e comerciais, chamada de crise de dinheiro.[99] Ela só ocorre onde se desenvolveram plenamente uma cadeia de pagamentos simultâneos e um sistema de liquidá-los por compensação. Havendo perturbações gerais no funcionamento desse mecanismo, seja qual for a origem delas, deixa o dinheiro súbita e diretamente a forma ideal, de conta, para virar dinheiro em espécie. Não é mais substituível por mercadorias profanas. O valor de uso da mercadoria não interessa mais, e o valor dela desaparece diante da forma independente do valor. Ainda há pouco, inebriado pela prosperidade e jactando-se de seu racionalismo, o burguês declarava ser o dinheiro mera ilusão. Só a mercadoria é dinheiro.

---

99 A crise de dinheiro, definida no texto como fase especial das crises gerais de produção e comércio, distingue-se do tipo particular de crise de dinheiro que pode surgir independentemente, repercutindo sobre o comércio e a indústria. São crises cujo centro motor é o capital-dinheiro, exercendo sua ação imediata na esfera dos bancos, bolsas de valores e finanças. (Nota de Marx à 3ª edição.)

O DINHEIRO OU A CIRCULAÇÃO DAS MERCADORIAS

Mas, agora, se proclama por toda parte: só o dinheiro é mercadoria. E sua alma implora por dinheiro, a única riqueza,[100] como o gado, na seca, brama por água. Na crise, a oposição entre a mercadoria e a forma do valor dela, o dinheiro, extrema-se numa contradição absoluta. Por isso, não importa mais a forma sob a qual apareça o dinheiro. A escassez extrema de dinheiro prossegue, tenham os pagamentos de ser feitos em ouro ou em dinheiro de crédito, em bilhetes de banco, por exemplo.[101]

A soma global do dinheiro que circula em determinado período, dada a velocidade do curso dos meios de circulação e de pagamento, é igual à soma dos preços a realizar das mercadorias mais a soma dos pagamentos vencidos, menos os pagamentos que reciprocamente se compensam, menos finalmente as repetições do emprego da mesma moeda como meio de circulação ou meio de pagamento. O camponês, por exemplo, vende seu trigo por 2 libras esterlinas, que servem assim de meio de circulação. Com o mesmo dinheiro, paga, no dia do vencimento, o linho que lhe forneceu o tecelão.

As duas libras esterlinas servem agora de meio de pagamento. O tecelão compra então uma Bíblia com as mesmas duas libras, que servem novamente de meio de circulação, e assim por diante. Mesmo sendo dados preços, velocidade do curso do dinheiro e compensação dos pagamentos, não se correspondem mais, num período determinado, num dia, por exemplo, a quantidade de dinheiro em curso e a quantidade de mercadorias em circulação. Gira dinheiro, que representa mercadorias há muito tempo expelidas da circulação. Circulam mercadorias, cujo equivalente em dinheiro só vai aparecer no futuro. Além disso, os débitos contraídos a cada dia e os

---

100 "Este salto brusco do sistema de crédito para o sistema de dinheiro em espécie faz associarem-se o medo teórico e o pânico prático, e os agentes da circulação estremecem ante o mistério impenetrável que envolve suas próprias relações econômicas." (Karl Marx, *op. cit.*, p. 126.) "Os pobres estão parados, porque os ricos não têm dinheiro para empregá-los, embora continuem possuindo as mesmas terras e a mesma mão de obra, para poder produzir alimentos e roupas; [...] e são esses elementos e não o dinheiro que constituem a verdadeira riqueza de uma nação." (John Bellers, *Proposals for Raising a Colledge of Industry*, Londres, 1696, pp. 3-4.)

101 Os "fiéis amigos do comércio" sabem explorar essas ocasiões. "Certa vez (1839), um velho e ganancioso banqueiro levantou em sua sala particular a tampa de sua escrivaninha, e exibiu para um amigo maços de bilhetes de banco, dizendo que havia deles 600.000 libras esterlinas, estando retidos para tornar o dinheiro escasso, e seriam lançados no mercado no mesmo dia, depois das 3 horas da tarde." ([H. Roy,] *The Theory of the Exchanges. The Bank Charter Act of 1844*, Londres, 1864, p. 81.) O órgão semioficial *The Observer* diz, a 24 de abril de 1864: "Correm estranhos rumores sobre recursos empregados com o fim de provocar escassez de bilhetes de banco. [...] Por mais difícil que seja admitir-se a adoção de um truque dessa natureza, generalizou-se tanto a notícia que merece ser mencionada."

O CAPITAL

pagamentos vencidos no mesmo dia são quantidades entre as quais não se podem fixar proporções.[102]

O dinheiro de crédito decorre diretamente da função do dinheiro como meio de pagamento, circulando certificados das dívidas relativas às mercadorias vendidas, com o fim de transferir a outros o direito de exigir o pagamento delas. À medida que se amplia o sistema de crédito, desenvolve-se a função de meio de pagamento exercida pelo dinheiro. Através dessa função, ele adquire formas próprias de existência no domínio das grandes transações, ficando as moedas de ouro e prata geralmente relegadas para o comércio a retalho.[103]

RECEBIMENTOS	LIBRAS ESTERLINAS	PAGAMENTOS	LIBRAS ESTERLINAS
LETRAS DE BANQUEIROS E COMERCIANTES PAGÁVEIS A PRAZO	553.596	LETRAS PAGÁVEIS A PRAZO	302.674
CHEQUES DE BANQUEIROS ETC. PAGÁVEIS À VISTA	357.715	CHEQUES SOBRE BANQUEIROS DE LONDRES	663.672
BILHETES DE BANCOS PROVINCIAIS	9.627		
BILHETES DO BANCO DA INGLATERRA	68.554	BILHETES DO BANCO DA INGLATERRA	22.743
OURO	28.089	OURO	9.427
PRATA E COBRE	1.486	PRATA E COBRE	1.484
VALES POSTAIS	933		
	1.000.000		1.000.000

---

102 "O montante de compras ou contratos realizados no decurso de um dia determinado não influi na quantidade de dinheiro em giro nesse dia, mas, na maioria dos casos, resulta na emissão de um grande número de letras correspondentes a uma quantidade de dinheiro que deve estar em giro em datas subsequentes, mais ou menos distantes. [...] As letras emitidas ou créditos abertos hoje não precisam ter qualquer semelhança com a quantidade, montante ou duração dos títulos emitidos ou créditos concedidos amanhã ou no dia seguinte; ao contrário, muitos dos títulos e créditos de hoje, quando vencidos, coincidem com uma massa de exigibilidades cuja origem se distribui pelas datas mais diferentes, títulos de 12 meses, 6, 3 ou 1, que se agregam para avolumar as obrigações que se vencem num dia determinado. [...]" (*The Currency Theory Reviewed: a Letter to the Scotch People. By a Banker in England*, Edimburgo, 1849, pp. 29-30 *passim.*)

103 Para mostrar como é reduzida a quantidade de dinheiro sonante que entra nas operações comerciais propriamente ditas, demonstramos a seguir o extrato dos recebimentos e pagamentos, no período de um ano, de uma das maiores casas de comércio de Londres (Morrison, Dillon & Co.). Suas transações durante o ano de 1856 atingiram muitos milhões de libras e estão reduzidas aqui à escala de um milhão. (*Report from the Select Committee on the Bank Acts*, julho de 1858, p. LXXI.)

O DINHEIRO OU A CIRCULAÇÃO DAS MERCADORIAS

Quando a produção de mercadorias atinge certo nível e amplitude, a função de meio de pagamento que o dinheiro exerce ultrapassa a esfera da circulação de mercadorias. É a mercadoria universal dos contratos.[104] Rendas e tributos se transformam de pagamentos em espécie em pagamentos em dinheiro. Essa transformação é determinada pela estrutura geral do processo de produção. É o que demonstra, por exemplo, o fracasso experimentado duas vezes pelo Império Romano, em sua tentativa de coletar todos os tributos em dinheiro. A miséria indescritível da população rural francesa no reinado de Luís xiv, tão eloquentemente denunciada por Boisguillebert, Marechal Vauban e outros, não decorreu apenas da elevação dos tributos, mas da conversão dos impostos pagos em produtos em impostos pagos em dinheiro.[105] Na Ásia, a forma natural da renda da terra constitui o elemento principal da tributação do Estado e se fundamenta nas condições de produção, reproduzidas com a imutabilidade dos fenômenos naturais. E essa forma de pagamento reage no sentido de manter a estrutura arcaica de produção. É um dos segredos da conservação do Império Turco. Se o comércio exterior imposto pela Europa ao Japão acarretar a transformação da renda natural em renda em dinheiro, estará perdida a agricultura modelar desse país. As acanhadas condições econômicas em que ela vive se dissolverão.

Em cada país, fixam-se geralmente certas datas para pagamentos. Essas datas, pondo-se de lado outros ciclos, se baseiam em parte nas condições naturais da produção dependentes das variações sazonais. Regulam até pagamentos que não se originam diretamente da circulação das mercadorias, como impostos, rendas etc. A massa de dinheiro mobilizada para atender nessas datas aos pagamentos que aumentam por todo o país causa perturbações periódicas, embora puramente superficiais, na economia dos meios de pagamento.[106] Da lei relativa à velocidade do

---

104 "O comércio deixou de se processar pela troca de mercadoria contra mercadoria, pela entrega de uma contra a recepção de outra, para se constituir de vendas contra pagamentos, e todos os negócios [...] são expressos sob a forma de transações em dinheiro." ([D. Defoe,] *An Essay upon Public Credit*, 3ª edição, Londres, 1710, p. 8.)

105 "O dinheiro tornou-se o verdugo de todos os seres." A arte financeira é "o alambique onde se evapora uma quantidade assustadora de bens e mercadorias, para se obter esse fatal extrato". "O dinheiro declara guerra a todo gênero humano." (Boisguillebert, *Dissertation sur la nature des richesses, de l'argent e des tributs*, ed. Daire, "Économistes financiers", Paris, 1843, vol. i, pp. 413, 417- 419.)

106 "Segunda-feira de Pentecostes de 1824", diz Mrs. Craig à Comissão de Investigação Parlamentar de 1826, "havia uma procura tão desmesurada de bilhetes de bancos em Edimburgo que às 11 horas os estabelecimentos não tinham mais um só deles em seus cofres. Uns bancos procuravam em vão

curso dos meios de pagamento depreende-se que a quantidade dos meios de pagamento necessária a determinada soma de pagamentos periódicos, qualquer que seja a origem dos débitos, está em relação direta com a duração dos períodos.[107]

O desenvolvimento do dinheiro como meio de pagamento acarreta a necessidade de acumular dinheiro para atender aos débitos nas datas de vencimento. O entesouramento, como forma autônoma de enriquecimento, desapareceu com o progresso da sociedade burguesa, mas, sob a forma de fundo de reserva de meios de pagamento, se expande com essa sociedade.

c) O dinheiro universal

Para circular fora da esfera nacional, despe-se o dinheiro das formas locais nela desenvolvidas de estalão dos preços, moeda, moeda divisionária e símbolo de valor, e volta à sua forma original de barra de metais preciosos. No comércio mundial, as mercadorias expressam seu valor universalmente. Por isso, sua forma autônoma de valor confronta-as como dinheiro universal. Só no mercado mundial adquire plenamente o dinheiro o caráter de mercadoria cujo corpo é simultaneamente a encarnação social imediata do trabalho humano abstrato; sua maneira de existir torna-se adequada a seu conceito.

---

tomá-los de empréstimo aos outros, e muitas transações foram acertadas com vales. Às 3 horas, todos os bilhetes voltavam aos bancos donde saíram. Apenas tinham mudado de mão." Embora a circulação média efetiva na Escócia importe em menos de 3 milhões de libras esterlinas, são postos em atividade em certos dias de pagamento do ano todos os bilhetes em poder dos banqueiros, num montante global de quase 7 milhões de libras esterlinas. Nessas ocasiões, os bilhetes têm uma função única e específica a desempenhar, e, após desempenhá-la, voltam aos bancos de onde saíram. (Vide John Fullarton, *Regulation of Currencies*, 2ª ed., Londres, 1844, nota à p. 85.) A título de esclarecimento, acrescente-se que, ao tempo do livro de Fullarton, os bancos na Escócia forneciam bilhetes contra os depósitos, e ainda não se utilizavam cheques.

107 Petty propõe o seguinte problema: "Supondo-se a necessidade de serem movimentados por ano 40 milhões, bastariam os mesmos milhões [em ouro] para os giros e rotações exigidos por todos os negócios?" E responde com sua costumeira maestria: "Sim. Para um dispêndio de 40 milhões, seriam suficientes $40/52$ de um milhão, se os giros corresponderem a períodos muito curtos, a uma semana, por exemplo, como acontece com pobres artesãos e trabalhadores, que recebem e pagam todos os sábados; se os giros forem trimestrais, conforme nosso costume de pagar arrendamento e de coletar impostos, então serão necessários 10 milhões. Por isso, supondo que os pagamentos em geral ocorram em prazos diversos entre 1 e 13 semanas, então adicionamos 10 milhões a $40/52$, e a metade, cerca de 5½ milhões, seria suficiente." (William Petty, *Political Anatomy of Ireland*. 1672, ed. Londres, 1691, pp. 13-14.)

O DINHEIRO OU A CIRCULAÇÃO DAS MERCADORIAS

Na esfera nacional da circulação, só uma mercadoria pode servir de medida do valor, de dinheiro. No mercado mundial, há dupla medida do valor, o ouro e a prata.[108]

O dinheiro mundial exerce a função de meio universal de pagamento, de meio universal de compra e de encarnação social absoluta da riqueza (*universal wealth*). A função de meio de pagamento, para liquidar débitos internacionais, é a que predomina. Daí surgiu a teoria da balança comer-

---

108 Daí o absurdo de toda legislação que prescreve aos bancos nacionais só entesourarem o metal precioso que serve de dinheiro no interior do país. São conhecidas, por exemplo, as "doces limitações" nesse sentido que o Banco da Inglaterra estabeleceu para si mesmo. Sobre as épocas marcantes na História, com referência à variação do valor relativo do ouro e da prata, vide Karl Marx, *op. cit.*, pp. 136 e segs.

Nota da 2ª edição: Sir Robert Peel procurou, com sua lei bancária de 1844, remover o inconveniente, acima apontado, permitindo ao Banco da Inglaterra emitir bilhetes garantidos por barras de prata, desde que a reserva desse metal nunca ultrapasse ¼ da reserva de ouro. Para esse fim, estima-se o valor da prata pelo seu preço de mercado (em ouro) na praça de Londres.

Nota da 4ª edição: Voltamos a encontrar-nos numa época de acentuada variação no valor relativo do ouro e da prata. Há cerca de 25 anos, a proporção de valor entre o ouro e a prata era de 15½:1, e agora é aproximadamente 22:1, e a cotação da prata continua a cair em relação a do ouro. Isto decorre essencialmente de uma transformação no processo de produção de ambos os metais. Antigamente, obtinha-se o ouro quase exclusivamente pela lavagem de camadas aluvionárias resultantes da erosão de rochas auríferas. Este método, hoje insatisfatório, foi ultrapassado pela mineração dos próprios filões auríferos de quartzo, processo que antes tinha uma aplicação secundária, embora fosse bem conhecido dos antigos (Diodoro, III, 12-14). Por outro lado, a extração de prata em grande escala e a preço reduzido tornou-se possível com a descoberta, a oeste das Montanhas Rochosas, nos Estados Unidos, de imensas jazidas, e com a abertura destas e das minas de prata mexicanas ao tráfego por via férrea que as abastece de maquinaria moderna e de combustível. Mas entre os dois metais há uma grande diferença quanto ao modo de ocorrência. Encontra-se o ouro geralmente em estado puro, mas disperso no quartzo em minúsculas partículas; por isso, toda a ganga tem de ser triturada, extraindo-se depois o ouro com lavagem ou por meio de mercúrio. Frequentes vezes, apenas se obtém 1 a 3 gramas para 1 milhão de gramas de quartzo, muito raramente, 30 a 60 gramas. A prata dificilmente ocorre pura, mas tem a vantagem de aparecer em minérios em que é fácil separá-la da ganga, e que contêm 40 a 90 por cento de prata; ou a vantagem de ser encontrada em quantidades menores nos minérios de cobre, chumbo etc., cuja mineração já é em si mesma remuneradora. Por aí se vê que diminuiu o trabalho de produzir a prata, enquanto aumentou o de obter o ouro, explicando-se, portanto, de maneira inteiramente lógica a queda de valor da primeira. Essa queda de valor expressar-se-ia em queda maior de preço, se não prosseguissem as medidas para manter artificialmente elevado o preço da prata. Considerando-se que só foi explorada pequena parte das reservas naturais de prata da América, a perspectiva é a de o valor da prata continuar declinando por muito tempo. Contribui ainda para isso a diminuição da procura de prata para os artigos de primeira necessidade e para os suntuários, ocorrendo sua substituição por mercadorias prateadas, por alumínio etc. Por aí se vê quão ilusória é a ideia bimetalista de restaurar, através de curso forçado internacional, a antiga relação de valor entre o ouro e a prata, 15½:1. O mais provável, porém, é que a prata perca, cada vez mais, a condição de dinheiro no mercado mundial. — F.E.

O CAPITAL

cial dos mercantilistas.[109] O ouro e a prata servem de meio internacional de compra principalmente quando é perturbado, de maneira brusca, o equilíbrio habitual do intercâmbio entre as diferentes nações. Finalmente, serve de encarnação social absoluta da riqueza, quando não se trata nem de comprar nem de pagar, mas de transferir a riqueza de um país para outro, não sendo possível transferi-la sob a forma de mercadoria por força da conjuntura do mercado ou em virtude do objetivo que se pretende atingir.[110]

Conforme sucede com sua circulação interna, todo país precisa de um fundo de reserva para a circulação do mercado mundial. As funções das reservas entesouradas têm sua origem nas funções do dinheiro: nas internas, de meio de circulação e de meio de pagamento, e, nas externas, de dinheiro universal.[110a] Esta última função, só a exerce a mercadoria dinheiro genuína, o ouro e a prata em sua materialidade, daí ter James Stewart distinguido o ouro e a prata de suas representações puramente locais, chamando-os "dinheiro do mundo".

---

109 Os mercantilistas viam no saldo favorável em ouro ou prata da balança comercial a finalidade do comércio exterior. A seus adversários, entretanto, faltava inteiramente a compreensão das funções do dinheiro universal. A concepção errada destes acerca das leis que regulam a quantidade dos meios de pagamento se reflete na concepção igualmente falsa do movimento internacional dos metais preciosos, conforme demonstrei pormenorizadamente ao analisar Ricardo (*op. cit.*, pp. 150 e segs.). Ricardo sustenta: "Uma balança comercial desfavorável só pode originar-se de um excesso dos meios de circulação. [...] A exportação de moeda é causada por seu baixo preço, e não é o efeito, mas a causa de uma balança desfavorável." Já se encontra esse falso dogma em Barbon, que afirmava: "A balança comercial não é a causa de o dinheiro ser exportado de um país. Essa exportação resulta antes da diferença de valor dos metais preciosos em cada país." (N. Barbon, *op. cit.*, p. 59.) MacCulloch, em *The Literature of Political Economy: a Classified Catalogue*, Londres, 1845, louva Barbon por se ter antecipado a seu tempo, mas evita prudentemente aludir à forma simplista com que Barbon ainda apresenta as absurdas hipóteses da teoria da *currency* (meios de circulação). A falta de sentido crítico e mesmo a desonestidade que transparecem nesse catálogo de McCulloch culminam nos capítulos sobre a história da teoria monetária, pois aí empenha-se em bajular Lord Overstone, o ex-banqueiro Loyd, chamando-o acatado príncipe do mundo financeiro.

110 A forma dinheiro do valor pode ser absolutamente necessária nos casos, por exemplo, de subsídios, de empréstimos para a guerra ou para os bancos continuarem os pagamentos de seus bilhetes.

110a Nota da 2ª edição: "O mecanismo de entesouramento em países de padrão metálico tem capacidade de atender a todas as necessidades de liquidação das obrigações internacionais, sem qualquer apoio palpável da circulação geral. A prova mais convincente disto é a facilidade com que a França, mal refeita ainda do impacto de uma destruidora invasão estrangeira, conseguiu completar, no espaço de 27 meses, o pagamento de cerca de 20 milhões de indenização imposto pelas potências aliadas, com uma proporção considerável dessa soma em espécie, sem contrair ou perturbar visivelmente o curso interno do dinheiro ou sem provocar flutuações alarmantes no curso das divisas." (Fullarton, *op. cit.*, p. 141.)

Nota da 4ª edição: Um exemplo ainda mais contundente temos na facilidade com que a mesma França, em 30 meses, de 1871 a 1873, conseguiu pagar uma indenização de guerra mais de dez vezes maior, com parte considerável também em dinheiro metálico. — F.E.

O DINHEIRO OU A CIRCULAÇÃO DAS MERCADORIAS

É duplo o fluxo do ouro e da prata. De um lado, saem de seus mananciais para espalhar-se por todos os mercados do mundo, quando são captados em proporções diversas pelas diferentes esferas nacionais de circulação, para penetrar em seus canais internos, proporcionar material para os artigos de luxo e petrificar-se em tesouros.[111] Este primeiro movimento se processa através de troca direta dos trabalhos nacionais corporificados nas mercadorias com o trabalho dos países produtores de ouro e prata, encarnado em metais preciosos. Além disso, o ouro e a prata correm num vaivém contínuo entre as diferentes esferas nacionais de circulação, um movimento que depende das incessantes flutuações do curso do câmbio.[112]

Os países onde a produção burguesa está bastante desenvolvida limitam as grandes reservas entesouradas e concentradas nos bancos ao mínimo exigido para o desempenho das funções específicas delas.[113] Quase sempre a abundância exagerada das reservas entesouradas além do nível médio indica estancamento da circulação das mercadorias, interrupção do fluxo das suas metamorfoses.[114]

---

111 "O dinheiro distribui-se pelas nações de acordo com suas necessidades [...] sendo atraído sempre pelos produtos." (Le Trosne, *op. cit.*, p. 916.) "As minas que estão fornecendo continuamente ouro e prata, fornecem-nos em quantidade suficiente para que cada país receba a proporção necessária." (J. Vanderlint, *op. cit.*, p. 40.)

112 "As divisões sobem ou descem toda semana; em certas ocasiões do ano, sua elevação é desfavorável a um país; em outras, a mesma elevação é favorável." (N. Barbon, *op. cit.*, p. 39.)

113 Essas diversas funções podem entrar em perigoso conflito, quando se adiciona a função de um fundo de conversão para os bilhetes de bancos.

114 "O que existe em dinheiro além do estritamente necessário para o comércio interno é capital morto, não trazendo nenhum lucro ao país que o detém, exceto quando é exportado ou importado." (John Bellers *Essays* etc., p. 13.) Que sucederá, se houver moedas demais? Poderemos fundi-las, escolhendo para esse fim as mais pesadas, convertendo-as em baixelas suntuárias, em vasos e utensílios de ouro e prata; ou enviá-las como mercadoria, onde delas há necessidade e procura; ou emprestá-las a juros, onde pagarem juros elevados." (W. Petty, *Quantulumcumque*, p. 39.) "O dinheiro é a gordura do organismo político, e, por isso, demais, dificulta sua mobilidade, e, de menos, torna-o doente. [...] Do mesmo modo que a gordura flexibiliza os movimentos dos músculos, alimenta na falta de alimentos, preenche cavidades irregulares e aformoseia o corpo, o dinheiro torna mais rápidos os movimentos do Estado, traz víveres do exterior quando há carência no país, salda contas [...] e embeleza tudo, embora mais especialmente", conclui ironicamente, "aos indivíduos que o possuem em abundância." (W. Petty, *Political Anatomy of Ireland*, pp. 14-15.)

SEGUNDA SEÇÃO

A TRANSFORMAÇÃO DO DINHEIRO EM CAPITAL

IV.
Como o dinheiro se transforma em capital

1. A FÓRMULA GERAL DO CAPITAL

A circulação das mercadorias é o ponto de partida do capital. A produção de mercadorias e o comércio, forma desenvolvida da circulação de mercadorias, constituem as condições históricas que dão origem ao capital. O comércio e o mercado mundiais inauguram no século XVI a moderna história do capital.

Se pusermos de lado o conteúdo material da circulação de mercadorias, a troca dos diferentes valores de uso, para considerar apenas as formas econômicas engendradas por esse processo de circulação, encontraremos o dinheiro como produto final. Esse produto final da circulação das mercadorias é a primeira forma em que aparece o capital.

Historicamente, em suas origens, é sob a forma de dinheiro que o capital se confronta com a propriedade imobiliária; como fortuna em dinheiro, capital do comerciante ou do usurário.[1] Mas não é mister remontarmos à origem histórica do capital para verificar que o dinheiro é a primeira forma em que ele aparece. Esse fenômeno se desenrola diariamente aos nossos olhos. Todo capital novo, para começar, entra em cena, surge no mercado de mercadorias, de trabalho ou de dinheiro, sob a forma de dinheiro, que, através de determinados processos, tem de transformar-se em capital.

O dinheiro que é apenas dinheiro se distingue do dinheiro que é capital, através da diferença na forma de circulação.

A forma simples da circulação das mercadorias é M – D – M, conversão de mercadoria em dinheiro e reconversão de dinheiro em mercadoria, vender para comprar. Ao lado dela, encontramos uma segunda especificamente diversa, D – M – D, conversão de dinheiro em mercadoria e reconversão de mercadoria em dinheiro, comprar para vender. O dinheiro que se movimenta de acordo com esta última circulação transforma-se em capital, vira capital e, por sua destinação, é capital.

Vejamos mais de perto a circulação D – M – D. Percorre duas fases opostas, conforme sucede com a simples circulação de mercadorias. Na primeira fase, D – M, compra, transforma-se dinheiro em mercadoria. Na segunda, M – D, venda, a mercadoria volta a ser dinheiro. O que faz a unidade de ambas as fases é o movimento conjunto em que se permuta dinheiro por

---

1 O contraste entre o poder proporcionado pela propriedade da terra em virtude de relações de servidão e domínio e o poder impessoal do dinheiro está claramente expresso em dois provérbios franceses que dizem que "não há terra sem senhor" e que "dinheiro não tem senhor".

mercadoria e a mesma mercadoria por dinheiro, se compra mercadoria para vendê-la, ou, abandonando-se as diferenças formais entre compra e venda, compra-se mercadoria com dinheiro e dinheiro com mercadoria.[2] O resultado final de todo o processo é troca de dinheiro por dinheiro, D – D. Se compro 2.000 quilos de algodão por 100 libras, vendendo-os por 110 libras, terei por fim trocado 100 libras por 110, dinheiro por dinheiro.

É evidente que a circulação D – M – D seria absurda e sem sentido, se o objetivo dela fosse o de permutar duas quantias iguais, 100 libras esterlinas por 100 libras esterlinas. Bem mais simples e mais seguro seria o método do entesourador, que guarda suas 100 libras, em vez de expô-las aos perigos da circulação. O comerciante pode ter vendido por 110 libras ou por 100 o algodão comprado a 100, ou ser forçado a desfazer-se dele por 50, mas, de qualquer modo, seu dinheiro descreveu um movimento característico e original, muito diferente do que efetua na circulação simples, nas mãos do camponês, por exemplo, que vende trigo e, com o dinheiro obtido, compra roupas. Importa, antes de tudo, conhecer as características que diferenciam as formas dos circuitos D – M – D e M – D – M. Assim, descobrir-se-á também a diferença de conteúdo que se esconde sob essa diferença de forma.

Examinemos primeiro o que é comum a ambas as formas.

Ambos os circuitos se decompõem nas mesmas duas fases antitéticas, M – D, venda, e D – M, compra. Em cada uma das duas fases, se confrontam os mesmos elementos materiais, mercadoria e dinheiro, e os mesmos personagens econômicos, um comprador e um vendedor. Cada um dos dois circuitos constitui a unidade das mesmas fases antitéticas, e, em ambos os casos, essa unidade é efetivada pela intervenção de três contratantes, dos quais um apenas vende, outro só compra, e o terceiro compra e vende alternadamente.

O que distingue, antes de tudo, os dois circuitos M – D – M e D – M – D é a sucessão inversa de ambas as fases opostas de circulação. A circulação simples das mercadorias começa com a venda e termina com a compra; a circulação do dinheiro como capital começa com a compra e termina com a venda. No primeiro caso, é a mercadoria e, no segundo, o dinheiro, o ponto de partida e a meta final do movimento. Na primeira forma de movimento, serve o dinheiro de intermediário e, na segunda, a mercadoria.

---

2 "Compram-se mercadorias com dinheiro, e dinheiro com mercadorias." (Mercier de la Rivière, *L'ordre Naturel et Essentiel des Sociétés Politiques*, p. 543.)

COMO O DINHEIRO SE TRANSFORMA EM CAPITAL

Na circulação M – D – M, o dinheiro vira mercadoria, que serve de valor de uso. O dinheiro é gasto de uma vez por todas. Na forma inversa D – M – D, o comprador gasta dinheiro, para fazer dinheiro como vendedor. Com a compra, lança dinheiro em circulação, para retirá-lo dela depois com a venda da mesma mercadoria. Solta o dinheiro com a segunda intenção de apoderar-se dele de novo. Por isso, apenas adianta dinheiro.[3]

Na forma M – D – M, a mesma peça de moeda muda de lugar duas vezes. O vendedor recebe-a do comprador e a passa para outro vendedor. Todo o processo se inicia com a obtenção de dinheiro em troca de mercadorias e acaba com a entrega de dinheiro contra mercadoria. O inverso ocorre na forma D – M – D. Não é a mesma peça de dinheiro que muda de lugar duas vezes, e sim a mesma mercadoria; o comprador recebe esta das mãos do vendedor e a transfere para as mãos de outro comprador. Na circulação simples das mercadorias, a dupla mudança de lugar da mesma peça de dinheiro ocasiona uma transferência definitiva de uma mão para outra; já na circulação D – M – D, a dupla mudança da mesma mercadoria ocasiona a volta do dinheiro a seu ponto de partida.

O regresso do dinheiro a seu ponto de partida não depende de se vender a mercadoria mais caro do que foi comprada. Esta circunstância só influi na magnitude da soma de dinheiro que retorna. A volta propriamente se dá logo que se vende a mercadoria comprada, concluindo-se inteiramente o circuito D – M – D. Por aí transparece a diferença entre a circulação do dinheiro na função de capital e sua circulação como dinheiro apenas.

O circuito M – D – M está plenamente percorrido logo que o dinheiro obtido com a venda de uma mercadoria é absorvido pela compra de outra mercadoria. Só pode ocorrer o retorno do dinheiro ao ponto de partida com a renovação ou repetição do processo por inteiro. Se vendo uma quarta de trigo por 3 libras esterlinas e compro roupas com essas 3 libras, essas 3 libras estão definitivamente gastas para mim. Nada mais tenho a ver com elas. Elas pertencem ao lojista. Se vendo então uma segunda quarta de trigo, o dinheiro a mim retorna, não em virtude da primeira transação, mas por ser ela repetida. Ele se afasta de mim novamente, logo que leve a seu

---

3 "Quando se compra uma coisa para vendê-la, chama-se a soma empregada de dinheiro adiantado; quando se compra a coisa sem o intuito de vendê-la, pode-se dizer que a soma empregada foi gasta." (James Stewart, *Works* etc., editado por General Sir James Stewart, seu filho, Londres, 1805, V. I, p. 274.)

fim a segunda transação, comprando de novo. Na circulação M – D – M, o dispêndio do dinheiro nada tem a ver com seu retorno. Em D – M – D, ao contrário, a volta do dinheiro é determinada pela maneira como foi despendido. Sem esse retorno, a operação se malogra ou o processo é interrompido e fica incompleto, por faltar a segunda fase, a venda que completa a compra, concluindo a operação.

O circuito M – D – M tem por ponto de partida uma mercadoria e por ponto final outra mercadoria que sai da circulação e entra na esfera do consumo. Seu objetivo final, portanto, é consumo, satisfação de necessidades; em uma palavra, valor de uso. O circuito D – M – D, ao contrário, tem por ponto de partida o dinheiro e retorna ao mesmo ponto. Por isso, é o próprio valor de troca o motivo que o impulsiona, o objetivo que o determina.

Na simples circulação de mercadorias, têm ambos os extremos do circuito a mesma forma econômica. Ambos são mercadorias. São também mercadorias com a mesma magnitude de valor. Mas são valores de uso qualitativamente diversos, por exemplo, trigo e roupas. A troca de produtos, dos diferentes materiais em que se encarna o trabalho social, é o que constitui a substância do movimento. Ocorre de maneira diferente com a circulação D – M – D. À primeira vista, parece vazia de conteúdo, por ser tautológica. Ambos os extremos têm a mesma forma econômica. Ambos são dinheiro, sem as diferenças qualitativas dos valores de uso, pois dinheiro é a forma transfigurada das mercadorias na qual seus valores de uso particulares desaparecem. Primeiro, trocar 100 libras esterlinas por algodão e, depois, o mesmo algodão por 100 libras esterlinas, fazendo um rodeio para permutar dinheiro por dinheiro, uma coisa por si mesma, afigura-se uma operação sem finalidade e sem sentido.[4] Uma soma de dinheiro só pode distinguir-se

---

4 "Não se troca dinheiro por dinheiro", diz Mercier de la Rivière aos mercantilistas (*op. cit.*, p. 486). Em obra destinada, pelo seu título, a tratar de comércio e de especulação, lê-se: "Todo comércio consiste na permuta de coisas de espécie diferente; e o proveito [para o comerciante?] se origina dessa diferença. Trocar uma libra de pão por uma libra de pão não traria nenhum lucro [...] daí ser o comércio vantajoso em comparação com o jogo, que é apenas troca de dinheiro por dinheiro." (Th. Corbet, *An Inquiry into the Causes and Modes of the Wealth of Individuals; or the Principles of Trade and Speculation Explained*, Londres, 1841, p. 5.) Embora Corbet não veja que D – D, permutar dinheiro por dinheiro, é a forma de circulação característica não só do capital comercial, mas de todo capital, pelo menos admite que essa forma de uma espécie de comércio, a especulação, é comum ao jogo. Aparece então MacCulloch e acha que comprar para vender é especular, e que a diferença entre especulação e comércio se desvanece. "Todo negócio em que uma pessoa compra um produto para vendê-lo é realmente uma especulação." (MacCulloch, *A Dictionary, Practical etc. of Commerce*, Londres, 1847, p. 1009.) Bem mais ingênuo, Pinto, o Píndaro da Bolsa de Amsterdam: "O comércio é um jogo

COMO O DINHEIRO SE TRANSFORMA EM CAPITAL

de outra soma de dinheiro por sua quantidade. O processo D – M – D, portanto, não deve seu conteúdo a nenhuma diferença qualitativa entre seus extremos, pois ambos são dinheiro, mas à diferença quantitativa entre esses extremos. No final, se retira mais dinheiro da circulação do que se lançou nela no início. O algodão comprado a 100 libras esterlinas será vendido, por exemplo, a 100 + 10 libras, 110 libras esterlinas, portanto. A forma completa desse processo é, por isso, D – M – D', em que D' = D + ΔD, isto é, igual à soma de dinheiro originalmente adiantada mais um acréscimo. Esse acréscimo, ou o excedente sobre o valor primitivo, chamo de mais-valia (valor excedente). O valor originalmente antecipado não só se mantém na circulação, mas nela altera a própria magnitude, acrescenta uma mais-valia, valoriza-se. E este movimento transforma-o em capital.

É também possível que em M – D – M ambos os extremos, M – M, trigo e roupas, por exemplo, sejam magnitudes de valor quantitativamente diversas. O camponês pode vender seu trigo acima do valor ou comprar as roupas abaixo do valor. Pode também ser enganado pelo vendeiro. Mas essas diferenças de valor são meramente casuais para essa espécie de circulação. Ela não fica desprovida de sentido, como o processo D – M – D, por serem de valor igual ambos os extremos, trigo e roupas. A equivalência é, antes, condição de sua normalidade.

A repetição ou renovação da venda para comprar, como o próprio processo, encontra sua medida e seu objetivo numa finalidade situada fora da operação, a saber, o consumo, a satisfação de determinadas necessidades. Na compra para venda, ao contrário, o começo e o fim são os mesmos, dinheiro, valor de troca, e, por isso mesmo, o movimento não tem fim. Sem dúvida, D tornou-se D + ΔD; 100 libras esterlinas, 100 + 10. Mas, do ponto de vista puramente qualitativo, 110 libras esterlinas é o mesmo que 100 libras esterlinas; é dinheiro. Quantitativamente, ambas as quantias são valores limitados. Se as 110 libras fossem despendidas como dinheiro, deixariam de desempenhar seu papel e não seriam mais capital. Se fossem retiradas da circulação, petrificar-se-iam sob a forma de tesouro e nem sequer um ceitil se adicionaria a elas, mesmo que ficassem guardadas até o dia do Juízo Final. Se se cogita de aumentar o valor, haverá para as 110 libras

---

[frase tirada de Locke] e não é com pobres que se pode ganhar. Se, durante longo tempo, se ganhasse tudo de todos, ter-se-ia amigavelmente de devolver a maior parte dos lucros, para recomeçar o jogo." (Pinto, *Traité de la circulation et du crédit*, Amsterdam, 1771, p. 231).

O CAPITAL

o mesmo afã de acrescer-lhes o valor que havia para as 100 libras, uma vez que ambas são expressões limitadas do valor de troca, possuindo a tendência de se aproximarem da riqueza em sentido absoluto através da expansão de suas magnitudes. Por um momento, se distingue o valor de 100 libras esterlinas, adiantado originalmente, do valor excedente (mais-valia) que a ele se agrega na circulação, mas essa diferença se desfaz imediatamente. O que surge no fim do processo não é, de um lado, o valor original de 100 libras esterlinas, e, do outro, o valor excedente de 10 libras. O que surge é um valor de 110 libras que, como o valor original de 100 libras, está em forma adequada para iniciar o processo de expansão do valor. O dinheiro encerra o movimento apenas para começá-lo de novo.[5] O fim de cada circuito particular, em que a compra se realiza em função da venda, constitui naturalmente o começo de novo circuito. A circulação simples da mercadoria – vender para comprar – serve de meio a um fim situado fora da circulação, a apropriação de valores de uso, a satisfação de necessidades. A circulação de dinheiro como capital, ao contrário, tem sua finalidade em si mesma, pois a expansão do valor só existe nesse movimento continuamente renovado. Por isso, o movimento do capital não tem limites.[6]

---

5 "O capital divide-se [...] em capital primitivo e lucro, o acréscimo ao capital [...] embora na prática esse lucro se torne imediatamente capital e seja posto em movimento com o capital primitivo." (F. Engels, *Umrisse zu einer Kritik der Nationalökonomie* em "Deutsch-Französische Jahrbücher," ed. por Arnold Ruge e Karl Marx, Paris, 1844, p. 89.)

6 Aristóteles opõe a economia à crematística, partindo da primeira. Como arte de adquirir, a economia se limita à obtenção dos bens necessários à vida e úteis à família ou ao Estado. "A verdadeira riqueza consiste nesses valores de uso; pois para a vida cômoda não é ilimitada a medida dessa espécie de apropriações. Existe porém uma segunda arte de adquirir, que se chama preferentemente e com acerto de crematística, segundo a qual parece não haver limites à riqueza e às apropriações. O comércio de mercadorias [a palavra utilizada por Aristóteles significa literalmente comércio a retalho, forma de comércio em que predomina o valor de uso] não pertence, por sua natureza, à crematística, pois nele a troca se relaciona com o que é necessário aos seus participantes (o comprador e o vendedor)." Por isso, prossegue ele, a forma primitiva do comércio de mercadorias era a troca direta, mas com sua extensão surgiu a necessidade do dinheiro. Com a invenção do dinheiro, tinha a troca necessariamente de converter-se em comércio de mercadorias, e este, em contradição com sua tendência primitiva, constituiu-se em crematística, em arte de fazer dinheiro. A crematística distingue-se da economia, por "ser a circulação para ela a fonte da riqueza. E ela parece girar em torno do dinheiro, pois o dinheiro é o princípio e o fim dessa espécie de permuta. Por isso, não há limites à riqueza que a crematística procura atingir. Toda arte que não é um meio para um fim, mas um fim em si mesma, não tem limites a seu afã, pois procura sempre aproximar-se mais dele, enquanto as artes que procuram meios para atingir um objetivo possuem limites, uma vez que o próprio objetivo lhes estabelece os limites. No primeiro caso, está a crematística que não tem limites à sua finalidade, e visa o enriquecimento absoluto. A economia, não a crematística, tem um limite [...] a primeira tem por objetivo algo diverso do dinheiro, a segunda, a expansão do dinheiro. [...] A confusão entre ambas as formas que

COMO O DINHEIRO SE TRANSFORMA EM CAPITAL

Como representante consciente desse movimento, o possuidor do dinheiro torna-se capitalista. Sua pessoa, ou melhor, seu bolso, é donde sai e para onde volta o dinheiro. O conteúdo objetivo da circulação em causa – a expansão do valor – é sua finalidade subjetiva. Enquanto a apropriação crescente da riqueza abstrata for o único motivo que determina suas operações, funcionará ele como capitalista, ou como capital personificado, dotado de vontade e consciência. Nunca se deve considerar o valor de uso objetivo imediato do capitalista.[7] Tampouco o lucro isolado, mas o interminável processo de obter lucros.[8] Esse impulso de enriquecimento absoluto, essa caça apaixonada ao valor[9] é comum ao capitalista e ao entesourador, mas, enquanto este é o capitalista enlouquecido, aquele é o entesourador racional. A expansão incessante do valor, por que luta o entesourador, procurando salvar,[10] tirar dinheiro da circulação, obtém-na de maneira mais sagaz o capitalista, lançando-o continuamente na circulação.[10a]

A forma autônoma, a forma dinheiro, que o valor das mercadorias assume na circulação simples, serve apenas para possibilitar a troca de mercadorias, e desaparece com o resultado final do movimento. Na circulação D – M – D, ao contrário, funcionam dinheiro e mercadoria, apenas como modos de existência diversos do próprio valor, sendo o dinheiro seu modo de existência geral, e a mercadoria, seu modo particular ou dissimulado.[11] O valor passa continuamente de uma forma para outra, sem perder-se nesse

---

se sobrepõem induz alguns a ver na conservação e expansão sem fim do dinheiro o objetivo final da economia." (Aristóteles, *De rep.*, ed. Bekker, lib. I, c. 8 e 9 *passim*.)

7 "Mercadorias [isto é, valores de uso] não são o objetivo final das operações mercantis do capitalista [...] seu objetivo final é o dinheiro." (Th. Chalmers, *On Politic. Econ.* etc., 2ª ed., Glasgow, 1832, pp. 165-166.)

8 "Para o comerciante, pouco importa o lucro que já se realizou; está sempre voltado para o lucro futuro." (A. Genovesi, *Lezioni di economia civile* (1765), edição dos economistas italianos de Custodi, parte moderna, t. VIII, p. 139.)

9 "Essa paixão inextinguível pelo lucro, a maldita cobiça do ouro, caracterizará sempre o capitalista." (MacCulloch, *The Principles of Polit. Econ.*, Londres, 1830, p. 179.) Esse parecer naturalmente não impede MacCulloch e quejandos, quando ocorrem dificuldades, como no caso de superprodução, de transformarem o mesmo capitalista num bom cidadão, que só cogita do valor de uso e revela uma insaciável cobiça por calçados, chapéus, ovos, chitas e outros valores de uso extremamente prosaicos.

10 O verbo inglês *to save* significa, ao mesmo tempo, salvar e poupar. Tem um correspondente, com o mesmo duplo sentido, em grego.

10a "Esse infinito que as coisas não atingem através da progressão, atingem elas através da rotação." (Galiani, *op. cit.*, p. 156.)

11 "Não é a substância material, mas o valor dela que constitui o capital." (J.B. Say, *Traité d'économie polit.*, 3ª ed., Paris, 1817, t. II, p. 429.)

O CAPITAL

movimento, transformando-se numa entidade que opera automaticamente. O valor em expansão tem formas alternadas de manifestar-se no ciclo de sua vida; examinando-as, chegamos às proposições: capital é dinheiro, capital é mercadoria.[12] Na verdade, o valor torna-se aqui o agente de um processo em que, através do contínuo revezamento das formas dinheiro e mercadoria, modifica sua própria magnitude como valor excedente, se afasta de si mesmo como valor primitivo, e se expande a si mesmo. O movimento pelo qual adquire valor excedente é seu próprio movimento, sua expansão, logo sua expansão automática. Por ser valor, adquiriu a propriedade oculta de gerar valor. Costuma parir ou pelo menos põe ovos de ouro.

Como o agente que subjuga esse processo em que assume e abandona alternadamente a forma dinheiro e a forma mercadoria, conservando-se e dilatando-se nessas mudanças, precisa o valor, antes de tudo, de uma forma, autônoma em que se verifique sua identidade. E essa forma encontra ele apenas no dinheiro. Este constitui, por isso, o ponto de partida e o ponto final de todo processo de expansão do valor. O valor era 100 libras esterlinas, agora é 110 libras, e assim por diante. Mas, aqui, o valor assume duas formas, e o dinheiro é apenas uma delas. Se o dinheiro não assumir a forma mercadoria, ele não vira capital. Não há aqui antagonismo entre dinheiro e mercadoria, como no caso do entesouramento. O capitalista sabe que todas as mercadorias, tenham elas aparência vil ou mau odor, são em fé e em verdade dinheiro, judeus circuncisos e purificados, e, além disso, milagroso meio de fazer mais dinheiro com dinheiro.

Se, na circulação simples, o valor das mercadorias adquire, no máximo, em confronto com o valor de uso, a forma independente de dinheiro, na circulação do capital esse valor se revela subitamente uma substância que tem um desenvolvimento, um movimento próprio, e da qual a mercadoria e o dinheiro são meras formas. E mais. Em vez de representar relações entre mercadorias, entra, por assim dizer, em relação consigo mesma. Distingue em si mesma seu valor primitivo de seu valor excedente, como Deus distingue, em sua pessoa, o Pai e o Filho; ambos os valores formam na realidade uma única pessoa e são da mesma idade, pois as 100 libras esterlinas adiantadas só se tornam capital ao gerarem valor excedente (mais-valia), as

---

12 "O meio de circulação [!] empregado para fins produtivos é capital." (Macleod, *The Theory and Practice of Banking*, Londres, 1855, v. i, c. 1, p. 55.) "Capital é igual a mercadoria." (James Mill, *Elements of Pol. Econ.*, Londres, 1821, p. 74.)

COMO O DINHEIRO SE TRANSFORMA EM CAPITAL

10 libras esterlinas; ao ocorrer isso, quando o pai gera o filho e, reciprocamente, o filho gera o pai, toda a diferença entre eles desaparece e só há um ser: as 110 libras esterlinas.

O valor se torna valor em progressão, dinheiro em progressão e, como tal, capital. Sai da circulação, entra novamente nela, mantém-se e multiplica-se nela, retorna dela acrescido e recomeça incessantemente o mesmo circuito.[13] D – D', dinheiro que se dilata, dinheiro que gera dinheiro, conforme a definição de capital que sai da boca dos seus primeiros intérpretes, os mercantilistas.

Comprar para vender, ou, mais precisamente, comprar para vender mais caro, D – M – D', parece ser certamente forma particular de uma espécie de capital, o capital mercantil. Mas também o capital industrial é dinheiro, que se converte em mercadoria e, com a venda da mercadoria, se reconverte em mais dinheiro. Fatos que ocorrem fora da esfera de circulação, no intervalo entre a compra e a venda, não acarretam nenhuma mudança a essa forma de movimento. No capital que rende juros patenteia-se finalmente abreviada a circulação D – M – D', com seu resultado sem o estágio intermediário, expressando-se concisamente em D – D', dinheiro igual a mais dinheiro, valor que ultrapassa a si mesmo.

Na realidade, portanto, D – M – D' é a fórmula geral do capital conforme ele aparece diretamente na circulação.

2. CONTRADIÇÕES DA FÓRMULA GERAL

A forma de circulação na qual o dinheiro se transforma em capital contradiz todas as leis investigadas anteriormente sobre a natureza da mercadoria, do valor, do dinheiro e da própria circulação. O que a distingue da circulação simples de mercadorias é a ordem inversa da sucessão das duas fases opostas, venda e compra. Parece que só por encanto pode essa pura diferença formal entre esses processos mudar sua natureza.

E não é tudo. Essa inversão só existe para um dos três participantes do negócio. No papel de capitalista, compro mercadoria de *A* e vendo-a a *B*; e, no de simples possuidor de mercadoria, vendo mercadoria a *B* e, depois, compro mercadoria de *A*. Os participantes do negócio, *A* e *B*, não veem dife-

---

13 "Capital [...] valor permanente que se multiplica sem descanso." (Sismondi, *Nouveaux principes d'écon. polit.*, t. I, p. 89.)

rença nas duas sequências: desempenham apenas a função de comprador ou de vendedor de mercadorias, e, de minha parte, confronto-me com eles na posição de simples possuidor de dinheiro ou de mercadoria, de comprador ou de vendedor. Em ambas as sequências, defronto-me com um apenas na função de comprador, e, com o outro, na de vendedor; para um, represento apenas dinheiro, para o outro, mercadoria; em nenhum dos dois casos interfiro exercendo função de capital ou de capitalista ou representando algo que fosse mais do que dinheiro ou mercadoria, ou que pudesse ter qualquer outra influência além da do dinheiro ou da mercadoria. A compra de *A* e a venda a *B* é, para mim, uma sequência a ser seguida. Mas a conexão entre os dois atos só existe para mim. *A* não faz caso da minha transação com *B*, e *B* não se importa com a minha transação com *A*. Se quisesse pô-los a par do proveito particular que tiro da inversão das operações, eles procurariam demonstrar que eu estava errado na ordem da sucessão e que toda a sequência não começou com uma compra e acabou com uma venda, mas, ao contrário, começou com uma venda e encerrou-se com uma compra. De fato, meu primeiro ato, a compra, foi, do ponto de vista de *A*, uma venda; e meu segundo ato, a venda, foi, do ponto de vista de *B*, uma compra. Não satisfeitos com isso, *A* e *B* dirão que minha inversão das operações é supérflua, mero truque, e que, para o futuro, *A* venderia mercadoria diretamente a *B*, e *B* compraria mercadoria diretamente de *A*. Assim, reduz-se toda a sequência a um ato único da circulação simples de mercadorias: mera venda, do ponto de vista de *A*, e mera compra, do ponto de vista de *B*. Com a inversão da sequência das operações, não saímos da esfera da circulação simples de mercadorias, e temos de investigar se ela permite, de acordo com sua natureza, expansão do valor que nela se lança e, em consequência, formação de valor excedente (mais-valia).

Consideremos o processo de circulação sob a forma de simples troca de mercadorias; é o que sucede quando ambos os possuidores de mercadorias compram um do outro, e suas dívidas recíprocas em dinheiro se igualam e se cancelam no dia do pagamento. O dinheiro serve então de dinheiro de conta, para expressar o valor das mercadorias através dos preços, sem se confrontar materialmente com a mercadoria. Tratando-se de valores de uso, é claro que ambos os participantes podem ganhar. Ambos alienam mercadorias que lhes são inúteis, e recebem mercadorias de que precisam para seu uso. E pode haver ainda outro proveito. *A*, que vende vinho e compra trigo, produz talvez mais vinho do que poderia produzir o triticultor *B*

COMO O DINHEIRO SE TRANSFORMA EM CAPITAL

no mesmo tempo de trabalho, e este, mais trigo do que *A* poderia produzir no mesmo tempo de trabalho. *A* recebe, portanto, pelo mesmo valor de troca, mais trigo, e *B*, mais vinho do que se cada um deles não efetuasse a troca e tivesse de produzir, ao mesmo tempo, vinho e trigo. Com relação ao valor de uso, pode-se, portanto, dizer que "a troca é uma transação em que ambas as partes ganham".[14] Com o valor de troca é diferente.

> "Um homem que possui muito vinho e nenhum trigo comercia com outro que tem muito trigo e nenhum vinho; entre eles se faz uma troca de um valor de 50 em trigo por 50 em vinho. Esta não acresce nem a riqueza de um nem a do outro, pois cada um deles, antes da troca, possuía um valor igual ao que obteve por meio dessa operação".[15]

A coisa em nada muda quando o dinheiro, na função de meio de circulação, se interpõe entre as mercadorias, fazendo uma distinção visível entre o ato de compra e o de venda[16]. O valor das mercadorias está representado nos preços, antes de elas entrarem em circulação, sendo, portanto, condição e não resultado dela.[17]

Abstratamente – isto é, pondo-se de lado as circunstâncias que não se originam das leis imanentes da circulação simples das mercadorias –, o que sucede, além da substituição de um valor de uso por outro, é nada mais do que uma metamorfose, simples mudança de forma da mercadoria. O mesmo valor, a mesma quantidade de trabalho social cristalizado, permanece nas mãos do possuidor de mercadoria, primeiro na figura de sua mercadoria, depois na do dinheiro em que ela se transforma e, em seguida, na da mercadoria a que o dinheiro se reconverte. Essa mudança de forma não implica nenhuma alteração na magnitude do valor. O valor da mercadoria em nada se modifica nesse processo, alterando-se apenas sua forma dinheiro. Essa forma existe, primeiro, como preço da mercadoria oferecida à venda, depois como uma soma de dinheiro, já expressa antes no preço, e, finalmente, como o preço de uma mercadoria equivalente. Essa mudança

---

14 "A troca é uma maravilhosa transação em que ambas as partes ganham sempre (!)." (Destutt de Tracy, *Traité de la volonté et de ses effets*, Paris, 1826, p. 68.) O mesmo livro apareceu sob o título *Traité d'ec. Pol.*

15 Mercier de La Rivière, *op. cit.*, p. 544.

16 "Não faz nenhuma diferença que um dos dois valores seja dinheiro ou que os dois sejam mercadorias." (Mercier de la Rivière, *op. cit.*, p. 543.)

17 "Não são os contratantes que decidem sobre o valor; este está decidido antes do ajuste." (Le Trosne, *op. cit.*, p. 906.)

de forma, em si mesma, implica tanta alteração de valor quanto a troca de uma nota de 10 por duas de 5 ou por dez de 1. Desde que a circulação de mercadorias só implica mudança na forma do valor, determina ela, quando o fenômeno se desenrola em sua pureza, troca de equivalentes. Por isso, a própria economia vulgar, por escassos que sejam seus conhecimentos em matéria de valor, pressupõe, quando, a seu modo, observa o fenômeno da circulação em sua pureza, que procura e oferta se igualam, anulando-se reciprocamente. Se ambos os permutantes podem ganhar algo com relação ao valor de uso, não pode haver esse ganho com relação ao valor de troca. Neste caso rege, antes, o princípio: "Onde há igualdade, não há lucro."[18] As mercadorias podem ser vendidas realmente por preços que se desviam de seus valores, mas esses desvios representam violações da lei que regula a troca de mercadorias.[19] Esta, em sua forma pura, é uma permuta de equivalentes; não é, portanto, nenhum meio de acrescer valor.[20]

Por trás das tentativas de apresentar a circulação das mercadorias como fonte de valor excedente (mais-valia) se encontra um quiproquó, uma confusão entre valor de uso e valor de troca. Condillac, por exemplo, diz:

> "É falso que, nas trocas, se dê valor igual por valor igual. Ao contrário, cada uma das partes dá um valor menor por um maior. Com efeito, se se trocasse sempre valor igual por valor igual, nenhum dos contratantes ganharia nada. Mas os dois ganham ou deveriam ganhar. Por quê? É que, tendo as coisas um valor apenas em relação às nossas necessidades, o que é mais para um é menos para outro, e vice-versa. Não se presume que ofereçamos à venda as coisas necessárias ao nosso consumo, mas as supérfluas. Queremos alienar uma coisa que nos serve, para obter outra que nos é necessária. [...] É natural pensar que se dá valor igual por valor igual nas trocas em que as coisas permutadas se estimam pela mesma quantidade de dinheiro.
>
> Mas há outra consideração que deve entrar no cálculo: ambas as partes trocam uma coisa supérflua por outra necessária."[21]

---

18 "Dove e egualità non e lucro." (Galiani, *Della maneta*, em Custodi, parte moderna, t. IV, p. 244.)

19 A troca torna-se desvantajosa para uma das partes, quando alguma causa estranha aumenta ou diminui o preço; viola-se, então, a igualdade, mas essa violação procede daquela causa e não da troca. (Le Trosne, *op. cit.*, p. 904.)

20 A troca é por sua natureza um contrato baseado na igualdade, permuta entre dois valores iguais. Não é meio de enriquecimento, pois se dá tanto quanto se recebe. (Le Trosne, *op. cit.*, pp. 903-904.)

21 Condillac, Le commerce et le gouvernement, 1776, ed. Dairey Molinari, em *Mèlanges d'économie politique*, Paris, 1847, p. 267 [291].

Está claro que Condillac confunde valor de uso e valor de troca e, além disso, atribui puerilmente a uma sociedade com produção desenvolvida de mercadorias uma condição em que o produtor produz seus próprios meios de subsistência, só lançando em circulação o que excede suas próprias necessidades, o que sobra.[22] Apesar disso, economistas modernos repetem frequentemente o argumento de Condillac, principalmente quando pretendem demonstrar que a forma desenvolvida da troca de mercadorias, o comércio, é fonte de valor excedente (mais-valia).

> "Comércio [...] adiciona valor aos produtos, pois os mesmos produtos nas mãos dos consumidores valem mais do que nas mãos dos produtores, podendo o comércio ser considerado ato de produção em sentido estrito."[23]

Mas não se paga a mercadoria duas vezes, uma vez seu valor de uso e, na outra, seu valor. E se o valor de uso da mercadoria é mais útil ao comprador que ao vendedor, sua forma dinheiro é mais útil ao vendedor que ao comprador. Se assim não fosse, não a venderia. Nessas condições, poderíamos, do mesmo modo, dizer que o comprador realiza "ato de produção em sentido estrito", ao transformar as meias do comerciante em dinheiro. Se se trocam mercadorias ou mercadorias e dinheiro de igual valor de troca, se se permutam, portanto, equivalentes, não se tira da circulação mais do que nela se lança. Não ocorre nenhuma formação de valor excedente (mais-valia). E, em sua forma pura, a circulação de mercadorias exige troca de equivalentes. Mas, na realidade, as coisas não se passam com essa pureza. Suponhamos, portanto, a troca de não equivalentes.

De qualquer modo, no mercado de mercadorias apenas se confrontam os possuidores de mercadorias, e o poder que exercem uns sobre os outros é somente o que deriva de suas mercadorias. A diferença material das mercadorias é o motivo material da troca, e torna seus possuidores reciprocamente dependentes, enquanto cada um deles tiver em suas mãos não o

---

22 Le Trosne responde acertadamente a seu amigo Condillac: "Numa sociedade desenvolvida não existe nada supérfluo." Ao mesmo tempo, comenta, em tom de zombaria: "Se ambos os participantes recebem igualmente um tanto mais por um tanto menos, recebem ambos o mesmo tanto." Justamente por não ter Condillac a mais remota noção da natureza do valor, escolheu-o o Prof. Roscher por fiador das suas cândidas ideias. Vide desse autor: *Die Grundlagen der Nationalökonomie*, terceira edição, 1858.

23 S.P. Newman, *Elements of Pol. Econ.*, Andover e Nova York, 1835, p. 175.

O CAPITAL

objeto de suas necessidades, mas o das necessidades do outro. Além dessa diversidade material entre seus valores de uso, só existe mais outra diferença entre as mercadorias: a que se verifica entre sua forma natural e a transformada, entre mercadoria e dinheiro. Assim, os possuidores de mercadorias se dividem em vendedores, os que possuem mercadoria, e compradores, os que possuem dinheiro.

Admita-se que, por força de algum privilégio inexplicável, possa todo vendedor vender sua mercadoria acima do valor, a 110, quando vale 100, com um acréscimo no preço de 10%. O vendedor apossa-se, assim, de um valor excedente (mais-valia) de 10. Mas, depois de ser vendedor, torna-se comprador. Um terceiro possuidor de mercadoria encontra-o depois e, por sua vez, usufrui do privilégio de vender a mercadoria 10% mais caro. Nosso homem, quando vendedor, ganhou 10, e agora, como comprador, perde 10.[24] No fim, tudo se resume a que todos os vendedores vendem reciprocamente uns aos outros suas mercadorias com o valor aumentado de 10%, o que representa o mesmo que terem vendido suas mercadorias pelos seus valores. Um acréscimo nominal geral nos preços das mercadorias tem o mesmo efeito que estimá-las em prata, em vez de em ouro. As designações monetárias, os preços das mercadorias, aumentaram, mas suas relações de valor continuaram inalteradas.

Suponhamos, ao contrário, que seja privilégio de todo comprador comprar a mercadoria abaixo do valor. Não é mister lembrar que o comprador se torna vendedor. Ele era vendedor, antes de virar comprador. Como vendedor, já perdeu 10%, antes de ganhar 10% como comprador.[25] Tudo fica como dantes.

A formação da mais-valia e, portanto, a transformação do dinheiro em capital não pode, por conseguinte, ser explicada por vender o vendedor as mercadorias acima do valor nem por comprá-las o comprador abaixo do valor.[26]

---

24 "Com o aumento do valor nominal dos produtos [...] os vendedores não ficam mais ricos [...] pois que perdem na qualidade de compradores exatamente o que ganham como vendedores." ([J. Gray,] *The Essential Principles of the Wealth of Nations* etc., Londres, 1797, p. 66.)

25 "Se só conseguimos vender por 18 francos uma quantidade de determinado produto que valia 24, ao empregarmos numa compra o dinheiro recebido, obteremos por 18 francos aquilo por que se pagava 24." (Le Trosne, *op. cit.*, p. 897.)

26 "Nenhum vendedor pode, portanto, aumentar habitualmente o preço de suas mercadorias, sem ter também de pagar mais caro as mercadorias dos outros vendedores; e, pela mesma razão, nenhum

COMO O DINHEIRO SE TRANSFORMA EM CAPITAL

De modo nenhum se simplifica o problema introduzindo nele considerações impertinentes, ao jeito do Coronel Torrens:

> "A procura efetiva consiste no poder e inclinação (!) dos consumidores, para dar pelas mercadorias, em troca direta ou indireta, certa porção de capital maior do que custa a produção delas."[27]

Na circulação, produtores e consumidores confrontam-se apenas como vendedores e compradores. Afirmar que o valor excedente (mais-valia), para o produtor, provém de o consumidor pagar a mercadoria acima do valor equivale a dissimular esta afirmação simples: o possuidor de mercadoria possui como vendedor o privilégio de vender caro. Mas se o vendedor produziu a própria mercadoria ou representa o produtor dela, o comprador também produziu a mercadoria representada em seu dinheiro ou representa o produtor dela. Um produtor se defronta, portanto, com outro. O que os distingue é que um compra e outro vende. Não damos nenhum passo à frente por saber que o possuidor de mercadoria, sob o nome de produtor, vende a mercadoria acima do seu valor e, sob o nome de consumidor, paga-a também acima do seu valor.[28]

Os representantes consequentes da ilusão de que o valor excedente (mais-valia) decorre de um acréscimo nominal de preço, ou do privilégio do vendedor de vender caro a mercadoria, pressupõem, por isso, a existência de uma classe que apenas compra sem vender, e, por conseguinte, só consome sem produzir. Até o ponto em que chegamos em nossos estudos, o da circulação simples, a existência dessa classe ainda é inexplicável. Mas antecipemo-nos. O dinheiro com que essa classe compra continuamente deve chegar às suas mãos continuamente, sem troca, de graça, saindo dos bolsos dos possuidores de mercadorias, em virtude de um privilégio ou do direito de força. Vender mercadorias a essa classe acima do valor significa apenas recuperar em parte, por meios fraudulentos, o dinheiro dado a ela gratui-

---

consumidor pode habitualmente comprar mais barato, sem ter, ao mesmo tempo, de rebaixar o preço das mercadorias que vende." (Mercier de la Rivière, *loc. cit.*, p. 555.)

27 R. Torrens, *An Essay on the Production of Wealth*, Londres, 1821, p. 349.

28 "A ideia de os lucros serem pagos pelos consumidores é, sem dúvida, inteiramente absurda. Quem são os consumidores?" (G. Ramsay, *An Essay on the Distribution of Wealth*, Edimburgo, 1836, p. 183.)

tamente.[29] As cidades da Ásia Menor pagavam um tributo em dinheiro à antiga Roma. Com esse dinheiro, Roma comprava delas mercadoria, e comprava caro. Os asiáticos enganavam os romanos surripiando-lhes uma parte dos tributos por meio do comércio. Mas, apesar disso, os logrados eram os asiáticos. Suas mercadorias eram pagas, de qualquer modo, com seu próprio dinheiro. Isso não é meio de enriquecimento ou de formação de um valor excedente (mais-valia).

Mantenhamo-nos dentro dos limites da troca de mercadorias, em que os vendedores são compradores, e os compradores, vendedores. Nosso embaraço se origina talvez de termos tratado as pessoas não como indivíduos, mas como categorias personificadas.

A pode ser tão esperto que tire vantagem em seu negócio com *B* ou *C*, sem que estes consigam uma desforra. *A* vende a *B* trigo que vale 40 libras esterlinas e recebe em troca vinho que vale 50. *A* transformou suas 40 libras em 50; com certa quantidade de dinheiro, fez mais dinheiro, convertendo sua mercadoria em capital. Vejamos a coisa mais de perto. Antes da troca, tínhamos vinho em mãos de *A* no valor de 40 libras, e trigo em mãos de *B* valendo 50; valor global, 90 libras. Depois da troca, temos o mesmo valor global, 90 libras. O valor que circula não aumentou nem um átomo, e alterou-se sua divisão entre *A* e *B*. De um lado, aparece como valor excedente (mais-valia) o que, do outro, é perda de valor (menos-valia); o que é mais para um é menos para outro. Ter-se-ia operado a mesma mudança se *A*, sem a forma dissimulante da troca, tivesse furtado diretamente de *B* as 10 libras esterlinas. A soma dos valores em circulação não pode, evidentemente, ser aumentada por nenhuma mudança em sua distribuição, do mesmo modo que um judeu não aumenta a quantidade dos metais preciosos de um país vendendo *farthing* do tempo da rainha Anna por um guinéu. A totalidade da classe capitalista de um país não pode burlar-se a si mesma.[30]

Seja o que for que façamos, o resultado permanece o mesmo. Se se trocam equivalentes, não se produz valor excedente (mais-valia), e, se se trocam

---

29 "Se alguém precisa de procura para suas mercadorias, dá-lhe Malthus o conselho de pagar a outra pessoa para comprar-lhe as mercadorias?", pergunta um irado adepto de Ricardo a Malthus, que, como seu discípulo, o cura Chalmers, louva, do ponto de vista econômico, a classe dos simples compradores ou consumidores. Vide: *An Inquiry into those Principles, Respecting the Nature of Demand and the Necessity of Consumption, Lately Advocated by Mrs. Malthus* etc., Londres, 1821, p. 55.

30 Destutt de Tracy, embora fosse membro do Instituto de França, ou talvez por isso mesmo, tinha opinião contrária. Os capitalistas industriais, diz ele, obtêm lucros "por venderem tudo mais caro do que lhes custou produzir. E a quem vendem? Primeiro, uns aos outros." (*Op. cit.*, p. 239.)

COMO O DINHEIRO SE TRANSFORMA EM CAPITAL

não equivalentes, também não surge nenhum valor excedente.[31] A circulação ou a troca de mercadorias não cria nenhum valor.[32]

Evidencia-se assim a razão por que, em nossa análise da forma básica do capital, pela qual ele determina a organização econômica da sociedade moderna, não são, de início, objeto de exame suas formas populares e por assim dizer antediluvianas, o capital comercial e o capital usurário.

A forma D – M – D', comprar para vender mais caro, aparece mais claramente no capital comercial propriamente dito. Por outro lado, todo o seu movimento se processa dentro da esfera da circulação. Mas, sendo impossível explicar por meio da circulação a transformação de dinheiro em capital, a formação de valor excedente (mais-valia), parece ser impossível o capital comercial, enquanto se permutem equivalentes,[33] só podendo ele, por isso, originar-se do duplo prejuízo infligido aos produtores que compram e vendem pelo comerciante que se insere parasitariamente entre eles. Nesse sentido, diz Franklin: "Guerra é roubo, comércio é geralmente fraude."[34] A fim de encontrar outra explicação para o aumento do valor do capital comercial que não seja a simples fraude contra os produtores de mercadorias, temos de recorrer a uma longa série de elementos intermediários, de que não dispomos ainda, pois nossos únicos pressupostos são a circulação de mercadorias e seus fatores simples.

O que dissemos sobre o capital comercial aplica-se com mais razão ainda ao capital usurário. No capital comercial, os extremos, o dinheiro lançado à circulação e o dela extraído com aumento, têm ao menos por intermediários a compra e a venda, o movimento da circulação. No capital

---

31 "A troca que se faz de dois valores iguais não aumenta nem diminui a quantidade dos valores existentes na sociedade. A troca de dois valores desiguais [...] também não muda em nada a soma dos valores sociais, uma vez que acrescenta à fortuna de um o que tira da de outro." (J.B. Say, *op. cit.*, t. II, pp. 443-444.) Say, naturalmente sem se preocupar com as consequências lógicas desta afirmação, tomou-a de empréstimo quase literalmente dos fisiocratas. A frase "mais célebre" de Say: "Só se compram produtos com produtos" (*op. cit.*, p. 438), está expressa no aforismo fisiocrático: "Só se pagam as produções com as produções." (Le Trosne, *op. cit.*, p. 899.) Por aí se vê como Say explorou os trabalhos dessa escola, esquecidos em seu tempo, a fim de aumentar seu próprio "valor".
32 "A troca não confere nenhum valor aos produtos." (F. Wayland, *The Elements of Pol. Econ.*, Boston, 1843, p. 168.)
33 "Se tivesse por regra a equivalência invariável das coisas trocadas, o comércio seria impossível." (G. Opdyke, *A Treatise on Polit. Economy*, Nova York, 1851, pp. 66-69.) "A diferença entre o valor real e o valor de troca decorre de o valor de uma coisa divergir do que chamamos seu equivalente pelo qual é trocada no comércio, de esse equivalente não ser equivalente." (F. Engels, *op. cit.*, pp. 95, 90.)
34 Benjamin Franklin, *Works*, vol. II, ed. Sparks, em "Positions to be examined concerning national wealth", [p. 376].

usurário, a forma D – M – D' reduz-se a dois extremos sem termo médio, D – D', dinheiro que se troca por mais dinheiro, forma que contraria a natureza do dinheiro e, por isso, inexplicável do ponto de vista da troca de mercadorias. Daí dizer Aristóteles:

> "A crematística se compõe de duas partes, uma pertencente ao comércio e a outra à economia; a segunda é necessária e louvável, e a primeira, fundamentada na circulação, condena-se com justiça, pois não se baseia na natureza, mas na defraudação recíproca; por isso, odeia-se a usura com toda a razão, pois o dinheiro aqui é o meio de sua própria aquisição, não sendo utilizado de acordo com o fim para que foi criado. Inventou-se o dinheiro para facilitar a troca das mercadorias, mas o juro faz do dinheiro mais dinheiro. Daí seu nome [esse nome, em grego, significa não só juro, usura, mas também criança, fruto, o que é gerado], pois os gerados são semelhantes aos que o geraram. O juro é dinheiro que nasce de dinheiro, e, de todos os modos de adquirir, este é o mais contrário à natureza."[35]

No curso de nossas pesquisas, verificaremos que o capital comercial e o usurário são formas derivadas, e, ao mesmo tempo, veremos por que precedem historicamente a moderna forma básica do capital.

Mostrou-se que o valor excedente (mais-valia) não pode originar-se na circulação e que, ao formar-se, algo tem de ocorrer fora dela e nela imperceptível.[36] Mas pode o valor excedente (mais-valia) ter sua origem fora da circulação? A circulação é a soma de todas as relações mútuas dos possuidores de mercadorias. Fora dela, o possuidor de mercadorias só mantém relações com sua própria mercadoria. No que toca ao valor desta, a relação limita-se a conter ela uma quantidade do trabalho dele, medida de acordo com determinadas leis sociais. Essa quantidade de trabalho se traduz na magnitude do valor da mercadoria, magnitude que se exprime em dinheiro de conta, num preço, por exemplo, de 10 libras esterlinas. Mas esse trabalho não se representa no valor da mercadoria e num excedente desse valor, num preço de 10 que é ao mesmo tempo 11, um valor que é superior a si mesmo. O possuidor da mercadoria pode, com seu trabalho, gerar valores, mas não valores que se dilatam. Pode aumentar o valor de uma mercadoria,

---

35 Aristóteles, *op. cit.*, cap. 10, [p. 17].

36 "Nas condições usuais do mercado, o lucro não pode ser produzido pela troca. Se não existia antes, não poderá existir depois da transação." (Ramsay, *op. cit.*, p. 184.)

COMO O DINHEIRO SE TRANSFORMA EM CAPITAL

acrescentando, com novo trabalho, novo valor ao valor existente, ao fazer, por exemplo, sapatos, utilizando couro. O mesmo material tem agora mais valor, por conter maior quantidade de trabalho. O sapato tem mais valor do que o couro, mas o valor do couro permanece o que era, não aumentou, não adquiriu valor excedente (mais-valia) no período de fabricação do sapato. É, portanto, impossível que o produtor de mercadorias, fora da esfera da circulação, sem entrar em contato com outros possuidores de mercadorias, consiga expandir um valor; transforme, portanto, dinheiro ou mercadoria em capital.

Capital, portanto, nem pode originar-se na circulação nem fora da circulação. Deve, ao mesmo tempo, ter e não ter nela sua origem.

Chegamos assim a um duplo resultado.

A transformação de dinheiro em capital tem de ser explicada à base das leis imanentes da troca de mercadorias, e, desse modo, a troca de equivalentes serve de ponto de partida.[37] Nosso possuidor de dinheiro, que, no momento, prefigura o capitalista, tem de comprar a mercadoria pelo seu valor, vendê-la pelo seu valor e, apesar disso, colher, no fim do processo, mais valor do que nele lançou. Sua metamorfose em capitalista deve ocorrer dentro da esfera da circulação e, ao mesmo tempo, fora dela. Tais são as condições do problema. E é aí que está o busílis.

---

37 De acordo com a presente análise, compreenderá o leitor que a formação do capital tem de ser possível, mesmo quando o preço da mercadoria seja igual ao valor da mercadoria. Não se pode explicá-la pelo desvio dos preços em relação aos valores. Se os preços se desviarem realmente dos valores, devemos reduzir aqueles a estes, pôr de lado essa circunstância, por ser eventual, para termos, em sua pureza, o fenômeno da formação do capital na base da troca de mercadorias, e para não nos deixar confundir, nas observações, por circunstâncias perturbadoras que nada têm a ver com o processo propriamente dito. Sabemos, de resto, que essa redução não é um método apenas científico. As contínuas oscilações dos preços de mercado, subidas e quedas, compensam-se, anulam-se reciprocamente e reduzem-se ao preço médio, a sua lei interna. O preço médio constitui a estrela-guia do comerciante ou do industrial em todo empreendimento que requer tempo. Ele sabe que, observando um período longo em seu conjunto, as mercadorias se vendem realmente de acordo com um preço médio, nem abaixo, nem acima dele. Se quisesse pensar num plano acima dos seus interesses imediatos, formularia o problema da formação do capital da seguinte maneira: "Como pode o capital originar-se, supondo-se que os preços são regulados pelo preço médio, ou seja, em última instância, pelo valor da mercadoria?" Digo em última instância porque os preços médios não coincidem diretamente com as magnitudes do valor das mercadorias, conforme pensam A. Smith, Ricardo e outros.

3. COMPRA E VENDA DA FORÇA DE TRABALHO

A mudança do valor do dinheiro que se pretende transformar em capital não pode ocorrer no próprio dinheiro. Ao servir de meio de compra ou de pagamento, o dinheiro apenas realiza o preço da mercadoria, que compra ou paga, e, ao manter-se em sua própria forma, petrifica-se em valor de magnitude fixada.[38] Tampouco pode a mudança do valor decorrer do segundo ato da circulação, da revenda da mercadoria, pois esse ato apenas reconverte a mercadoria da forma natural em forma dinheiro. A mudança tem, portanto, de ocorrer com a mercadoria comprada no primeiro ato D – M, mas não em seu valor, pois se trocam equivalentes, as mercadorias são pagas pelo seu valor. A mudança só pode, portanto, originar-se de seu valor de uso como tal, de seu consumo. Para extrair valor do consumo de uma mercadoria, nosso possuidor de dinheiro deve ter a felicidade de descobrir, dentro da esfera da circulação, no mercado, uma mercadoria cujo valor de uso possua a propriedade peculiar de ser fonte de valor, de modo que consumi-la seja realmente encarnar trabalho, criar valor, portanto. E o possuidor de dinheiro encontra no mercado essa mercadoria especial: é a capacidade de trabalho ou a força de trabalho.

Por força de trabalho ou capacidade de trabalho compreendemos o conjunto das faculdades físicas e mentais existentes no corpo e na personalidade viva de um ser humano, as quais ele põe em ação toda vez que produz valores de uso de qualquer espécie.

A fim de o possuidor de dinheiro encontrar no mercado a força de trabalho como mercadoria, é mister que se preencham certas condições. Por si mesma, a troca de mercadorias não implica outras relações de dependência além daquelas que decorrem de sua própria natureza. Assim, a força de trabalho só pode aparecer como mercadoria no mercado enquanto for e por ser oferecida ou vendida como mercadoria pelo seu próprio possuidor, pela pessoa da qual ela é a força de trabalho. A fim de que seu possuidor a venda como mercadoria, é mister que ele possa dispor dela, que seja proprietário livre de sua capacidade de trabalho, de sua pessoa.[39] Ele e o

---

38 "Na forma de dinheiro [...] o capital não produz nenhum lucro." (Ricardo, *Princ. of Pol. Econ.*, p. 267.)

39 Nas enciclopédias referentes à Antiguidade clássica pode-se ler a afirmação disparatada de que, no mundo antigo, o capital era plenamente desenvolvido, "mas que faltavam o trabalhador livre e o sistema de crédito". Também Mommsen, em sua *História romana*, incorre numa série de quiproquós.

COMO O DINHEIRO SE TRANSFORMA EM CAPITAL

possuidor do dinheiro encontram-se no mercado e entram em relação um com outro como possuidores de mercadoria, dotados de igual condição, diferenciando-se apenas por um ser o vendedor e outro o comprador, sendo ambos, juridicamente, pessoas iguais. A continuidade dessa relação exige que o possuidor da força de trabalho venda-a sempre por tempo determinado, pois, se a vender de uma vez por todas, vender-se-á a si mesmo, transformar-se-á de homem livre em escravo, de um vendedor de mercadoria em mercadoria. Tem sempre de manter sua força de trabalho como sua propriedade, sua própria mercadoria, o que só consegue se a ceder ao comprador apenas provisoriamente, por determinado prazo, alienando-a sem renunciar à sua propriedade sobre ela.[40]

Segunda condição essencial para o possuidor do dinheiro encontrar no mercado força de trabalho como mercadoria: o dono dessa força não pode vender mercadorias em que encarne seu trabalho, e é forçado a vender sua força de trabalho, que só existe nele mesmo.

Quem quiser vender mercadoria que não seja sua força de trabalho tem de possuir meios de produção, tais como matérias-primas, instrumentos de produção etc. Não pode fazer sapatos sem couro. Precisa, além disso, de meios de subsistência. Ninguém, nem mesmo um construtor de castelos no ar, pode viver de produtos do porvir ou de produção inacabada de valores de uso. Desde que apareceu neste planeta, tem o homem de consumir todos os dias, antes de produzir e durante a produção. Se os produtos assumem a forma de mercadoria, têm de ser vendidos depois da produção, e só podem satisfazer às necessidades do produtor depois da venda. O tempo de produção é acrescido pelo necessário à venda.

---

40 Diversas legislações estabelecem, por isso, um máximo para o contrato de trabalho. Nos países onde o trabalho é livre, a lei regula as condições de rescisão do contrato. Em diversos países, notadamente no México (antes da Guerra Civil americana, também nos territórios arrancados ao México e, até a revolução de Kusa, nas províncias danubianas), a escravatura se oculta sob a forma de peonagem. Por meio de adiantamentos resgatáveis em trabalho e transmitindo-se a obrigação de resgate de geração em geração, torna-se, não o trabalhador individual, mas também sua família, propriedade, de fato, de outras pessoas e das respectivas famílias. Juárez abolira a peonagem. O chamado Imperador Maximiliano restabeleceu-a por decreto, justamente denunciado na Câmara dos Deputados dos Estados Unidos como destinado a restabelecer a escravatura no México. "Posso ceder a outro, por tempo limitado, o uso de minhas particulares aptidões corporais e mentais e possibilidades de atividade, porque elas adquirem, com essa limitação, uma relação extrínseca com minha totalidade e generalidade. Com a alienação de todo o meu tempo concretizado no trabalho e da totalidade de minha produção, converteria em propriedade de outrem a própria substância do que foi cedido, a saber, minha atividade geral e realidade, minha personalidade." (Hegel, *Philosophie des rechts*, Berlim, 1840, p. 104, § 67.)

Para transformar dinheiro em capital, tem o possuidor do dinheiro de encontrar o trabalhador livre no mercado de mercadorias – livre nos dois sentidos: o de dispor, como pessoa livre, de sua força de trabalho como sua mercadoria; e o de estar livre, inteiramente despojado de todas as coisas necessárias à materialização de sua força de trabalho, não tendo, além desta, outra mercadoria para vender.

Não interessa ao possuidor do dinheiro saber por que o trabalhador livre se defronta com ele no mercado de trabalho, não passando o mercado de trabalho, para ele, de uma divisão especial do mercado de mercadorias. Tampouco nos ocuparemos, por ora, com esse problema. Admitiremos o fato como pressuposto para um desdobramento teórico, do mesmo modo que o dono do dinheiro o aceita em sua atividade prática. Uma coisa, entretanto, está clara. A natureza não produz, de um lado, possuidores de dinheiro ou de mercadorias e, do outro, meros possuidores das próprias forças de trabalho. Esta relação não tem sua origem na natureza, nem é mesmo uma relação social que fosse comum a todos os períodos históricos. Ela é, evidentemente, o resultado de um desenvolvimento histórico anterior, o produto de muitas revoluções econômicas, do desaparecimento de toda uma série de antigas formações da produção social.

Também as categorias econômicas que observamos antes trazem a marca da história. A existência do produto como mercadoria implica determinadas condições históricas. Para ser mercadoria, o produto não deve ser produzido para satisfazer imediatamente às necessidades do produtor. Se tivéssemos ido mais longe em nossas pesquisas, investigando as circunstâncias sob as quais todos os produtos ou a maioria deles tomam a forma de mercadoria, ter-se-ia verificado que isto só ocorre num modo especial de produção, a produção capitalista. Mas essa pesquisa ultrapassaria a análise da mercadoria. Podem ocorrer produção e circulação de mercadorias, embora os produtos, em sua quase totalidade, se destinem à satisfação direta das próprias necessidades, não se transformando em mercadorias, e o valor de troca esteja muito longe de dominar o processo social em toda a sua extensão e profundidade. O aparecimento do produto sob a forma de mercadoria supõe uma divisão de trabalho tão desenvolvida na sociedade que, ao ocorrer esse aparecimento, já se terá concluído a dissociação entre valor de uso e valor de troca, dissociação que começa com a permuta direta. Esse estágio de desenvolvimento é comum a diversas formações econômico-sociais.

COMO O DINHEIRO SE TRANSFORMA EM CAPITAL

Se observarmos o dinheiro, verificaremos que pressupõe certo estágio da troca de mercadorias. As funções particulares desempenhadas pelo dinheiro – mero equivalente de mercadoria, meio de circulação, meio de pagamento, tesouro, dinheiro mundial – indicam, segundo a extensão e preponderância relativa de cada uma das funções, estágios muito diversos do processo de produção social. Apesar disso, ensina a experiência que basta uma circulação de mercadorias relativamente pouco desenvolvida para que se constituam todas aquelas formas. Com o capital é diferente. Suas condições históricas de existência não se concretizam ainda por haver circulação de mercadorias e de dinheiro. Só aparece o capital quando o possuidor de meios de produção e de subsistência encontra o trabalhador livre no mercado vendendo sua força de trabalho, e esta única condição histórica determina um período da História da humanidade. O capital anuncia, desde o início, uma nova época no processo de produção social.[41]

Agora temos de examinar mais de perto essa mercadoria peculiar, a força de trabalho. Como todas as outras, tem um valor.[42] Como se determina ele?

O valor da força de trabalho é determinado, como o de qualquer outra mercadoria, pelo tempo de trabalho necessário à sua produção e, por consequência, à sua reprodução. Enquanto valor, a força de trabalho representa apenas determinada quantidade de trabalho social médio nela corporificado. Não é mais que a aptidão do indivíduo vivo. A produção dela supõe a existência deste. Dada a existência do indivíduo, a produção da força de trabalho consiste em sua manutenção ou reprodução. Para manter-se, precisa o indivíduo de certa soma de meios de subsistência. O tempo de trabalho necessário à produção da força de trabalho reduz-se, portanto, ao tempo de trabalho necessário à produção desses meios de subsistência, ou o valor da força de trabalho é o valor dos meios de subsistência necessários à manutenção de seu possuidor. A força de trabalho só se torna realidade com seu exercício, só se põe em ação no trabalho. Através da sua ação, o trabalho, despende-se determinada quantidade de músculos, de nervos, de cérebro etc., que se tem de renovar. Ao aumentar esse dispêndio, torna-se

---

41 O que caracteriza a época capitalista é adquirir a força de trabalho, para o trabalhador, a forma de mercadoria que lhe pertence, tomando seu trabalho a forma de trabalho assalariado. Além disso, só a partir desse momento se generaliza a forma mercadoria dos produtos do trabalho.

42 "O valor de um homem é como o de todas as outras coisas, seu preço, isto é, a soma que se paga para se dispor de sua força." (Th. Hobbes, "Leviathan", em *Works*, ed. Molesworth, Londres, 1839-1844, vol. III, p. 70.)

necessário aumentar a remuneração.[43] Depois de ter trabalhado hoje, é mister que o proprietário da força de trabalho possa repetir amanhã a mesma atividade, sob as mesmas condições de força e saúde. A soma dos meios de subsistência deve ser, portanto, suficiente para mantê-lo no nível de vida normal do trabalhador. As próprias necessidades naturais de alimentação, roupa, aquecimento, habitação etc. variam de acordo com as condições climáticas e de outra natureza de cada país. Demais, a extensão das chamadas necessidades imprescindíveis e o modo de satisfazê-las são produtos históricos e dependem, por isso, de diversos fatores, em grande parte do grau de civilização de um país e, particularmente, das condições em que se formou a classe dos trabalhadores livres, com seus hábitos e exigências peculiares.[44] Um elemento histórico e moral entra na determinação do valor da força do trabalho, o que a distingue das outras mercadorias. Mas, para um país determinado, num período determinado, é dada a quantidade média dos meios de subsistência necessários.

O proprietário da força de trabalho é mortal. Se tem de aparecer continuamente no mercado, conforme pressupõe a contínua transformação de dinheiro em capital, o vendedor da força de trabalho tem de perpetuar-se, "como todo ser vivo se perpetua, através da procriação".[45] As forças de trabalho retiradas do mercado por desgaste ou por morte têm de ser incessantemente substituídas pelo menos por um número igual de novas forças de trabalho. A soma dos meios de subsistência necessários à produção da força de trabalho inclui também os meios de subsistência dos substitutos dos trabalhadores, os seus filhos, de modo que se perpetue no mercado essa raça peculiar de possuidores de mercadorias.[46]

A fim de modificar a natureza humana, de modo que alcance habilidade e destreza em determinada espécie de trabalho e se torne força de trabalho

---

43 Na Roma antiga, o *villicus*, o feitor dos escravos nos trabalhos agrícolas, recebia "uma ração menor que a dos escravos braceiros, por ser seu trabalho mais leve que o destes." (Th. Mommsen, *Röm. Geschichte*, 1856, p. 810.)

44 Vide *Over-Population and its Remedy*, Londres, 1846, de W. Th. Thornton.

45 Petty.

46 "Seu preço natural [do trabalho] [...] consiste numa soma de coisas necessárias e úteis, exigidas pela natureza e pelos hábitos de um país, para o sustento do trabalhador e a fim de capacitá-lo a constituir família que assegure ao mercado uma oferta de trabalho sem diminuição." (R. Torrens, *An Essay on the External Corn Trade*, Londres, 1815, p. 62.) A palavra *trabalho* está, aqui, sendo usada erradamente para denominar *força de trabalho*.

desenvolvida e específica, é mister educação ou treino que custa uma soma maior ou menor de valores em mercadorias. Esta soma varia de acordo com o nível de qualificação da força de trabalho. Os custos de aprendizagem, ínfimos para a força de trabalho comum, entram, portanto, no total dos valores despendidos para sua produção.

O valor da força de trabalho reduz-se ao valor de uma soma determinada de meios de subsistência. Varia, portanto, com o valor desses meios de subsistência, ou seja, com a magnitude do tempo de trabalho exigido para sua produção.

Uma parte dos meios de subsistência, tais como alimentos e combustível, são consumidos diariamente e têm de ser substituídos diariamente. Outros, tais como roupas e móveis, duram mais tempo e só têm de ser substituídos em intervalos mais longos. Segundo a espécie, compram-se ou pagam-se mercadorias diariamente, por semana, por trimestre etc. Como quer que se distribua durante um ano, por exemplo, a soma dessas despesas, *deve* ela ser coberta pela receita média diária. Seja A = quantidade das mercadorias exigidas por dia para a produção da força de trabalho; B = quantidade das exigidas por semana; C = quantidade das exigidas trimestralmente etc. Teríamos, então, média diária dessas mercadorias =

$$\frac{365A + 52B + 4C + \text{etc.}}{365}$$

Supondo-se que essa média diária das mercadorias necessárias represente 6 horas de trabalho social, e se o dia de trabalho for de 12 horas, ter-se-á incorporado na força do trabalho diariamente meio dia de trabalho social médio, ou requer-se meio dia de trabalho para a produção diária da força de trabalho. Esta quantidade de trabalho exigida para sua produção diária constitui o valor por dia da força de trabalho ou o valor da força de trabalho diariamente reproduzida. Se se representa meio dia de trabalho social médio por uma quantidade de ouro de 3 xelins, então 3 xelins é o preço que corresponde ao valor diário da força de trabalho. Se o possuidor da força de trabalho a oferece por 3 xelins diariamente, então o preço de venda é igual ao valor e, de acordo com nosso pressuposto, o possuidor do dinheiro, cobiçando transformar seus 3 xelins em capital, paga esse valor.

O limite último ou mínimo do valor da força de trabalho é determinado pelo valor da quantidade diária de mercadorias indispensável para que o portador da força de trabalho, o ser humano, possa continuar vivendo, ou seja, pelos meios de subsistência fisicamente imprescindíveis. Se o preço da força de trabalho baixa a esse mínimo, baixa também seu valor, e ela só pode vegetar e atrofiar-se. Mas o valor de uma mercadoria é determinado pelo tempo de trabalho requerido para que seja fornecida de acordo com sua qualidade normal.

É sentimentalismo barato considerar brutal esse método de determinar o valor da força de trabalho, método que decorre da natureza do fenômeno. Rossi, que se enfileira entre os sentimentalistas, afirma:

> "Conceber a capacidade de trabalho como algo separado dos meios de subsistência dos trabalhadores durante o processo de produção é formular um conceito ilusório. Quem diz trabalho, quem diz capacidade de trabalho, diz, ao mesmo tempo, trabalhadores e meios de subsistência, obreiros e salários."[47]

Quem diz capacidade de trabalho não diz trabalho; tampouco quem diz capacidade de digestão diz digestão. Sabe-se que, para digerir, não basta um bom estômago. Quem diz capacidade de trabalho não põe de lado os meios de subsistência necessários para sustentá-la. O valor destes se expressa no valor daquela. Se não for vendida, não traz nenhum proveito ao trabalhador, e parece-lhe uma cruel imposição da natureza que sua capacidade de trabalho tenha exigido determinada quantidade de meios de subsistência para sua produção e continue a exigi-los para a reprodução. Descobre então, com Sismondi: "A capacidade de trabalho [...] nada é, se não se vende."[48]

Em virtude da natureza peculiar dessa mercadoria, a força de trabalho, seu valor de uso não se transfere realmente às mãos do comprador logo após a conclusão do contrato entre ele e o vendedor. Seu valor, como o de qualquer outra mercadoria, estava determinado antes de ela entrar em circulação, pois despendeu-se determinada quantidade de trabalho social para a produção da força de trabalho, mas seu valor de uso só existe com sua exteriorização posterior. Há um intervalo entre a alienação da força e

---

47 Rossi, *Cours d'écon. polit.*, Bruxelas, 1843, pp. 370-371.
48 Sismondi, "Nouv. Princ. etc.," t. I, p. 113.

sua exteriorização real, isto é, seu emprego como valor de uso. Mas, quando medeia um intervalo entre a alienação formal pela venda e a entrega real da mercadoria,[49] o dinheiro do comprador funciona, em regra, como meio de pagamento. Em todos os países em que domina o modo de produção capitalista, a força de trabalho só é paga depois de ter funcionado durante o prazo previsto no contrato de compra, no fim da semana, por exemplo. Por toda parte, o trabalhador adianta ao capitalista o valor de uso da força de trabalho; permite ao comprador consumi-la, antes de pagá-la; dá crédito ao capitalista. Que esse crédito não é nenhuma fantasia vã, prova a perda eventual do salário por falência do capitalista,[50] além de uma série de outras consequências mais duráveis.[51] Contudo, sirva o dinheiro de meio de

---

49 "Todo trabalho é pago depois de concluído." (*An Inquiry into Those Principles, Respecting the Nature of Demand* etc., p. 104.) "O crédito comercial tinha de começar no momento em que o trabalhador, o primeiro criador da produção, pode, com suas poupanças, esperar o salário de seu trabalho até o fim da semana, da quinzena, do mês, do trimestre etc." (Ch. Ganilh, *Des systèmes d'écon. polit.*, 2ª ed., Paris, 1821, t. II, p. 150.)

50 "O trabalhador empresta sua atividade", mas, acrescenta espertamente Storch, "nada arrisca além da perda de seu salário [...] o trabalhador não fornece nada de material." (Storch, *Cours d'écon. pol*, Petersburgo, 1815, t. II, pp. 36-37.)

51 Um exemplo. Em Londres existem duas espécies de padeiros, os *full priced*, que vendem o pão sem redução de preço, e os *undersellers*, que o vendem com redução. Esta classe constitui ¾ do número total de padeiros (p. xxxII do relatório do comissário do governo, H.S. Tremenheere, *Crievances Complained of by the Journeymen Bakers* etc., Londres, 1862). Esses *undersellers* vendem pão, em regra, falsificado com a adição de alúmen, sabão, potassa, cal, pó de pedra de Devonshire e outros ingredientes análogos, agradáveis, nutritivos e saudáveis. (Vide o livro azul citado acima, o relatório do "Committee of 1885 on the Adulteration of Bread" e o trabalho do Dr. Hassall, *Adulterations Detected*, 2ª ed., Londres, 1861.) Sir John Gordon declarou, perante o Comitê de 1855, que "em virtude dessas falsificações, o pobre que vive de duas libras-peso de pão por dia não recebe realmente a quarta parte da correspondente substância alimentícia, sem se falar nos efeitos prejudiciais sobre sua saúde". "Grande parte da classe trabalhadora", embora esteja mesmo a par das falsificações, aceita nas suas compras as adições de alúmen, pó de pedra etc., e a razão disso, explica Tremenheere (*op. cit.*, p. xLvIII), "decorre de serem forçados por necessidade a aceitar do seu padeiro ou do merceeiro o pão que querem fornecer." Uma vez que só recebem o salário no fim da semana, "só então" podem "pagar o pão consumido pela família", e acrescenta Tremenheere, apoiando-se em depoimentos de testemunhas: "É notório que o pão composto dessas misturas é feito expressamente para essa espécie de clientes." ("It is notorious that bread composed of those mixtures is made expressly for sale in this manner.") "Em muitos distritos rurais ingleses" (mais ainda nos escoceses) "o salário é pago por quinzena e até por mês. Com esses longos intervalos entre os pagamentos, tem o trabalhador rural de comprar sua mercadoria a crédito. [...] Ele tem de pagar preços mais altos e está preso ao armazém que lhe dá crédito. Assim, em Horningsham in Wilta, por exemplo, onde o salário é mensal, custa-lhe a farinha 2 xelins e 4 pence por *stone*, quando o preço noutra parte é 1 xelim e 10 pence." (*Sixth Report on Public Health by The Medical Officer of the Privy Council* etc., 1864, p. 264.) "Os estampadores manuais de Paisley e Kilmarnock, [na Escócia ocidental] conseguiram, com uma greve, a redução do prazo para pagamento de salário de um mês para duas semanas." (*Reports of the Inspectors of Factories for 31ˢᵗ Oct.* 1853, p. 34.) É outra modalidade de crédito que o trabalhador dá ao capitalista o método de muitos

O CAPITAL

compra ou de meio de pagamento, em nada se altera a natureza da troca de mercadorias. Fixa-se contratualmente o preço da força de trabalho, o qual só se realiza depois como o preço do aluguel de uma casa. Vende-se a força de trabalho, para ser paga depois. Mas, para compreender a relação, em toda a sua pureza, é útil supor, por ora, que o possuidor da força de trabalho recebe, no momento da venda, o preço contratualmente estipulado.

Conhecemos o modo de determinar o valor pago pelo dono do dinheiro ao possuidor dessa mercadoria peculiar, a força de trabalho. Seu valor de uso, que o comprador recebe em troca, revela-se na sua utilização real, no processo que a consome. Todas as coisas necessárias a esse processo, tais como a matéria-prima etc., compra-as o dono do dinheiro no mercado e as paga pelo seu preço exato. O processo de consumo da força de trabalho é, ao mesmo tempo, o processo de produção de mercadoria e de valor excedente (mais-valia). O consumo da força de trabalho, como o de qualquer outra mercadoria, realiza-se fora do mercado, fora da esfera da circulação. Por isso, juntamente com o dono do dinheiro e o possuidor da força de trabalho, abandonaremos essa esfera ruidosa, onde tudo ocorre na superfície e à vista de todos, para acompanhá-los ao local reservado da produção, a cuja entrada está escrito: "*No admittance except on business.*" Veremos aí como o capital produz e também como é produzido. O mistério da criação do valor excedente (mais-valia) se desfará finalmente.

A esfera que estamos abandonando, da circulação ou da troca de mercadorias, dentro da qual se operam a compra e a venda da força de trabalho, é realmente um verdadeiro paraíso dos direitos inatos do homem. Só reinam aí liberdade, igualdade, propriedade e Bentham. Liberdade, pois o comprador e o vendedor de uma mercadoria – a força de trabalho, por exemplo – são determinados apenas pela sua vontade livre. Contratam como pessoas livres, juridicamente iguais. O contrato é o resultado final, a expressão jurídica comum de suas vontades. Igualdade, pois estabelecem relações mútuas apenas como possuidores de mercadorias e trocam equivalente por equivalente. Propriedade, porque cada um só dispõe do

---

proprietários de minas de carvão de só pagar ao trabalhador no fim do mês, fornecendo-lhe recursos por conta no intervalo, muitas vezes em mercadorias, que ele tem de pagar acima do preço do mercado (*trucksystem*). "É prática usual dos donos das minas pagar uma vez por mês, e adiantar dinheiro aos seus trabalhadores ao fim de cada semana intermediária. Esse adiantamento é dado no armazém [o Tommy-shop, que pertence ao próprio patrão.] "Os homens tomam-no de um lado do armazém e gastam-no do outro." (*Children's Employment Commission, III, Report*, Londres,1864, p. 38, n. 192.)

COMO O DINHEIRO SE TRANSFORMA EM CAPITAL

que é seu. Bentham, pois cada um dos dois só cuida de si mesmo. A única força que os junta e os relaciona é a do proveito próprio, da vantagem individual, dos interesses privados. E justamente por cada um só cuidar de si mesmo, não cuidando ninguém dos outros, realizam todos, em virtude de uma harmonia preestabelecida das coisas, ou sob os auspícios de uma providência onisciente, apenas as obras de proveito recíproco, de utilidade comum, de interesse geral.

Ao deixar a esfera da circulação simples ou da troca de mercadorias, à qual o livre-cambista vulgar toma de empréstimo sua concepção, ideias e critérios para julgar a sociedade baseada no capital e no trabalho assalariado, parece-nos que algo se transforma na fisionomia dos personagens do nosso drama. O antigo dono do dinheiro marcha agora à frente, como capitalista; segue-o o proprietário da força do trabalho, como seu trabalhador. O primeiro, com um ar importante, sorriso velhaco e ávido de negócios; o segundo, tímido, contrafeito, como alguém que vendeu sua própria pele e apenas espera ser esfolado.

TERCEIRA SEÇÃO

A PRODUÇÃO DA MAIS-VALIA ABSOLUTA

V.
Processo de trabalho e processo de produzir mais-valia

1. O PROCESSO DE TRABALHO OU O PROCESSO DE PRODUZIR VALORES DE USO

A utilização da força de trabalho é o próprio trabalho. O comprador da força de trabalho consome-a, fazendo o vendedor dela trabalhar. Este, ao trabalhar, torna-se realmente no que antes era apenas potencialmente: força de trabalho em ação, trabalhador. Para o trabalho reaparecer em mercadorias, tem de ser empregado em valores de uso, em coisas que sirvam para satisfazer necessidades de qualquer natureza. O que o capitalista determina ao trabalhador produzir é, portanto, um valor de uso particular, um artigo especificado. A produção de valores de uso não muda sua natureza geral por ser levada a cabo em benefício do capitalista ou estar sob seu controle. Por isso, temos inicialmente de considerar o processo de trabalho à parte de qualquer estrutura social determinada.

Antes de tudo, o trabalho é um processo de que participam o homem e a natureza, processo em que o ser humano, com sua própria ação, impulsiona, regula e controla seu intercâmbio material com a natureza. Defronta-se com a natureza como uma de suas forças. Põe em movimento as forças naturais de seu corpo – braços e pernas, cabeça e mãos –, a fim de apropriar-se dos recursos da natureza, imprimindo-lhes forma útil à vida humana. Atuando assim sobre a natureza externa e modificando-a, ao mesmo tempo modifica sua própria natureza. Desenvolve as potencialidades nela adormecidas e submete ao seu domínio o jogo das forças naturais. Não se trata aqui das formas instintivas, animais, de trabalho. Quando o trabalhador chega ao mercado para vender sua força de trabalho, é imensa a distância histórica que medeia entre sua condição e a do homem primitivo com sua forma ainda instintiva de trabalho. Pressupomos o trabalho sob forma exclusivamente humana. Uma aranha executa operações semelhantes às do tecelão, e a abelha supera mais de um arquiteto ao construir sua colmeia. Mas o que distingue o pior arquiteto da melhor abelha é que ele figura na mente sua construção antes de transformá-la em realidade. No fim do processo do trabalho aparece um resultado que já existia antes idealmente na imaginação do trabalhador. Ele não transforma apenas o material sobre o qual opera; ele imprime ao material o projeto que tinha conscientemente em mira, o qual constitui a lei determinante do seu modo de operar e ao qual tem de subordinar sua vontade. E essa subordinação não é um ato fortuito. Além do esforço dos órgãos que trabalham, é mister a vontade adequada que se manifesta através da atenção durante todo o curso do trabalho. E isto é tanto mais necessário quanto menos se sinta o trabalhador atraído pelo conteúdo e pelo método de execução de sua tarefa, que lhe oferece, por isso, menos possibilidade de fruir da aplicação das suas próprias forças físicas e espirituais.

Os elementos componentes do processo de trabalho são:

1) a atividade adequada a um fim, isto é, o próprio trabalho;
2) a matéria a que se aplica o trabalho, o objeto de trabalho;
3) os meios de trabalho, o instrumental de trabalho.

A terra (do ponto de vista econômico, compreende a água), que, ao surgir o homem, o provê com meios de subsistência prontos para utilização imediata,[1] existe independentemente da ação dele, sendo o objeto universal do trabalho humano. Todas as coisas que o trabalho apenas separa de sua conexão imediata com seu meio natural constituem objetos de trabalho, fornecidos pela natureza. Assim, os peixes que se pescam, que são tirados do seu elemento, a água; a madeira derrubada na floresta virgem; o minério arrancado dos filões. Se o objeto de trabalho é, por assim dizer, filtrado através de trabalho anterior, chamamo-lo de matéria-prima. Por exemplo, o minério extraído depois de ser lavado. Toda matéria-prima é objeto de trabalho, mas nem todo objeto de trabalho é matéria-prima. O objeto de trabalho só é matéria-prima depois de ter experimentado modificação efetuada pelo trabalho.

O meio de trabalho é uma coisa ou um complexo de coisas que o trabalhador insere entre si mesmo e o objeto de trabalho, e lhe serve para dirigir sua atividade sobre esse objeto. Ele utiliza as propriedades mecânicas, físicas, químicas das coisas, para fazê-las atuarem como forças sobre outras coisas, de acordo com o fim que tem em mira.[2] A coisa de que o trabalha-

---

1 "Os produtos espontâneos da terra existentes em pequena quantidade, sem depender em nada do ser humano, parece serem fornecidos pela natureza do mesmo modo que se dá a um jovem uma pequena soma para pô-lo no caminho da diligência e do enriquecimento." (James Stewart, *Principles of Polit. Econ.*, ed. Dublin, 1770, vol. I, p. 116.)

2 "A razão é ao mesmo tempo astuta e poderosa. A astúcia consiste sobretudo na atividade mediadora, que, fazendo as coisas atuarem umas sobre as outras e a se desgastarem reciprocamente, sem interferir diretamente nesse processo, leva a cabo apenas os próprios fins da razão." (Hegel, *Enzyklopädie*, Erster Tell, *Die Logik*, Berlim, 1840, p. 382.)

PROCESSO DE TRABALHO E PROCESSO DE PRODUZIR MAIS-VALIA

dor se apossa imediatamente – excetuados meios de subsistência colhidos já prontos, tais como frutas, quando seus próprios membros servem de meio de trabalho – não é o objeto de trabalho, mas o meio de trabalho. Desse modo, faz de uma coisa da natureza órgão de sua própria atividade, um órgão que acrescenta a seus próprios órgãos corporais, aumentando seu próprio corpo natural, apesar da Bíblia. A terra, seu celeiro primitivo, é também seu arsenal primitivo de meios de trabalho. Fornece-lhe, por exemplo, a pedra que lança e lhe serve para moer, prensar, cortar etc. A própria terra é um meio de trabalho, mas, para servir como tal na agricultura, pressupõe toda uma série de outros meios de trabalho e um desenvolvimento relativamente elevado da força de trabalho.[3] O processo de trabalho, ao atingir certo nível de desenvolvimento, exige meios de trabalho já elaborados. Nas cavernas mais antigas habitadas pelos homens, encontramos instrumentos e armas de pedra. No começo da História humana, desempenham a principal função de meios de trabalho os animais domesticados,[4] amansados e modificados pelo trabalho, ao lado de pedras, madeira, ossos e conchas trabalhados. O uso e a fabricação de meios de trabalho, embora em germe em certas espécies animais, caracterizam o processo especificamente humano de trabalho, e Franklin define o homem como *"a toolmaking animal"*, um animal que faz instrumentos de trabalho. Restos de antigos instrumentos de trabalho têm, para a avaliação de formações econômico-sociais extintas, a mesma importância que a estrutura dos ossos fósseis para o conhecimento de espécies animais desaparecidas. O que distingue as diferentes épocas econômicas não é o que se faz, mas como, com que meios de trabalho se faz.[5] Os meios de trabalho servem para medir o desenvolvimento da força humana de trabalho e, além disso, indicam as condições sociais em que se realiza o trabalho. Os meios mecânicos, que, em seu conjunto, podem ser chamados de sistema ósseo e muscular da produção, ilustram muito mais as características marcantes de uma época social de produção que os meios que apenas servem de recipientes da matéria objeto de trabalho e que, em

---

3 Ganilh, em sua obra, pobre sob outros aspectos, *Théorie de l'écon. polit.*, Paris, 1915, enumera judiciosamente, em resposta aos fisiocratas, a longa série de processos de trabalho que constituem condição prévia para a existência da agricultura propriamente dita.

4 Em *Reflexions sur la formation et la distribution des richesses*, 1766, Turgot discorre bem sobre a importância do animal domesticado para os primórdios da cultura da terra.

5 De todas as mercadorias, são as de luxo, no sentido estrito, as menos importantes para a comparação tecnológica das diferentes épocas de produção.

seu conjunto, podem ser denominados de sistema vascular da produção, como, por exemplo, tubos, barris, cestos, cântaros etc. Estes só começam a desempenhar papel importante na produção química.[5a]

Além das coisas que permitem ao trabalho aplicar-se a seu objeto e servem, de qualquer modo, para conduzir a atividade, consideramos meios de trabalho, em sentido lato, todas as condições materiais, seja como for, necessárias à realização do processo de trabalho. Elas não participam diretamente do processo, mas este fica, sem elas, total ou parcialmente impossibilitado de concretizar-se. Nesse sentido, a terra é ainda um meio universal de trabalho, pois fornece o local ao trabalhador e proporciona ao processo que ele desenvolve o campo de operação (*field of employment*). Pertencem a essa classe meios resultantes de trabalho anterior, tais como edifícios de fábricas, canais, estradas etc.

No processo de trabalho, a atividade do homem opera uma transformação, subordinada a um determinado fim, no objeto sobre o qual atua por meio do instrumental de trabalho. O processo extingue-se ao concluir-se o produto. O produto é um valor de uso, um material da natureza adaptado às necessidades humanas através da mudança de forma. O trabalho está incorporado ao objeto sobre o qual atuou. Concretizou-se, e a matéria está trabalhada. O que se manifestava em movimento, do lado do trabalhador, se revela agora qualidade fixa, na forma de ser, do lado do produto. Ele teceu, e o produto é um tecido.

Observando-se todo o processo do ponto de vista do resultado, do produto, evidencia-se que meio e objeto de trabalho são meios de produção,[6] e o trabalho é trabalho produtivo.[7]

Quando um valor de uso sai do processo de trabalho como produto, participaram da sua feitura, como meios de produção, outros valores de uso, produtos de anteriores processos de trabalho. Valor de uso que

---

5a Nota da 2ª edição: Por escasso que seja o conhecimento revelado até agora pela historiografia a respeito do desenvolvimento da produção material que é o fundamento de toda a vida social e, em consequência, da verdadeira história, pelo menos dividiu ela o tempo pré-histórico, utilizando as pesquisas da ciência natural e não a investigação histórica. Distinguiram-se, desse modo, na pré-história, a idade da pedra, a do bronze e a do ferro, de acordo com o material dos instrumentos de trabalho e das armas.

6 Parece um paradoxo, por exemplo, considerar o peixe que ainda não foi pescado meio de produção da pesca. Mas, até hoje, não se inventou a arte de pescar em águas onde não haja peixes.

7 Essa concentração de trabalho produtivo, derivada apenas do processo de trabalho, não é de modo nenhum adequada ao processo de produção capitalista.

é produto de um trabalho torna-se, assim, meio de produção de outro. Os produtos destinados a servir de meio de produção não são apenas resultado, mas também condição do processo de trabalho.

Excetuadas as indústrias extrativas, cujo objeto de trabalho é fornecido pela natureza (mineração, caça, pesca etc.; a agricultura se compreende nessa categoria apenas quando desbrava terras virgens), todos os ramos industriais têm por objeto de trabalho a matéria-prima, isto é, um objeto já filtrado pelo trabalho, um produto do próprio trabalho. É o caso da semente na agricultura. Animais e plantas que costumamos considerar produtos da natureza são, possivelmente, não só produtos do trabalho do ano anterior, mas, em sua forma atual, produtos de uma transformação continuada, através de muitas gerações, realizada sob controle do homem e pelo seu trabalho. No tocante aos meios de trabalho, a observação mais superficial descobre, na grande maioria deles, os vestígios do trabalho de épocas passadas.

A matéria-prima pode ser a substância principal de um produto, ou contribuir para sua constituição como material acessório. O meio de trabalho consome o material acessório: assim, a máquina a vapor, o carvão; a roda, o óleo; o cavalo de tração, o feno. Ou o material acessório é adicionado à matéria-prima, para modificá-la materialmente: o cloro ao pano cru, o carvão ao ferro, a anilina à lã; ou facilita a execução do próprio trabalho: os materiais, por exemplo, utilizados para iluminar e aquecer o local de trabalho. A diferença entre substância principal e acessória desaparece na fabricação em que se processe uma transformação química, pois nesse caso nenhuma das matérias-primas empregadas reaparece como a substância do produto.[8]

Tendo cada coisa muitas propriedades e servindo, em consequência, a diferentes aplicações úteis, pode o mesmo produto constituir matéria-prima de processos de trabalho muito diversos. O centeio, por exemplo, é matéria-prima do moleiro, do fabricante de amido, do destilador de aguardente, do criador de gado etc. Como semente, é matéria-prima de sua própria produção. O carvão é produto da indústria de mineração e, ao mesmo tempo, meio de produção dela.

---

8 Storch distingue entre *matière*, a matéria-prima propriamente dita, e *materiaux*, os materiais acessórios; Cherbuliez chama os materiais acessórios *matières instrumentales*.

O mesmo produto pode, no processo de trabalho, servir de meio de trabalho e de matéria-prima. Na engorda de gado, por exemplo, o boi é matéria-prima a ser elaborada e, ao mesmo tempo, instrumento de produção de adubo.

Um produto que existe em forma final para consumo pode tornar-se matéria-prima. A uva, por exemplo, serve de matéria-prima para o vinho. Ou o trabalho dá ao produto formas que só permitem sua utilização como matéria-prima. Nesse caso, chama-se a matéria-prima de semiproduto, ou melhor, de produto intermediário, como algodão, fios, linhas etc. Embora já seja produto, a matéria-prima original tem de percorrer toda uma série de diferentes processos, funcionando em cada um deles com nova forma, como matéria-prima, até atingir o último processo, que faz dela produto acabado, pronto para consumo ou para ser utilizado como meio de trabalho.

Como se vê, um valor de uso pode ser considerado matéria-prima, meio de trabalho ou produto, dependendo inteiramente da sua função no processo de trabalho, da posição que nele ocupa, variando com essa posição a natureza do valor de uso.

Ao servirem de meios de produção em novos processos de trabalho, perdem os produtos o caráter de produto. Funcionam apenas como fatores materiais desses processos. O fiandeiro vê no fuso apenas o meio de trabalho, e, na fibra de linho, apenas a matéria que fia, objeto de trabalho. Por certo, é impossível a fiação sem material para fiar e sem fuso. Pressupõe-se a existência desses produtos para que tenha início a fiação. Mas, dentro desse processo, ninguém se preocupa com o fato de a fibra de linho e o fuso serem produtos de trabalho anterior, do mesmo modo que é indiferente ao processo digestivo que o pão seja produto dos trabalhos anteriores do triticultor, do moleiro, do padeiro etc. Ao contrário, é através dos defeitos que os meios de produção utilizados no processo de trabalho fazem valer sua condição de produtos de trabalho anterior. Uma faca que não corta, o fio que se rompe etc., lembram logo o cuteleiro A e o fiandeiro B. No produto normal, desaparece o trabalho anterior que lhe imprimiu as qualidades úteis.

Uma máquina que não serve ao processo de trabalho é inútil. Além disso, deteriora-se sob a poderosa ação destruidora das forças naturais. O ferro enferruja, a madeira apodrece. O fio que não se emprega na produção de tecido ou de malha é algodão que se perde. O trabalho vivo tem de apoderar-se dessas coisas, de arrancá-las de sua inércia, de transformá-las de valores de uso possíveis em valores de uso reais e efetivos. O trabalho, com sua chama, delas se apropria, como se fossem partes do seu organismo, e, de acordo com a finalidade que o move, lhes empresta vida para cumprirem suas funções; elas são consumidas, mas com um propósito que as torna elementos constitutivos de novos valores de uso, de novos produtos que podem servir ao consumo individual como meios de subsistência ou a novo processo de trabalho como meios de produção.

Os produtos de trabalho anterior, que, além de resultado, constituem condições de existência do processo de trabalho, só se mantêm e se realizam como valores de uso através de sua participação nesse processo, de seu contato com o trabalho vivo.

O trabalho gasta seus elementos materiais, seu objeto e seus meios; consome-os; é um processo de consumo. Trata-se de consumo produtivo, que se distingue do consumo individual: este gasta os produtos como meios de vida do indivíduo, ao passo que aquele os consome como meios através dos quais funciona a força de trabalho posta em ação pelo indivíduo. O produto do consumo individual é, portanto, o próprio consumidor; e o resultado do consumo produtivo, um produto distinto do consumidor.

Quando seus meios (instrumental) e seu objeto (matérias-primas etc.) já são produtos, o trabalho consome produtos para criar produtos, ou utiliza-se de produtos como meios de produção de produtos. Mas, primitivamente, o processo de trabalho ocorria entre o homem e a terra tal como existia sem sua intervenção, e hoje continuam a lhe servir de meios de produção coisas diretamente fornecidas pela natureza, as quais não representam, portanto, nenhuma combinação entre substâncias naturais e trabalho humano.

O processo de trabalho, que descrevemos em seus elementos simples e abstratos, é atividade dirigida com o fim de criar valores de uso, de apropriar os elementos naturais às necessidades humanas; é condição necessária do intercâmbio material entre o homem e a natureza; é condição natural eterna da vida humana, sem depender, portanto, de qualquer forma dessa vida, sendo antes comum a todas as suas formas sociais. Não foi, por isso, necessário tratar do trabalhador em sua relação com outros trabalhadores. Bastaram o homem e seu trabalho, de um lado; a natureza e seus elementos materiais, do outro. O gosto do pão não revela quem plantou o trigo, e o processo examinado nada nos diz sobre as condições em que ele se realiza, se sob o látego do feitor de escravos ou sob o olhar ansioso do capitalista, ou se o executa Cincinato lavrando algumas jeiras de terra ou o selvagem ao abater um animal bravio com uma pedra.[9]

Voltemos ao nosso capitalista em embrião. Deixamo-lo depois de ter ele comprado no mercado todos os elementos necessários ao processo de trabalho, os materiais, ou meios de produção, e o pessoal, a força de trabalho. Com sua experiência e sagacidade, escolheu os meios de produção e as forças de trabalho adequados a seu ramo especial de negócios: fiação, fabricação de calçados etc. Nosso capitalista põe-se então a consumir a mercadoria, a força de trabalho que adquiriu, fazendo o detentor dela, o trabalhador, consumir os meios de produção com o seu trabalho. Evidentemente, não muda a natureza geral do processo de trabalho executá-lo o trabalhador para o capitalista, e não para si mesmo. De início, a intervenção do capitalista também não muda o método de fazer calçados ou de fiar. No começo, tem de adquirir a força de trabalho como a encontra no mercado, de satisfazer-se com o trabalho da espécie que existia antes de aparecerem os capitalistas. Só mais tarde pode ocorrer a transformação dos métodos de produção em virtude da subordinação do trabalho ao capital e, por isso, só trataremos dela mais adiante.

O processo de trabalho, quando ocorre como processo de consumo da força de trabalho pelo capitalista, apresenta dois fenômenos característicos.

O trabalhador trabalha sob o controle do capitalista, a quem pertence seu trabalho. O capitalista cuida em que o trabalho se realize de maneira apropriada e em que se apliquem adequadamente os meios de produção, não se desperdiçando matéria-prima e poupando-se o instrumental de trabalho, de modo que só se gaste deles o que for imprescindível à execução do trabalho.

Além disso, o produto é propriedade do capitalista, não do produtor imediato, o trabalhador. O capitalista paga, por exemplo, o valor diário da força de trabalho. Sua utilização, como a de qualquer outra mercadoria – por exemplo, a de um cavalo que alugou por um dia –, pertence-lhe durante o dia. Ao comprador pertence o uso da mercadoria, e o possuidor

---

9 O Coronel Torrens parte desse sólido fundamento, a pedra do selvagem, para descobrir a origem do capital. "Na primeira pedra que o selvagem atira ao animal bravio que persegue, no pau que apanha para derrubar a fruta que pende acima do seu alcance, vemos a apropriação de um objeto para o fim de obter outro e descobrirmos assim a origem do capital." (R. Torrens, *An Essay on the Production of Wealth* etc., pp. 70-71.) Provavelmente aquele pau (em alemão, *Stock*) serve também para explicar por que *stock*, em inglês, é sinônimo de capital.

da força de trabalho apenas cede realmente o valor de uso que vendeu, ao ceder seu trabalho. Ao penetrar o trabalhador na oficina do capitalista, pertence a este o valor de uso de sua força de trabalho, sua utilização, o trabalho. O capitalista compra a força de trabalho e incorpora o trabalho, fermento vivo, aos elementos mortos constitutivos do produto, os quais também lhe pertencem. Do seu ponto de vista, o processo de trabalho é apenas o consumo da mercadoria que comprou, a força de trabalho, que só pode consumir adicionando-lhe meios de produção. O processo de trabalho é um processo que ocorre entre coisas que o capitalista comprou, entre coisas que lhe pertencem. O produto desse processo pertence-lhe do mesmo modo que o produto do processo de fermentação em sua adega.[10]

2. O PROCESSO DE PRODUZIR MAIS-VALIA

O produto, de propriedade do capitalista, é um valor de uso: fios, calçados etc. Mas, embora calçados sejam úteis à marcha da sociedade e nosso capitalista seja um decidido progressista, não fabrica sapatos por paixão aos sapatos. Na produção de mercadorias, nosso capitalista não é movido por puro amor aos valores de uso. Produz valores de uso apenas por serem e enquanto forem substrato material, detentores de valor de troca. Tem dois objetivos. Primeiro, quer produzir um valor de uso que tenha um valor de troca, um artigo destinado à venda, uma mercadoria. E segundo, quer produzir uma mercadoria de valor mais elevado que o valor conjunto das mercadorias necessárias para produzi-la, isto é, a soma dos valores dos meios de produção e força de trabalho, pelos quais antecipou seu bom dinheiro no mercado. Além de um valor de uso, quer produzir mercadoria; além de valor de uso, valor, e não só valor, mas também valor excedente (mais-valia).

---

10 "Ocorre a apropriação dos produtos antes de se transformarem em capital; essa transformação não os livra daquela apropriação." (Cherbuliez, *Richesse ou pauvreté*, édit. Paris, 1841, p. 54.) "Ao vender seu trabalho por determinada quantidade de meios de subsistência, renuncia o proletário a qualquer direito de participar no produto. A apropriação dos produtos continua como era antes; não se modifica com o ajuste que mencionamos. O produto pertence exclusivamente ao capitalista que forneceu a matéria-prima e os meios de subsistência do trabalhador. É uma consequência rigorosa da lei da apropriação, cujo princípio fundamental era, ao contrário, o direito de propriedade exclusiva de cada trabalhador ao produto de seu trabalho." (*Op. cit.*, p. 58.) "Quando os trabalhadores recebem salários por seu trabalho, é o capitalista o possuidor não só do capital [o autor quer dizer meios de produção] mas também do trabalho. Se, como é costume, se inclui no termo capital o que se paga em salários, é absurdo falar de trabalho separadamente de capital. A palavra capital assim empregada compreende ambos, trabalho e capital." (James Mill, *Elements of Pol. Econ.* etc., pp. 70-71.)

O CAPITAL

Tratando-se agora de produção de mercadorias, só consideramos realmente até aqui um aspecto do processo. Sendo a própria mercadoria unidade de valor de uso e valor, o processo de produzi-la tem de ser um processo de trabalho ou um processo de produzir valor de uso e, ao mesmo tempo, um processo de produzir valor.

Focalizemos sua produção do ponto de vista do valor.

Sabemos que o valor de qualquer mercadoria é determinado pela quantidade de trabalho materializado em seu valor de uso, pelo tempo de trabalho socialmente necessário à sua produção. Isto se aplica também ao produto que vai para as mãos do capitalista, como resultado do processo de trabalho. De início, temos, portanto, de quantificar o trabalho materializado nesse produto.

Exemplifiquemos com fios.

Para a produção de fios, é necessário, digamos, 10 quilos de algodão. No tocante ao valor do algodão, não é necessário investigar, pois supomos ter sido comprado no mercado pelo seu valor, 10 xelins. No preço do algodão já está representado o trabalho exigido para sua produção em termos de trabalho social médio. Admitiremos ainda que, na elaboração do algodão, o desgaste do fuso, que representa no caso todos os outros meios de trabalho empregados, atinge um valor de 2 xelins. Se uma quantidade de ouro representada por 12 xelins é o produto de 24 horas de trabalho ou de dois dias de trabalho, infere-se que, de início, já estão incorporados no fio dois dias de trabalho.

Não nos deve levar à confusão nem a mudança de forma do algodão nem a circunstância de ter desaparecido inteiramente o que foi consumido do fuso. A equação valor de 40 quilos de fio = valor de 40 quilos de algodão + valor de um fuso inteiro seria verdadeira, segundo a lei geral do valor, se a mesma quantidade de trabalho fosse exigida para produzir o que está em cada um dos lados da equação; nas mesmas condições, 10 quilos de fio são o equivalente de 10 quilos de algodão mais ¼ de fuso. No caso, o mesmo tempo de trabalho está representado, de um lado, no valor de uso fio, e, do outro, nos valores de uso algodão e fuso. Não altera o valor aparecer sob a forma de fio, fuso ou algodão. Se, em vez de deixar parados o fuso e o algodão, combinamo-los no processo de fiação que modifica suas formas de uso, transformando-os em fio, essa circunstância em nada alteraria o valor deles; seria o mesmo que os trocar simplesmente por seu equivalente em fio.

O tempo de trabalho exigido para a produção do algodão – a matéria-prima, no caso, é – parte do necessário à produção do fio e, por isso, está

210

contido no fio. O mesmo ocorre com o tempo de trabalho exigido para a produção da parte dos fusos que tem de ser desgastada ou consumida para fiar o algodão.[11]

No tocante ao valor do fio, o tempo de trabalho necessário à sua produção, podemos considerar fases sucessivas de um mesmo processo de trabalho os diversos processos especiais de trabalho, separados no tempo e no espaço, a serem percorridos para produzir o próprio algodão, a parte consumida dos fusos e, finalmente, o fio com o algodão e os fusos. Todo o trabalho contido no fio é trabalho pretérito. Não tem a menor importância que o tempo de trabalho exigido para a produção dos elementos constitutivos esteja mais afastado do presente que o aplicado imediatamente no processo final, na fiação. Se determinada quantidade de trabalho, digamos, 30 dias de trabalho, é necessária à construção de uma casa, em nada altera o tempo de trabalho incorporado à casa que o trigésimo dia de trabalho se aplique na construção 29 dias depois do primeiro. Basta considerar o tempo de trabalho contido no material e no instrumental do trabalho como se tivesse sido despendido num estágio anterior ao processo de fiação, antes do trabalho de fiar finalmente acrescentado.

Os valores dos meios de produção, o algodão e o fuso, expressos no preço de 12 xelins, constituem partes componentes do valor do fio ou do valor do produto.

Mas duas condições têm de ser preenchidas. Primeiro, algodão e fuso devem ter servido realmente à produção de um valor de uso. No caso, deve o fio ter surgido deles. O valor não depende do valor de uso que o representa, mas tem de estar incorporado num valor de uso qualquer. Segundo, pressupõe-se que só foi aplicado o tempo de trabalho necessário nas condições sociais de produção reinantes. Se 1 quilo de algodão é necessário para produzir 1 quilo de fio, só deve ser consumido 1 quilo de algodão na fabricação de 1 quilo de fio. O mesmo vale para os fusos. Se o capitalista se der ao luxo de empregar fusos de ouro em vez de fusos de aço, só se computa no valor do fio o trabalho socialmente necessário, isto é, o tempo de trabalho necessário à produção de fusos de aço.

---

11 "Influi no valor das mercadorias, além do trabalho nelas imediatamente aplicado, aquele que se empregou nos implementos, ferramentas e edifícios com os quais se torna possível o trabalho imediatamente aplicado." (Ricardo, *op. cit.*, p. 16.)

Sabemos agora a parte do valor do fio formada pelos meios de produção, algodão e fuso. É igual a 12 xelins, que representam dois dias de trabalho. Vejamos agora a porção de valor que o trabalho do fiandeiro acrescenta ao algodão.

Agora temos de focalizar o trabalho sob aspecto totalmente diverso daquele sob o qual o consideramos no processo de trabalho. Tratava-se, então, da atividade adequada para transformar algodão em fio. Quanto mais apropriado o trabalho, melhor o fio, continuando inalteradas as demais circunstâncias. O trabalho do fiandeiro, como processo de produzir valor de uso, é especificamente distinto dos outros trabalhos produtivos, e a diversidade se patenteia, subjetiva e objetivamente, na finalidade exclusiva de fiar, no modo especial de operar, na natureza particular dos meios de produção, no valor de uso específico do seu produto. Algodão e fuso são indispensáveis ao trabalho de fiar, mas não se pode, com eles, estriar canos na fabricação de canhões. Mas, agora, consideramos o trabalho do fiandeiro como criador de valor, fonte de valor, e, sob esse aspecto, não difere do trabalho do perfurador de canhões, nem se distingue, tomando exemplo mais próximo, dos trabalhos do plantador de algodão e do produtor de fusos. É essa identidade que permite aos trabalhos de plantar algodão, de fazer fusos e de fiar constituírem partes, que diferem apenas quantitativamente, do mesmo valor global, o valor do fio. Não se trata mais da qualidade, da natureza e do conteúdo do trabalho, mas apenas da sua quantidade. Basta calculá-la. Pressupomos que o trabalho de fiar é trabalho simples, trabalho social médio. Ver-se-á depois que pressupor o contrário em nada altera a questão.

Durante o processo de trabalho, o trabalho se transmuta de ação em ser, de movimento em produto concreto. Ao fim de uma hora, a ação de fiar está representada em determinada quantidade de fio; uma determinada quantidade de trabalho, uma hora de trabalho se incorpora ao algodão. Falamos em trabalho, ou seja, no dispêndio da força vital do fiandeiro durante uma hora, porque o trabalho de fiar só interessa, aqui, como dispêndio da força de trabalho, e não como trabalho especializado.

É da maior importância que durante o processo, durante a transformação do algodão em fio, só se empregue o tempo de trabalho socialmente necessário. Se, sob condições sociais de produção normais, médias, se transformam x quilos de algodão, durante uma hora de trabalho, em y quilos de fio, só se pode considerar dia de trabalho de 12 horas, o que transforma $12x$

quilos de algodão em 12y quilos de fio. Só se considera criador de valor o tempo de trabalho socialmente necessário.

Como o trabalho, assumem a matéria-prima e o produto aspecto totalmente diverso daquele sob o qual os consideramos no processo de trabalho. A matéria-prima serve aqui para absorver determinada quantidade de trabalho. Com essa absorção, transforma-se em fio, por ter sido a força de trabalho, a ela aplicada, despendida sob a forma de fiação. Mas, o produto, o fio, apenas mede agora o trabalho absorvido pelo algodão. E, numa hora, $1^2/_3$ quilo de algodão se converte em $1^2/_3$ quilo de fio e representa 6 horas de trabalho absorvidas. Quantidades de produto determinadas, estabelecidas pela experiência, significam determinada quantidade de trabalho, determinado tempo de trabalho solidificado. Apenas materializam tantas horas ou tantos dias de trabalho social.

Não importa que o trabalho seja de fiação, que seu material seja algodão, e seu produto, fio, nem interessa, tampouco, que esse material já seja produto, matéria-prima, portanto. Se o trabalhador, em vez de fiar, estiver ocupado numa mina de carvão, o carvão objeto de trabalho será fornecido pela natureza. Apesar disso, determinada quantidade de carvão extraído – 100 quilos, por exemplo – representará a quantidade de trabalho que absorveu.

Ao tratar da venda da força de trabalho, supomos seu valor diário = 3 xelins, objetivando-se nessa quantia 6 horas de trabalho. Essa quantidade de trabalho é, portanto, necessária para produzir a soma média diária dos meios de subsistência do trabalhador. Se, numa hora de trabalho, nosso fiandeiro transforma $1^2/_3$ quilo de algodão em $1^2/_3$ quilo de fio,[12] é claro que, em 6 horas, converterá 10 quilos de algodão em 10 quilos de fio. Assim, durante a fiação, absorve o algodão 6 horas de trabalho. O mesmo tempo está representado numa quantidade de ouro com o valor de 3 xelins. Com a fiação, acrescenta-se ao algodão um valor de 3 xelins.

Vejamos agora o valor total do produto, os 10 quilos de fio. Neles se incorporaram 2½ dias de trabalho, dos quais 2 se contêm no algodão e na substância consumida do fuso e ½ foi absorvido durante o processo de fiação. Esses dois dias e meio de trabalho correspondem a uma quantidade de ouro equivalente a 15 xelins. O preço adequado ao valor dos 10 quilos de fio é, portanto, 15 xelins, e o de um quilo de fio, 1 xelim e 6 pence.

---

12 Os dados são arbitrários.

Nosso capitalista fica perplexo. O valor do produto é igual ao do capital adiantado. O valor adiantado não cresceu, não produziu excedente (mais-valia); o dinheiro não se transformou em capital. O preço dos 10 quilos de fio é 15 xelins, e essa quantia foi gasta no mercado com os elementos constitutivos do produto ou, o que é o mesmo, com os fatores do processo de trabalho: 10 xelins com algodão, 2 xelins com a parte consumida do fuso e 3 xelins com a força de trabalho. Pouco importa o valor agregado do fio, pois é apenas a soma dos valores existentes antes no algodão, no fuso e na força de trabalho, e dessa mera adição de valores existentes não pode jamais surgir mais-valia.[13] Esses valores estão agora concentrados numa só coisa, mas já formavam uma unidade na quantidade de 15 xelins antes de ela se distribuir em três compras de mercadorias.

Considerado em si mesmo, não há por que estranhar esse resultado. O valor de 1 quilo de fio é 1 xelim e 6 pence, e por 10 quilos de fio nosso capitalista teria de pagar no mercado 15 xelins. Tanto faz que compre no mercado, já construída, sua casa particular ou que a mande construir: o modo de aquisição não alterará a quantia de dinheiro que tiver de empregar.

O capitalista, familiarizado com a economia vulgar, dirá provavelmente que adiantou seu dinheiro com a intenção de fazer com ele mais dinheiro. Mas o caminho do inferno está calçado de boas intenções, e ele podia ter até a intenção de fazer dinheiro sem nada produzir.[14] Ameaça. Não o embrulharão de novo. Futuramente, comprará a mercadoria pronta no mercado, em vez de fabricá-la. Mas, se todos os seus colegas capitalistas fizerem o mesmo, como achar mercadoria para comprar? Não pode comer seu dinheiro. Resolve doutrinar. Sua abstinência deve ser levada em consideração. Podia ter esbanjado em prazeres seus 15 xelins. Em vez disso, consumiu-os produtivamente, transformando-os em fio. Reparamos, entretanto, que tem

---

13 Esta é a proposição fundamental em que se baseia a doutrina fisiocrática da improdutividade de todo trabalho não agrícola; o economista ortodoxo não pode refutá-la. "Essa maneira de agregar numa coisa os valores de várias outras [acrescentar, por exemplo, à libra de linho o custo de manutenção do tecelão] de superpor, em camadas, diversos valores, formando um só, faz este crescer na medida dos acréscimos. [...] A palavra adição designa muito bem o modo como se forma o preço dos produtos do trabalho; esse preço é apenas a soma de vários valores consumidos e acumulados; mas adicionar não é multiplicar." (Mercier de la Rivière, *op. cit.*, p. 599.)

14 De 1844 a 1847, retirou o capitalista parte do seu capital de negócios produtivos para especular em ações de empresas ferroviárias. Ao tempo da Guerra de Secessão americana, fechou sua fábrica, lançando o trabalhador no olho da rua, para jogar na bolsa de algodão de Liverpool.

PROCESSO DE TRABALHO E PROCESSO DE PRODUZIR MAIS-VALIA

agora fio em vez de remorsos. Que não se deixe dominar pela tentação de entesourar, pois já vimos a que resultados leva o ascetismo do entesourador. Além disso, o rei perde seus direitos onde nada existe. Qualquer que seja o mérito de sua renúncia, nada existe para remunerá-la, uma vez que o valor do produto que sai do processo apenas iguala a soma dos valores das mercadorias que nele entraram. Que ele se console com a ideia de a virtude ser a recompensa da virtude. Mas não, ele se torna importuno. O fio não tem, para ele, nenhuma utilidade. Produziu-o para vender. Se assim é, que o venda, ou, melhor ainda, que doravante só produza coisas para o próprio consumo, receita que MacCulloch, o médico da família, já lhe prescrevera como infalível contra a epidemia da superprodução. O capitalista se lança ao ataque. Poderia o trabalhador construir fábricas no ar, produzir mercadorias? Não lhe forneceu ele os elementos materiais, sem os quais não lhe teria sido possível materializar seu trabalho? Sendo a maioria da sociedade constituída dos que nada possuem, não prestou ele um serviço inestimável à sociedade com seus meios de produção, seu algodão e seus fusos, e ao próprio trabalhador, a quem forneceu ainda os meios de subsistência? Não deve ele computar todo esse serviço? Mas, reparamos, não compensou o trabalhador, ao converter o algodão e o fuso em fio?

Além disso, não se trata aqui de serviço.[15] Serviço nada mais é do que o efeito útil de um valor de uso, mercadoria ou trabalho.[16] Trata-se aqui de valor de troca. O capitalista pagou ao trabalhador o valor de 3 xelins. O trabalhador devolveu-lhe um equivalente exato no valor de 3 xelins, acrescido ao algodão. Valor contra valor. Nosso amigo, até há pouco arrogante, assume subitamente a atitude modesta do seu próprio trabalhador. Não trabalhou ele, não realizou o trabalho de vigiar e de superintender o fiandeiro? Não

---

15 "Que se exaltem, se adornem e se ataviem. [...] Quem torna mais ou algo melhor do que dá, pratica usura e não presta serviço, mas causa prejuízo a seu próximo, como se tivesse furtado ou roubado. Nem tudo que se chama de serviço é favor, e serviço é favor ao próximo. Um adúltero e uma adúltera se prestam reciprocamente grande serviço e se dão mútuo prazer. Um cavaleiro presta um grande serviço ao incendiário e assassino, ajudando-o a roubar nas estradas, a pilhar terras e gentes. Os papistas prestam aos nossos um grande serviço, quando, em vez de afogar, queimar, assassinar todos, ou pô-los a apodrecerem nas prisões, deixam alguns viverem, desterrando-os ou despojando-os de seus haveres. O próprio diabo presta a seus seguidores grande, inestimável serviço. [...] Em resumo, está o mundo cheio de serviços e favores consideráveis, excelentes e diários." (Martinho Lutero, *An die Pfarrherrn, wider den Wucher zu predigen* etc., Wittenberg, 1540.)

16 Em *Contribuição à crítica da econ. pol.*, p. 14, fiz sobre o assunto a seguinte observação: "Compreende-se o 'serviço' que a categoria 'serviço' deve prestar a certa espécie de economistas como J.B. Say e F. Bastiat."

O CAPITAL

constitui valor esse trabalho? Mas seu capataz e seu gerente encolhem os ombros. Entrementes, nosso capitalista recobra sua fisionomia costumeira com um sorriso jovial. Com toda aquela ladainha, estava apenas se divertindo à nossa custa. Não daria um centavo por ela. Deixa esses e outros subterfúgios e embustes por conta dos professores de economia, especialmente pagos para isso. Ele é um homem prático que nem sempre pondera o que diz fora do negócio, mas sabe o que faz dentro dele.

Examinemos o assunto mais de perto. O valor diário da força de trabalho importava em 3 xelins, pois nela se materializa meio dia de trabalho, isto é, custam meio dia de trabalho os meios de subsistência quotidianamente necessários para produzir a força de trabalho. Mas o trabalho pretérito que se materializa na força de trabalho e o trabalho vivo que ela pode realizar, os custos diários de sua produção e o trabalho que ela despende, são duas grandezas inteiramente diversas. A primeira grandeza determina seu valor de troca; a segunda constitui seu valor de uso. Por ser necessário meio dia de trabalho para a manutenção do trabalhador durante 24 horas, não se infira que este está impedido de trabalhar uma jornada inteira. O valor da força de trabalho e o valor que ela cria no processo de trabalho são, portanto, duas magnitudes distintas. O capitalista tinha em vista essa diferença de valor quando comprou a força de trabalho. A propriedade útil desta, de fazer fios ou sapatos, era apenas uma *conditio sine qua non*, pois o trabalho, para criar valor, tem de ser despendido em forma útil. Mas o decisivo foi o valor de uso específico da força de trabalho, o qual consiste em ser ela fonte de valor, e de mais valor que o que tem. Este é o serviço específico que o capitalista dela espera. E ele procede, no caso, de acordo com as leis eternas da troca de mercadorias. Na realidade, o vendedor da força de trabalho, como o de qualquer outra mercadoria, realiza seu valor de troca e aliena seu valor de uso. Não pode receber um sem transferir o outro. O valor de uso do óleo vendido não pertence ao comerciante que o vendeu, e o valor de uso da força de trabalho, o próprio trabalho, tampouco pertence a seu vendedor. O possuidor do dinheiro pagou o valor diário da força de trabalho; pertence-lhe, portanto, o uso dela durante o dia, o trabalho de uma jornada inteira. A manutenção quotidiana da força de trabalho custa apenas meia jornada, apesar de a força de trabalho poder operar, trabalhar, uma jornada inteira, e o valor que sua utilização cria num dia é o dobro do próprio valor de troca. Isto é uma grande felicidade para o comprador, sem constituir injustiça contra o vendedor.

Nosso capitalista previu a situação que o faz sorrir. Por isso, o trabalhador encontra na oficina os meios de produção, não para um processo de trabalho de seis horas, mas de 12. Se 10 quilos de algodão absorvem seis horas de trabalho e se transformam em 10 quilos de fio, 20 quilos de algodão absorverão 12 horas de trabalho e se converterão em 20 quilos de fio. Examinemos o produto do processo de trabalho prolongado. Nos 20 quilos de fio estão materializados agora cinco dias de trabalho, dos quais quatro no algodão e na porção consumida do fuso, e um absorvido pelo algodão durante a fiação. A expressão em ouro de cinco dias de trabalho é 30 xelins. Este é o preço de 20 quilos de fio. Um quilo de fio custa agora, como dantes, 1 xelim e 6 pence. Mas a soma dos valores das mercadorias lançadas no processo importa em 27 xelins. O valor do fio é de 30 xelins. O valor do produto ultrapassa $^1/_9$ o valor antecipado para sua produção. Desse modo, 27 xelins se transformaram em 30 xelins. Criou-se uma mais-valia de 3 xelins. Consumou-se finalmente o truque: o dinheiro se transformou em capital.

Satisfizeram-se todas as condições do problema e não se violaram as leis que regem a troca de mercadorias. Trocou-se equivalente por equivalente. Como comprador, o capitalista pagou toda a mercadoria pelo valor: algodão, fuso, força de trabalho. E fez o que faz qualquer outro comprador de mercadoria. Consumiu seu valor de uso. Do processo de consumo da força de trabalho, ao mesmo tempo processo de produção de mercadoria, resultaram 20 quilos de fio com um valor de 30 xelins. O capitalista, depois de ter comprado mercadoria, volta ao mercado para vender mercadoria. Vende o quilo de fio por 1 xelim e 6 pence, nem um centavo acima ou abaixo de seu valor. Tira, contudo, da circulação 3 xelins mais do que nela lançou. Essa metamorfose, a transformação de seu dinheiro em capital, sucede na esfera da circulação e não sucede nela. Por intermédio da circulação, por depender da compra da força de trabalho no mercado. Fora da circulação, por esta servir apenas para se chegar à produção da mais-valia, que ocorre na esfera da produção. E, assim, "tudo o que acontece é o melhor que pode acontecer no melhor dos mundos possíveis".

Ao se converter dinheiro em mercadorias que servem de elementos materiais de novo produto ou de fatores do processo de trabalho e ao se incorporar força de trabalho viva à materialidade morta desses elementos, transforma-se valor, trabalho pretérito, materializado, morto, em capital, em valor que se amplia, um monstro animado que começa a "trabalhar", como se tivesse o diabo no corpo.

Comparando o processo de produzir valor com o de produzir mais-valia, veremos que o segundo só difere do primeiro por se prolongar além de certo ponto. O processo de produzir valor simplesmente dura até o ponto em que o valor da força de trabalho pago pelo capital é substituído por um equivalente. Ultrapassando esse ponto, o processo de produzir valor torna-se processo de produzir mais-valia (valor excedente).

Se compararmos o processo de produzir valor com o processo de trabalho, verificaremos que este consiste no trabalho útil que produz valores de uso. A atividade neste processo é considerada qualitativamente, em sua espécie particular, segundo seu objetivo e conteúdo. Mas, quando se cogita da produção de valor, o mesmo processo de trabalho é considerado apenas sob o aspecto quantitativo. Só importa o tempo que o trabalhador leva para executar a operação ou o período durante o qual a força de trabalho é gasta utilmente. Também as mercadorias que entram no processo de trabalho não são mais vistas como elementos materiais da força de trabalho, adequados aos fins estabelecidos e com funções determinadas. São consideradas quantidades determinadas de trabalho materializado. Contido nos meios de produção ou acrescentado pela força de trabalho, só se computa o trabalho de acordo com sua duração, em horas, dias etc.

Mas, quando se mede o tempo de trabalho aplicado na produção de um valor de uso, só se considera o tempo de trabalho socialmente necessário. Isto envolve muitas coisas. A força de trabalho deve funcionar em condições normais. Se o instrumento de trabalho socialmente dominante na fiação é a máquina de fiar, não se deve pôr nas mãos do trabalhador uma roda de fiar. O trabalhador deve receber algodão de qualidade normal, e não refugo que se parte a todo instante. Em ambos os casos, gastaria ele mais do que o tempo de trabalho socialmente necessário para a produção de um quilo de fio, e esse tempo excedente não geraria valor nem dinheiro. A normalidade dos fatores materiais do trabalho não depende do trabalhador, mas do capitalista. Outra condição é a normalidade da própria força de trabalho. Deve possuir o grau médio de habilidade, destreza e rapidez reinantes na especialidade em que se aplica. Mas nosso capitalista comprou no mercado força de trabalho de qualidade normal. Essa força tem de ser

PROCESSO DE TRABALHO E PROCESSO DE PRODUZIR MAIS-VALIA

gasta conforme a quantidade média de esforço estabelecida pelo costume, de acordo com o grau de intensidade socialmente usual. O capitalista está cuidadosamente atento a isto, e zela também por que não se passe o tempo sem trabalho. Comprou a força de trabalho por prazo determinado. Empenha-se por ter o que é seu. Não quer ser roubado. Finalmente – e para isso tem ele seu código penal particular –, não deve ocorrer nenhum consumo impróprio de matéria-prima e de instrumentais, pois material ou instrumentos desperdiçados significam quantidades superfluamente despendidas de trabalho materializado, não sendo, portanto, consideradas nem incluídas na produção de valor.[17]

Vemos que a diferença estabelecida, através da análise da mercadoria, entre o trabalho que produz valor de uso e o trabalho que produz valor se manifesta agora sob a forma de dois aspectos distintos do processo de produção.

O processo de produção, quando unidade do processo de trabalho e do processo de produzir valor, é processo de produção de mercadorias; quando unidade do processo de trabalho e do processo de produzir mais-

---

17 Esta é uma das circunstâncias que encarecem a produção baseada na escravatura. O trabalhador aí, segundo a expressão acertada dos antigos, se distingue do animal, instrumento capaz de articular sono, e do instrumento inanimado de trabalho, instrumento mudo, por ser instrumento dotado de linguagem. Mas o trabalhador faz o animal e os instrumentos sentirem que ele não é seu semelhante, mas um ser humano. Cria para si mesmo a consciência dessa diferença, maltratando-os e destruindo--os passionalmente. Constitui, por isso, princípio econômico só empregar, na produção escravista, os instrumentos de trabalho mais rudes, mais grosseiros, difíceis de serem estragados em virtude de sua rusticidade primária. Até a eclosão da Guerra de Secessão, encontravam-se nos estados escravocratas banhados pelo Golfo do México arados construídos segundo velho estilo chinês, que fuçavam a terra como um porco ou uma toupeira, sem fendê-la nem revirá-la. Vide J.E. Cairnes, *The Slave Power*, Londres, 1862, pp. 46 e segs. Em seu livro *Seabord Slave States*, [pp. 46-47], diz Olmsted: "Mostra-ram-me aqui instrumentos que ninguém entre nós, no uso normal de sua razão, poria nas mãos de um trabalhador a quem pagasse salário. Na minha opinião, o peso excessivo e a rusticidade deles tornam o trabalho, pelo menos, dez por cento mais difícil do que seria, se executado com os instrumentos que utilizamos. Asseguraram-me que, em face do modo negligente e inepto como os escravos os utilizam, seria mau negócio fornecer-lhes algo mais leve ou menos tosco, e que instrumentos como os que confiamos aos nossos trabalhadores, para nosso proveito, não durariam um dia nos campos de trigo da Virgínia, embora a terra seja mais leve e mais livre de pedras que a nossa. Do mesmo modo, quando perguntei por que nas fazendas substituíam geralmente os cavalos por mulas, a primeira razão apresentada e a mais convincente foi a de que os cavalos não podem suportar o tratamento que lhes costumam infligir os negros. Em pouco tempo arruínam ou aleijam os cavalos, enquanto as mulas aguentam as bordoadas e a falta ocasional de uma ou duas rações, sem prejuízo para seu estado físico. Não se resfriam, nem adoecem, quando não cuidam delas ou as submetem à estafa. Não preciso ir além da janela do quarto onde estou escrevendo para ver, quase a qualquer hora, o gado ser tratado de modo que levaria qualquer fazendeiro do Norte a despedir imediatamente o vaqueiro."

-valia, é processo capitalista de produção, forma capitalista da produção de mercadorias.

Observamos anteriormente que não importa ao processo de criação da mais-valia que o trabalho de que se apossa o capitalista seja trabalho simples, trabalho social médio, ou trabalho mais complexo, de peso específico superior. Confrontado com o trabalho social médio, o trabalho que se considera superior, mais complexo, é dispêndio de força de trabalho formada com custos mais altos, que requer mais tempo de trabalho para ser produzida, tendo, por isso, valor mais elevado que a força de trabalho simples. Quando o valor da força de trabalho é mais elevado, emprega-se ela em trabalho superior e materializa-se, no mesmo espaço de tempo, em valores proporcionalmente mais elevados. Qualquer que seja a diferença fundamental entre o trabalho do fiandeiro e o do ourives, a parte do trabalho deste artífice com a qual apenas cobre o valor da própria força de trabalho não se distingue qualitativamente da parte adicional com que produz mais-valia. A mais-valia se origina de um excedente quantitativo de trabalho, da duração prolongada do mesmo processo de trabalho, tanto no processo de produção de fios quanto no processo de produção de artigos de ourivesaria.[18]

---

18 A diferença entre trabalho superior e simples, entre trabalho qualificado e não qualificado decorre, em parte, de meras ilusões, ou pelo menos de distinções que cessaram de ser reais, mas sobrevivem convencionalmente, por tradição; em parte, se origina também da situação precária de certas camadas da classe trabalhadora, situação que as impede, mais que as outras, de reivindicarem e obterem o valor de sua força de trabalho. Circunstâncias fortuitas desempenham, no caso, papel tão importante que esses dois gêneros de trabalho chegam a trocar de posição. Onde, por exemplo, a substância física da classe trabalhadora está enfraquecida e relativamente esgotada, como nos países de produção capitalista desenvolvida, os trabalhos brutais que exigem muita força muscular são considerados superiores a muitos trabalhos mais refinados, que são rebaixados ao nível de trabalho simples. Na Inglaterra, um pedreiro ocupa uma posição superior à de um tecedor de damasco; já o trabalho de um aparador de veludo é considerado simples, embora exija grande esforço físico e seja nocivo à saúde. Além disso, não devemos supor que o trabalho superior, qualificado, represente grande proporção do trabalho nacional. Laing estima que mais de 11 milhões de pessoas vivem de trabalho simples, na Inglaterra e no País de Gales. Desconta um milhão de aristocratas e um milhão e meio de indigentes, vagabundos, criminosos, prostitutas etc. da população de 18 milhões que existia ao publicar-se sua obra, ficando 46.500.00 para a classe média. Nesta inclui pessoas que vivem de pequenos investimentos, funcionários, artistas, professores etc. Para chegar a esses $4^2/_3$ milhões, considera parte trabalhadora da classe média, além de banqueiros etc., todos os trabalhadores de fábrica mais bem-remunerados. Neste grupo incluiu também os pedreiros. Restaram-lhe então os referidos 11 milhões (S. Laing, *National Distress* etc., Londres, 1844, [pp. 49-52 *passim*]). "A grande classe que só dispõe de trabalho comum para dar em troca de alimento constitui a grande maioria da população." (James Mill, no artigo "Colony", *Supplement to the Encyclop. Brit.*, 1831.)

PROCESSO DE TRABALHO E PROCESSO DE PRODUZIR MAIS-VALIA

Ademais, em todo processo de produzir valor, o trabalho superior tem de ser reduzido a trabalho social médio, por exemplo, um dia de trabalho superior a x dias de trabalho simples.[19] Evita-se uma operação supérflua e facilita a análise, admitindo-se que o trabalhador empregado pelo capital executa trabalho simples, ao mesmo tempo trabalho social médio.

---

19 "Quando se fala de trabalho como medida de valor, subentende-se necessariamente uma espécie determinada de trabalho [...] sendo fácil de averiguar a proporção em que se encontra em relação às outras espécies." ([J. Cazenove], *Outlines of Polit. Economy*, Londres, 1832, pp. 22-23.)

VI.
Capital constante e capital variável

Os diversos elementos do processo de trabalho desempenham papéis diferentes na formação do valor dos produtos.

Pondo-se de lado o conteúdo, a finalidade e a natureza técnica do trabalho, o trabalhador acrescenta ao material, ao objeto de trabalho, novo valor, por meio do acréscimo de determinada quantidade de trabalho. Além disso, os valores e os meios de produção consumidos reaparecem como partes componentes do valor do produto; os valores do algodão e do fuso, por exemplo, no valor do fio. O valor dos meios de produção se conserva através de sua transferência ao produto. Ocorre essa transferência durante a transformação dos meios de produção em produto, no processo de trabalho. É levada a efeito pelo trabalho. Mas como?

O trabalhador não executa dois trabalhos ao mesmo tempo, o de acrescentar valor ao algodão com seu trabalho e o de preservar o valor dos meios de produção, isto é, transferir ao fio o valor do algodão que serve de matéria-prima e o do fuso com que trabalha. Apenas por adicionar valor novo, conserva o valor antigo. O acréscimo de valor novo ao material de trabalho e a conservação dos valores antigos no produto são dois resultados totalmente diversos produzidos pelo trabalhador ao mesmo tempo, embora execute apenas um trabalho. Só se pode, evidentemente, explicar a dupla natureza desse resultado por meio da dupla natureza do seu próprio trabalho. No mesmo tempo, em virtude de uma propriedade, seu trabalho tem de criar valor e, em virtude de outra, conservá-lo, ou seja, transferi-lo.

Como é que o trabalhador acrescenta tempo de trabalho e, consequentemente, valor? Sob a forma de um trabalho útil particular, e apenas sob essa forma. O fiandeiro só acrescenta tempo de trabalho fiando; o tecelão, tecendo; o ferreiro, forjando. Ao despenderem eles sua força de trabalho e, em consequência, acrescentarem valor novo, tornam, por meio da forma apropriada de seu trabalho (a de fiar, tecer e forjar), os meios de produção – algodão e fuso, fio e tear, ferro e bigorna – elementos constitutivos de um produto, de um novo valor de uso.[20] A velha forma do valor de uso desses objetos desaparece para reaparecer sob forma nova. Ao tratar do processo de produzir valor, verificamos que, ao consumir-se adequadamente um valor de uso para produzir novo valor de uso, o tempo de trabalho necessário para produzir o valor de uso consumido constitui parte do tempo de

---

20 "O trabalho substitui uma criação destruída por uma nova." (*An Essay on the Polit. Econ. of Nations*, Londres, 1821, p. 13.)

trabalho necessário para a produção de novo valor de uso, sendo, portanto, tempo de trabalho que se transfere dos meios de produção consumidos ao novo produto. O trabalhador preserva os valores dos meios de produção consumidos, transfere-os ao produto como partes componentes do seu valor, não pelo acréscimo de trabalho em geral, mas pela modalidade especialmente útil desse trabalho adicional, através de sua forma produtiva específica. O trabalho, sob a forma de atividade produtiva adequada a um fim, seja qual for – fiar, tecer ou forjar –, com seu simples contato traz à vida os meios de produção, torna-os fatores do processo de trabalho e combina-se com eles para formar produtos.

Se o trabalho produtivo específico do trabalhador não for o de fiar, não transformará ele o algodão em fio, não transferirá, portanto, os valores do algodão e do fuso ao fio. Entretanto, se o mesmo trabalhador mudar de profissão e se tornar marceneiro, acrescentará do mesmo modo, com um dia de trabalho, valor ao objeto sobre o qual opera. Acrescenta valor, portanto, com o seu trabalho, não por ser trabalho de fiação ou de marcenaria, mas apenas por ser trabalho abstrato social. Acrescenta determinada magnitude de valor não por possuir seu trabalho conteúdo útil particular, mas porque dura um tempo determinado. O trabalho do fiandeiro, por sua propriedade abstrata geral de dispêndio de força humana de trabalho, acrescenta aos valores do algodão e do fuso valor novo e, por sua propriedade concreta, especial, útil, característica do processo de fiação, transfere o valor desses meios de produção ao produto, preservando-o no produto. Daí a dupla natureza do resultado obtido no mesmo tempo.

Com a simples adição de certa quantidade de trabalho, acrescenta-se novo valor, e, com a qualidade do trabalho adicionado, preservam-se no produto os valores originais dos meios de produção. Esse efeito duplo do mesmo trabalho, em virtude de sua dupla natureza, manifesta-se claramente em diversos fenômenos.

Admita-se que uma invenção qualquer capacite o fiandeiro a fiar em 6 horas a mesma quantidade de algodão que fiava antes em 36. Como atividade produtiva, apropriada, útil, seu trabalho teve a força aumentada seis vezes. O produto é seis vezes maior: 36 quilos de fio em vez de 6. Mas os 36 quilos de algodão absorvem agora o mesmo tempo de trabalho que absorviam antes 6 quilos. Acrescenta-se a cada quilo de algodão a sexta parte do tempo de trabalho empregado pelo método anterior e, consequentemente, apenas um sexto do valor anterior. Por outro lado, existe agora no produto

CAPITAL CONSTANTE E CAPITAL VARIÁVEL

(36 quilos de fio) um valor em algodão seis vezes maior. Nas 6 horas de fiação conserva-se e transfere-se ao produto um valor em matéria-prima seis vezes maior, embora se acrescente a cada quilo de matéria-prima um valor novo seis vezes menor. Isto demonstra que a propriedade por meio da qual o trabalho conserva valores é essencialmente diversa da propriedade pela qual, no mesmo processo indiviso, produz valor. Quanto maior o tempo de trabalho necessário aplicado à mesma quantidade de algodão pelo fiandeiro, maior o valor novo que se acrescenta ao algodão, e, quanto maior a quantidade de algodão fiada no mesmo tempo de trabalho, maior o valor antigo que se preserva no produto.

Suponha-se que a produtividade do trabalho de fiação não varie, precisando o fiandeiro do mesmo tempo anterior de trabalho para transformar um quilo de algodão em fio, mas que varie o valor de troca do algodão, com uma elevação ou queda no preço, de seis vezes. Em ambos os casos, o fiandeiro continua a acrescentar o mesmo tempo de trabalho à mesma quantidade de algodão, o mesmo valor, portanto, e em ambos os casos produz ele, no mesmo espaço de tempo, a mesma quantidade de fio. Todavia, o valor que transfere do algodão ao fio, ao produto, é, num caso, seis vezes maior e, no outro, seis vezes menor que o anterior. O mesmo ocorre quando se torna mais caro ou mais barato o instrumental de trabalho que prossegue, entretanto, prestando o mesmo serviço no processo de trabalho.

Permanecendo invariáveis as condições técnicas do processo de fiação e não havendo nenhuma variação de valor nos meios de produção, continua o fiandeiro a consumir, no mesmo tempo de trabalho, a mesma quantidade de matéria-prima e de maquinaria com os mesmos valores. O valor que ele preserva no produto fica, então, na razão direta ao valor novo que acrescenta. Em duas semanas, ele acrescenta mais trabalho que em uma, duas vezes mais valor, portanto, e, ao mesmo tempo, consome duas vezes mais material e desgasta duas vezes mais maquinaria, conservando valor duas vezes maior. Permanecendo invariáveis as condições de produção, conserva o trabalhador tanto mais valor quanto mais valor acrescenta, mas ele não conserva mais valor por acrescentar mais valor, e sim por acrescentá-lo em condições invariáveis e que não dependem do seu próprio trabalho.

Num sentido relativo, pode-se dizer que o trabalhador preserva sempre valores anteriores na mesma proporção em que acrescenta novo valor. Suba o algodão de 1 para 2 xelins ou caia para 6 pence, transfere o trabalhador ao produto de uma hora apenas metade do valor do algodão que consegue transferir ao produto em duas horas, qualquer que seja a variação do valor do algodão. Varie ainda a produtividade do seu próprio trabalho, aumente ou diminua, fiará, em uma hora de trabalho, maior ou menor quantidade de algodão do que antes, transferindo, em consequência, maior ou menor valor em algodão ao produto em uma hora de trabalho. Contudo, conservará ou transferirá, em duas horas de trabalho, mais valor do que em uma hora de trabalho.

Valor, excetuando-se sua representação simbólica, só existe num valor de uso, numa coisa. (O próprio homem, visto como personificação da força de trabalho, é um objeto natural, uma coisa, embora uma coisa viva e consciente, e o próprio trabalho é a manifestação externa, objetiva, dessa força.) A perda do valor de uso implica a perda do valor. Os meios de produção não perdem valor simultaneamente com o valor de uso, porque, no processo de trabalho, só perdem realmente a figura original de seu valor de uso para adquirirem a figura de outro valor de uso no produto. Importa ao valor existir num valor de uso, sendo-lhe, entretanto, indiferente a natureza deste, como demonstra a metamorfose das mercadorias. Segue daí que, no processo de trabalho, o valor dos meios de produção só se transfere ao produto quando os meios de produção, juntamente com seu valor de uso independente, perdem seu valor de troca. Cedem ao produto apenas o valor que perdem como meios de produção. Mas a esse respeito há variações de comportamento entre os fatores materiais do processo de trabalho.

O carvão com que se aquece a máquina desaparece sem deixar vestígio, o mesmo ocorrendo com o óleo com que se lubrifica o eixo da roda etc. Tintas e outros materiais auxiliares desaparecem para reaparecerem nas qualidades do produto. A matéria-prima constitui a substância do produto, mas muda sua forma. Matéria-prima e materiais acessórios perdem a figura com que entraram no processo de trabalho como valores de uso. Mas isso não acontece com o instrumental, com os meios de trabalho. Uma ferramenta, uma máquina, um edifício de fábrica, um recipiente, só são úteis ao processo de trabalho enquanto conservam seu feitio original, entrando cada dia no processo com a mesma forma. Durante sua vida, no processo de trabalho, e mesmo após sua morte, conservam, perante o produto, seu feitio próprio. As máquinas, os instrumentos, os edifícios industriais que se tornaram imprestáveis continuam a existir separados dos produtos que ajudaram a produzir. Observemos todo o período em que um instrumento de trabalho presta serviço, desde o dia de sua entrada na oficina até o dia em

CAPITAL CONSTANTE E CAPITAL VARIÁVEL

que é jogado no montão de ferro velho; nesse espaço de tempo, seu valor de uso é completamente consumido pelo trabalho e seu valor de troca se transfere totalmente ao produto. Se uma máquina de fiar vive dez anos e funciona nesse período, seu valor total se transfere aos produtos fabricados nesses dez anos. O período de vida de um meio de trabalho compreende um número maior ou menor de processos de trabalho nos quais ele entra continuamente. Sua vida pode ser comparada com a do ser humano. Diariamente, aproxima-se o homem 24 horas da morte. Mas, ao ver um homem, não sabemos exatamente quantos dias ele durará. Isto não impede, entretanto, às empresas de seguros de tirarem, sobre a vida média do ser humano, conclusões bastante acertadas e, o que mais lhes importa, muito lucrativas. O mesmo ocorre com o instrumental, o meio de trabalho. Por experiência, sabe-se quanto tempo dura um instrumento de trabalho, um determinado tipo de máquina, por exemplo. Admita-se que seu valor de uso só dure seis dias no processo de trabalho. Cada dia, ela perde em média $1/6$ de seu valor de uso e cede, por isso, $1/6$ de seu valor ao produto diário. É deste modo que se computa o desgaste de todo instrumento de trabalho; à perda diária que ocorreu no seu valor de uso corresponde uma transferência diária de valor ao produto.

Vemos assim, claramente, que um meio de produção não transfere ao produto mais valor que o que perde no processo de trabalho com a destruição do próprio valor de uso. Se não tiver nenhum valor a perder, isto é, se esse instrumento não for ele mesmo produto de trabalho humano, não transferirá valor ao produto. Terá servido para criar valor de uso sem servir para criar valor de troca. É o que sucede com todos os meios de produção oferecidos pela natureza sem qualquer intervenção humana, tais como a terra, o vento, a água, o ferro nas minas, a madeira na floresta virgem etc. Observamos outro fenômeno interessante neste domínio. Suponha-se que uma máquina com o valor de 1.000 libras esterlinas se desgaste em 1.000 dias.

Neste caso, se transfere quotidianamente $1/1.000$ do valor da máquina a seu produto diário. A máquina opera inteira no processo de trabalho, embora sua força vá decrescendo aos poucos. Vê-se, nesse caso, um elemento do processo de trabalho, um meio de produção, entrar, em sua totalidade, no processo de trabalho, mas só em parte no processo de produzir valor. A diferença entre os dois processos reflete-se em seus elementos materiais, considerando-se, no mesmo processo de produção, o mesmo meio de produção em sua totalidade, no processo de trabalho, e parcialmente, no processo de produzir valor, em que transfere fração de seu valor ao valor global do produto.[21]

Inversamente, pode um meio de produção entrar inteiramente no processo de formar valor e apenas em parte no processo de trabalho. Admita-se que, ao ser fiado o algodão, haja para cada 115 quilos uma perda de 15 que não constituem fio, mas mero refugo imprestável. Apesar disso, se é normal essa perda de 15 quilos, se ela é em média inevitável na elaboração do algodão, o valor desses 15 quilos entra no valor do fio sem ser elemento dele, do mesmo modo que o valor dos 100 quilos que constituem sua substância. É mister transformar o valor de uso de 15 quilos de algodão em refugo imprestável, para se produzir 100 quilos de fio. A destruição desse algodão é condição necessária à produção do fio. Por isso mesmo, transfere seu valor ao fio. Isto se aplica a todos os refugos do processo de trabalho, na medida pelo menos em que eles não constituam novos meios de produção e, em consequência, novos valores de uso. Em Manchester, vê-se, nas grandes fábricas de máquinas, montanhas de refugos de ferro removidos por máquinas ciclópicas como se fossem aparas de madeira; são transportados à noite em vagões para a fundição e voltam no dia seguinte à fábrica como ferro maciço.

Os meios de produção só transferem valor à nova figura do produto na medida em que perdem valor na figura de seus valores de uso originais

---

21 Não se trata aqui de consertos dos instrumentos de trabalho, máquinas, construções etc. Uma máquina que está sendo reparada não está desempenhando o papel de instrumento de trabalho, mas de material, de objeto de trabalho. O operário não trabalha com ela e sim trabalha nela, para recuperar seu valor de uso. Todo o trabalho de consertar pode ser considerado, nesta análise, parcela do trabalho exigido para a produção do instrumental de trabalho. No texto, entretanto, referimo-nos ao desgaste a que ninguém pode dar jeito e que progressivamente torna o instrumental imprestável; aludimos "àquela espécie de desgaste que não se pode reparar ao longo do tempo e que leva uma faca finalmente a tal estado que o cuteleiro diz não valer mais a pena substituir a lâmina". Viu-se, no texto, que uma máquina participa de cada processo de trabalho em sua totalidade, mas apenas parcialmente no processo simultâneo de formar valor. Isto permite julgar a confusão das ideias seguintes: "Ricardo fala da quantidade de trabalho despendida por um construtor de máquinas ao fabricar uma máquina de fazer meias", como se estivesse contida, por exemplo, no valor de um par de meias. "Entretanto, todo o trabalho que produz cada par de meias [...] inclui o trabalho por inteiro do construtor da máquina, e não apenas uma parte; pois uma máquina faz muitos pares de meias, e nenhum deles poderia ter sido feito com a ausência de qualquer parte da máquina." (*Observations on Certain Verbal Disputes in Pol. Econ., Particularly Relating to Value, and to Demand and Supply*, Londres, 1821, p. 54.) O autor, um sabichão enfatuado, tem razão em sua confusa polêmica apenas no tocante à circunstância de não terem Ricardo e nenhum outro economista, antes ou depois dele, distinguido exatamente os dois aspectos do trabalho e muito menos ainda analisado seu papel diverso na formação do valor.

CAPITAL CONSTANTE E CAPITAL VARIÁVEL

durante o processo de trabalho. O máximo de perda de valor que podem experimentar no processo de trabalho está, evidentemente, limitado pela magnitude do valor original com que entram no processo de trabalho, ou seja, pelo tempo de trabalho exigido para sua própria produção. Os meios de produção não podem, por isso, transferir ao produto mais valor do que aquele que possuem, independentemente do processo de trabalho a que servem. Por mais útil que seja um material de trabalho, uma máquina, um meio de produção, se custa 150 libras esterlinas, digamos 500 dias de trabalho, não acrescentará à produção total para que tenha concorrido durante sua vida útil mais do que 150 libras esterlinas. Seu valor não é determinado pelo processo de trabalho em que entra como meio de produção, mas pelo processo de trabalho do qual sai como produto. No processo de trabalho em que entra, serve apenas de valor de uso, de coisa com propriedades úteis, e não transferirá nenhum valor ao produto se já não o possuir antes de entrar no processo.[22]

Quando o trabalho produtivo transforma os meios de produção em elementos constitutivos de um novo produto, ocorre uma transmigração com o valor deles. Esse valor se transfere do corpo consumido para o corpo que novamente se forma. Essa transmigração, entretanto, se opera, por assim dizer, sem que o verdadeiro trabalho tome conhecimento dela. O trabalhador não pode adicionar novo trabalho, criar valor novo, sem preservar os valores primitivos. Tem sempre de adicionar o trabalho em forma útil determinada, e não pode acrescentá-lo em forma útil sem fazer de produtos meios de

---

22 Compreende-se o absurdo de J.B. Say, que procura derivar a mais-valia (juros, lucros, renda) dos "serviços produtivos" que os meios de produção, terra, instrumental, couro etc. prestam no processo de trabalho por meio de seu valor de uso. Wilhelm Roscher, que dificilmente perde uma oportunidade de destacar belos pensamentos apologéticos, exclama: "J.B. Say, em seu *Traité*, t. I, cap. 4, observa com toda a razão que o valor produzido por um moinho de azeite, depois de descontar todos os custos, é sem dúvida algo novo, inteiramente diverso do trabalho por meio do qual foi construído o próprio moinho." (*Op. cit.*, p. 82, nota.) Muito bem. O óleo produzido pelo moinho é algo muito diverso do trabalho despendido para construir o moinho. E por valor entende Roscher coisas tais como óleo, uma vez que óleo tem valor. Encontrando-se, porém, "na natureza" óleo mineral, petróleo, embora relativamente "em pequenas quantidades", faz ele essa outra observação: "Ela [a natureza] quase não produz valores de troca." [*Op. cit.*, p. 79.] A natureza de Roscher e o valor de troca dela lembram a jovem imprudente que admite ter tido um filho, mas que ele é "muito pequeno". Esse "*savant sérieux*" observa a seguir: "A escola de Ricardo costuma subordinar o capital à ideia de trabalho, chamando-o de trabalho acumulado. É um ponto de vista inadequado, pois o possuidor do capital fez, sem dúvida, mais que a simples produção e conservação do mesmo, isto é, absteve-se de usufruí-lo, e em compensação, exige juros." (*Op. cit.*, p. 82.) Que "adequado" é esse "método anatômico fisiológico" da economia política, que extrai "valor" da mera "apetência" do capitalista.

produção de um novo produto e, desse modo, transferir o valor deles ao novo produto. É, portanto, um dom natural da força de trabalho em ação, do trabalho vivo, conservar valor na ocasião em que o acrescenta, um dom que nada custa ao trabalhador, mas que muito importa ao capitalista, o de conservar o valor atual de seu capital.[22a] Enquanto o negócio vai bem, está o capitalista demasiadamente concentrado na mais-valia para pensar nesse dom gratuito do trabalho. Mas esse dom é objeto de seus maiores cuidados quando há interrupções violentas do processo de trabalho, crises.[23]

O que se consome dos meios de produção é o valor de uso, e o trabalho cria produtos através desse consumo. Na realidade, não se consome o valor deles,[24] que, por isso, não pode ser recriado. É conservado não por ocorrer com ele uma operação no processo de trabalho, mas por desaparecer o valor de uso em que ele existia originalmente, valor de uso que se transmuta em outro valor de uso. O valor dos meios de produção reaparece no valor do produto, mas, falando exatamente, não é reproduzido. O que é produzido é o novo valor de uso em que reaparece o anterior valor de troca.[25]

22a "De todos os instrumentos da agricultura, o trabalho do homem [...] é o que mais importa ao empresário agrícola para reembolsar-se de seu capital. Os outros dois – os animais utilizados na lavoura e [...] os instrumentos como carroças, arados e pás – nada são se não houver certa quantidade do primeiro." (Edmund Burke, *Thoughts and Details on Scarcity, Originally Presented to the Rt. Hon. W. Pitt in the Month of November 1795*, Londres, 1800, p. 10.)

23 No *Times* de 26 de novembro de 1862, um fabricante que possuía uma fiação com 800 trabalhadores e consumia semanalmente, em média, 150 fardos de algodão da Índia ou cerca de 130 fardos de algodão americano queixava-se ao público sobre as despesas anuais, que sobrecarregavam sua fábrica quando parava de funcionar. Estima-as em 6.000 libras. Entre essas despesas encontram-se várias parcelas que não nos interessam aqui, tais como aluguéis, impostos, seguros, salários de trabalhadores contratados anualmente, superintendentes, contador, engenheiro etc. Computa 150 libras esterlinas de carvão, para aquecer a fábrica em diversas ocasiões e pôr em movimento a máquina a vapor, várias vezes, além de salários a trabalhadores que operam ocasionalmente para manter a maquinaria em condições de funcionar. Inclui 1.200 libras esterlinas para a deterioração da maquinaria, uma vez que "o tempo e as causas naturais de desgaste não interrompem seus efeitos por cessar de girar a máquina a vapor". Diz expressamente que fixou esse pequeno montante de 1.200 libras esterlinas por já estar a maquinaria bastante usada.

24 "Consumo produtivo [...] ocorre quando o consumo de uma mercadoria é parte do processo de produção. [...] Nesse caso, não há consumo de valor." (S.P. Newman, *op. cit.*, p. 296.)

25 Num compêndio americano que está talvez na 20ª edição, lê-se: "Não é importante a forma sob a qual o capital reaparece." Depois de uma longa enumeração de todos os possíveis ingredientes da produção que reaparecem no produto, surge esta conclusão: "Transformam-se também as diversas espécies de alimentos, roupas e habitação que são indispensáveis à existência e ao conforto do ser humano. São consumidas ao longo do tempo, e seu valor reaparece no novo vigor que emprestam ao corpo e ao espírito humano, formando assim novo capital que se aplica em novo processo de produção." (F. Wayland, *op. cit.*, pp. 31-32.) Não considerando outras singularidades, reparamos que não é o preço do pão que reaparece no vigor renovado, mas as substâncias nutritivas. Além disso, o

CAPITAL CONSTANTE E CAPITAL VARIÁVEL

É diferente o que sucede com o fator subjetivo do processo de trabalho, a força de trabalho em atividade. Quando o trabalho, sob forma apropriada a um fim, conserva o valor dos meios de produção, transferindo-o ao produto, cada instante de sua operação forma valor adicional, valor novo. Suponha-se que o processo de produção se interrompe no ponto em que o trabalhador produz o equivalente ao valor de sua força de trabalho, tendo acrescentado um valor de 3 xelins com 6 horas de trabalho. Esse valor acresce o valor do produto acima do valor que recebe dos meios de produção. Esse acréscimo é o único valor original que surge dentro do processo, a única porção do valor do produto que é criada pelo próprio processo. Sem dúvida, substitui apenas o dinheiro despendido pelo capitalista na compra da força de trabalho e pelo próprio trabalhador na aquisição de meios de subsistência. Em relação aos 3 xelins gastos, o novo valor de 3 xelins é uma reprodução pura e simples. Mas uma reprodução real, e não aparente, como ocorre com o valor dos meios de produção. A substituição de um valor por outro se realiza aqui por meio de uma criação nova.

Já sabemos, entretanto, que o processo de trabalho continua além do ponto em que se reproduz o simples equivalente do valor da força de trabalho incorporado ao material, ao objeto de trabalho. Em vez das 6 horas para isso suficientes, dura o processo, por exemplo, 12 horas. A força de trabalho em atividade não só reproduz seu próprio valor, mas também cria valor excedente. Essa mais-valia constitui o excedente do valor do produto em relação ao valor dos componentes do produto consumidos, a saber, os meios de produção e a força de trabalho. Ao discorrer sobre os diversos papéis que os diferentes fatores do processo de trabalho desempenham na formação do valor do produto, na realidade caracterizamos as funções dos diversos componentes do capital no processo de produzir mais-valia. O excedente que o valor total do produto tem sobre a soma dos valores de seus elementos constitutivos é o excedente do capital ampliado sobre o capital originalmente despendido. Os meios de produção, de um lado, e a força de trabalho, do outro, são apenas diferentes formas de existência

---

que reaparece como valor desse vigor, dessa força, é o valor dos meios de subsistência. Se esses meios de subsistência custam apenas a metade, produzirão a mesma quantidade de músculos, ossos etc., a mesma força, enfim, mas não força do mesmo valor. Essa conversão de valor em força e toda essa imprecisão farisaica dissimulam a tentativa, de resto vã, de extrair mais-valia do mero reaparecimento de valores preexistentes.

O CAPITAL

assumidas pelo valor do capital original ao despir-se da forma dinheiro e transformar-se nos fatores do processo de trabalho.

A parte do capital, portanto, que se converte em meios de produção, isto é, em matéria-prima, materiais acessórios e meios de trabalho não muda a magnitude do seu valor no processo de produção. Chamo-a, por isso, parte constante do capital, ou simplesmente capital constante.

A parte do capital convertida em força de trabalho, ao contrário, muda de valor no processo de produção. Reproduz o próprio equivalente e, além disso, proporciona um excedente, a mais-valia, que pode variar, ser maior ou menor. Esta parte do capital transforma-se continuamente de magnitude constante em magnitude variável. Por isso, chamo-a parte variável do capital, ou simplesmente capital variável. As mesmas partes do capital, que, do ponto de vista do processo de trabalho, se distinguem em elementos objetivos e subjetivos, em meios de produção e força de trabalho, do ponto de vista do processo de produzir mais-valia, se distinguem em capital constante e capital variável.

O conceito de capital constante não exclui nenhuma alteração de valor em suas partes componentes. Suponha-se que o quilo de algodão custe hoje 6 pence e amanhã, em virtude de queda na colheita, suba para 1 xelim. O algodão anterior que continua a ser elaborado foi comprado por 6 pence, mas acrescenta agora ao produto o valor de 1 xelim. E o algodão que está fiado, e que talvez já esteja circulando no mercado sob a forma de fio, acrescenta também ao produto o dobro do seu valor original. Verifica-se, entretanto, que essa variação de valor não depende do acréscimo de valor que a fiação incorpora ao algodão. Se o algodão anterior não tivesse entrado no processo de trabalho, poderia ser vendido agora por 1 xelim, em vez de por 6 pence. Além disso, quanto menos processos de trabalho percorrer, mais seguro é esse resultado. É lei da especulação, nessas alterações de valor, jogar com a matéria-prima em sua forma menos elaborada, preferir para isso o fio ao tecido e o algodão ao fio. A alteração de valor se origina no processo que produz algodão, e não no processo em que funciona como meio de produção, como capital constante. O valor de uma mercadoria é determinado pela quantidade de trabalho que contém, mas essa quantidade é socialmente determinada. Se muda o tempo de trabalho socialmente exigido para sua produção – e a mesma quantidade de algodão representa, em colheitas desfavoráveis, maior quantidade de trabalho que nas favoráveis –, verifica-se uma reação sobre a mercadoria antiga, que não passa de exemplar isolado de sua espécie,[26] cujo valor sempre se mede pelo trabalho socialmente necessário, isto é, pelo trabalho necessário nas condições sociais presentes.

Como o da matéria-prima, o valor dos meios de trabalho – da maquinaria, por exemplo – empregados no processo de produção pode variar também e, em consequência, a porção de valor que transferem ao produto. Se, em virtude de uma invenção, se reproduz uma máquina da mesma espécie com menos dispêndio de trabalho, sofre a máquina antiga uma desvalorização e passa a transferir ao produto proporcionalmente menos valor. Mas também aqui a variação de valor se origina fora do processo de produção em que a máquina serve de meio de produção. Nesse processo, não transfere a máquina mais valor do que o que possui independentemente dele.

Uma mudança no valor dos meios de produção, mesmo quando ocorra após sua entrada no processo, não muda seu caráter de capital constante; do mesmo modo, uma variação na proporção entre capital constante e capital variável não altera a diferença que existe entre as respectivas funções. Podem mudar as condições técnicas do processo de trabalho a tal ponto que, onde antes dez trabalhadores, com dez instrumentos de valor ínfimo, elaboravam uma quantidade relativamente pequena de matéria-prima, hoje um trabalhador, com uma máquina cara, elabora cem vezes mais matéria-prima. Nesse caso, ter-se-ia elevado enormemente o capital constante, isto é, o montante de valor dos meios de produção empregados, e teria caído muito a parte do capital gasto com a força de trabalho. Essa variação, entretanto, altera apenas a relação entre as magnitudes do capital constante e do variável ou a proporção em que o capital total se decompõe em componentes constante e variável, mas em nada modifica a diferença essencial entre os dois.

---

26 "Todos os produtos do mesmo tipo constituem, a bem dizer, uma massa cujo preço é determinado de maneira geral e sem consideração a circunstâncias particulares." (Le Trosne, *op. cit.*, p. 893.)

VII.

A taxa da mais-valia

VII.
A Lex̦a de mai-valia

1. O GRAU DE EXPLORAÇÃO DA FORÇA DE TRABALHO

A mais-valia produzida pelo capital desembolsado C no processo de produção ou o aumento do valor do capital desembolsado C patenteia-se, de início, no excedente do valor do produto sobre a soma dos valores dos elementos que o constituíram.

O capital C decompõe-se em duas partes: uma soma em dinheiro c gasta com os meios de produção, e outra v despendida com a força de trabalho; c representa a parte do valor que se transforma em capital constante e v, a que se transforma em capital variável. Originalmente, portanto, $C = c + v$; por exemplo, o capital antecipado de 500 libras = 410 libras + 90 libras. No fim do processo de produção, surge a mercadoria, com o valor = $(c + v)$ + m, representando m a mais-valia; por exemplo, (410 libras + 90 libras) + 90 libras. O capital original C converte-se em C', 500 libras transformam-se em 590 libras. A diferença entre ambos = m, uma mais-valia de 90. Uma vez que o valor dos fatores de produção é igual ao valor do capital desembolsado, é uma tautologia afirmar que o excedente do valor do produto em relação ao valor global dos fatores de produção é igual ao acréscimo de valor do capital desembolsado, isto é, igual à mais-valia produzida.

Devemos, contudo, examinar mais de perto essa tautologia. O que se compara com o valor do produto é o valor dos fatores consumidos em sua formação. Vimos que a parte do capital constante aplicado, constituída de meios de trabalho, só transfere ao produto uma porção de seu valor, continuando a porção restante a sobreviver em sua forma original. Não desempenhando esta última nenhum papel na formação de valor, abstrairemos dela. Sua inclusão nos cálculos não traria nenhuma alteração. Suponha-se que $c = 410$ libras, sendo constituído de 312 libras de matéria-prima, 44 libras de materiais acessórios e 54 libras de maquinaria desgastada no processo, mas que o valor da maquinaria realmente empregada se eleve a 1.054 libras. Só computamos, para a produção do valor do produto, o valor de 54 libras que a máquina perde com sua operação, transferindo-o, por isso, ao produto. Se incluirmos as 1.000 libras que continuam a existir em sua forma anterior como maquinaria, teremos de colocá-la de dois lados, o do valor desembolsado e o do valor do produto,[26a] os quais atingirão respec-

---

26a "Se considerarmos o valor do capital fixo aplicado parte do capital desembolsado, teremos de computar, no fim do ano, o valor remanescente deste capital como parte da receita anual." (Malthus, *Princ. of Pol. Econ.*, 2ª ed., Londres, 1836, p. 260.)

tivamente 1.500 libras e 1.590 libras. A diferença entre ambos é a mesma que achamos anteriormente, 90 libras. Por capital constante antecipado para a produção de valor compreendemos, portanto, apenas o valor dos meios de produção consumidos na produção, sempre quando o contrário não se evidencie do contexto.

Isto posto, voltemos à fórmula $C = c + v$, que se transforma em $C' = (c + v) + m$, C virando C'. Sabe-se que o valor do capital constante apenas reaparece no produto. O valor novo realmente gerado no processo é, portanto, diferente do valor do produto dele saído; esse valor novo não é, como parece à primeira vista, $(c + v) + m$ ou 410 libras + 90 libras + 90 libras, mas $v + m$ ou 90 libras + 90 libras, não é 590 libras, mas 180. Se $c = 0$, se, em outras palavras, houvesse ramos industriais em que o capitalista não tivesse de aplicar meios de produção previamente produzidos, matérias-primas ou materiais acessórios, nem instrumentos de trabalho, mas apenas elementos fornecidos pela natureza e pela força de trabalho, não haveria nenhuma porção de valor do capital constante a ser transferida ao produto. Seria eliminada essa parte do valor do produto, 410 libras em nosso exemplo, mas o valor gerado de 180 libras que contém a mais-valia de 90 libras continuaria com a mesma magnitude, independentemente da grandeza de C. Teríamos $C = (0 + v) = v$, e $C' = v + m$, o capital desembolsado acrescido de mais-valia, como dantes. $C' - C = m$. Se $m = 0$, se, em outras palavras, a força de trabalho, cujo valor foi antecipado na forma de capital variável, só produzisse um equivalente, então $C = c + v$ e $C' = (c + v) + 0$, o valor do produto; então $C = C'$. O capital desembolsado não teria aumentado seu valor.

Já sabemos que a mais-valia é simples decorrência da variação de valor que ocorre com v, a parte do capital aplicada em força de trabalho; que $v + m = v + \Delta v$, isto é, $v +$ acréscimo de v. Mas a verdadeira variação de valor e a proporção em que o valor se altera ficam obscurecidas por haver, com o crescimento da parte variável, um crescimento simultâneo do capital global desembolsado. O capital global era 500 e tornou-se 590. A análise pura do processo exige pôr de lado a parte do valor do produto na qual só reaparece o valor do capital constante, fazendo o capital constante $c = 0$. Aplica-se desse modo uma lei da matemática, quando opera com grandezas constantes e grandezas variáveis, ligadas apenas por adição ou subtração.

Outra dificuldade surge da forma original do capital variável. No exemplo acima, C' = 410 libras de capital constante + 90 libras de capital variável + 90 libras de mais-valia. Mas 90 libras são uma magnitude dada, constante, e por isso parece absurdo considerá-la variável. Mas 90 libras de capital variável simbolizam aqui o processo que esse valor percorre. A parte do capital aplicada na compra da força de trabalho é uma quantidade determinada de trabalho materializado, uma magnitude constante, portanto, como o valor da força de trabalho adquirida. No processo de produção, entretanto, entra no lugar das 90 libras desembolsadas a força de trabalho em atividade; no lugar do trabalho materializado, o trabalho em operação; no lugar de uma magnitude estática, uma magnitude dinâmica; no lugar de uma grandeza constante, uma grandeza variável. O resultado é reprodução de v + acréscimo de v. Do ponto de vista da produção capitalista, todo esse processo é movimento autônomo do valor originalmente constante, invertido em força de trabalho. Atribui-se a ele o processo e seu resultado. Se a expressão 90 libras de capital variável, ou valor que se expande, se patenteia contraditória é apenas porque põe em evidência uma contradição imanente à produção capitalista.

À primeira vista, parece estranho igualar o capital constante a 0. Mas é o que fazemos na vida quotidiana. Se quisermos determinar o que a Inglaterra ganha na indústria de algodão, excluiremos de início o preço do algodão pago aos Estados Unidos, Índia, Egito e outros países; em outras palavras, faremos = 0 o valor do capital que apenas reaparece no valor do produto.

Todavia, tem grande significação econômica não só a relação entre a mais-valia e a parte do capital da qual diretamente deriva e cuja variação de valor representa, mas também a relação entre ela e o capital total desembolsado. Tratamos pormenorizadamente desta relação no Livro 3. Para aumentar o valor do capital com a conversão de uma parte dele em força de trabalho, é mister transformar a outra parte em meios de produção. Para funcionar o capital variável, é mister desembolsar capital constante em proporções adequadas, de acordo com a natureza técnica do processo de trabalho. Não impede a análise do processo químico abstrair das retortas e recipientes que lhe são indispensáveis. Considerando em si mesmas a criação e a ampliação de valor, observando-as em sua pureza, vemos que os meios de produção, as figuras corpóreas do capital constante, apenas fornecem a matéria em que se fixa a força operante, criadora de valor. É, por isso, indiferente a esta força a natureza da matéria, se algodão ou ferro. É também indiferente o valor da matéria que tem de estar presente em quantidade suficiente para absorver a quantidade de trabalho a ser despendida no processo de produção. Dada a quantidade de matéria, pode seu valor

O CAPITAL

subir ou baixar ou mesmo não existir, como corre em relação à terra e ao mar. O processo de criação e de ampliação do valor não se altera por isso.[27]

Inicialmente, fizemos o capital constante = 0. O capital desembolsado se reduz, assim, de $c + v$ a v, e o valor do produto $(c + v) + m$, ao valor gerado $(v + m)$. Dado o valor gerado = 180 libras em que se representa o trabalho operante durante o processo de produção, temos de deduzir o valor do capital variável = 90 libras, para obter a mais-valia = 90 libras. A quantia 90 libras = m expressa aqui a magnitude absoluta da mais-valia criada. Sua magnitude relativa, isto é, a proporção em que aumenta o valor do capital variável, é evidentemente determinada pela relação entre a mais-valia e o capital variável, expressando-se pela fórmula $m/_v$. No exemplo acima, ela é $^{90}/_{90}$ = 100%. A esse aumento relativo do valor do capital variável a essa magnitude relativa da mais-valia, chamo taxa da mais-valia.[28]

Vimos que o trabalhador, durante uma parte do processo de trabalho, só produz o valor de sua força de trabalho, isto é, o valor dos meios de subsistência que lhe são necessários. Produzindo ele num sistema que se fundamente na divisão social do trabalho, não produz diretamente seus meios de subsistência, mas um valor (sob a forma de uma mercadoria particular, o fio, por exemplo) igual ao valor dos seus meios de subsistência ou ao dinheiro com que os compra. A parte do seu dia de trabalho despendida para esse fim é maior ou menor segundo o valor dos meios de subsistência dos quais em média necessita diariamente, segundo, portanto, o tempo de trabalho em média diariamente exigido para a produção deles. Se o valor desses meios de subsistência representa em média o dispêndio de 6 horas de trabalho, tem o trabalhador em média de trabalhar 6 horas por dia para criá-lo. Se ele não trabalhasse para o capitalista, mas para si mesmo, independentemente, teria, não se alterando as demais circunstâncias, de trabalhar, em média como dantes, a mesma parte alíquota do dia, para produzir o valor de sua força de trabalho e assim obter os meios de subsistência necessários à sua manutenção ou reprodução contínua. Na parte do

---

27 Nota da 2ª edição: É evidente o que diz Lucrécio: "*Nil posse creari de nihilo.*" Nada se tira do nada. Criação de valor é conversão de força de trabalho em trabalho. Força de trabalho é matéria convertida em organismo humano.

28 Do mesmo modo, se diz taxa de lucro, taxa de juros etc. Veremos no Livro 3 que é fácil compreender o que é taxa de lucro, desde que se conheçam as leis da mais-valia. Se seguirmos o caminho oposto, não entenderemos nem um nem outro.

dia de trabalho na qual gera o valor diário da força de trabalho, digamos 3 xelins, o trabalhador só cria o equivalente ao valor dela já pago pelo capitalista.[28a] Apenas substitui o valor desembolsado do capital variável pelo novo valor criado, e essa criação de valor é mera reprodução. Chamo de tempo de trabalho necessário a essa parte do dia de trabalho na qual sucede essa reprodução; e de trabalho necessário o trabalho despendido durante esse tempo.[29] Ambos são necessários ao trabalhador, pois não dependem da forma social de seu trabalho, e necessários ao capital e ao seu mundo baseados na existência permanente do trabalhador.

O segundo período do processo de trabalho, quando o trabalhador opera além dos limites do trabalho necessário, embora constitua trabalho, dispêndio de força de trabalho, não representa para ele nenhum valor. Gera a mais-valia, que tem, para o capitalista, o encanto de uma criação que surgiu do nada. A essa parte do dia de trabalho chamo de tempo de trabalho excedente, e ao trabalho nela despendido, de trabalho excedente. Conceber o valor como simples solidificação do tempo de trabalho, apenas como trabalho objetivado, é tão essencial para seu conhecimento geral quanto, para o da mais-valia, ver nela simples solidificação do tempo de trabalho excedente, trabalho excedente objetivado. Só a forma em que se extrai do produtor imediato, do trabalhador, esse trabalho excedente distingue as diversas formações econômico-sociais, a sociedade da escravidão, por exemplo, da sociedade do trabalho assalariado.[30]

28a Nota da 3ª edição: O autor usa aí a linguagem econômica corrente. Lembramos que, à página 137, ficou demonstrado que, na realidade, não é o capitalista quem faz adiantamento ao trabalhador, mas este ao capitalista. — F.E.

29 Empregamos até agora a expressão "tempo de trabalho necessário" para designar o tempo de trabalho socialmente necessário à produção de uma mercadoria. Doravante, emprega-la-emos também para significar o tempo de trabalho necessário à produção dessa mercadoria especial, que é a força de trabalho. O uso dos mesmos termos técnicos com sentidos diversos oferece inconvenientes, mas nenhuma ciência pode evitá-lo inteiramente. Veja-se, por exemplo, o que ocorre com as matemáticas superiores e elementares.

30 Wilhelm Roscher, na opinião dele mesmo o Tucídides da economia política, sustenta que a formação da mais-valia ou do produto excedente e a acumulação daí decorrente se originam, hodiernamente, da parcimônia do capitalista, que, em compensação, exige juros. E, com genialidade asnática, descobre que "nos níveis mais baixos de civilização o forte obrigava o fraco a ser parcimonioso" (*op. cit.*, pp. 82, 78). Obrigava-o a poupar trabalho ou produtos excedentes que não existiam? O que leva Roscher e quejandos a transformarem em razões de ser da mais-valia as justificações mais ou menos plausíveis que o capitalista apresenta para apropriar-se da mais-valia existente é, sem dúvida, além da ignorância real, o medo apologético de analisar conscienciosamente o valor e a mais-valia e chegar a resultados embaraçantes e proibidos.

O CAPITAL

Sendo o valor do capital variável igual ao valor da força de trabalho por ele comprado, sendo a parte necessária do dia de trabalho determinada pelo valor dessa força de trabalho e a mais-valia determinada pela parte excedente do dia de trabalho, segue-se daí que a mais-valia se comporta para com o capital variável como o trabalho excedente para com o necessário; em outras palavras, a taxa da mais-valia = $\frac{\text{trabalho excedente}}{\text{trabalho necessário}}$. Ambas as proporções expressam a mesma relação de forma diferente, na forma de trabalho materializado, de um lado, e na forma de trabalho operante, do outro.

A taxa da mais-valia é, por isso, a expressão precisa do grau de exploração da força de trabalho pelo capital ou do trabalhador pelo capitalista.[30a]

Admitimos em nosso exemplo que o valor do produto = (410 libras + 90 libras) + 90 libras, e o capital desembolsado = 500 libras. Uma vez que a mais-valia = 90 e o capital desembolsado = 500, concluir-se-ia, de acordo com o modo costumeiro de calcular, que a taxa da mais-valia (que se confunde geralmente com a taxa de lucro) = 18%, percentagem que alegraria o coração de Carey e outros fanáticos da harmonia social preestabelecida. Na realidade, a taxa da mais-valia não é $\frac{m}{C}$, ou $\frac{m}{c+v}$, mas $\frac{m}{v}$; não é, portanto, $\frac{90}{500}$, mas $\frac{90}{90}$ = 100%, mais de 5 vezes o grau aparente de exploração. Embora não conheçamos, no caso sob exame, a magnitude absoluta do dia de trabalho, nem o período do processo de trabalho (dia, semana etc.), nem o número dos trabalhadores postos em ação pelo capital variável de 90 libras, a taxa da mais-valia $\frac{90}{90}$ indica-nos, por meio de sua convertibilidade em $\frac{\text{trabalho excedente}}{\text{trabalho necessário}}$, proporção exata que existe entre as duas partes que compõem o dia de trabalho. É de 100%. O trabalhador, portanto, trabalhou metade do dia para si e a outra metade para o capitalista.

Em poucas palavras, o método de calcular a taxa da mais-valia é o seguinte: tomamos o valor global do produto e dele deduzimos o valor do capital constante, valor que nele apenas reaparece. O valor remanescente é o único valor realmente gerado no processo de produção da mercadoria. Dada a mais-valia, extraímo-la desse valor gerado, para achar o capital variável. Procedemos ao contrário se é dado este último e procuramos saber a

---

30a Nota da 2ª edição: A taxa da mais-valia, embora seja a expressão exata do grau de exploração da força de trabalho, não exprime, entretanto, a magnitude absoluta dessa exploração. Se o trabalho necessário = 5 horas e a mais-valia = 5 horas, o grau de exploração será = 100%. Mediu-se com 5 horas a magnitude da exploração. Mas, se o trabalho necessário = 6 horas e a mais-valia = 6 horas, o grau de exploração continua a ser de 100%, enquanto a magnitude da exploração aumenta 20%, de 5 para 6 horas.

mais-valia. Sendo ambos dados, temos apenas de realizar a operação final, calcular a relação entre a mais-valia e o capital variável, $^m/_v$.

Embora o método seja simples, parece útil levar o leitor a familiarizar-se com os princípios que lhe servem de base, através de alguns exemplos.

Uma fiação com 10.000 fusos produz fio nº 32 de algodão americano, fabricando por semana uma libra-peso de fio por fuso. A perda de matéria-prima é de 6%. 10.600 libras-peso de algodão se transformam semanalmente em 10.000 de fio e 600 de desperdício. Em abril de 1871, esse algodão custava 7¾ pence por libra-peso, importando 10.600 libras-peso em cerca de 342 libras esterlinas. Os 10.000 fusos e toda a maquinaria, inclusive máquina a vapor, custaram 1 libra esterlina por fuso, 10.000 libras esterlinas, portanto. Seu desgaste monta a 10% – 1.000 libras esterlinas, ou seja, 20 libras esterlinas por semana. O aluguel do edifício da fábrica monta a 300 libras esterlinas, ou 6 libras por semana. O consumo do carvão (4 libras-peso por hora e por H.P.), para 100 H.P. medidos pelo indicador e para 60 horas por semana, incluindo aquecimento do edifício, atinge 11 toneladas por semana, a 8 xelins e 6 pence por tonelada, importando em cerca de 4½ libras esterlinas por semana; custo semanal do gás, 1 libra esterlina; o do óleo, 4¾ libras esterlinas, custando todos esses materiais acessórios 10 libras esterlinas por semana. O valor do capital constante é, portanto, de 378 libras esterlinas por semana; os salários importam em 52 libras esterlinas por semana. Sendo o preço do fio 12 ¼ pence por libra-peso, 10.000 libras-peso = 510 libras esterlinas, e a mais-valia, portanto, 510 – 430 = 80 libras esterlinas. Fazemos o valor do capital constante de 378 libras esterlinas = 0, uma vez que não concorre para a criação semanal de valor. Fica o valor semanalmente criado de 132 libras esterlinas = 52 + 80. A taxa da mais-valia é assim = $^{80}/_{52}$ = $153^{11}/_{13}$%. Para o dia de trabalho médio de 10 horas, obtemos: trabalho necessário = $3^{31}/_{33}$ horas e trabalho excedente = $6^2/_{33}$ horas.[31] William Jacob nos dá, para o ano de 1815, um cálculo bastante imperfeito, em virtude de ajustamentos prévios de várias parcelas, mas que serve ao propósito de familiarizar o leitor com nosso método. Supõe um preço de trigo de 80 xelins por quarta e uma colheita média de 22 *bushels* por acre, rendendo assim cada acre 11 libras esterlinas.

---

31 Nota da 2ª edição: O exemplo de uma fiação de 1860, dado na 1ª edição, continha erros em relação a fatos concretos. Os dados exatos que constam agora do texto me foram fornecidos por um fabricante de Manchester. Lembro que na Inglaterra se calculava antigamente o H.P. pelo diâmetro de cilindro, o que se faz hoje de acordo com os dados exatos do indicador.

O CAPITAL

VALOR DA PRODUÇÃO POR ACRE

SEMENTES		DÍZIMOS, TAXAS,	
(TRIGO)	1 LIBRA 9 XELINS	IMPOSTOS	1 LIBRA 1 XELIM
		ARRENDAMENTO	1 LIBRA 8 XELINS
ADUBO	2 LIBRAS 10 XELINS	LUCRO DO ARRENDATÁRIO	
SALÁRIOS	3 LIBRAS 10 XELINS	E JUROS	1 LIBRA 2 XELINS
SOMA	6 LIBRAS 29 XELINS	SOMA	3 LIBRAS 11 XELINS

A mais-valia, sempre de acordo com o pressuposto de ser o preço do produto = seu valor, decompõe-se aqui em diversas rubricas: lucro, juros, dízimo etc. Não temos agora nenhum interesse para cada uma dessas rubricas em particular. Somando-as, obtemos uma mais-valia de 3 libras e 11 xelins. As 3 libras e 19 xelins para sementes e adubo fazemos igual a zero, por ser capital constante. Resta o capital variável desembolsado de 3 libras e 10 xelins, em substituição do qual se gerou um valor novo de 3 libras e 10 xelins + 3 libras e 11 xelins. Por isso $\frac{m}{v} = \frac{3\ \text{libras e } 11\ \text{xelins}}{3\ \text{libras e } 10\ \text{xelins}}$, mais de 100%. O trabalhador emprega mais da metade de seu dia de trabalho para criar mais-valia, distribuída por diversas pessoas sob diferentes pretextos.[31a]

2. O VALOR DO PRODUTO EXPRESSO EM PARTES PROPORCIONAIS DO PRODUTO

Voltemos ao exemplo que nos mostrou como o capitalista converte dinheiro em capital. O trabalho necessário de um fiandeiro era de 6 horas, igual ao trabalho excedente, e o grau de exploração da força de trabalho, portanto, de 100%.

O produto do dia de trabalho de 12 horas são 20 quilos de fio valendo 30 xelins. Do valor do fio, $^8/_{10}$ (24 xelins) são constituídos de valor, que reaparece, dos meios de produção consumidos (20 quilos de algodão por 20 xelins; fusos etc. por 4 xelins); em outras palavras, representam o capital constante. Os $^2/_{10}$ restantes são o valor novo de 6 xelins, surgido durante o

---

31a Os cálculos apresentados no texto servem apenas de ilustração. Admitiu-se que os preços = valores. No Livro 3, veremos que essa equiparação não se processa de maneira tão simples, nem mesmo para os preços médios.

A TAXA DA MAIS-VALIA

processo de fiação; metade desse valor substitui o valor diário desembolsado da força de trabalho, ou seja, o capital variável, e a outra metade constitui a mais-valia de 3 xelins. O valor total dos 20 quilos de fio (30 xelins) se decompõe da seguinte maneira:

$$\overset{c}{30 \text{ xelins}} = \overset{}{24 \text{ xelins}} + \overset{v \qquad\quad m}{(3 \text{ xelins} + 3 \text{ xelins})}$$

Uma vez que esse valor global está representado no produto total de 20 quilos de fio, conclui-se que podem ser representados em partes proporcionais do produto os diferentes componentes desse valor.

Se o valor de 30 xelins está representado em 20 quilos de fio, $^8/_{10}$ desse valor, ou seja, os 24 xelins que formam sua parte constante, se contêm em $^8/_{10}$ do produto, isto é, em 16 quilos de fio. Destes, $13^1/_3$ quilos representam o valor da matéria-prima, o algodão que foi elaborado e custou 20 xelins, e $2^2/_3$ quilos, o valor dos materiais acessórios e do instrumental consumidos, fusos etc., que montou a 4 xelins. $13^1/_3$ quilos de fio representam, no produto global, todo o algodão convertido em 20 quilos de fio, a matéria-prima do produto global, e mais nada. Nessa quantidade de fio há apenas $13^1/_3$ quilos de algodão no valor de $13^1/_3$ xelins, e o valor adicional dela, de $6^2/_3$ xelins, constitui um equivalente para o algodão convertido nos outros $6^2/_3$ quilos de fio. É como se estes $6^2/_3$ quilos de fio não contivessem nenhum algodão e todo o algodão do produto global se concentrasse nos $13^1/_3$ quilos de fio. Estes, por outro lado, não encerram nenhum átomo de valor dos materiais acessórios e do instrumental consumidos, tampouco do valor novo criado no processo de fiação.

Do mesmo modo, os $2^2/_3$ quilos de fio que contêm o resto do capital constante = 4 xelins representam apenas o valor dos materiais acessórios e do instrumental de trabalho consumidos na produção de 20 quilos de fio.

Vistos por esse ângulo, $^8/_{10}$ do produto, ou 16 quilos de fio, embora sejam fisicamente, como valor de uso, como fio, resultado do trabalho de fiação como as demais partes do produto, deixam de conter qualquer trabalho de fiação, é como se não tivessem absorvido trabalho durante o processo de fiar. É como se tivessem sido transformados em fio sem fiação e como se fosse mera ilusão sua forma de fio. Com efeito, quando o capitalista os vende por 24 xelins e compra novamente seus meios de produção, fica evidente que os 16 quilos de fio são o próprio algodão, fusos, carvão etc. disfarçados.

Por outro lado, os $^2/_{10}$ restantes do produto ou 4 quilos de fio só representam agora o valor novo de 6 xelins produzidos durante as 12 horas de fiação. O que se encontra neles do valor das matérias-primas e do instrumental de trabalho consumidos já foi retirado e incorporado aos 16 quilos de fio. O trabalho de fiação corporificado em 20 quilos de fio se concentra em $^2/_{10}$ do produto. É como se o fiandeiro tivesse produzido 4 quilos de fio do nada, ou então com algodão e fusos que, existindo na natureza, sem intervenção humana, não transferem nenhum valor ao produto.

Dos 4 quilos de fio onde figura todo o valor criado no processo diário de fiação, metade representa o equivalente do valor da força de trabalho consumida, o capital variável de 3 xelins, e a outra, 2 quilos de fio, a mais--valia de 3 xelins.

Uma vez que as 12 horas do fiandeiro se materializam em 6 xelins, no valor do fio de 30 xelins estão representadas 60 horas de trabalho. Estas figuram em 20 quilos de fio, dos quais $^8/_{10}$ ou 16 quilos corporificam 48 horas de trabalho ocorridas antes do processo de fiação, isto é, o trabalho que se materializou nos meios de produção do fio; e $^2/_{10}$ ou 4 quilos representam as 12 horas de trabalho despendidas na própria fiação.

Vimos anteriormente que o valor do fio é igual à soma do novo valor criado em sua produção mais os valores dos meios de produção preexistentes. Verificamos agora como os elementos componentes do valor do produto, diversos segundo a função ou a natureza, podem ser representados através das partes proporcionais do próprio produto.

O produto, o resultado do processo de produção, se decompõe numa quantidade que só representa o trabalho contido nos meios de produção, o capital constante; noutra, onde só figura o trabalho necessário despendido no processo de produção, ou seja, o capital variável; e numa terceira, que só representa o trabalho excedente empregado no processo ou a mais-valia. É simples e ao mesmo tempo importante essa decomposição do produto, conforme evidenciará sua aplicação posterior a problemas complexos e ainda não resolvidos.

Acabamos de examinar o produto total como o resultado final do dia de trabalho de 12 horas. Podemos, porém, acompanhá-lo em todas as fases de sua produção, no curso da jornada de 12 horas, e, ao mesmo tempo, considerar os produtos parciais dessas fases como se fossem partes funcionalmente diversas do produto.

O fiandeiro produz em 12 horas 20 quilos de fio, ou $1^2/_3$ em 1 hora; em consequência, produzirá $13^1/_3$ em 8 horas, um produto parcial que representa o valor global do algodão fiado durante todo o dia de trabalho. Do mesmo modo, o produto parcial do período seguinte de 1 hora e 36 minutos constitui-se de $2^2/_3$ quilos de fio e representa, portanto, o valor do instrumental de trabalho desgastado durante as 12 horas de trabalho. No período que vem depois de 1 hora e 12 minutos, produz o fiandeiro 2 quilos de fio = 3 xelins, um valor que se iguala ao valor que cria em 6 horas de trabalho necessário. Por fim, nos últimos 72 minutos, produz, do mesmo modo, 2 quilos de fio cujo valor se iguala à mais-valia criada por seu meio dia de trabalho excedente. Esse modo de calcular é usual entre os fabricantes ingleses; eles dirão, por exemplo, que nas primeiras 8 horas ou em $^2/_3$ ele recupera seu algodão, e assim por diante para as horas restantes. Trata-se de método adequado; considera as várias partes do produto no tempo em que se sucedem, sendo mera transposição do método anterior, que as considera no espaço, umas ao lado das outras. Esse modo de ver as várias partes do produto no tempo pode dar origem a ideias grosseiras, sobretudo nos espíritos interessados, praticamente, no processo de obter mais-valia e, teoricamente, em deformar sua interpretação. Pode-se imaginar, por exemplo, que o fiandeiro, nas primeiras 8 horas de seu dia de trabalho, gera o valor do algodão, no período seguinte de 1 hora e 36 minutos, o valor do instrumental de trabalho consumido, no período posterior de 1 hora e 12 minutos, o valor do salário, dedicando ao patrão, à produção da mais-valia, a famosa "última hora". Fica o fiandeiro com o encargo de realizar o duplo milagre: produzir algodão, fusos, máquina a vapor, carvão, óleo etc. no mesmo instante em que com eles fia, e fazer, de 1 dia de trabalho de determinado grau de intensidade, 5 dias de trabalho. Em nosso caso, a produção da matéria-prima e do instrumental de trabalho exige $^{24}/_6$ = 4 dias de trabalho de 12 horas, e sua transformação em fio, outro dia de trabalho de 12 horas. Um exemplo historicamente célebre mostra que a rapacidade acredita em milagres dessa natureza e utiliza doutrinadores mercenários para lhes dar a aparência de verdade.

O CAPITAL

3. A "ÚLTIMA HORA" DE SENIOR

Numa bela manhã do ano de 1836, Nassau W. Senior, famoso pela sua ciência econômica e pelo belo e melífluo estilo que o destacava entre os economistas ingleses, foi convocado pelos industriais de Manchester, a fim de lá aprender economia política, em vez de ensiná-la em Oxford. Os fabricantes elegeram-no paladino para lutar contra a lei fabril (Factory Act) e contra a campanha pela jornada das 10 horas, que pretendia ir mais longe. Reconheceram eles, com a sagacidade costumeira, que o professor precisava de um bom retoque. Fizeram-no vir, por isso, a Manchester. O professor, por sua vez, soube estilizar a lição que recebeu dos fabricantes no panfleto *Letters on the Factory Act, as It Affects the Cotton Manufacture*, Londres, 1837. Nele podemos ler, dentre outras, as seguintes passagens edificantes:

"De acordo com a lei atual, nenhuma fábrica que ocupe pessoas com menos de 18 anos pode trabalhar por dia mais de 11½ horas, isto é, 12 horas durante os primeiros 5 dias e 9 horas aos sábados. A análise seguinte mostra-nos que todo o lucro líquido de uma fábrica, nessas condições, deriva da última hora. Suponhamos que um fabricante inverta 100.000 libras: 80.000 no edifício da fábrica e na maquinaria, e 20.000 em matéria-prima e salários. A receita anual dessa fábrica, supondo-se que o capital gire uma vez por ano e o lucro bruto seja de 15%, será representada por bens no valor de 115.000 libras. [...] Dessas 115.000 libras, cada uma das 23 meias horas de trabalho produz $5/115$ ou $1/23$. Dos $23/23$ (que constituem o total das 115.000 libras), $20/23$, isto é, 100.000 das 115.000 libras, apenas repõem o capital; $1/23$ (ou 5.000 das 115.000) ressarce o desgaste da fábrica e da maquinaria. Os restantes $2/23$, isto é, as duas últimas das 23 meias horas de cada dia, produzem o lucro líquido de 10%. Se a fábrica fosse mantida em atividade durante 13 horas em vez de 11½ e não houvesse alteração de preços, uma adição de 2.600 libras ao capital de giro faria mais do que duplicar o lucro líquido. Por outro lado, se o tempo de trabalho fosse reduzido de uma hora por dia, permanecendo constantes os preços, o lucro líquido seria eliminado, e se a redução fosse de 1½ hora, mesmo o lucro bruto seria suprimido."[32]

---

32 Senior, *op. cit.*, pp. 12-13. Deixamos de lado certas noções estapafúrdias que não interessam ao nosso propósito: a afirmação, por exemplo, de que os fabricantes incluem no lucro, bruto ou líquido, o ressarcimento do desgaste da maquinaria, isto é, de um componente do capital. Também não vamos verificar se os números são corretos ou falsos. Leonard Horner em *A Letter to Mr. Senior* etc., Londres, 1837, demonstrou que eles não valem mais que a pretendida "análise de Senior". Leonard Horner, membro da comissão de inquérito de 1833, inspetor de fábrica até 1859, na realidade censor das fábricas, prestou inesquecíveis serviços à classe trabalhadora inglesa. Lutou uma vida inteira não só

E o professor chama isso de "análise". Sua análise fica sem sentido, por acreditar ele na queixa dos fabricantes de que o trabalhador gasta a maior parte do dia na produção, isto é, na reprodução ou ressarcimento do valor dos edifícios, das máquinas, do algodão, do carvão etc. Ele tinha de responder simplesmente:

> "'Se fazeis trabalhar 10 horas em vez de 11½, diminuirá o consumo diário de algodão, de maquinaria etc. de 1½ hora, ocupa o trabalhador 11½ horas por dia ou $^{23}/_2$ horas. Como o dia de trabalho, o trabalho anual consiste em 11½ ou $^{23}/_2$ horas, que devem ser multiplicadas pelo número de dias de trabalho do ano. Isto posto, produzem as $^{23}/_2$ horas de trabalho o produto anual de 115.000 libras; ½ hora de trabalho produz $^1/_{23}$ x 115.000 libras; $^{20}/_{12}$ horas de trabalho produzem $^{20}/_{23}$ x 115.000 libras = 100.000 libras, isto é, repõem apenas o capital desembolsado. Restam $^3/_2$ horas de trabalho que produzem $^3/_{23}$ x 115.000 = 15.000, isto é, o lucro bruto. Dessas $^3/_2$ horas de trabalho, ½ hora de trabalho produz $^1/_{23}$ x 115.000 libras = 5.000 libras, ressarcindo o desgaste da fábrica e da maquinaria. As duas últimas meias horas, isto é, a última hora de trabalho, produzem $^2/_{23}$ x 115.000 libras = 10.000, isto é, o lucro líquido. No texto, Senior converte os últimos $^2/_{23}$ do produto em porção do próprio dia de trabalho, desde que não se alterem as demais circunstâncias. Ganhareis o que perdereis. Vosso trabalhador gastará no futuro 1½ hora menos para reproduzir ou ressarcir o valor do capital desembolsado.'"

Se não aceita a informação dos fabricantes e, como especialista, considera necessária uma análise, tem, de início, de pedir-lhes, visando exclusivamente esclarecer a relação entre lucro líquido e magnitude do dia de trabalho, que não misturem maquinaria, edifícios, matéria-prima e trabalho, e sim separem, de um lado, o capital constante representado pelos edifícios, maquinaria, matéria-prima etc. e, do outro, o capital despendido com salários. Se se verificar, de acordo com o cálculo dos fabricantes, que o trabalhador reproduz ou repõe o salário em $^2/_2$ horas de trabalho ou em uma hora, ele teria de continuar fazendo as seguintes observações:

> "Segundo vosso informe, produz o trabalhador seu salário na penúltima hora e, na última, vossa mais-valia ou o lucro líquido. Uma vez que produz valores

---

contra os fabricantes irritados, mas também contra os ministros, aos quais interessava mais o número de votos dos patrões na Câmara dos Comuns do que o número de horas de trabalho dos operários nas fábricas. Adendo à nota 32: A exposição de Senior é confusa, além de ser falso o conteúdo. O que ele queria dizer propriamente era isso: "o fabricante".

O CAPITAL

iguais em períodos iguais, o produto da penúltima hora tem o mesmo valor do da última. Demais, ele só produz valor enquanto trabalha, e a quantidade de seu trabalho é medida por seu tempo de trabalho. Este, segundo dizeis, é de 11½ horas por dia. Ele emprega uma parte dessas 11½ horas para produzir ou repor seu salário; a outra, para produzir vosso lucro líquido. Nada mais faz além disso durante o dia de trabalho. Mas uma vez que, segundo informais, o salário e a mais-valia fornecida pelo trabalhador possuem o mesmo valor, produz ele, evidentemente, o salário em $5^3/_4$ horas e vosso lucro líquido nas outras $5^3/_4$ horas. Demais, sendo o valor do fio produzido em 2 horas igual à soma do salário mais vosso lucro líquido, a medida desse valor tem de ser 11½ horas de trabalho, das quais $5^3/_4$ correspondem ao produto da penúltima hora, e as outras $5^3/_4$, ao da última. Chegamos a um ponto nevrálgico. Atenção. A penúltima hora de trabalho é uma hora comum de trabalho, como a primeira. Nem mais nem menos. Como pode o fiandeiro produzir, em uma hora de trabalho, um valor em fio que representa $5^3/_4$ horas de trabalho? Na realidade, ele não faz esse milagre. O que produz em valor de uso durante uma hora de trabalho é uma quantidade determinada de fio. Medem o valor desse fio $5^3/_4$ horas de trabalho, das quais $4^3/_4$, sem a intervenção do fiandeiro, estão inseridas nos meios de produção consumidos por hora, em algodão, maquinaria etc., e $4/_4$ ou uma hora é acrescentada por ele mesmo. Sendo seu salário produzido em $5^3/_4$ horas e contendo o fio produzido em uma hora de fiação também $5^3/_4$ horas de trabalho, não é nenhuma bruxaria a circunstância de o valor criado por suas $5^3/_4$ horas de fiação ser igual ao valor do produto de uma hora de fiação. Tomareis uma direção errada, pensando que ele perde qualquer fração de tempo do seu dia de trabalho com a reprodução ou reposição dos valores do algodão, maquinaria etc. Em virtude de seu trabalho transformar algodão e fuso em fio, por consistir em fiar, transfere-se ao fio, por si mesmo, o valor do algodão e dos fusos. Isto decorre da qualidade de seu trabalho, não da quantidade do trabalho. Sem dúvida, transferirá ele ao fio mais valor de algodão em uma hora do que em meia hora, mas por fiar mais algodão em uma hora de que em meia. Estais vendo, portanto, que vossa afirmação de que o trabalhador produz, na penúltima hora, o valor do seu salário e, na última, o lucro líquido significa apenas que, no fio produzido em duas horas de seu dia de trabalho (estejam elas no início ou no fim da jornada), estão corporificadas 11½ horas de trabalho, tantas quantas todo o seu dia de trabalho contém. A afirmação de produzir ele, nas primeiras $5^3/_4$ horas, seu salário e, nas últimas $5^3/_4$ horas, vosso lucro líquido significa apenas que pagais as primeiras $5^3/_4$ horas e que não pagais as últimas $5^3/_4$ horas. Falo de pagamento do trabalho, e não de pagamento da força de trabalho, conforme vosso próprio linguajar. Se examinardes a proporção que existe entre o tempo de trabalho que pagais e o que não pagais, vereis que ela

A TAXA DA MAIS-VALIA

é a que existe entre a metade de um dia de trabalho e a outra metade, sendo, portanto, de 100%, o que é, por certo, uma bela percentagem. Não há a menor dúvida de que, se fizerdes vossos trabalhadores trabalharem 13 horas em vez de 11½, e se juntardes ao trabalho excedente mais 1½ hora, o que não estranharia se fizésseis, as $5^3/4$ horas de trabalho excedente se elevariam a $7^1/4$ horas, e a taxa da mais-valia, de 100% a $126^2/23$%. Seríeis néscios, entretanto, se acreditásseis que ela, com esse acréscimo de 1½ hora, subiria de 100 a 200 e até a mais de 200, isto é, seria "mais do que duplicada". Por outro lado, e como é estranho o ser humano que tem o coração na bolsa, sois irracionalmente pessimistas se temeis que a redução do dia de trabalho de 11½ horas para 10½ eliminará todo o vosso lucro líquido. De modo nenhum. Não se alterando as demais circunstâncias, cairá a mais-valia de $5^3/4$ horas para $4^3/4$, o que proporciona uma elevada taxa de mais-valia, de $82^{14}/23$%. A "última hora" fatal, sobre que tendes fantasiado mais que os quiliastas em torno do fim do mundo, não passa de tolice. A perda dela não eliminará vosso lucro líquido, nem tampouco destruirá a pureza da alma dos meninos e meninas que empregais."[32a]

32a Se Senior demonstrou que o lucro líquido dos fabricantes, a existência da indústria têxtil inglesa e a grandeza da Inglaterra no mercado mundial dependem da "última hora de trabalho", encarregou-se o Dr. Andrew Ure de provar que os meninos e jovens menores de 18 anos, ocupados nas fábricas, se expõem ao risco de perder sua alma na ociosidade e no vício, se forem lançados "uma hora antes" no mundo exterior, impiedoso e frívolo, ao invés de ficarem confinados 12 horas inteiras na atmosfera aconchegante e moralmente pura da fábrica. Desde 1848 que os inspetores de fábrica não se cansam, em seus relatórios semestrais, de contrariar os fabricantes a respeito da "última hora", da "hora fatal". Howell, por exemplo, em seu relatório semestral de 31 de maio de 1855, diz o seguinte: "Se esse cálculo engenhoso [refere-se a Senior] fosse verdadeiro, toda fábrica têxtil do Reino Unido teria trabalhado com prejuízo desde 1850." (*Reports of the Insp. of Fact. for the Half Year Ending 30th April 1855*, pp. 19-20.) Em 1848, quando o Parlamento aprovou a lei das 10 horas, fabricantes fizeram trabalhadores, normalmente ocupados em suas fiações de linho rurais espalhadas entre os condados de Dorset e Somerset, assinarem, contra essa lei, uma petição onde se dizia, dentre outras coisas: "Os requerentes, pais, acreditam que uma hora adicional de folga não terá outro efeito que o de desmoralizar seus filhos, pois a ociosidade é a mãe de todos os vícios." A propósito disso, observa o relatório dos inspetores de fábrica de 31 de outubro de 1848: "A atmosfera das fiações de linho, onde trabalham os ternos e virtuosos pais dessas crianças, está tão carregada de pó e de partículas de matéria-prima, é tão repugnante que ninguém será capaz de permanecer mesmo 10 minutos nesses locais sem experimentar a mais penosa sensação, ficando os olhos, as orelhas, as narinas e a boca imediatamente cheios de nuvens de pó oriundo da fibra e das quais não se pode escapar. O próprio trabalho, em virtude da velocidade febril da maquinaria, exige emprego incessante de habilidade e agilidade, sob uma vigilância que não pode cansar-se, e parece algo cruel ouvir de pais o qualificativo de 'ociosos' aplicado aos próprios filhos, que, descontando o tempo de refeição, ficam agrilhoados durante 10 horas inteiras nessa atmosfera, exercendo essa espécie de ocupação. [...] Esses meninos trabalham mais que os trabalhadores agrícolas das aldeias vizinhas. [...] Essa impiedosa alegação de 'ociosidade e vício' deve ser anatematizada como a tartufice mais perfeita, a hipocrisia mais cínica. [...] Aquela parte do povo que, há 12 anos, ficou impressionada com a afirmação, sancionada por altas autoridades e proclamada publicamente e com toda a seriedade, de que todo o lucro líquido do fabricante decorre da 'última hora' de trabalho, e que, por isso, a redução de uma hora no dia

O CAPITAL

"Quando soar vossa 'última horazinha', pensai no professor de Oxford. Gostaria de voltar a me encontrar convosco, mas num mundo melhor. Adeus."[33]

Em 15 de abril de 1848, James Wilson, um dos principais mandarins da ciência econômica, saiu à luta, no *London Economist*, fazendo soar a trombeta da "última hora", inventada por Senior em 1836.

4. O PRODUTO EXCEDENTE

Chamamos de produto excedente (*surplus produce, produit net*) à parte do produto que representa a mais-valia (em nosso exemplo, $^1/_{10}$ de 20 quilos de fio ou 2 quilos de fio). Determina-se a taxa da mais-valia não através da relação que existe entre a mais-valia e o capital global, mas pela que existe entre ela e o capital variável; do mesmo modo, a dimensão do produto excedente se determina não pela relação entre o produto excedente e o restante do produto total, mas pela que existe entre ele e a parte do produto que representa o trabalho necessário. De acordo com o objetivo dominante da produção capitalista de produzir mais-valia, mede-se a

---

de trabalho destruiria seu lucro líquido, essa porção do povo, repetimos, dificilmente acreditará em seus próprios sentidos, quando verificar que as propriedades da 'última hora' se aperfeiçoaram tanto, depois da descoberta original, que agora incluem, além do lucro, a moral; desse modo, se a duração do trabalho das crianças se reduz a 10 horas inteiras, desaparece não só sua moral mas também o lucro líquido de seus patrões, dependendo as duas coisas dessa hora última, fatal." (*Repts. of Insp. of Fact. for 31st Oct.*, 1848, p. 101.) O mesmo relatório apresenta provas a respeito da "moral" e da "virtude" dos fabricantes, das trapaças, dos artifícios, dos engodos, ameaças, falsificações etc. que aplicam para fazer uns tantos trabalhadores indefesos assinarem petições da espécie que vimos, para apresentá-las ao Parlamento como se expressassem os pontos de vista de todo um ramo industrial, de condados inteiros. É bem característico do estágio atual da chamada "ciência" econômica que nem Senior, que posteriormente, para sua honra, apoiou a legislação fabril, nem seus opositores anteriores e posteriores tenham sabido destruir os sofismas da "descoberta original". Eles apelam para a experiência quotidiana, mas o porquê continua sendo para eles um mistério.

33 O professor, entretanto, lucrou alguma coisa em sua viagem a Manchester. Em seu trabalho *Letters on the Factory Act*, todo ganho líquido, lucro e juros e mesmo algo mais dependem de uma hora de trabalho do trabalhador que não é paga! Um ano antes, em sua obra *Outlines of Political Economy*, composta para os estudantes de Oxford e filisteus educados, contrariara ele a ideia de Ricardo de determinar o valor pelo tempo de trabalho, descobrindo que o lucro se origina do trabalho do capitalista, e os juros, de sua ascese, de sua abstinência. O embuste era velho, mas a palavra "abstinência", nova. Roscher, traduzindo-a para o alemão, encontrou o equivalente adequado, "*Enthaltung*". Seus compatriotas menos versados em latim encontraram outra palavra para traduzi-la, de colorido monástico, "*Entsagung*" (renúncia).

A TAXA DA MAIS-VALIA

riqueza não pela magnitude absoluta do produto, mas pela magnitude relativa do produto excedente.[34]

A magnitude absoluta do tempo de trabalho – o dia de trabalho, a jornada de trabalho – é constituída pela soma do trabalho necessário e do trabalho excedente, ou seja, do tempo em que o trabalhador reproduz o valor de sua força de trabalho e do tempo em que produz a mais-valia.

---

34 "Para um indivíduo com um capital de 20.000 libras, com lucros anuais de 2.000, não importa que seu capital empregue 100 ou 1.000 pessoas, que a mercadoria produzida se venda por 10.000 libras ou por 20.000, desde que seu lucro não seja inferior a 2.000 libras. Não é o mesmo o interesse real de uma nação? Uma vez que sua receita líquida real, sua renda e seus lucros permaneçam os mesmos, não importa que a nação tenha 10 ou 12 milhões de habitantes." (Ricardo, *op. cit.*, p. 416.) Bem antes de Ricardo, o fanático do produto excedente, Arthur Young, derramado e prolixo, desprovido de senso crítico, cuja reputação está na razão inversa de seu mérito, dizia: "Que utilidade teria, num reino moderno uma província inteira com as terras parceladas em pequenas glebas cultivadas por pequenos camponeses independentes, no velho estilo romano, por melhor que fossem cultivadas? Que utilidade teria a não ser a de procriar seres humanos, o que, considerado em si mesmo, não tem nenhuma utilidade?" (Arthur Young, *Political Arithmetic* etc., Londres, 1774, p. 47.) Adendo à nota 34: É estranha "a forte tendência de considerar o produto excedente vantajoso para a classe trabalhadora [...] embora não por ser excedente, é claro." (Th. Hopkins, *On Rent of Land* etc., Londres, 1828, p. 126.)

VIII.
A jornada de trabalho

1. OS LIMITES DA JORNADA DE TRABALHO

Nossa análise partiu do pressuposto de ser a força de trabalho comprada e vendida por seu valor. O valor da força de trabalho, como o de qualquer outra mercadoria, se determina pelo tempo de trabalho necessário para produzi-la. Se a produção dos meios de subsistência do trabalhador, diários e médios, custa 6 horas, tem ele de trabalhar, em média, 6 horas por dia para produzir, quotidianamente, sua força de trabalho ou para reproduzir o valor recebido por sua venda. A parte necessária da sua jornada de trabalho será, assim, de 6 horas, sendo uma magnitude dada, desde que não se alterem as demais circunstâncias. Mas com isso não se determina a magnitude da própria jornada de trabalho.

Admitamos que a linha A ------ B represente a duração do trabalho necessário, digamos, 6 horas. Se o trabalho for prolongado além de AB em 1, 3 ou 6 horas, obtemos 3 linhas diferentes:

JORNADA DE TRABALHO I
A ----- B-C

JORNADA DE TRABALHO II
A --------- B ---- C

JORNADA DE TRABALHO III
A ------ B ----- C

Os três gráficos representam 3 jornadas de trabalho diferentes, respectivamente, de 7, 9 e 12 horas. A extensão BC de AB representa a duração do trabalho excedente. Sendo a jornada de trabalho = AB + BC ou AC, varia ela de acordo com a grandeza variável BC. Sendo AB determinado, pode-se medir sempre a relação entre BC e AB. Na jornada de trabalho I, essa relação é de $^1/_6$; na jornada de trabalho II, $^3/_6$; e, na jornada de trabalho III, $^6/_6$. $\frac{90}{90}$ A taxa da mais-valia, determinada pela razão $\frac{\text{Tempo de trabalho excedente}}{\text{Tempo de trabalho necessário}}$, é dada pela relação entre BC e AB. Ela se eleva nas 3 diferentes jornadas de trabalho, respectivamente, a $16^2/_3\%$, a 50% e a 100%. Mas a taxa da mais-valia, isoladamente, não nos daria a magnitude da jornada de trabalho. Se fosse, por exemplo, de 100%, poderia a jornada de trabalho ser de 8, 10, 12 ou mais horas. Indicaria que as duas partes da jornada de trabalho, o trabalho necessário e o trabalho excedente, têm a mesma duração, mas não nos diria a duração dessas partes.

A jornada de trabalho não é uma grandeza constante, mas variável. Uma das suas partes é determinada pelo tempo de trabalho necessário à reprodução da força de trabalho do próprio trabalhador, mas sua magnitude total varia com a duração do trabalho excedente. A jornada de trabalho é, portanto, determinável, mas, considerada em si mesma, é indeterminada.[35]

Embora a jornada de trabalho não seja uma grandeza fixa, mas flutuante, só pode variar dentro de certos limites. É indeterminável, todavia, seu limite mínimo. Se fazemos a linha prolongada *BC* ou o trabalho excedente = 0, obtemos, por certo, um limite mínimo, isto é, a parte da jornada em que o trabalhador tem necessariamente de trabalhar para viver. Mas, no modo de produção capitalista, o trabalho necessário só pode constituir uma parte da jornada de trabalho, e a jornada de trabalho, portanto, nunca pode reduzir-se a esse mínimo. Em compensação, possui a jornada de trabalho um limite máximo. Não pode ser prolongada além de certo ponto. Esse limite máximo é determinado duplamente. Há, primeiro, o limite físico da força do trabalho. Durante o dia natural de 24 horas, só pode um homem despender determinada quantidade de força de trabalho. Do mesmo modo, um cavalo só pode trabalhar, todos os dias, dentro de um limite de 8 horas. Durante uma parte do dia, o trabalhador deve descansar, dormir; durante outra, tem de satisfazer necessidades físicas, alimentar-se, lavar-se, vestir-se etc. Além de encontrar esse limite puramente físico, o prolongamento da jornada de trabalho esbarra em fronteiras morais. O trabalhador precisa de tempo para satisfazer necessidades espirituais e sociais cujo número e extensão são determinados pelo nível geral de civilização. Por isso, as variações da jornada de trabalho ocorrem dentro desses limites físicos e sociais. Esses limites são de natureza muito elástica, com ampla margem de variação. Encontramos jornadas de trabalho de 8, 10, 12, 14, 16, 18 horas, da mais variada duração.

O capitalista compra a força de trabalho pelo valor diário. Seu valor de uso lhe pertence durante a jornada de trabalho. Obtém, portanto, o direito de fazer o trabalhador trabalhar para ele durante um dia de trabalho. Mas que é um dia de trabalho?[36] Será menor do que um dia natural da vida. Menor quanto? O capitalista tem seu próprio ponto de vista sobre esse extremo, a fronteira necessária da jornada de trabalho. Como capitalista,

---

35 "Um dia de trabalho é uma grandeza indeterminada, podendo ser longo ou curto." (*An Essay on Trade and Commerce, Containing Observations on Taxation* etc., Londres, 1770, p. 73.)

36 Esta pergunta é muito mais importante que aquela célebre, apresentada por Sir Robert Peel à Câmara de Comércio de Birmingham: "Que é uma libra esterlina?" Peel propôs a questão desse modo, porque ele, como os *"little shilling men"* de Birmingham, ignorava a natureza do dinheiro.

A JORNADA DE TRABALHO

apenas personifica o capital. Sua alma é a alma do capital. Mas o capital tem seu próprio impulso vital, o impulso de valorizar-se, de criar mais-valia, de absorver com sua parte constante, com os meios de produção, a maior quantidade possível de trabalho excedente.[37] O capital é trabalho morto que, como um vampiro, se reanima sugando o trabalho vivo, e, quanto mais o suga, mais forte se torna. O tempo em que o trabalhador trabalha é o tempo durante o qual o capitalista consome a força de trabalho que comprou.[38] Se o trabalhador consome em seu proveito o tempo que tem disponível, furta o capitalista.[39] O capitalista apoia-se na lei da troca de mercadorias. Como qualquer outro comprador, procura extrair o maior proveito possível do valor de uso de sua mercadoria. Mas, subitamente, levanta-se a voz do trabalhador que estava emudecida no turbilhão do processo produtivo:

"A mercadoria que te vendo se distingue da multidão das outras, porque seu consumo cria valor, e valor maior que seu custo. Este foi o motivo por que a compraste. O que, de teu lado, aparece como aumento de valor do capital é, do meu lado, dispêndio excedente de força de trabalho. Tu e eu só conhecemos, no mercado, uma lei: a da troca de mercadorias. E o consumo da mercadoria não pertence ao vendedor que a aliena, mas ao comprador que a adquire. Pertence-te, assim, a utilização de minha força diária de trabalho. Mas, por meio de seu preço diário de venda, tenho de reproduzi-la diariamente para poder vendê-la de novo. Pondo de lado o desgaste natural da idade etc., preciso ter amanhã, para trabalhar, a força, saúde e disposição normais que possuo hoje. Está continuamente a pregar-me o evangelho da parcimônia e da abstinência. Muito bem. Quero gerir meu único patrimônio, a força de trabalho, como um administrador racional, parcimonioso, abstendo-me de qualquer dispêndio desarrazoado. Só quero gastar diariamente, converter em movimento, em trabalho, a quantidade dessa força que se ajuste com

---

37 "É missão do capitalista obter, com o capital despendido, a maior quantidade possível de trabalho." ("D'obtenir du capital dépensé la plus forte somme de travail possible.") (J.G. Courcelle-Seneuil, *Traité théorique et pratique des enterprises industrielles*, 2ª ed., Paris, 1857, p. 62.)

38 Uma hora de trabalho perdida num dia é um prejuízo imenso para o comércio de um país. "Há um grande consumo de artigos de luxo pelos pobres que trabalham neste reino, conforme se observa particularmente na plebe ocupada nas manufaturas, o que os leva a consumirem também seu tempo, praticando o mais prejudicial dos desperdícios." (*An Essay on Trade and Commerce* etc., pp. 47 e 153.)

39 "Quando o trabalhador livre repousa um instante, a economia sórdida, que o segue com seus olhos inquietos, afirma que ele a está roubando." (N. Linguet, *Théorie des loix civiles* etc., Londres, 1767, t. II, p. 466.)

O CAPITAL

sua duração normal e seu desenvolvimento sadio. Quando prolongas desmesuradamente o dia de trabalho, podes num dia gastar, de minha força de trabalho, uma quantidade maior do que a que posso recuperar em três dias. O que ganhas em trabalho, perco em substância. A utilização de minha força de trabalho e sua espoliação são coisas inteiramente diversas. Se um trabalhador, executando uma quantidade razoável de trabalho, dura em média 30 anos, o valor da força de trabalho que me pagas por dia é de $\frac{1}{365 \times 30}$ ou $\frac{1}{10.950}$ de seu valor global. Se a consomes em 10 anos, pagas-me diariamente $\frac{1}{10.950}$, e não $\frac{1}{3.650}$ de seu valor global, portanto, apenas $^1/_3$ de seu valor diário, e furtas-me assim diariamente $^2/_3$ do valor da minha mercadoria. Pagas-me a força de trabalho de um dia, quando empregas a de três dias. Isto fere nosso contrato e a lei da troca de mercadorias. Exijo, por isso, uma jornada de trabalho de duração normal, e sem fazer apelo a teu coração, pois, quando se trata de dinheiro, não há lugar para bondade. Podes ser um cidadão exemplar, talvez membro da sociedade protetora dos animais, podes estar em odor de santidade, mas o que representas diante de mim é algo que não possui entranhas. O que parece pulsar aí é o meu próprio coração batendo. Exijo a jornada normal, pois exijo o valor de minha mercadoria, como qualquer outro vendedor."[40]

Vemos que, abstraindo de limites extremamente elásticos, não resulta da natureza da troca de mercadorias nenhum limite à jornada de trabalho ou ao trabalho excedente. O capitalista afirma seu direito, como comprador, quando procura prolongar o mais possível a jornada de trabalho e transformar, sempre que possível, um dia de trabalho em dois. Por outro lado, a natureza específica da mercadoria vendida impõe um limite ao consumo pelo comprador, e o trabalhador afirma seu direito, como vendedor, quando quer limitar a jornada de trabalho a determinada magnitude normal. Ocorre assim uma antinomia, direito contra direito, ambos baseados na lei da troca de mercadorias. Entre direitos iguais e opostos, decide a força. Assim, a regulamentação da jornada de trabalho se apresenta, na história da produção capitalista, como luta pela limitação da jornada de trabalho, um embate que se trava entre a classe capitalista e a classe trabalhadora.

---

40 Durante a grande greve dos trabalhadores em construção, em Londres, em 1860/1861, para reduzir o dia de trabalho a 9 horas, publicou o comitê dos trabalhadores um manifesto que, em grande parte, concordava com a argumentação do nosso trabalhador. O manifesto aludia, num tom irônico, ao "odor de santidade" em que se encontrava certo Sir M. Peto, o mais ávido dos patrões. O mesmo Peto chegou ao fim de sua vida empresarial em 1867, com uma gigantesca bancarrota.

2. A AVIDEZ POR TRABALHO EXCEDENTE.
O FABRICANTE E O BOIARDO

Não foi o capital quem inventou o trabalho excedente. Toda vez que uma parte da sociedade possui o monopólio dos meios de produção, tem o trabalhador, livre ou não, de acrescentar ao tempo de trabalho necessário à sua própria manutenção um tempo de trabalho excedente destinado a produzir os meios de subsistência para o proprietário dos meios de produção.[41] Pouco importa que esse proprietário seja o nobre ateniense, o teocrata etrusco, o cidadão romano, o barão normando, o senhor de escravos americano, o boiardo da Valáquia, o moderno senhor de terras ou o capitalista.[42] É evidente que, numa formação social onde predomine não o valor de troca, mas o valor de uso do produto, o trabalho excedente fica limitado por um conjunto mais ou menos definido de necessidades, não se originando da natureza da própria produção nenhuma cobiça desmesurada por trabalho excedente. Na Antiguidade, o trabalho em excesso só atingia as raias do monstruoso quando estava em jogo obter valor de troca em sua materialização autônoma, em dinheiro, com a produção de ouro e prata. Fazer o trabalhador trabalhar até a morte se torna, nesse caso, a forma oficial do trabalho em excesso. Basta ler Diodoro da Sicília.[43] Todavia, condições monstruosas de trabalho constituíam exceção no mundo antigo. Mas, quando povos cuja produção se encontra nos estágios inferiores da escravatura, da corveia etc. entram num mercado mundial dominado pelo modo de produção capitalista, tornando-se a venda de seus produtos ao exterior o interesse dominante, sobrepõe-se aos horrores bárbaros da escravatura, da servidão etc. a crueldade civilizada do trabalho em excesso. O trabalho dos negros nos estados meridionais da América do Norte preservava certo caráter patriarcal enquanto a produção se destinava principalmente à satis-

---

41 "Os que trabalham [...] alimentam, na realidade, tanto os pensionistas a quem chamamos de ricos, quanto a si próprios." (Edmund Burke. *op. cit.*, pp. 2-3.)

42 Niebuhr, em sua *História de Roma*, observa ingenuamente: "Não se pode encobrir que obras como as etruscas, que, em suas ruínas, nos assombram, pressupõem, em pequenos estados, senhores e servos." Sismondi observava, com maior profundidade, que as rendas de Bruxelas pressupõem capitalistas e assalariados.

43 "Impossível ver esses desgraçados [nas minas situadas entre Egito, Etiópia e Arábia] sem sentir piedade pelo seu miserável destino; eles não podem manter limpos os próprios corpos nem cobrir sua nudez. Não há remissão nem indulgência para os doentes, os débeis, os velhos, nem para a fragilidade feminina. Todos têm de continuar trabalhando a pancadas até que a morte ponha um fim a seus sofrimentos e à sua desgraça." (Diod. Sic., *Biblioteca histórica*, Livro 3, Cap. 13.)

fação direta das necessidades. Na medida, porém, em que a exportação de algodão se tornou interesse vital daqueles estados, o trabalho em excesso dos pretos e o consumo de sua vida em 7 anos de trabalho tornaram-se partes integrantes de um sistema friamente calculado. Não se tratava mais de obter deles certa quantidade de produtos úteis. O objetivo passou a ser a produção da própria mais-valia. Fenômeno semelhante sucedeu com a corveia, por exemplo, nos principados danubianos.

Interessa especialmente comparar a avidez por mais-valia, observada nos principados danubianos, com a que existe nas fábricas inglesas, pois a mais-valia possui na corveia uma forma independente, palpável.

Suponha-se que o dia de trabalho se constitua de 6 horas de trabalho necessário e 6 horas de trabalho excedente. Nessas condições, o trabalhador livre fornece ao capitalista 6 x 6 ou 36 horas de trabalho excedente por semana. É como se ele trabalhasse 3 dias na semana para si mesmo e os outros 3 dias gratuitamente para o capitalista. Mas não se percebe isso à primeira vista. O trabalho excedente e o trabalho necessário se confundem. Posso exprimir a mesma relação dizendo que o trabalhador, em cada minuto, trabalha 30 segundos para si próprio e 30 segundos para o capitalista, e assim por diante. Mas é diferente com a corveia. O trabalho necessário do camponês valáquio para sua própria manutenção está fisicamente separado de seu trabalho excedente para o boiardo. Executa o primeiro em seu próprio terreno e o segundo na terra senhorial. Ambas as partes do tempo de trabalho existem, independentemente, uma ao lado da outra. Na corveia, o trabalho excedente está claramente separado do trabalho necessário. A diferença de forma em nada altera a relação quantitativa entre trabalho excedente e trabalho necessário. Três dias de trabalho excedente por semana continuam sendo três dias de trabalho que não cria nenhum equivalente para o trabalhador, apresente-se esse trabalho sob a forma assalariada ou de corveia. Todavia, a avidez por mais-valia do capitalista se manifesta no empenho de prolongar desmesuradamente o dia de trabalho, e a do boiardo, no empenho de aumentar os dias de trabalho compulsório e gratuito.[44]

Nos principados danubianos, havia, além da corveia, rendas pagas em produtos e outros complementos da servidão, mas a corveia constituía o mais importante tributo pago à classe dominante. Quando ocorrem essas

---

44 O que segue se refere à situação das províncias romenas antes das transformações que sucederam depois da Guerra da Crimeia.

A JORNADA DE TRABALHO

condições, o mais frequente é a servidão se originar da corveia, e não esta da servidão.[44a] E assim foi nas províncias romenas. Seu modo primitivo de produção se baseava na propriedade comum, mas não sob a forma eslava ou indiana. Uma parte das terras era explorada pelos membros da comunidade em lotes separados, como propriedade privada; outra parte, o *ager publicus*, era cultivada em comum. Os produtos desse trabalho comum serviam de reserva nas más colheitas ou em outras eventualidades, e constituíam receita pública destinada a cobrir os custos de guerra, de religião e outras despesas da comunidade. No curso do tempo, os dignitários guerreiros e religiosos usurparam a propriedade comum, com as prestações de serviços a ela devidas. O trabalho do camponês livre nas terras de propriedade comum transformou-se em corveia para os ladrões das terras da comunidade. Com isso, desenvolveram-se de fato relações de servidão, que só foram sancionadas juridicamente quando a Rússia, libertadora do mundo, tornou a servidão legal sob o pretexto de aboli-la. O código da corveia, proclamado pelo general russo Kisselev, em 1831, foi naturalmente ditado pelos próprios boiardos. Com uma só cajadada, a Rússia conquistou os magnatas dos principados danubianos e os aplausos dos cretinos liberais de toda a Europa.

Segundo o "Règlement Organique", como era chamado o código da corveia, cada camponês valáquio devia ao pretenso proprietário das terras, além de uma quantidade pormenorizada de pagamentos em espécie, o seguinte: 1) 12 dias de trabalho em geral; 2) um dia de trabalho no campo; e 3) um dia para transporte de lenha. Ao todo, 14 dias no ano. Com profunda visão de economia política, o código não considerou o dia de trabalho em seu sentido comum, mas o dia de trabalho necessário para obter-se um produto diário médio; dá, entretanto, ao produto diário médio uma definição tão astuciosa que nem um ciclope poderia consegui-lo em 24 horas de trabalho. Com autêntica ironia russa, declara o código, em

---

44a Nota da 3ª edição: Isto se aplica também à Alemanha e especialmente à Prússia a leste do Elba. No século XV, o camponês alemão estava, em quase todo o país, sujeito a certas prestações em produto e em trabalho, mas era de fato um homem livre quanto ao resto. Os colonos alemães de Brandemburgo, Pomerânia, Silésia e Prússia Oriental eram mesmo considerados livres juridicamente. A vitória da nobreza na guerra contra os camponeses pôs fim a essa situação. Não só os camponeses vencidos da Alemanha Meridional foram transformados em servos. Já desde meados do século XVI, foram rebaixados à categoria de servos os camponeses livres da Prússia Oriental, de Brandemburgo, Pomerânia e Silésia, e pouco depois os de Schleswig-Holstein (Maurer, *Fronhofe*, vol. IV. Meitzen, *Der Boden des Pr. Staats*. Hanssen, *Leibeigenschaft in Schleswig-Holstein*). — F.E.

O CAPITAL

palavras secas, que por 12 dias de trabalho se deve entender o produto de um trabalho manual de 36 dias; por um dia de trabalho no campo, três dias; e por um dia de transporte de madeira, também o triplo. Total: 42 dias de corveia. Mas acresce a isso a chamada *jobagie*, prestações de serviço devidas ao senhor, ao ocorrerem necessidades extraordinárias de produção. Cada aldeia fornece anualmente um contingente determinado para *jobagie*, em proporção ao tamanho de sua população. Essa corveia adicional é avaliada em 14 dias para cada camponês valáquio. Assim, a corveia prescrita eleva-se a 56 dias de trabalho por ano. Mas o ano agrícola na Valáquia, em virtude do clima adverso, tem 210 dias, dos quais se deduzem 40 domingos e dias de festa e em média 30 dias de mau tempo eventual; ao todo, 70 dias. Restam 140 dias de trabalho. A relação entre a corveia e o trabalho necessário, $^{56}/_{86}$, ou $66^2/_3\%$, expressa uma taxa de mais-valia muito menor que aquela que regula o trabalho do trabalhador agrícola ou industrial da Inglaterra. Esta, entretanto, é a corveia legalmente prescrita. Com espírito "mais liberal" que o da legislação fabril inglesa, o "Règlement Organique" proporciona meios que facilitam sua própria violação. Depois de transformar 12 dias em 54, define a tarefa diária de cada um desses 54 dias de tal modo que um dia passa a compreender outros dias. Em um dia, por exemplo, deve-se mondar a seara numa extensão que exige o dobro do tempo, notadamente nas plantações de milho. A tarefa legal de um dia, para certas atividades agrícolas, pode ser interpretada de tal modo que o dia começa no mês de maio e acaba em outubro. As disposições são ainda mais severas na Moldávia.

> "Os 12 dias de corveia do 'Règlement Organique'", gritou um boiardo na embriaguez da vitória, 'compreendem os 365 dias do ano!'"[45]

O "Règlement Organique" dos principados danubianos atesta e legaliza, em cada parágrafo, a avidez pelo trabalho excedente; a legislação fabril inglesa põe a nu essa avidez, mas de maneira negativa. Essa legislação refreia a paixão desmesurada do capital para absorver a força de trabalho, por meio da limitação coativa da jornada de trabalho, imposta por um Estado que os capitalistas e senhores de terras dominam. Pondo de lado o movi-

---

45 Mais pormenores encontram-se em E. Regnault, *Histoire politique et sociale des principautés danubiennes*, Paris, 1855, [pp. 304 e segs.].

A JORNADA DE TRABALHO

mento dos trabalhadores que cresce ameaçador todos os dias, a limitação da jornada de trabalho nas fábricas foi ditada pela mesma necessidade que levou à disseminação do guano nos campos ingleses. A mesma rapacidade que esgotou as terras atacou a força vital da nação em suas próprias raízes. É o que demonstraram claramente as epidemias periódicas e a diminuição crescente da altura dos soldados, na Alemanha e na França.[46]

A lei fabril de 1850, em vigor atualmente (1867), autoriza 10 horas para a jornada média: ½ hora para os primeiros 5 dias da semana, das 6 às 18 horas, descontando ½ hora para a primeira refeição e uma hora para almoço, restando assim 10½ horas de trabalho; e 8 horas aos sábados, das 6 às 14 horas, menos ½ hora para almoço. Ficam, pois, 60 horas de trabalho, 10½ para os primeiros 5 dias da semana e 7½ para os sábados.[47] A lei tem fiscais próprios, os inspetores de fábrica subordinados diretamente ao Ministério do Interior, cujos relatórios são publicados semestralmente pelo Parlamento. Esses relatórios fornecem estatísticas regulares e oficiais sobre a avidez capitalista por trabalho excedente.

Ouçamos por um instante os inspetores de fábrica.[48]

---

46 "Em geral, ultrapassar o tamanho médio de sua espécie indica, dentro de certos limites, progresso dos seres vivos. Quanto ao homem, sua altura diminui quando seu desenvolvimento é prejudicado por condições físicas ou sociais. Em todos os países europeus onde existe a conscrição, diminuiu, depois de sua introdução, o tamanho médio dos adultos e, de modo geral, sua aptidão para o serviço militar. Antes da Revolução de 1789, o mínimo de altura para os soldados de infantaria na França era de 165 cm; em 1818 (lei de 10 de março), 157 cm; segundo a lei de 21 de março de 1832, 156; em média, mais de metade dos conscritos são considerados inaptos, na França, por deficiência de altura e por debilidade. Na Saxônia, em 1780, a altura exigida era de 178 cm, agora, 155. Na Prússia, é 157. Segundo informou o Dr. Meyer no jornal *Bayrische Zeitung* de 9 de maio de 1862, verificou-se, em média, na Prússia, durante 9 anos, que, de 1.000 conscritos, 716 eram inaptos para o serviço militar: 317 em virtude do tamanho e 399 por deficiência física. [...] Em 1858, Berlim não pôde apresentar seu contingente de reserva; faltavam 156 homens." (J. V. Liebig, *Die Chemie in ihrer Anwendung auf Agrikultur und Physiologie*, 1862, 7ª ed., vol. i, pp. 117-118.)

47 Abordamos, no curso deste capítulo, a história da lei fabril de 1850.

48 Tratamos incidentalmente do período que vai do começo da grande indústria na Inglaterra até 1845, e, por isso, recomendamos ao leitor a obra *Die Lage der arbeitenden Klasse in England*, de Friedrich Engels, Leipzig, 1845. A profundidade com que Engels apreendeu o espírito do modo de produção capitalista se patenteia nos *Factory Reports*, nos *Reports on Mines* etc. que apareceram a partir de 1845, e o poder com que retratou pormenorizadamente a situação se evidencia com a comparação mais ligeira entre seu trabalho e os relatórios oficiais da "Children's Employment Comission" (1863 a 1867), publicados 18 a 20 anos mais tarde. Tratam de ramos industriais onde, até 1862, não se introduzira ainda a legislação fabril, e que neles, em parte, ainda não vigora. Aí não foram impostas coativamente modificações de maior importância ao estado de coisas descrito por Engels. Fui buscar meus exemplos principalmente no período livre-cambista posterior a 1884, aquela época paradisíaca sobre a qual os propagandistas do livre-cambismo, com sua fanfarronice e ignorância científica, teciam tantos contos fabulosos para os alemães. Demais, a Inglaterra figura aqui e no primeiro plano por

O CAPITAL

"Fraudulentamente, o fabricante começa o trabalho um quarto de hora antes das 6 da manhã, com variações para mais ou para menos, e encerra um quarto de hora depois das 6 da tarde, com variações para mais ou para menos. Corta 5 minutos tanto no começo como no fim da meia hora nominalmente destinada à primeira refeição, e 10 minutos tanto no começo como no fim da hora reservada para o almoço. Aos sábados, trabalha-se um quarto de hora depois das 2 horas da tarde, ora mais, ora menos. Assim, ganha o fabricante:

ANTES DAS 6 HORAS DA MANHÃ	15 MINUTOS
DEPOIS DAS 6 HORAS DA TARDE	15 MINUTOS
NA 1ª REFEIÇÃO	10 MINUTOS
NO ALMOÇO	20 MINUTOS
	60 MINUTOS

EM 5 DIAS: 300 MINUTOS

AOS SÁBADOS:

ANTES DAS 6 HORAS DA MANHÃ	15 MINUTOS
NA 1ª REFEIÇÃO	10 MINUTOS
DEPOIS DAS 2 HORAS DA TARDE	15 MINUTOS
	40 MINUTOS

TOTAL DO GANHO POR SEMANA: 340 MINUTOS

Ou seja, 5 horas e 40 minutos por semana, o que, multiplicado por 50 semanas, pondo-se de lado as semanas para feriados ou interrupções ocasionais, dá um produto de 27 dias de trabalho."[49]

"Se se prolonga de 5 minutos o dia de trabalho, tem-se no fim do ano 2½ dias de produção extra."[50] "Uma hora extra ganha por meio de minutos que se tiram ao trabalhador antes das 6 da manhã, depois das 6 da tarde, no começo e no fim das refeições equivale a transformar os 12 meses do ano em 13."[51]

---

ser a representante clássica da produção capitalista e por possuir uma estatística oficial ininterrupta sobre os problemas tratados.

49 "Suggestions etc. by Mr. L. Horner, Inspector of Factories", em *Factories Regulation Act. Ordered by the House of Commons to be printed 9 Aug.* 1859, pp. 4-5.

50 *Reports of the Insp. of Fact. for the Half Year, Oct.* 1856, p. 35.

51 *Reports etc. 30th April 1858*, p. 9.

A JORNADA DE TRABALHO

Crises em que a produção é interrompida, só se trabalhando "pouco tempo", durante alguns dias da semana, em nada mudam o empenho de prolongar o dia de trabalho. Quanto menos negócios se fazem, maior tem de ser o lucro sobre o negócio feito. Quanto menos tempo se pode trabalhar, tanto maior tem de ser o tempo de trabalho excedente. Sobre a crise de 1857 a 1858, relatam os inspetores de fábrica:

> "Pode parecer absurdo que haja qualquer espécie de excesso de trabalho numa ocasião em que os negócios vão tão mal; mas a má situação incita pessoas inescrupulosas a praticarem transgressões, obtendo assim 'um lucro extra'. [...] Ao mesmo tempo que", diz Leonard Horner, "122 fábricas em meu distrito encerraram suas atividades, 143 ficaram paradas e todas as outras trabalhavam com tempo reduzido, continuava-se a fazer o operário trabalhar além do tempo fixado por lei."[52] "Embora", diz Howell, "a maioria das fábricas, em virtude da má situação, tenha reduzido à metade seu tempo de trabalho, continuei a receber o mesmo número de queixas denunciando que os trabalhadores eram furtados em meia hora ou $3/4$ de hora nos intervalos legalmente assegurados para refeições e descanso."[53]

O mesmo fenômeno reproduziu-se, em menor escala, durante a terrível crise do algodão de 1861 a 1865.[54]

> "Quando surpreendemos os trabalhadores em atividade, em hora de refeição ou em qualquer hora ilegal, é dada muitas vezes a desculpa de que eles não querem abandonar a fábrica e que é necessário coagi-los a interromperem seu trabalho [limpeza de máquinas etc.], notadamente nos sábados à tarde. Mas, se os operários permanecem nas fábricas depois de paradas as máquinas, isto acontece apenas por não concederem a eles, no horário legal de trabalho, nenhum tempo para executar tarefas dessa natureza."[55]

---

52 *Reports* etc. *loc. cit.*, p. 10.

53 *Reports* etc. *loc. cit.*, p. 25.

54 *Reports* etc. *for the Half Year Ending 30th April 1861*. Vide Apêndice n. 2. *Reports etc. 31st Octob.* 1862, pp. 7, 52-53. As transgressões se apresentam em maior número no relatório semestral de 1863. Vide *Reports* etc. *ending 31st Oct.* 1863, p. 7.

55 *Reports* etc. *31st Oct. 1860*, p. 23. A acreditarmos nos depoimentos judiciais dos fabricantes, seus operários opõem-se fanaticamente à interrupção do trabalho na fábrica, conforme se vê no seguinte caso curioso: Em começo de junho de 1836, foram encaminhadas denúncias aos magistrados de Dewsbury (Yorkshire), relativas à violação da lei fabril por proprietários de 8 grandes fábricas, nas proximidades de Batley. Alguns desses cavalheiros eram acusados de ter posto a trabalhar 5 meninos,

O CAPITAL

"O lucro extra que se pode obter com o trabalho além do tempo legal parece ser uma tentação demasiadamente grande para os fabricantes a ela resistirem. Eles contam com a probabilidade de não serem descobertos e acham que, se o forem, o pequeno valor da multa e das custas judiciais assegura-lhes um saldo lucrativo."[56] "O tempo de trabalho extra obtido no curso do dia através de múltiplos pequenos furtos dificilmente deixa margem aos inspetores para fazerem prova do delito praticado."[57]

A esses pequenos furtos de tempo destinado às refeições e ao descanso do trabalhador chamam os inspetores de "surripiar minutos",[58] "escamotear minutos,"[59] ou, na expressão apropriada dos trabalhadores, "beliscar e mordiscar o tempo das refeições".[60]

Nessa atmosfera, não é nenhum segredo a formação da mais-valia por meio de trabalho excedente.

"Se o senhor me permite", disse-me um respeitável fabricante, "ultrapassar diariamente o tempo normal de trabalho em 10 minutos, o senhor colocará anualmente em meu bolso 1.000 libras esterlinas."[61] "Átomos de tempo são os elementos do lucro."[62]

---

de 12 a 15 anos, das 6 horas da manhã de sexta-feira até as 4 da tarde do sábado seguinte, sem lhes conceder nenhum descanso, além do tempo das refeições e uma hora para dormir à meia-noite. E esses meninos tiveram de realizar essas 30 horas de trabalho permanecendo na verdadeira caverna onde são desmanchados os trapos de lã e onde nuvens de poeira de resíduos etc. forçam mesmo o trabalhador adulto a tapar continuamente a boca com o lenço, a fim de proteger os pulmões. Os cavalheiros acusados afirmaram, e seu escrúpulo religioso de quacres impedia-lhes de prestarem juramento, que tinham, com sua grande compaixão, permitido aos miseráveis meninos dormir 4 horas, mas os obstinados não queriam de modo nenhum ir para a cama. Os quacres foram multados em 20 libras. Dryden prefigurou esses quacres:

"Uma raposa que simula santidade,
tem medo de jurar, mas capaz de mentir como o demônio,
com ar piedoso e penitente, mas de olhar oblíquo,
que não ousa pecar, sem antes fazer sua oração."

56 *Rep. etc. 31ˢᵗ Oct. 1856*, p. 34.

57 *Loc. cit.*, p. 35.

58 *Loc. cit.*, p. 48.

59 *Loc. cit.*

60 *Loc. cit.*

61 *Loc. cit.*, p. 48.

62 "Átomos de tempo são os elementos do lucro." (*Rep. of the Insp.* etc. *30ᵗʰ April* 1860, p. 56.)

A JORNADA DE TRABALHO

Nada caracteriza melhor essa situação que a designação dada pelo trabalhador: chama o que trabalha durante toda a jornada de "tempo inteiro" e o que só pode trabalhar legalmente apenas 6 horas, os meninos de menos de 13 anos, de "meio tempo".[63] O trabalhador não passa aí de tempo de trabalho personificado. Todas as diferenças pessoais se reduzem aí às categorias de tempo integral e meio tempo.

3. RAMOS INDUSTRIAIS INGLESES ONDE NÃO HÁ LIMITES LEGAIS À EXPLORAÇÃO

O empenho em prolongar a jornada de trabalho, a voracidade por trabalho excedente, os abusos desmedidos daí decorrentes, que não foram ultrapassados – assim nos diz um economista burguês da Inglaterra – pelas crueldades dos espanhóis contra os índios na América, levaram finalmente à imposição de restrições legais ao capital.[64] Observamos até aqui o capital naqueles ramos industriais onde está sujeito a essas restrições. Examinemos, agora, certos ramos de produção onde não se opõe ainda, ou até recentemente não se opunha, nenhum limite à exploração da força de trabalho.

> "O juiz do condado Broughton, presidindo uma reunião na prefeitura de Nottingham, em 14 de janeiro de 1860, declarou que naquela parte da população, empregada nas fábricas de renda da cidade, reinavam sofrimentos e privações em grau desconhecido no resto do mundo civilizado. [...] Às 2, 3 e 4 horas da manhã, as crianças de 9 e 10 anos são arrancadas de camas imundas e obrigadas a trabalhar até as 10, 11 ou 12 horas da noite, para ganhar o indispensável à mera subsistência. Com isso, seus membros definham, sua estatura se atrofia, suas faces se tornam lívidas, seu ser mergulha num torpor pétreo, horripilante de se contemplar. [...] Não nos surpreendemos que o Sr. Mallet e outros fabricantes se levantem para protestar contra qualquer discussão. [...] O sistema, como o descreveu o reverendo Montagu Valpy, constitui uma escravidão ilimitada, escravidão em sentido social, físico, moral e intelectual [...] que pensar de uma cidade onde se realiza uma reunião pública para pedir que o tempo de

---

63 A expressão tem foros de cidadania, tanto nas fábricas como nos relatórios.

64 "A rapacidade dos fabricantes, cujas crueldades na caça ao lucro dificilmente foram ultrapassadas pelas que os espanhóis perpetraram por ocasião da conquista da América, na caça ao ouro." (John Wade, *History of the Middle and Working Classes*, 3ª ed., Londres, 1835, p. 114.) A parte teórica desse livro, uma espécie de manual de economia política, contém, para seu tempo, ideias originais em relação às crises comerciais. Na parte histórica, há um plágio sem escrúpulo da obra de Sir M. Eden: *The State of the Poor*, Londres, 1797.

trabalho para os homens se limite a 18 horas por dia! [...] Protestamos contra os senhores de escravos da Virgínia e da Carolina. Mas o mercado negreiro, com os horrores do látego e do tráfego de carne humana, é por acaso mais ignóbil do que esta lenta imolação dos seres humanos, praticada a fim de se produzirem véus e golas para maior lucro dos capitalistas?"[65]

A indústria cerâmica de Staffordshire foi objeto de três inquéritos parlamentares durante os últimos vinte e dois anos. Os resultados deles figuram nos seguintes relatórios: o de Scriven, de 1841, dirigido aos "Children's Employment Commissioners"; o do Dr. Greenhow, de 1860, publicado por determinação do diretor médico do Conselho Privado ("Public Health, 3rd Report", I, 102-113); e finalmente o de Longe, de 1863, que figura em "First Report of the Children's Employment Commission" de 13 de junho de 1863. Para nosso estudo, basta extrair alguns depoimentos de crianças, exploradas, encontrados nos relatórios de 1860 e 1863. Pelo que ocorre com as crianças pode-se deduzir o que se passa com os adultos, principalmente com meninas e senhoras, numa indústria ao lado da qual a fiação de algodão e outras atividades semelhantes pareceriam agradáveis e sadias.[66]

Wilhelm Wood, um garoto de 9 anos, "tinha 7 anos e 10 meses de idade, quando começou a trabalhar". Lidava com formas (levava a mercadoria modelada à câmara de secagem para apanhar depois, de volta, as formas vazias) desde o início. Chega, todo dia da semana, no trabalho, às 6 horas da manhã e acaba sua jornada por volta das 9 horas da noite. "Trabalho até as 9 horas da noite, todo dia da semana. Assim, por exemplo, durante as últimas 7 a 8 semanas." Quinze horas de trabalho por dia para um garoto de 7 anos! J. Murray, um menino de 12 anos, depõe:

> "Lido com formas e faço girar a roda. Chego ao trabalho às 6 horas da manhã, às vezes às 4. Trabalhei toda a noite passada, indo até as 6 horas da manhã. Não durmo desde a noite passada. Havia ainda 8 ou 9 garotos que trabalharam durante toda a noite passada. Todos, menos um, voltaram esta manhã. Recebo por semana 3 xelins e 6 pence. Nada recebo a mais por trabalhar toda a noite. Na semana passada trabalhei duas noites."

Fernyhough, um garoto de 10 anos, diz:

---

65 *Daily Telegraph*, de Londres, de 17 de janeiro de 1860.
66 Vide Engels, *Lage* etc., pp. 249-251.

A JORNADA DE TRABALHO

"Nem sempre tenho uma hora para o almoço; frequentemente só tenho meia hora, às quintas, sextas e sábados."[67]

O Dr. Greenhow declara que é extraordinariamente curta a duração da vida nos distritos de Stoke-upon-Trent e Wolstanton, centros da indústria cerâmica. Estão ocupados nessa indústria, no distrito de Stoke, apenas 36,6% da população masculina acima de 20 anos, e, em Wolstanton, só 30,47%; há, entretanto, em relação aos homens que estão nessa faixa etária, no 1º e no 2º distrito, uma incidência, respectivamente, de mais da metade e de cerca de $2/3$ dos óbitos causados pelas doenças pulmonares dos trabalhadores de cerâmica. O Dr. Boothroyd, que clinica em Hanley, afirma:

"Cada nova geração de trabalhadores de cerâmica é mais raquítica e mais fraca que a anterior."

O Dr. McBean manifesta-se no mesmo sentido:

"Desde que iniciei minha clínica, há 25 anos, entre os trabalhadores de cerâmica, tenho observado sua pronunciada degeneração progressiva pela diminuição da estatura e do peso."

Estes depoimentos foram tirados do relatório do Dr. Greenhow de 1860.[68]

Vejamos o relatório da Comissão de 1863. O Dr. J. T. Arledge, médico diretor do Hospital de North Staffordshire, diz:

"Como classe, os trabalhadores de cerâmica, homens e mulheres, [...] representam uma população física e moralmente degenerada. São em regra franzinos, de má construção física, e frequentemente têm o tórax deformado. Envelhecem prematuramente e vivem pouco, fleumáticos e anêmicos. Patenteiam a fraqueza de sua constituição através de contínuos ataques de dispepsia, perturbações hepáticas e renais e reumatismo. Estão especialmente sujeitos a doenças do peito: pneumonia, tísica, bronquite e asma. Sofrem de uma forma peculiar desta última, conhecida pelo nome de asma de oleiro ou tísica de oleiro. Mais

---

67 *Children's Employment Commission, First Report* etc. *1863*, Apêndice, pp. 16, 19-18.
68 *Public Health, 3rd Report* etc., pp. 103, 105.

de $^2/_3$ deles sofrem de escrofulose, que ataca as amígdalas, ossos ou outras partes do corpo. A degenerescência da população deste distrito não é muito maior exclusivamente porque ocorre o recrutamento de pessoas das zonas adjacentes, além do casamento com outros tipos raciais mais sadios."

Charles Parsons, até pouco tempo cirurgião do mesmo hospital, em carta ao comissário Longe, escreve, entre outras coisas, o seguinte:

> "Não disponho de dados estatísticos, mas fiz observações pessoais e não posso deixar de afirmar que minha revolta aumenta cada vez mais ao ver essas pobres crianças, cuja saúde é sacrificada para satisfazer a avareza dos pais ou dos empregadores."

Ele enumera as causas das doenças dos trabalhadores na indústria de cerâmica, encerrando a lista com a principal delas: as longas horas de trabalho. Em seu relatório, a Comissão espera que:

> "Uma indústria de posição tão destacada aos olhos do mundo não irá ostentar mais a mácula de ter seu sucesso acompanhado pela degenerescência física, pelos generalizados sofrimentos corporais e pela morte prematura da população dos trabalhadores, através de cujo trabalho e de cuja habilidade atingiu tão grandes resultados."[69]

O que vimos sobre a cerâmica na Inglaterra aplica-se à Escócia.[70]

A fabricação de fósforos de atrito data de 1833, quando se inventou o processo de aplicar o fósforo ao palito de madeira. Desde 1845, desenvolveu-se rapidamente na Inglaterra, espalhando-se das zonas mais populosas de Londres para Manchester, Birmingham, Liverpool, Bristol, Norwich, Newcastle e Glasgow, e com ela floresceu o trismo, que, segundo descoberta de um médico de Viena já em 1845, é doença peculiar dos trabalhadores dessa indústria. A metade dos trabalhadores são meninos com menos de 13 anos e adolescentes com menos de 18. Essa indústria é tão insalubre, repugnante e mal-afamada que somente a parte mais miserável da classe trabalhadora, viúvas famintas etc., cede-lhe seus filhos, "crian-

---

69 *Children's Employm. Commission*, 1863, pp. 24, 22 e XI.

70 *Loc. cit.*, p. XLVII.

ças esfarrapadas, subnutridas, sem nunca terem frequentado escola".[71] Dentre as testemunhas inquiridas pelo comissário White (1863), 270 tinham menos de 18 anos, 40 menos de 10, 10 apenas 8 e 5 apenas 6. O dia de trabalho variava entre 12, 14 e 15 horas, com trabalho noturno, refeições irregulares, em regra no próprio local de trabalho, empesteado pelo fósforo. Dante acharia que foram ultrapassadas nessa indústria suas mais cruéis fantasias infernais.

Na fabricação de papéis pintados, os modelos mais grosseiros eram impressos a máquina, e os mais finos, a mão. O período de maior movimento vai de início de outubro a fim de abril. Nesse período, o trabalho, quase sem interrupção, dura frequentemente das 6 horas da manhã às 10 da noite ou mais;

J. Leach depõe:

> "No inverno passado (1862), entre 19 moças não compareceram 6 em virtude de doenças causadas por excesso de trabalho. Tinha de gritar para elas a fim de mantê-las acordadas."

W. Duffy:

> "Às vezes os garotos não podiam abrir os olhos de cansaço, e o mesmo sucedia conosco."

J. Lightbourne:

> "Tenho 13 anos de idade [...] no último inverno trabalhamos até as 9 horas da noite e no inverno anterior até as 10. No inverno passado, meus pés feridos doíam tanto que eu gritava todas as noites."

G. Aspden:

> "Este meu filho, quando tinha 7 anos de idade, eu o carregava nas costas através da neve, na ida e na volta, e ele trabalhava 16 horas. [...] Muitas vezes ajoelhei-me para lhe dar comida enquanto ele estava junto à máquina, pois não devia abandoná-la nem deixá-la parar."

---

71 *Loc. cit.*, p. LIV.

O CAPITAL

Smith, sócio-gerente de uma fábrica de Manchester:

> "Nós [ele quer dizer seus empregados que trabalham para ele] trabalhamos sem interrupção para refeições, de modo que o dia de trabalho de 10½ horas acaba às 4 da tarde, e o que vem depois é trabalho extraordinário."[72]

Será que esse Sr. Smith não toma, por acaso, refeição durante as 10½ horas?

> "Nós [o mesmo Smith] raramente paramos de trabalhar antes das 6 horas da tarde [ele quer dizer, de consumir "nossas" máquinas humanas], de modo que nós [ainda Smith] trabalhamos horas extraordinárias durante o ano inteiro. [...] Os menores e os adultos [152 meninos e jovens com menos de 18 anos e 140 adultos] trabalharam igualmente em média, durante os últimos 18 meses, pelo menos 7 dias de trabalho e 5 horas por semana, ou seja, 78½ horas semanalmente. Nas 6 semanas que acabaram a 2 de maio deste ano (1863), a média foi superior: 8 dias de trabalho ou 84 horas por semana."

O mesmo Smith, entretanto, que fala no plural como as majestades, acrescenta, sorrindo: "O trabalho a máquina é fácil." Já o patrão, que faz imprimir a mão os papéis pintados, diz: "O trabalho manual é melhor para a saúde que o trabalho a máquina." Mas os patrões são unânimes em protestarem indignados contra a proposta "de parar as máquinas, pelo menos, durante as refeições".

O Sr. Ottley, gerente de uma fábrica de papéis pintados em Borough (Londres), diz:

> "Ser-nos-ia conveniente uma lei que permitisse o trabalho das 6 da manhã até as 9 da noite, mas a lei fabril (Factory Act) que limita as horas de trabalho das 6 da manhã às 6 da tarde não nos serve. [...] Nossa máquina para durante o almoço [que generosidade!]. A pausa não traz nenhum prejuízo digno de menção ao papel e à cor. Mas compreendo que não gostem da perda de tempo que daí decorre."

---

72 Trabalho extraordinário não significa trabalho excedente, segundo nosso conceito. Esses senhores consideram as 10½ horas de trabalho a jornada normal que inclui o trabalho excedente normal. Depois começam as "horas extraordinárias", que têm remuneração pouco melhor. Veremos mais adiante que a aplicação da força de trabalho, durante a chamada jornada normal, é paga abaixo do valor, de modo que as "horas extraordinárias" constituem mera astúcia dos capitalistas, para extrair mais "trabalho excedente", que continuaria existindo se fosse plenamente paga a força de trabalho aplicada durante a jornada normal de trabalho.

276

A JORNADA DE TRABALHO

O relatório da Comissão opina ingenuamente que o receio de algumas firmas importantes de perderem tempo (tempo durante o qual se apropriam do trabalho alheio) e, com o tempo, os lucros não é razão suficiente para privar meninos com menos de 13 anos e jovens com menos de 18 de seu almoço durante 12 a 16 horas, ou para fazê-los inserirem sua refeição como as máquinas consomem carvão e água, a lã, sabão, e a roda, óleo; são equiparados ao instrumental que absorve os materiais acessórios no processo de produção.[73]

Pondo de lado a fabricação de pão a máquina, recentemente introduzida, nenhuma atividade na Inglaterra conservou até hoje, como a panificação, um método de produção tão arcaico, o qual encontramos descrito pelos poetas do tempo do Império Romano, antes da Era Cristã. Mas o capital, conforme se observou anteriormente, é de início indiferente quanto à natureza técnica do processo de trabalho do qual se apossa. No começo, apodera-se dele tal qual o encontra.

A incrível falsificação de pão, principalmente em Londres, foi de início desmascarada pelo comitê de inquérito da Câmara dos Comuns "sobre a falsificação de alimentos" (1855 a 1856) e pela obra do Dr. Hassall *Adulterations Detected*.[74] A consequência dessas revelações foi a lei de 6 de agosto de 1860, destinada a evitar adulteração dos alimentos e das bebidas. Foi uma lei inoperante, pois tratava com a maior delicadeza o comerciante livre que pretendesse, por meio da compra e venda de mercadorias falsificadas, "apurar um tostão honesto".[75] O comitê, candidamente, manifestou a opinião de que o comércio livre significa essencialmente comércio com mercadorias falsificadas, ou "sofisticadas", como as chama o humor inglês. Com efeito, essa sofisticaria é mais capaz do que Protágoras de fazer do branco preto e do preto branco, e mais capaz do que os eleatas, de provar que toda a realidade é mera aparência.[76]

---

73 *Loc. cit.*, Apêndice, pp. 123-125, 150 e LXIV.

74 Alúmen moído ou misturado com sal é um artigo normal de comércio, que tem o nome significativo de "pó de padeiro".

75 Fuligem, como se sabe, é uma forma muito pura de carbono e constitui um adubo que os limpa--chaminés capitalistas vendem aos agricultores ingleses. Em 1862, um júri inglês teve de decidir, num processo, se fuligem misturada com 90% de pó e areia era fuligem verdadeira no sentido comercial ou fuligem falsificada no sentido legal. Os "amigos do comércio" que formavam o júri decidiram que era fuligem comercial verdadeira e não deram atendimento à queixa do agricultor, que ainda teve de pagar as custas do processo.

76 O químico francês Chevallier, tratando das adulterações das mercadorias, passa em revista mais de 600 artigos e apresenta, para muitos deles, 10, 20, 30 diferentes processos de falsificação. Acrescenta

O CAPITAL

De qualquer modo, o comitê conduziu a atenção do público para seu pão quotidiano e, com isso, para a panificação. Ao mesmo tempo, ressoou em comícios e em petições dirigidas ao Parlamento a reclamação dos empregados das padarias contra o trabalho em excesso etc. A reclamação assumiu tal força que foi nomeado comissário real do inquérito H.S. Tremenheere, membro da Comissão de 1863, já várias vezes mencionada. Seu relatório,[77] com os depoimentos das testemunhas, revolveu não o coração, mas o estômago do povo. O inglês, versado na Bíblia, sabia que o ser humano, que não foi predestinado para ser capitalista, senhor de terras ou sinecurista, está condenado a comer o pão com o suor de seu rosto, mas não sabia que tinha de comer diariamente, com o pão, certa quantidade de suor humano misturado com supurações de abscessos, teias de aranha, baratas mortas e fermento podre alemão, além de alúmen, saibro e outros ingredientes minerais agradáveis. Por isso, sem qualquer consideração pelo "comércio livre", a panificação até então "livre" ficou submetida à fiscalização de inspetores do Estado (fim da sessão parlamentar de 1863), e pela mesma lei que estabelecia essa providência ficou proibido aos empregados de padaria menores de 18 anos trabalharem das 9 da noite às 5 da manhã. A lei põe em evidência o trabalho em excesso nesse ramo comercial tão antigo e tradicional.

"O trabalho de um empregado de padaria em Londres começa em regra às 11 horas da noite. Ele faz então a massa, tarefa muito cansativa, que dura de ½ a ¾ de hora, de acordo com o tamanho da fornada e sua qualidade. Em seguida, deita-se na tábua de amassar, forrando-a antes com um saco (a tábua serve ao mesmo tempo de tampa à artesa onde se faz a massa), e dorme algumas horas, utilizando como travesseiro outro saco enrolado. Em seguida, começa um trabalho intenso e ininterrupto de 5 horas: jogar, pesar e modelar a massa, levá-la ao forno, tirá-la dele etc. A temperatura na padaria varia de 75 a 90 graus Fahrenheit, e, nas padarias pequenas, tende mais em regra para 90 graus do que para 75. Quando acaba o trabalho de fazer o pão, pão doce etc., começa o serviço de distribuição, e uma parte considerável dos diaristas, depois de ter

---

que não conhece todos os processos e que não menciona todos os que conhece. Para o açúcar, há 6 métodos de falsificação; para o azeite de oliva, 9; para a manteiga, 10; para o sal, 12; para o leite, 19; para o pão, 20; para a aguardente, 23; para a farinha, 24; para o chocolate, 28; para o vinho 30; para o café, 32 etc. Nem mesmo o bom Deus escapa dos falsificadores. Vide Rouard de Card, sobre as falsificações das substâncias dos sacramentos (*De la falsification des substances sacramentelles*, Paris, 1856.)
77 *Report* etc. *Relating to the Grievances Complained of by the Journeymen Bakers* etc., Londres, 1862, e *Second Report* etc., Londres, 1863.

A JORNADA DE TRABALHO

levado a cabo o difícil trabalho noturno, leva o pão em cestas ou em carrinhos de mão, durante o dia, de casa em casa, e volta às vezes a trabalhar na padaria. Segundo o período do ano e o volume do negócio, o trabalho termina entre 1 e 6 horas da tarde, enquanto outra parte dos empregados continua ocupada até mais tarde na padaria."[78]

"Durante a temporada de Londres, começam os empregados das padarias de West End que vendem o pão a preço sem rebaixa a trabalhar geralmente às 11 horas da noite, ficando ocupados com a fabricação do pão até as 8 da manhã, com uma ou duas interrupções rápidas. São depois aproveitados para a entrega em domicílio, até 4, 5 e 6 da tarde e mesmo 7 da noite, ou às vezes para fazer biscoitos na padaria. Depois de concluído o trabalho, dormem 6 e às vezes apenas 5 ou 4 horas. Sexta-feira, começam a trabalhar sempre mais cedo, por volta das 10 horas da noite, e, fazendo pão ou entregando-o, vão até as 8 horas da noite do sábado seguinte, mas, na maior parte dos casos, até as 4 ou 5 horas da madrugada de domingo. Nessas padarias, há ainda aos domingos 4 a 5 horas de trabalho preparatório para o dia seguinte. [...] Os empregados das padarias que vendem o pão com preço rebaixado – e estas representam, como já vimos, mais de três quartos das padarias de Londres – ainda têm de trabalhar mais tempo, mas seu trabalho se realiza ordinariamente dentro da padaria, pois os patrões, com exceção das entregas feitas às mercearias, só vendem no próprio balcão. No fim da semana [...], isto é, na quinta-feira, começa o trabalho às 10 horas da noite e dura, com pequena interrupção, até tarde da noite de sábado."[79]

Até a inteligência burguesa compreende a posição dos patrões que vendem mais barato: "O trabalho não pago dos empregados constitui o fundamento de sua concorrência."[80] E os padeiros que vendem a preço sem rebaixa denunciam os concorrentes que rebaixam o preço à Comissão de Inquérito como ladrões do trabalho alheio e falsificadores: "Prosperam enganando o público e extraindo dos empregados 18 horas de trabalho por um salário de 12."[81]

A falsificação do pão e a formação de uma classe de padeiros que o vende mais barato desenvolveram-se na Inglaterra desde o começo do

---

78 *Loc. cit.*, "First Report etc." pp. VI-VII.

79 *Loc. cit.*, p. LXXI.

80 George Read, *The History of Baking*, Londres, 1848, p. 16.

81 *Report (First)* etc. *Evidence*. Depoimento do padeiro Cheeseman, que vende a peso sem rebaixa, p. 108.

O CAPITAL

século XVIII, quando se desvaneceu o caráter corporativo da atividade e o capitalista, na figura do moleiro ou do agente da farinha, foi tomando o lugar do mestre-padeiro.[82] Estabeleceu-se, assim, a base para a produção capitalista, para o prolongamento desmesurado do trabalho diurno e do trabalho noturno, embora este último só se firmasse definitivamente em Londres em 1824.[83]

Pelo que se viu, compreende-se que o relatório da Comissão considere os empregados das padarias entre os trabalhadores que vivem pouco, os quais, depois de terem a felicidade de escapar da dizimação infantil normal na classe trabalhadora, raramente atingem 42 anos de idade. Apesar disso, há sempre candidatos para o trabalho de padeiro. Essas forças de trabalho são fornecidas a Londres pela Escócia, pelos distritos rurais do Oeste da Inglaterra e pela Alemanha.

Nos anos de 1858 a 1860, os empregados de padaria na Irlanda organizaram, à própria custa, comícios contra o trabalho noturno e aos domingos. O público no comício de maio, por exemplo, realizado em 1860, em Dublin, tomou o partido deles, com entusiasmo irlandês. Com esse movimento, conseguiu-se realmente estabelecer que só haveria trabalho diurno em Wexford, Kilkenny, Clonmel, Waterford etc.

> "Em Limerick, onde os sofrimentos desses empregados ultrapassam reconhecidamente todas as medidas, esse movimento foi derrotado pela oposição dos donos das padarias, notadamente dos padeiros-moleiros. O exemplo de Limerick levou a campanha ao retrocesso em Ennis e Tipperary. Em Cork, onde a indignação pública se manifestou mais forte, os patrões conseguiram derrotar o movimento utilizando seu poder de pôr na rua os empregados. Em Dublin, os patrões opuseram a mais decidida resistência e, perseguindo os que estavam à frente da agitação, forçaram os demais a ceder, a se conformar com o trabalho à noite e aos domingos."[84]

---

82 George Read, *loc. cit.* No fim do século XVII e começo do XVIII, ainda eram denunciados oficialmente como malfeitores públicos os agentes ou homens de negócios que se intrometiam em todos os ofícios possíveis. Assim, por exemplo, na sessão trimestral dos juízes de paz do condado de Somerset, o júri de honra fez uma representação à Câmara dos Comuns, onde se diz que "os agentes de Blackwell são malfeitores públicos, que causam danos ao comércio de panos e devem ter sua atividade maléfica impedida". (*The Case of our English Wool* etc., Londres, 1865, pp. 6-7).

83 *First report* etc., p. VIII.

84 *Report of Committee on the Baking Trade in Ireland for 1861.*

A JORNADA DE TRABALHO

A Comissão do governo inglês, armado até os dentes na Irlanda, protesta em tom suave e funéreo contra os implacáveis donos das padarias de Dublin, Limerick, Cork etc.:

> "A Comissão acredita que o tempo de trabalho é determinado por leis naturais que não podem ser violadas impunemente. Os patrões, quando forçam seus empregados, com a ameaça de pô-los na rua, a violarem convicções religiosas, a desobedecerem à lei do país e a desrespeitarem a opinião pública [tudo isso se refere ao trabalho aos domingos], estão lançando a cizânia entre capital e trabalho e dão exemplo perigoso para a religião, a moralidade e a ordem pública. [...] A Comissão acredita que o prolongamento do dia de trabalho além de 12 horas é uma intervenção abusiva na vida doméstica e privada do trabalhador e leva a resultados moralmente funestos que impedem o trabalhador de cumprir suas obrigações familiares como filho, irmão, esposo e pai. O trabalho, além de 12 horas, tende a deteriorar a saúde do trabalhador, a causar-lhe o envelhecimento rápido e a morte prematura, levando a infelicidade às famílias dos trabalhadores, que, no instante de maior necessidade, ficam privadas do cuidado e do apoio do seu chefe."[85]

Deixemos a Irlanda. Do outro lado do canal, na Escócia, o trabalhador agrícola, o homem do arado, protesta contra sua jornada de 13 a 14 horas, no clima mais rigoroso, com trabalho adicional de 4 horas aos domingos (nessa região dos santificadores do domingo).[86] Ao mesmo tempo, estão diante do "Grand Jury" de Londres três ferroviários, um condutor, um maquinista e um sinaleiro. Um grande desastre ferroviário mandou centenas de pessoas para o outro mundo. Aponta-se como causa do desastre a negligência dos ferroviários. Unanimemente, declaram aos jurados que seu trabalho, há 10 ou 12 anos, tinha a duração de 8 horas por dia. Durante os

---

85 *Loc. cit.*
86 Comício dos trabalhadores agrícolas em Lasswade, Glasgow, de 5 de janeiro de 1866 (vide *Workman's Advocate*, de 13 de janeiro de 1866). A formação, em fins de 1865, de um *trade union* (sindicato) dos trabalhadores agrícolas, começando pela Escócia, é um acontecimento histórico. Num dos mais oprimidos distritos rurais da Inglaterra, em Buckinghamshire, realizaram os assalariados, em março de 1867, uma grande greve para aumentar seu salário semanal, que oscilava entre 9 e 10 xelins, para 12 xelins.
Adendo à 3ª edição: Vê-se que o movimento do proletariado agrícola inglês, inteiramente destroçado desde a repressão às demonstrações violentas, depois de 1830, e notadamente desde a introdução da nova lei de assistência aos pobres, recomeça nos anos de 1860 a 1870, para se projetar por fim, de maneira memorável, em 1872. Volto ao assunto no Volume II, utilizando os livros azuis aparecidos desde 1867 e que tratam da situação do trabalhador agrícola inglês.

últimos 5 a 6 anos, foi sendo aumentado progressivamente para 14, 18 e 20 horas e, nas ocasiões de maior movimento, nos períodos das excursões e passeios, estendia-se muitas vezes a 40 ou 50 horas sem interrupção. Eram homens comuns, e não ciclopes. Além de certo ponto, falhava sua força de trabalho. O torpor dominava-os. O cérebro parava de pensar, e os olhos, de ver. O respeitável júri pronuncia um veredicto, enviando-os ao juízo criminal por homicídio culposo, exteriorizando, num adendo suave, o piedoso desejo de ver os magnatas das ferrovias se tornarem no futuro mais pródigos na compra do número necessário de forças de trabalho, e mais moderados, mais abnegados e mais prudentes na exploração da força de trabalho paga.[87]

Na multidão heterogênea dos trabalhadores de todas as profissões, idades e sexos, que nos atropelam mais enfurecidos que as almas dos assassinados a Ulisses nos infernos, vemos à primeira vista, sem recorrer aos livros azuis, a estafa do excesso de trabalho. Vamos retirar dessa multidão dois exemplos, duas figuras, cujo contraste flagrante demonstra que, diante do capital, são iguais todos os seres humanos: uma modista e um ferreiro.

Nas últimas semanas de junho de 1863, todos os jornais de Londres traziam uma notícia encimada por um título sensacional: "Morte por excesso de trabalho." Tratava-se da morte da modista Mary Anne Walkley, de 20 anos, que trabalhava numa renomada casa de modas, explorada por uma senhora com o agradável nome de Elisa. A velha história tantas vezes contada foi de novo descoberta:[88] moças que trabalham ininterruptamente 16½ horas durante a temporada às vezes 30 horas consecutivas, sendo rea-

---

87 *Reynolds' Paper*, [21] de janeiro de 1866. Esse semanário publica, sob títulos sensacionais, como "acidentes fatais e terríveis" "pavorosa tragédia", uma lista completa das catástrofes ferroviárias ocorridas na semana. Um trabalhador da linha de North Staffordshire comenta a respeito dos desastres: "Todo mundo sabe quais são as consequências quando fraqueja, por um instante, a atenção do maquinista e do foguista. E como se poderia evitar isso, com o prolongamento desmesurado do trabalho, sem pausa nem repouso, no tempo mais inclemente? Exemplifico com um caso que se repete todos os dias. No mês passado, um foguista começou seu serviço muito cedo. Terminou-o às 14½ 55 minutos. Antes de tomar seu chá, foi de novo convocado para trabalhar. Teve, assim, de trabalhar ininterruptamente 29 horas e 15 minutos. O resto da sua semana teve o seguinte horário de trabalho: quarta-feira, 15 horas; quinta-feira, 15 horas e 35 minutos; sexta-feira, 14 e meia horas; sábado, 14 horas e 10 minutos. O total da semana elevou-se a 88 horas e 30 minutos. E avaliem o seu espanto quando só lhe pagaram seis jornadas de trabalho. O homem era um novato e perguntou o que se entendia por uma jornada de trabalho. Resposta: 13 horas, portanto 78 horas por semana. Mas e o pagamento do tempo restante, de 10 horas e 30 minutos? Após longo debate deram-lhe uma compensação de 10 pence." (*Loc. cit.*, nº de 4 de fevereiro de 1866.)

88 Vide F. Engels, *loc. cit.*, pp. 253-254.

A JORNADA DE TRABALHO

nimadas, quando fraquejam, por meio de xerez, vinho do Porto ou café. Estava-se então no auge da temporada. Era necessário concluir, como num passe de mágica, os vestuários luxuosos das damas da nobreza convidadas para o baile em homenagem à princesa de Gales, recentemente importada. Mary Anne Walkley tinha trabalhado 26½ horas sem interrupção, juntamente com 60 outras moças. Elas formavam grupos, ficando cada grupo de 30 num aposento cuja capacidade cúbica mal chegava para conter o ar necessário para elas. À noite, elas se revezavam duas a duas numa cama que ficava dentro de um dos cubículos de madeira em que se dividia um quarto de dormir.[89] E esta era uma das melhores casas de moda de Londres. Mary Anne Walkley adoeceu na sexta-feira e morreu no sábado, sem antes ter terminado sua última tarefa, para surpresa da Sra. Elisa. O médico chamado tarde demais à cabeceira da moribunda, Dr. Keys, testemunhou laconicamente perante o júri de instrução:

> "Mary Anne Walkley morreu por ter trabalhado em excesso num quarto superlotado e dormido num cubículo mal ventilado."

Para dar ao médico uma lição de boas maneiras, declarou o júri de instrução:

> "A vítima morreu de apoplexia, mas há motivos para se recear que o trabalho em excesso numa oficina superlotada apressou sua morte etc."

---

89 O Dr. Letheby, médico do Departamento de Saúde, declarou certa vez: "O mínimo de ar necessário para um adulto, num quarto de dormir, é de 300 pés cúbicos e, numa sala de jantar, de 500 pés cúbicos." O Dr. Richardson, médico-chefe de um hospital de Londres, diz: "As costureiras de toda a espécie, as modistas e suas auxiliares sofrem de um tríplice infortúnio: excesso de trabalho, carência de ar e deficiência de alimentação ou de digestão. De modo geral, esse tipo de trabalho, em qualquer circunstância, é mais adequado para as mulheres do que para os homens. Por desgraça, esse negócio é monopolizado, notadamente em Londres, onde uns 26 capitalistas, com o poder que decorre do capital, reduzem suas despesas dilapidando a força de trabalho. Seu poder é sentido por toda a classe das costureiras. Uma costureira pode conseguir um pequeno círculo de clientes, mas a concorrência força-a a trabalhar em casa até a morte, para não perder a clientela, e ela tem que impor esse trabalho em excesso às suas auxiliares. Se o negócio fracassa ou se ela não pode se estabelecer por conta própria, procura uma casa de modas, onde o trabalho não é menor, mas o pagamento é certo. Assim colocada, torna-se uma simples escrava, ao sabor das flutuações da sociedade. Ora está em casa num cubículo, morrendo de fome ou quase; ora trabalha 15, 16 e até 18 horas das 24 em atmosfera insuportável, sem poder digerir os alimentos, mesmo se forem bons, por falta de ar puro. É por causa dessas vítimas que prolifera a tísica, que não passa de uma doença oriunda do ar viciado." (Dr. Richardson, "Work and Overwork", em *Social Science Review*, 18 de julho de 1863.)

Nossos "escravos brancos", bradou o *Morning Star*, órgão dos livre-cambistas Cobden e Bright, "nossos escravos brancos são levados ao túmulo por estafa e fenecem e morrem silenciosamente".[90]

"A palavra de ordem é trabalhar até morrer, não só nas oficinas das modistas, mas em milhares de outros lugares onde se desenvolvem as atividades. [...] Vejamos o caso do ferreiro. A acreditarmos nos poetas, não há nenhum homem mais vigoroso e mais alegre que o ferreiro. Levanta-se cedo e arranca centelhas do ferro antes do sol; come, bebe e dorme como nenhum outro ser humano. Do ponto de vista puramente físico, a posição dele, se seu trabalho é moderado, é uma das melhores entre os seres humanos. Mas sigamo-lo numa cidade e vejamos a sobrecarga de trabalho que recai sobre ele e a posição que ocupa na tabela de mortalidade em nosso país. Em Marylebone, um dos maiores bairros de Londres, os ferreiros morrem na proporção de 31 por 1.000 anualmente, isto é, ultrapassam de 11 a média de mortalidade dos adultos na Inglaterra. Essa ocupação, uma arte quase instintiva da humanidade, não tem nada de condenável em si mesma, mas, em virtude do excesso de trabalho, se torna destruidora do homem. O ferreiro pode vibrar tantas pancadas por dia, andar tantos passos, respirar tantas vezes, realizar tanto trabalho e viver em média, digamos, 50 anos; mas ele é forçado a vibrar um número maior de marteladas, a andar um número maior de passos, a respirar mais vezes e a gastar assim um quarto a mais de sua vida. Realiza o esforço que lhe é prescrito e tem por resultado produzir, num período limitado, ¼ a mais do trabalho que seria normal e morrer aos 37 anos, e não aos 50."[91]

---

90 *Morning Star*, 23 de junho de 1863. O *Times* aproveitou a ocasião para defender os senhores de escravos da América contra Bright etc. "Muitos de nós", diz ele, "são de parecer que, enquanto fizermos trabalhar até a morte nossas jovens empregadas, utilizando o aguilhão da fome em lugar do açoite do chicote, não temos o direito de incitar a que se empreguem o fogo e a espada contra famílias que, desde o berço, possuem escravos e pelo menos os alimentam bem, fazendo-os trabalharem moderadamente." (*Times*, 2 de julho de 1863.) No mesmo sentido, o *Standard*, uma folha conservadora, pregava contra o reverendo Newman Hall: "Ele excomunga os senhores de escravos, mas reza com os abastados que fazem trabalhar os cocheiras e condutores de ônibus de Londres durante 16 horas por dia por um miserável salário." Por fim, falou o oráculo, Thomas Carlyle, sobre o qual escrevi em 1850: "O gênio foi para o diabo, ficou o culto." O único acontecimento grandioso da História Contemporânea, a Guerra Civil americana, reduz ele a esta pequena parábola: "Pedro do Norte quer, com todo o seu poder, arrebentar o crânio de Paulo do Sul, porque Pedro do Norte aluga sua mão de obra por dia e Paulo do Sul aluga-a pela vida inteira." (*Macmillan's Magazine*, "Ilias Americana in nuce", agosto de 1863.) Por fim, rebentou a bolha de sabão que era a simpatia dos conservadores pelo assalariado urbano, a qual nunca chegaram a estender ao trabalhador do campo. No íntimo, o que eles desejam significa escravatura.

91 Dr. Richardson, *loc. cit.*

A JORNADA DE TRABALHO

4. TRABALHO DIURNO E NOTURNO. SISTEMA DE REVEZAMENTO

Os meios de produção, o capital constante, só existem, do ponto de vista da criação da mais-valia, para absorver trabalho e, com cada gota de trabalho, uma porção proporcional de trabalho, excedente. Se não realizam isto, sua mera existência constitui pura perda para o capitalista, pois, durante o tempo em que estão parados, representam adiantamento inútil de capital. Essa perda se traduz também em despesas quando, em virtude dessa parada, se tornam necessários gastos adicionais para a retomada de atividades. O prolongamento do trabalho além dos limites diurnos naturais, pela noite adentro, serve apenas de paliativo para apaziguar a sede vampiresca do capital pelo sangue vivificante do trabalho. O impulso imanente da produção capitalista é apropriar-se do trabalho durante todas as 24 horas do dia. Sendo fisicamente impossível, entretanto, explorar, dia e noite sem parar, a mesma força de trabalho, é necessário, para superar esse obstáculo físico, revezar as forças de trabalho a serem empregadas nos períodos diurno e noturno. Há diferentes métodos de revezamento: o trabalho, por exemplo, pode *ser* ordenado de modo que uma parte do pessoal, numa semana, fica no horário diurno e, na outra, no noturno etc. Sabemos que esse sistema de revezamento, de turmas, predominava no período florescente inicial da indústria têxtil inglesa, vigorando hoje em vários lugares, notadamente nas fiações do governo provincial de Moscou. Esse processo de produção durante 24 horas ininterruptas existe hoje como sistema em muitos ramos industriais "livres" da Grã-Bretanha, dentre os quais figuram os altos-fornos, forjas, laminações e outras indústrias metalúrgicas da Inglaterra, de Gales e da Escócia. Nesses setores, o processo de trabalho ordinariamente compreende, além das 24 horas dos seis dias úteis da semana, as 24 horas do domingo. Os trabalhadores são homens e mulheres, adultos, adolescentes e crianças de ambos os sexos. A idade dos jovens e das crianças percorre toda a escala, dos 8 anos (em alguns casos, dos 6) até aos 18.[92] Em alguns ramos, as meninas e as mulheres trabalham à noite junto com o pessoal masculino.[93]

---

92 *Children's Employment Commission*, *Third Report*, Londres, 1864, pp. IV, V e VI.

93 "Em Staffordshire e no sul de Gales, moças e mulheres são empregadas para trabalhar nas minas de carvão e nas pilhas de coque, de dia e de noite. Isto foi mencionado várias vezes, nos relatórios dirigidos ao Parlamento, como prática que dá origem a males notórios. Essas mulheres que trabalham com os homens e que, até pela roupa, mal se distinguem deles, sujas e enfumaçadas, expõem-se a degenerescência de caráter, causada pela perda do respeito a si mesmas, consequência quase inevitável

O CAPITAL

Pondo de lado os efeitos geralmente prejudiciais do trabalho noturno,[94] o processo de produção ininterrupto de 24 horas proporciona a oportunidade altamente desejada de ultrapassar os limites da jornada nominal de trabalho. Assim, por exemplo, nos ramos industriais mencionados, extremamente fatigantes, a jornada nominal de trabalho em regra está fixada em 12 horas, diurnas ou noturnas. Mas, em muitos casos, o trabalho extraordinário além desse limite, para usar expressão de relatório oficial inglês, é "algo que realmente horroriza".[95]

> "Ninguém", diz o relatório, "pode pensar na quantidade de trabalho que, segundo o depoimento de testemunhas, é realizado por crianças de 9 a 12 anos, sem concluir irresistivelmente que não se pode mais permitir que continue esse abuso de poder dos pais e dos patrões."[96] "O método de fazer as crianças trabalharem alternativamente de dia e de noite leva ao iníquo prolongamento do dia de trabalho, tanto nos períodos de maior volume de negócios quanto nos períodos de movimento normal. Esse prolongamento, em muitos casos, é mais do que cruel, é inacreditável. Entre os meninos, ocorre frequentemente, por este ou aquele motivo, que um ou mais deixam de vir trabalhar. Um ou mais dos garotos presentes que já concluíram seu horário de trabalho têm de preencher o claro. Este sistema é tão conhecido que o gerente de uma laminação,

---

dessa ocupação imprópria ao seu sexo." (*Loc. cit.*, 194, p. xxvi. Vide *Fourth Report* 1865, 61, p. xiii.) O mesmo ocorre nas fábricas de vidros.

94 Um fabricante de aço que emprega meninos em trabalho noturno observou: "Parece natural que meninos que trabalham de noite não durmam nem descansem de dia adequadamente, continuando inquietos em movimento." (*Loc. cit.*, *Fourth Rep.*, 63, p. xiii). Sobre a importância da luz solar para a saúde e desenvolvimento do corpo, observa um médico: "A luz atua diretamente sobre os tecidos, endurecendo-os e dando-lhes elasticidade. Os músculos dos animais aos quais se priva da quantidade normal de luz tornam-se moles e inelásticos, os nervos perdem sua irritabilidade por falta de estímulos e ocorre um retrocesso biológico. [...] É absolutamente essencial para a saúde das crianças terem elas acesso contínuo à luz do dia e exporem-se aos raios diretos do sol, durante uma parte do dia. A luz nos ajuda a transformar os alimentos em sangue plástico e endurece as fibras depois de formadas. Estimula os órgãos da visão, provocando, desse modo, maior atividade das diferentes funções do cérebro." O Dr. W. Strange, médico-chefe do Hospital Geral de Worcester, de cuja obra sobre saúde (1864) extraí a citação acima, escreve, em carta dirigida a White, um dos comissários de inquérito: "Tive, há algum tempo, em Lancashire, diversas oportunidades de observar os efeitos do trabalho noturno sobre os meninos das fábricas, e não hesito em dizer, contrariando o que alguns patrões gostam de afirmar, que os meninos sujeitos a essa espécie de trabalho perdem rapidamente sua saúde." (*Children's Employment Commission, Fourth Report*, 284, p. 55.) A circunstância de assuntos dessa natureza serem objeto de sérias controvérsias é a melhor demonstração do modo como a produção capitalista atua sobre as funções cerebrais dos capitalistas e de seus partidários.

95 *Loc. cit.*, 67, p. xii.

96 *Loc. cit.* (*4th Rep.*, 1865, 58, p. xii.)

quando lhe perguntei como seria substituído o menino que faltara, respondeu: 'Sei que você sabe, tão bem quanto eu, como será feita essa substituição.' E não teve nenhum escrúpulo em confessar o que estava ocorrendo."[97] "Numa laminação em que a jornada nominal de trabalho ia das 6 da manhã até as 5 e meia da tarde, um garoto trabalhava quatro noites por semana até pelo menos 8 e meia da noite do dia seguinte [...] e isto durante seis meses." "Outro, quando tinha 9 anos, trabalhava, frequentes vezes, três turnos seguidos de 12 horas, e, quando tinha 10 anos, dois dias e duas noites consecutivos." "Um terceiro, agora com 10 anos, trabalhava, durante três dias, das 6 da manhã até a meia-noite, e, os outros três, de 6 horas da manhã até as 9 da noite." "Um quarto, com 13 anos, trabalhava, durante toda a semana, das 6 horas da tarde até as 12 horas do dia seguinte e às vezes em três períodos consecutivos, por exemplo, de segunda-feira de manhã até terça à noite." "Um quinto, com 12 anos, trabalhava numa fundição de ferro em Stavely das 6 horas da manhã até meia-noite e, ao fim de 15 dias, não pôde mais continuar nesse regime." "George Allinworth, de 9 anos de idade, declara: 'Vim trabalhar aqui sexta-feira passada. No dia seguinte, tive de começar às 3 horas da manhã. Por isso, fiquei aqui a noite inteira. Moro a 5 milhas daqui. Dormi no corredor sobre um avental e me cobri com um casaco pequeno. Os outros dias, estava aqui às 6 horas da manhã. Este lugar é muito quente. Trabalhava também num alto-forno, e durante um ano inteiro, antes de vir para cá. Era uma grande usina no campo. Começava também aos sábados às 3 horas da manhã, mas pelo menos podia ir dormir em casa, pois era perto. Nos outros dias, começava às 6 da manhã e terminava às 6 ou 7 da noite.'" etc.[98]

---

97 *Loc. cit.*

98 *Loc. cit.*, p. XIII. O nível de instrução dessas "forças de trabalho" se revela nas seguintes respostas dadas aos membros da comissão de inquérito. Jeremiah Haynes, de 12 anos de idade: "[...] 4 vezes 4 são 8, mas 4 quatros são 16. [...] Um rei é quem tem todo o dinheiro e todo o ouro. Dizem que temos um rei, ele é uma rainha, o nome dela é princesa Alexandra. Dizem que ela se casou com o filho da rainha. Uma princesa é um homem." William Turner, de 12 anos: "Não vivo na Inglaterra. Penso que é um país, mas não sabia disso." John Morris, de 14 anos: "Ouvi dizer que Deus fez o mundo e afogou todo mundo, exceto um que era um passarinho." William Smith, de 15 anos: "Deus fez o homem; o homem fez a mulher." Edward Taylor, de 15 anos: "Nada sei de Londres." Henry Mattewman, de 17 anos: "Às vezes vou à igreja. [...] Pregam muito um nome, um certo Jesus Cristo, mas não posso dizer nenhum outro nome e nada posso dizer sobre ele. Ele não foi morto, morreu como qualquer um. Em certos pontos, ele não era como as outras pessoas, pois era religioso em certos pontos e outras pessoas não são." (*Loc. cit.*, 74, p. xv.) "O diabo é uma boa pessoa. Não sei onde ele vive. Cristo era um perverso." "Esta menina de 10 anos soletra *God* como se fosse *dog* e não sabe o nome da rainha." (*Ch. Empl. Comm. V. Rep.*, 1866, p. 55, nº 278.) O mesmo sistema vigora nas fábricas de papel e de vidros. Nas fábricas de papel onde o papel é feito a máquina, o trabalho noturno é a regra para todos os processos, exceto para a seleção dos trapos. Em alguns casos, o trabalho noturno por revezamento prossegue sem interrupção por toda a semana, indo geralmente de domingo à noite até a meia-noite

O CAPITAL

Vejamos agora como o capital vê o sistema de 24 horas. Naturalmente, deixa passarem em silêncio os excessos do sistema, os abusos, o prolongamento da jornada de trabalho de maneira cruel e incrível. Fala sobre o sistema em sua forma normal.

Os Srs. Naylor e Vickers, fabricantes de aço, que empregam 600 a 700 pessoas, entre elas só 10% menores de 18 anos, e que não utilizam no trabalho noturno mais de 20 desses menores, declaram:

> "Os garotos não sofrem com o calor. A temperatura é provavelmente de 86 até 90 graus Fahrenheit. [...] Nas oficinas de forja e de laminação, os operários trabalham dia e noite por turmas, mas todos os outros serviços são realizados durante o dia, das 6 da manhã às 6 da tarde. Na forja trabalha-se das 12 às 12 horas. Alguns só trabalham no horário noturno. [...] Achamos que não faz nenhuma diferença para a saúde [dos senhores Naylor e Vickers?] do operário trabalhar ele de dia ou de noite, e provavelmente as pessoas dormem melhor se dormem sempre no mesmo período. [...] Cerca de 20 menores com menos de 18 anos trabalham à noite. [...] Não poderíamos passar sem o trabalho noturno desses menores. Opomo-nos ao aumento dos custos de produção. Operários destros e capazes são difíceis de conseguir, mas de menores se obtém qualquer número. [...] Considerando a pequena proporção de menores que empregamos, seriam de pequena importância ou de pouco interesse para nós as limitações do trabalho noturno."[99]

---

do sábado seguinte. A turma diurna trabalha cinco dias de 12 horas e um dia de 18, e a turma noturna, cinco noites de 12 e uma noite de 6 horas, por semana. Em outros casos, cada turma trabalha 24 horas, uma depois da outra, em dias alternados. Uma turma trabalha 6 horas, segunda-feira, e 18, na sexta, para preencher as 24 horas. Foi introduzido ainda um sistema intermediário, empregado no trabalho com a maquinaria de fazer papel: 15 a 16 horas de trabalho, cada dia da semana. Este sistema, diz Lord, comissário de inquérito, parece somar todos os males dos revezamentos de 12 horas e de 24 horas. Meninos com menos de 13 anos, jovens com menos de 18 e mulheres são postos a trabalhar à noite sob esse sistema. No sistema de revezamento em cada período de 12 horas, têm eles, às vezes, em virtude da ausência do substituto, de trabalhar 24 horas, dobrando a jornada. Os depoimentos das testemunhas provam que meninos e meninas realizam, com muita frequência, trabalho extraordinário que, não raro, leva sua jornada a estender-se a 24 e até a 36 horas, sem interrupção. No processo contínuo e uniforme das oficinas de polimento, encontramos meninas de 12 anos que, durante o mês inteiro, trabalham 14 horas por dia, sem qualquer pausa regular ou interrupção além de duas paradas, no máximo três, de meia hora, para refeições. Em algumas fábricas onde se aboliu o trabalho noturno regular, ocorre o trabalho extraordinário numa extensão terrível, e "isto frequentemente nas tarefas executadas sob as condições mais sujas, mais abrasantes e mais monótonas". (*Children's Employment Commission, Report IV*, 1865, pp. XXXVIII-XXXIX.)

99 *Fourth Report* etc., 1865, 79, p. XVI.

A JORNADA DE TRABALHO

O Sr. J. Ellis, da firma John Brown & Co., fabricante de ferro e aço, que emprega 3.000 homens e menores, aplicando o sistema de turmas diurnas e noturnas no trabalho mais pesado, declara que há nas oficinas de aço um ou dois menores para dois homens. No seu negócio existem 500 menores com menos de 18 anos, dos quais perto de um terço, ou 170, com menos de 13 anos. Com referência à alteração legislativa proposta, opina ele:

> "Não creio que se possa objetar à ideia de não permitir que menores de 18 anos trabalhem por mais de 12 horas das 24. Mas não creio que se deva estabelecer uma disposição no sentido de proibir o trabalho noturno de jovens com mais de 12 anos. Preferimos uma lei que proíba empregar jovens com menos de 13 ou até com menos de 15 anos a uma lei que nos proíba de utilizar no trabalho noturno os jovens que temos. Os menores da turma diurna têm de trabalhar alternadamente no horário noturno, pois os homens não podem realizar o trabalho noturno sem interrupções: isto arruinaria a saúde deles. Achamos, entretanto, que o trabalho noturno, em semanas alternadas, não é prejudicial. [Os Srs. Naylor e Vickers pensam de modo contrário, achando, de acordo com os melhores interesses dos seus negócios, que o trabalho noturno continuado não causa mal, mas o alternado, sim.] Achamos que as pessoas que realizam alternadamente trabalho noturno são tão sadias quanto as que só trabalham de dia. [...] Opomo-nos à proibição de se empregarem menores de 18 anos em trabalho noturno, considerando o aumento das despesas, e este é o único motivo. [Que ingenuidade cínica!] Acreditamos que esse aumento iria além do limite que o negócio poderia razoavelmente suportar, para se manter próspero. [Que fraseologia!] A mão de obra aqui é escassa e poderia tornar-se insuficiente com essa proibição." [Isto é, John Brown & Co. teriam de enfrentar o fatal embaraço de pagar o valor apropriado da força de trabalho.][100]

A empresa siderúrgica de Cammel & Co. opera na mesma escala de John Brown & Co. O diretor-gerente entregou seu depoimento por escrito ao comissário White, mas depois achou mais conveniente subtrair o manuscrito que lhe fora devolvido para revisão. Todavia, o comissário White tem boa memória. Ele se lembra exatamente de que esses senhores consideravam ser impossível a supressão do trabalho noturno dos meninos e dos jovens;

---

100 *Loc. cit.*, 80, pp. XVI-XVII.

seria o mesmo que parar suas oficinas. Nestas, entretanto, os menores de 18 anos representam pouco mais de 6%, e os menores de 13, apenas 1%.[101]

Sobre o mesmo assunto, o Sr. E. F. Sanderson, da firma Sanderson, Bros. & Co., com usinas de aço, laminação e forja, em Attercliffe, declara:

> "Surgiriam grandes dificuldades se menores de 18 anos fossem proibidos de trabalhar à noite. A principal seria o aumento dos custos com o emprego de adultos em vez de menores. Não posso dizer quanto isso custaria, mas provavelmente não seria tanto que justificasse o aumento do preço do aço pelo fabricante, de modo que o prejuízo recairia sobre ele, uma vez que os trabalhadores [que gente cabeçuda] se recusariam por certo a pagá-lo."

O Sr. Sanderson não sabe quanto paga aos meninos, mas

> "[...] talvez eles recebam, cada um, de 4 a 5 xelins por semana. [...] O trabalho dos menores é de uma espécie para a qual a força deles é geralmente [geralmente, mas nem sempre] suficiente, e por isso não haveria nenhum ganho a obter da força maior dos adultos, para compensar o salário maior, a não ser nos poucos casos em que é pesado o volume de metal a manejar. Os homens não gostariam de não ter menores entre eles, pois os menores são mais dóceis que os adultos. Além disso, os jovens têm de começar cedo, para aprender o ofício. Se só se permitir aos menores trabalharem de dia, esse objetivo não seria atendido."

E por que não? Por que não podem os jovens aprender seu ofício de dia? Quais os vossos argumentos?

> "Trabalhando os homens, ora de dia, ora de noite, em semanas alternadas, ficariam eles separados dos menores em metade do tempo de trabalho e perderiam metade do lucro que obtêm deles. O treino que dão aos jovens é considerado parte do salário dos menores e possibilita aos trabalhadores adultos obterem mais barato o trabalho do menor. Cada homem perderia metade do seu lucro."

Em outras palavras, os Srs. Sanderson teriam de pagar parte dos salários dos trabalhadores adultos com dinheiro do seu próprio bolso, e não com o trabalho noturno dos menores. O lucro dos Srs. Sanderson cairia,

---

101 *Loc. cit.*, 82, p. XVII.

assim, um pouco, e esta é a boa razão que possuem pela qual os menores não podem aprender o ofício de dia.[102] Demais, isso faria todo o trabalho noturno recair sobre os adultos, que atualmente se revezam com os menores, e eles não o suportariam. Em suma, as dificuldades seriam tão grandes que levariam provavelmente à supressão total do trabalho noturno. "Isto não faria a menor diferença", diz E. F. Sanderson, "no que toca à produção de aço, mas..." Mas os Srs. Sanderson têm mais o que fazer do que fabricar aço. A produção de aço é mero pretexto para a produção de mais-valia. Os fornos de fundição, as oficinas de laminação, as construções, a maquinaria, o ferro, o carvão, não se transformam, apenas, em aço. Além disso, absorvem trabalho excedente, absorvendo naturalmente mais em 24 horas do que em 12. Na realidade, dão aos Sanderson, por graça de Deus e da lei, um direito líquido sobre o tempo de trabalho de certo número de trabalhadores, durante as 24 horas do dia, e perdem seu caráter de capital, representando pura perda para os Sanderson, quando se interrompe sua função de absorver trabalho.

> "Mas, então, existiria a perda resultante da ociosidade, durante metade do tempo, de maquinaria tão cara, e só poderíamos produzir o que produzimos com o sistema atual duplicando nossas construções, instalações e equipamentos, o que dobraria nosso dispêndio."

Por que exigem os Sanderson um privilégio em relação aos outros capitalistas, que só têm autorização para o trabalho diurno e cujas construções, maquinaria e matérias-primas ficam ociosas de noite?

"É verdade", responde E. F. Sanderson, em nome de todos os Sanderson, "é verdade que essa perda oriunda da maquinaria ociosa atinge todas as indústrias que só trabalham de dia. Mas os usos dos fornos envolvem, em nosso caso, uma perda adicional. Se forem mantidos acesos, com as máquinas paradas, haverá a perda inútil de combustível [enquanto agora há a perda da força vital do trabalhador], se deixamos eles se apagarem, haveria perda de tempo para acendê-los e obter o grau necessário do calor [enquanto privar do sono até crianças de 8 anos é ganho de tempo de tra-

---

102 "Em nossa época pensante e raciocinante, não faz grande progresso quem não sabe apresentar uma boa razão para tudo, por pior e por mais errado que seja. Tudo de mal que se fez neste mundo, foi feito por boas razões." (Hegel, *loc. cit.*, p. 24a.)

balho para o clã dos Sanderson], e os fornos sofreriam com a variação de temperatura [enquanto os mesmos fornos nada sofrem com o revezamento diurno e noturno do trabalho]."[103]

5. A LUTA PELA JORNADA NORMAL DE TRABALHO. LEIS QUE PROLONGAM COMPULSORIAMENTE A JORNADA DE TRABALHO, DA METADE DO SÉCULO XIV AO FIM DO SÉCULO XVII

O que é uma jornada de trabalho? Durante quanto tempo é permitido ao capital consumir a força de trabalho cujo valor diário paga? Por quanto tempo se pode prolongar a jornada de trabalho além do tempo necessário para reproduzir a própria força de trabalho? A estas perguntas, conforme já vimos, responde o capital: O dia de trabalho compreende todas as 24 horas, descontadas as poucas horas de pausa sem as quais a força de trabalho fica

---

103 *Children's Employment Commission. Fourth Report*, 1865. 85, p. XVII. Com a mesma delicadeza de consciência, observaram os fabricantes de vidros que não era possível conceder aos meninos refeições regulares, porque se perderia, se desperdiçaria determinada quantidade de calor que os fornos irradiam. Deu-lhes uma boa resposta o comissário de inquérito, White. Com o modo de pensar diferente de Ure, Senior e seus pobres imitadores alemães como Roscher e quejandos, não se deixou levar pela abstinência, pela abnegação e parcimônia dos capitalistas, quando se trata de seu dinheiro, e pela sua prodigalidade em dilapidar vidas humanas, digna de um Tamerlão, dizendo: "É possível que se desperdice certa quantidade de calor acima da norma atual, assegurando-se tempo para refeições nesses casos, mas o valor em dinheiro é pequeno, comparado com o desgaste de força vital que ocorre hoje no Reino Unido, em virtude de meninos, seres que estão em fase de crescimento, não disporem de tempo suficiente, quando trabalham nas fábricas de vidros, para tomar comodamente seus alimentos e digeri-los." (*Loc. cit.*, p. XLV.) E isto em 1865, o ano do progresso. Sem levar em conta o dispêndio de energia para levantar e carregar mercadorias, os meninos que trabalham nos fornos que fazem garrafas e *flint glass* andam, durante a execução de seu trabalho ininterrupto, 15 a 20 milhas inglesas em 6 horas. E o trabalho dura frequentemente 14 a 15 horas. Em muitos desses fornos de vidro, vigora, como nas fiações de Moscou, o sistema em que os mesmos operários se revezam de 6 em 6 horas. "Durante a semana, o período mais longo de descanso é de 6 horas, e dele tem de ser deduzido o tempo para ir à fábrica, voltar dela, lavar-se, vestir-se, alimentar-se. O tempo que resta realmente para repouso é extremamente curto. Não sobra tempo para diversão, para respirar o ar puro, a não ser à custa do sono, tão indispensável aos meninos que executam um trabalho tão fatigante numa atmosfera tão quente. [...] Mesmo o breve sono é intranquilo, pois o menino tem de contar consigo mesmo para despertar, se é noite, ou é perturbado por ruídos, se é dia." O comissário White apresenta casos de meninos trabalhando 36 horas consecutivas; outros, de meninos de 12 anos que se esfalfam até 2 horas da madrugada dormindo na fábrica até as 5 horas da manhã (3 horas de sono), para começar de novo o trabalho. "A quantidade de trabalho", dizem os redatores do relatório geral, Tremenheere e Tufnell, "que os meninos, meninas e mulheres realizam, no curso de seu miraculoso esforço diurno ou noturno, é fabulosa." (*Loc. cit.*, pp. XLIII-XLIV.) Enquanto isto ocorre, talvez tarde da noite, o dono da fábrica de vidros, cheio de abstinência e de vinho do Porto, sai do clube para casa, com passos incertos, cantarolando imbecilmente: "*Britons never, never shall be slaves!*" ("Nunca jamais os ingleses serão escravos!")

A JORNADA DE TRABALHO

absolutamente impossibilitada de realizar novamente sua tarefa. Fica desde logo claro que o trabalhador, durante toda a sua existência, nada mais é que força de trabalho, que todo o seu tempo disponível é, por natureza e por lei, tempo de trabalho, a ser empregado no próprio aumento do capital. Não tem qualquer sentido o tempo para a educação, para o desenvolvimento intelectual, para preencher funções sociais, para o convívio social, para o livre exercício das forças físicas e espirituais, para o descanso dominical, mesmo no país dos santificadores do domingo.[104] Mas, em seu impulso cego, desmedido, em sua voracidade por trabalho excedente, viola o capital os limites extremos, físicos e morais, da jornada de trabalho. Usurpa o tempo que deve pertencer ao crescimento, ao desenvolvimento e à saúde do corpo. Rouba o tempo necessário para se respirar ar puro e absorver a luz do sol. Comprime o tempo destinado às refeições para incorporá-lo, sempre que possível, ao próprio processo de produção, fazendo o trabalhador ingerir os alimentos como a caldeira consome carvão, e a maquinaria, graxa e óleo, enfim, como se fosse mero meio de produção. O sono normal necessário para restaurar, renovar e refazer as forças físicas reduz o capitalista a tantas horas de torpor estritamente necessárias para reanimar um organismo absolutamente esgotado. Não é a conservação normal da força de trabalho que determina o limite da jornada de trabalho; ao contrário, é o maior dispêndio possível diário da força de trabalho, por mais prejudicial, violento e doloroso que seja, que determina o limite do tempo de descanso do trabalhador. O capital não se preocupa com a duração da vida da força de trabalho. Interessa-lhe exclusivamente o máximo de força de trabalho que pode ser posta em atividade. Atinge esse objetivo encurtando a duração

---

104 Nos distritos rurais ingleses, às vezes um trabalhador é condenado à prisão por ter profanado o domingo, trabalhando no jardinzinho de sua casa. O mesmo trabalhador é punido por violação de contrato, se falta ao trabalho, aos domingos, nas usinas metalúrgicas, nas fábricas de papel ou de vidros, mesmo que seja por convicção religiosa. O Parlamento ortodoxo não tem ouvidos para a profanação dos domingos, se é praticada com o fim de expandir o capital. Em agosto de 1863, os diaristas das peixarias e casas de aves de Londres apresentaram memorial, reivindicando a supressão do trabalho aos domingos, no qual observavam que seu trabalho nos primeiros 6 dias da semana durava, em média, 15 horas por dia e, no domingo, 8 a 10 horas. Por esse memorial ficamos sabendo que constitui principal incentivo desse trabalho aos domingos a refinada glutonaria dos hipócritas aristocráticos de Exeter Hall. Esses "santos", tão cuidadosos de seu bem-estar físico, demonstram seus sentimentos cristãos pelo modo resignado com que suportam a estafa, as privações e a fome dos outros. Poderiam dizer, parodiando Horácio (*Sátiras*, II, 104): para os trabalhadores, a glutonaria é muito mais prejudicial.

da força de trabalho, como um agricultor voraz que consegue uma grande produção exaurindo a terra de sua fertilidade.

A produção capitalista, que essencialmente é produção de mais-valia, absorção de trabalho excedente, ao prolongar o dia de trabalho, não causa apenas a atrofia da força humana de trabalho, à qual rouba suas condições normais, morais e físicas de atividade e de desenvolvimento. Ela ocasiona o esgotamento prematuro e a morte da própria força de trabalho.[105] Aumenta o tempo de produção do trabalhador num período determinado, encurtando a duração da sua vida.

O valor da força de trabalho compreende o valor das mercadorias necessárias para reproduzir o trabalhador, ou seja, para perpetuar a classe trabalhadora. Se o prolongamento da jornada contra as leis naturais (o qual o capital, necessariamente, quer conseguir, em seu impulso desmedido para expandir seu valor) encurta a vida do trabalhador e, com isso, a duração da força de trabalho, torna-se então necessária a mais rápida substituição dos elementos desgastados. Aumentam os custos de desgaste na reprodução da força de trabalho. O mesmo ocorre com uma máquina: quanto mais rápido ela se desgasta, tanto maior a proporção do valor a ser reproduzida diariamente. O interesse do próprio capital parece indicar a conveniência da jornada normal de trabalho.

O senhor de escravos compra um trabalhador como compra um cavalo. Ao perder o escravo, perde um capital que tem de substituir por meio de novo dispêndio no mercado de escravos. A medalha, entretanto, tem um reverso.

> "Os campos de arroz da Geórgia e os pântanos do Mississippi podem exercer fatalmente sua ação destruidora sobre a constituição humana, mas esse desperdício de vida humana não é tão grande que não possa ser reparado pelas criações de população negreira de Virgínia e Kentucky. Considerações econômicas, identificando o interesse do senhor com a preservação do escravo, poderiam assegurar a este um tratamento humano. Todavia, com o funcionamento do tráfico negreiro, elas mudam de sentido: o que passa a interessar é apenas extrair o máximo de trabalho do escravo, pois a duração de sua vida é menos importante que sua produtividade quando pode ser substituído por outro

---

105 "Em nossos relatórios anteriores, reproduzimos as observações de vários fabricantes experimentados, afirmando que horas extraordinárias [...] tendem por certo a esgotar prematuramente a força de trabalho dos seres humanos." (*Loc. cit.*, 64, p. XIII.)

A JORNADA DE TRABALHO

escravo importado das zonas negreiras. É, por isso, máxima nos países escravistas que importam escravos que a economia mais eficaz consiste em extrair de gado humano a maior quantidade possível de trabalho no menor tempo possível. A vida dos negros é sacrificada da maneira mais impiedosa justamente nos trópicos, onde os lucros anuais frequentemente igualam todo o capital das plantações. A agricultura das Índias Ocidentais, há séculos fonte de riquezas fabulosas, tem sacrificado milhões da raça africana. É em Cuba, cujas rendas se contam por milhões e cujos senhores de engenho são verdadeiros nababos, que atualmente vemos a classe dos escravos ser mais maltratada, alimentada da maneira mais grosseira, sujeita aos trabalhos mais penosos, mais esgotantes, sem interrupções, sendo parte dela diretamente destruída a cada ano pela tortura lenta da estafa e da privação do sono e do repouso."[106]

Mudemos os nomes. Em lugar de tráfico negreiro, leia-se mercado de trabalho; em lugar de Kentucky e Virgínia, Irlanda, os distritos rurais da Inglaterra, Escócia e País de Gales; em lugar da África, a Alemanha. Vimos como o trabalho em excesso dizima em Londres os empregados das padarias; entretanto, o mercado de trabalho de Londres está sempre superlotado de alemães e de outros candidatos à morte, para trabalharem em panificação. A cerâmica, conforme vimos, é um dos ramos industriais cujos trabalhadores morrem mais cedo. Faltam por isso trabalhadores nessa indústria? Josiah Wedgwood, o inventor da cerâmica moderna, originalmente um simples trabalhador, declarou perante a Câmara dos Comuns, em 1785, que toda a manufatura ocupava de 15.000 a 20.000 pessoas.[107] Em 1861, só a população das cidades que, na Grã-Bretanha, eram os centros dessa indústria elevava-se a 101.302.

> "A indústria têxtil existe há 90 anos. [...] Durante três gerações da raça inglesa, consumiu ela nove gerações de trabalhadores."[108]

Em certas épocas de atividade febril, o mercado de trabalho se revela, sem dúvida, insuficiente para atender a todas as solicitações da procura. Assim, por exemplo, em 1834. Os fabricantes propuseram então aos membros da Poor Law Commission (Comissão de Assistência aos Pobres) mandar

---

106 Cairnes, *loc. cit.*, pp. 110-111.

107 John Ward, *History of the Borough of Stoke-upon-Trent* etc. Londres, 1843, p. 42.

108 Discurso de Ferrand na Câmara dos Comuns, de 27 de abril de 1863.

O CAPITAL

para o Norte a população excedente dos distritos agrícolas, afirmando que os fabricantes a absorveriam e consumiriam.[109] Estas foram suas palavras:

> "Agentes foram designados para Manchester com a autorização da Poor Law Commission. Foram feitas listas dos trabalhadores agrícolas e remetidas a esses agentes. Os fabricantes acorreram a eles, fizeram a seleção que lhes convinha, e as famílias foram remetidas do Sul da Inglaterra. Essas encomendas de gente foram transportadas com etiquetas como fardos de mercadorias, por via fluvial ou por carros de carga. Houve os que foram a pé, e muitos deles se perderam, vagueando famintos nos distritos industriais. O sistema formou-se num verdadeiro ramo de comércio. A Câmara dos Comuns dificilmente acreditará nisso, mas esse comércio regular, esse tráfico de carne humana, prosseguia, e essa gente era vendida pelos agentes de Manchester aos fabricantes locais de maneira tão normal quanto os negros aos plantadores de algodão dos Estados Unidos. [...] O ano de 1860 marca o apogeu da indústria têxtil de algodão. [...] Faltaram novamente braços. Os fabricantes voltaram-se para os agentes de carne humana [...] e estes percorreram as dunas de Dorset, as colinas de Devon e os plainos de Wilt, mas a população excedente já fora consumida."

O *Bury Guardian* observou com tristeza que, após a conclusão do acordo de comércio anglo-francês, poderiam ser empregados 10.000 trabalhadores adicionais e, em breve, mais 30.000 ou 40.000. Em 1860, depois de os agentes e subagentes de tráfico humano terem percorrido, praticamente em vão, os distritos agrícolas, "uma delegação de fabricantes dirigiu-se ao senhor Villiers, presidente do Poor Law Board [departamento de assistência aos pobres], com o fim de obter o fornecimento de órfãos e crianças internados nos asilos de trabalho [*workhouses*]".[110]

---

109 "That the manufacturers would absorb it and use it up. Those were the very words used by the cotton manufacturers." (*Loc. cit.*)

110 *Loc. cit.*, Villiers, embora, com a maior boa vontade, fosse legalmente obrigado a recusar o pedido dos fabricantes. Mas estes alcançaram seus objetivos através da complacência das administrações locais de assistência aos pobres. A. Redgrave, inspetor de fábrica, assegura que, desta vez, o sistema que considera os órfãos e os meninos pobres legalmente aprendizes "não foi acompanhado dos antigos abusos" (sobre o assunto, vide Engels, *loc. cit.*), embora, num caso, ocorresse "abuso em relação a meninas e a jovens mulheres, trazidas dos distritos agrícolas da Escócia para Lancashire e Cheshire". De acordo com esse sistema, o fabricante faz um contrato com a administração do asilo por período determinado. Alimenta, veste e aloja os meninos e lhes dá um pequeno suprimento em dinheiro. Na Inglaterra, 1860 foi um ano singular no período de prosperidade da indústria têxtil de algodão. Os salários estavam elevados, por esbarrar a procura extraordinária de mão de obra no despovoamento da Irlanda, na emigração dos distritos agrícolas ingleses e escoceses para a Austrália e a América e

A JORNADA DE TRABALHO

A experiência mostra geralmente ao capitalista que existe uma população excedente em relação às necessidades momentâneas do capital de expandir o valor. Essa superpopulação, entretanto, se compõe de gerações humanas atrofiadas, de vida curta, revezando-se rapidamente, por assim dizer, prematuramente colhidas.[111] Mas, ao observador inteligente, a experiência também mostra outras coisas, a saber: a rapidez e a profundidade com que a produção capitalista – que, historicamente falando, apenas data de ontem – tem atacado, nas suas raízes, as forças vitais do povo; a degenerescência da população industrial, retardada pela absorção contínua dos elementos novos procedentes das zonas rurais; e a situação dos trabalhadores rurais, que já começam a fenecer, apesar do ar livre e do princípio de "seleção natural" tão poderoso entre eles e que só permite sobreviverem os indivíduos mais fortes.[112] O capital, que tem tão "boas razões" para negar os sofrimentos

---

no decréscimo da população de alguns distritos agrícolas ingleses, decorrente da deterioração de sua vitalidade e da ação dos traficantes de carne humana, que retiraram a porção disponível da população. Considerando esses fatos, soa estranho a seguinte observação de Redgrave: "Essa espécie de mão de obra" (dos meninos dos asilos) "só é no entanto procurada quando não se acha nenhuma outra, pois é mão de obra cara. O salário comum de um menino de 13 anos é de cerca de 4 xelins por semana; mas alojar, vestir e alimentar 50 ou 100 desses meninos, com assistência médica e supervisão adequada, dando-lhes, além disso, uma pequena remuneração, não é algo que se possa conseguir por 4 xelins por cabeça semanalmente." (*Rep. of the Imp. of Factories for 30th April 1860*, p. 27.) Redgrave esquece de informar como o trabalhador pode fazer tudo isso por seus filhos, ganhando um salário individual de 4 xelins por semana, se o fabricante não consegue isso para 50 ou 100 meninos que são alojados, sustentados e supervisionados todos juntos. Para evitar que se tirem falsas conclusões do texto, devo observar que a indústria têxtil de algodão da Inglaterra, desde que foi submetida à lei fabril de 1850, que regula o horário de trabalho etc., tem de ser considerada a indústria modelar inglesa. O trabalhador da indústria têxtil de algodão da Inglaterra, de todos os pontos de vista, está em melhor posição que seu colega do continente. "O operário da Prússia, pelo menos, trabalha mais 10 horas por semana que seu rival inglês, e, quando trabalha em casa em seu tear, seu trabalho ultrapassa esse limite." (*Rep. of Insp. of Fact. 31st Oct. 1844*, p. 103.) Redgrave, depois da exposição industrial de 1851, viajou pelo continente, visitando especialmente a França e a Prússia, para investigar as condições das fábricas. Sobre o operário prussiano, disse ele: "Recebe um salário que chega para lhe proporcionar a alimentação simples e o pequeno conforto a que está acostumado e com que se satisfaz, [...] Vive pior e trabalha mais duramente que seu colega inglês." (*Rep. of Insp. of Fact., 31st Oct. 1853*, p. 85.)

111 "Os operários forçados a trabalhar em excesso morrem com rapidez surpreendente, e seus lugares são imediatamente preenchidos; mas esse revezamento frequente de pessoas não traz à cena nenhuma alteração." (*England and America*, Londres, 1833, t. 1, p. 55, E.G. Wakefield.)

112 Vide *Public Health, Sixth Report of the Medical Officer of the Privy Council*, 1863, publicado em Londres, 1864. Esse relatório trata principalmente dos trabalhadores agrícolas. "Sutherland tem sido apresentado como um condado de grandes progressos, mas investigação recente descobriu lá, em distritos outrora renomados pela beleza dos homens e pela coragem dos soldados, que os habitantes degeneraram numa raça mirrada e atrofiada. Nos lugares mais saudáveis, nas encostas que dão para o mar, os rostos das crianças são tão finos e pálidos como os que se podem encontrar na atmosfera viciada de uma viela de Londres." (Thornton, *loc. cit.*, pp. 74-75.) Equiparam-se realmente aos 30.000

da geração de trabalhadores que o circundam, não se deixa influenciar, em sua ação prática, pela perspectiva de degenerescência futura da humanidade e do irresistível despovoamento final. Tudo isso não o impressiona mais do que a possibilidade de a Terra chocar-se com o Sol. Todo mundo que especula em bolsa sabe que haverá um dia de desastre, mas todo mundo espera que a tempestade recaia sobre a cabeça do próximo, depois de ter colhido sua chuva de ouro e de ter colocado seu patrimônio em segurança. *Après moi le déluge!* é a divisa de todo capitalista e de toda nação capitalista. O capital não tem, por isso, a menor consideração com a saúde e com a vida do trabalhador, a não ser quando a sociedade o compele a respeitá-las.[113] À queixa sobre a degradação física e mental, a morte prematura, o suplício do trabalho levado até a completa exaustão, responde: "Por que nos atormentarmos com esses sofrimentos, se aumentam nosso lucro?" De modo geral, isto não depende, entretanto, da boa ou da má vontade de cada capitalista. A livre competição torna as leis imanentes da produção capitalista leis externas, compulsórias para cada capitalista individualmente considerado.[114]

O estabelecimento de uma jornada normal de trabalho é o resultado de uma luta multissecular entre o capitalista e o trabalhador. A história dessa luta revela duas tendências opostas. Compare-se, por exemplo, a legislação

---

cavalheirescos montanheses da Escócia que vivem promiscuamente com prostitutas e ladrões nos covis e espeluncas de Glasgow.

113 "Embora a saúde da população seja da maior importância para o capital nacional, receamos ter de confessar que os capitalistas não têm demonstrado maior inclinação por conservar e zelar por esse tesouro e cuidar dele. [...] A consideração pela saúde do trabalhador foi imposta compulsoriamente aos fabricantes." (*Times*, 5 de novembro de 1861.) "Os homens de West Riding tornaram-se os fabricantes de tecidos do mundo [...] a saúde da população trabalhadora foi sacrificada, e a raça teria degenerado dentro de algumas gerações, se não ocorresse uma reação. As horas de trabalho das crianças foram limitadas etc." (*Twenty-second Annual Report of the Registror-General*, 1861.)

114 No começo de 1863, 26 firmas proprietárias de grandes cerâmicas em Staffordshire, dentre elas Josiah Wedgwood & Sons, pediram num memorial "uma intervenção coativa do Estado". Alegavam que a concorrência com outros capitalistas não lhes permitia limitar à sua vontade o tempo de trabalho das crianças etc. "Por mais que lamentemos os abusos acima mencionados, seria impossível impedi-los por meio de qualquer acordo entre os fabricantes. [...] Considerando todos estes pontos, ficamos convencidos ser necessária uma lei coativa." (*Children's Emp. Comm., Rep. I*, 1863, p. 322.) Adendo à nota 114: Um caso mais surpreendente e mais recente. A alta dos preços do algodão, numa época de atividade febril, levara os proprietários de tecelagens em Blackburn a fazerem um acordo para reduzir o tempo de trabalho em suas fábricas, por um determinado prazo. O prazo terminou em fins de novembro de 1871. Entrementes, os fabricantes mais ricos, que exploravam em conjunto fiação e tecelagem, aproveitaram a queda da produção decorrente desse acordo para aumentar seu próprio negócio, assim expandindo seus lucros à custa dos pequenos fabricantes. Estes, vendo-se em apuros, voltaram-se para os trabalhadores e incitaram-nos a fazer uma campanha de agitação pelo horário de 9 horas, prometendo-lhes, para esse fim, contribuições em dinheiro.

A JORNADA DE TRABALHO

fabril inglesa de nossa época com os estatutos de trabalho ingleses desde o século XIV até a metade do XVIII.[115] Enquanto a legislação fabril moderna reduz compulsoriamente a jornada de trabalho, aqueles estatutos procuram prolongá-la coercitivamente. Sem dúvida, as pretensões do capital no estado embrionário (quando começa a crescer e se assegura o direito de sugar uma quantidade suficiente de trabalho excedente, não através da força das condições econômicas, mas através da ajuda do poder do Estado) se apresentam bastante modestas, comparadas com a jornada de trabalho resultante das concessões que, rosnando e resistindo, tem de fazer na idade adulta. Foi preciso que decorressem séculos para o trabalhador "livre", em consequência do desenvolvimento do modo de produção capitalista, consentir voluntariamente, isto é, ser socialmente compelido a vender todo o tempo ativo da sua vida, sua própria capacidade de trabalho, pelo preço de seus meios de subsistência habituais; seu direito à primogenitura, por um prato de lentilhas. É, por isso, natural que a jornada de trabalho prolongada, que o capital procura impor aos trabalhadores adultos por meio da coação do Estado, da metade do século XIV ao fim do século XVII, coincida aproximadamente com o tempo limitado de trabalho que, na segunda metade do século XIX, é imposto pelo Estado, com o fim de evitar a transformação do sangue das crianças em capital. O que hoje, por exemplo, no estado de Massachusetts, até recentemente o estado mais livre da América do Norte, é proclamado como limite legal do trabalho dos meninos com menos de 12 anos, era a jornada normal de trabalho na Inglaterra, ainda na metade do século XVII, vigente para operários em pleno vigor, para braceiros robustos do campo e para ferreiros atléticos.[116]

---

115 Esses estatutos dos trabalhadores, semelhantes aos que havia na mesma época na França, nos Países Baixos etc., só foram formalmente abolidos na Inglaterra em 1813, depois de as condições de produção já os terem, havia muito tempo, tornado obsoletos.

116 "Não é permitido a nenhum menor com menos de 12 anos trabalhar diariamente mais de 10 horas numa fábrica." (*General Statutes of Massachusetts*, Cap. 60, § 3.) Os estatutos foram promulgados de 1836 a 1858. "É considerada jornada de trabalho no sentido da lei o trabalho que se realiza num período de 10 horas por dia em todas as fábricas de seda, lã, algodão, papel, vidros, linho, nas usinas de aço e outros metais. Fica legalmente proibido, no futuro, em qualquer estabelecimento industrial, reter ou fazer trabalhar menor mais de 10 horas por dia ou 60 por semana, e também empregar numa fábrica menor de 10 anos dentro dos limites deste Estado." (*State of New Jersey. An Act to Limit the Hours of Labour* etc., §§ 1 e 2, lei de 18 de março de 1851.) "Não é permitido fazer trabalhar nenhum menor de 12 a 15 anos em nenhuma indústria por mais de 11 horas por dia, nem antes das 5 horas da manhã, nem depois das 7½ da noite." (*Revised Statutes of the State of Rhode Island* etc., Cap. 139, § 23, 1º de julho de 1857.)

O CAPITAL

O primeiro estatuto dos trabalhadores, decretado por Eduardo III em 1349, no ano 23 do seu reinado, encontrou seu pretexto imediato (não sua causa, pois esse tipo de legislação prosseguiu durante séculos sem esse pretexto) na Peste Negra, que dizimou a população a tal ponto que, como diz um publicista conservador, "a dificuldade de achar trabalhadores a preços razoáveis [a preços que deixem para os empregadores uma quantidade razoável de trabalho excedente] tornou-se realmente insuportável".[117] A lei se encarregou, assim, de fixar salários razoáveis e de determinar os limites da jornada de trabalho. Este último ponto é o que nos interessa aqui. A duração do trabalho é novamente regulada no estatuto de 1496, promulgado no reinado de Henrique VII. O dia de trabalho, para todos os artífices e trabalhadores agrícolas, de março a setembro, devia durar das 5 da manhã às 7 ou 8 da noite, o que nunca se pôs em prática, e o tempo das refeições era de 1 hora para o café da manhã, 1½ hora para o almoço e ½ hora para a merenda, o dobro, portanto, do prescrito pela lei fabril atualmente em vigor.[118] No inverno, devia-se trabalhar das 5 da manhã até o escurecer, com as mesmas interrupções. Um estatuto da rainha Elizabeth, de 1562, para todos os trabalhadores ajustados por salário diário ou semanal, não altera a duração do dia de trabalho, mas procura reduzir os intervalos a 2½ horas no verão e 2 no inverno. O almoço só deve durar 1 hora, e a sesta, ½ hora, sendo esta permitida apenas entre meados de maio e meados de agosto. Para cada hora de falta ao trabalho, deduz-se 1 pêni do salário. As condições na prática, entretanto, eram mais favoráveis ao trabalhador do que no texto dos estatutos. O pai da economia política (e, de certo modo, o inventor da estatística), William Petty, diz, num trabalho que publicou no último terço do século XVII:

---

117 [J. B. Byles,] *Sophisms of Free Trade*, 7ª ed., Londres, 1850, p. 205. O mesmo publicista admite que "leis parlamentares que regulavam os salários contra o trabalhador e em favor do patrão duraram 464 anos. A população cresceu. Essas leis se tornaram supérfluas e incômodas." (*Loc. cit.*, p. 206.)

118 Com referência a esse estatuto, observa, com acerto, J. Wade: "Pelo estatuto de 1496, se vê que a alimentação equivalia a $1/3$ da receita de um artífice e à metade da receita de um trabalhador agrícola, o que indica maior grau de independência dos trabalhadores que o que prevalece atualmente, quando a alimentação do trabalhador agrícola e industrial representa uma proporção muito maior do seu salário." (J. Wade, *loc. cit.*, pp. 24-25 e 577.) A opinião de que esta diferença se origina na variação que ocorreu na relação que existia então e existe hoje entre os preços dos alimentos e os das roupas é desprovida de qualquer fundamento, não resistindo à mais superficial consulta da obra *Chronicon Preciosum* etc., de Bishop Fleetwood, 1ª ed., Londres, 1707; 2ª ed., Londres, 1745.

A JORNADA DE TRABALHO

"Os trabalhadores [ele quer dizer os trabalhadores agrícolas] trabalham 10 horas por dia e tomam 20 refeições por semana, isto é, 3 refeições diárias em cada dia de trabalho e 2 aos domingos; por aí se vê que, se eles jejuassem sexta-feira à noite e almoçassem em 1½ hora, ao invés de gastarem 2 como atualmente, das 11 da manhã à 1 da tarde, se, portanto, trabalhassem $1/20$ mais e consumissem $1/20$ menos, poder-se-ia aumentar, de maneira correspondente, o mencionado tributo."[119]

Não tinha razão o Dr. Andrew Ure, ao bradar contra a lei das doze horas, de 1833, tachando-a de retrocesso ao tempo das trevas? Sem dúvida, essas disposições dos estatutos citadas por Petty se aplicam aos aprendizes. A situação do trabalho das crianças no fim do século XVII se patenteia na seguinte queixa:

"Nossos jovens aqui na Inglaterra nada fazem até se tornarem aprendizes, precisando então de muito tempo, 7 anos, para se transformarem em artífices perfeitos."

Louva-se, porém, a Alemanha, porque lá se educam os garotos desde o berço "para fazerem alguma coisa".[120]

---

119 W. Petty, *Political Anatomy of Ireland 1672*, ed. 1691, p. 10.

120 *A Discourse on the Necessity of Encouraging Mechanic Industry*, Londres, 1690, p. 13. Macaulay, que deformou a História inglesa no interesse do partido *whig* e da classe burguesa, declama: "A prática de pôr meninos a trabalharem prematuramente prevalecia no século XVII, numa extensão quase inacreditável para a extensão do sistema manufatureiro àquela época. Em Norwich, o centro principal da indústria de lã, considerou-se uma criança de 6 anos apta para o trabalho. Escritores daquele tempo, e, dentre eles, alguns que passavam por muito benevolentes, mencionam exultantes que meninos e meninas naquela cidade criavam riquezas que ultrapassavam o valor de sua subsistência de 12.000 libras por ano. Quanto mais a fundo investigamos a história do passado, mais razão encontramos para discordar daqueles que imaginam ser nossa época fértil em novos males sociais. O que é novo é a inteligência, que descobre os males, e a humanidade, que os cura." (*History of England*, Vol. I, p. 417.) Macaulay também poderia ter dito que, no século XVII, os extraordinariamente benévolos amigos do comércio narram exultantes a história de uma criança de 4 anos que tinha de trabalhar num asilo de pobres da Holanda, e que esse modelo de prática virtuosa transita em todas as obras humanitárias como as de Macaulay, até à época de Adam Smith. Na medida em que a manufatura substitui os ofícios, apresentam-se traços de exploração do trabalho das crianças. Esta existe, desde tempos imemoriais e até certo grau, entre camponeses, e tanto mais desenvolvida quanto mais duro o jugo que recai sobre o lavrador. Mas os fatos apontados, embora não se possa ocultar a tendência do capital, assumem tal caráter de raridade como o aparecimento de crianças de duas cabeças. Por isso, os clarividentes amigos do comércio os assinalaram exultantes, considerando-os dignos de atenção e admiração, recomendando-os como modelos a seus contemporâneos e à posteridade. O mesmo sicofanta escocês, o melífluo Macaulay, diz: "Hoje só se ouve falar de retrocesso, mas só vejo progresso." Que olhos e que ouvidos!

O CAPITAL

Durante a maior parte do século XVIII, isto é, até a época da grande indústria, não conseguira o capital na Inglaterra, com o pagamento do valor semanal da força de trabalho, apoderar-se de toda a semana do trabalhador. Eram exceção os trabalhadores agrícolas. Os demais, podendo viver a semana inteira com o salário de 4 dias, não encontravam nessa circunstância razão suficiente para trabalhar os outros 2 dias para o capitalista. Uma parte dos economistas ingleses a serviço do capital protestava furiosamente contra essa obstinação, e outra parte defendia os trabalhadores. Vejamos, por exemplo, a polêmica entre Postlethwayt, cujo dicionário de comércio gozava então a mesma fama que os trabalhos análogos atuais de MacCulloch e MacGregor, e o autor citado do *Essay on Trade and Commerce*.[121] Postlethwayt diz, entre outras coisas:

> "Não posso encerrar estas breves observações sem registrar o comentário trivial, feito por muitas pessoas, de que o trabalhador não trabalha todos os 6 dias se pode ganhar o suficiente para viver em 5 dias. Daí concluem pela necessidade de encarecer com impostos ou por qualquer outra medida os meios de subsistência, a fim de forçar o artesão e o trabalhador da manufatura a trabalhar ininterruptamente 6 dias por semana. Tenho de pedir licença para discordar desses grandes políticos que se batem pela perpétua escravização dos trabalhadores deste reino; esquecem o provérbio: o trabalho sem diversão embrutece. Não se vangloriam os ingleses da engenhosidade e destreza de seus artífices e de seus trabalhadores em manufaturas, qualidades que até hoje deram crédito e renome às mercadorias britânicas? Qual a causa disso? Apenas uma, provavelmente: o modo peculiar como a população trabalhadora sabe recrear-se. Se fossem forçados a trabalhar o ano inteiro todos os 6 dias da semana, repetindo incessantemente a mesma tarefa, não teriam eles sua originalidade prejudicada, não se tornariam estúpidos, ao invés de alertas e hábeis, não perderiam nossos trabalhadores, nessa escravidão eterna, seu renome, ao invés de conservá-lo? Que habilidade artística se poderia esperar de animais estafados? [...] Muitos

---

121 Dentre os que acusam os trabalhadores, o mais furioso é o autor anônimo de *An Essay on Trade and Commerce: Containing Observations on Taxation* etc., Londres, 1770. Ele já tinha tratado do assunto na obra anterior *Consideration on Taxes*, Londres, 1765. Segue também a mesma linha Polonius Arthur Young, o inefável tagarela estatístico. Dentre os defensores dos trabalhadores, destacam-se: Jacob Vanderlint, em *Money Answers all Things*, Londres, 1734; o reverendo Nathaniel Forster, em *An Enquiry into the Causes of the Present [High] Price of Provisions*, Londres, 1767; o Dr. Price e principalmente Postlethwayt, tanto no suplemento de seu *Universal Dictionary of Trade and Commerce* quanto em *Great-Britain's Commercial Interest Explained and Improved*, 2ª ed., Londres, 1759. Os fatos são confirmados por muitos escritores da época, dentre os quais Josiah Tucker.

A JORNADA DE TRABALHO

deles realizam, em 4 dias, trabalho que os franceses executam em 5 ou 6. Mas, se os ingleses forem transformados em eternos escravos do trabalho, é de temer-se que sua eficiência se torne inferior à dos franceses. Não dizemos que a fama de bravura de nosso povo na guerra se deve, de um lado, ao bom rosbife inglês e ao pudim e, do outro, ao nosso espírito constitucional de liberdade? E por que a engenhosidade, a energia e a habilidade de nossos artífices e dos trabalhadores de nossas manufaturas não se originariam da liberdade com a qual sabem recrear-se à sua maneira? Espero que eles nunca percam esses privilégios nem a vida boa, da qual decorrem, ao mesmo tempo, sua engenhosidade e sua coragem."[122]

Retruca o autor do *Essay on Trade and Commerce*:

"Se o descanso no sétimo dia da semana é uma instituição divina, temos de concluir que os outros dias da semana pertencem ao trabalho [ele quer dizer ao capital, como logo se verá], e compelir outrem a cumprir esse preceito não se pode considerar crueldade. [...] Que a humanidade, por natureza, tende para a comodidade e preguiça, sabemos ser verdade pela experiência fatal que temos com a plebe empregada na manufatura, que, em média, não trabalha mais de 4 dias na semana, a não ser que os meios de subsistência encareçam. [...] Suponha-se que um *bushel* de trigo represente todos os meios de subsistência do trabalhador, custando 5 xelins, e que o trabalhador ganhe por dia, com o seu trabalho, 1 xelim. Então, precisa ele trabalhar apenas 5 dias na semana; só 4 dias, se o *bushel* custar 4 xelins. [...] Estando os salários muito mais altos neste reino, comparados com os preços dos meios de subsistência, possui o trabalhador que trabalha 4 dias um excedente em dinheiro que lhe permite viver o resto da semana na ociosidade. [...] Espero ter dito o bastante para deixar claro que o trabalho moderado de 6 dias na semana não é nenhuma escravatura. É o que fazem nossos trabalhadores agrícolas, e, como se pode ver, são os mais felizes entre os trabalhadores.[123] É o caso também dos holandeses nas manufaturas, e parecem ser um povo muito feliz. Os franceses fazem o mesmo quando não há interferência dos dias de descanso.[124] [...] Mas nossa plebe meteu na cabeça a ideia fixa de que, como ingleses, por direito de nasci-

---

122 Postlethwayt, *loc. cit.*, *First Preliminary Discourse*, p. 14.

123 *An Essay* etc. Ele mesmo conta, à p. 96, em que consiste a felicidade dos trabalhadores agrícolas ingleses, já em 1770: "Suas forças de trabalho são postas em atividade até o limite extremo de sua resistência; sua vida não poderia ser pior, nem seu trabalho, mais duro."

124 O protestantismo, transformando os dias tradicionais de festas em dias de trabalho, desempenhou importante papel na gênese do capital.

mento, pertence-lhes o privilégio de serem mais livres e independentes que os trabalhadores de qualquer outro país da Europa. Essa ideia pode ser de alguma utilidade quando serve para influenciar a bravura de nossas tropas; mas, quanto mais afastados dela estiverem os trabalhadores das manufaturas, melhor para eles mesmos e para o Estado. Os trabalhadores nunca devem considerar-se independentes de seus superiores. [...] É extremamente perigoso encorajar a ralé num país comercial como o nosso, onde talvez $7/8$ da população ou possui recurso insignificante ou nada possui.[125] [...] A cura será perfeita quando os trabalhadores das manufaturas se conformarem em trabalhar 6 dias pela mesma importância que recebem em 4 dias."[126]

Para atingir esse objetivo, para extirpar a preguiça, a licenciosidade e as divagações românticas de liberdade, para reduzir a taxa arrecadada em benefício dos pobres, para incentivar o espírito industrial e para reduzir o preço do trabalho nas manufaturas, propõe esse fiel paladino do capital o meio eficaz, a saber, encarcerar os trabalhadores que dependam da beneficência pública, em uma palavra, os pobres, num "asilo ideal de trabalho". "Será mister transformar esse asilo em casa de terror."[127] Nessa "casa de terror", nesse asilo ideal de trabalho, haverá a obrigação de trabalhar "14 horas por dia, incluindo-se o tempo adequado para as refeições, de modo que restarão 12 horas inteiras de trabalho."[128]

Doze horas de trabalho por dia no "asilo ideal de trabalho", na casa de terror de 1770! Sessenta e três anos depois, em 1833, quando o Parlamento inglês reduziu a jornada de trabalho para menores de 13 a 18 anos, em quatro ramos industriais, a 12 horas inteiras de trabalho, parecia que o dia do Juízo Final tinha soado para a indústria na Inglaterra. Em 1852, quando Luís Bonaparte, para firmar sua posição junto à burguesia, quis alterar a jornada legal de trabalho, gritaram os trabalhadores franceses a uma voz: "A lei que reduziu o dia de trabalho a 12 horas é o único bem que nos ficou da

---

125 *An Essay* etc., pp. 41, 15, 96-97, 55-57.

126 *Loc. cit.*, p. 69. Jacob Vanderlint já declarava, em 1734, que o segredo das queixas dos capitalistas contra a ociosidade dos trabalhadores consistia apenas em pretenderem eles obter, pelo mesmo salário, 6 dias de trabalho em lugar de 4.

127 *An Essay* etc. pp. 242-243: "Esse asilo ideal de trabalho tem de transformar-se numa casa de terror e não num asilo de indigentes, onde estes obtêm uma alimentação farta, agasalhos e boas roupas e onde pouco trabalham."

128 "Nesse asilo ideal de trabalho, o pobre trabalhará 14 horas por dia, descontando-se o tempo adequado para as refeições, de modo que fiquem em 12 as horas reais de trabalho." (*Loc. cit.*, p. 260.) "Os franceses", diz ele, "acham engraçadas nossas ideias entusiásticas de liberdade." (*Loc. cit.*, p. 78.)

legislação da República!"[129] Em Zurique, o trabalho de meninos com mais de 10 anos foi limitado a 12 horas; em Argóvia, em 1862, o trabalho de menores entre 13 e 16 anos foi reduzido de 12½ horas para 12; em 1860, na Áustria, foi diminuído para 12 horas o trabalho para menores entre 13 e 16.[130] Que progresso depois de 1770!, gritaria Macaulay, exultante.

A casa de terror para os indigentes, com a qual a alma do capital ainda sonhava em 1770, ergueu-se poucos anos mais tarde, gigantesca, no cárcere de trabalho para o próprio trabalhador da indústria. Ela se chama fábrica. E, desta vez, o ideal empalideceu diante da realidade.

6. A LUTA PELA JORNADA NORMAL DE TRABALHO. LIMITAÇÃO LEGAL DO TEMPO DE TRABALHO. A LEGISLAÇÃO FABRIL INGLESA DE 1833 A 1864

O capital levou séculos, antes de surgir a indústria moderna, para prolongar a jornada de trabalho até seu limite máximo normal e, ultrapassando-o, até o limite do dia natural de 12 horas.[131] A partir do nascimento da indústria moderna, no último terço do século XVIII, essa tendência transformou-se num processo que se desencadeou desmesurado e violento como uma ava-

---

129 "Eles se recusam a trabalhar mais de 12 horas por dia, porque a lei que fixou esse número de horas é o único bem que lhes restou da legislação da República." (*Rep. of Insp. of Fact. 31ˢᵗ Oct. 1855*, p. 80.) A lei francesa de 12 horas, de 5 de setembro de 1850, uma versão burguesa do decreto do governo provisório de 2 de março de 1848, aplica-se a todas as fábricas sem diferença. Antes dessa lei, não havia limite à jornada de trabalho na França. Durava nas fábricas 14, 15 e mais horas. Vide *Des classes ouvrières en France, pendant l'année 1848. Par M. Blanqui*. Blanqui, o economista, não o revolucionário, recebeu do governo a incumbência de investigar as condições da classe trabalhadora.

130 Com referência à regulamentação do trabalho, a posição da Bélgica é a de um modelar estado burguês. Lord Howard de Walden, plenipotenciário inglês em Bruxelas, informa ao Foreign Office, em relatório de 12 de maio ele 1862: "O ministro Rogier informou-me que o trabalho dos menores não está sujeito nem a uma lei geral nem a regulamentos locais; que o Governo, nos últimos três anos, pretendeu propor, nas várias sessões legislativas, uma lei sobre o assunto, mas que encontrou obstáculo insuperável na oposição arraigada contra qualquer legislação contrária ao princípio da perfeita liberdade de trabalho."

131 "É por certo lamentável que uma categoria qualquer de pessoas seja obrigada a se esfalfar 12 horas por dia. Se computarmos o tempo das refeições e o tempo necessário para ir ao trabalho e voltar dele, chegaremos na realidade a 14 horas das 24 do dia. [...] Pondo-se de lado o problema da saúde, ninguém hesitará, acredito, em admitir que, do ponto de vista moral, é extremamente nefasto e profundamente deplorável essa absorção completa do tempo das classes trabalhadoras, sem interrupções, desde a idade dos 13 anos, e mesmo desde muito antes, nos ramos industriais 'livres' [...] No interesse da moral pública, para a formação de uma população sadia, e a fim de proporcionar à grande massa do povo uma fruição razoável da vida, é mister que, em todos os ramos de atividade, se reserve uma porção do dia do trabalho para descanso e lazer." (Leonard Horner, em *Reports of Insp. of Fact. 31ˢᵗ Dec. 1841*.)

O CAPITAL

lanche. Todas as fronteiras estabelecidas pela moral e pela natureza, pela idade ou pelo sexo, pelo dia e pela noite foram destruídas. As próprias ideias de dia e de noite, rusticamente simples nos velhos estatutos, desvaneceram-se tanto que um juiz inglês, em 1860, teve de empregar uma argúcia verdadeiramente talmúdica para definir juridicamente o que era dia e o que era noite.[132] Eram as orgias do capital.

Logo que a classe trabalhadora, atordoada pelo tumulto da produção, recobra seus sentidos, tem início sua resistência, primeiro na Inglaterra, a terra natal da grande indústria. Todavia, as concessões que conquista durante três decênios ficaram apenas no papel. De 1802 a 1833, promulgou o Parlamento cinco leis sobre trabalho, mas, astuciosamente, não votou recursos para sua aplicação compulsória, para o quadro de pessoal necessário à sua execução etc.[133] Eram letra morta.

A verdade é que, antes da lei de 1833, crianças e adolescentes tinham de trabalhar a noite inteira ou o dia inteiro, ou de fazer ambas as coisas ao bel-prazer do patrão.[134] Uma jornada normal de trabalho para a indústria moderna só aparece com a lei fabril de 1833, aplicável às indústrias têxteis de algodão, lã, linho e seda. A história da legislação fabril inglesa de 1833 a 1864 caracteriza bem o espírito do capital. A lei de 1833 estabelece que a jornada normal de trabalho começa às 5½ da manhã e termina às 8½ da noite, e que é legal, dentro desses limites de um período de 15 horas, empregar menores, isto é, pessoas entre 13 e 18 anos, a qualquer hora do dia, desde que o menor empregado não trabalhe, durante um dia, mais de 12 horas, com exceção de casos expressamente previstos. O artigo 6 da lei determina que "no curso de cada dia, cada uma das pessoas enquadradas no horário limitado de trabalho terá pelo menos 1½ hora para as refeições". Foi proibido o emprego de crianças com menos de 9 anos, salvo exceção que mencionaremos

---

132 Vide *Judgement of Mr. J. H. Otway, Belfast, Hilary Sessians, Caunty Antrim 1860*.

133 Caracteriza bem o regime de Luís Felipe, o rei burguês, a circunstância de nunca ter sido aplicada a única lei fabril de seu governo, de 22 de março de 1841. E essa lei se refere apenas ao trabalho das crianças. Estabelece 8 horas para crianças entre 8 e 12 anos, 12 horas para menores entre 12 e 16 anos etc., com muitas exceções que permitem o trabalho noturno até para crianças de 8 anos. Num país onde tudo está submetido à vigilância policial, a fiscalização e a execução compulsória da lei foram deixadas à boa vontade dos amigos do comércio. Só a partir de 1853 encontra-se, num único departamento francês, no departamento do Norte, um inspetor pago pelo governo. Não menos característico do desenvolvimento da sociedade francesa em geral é o fato de a lei de Luís Felipe, até a Revolução de 1848, ficar um espécime isolado de seu gênero em meio à vasta e enciclopédica fabricação de leis.

134 *Rep. of Insp. of Fact., 30th April 1860*, p. 50.

mais tarde, e foi limitado a 8 horas por dia o trabalho de meninos entre 9 e 13 anos. O trabalho noturno, que, segundo essa lei, vai das 8½ a noite às 5½ da manhã, foi proibido a todos os menores entre 9 e 18 anos.

Os legisladores estavam tão longe de querer limitar a liberdade do capital de sugar a força de trabalho dos adultos ou, no seu modo de dizer, "a liberdade do trabalho", que imaginaram um sistema apropriado para coibir essa apavorante consequência da lei fabril.

> "O grande inconveniente do sistema fabril, na sua forma atual", diz o primeiro relatório do Conselho Central da Comissão de 25 de junho de 1833, "é criar a necessidade de estender o trabalho dos menores até a duração máxima do trabalho dos adultos. O único remédio para esse mal, sem reduzir o trabalho dos adultos, o que seria um mal maior que o que se pretende evitar, parece ser o plano de empregar duas turmas de meninos."

Foi executado o plano de duas turmas, um sistema de revezamento, sob o nome de "*system of relays*" (*relay* significa, em inglês e em francês, a troca dos cavalos de posta nas diversas estações), de modo que uma turma de meninos com 9 a 13 anos era atrelada ao trabalho das 5½ da manhã à 1½ da tarde, e outra, das 1½ da tarde às 8½ da noite.

Para recompensar os fabricantes por terem audaciosamente ignorado todas as leis promulgadas nos 22 anos anteriores, o Parlamento suavizou a lei. Assim, prorrogou o prazo para entrar em vigor a proibição de mais de 8 horas de trabalho para crianças: para menores com menos de 11 anos, depois de 1º de março de 1834; para menores de 12, depois de 1º de março de 1835; e, para menores de 13, depois de 1º de março de 1836. Esse liberalismo tão indulgente para com o capital era tanto mais digno de nota quando o Dr. Farre, Sir A. Carlisle, Sir B. Brodie, Sir C. Bell, o Dr. Guthrie e outros, enfim, os mais renomados físicos e cirurgiões de Londres, tinham declarado que a protelação era perigosa. O Dr. Farre exprimiu-se da maneira mais rude:

> "Leis são necessárias para impedir a morte, prematuramente infligida sob qualquer forma, e esse método de provocá-la [praticado nas fábricas] deve ser considerado o modo mais cruel de infligi-la."[135]

---

135 "Legislation is equally necessary for the prevention of death, in any form in which it can be prematurely inflicted, and certainly this must be viewed as a most cruel mode of inflicting it."

O mesmo Parlamento "reformado" que, por delicada deferência para com os fabricantes, condenou menores de 13 anos a trabalharem 72 horas por semana nas fábricas, durante vários anos ainda, em compensação, na lei de emancipação que também ministrava a liberdade em conta-gotas, proibiu os senhores das plantações de fazerem seus escravos trabalharem mais de 45 horas por semana.

De modo nenhum apaziguado, o capital deu início a uma ruidosa agitação que durou vários anos. Ela girava principalmente em torno da idade em que os meninos teriam o trabalho limitado a 8 horas e estariam sujeitos à frequência escolar. De acordo com a antropologia capitalista, a infância acaba aos 10 anos e, no máximo, aos 11. Quanto mais perto a data da vigência plena da lei fabril, quanto mais se aproximava o ano fatal de 1836, tanto mais se enfurecia o movimento dos fabricantes. Conseguiram realmente intimidar tanto o governo que este, em 1835, propôs reduzir o limite da infância de 13 para 12 anos. Entrementes, a pressão de fora crescia, ameaçadora. A Câmara dos Comuns, receando ir tão longe, recusou-se a lançar meninos de 13 anos por mais de 8 horas sob o carro de Jagrená do capital, e a lei de 1833 entrou em pleno vigor. Não sofreu nenhuma modificação até junho de 1844. Durante o decênio em que a lei regulou o trabalho nas fábricas, vigorando a princípio parcialmente e depois em sua plenitude, regurgitam os relatórios oficiais dos inspetores das fábricas de queixas sobre obstáculos forjados que tornavam impossível sua execução. Uma vez que a lei de 1833 deixava o dono do capital, no período de 15 horas, das 5½ da manhã às 8½ da noite, livre para fazer todo adolescente menor de 18 e todo menino iniciar, interromper ou encerrar a respectiva jornada de 12 e de 8 horas no momento em que quisesse, e também para escolher à vontade horas diversas de refeição para as diferentes pessoas, logo encontrou o patrão um novo sistema de turnos múltiplos em que os trabalhadores não mudam a horas fixas, mas mudam-se as horas em que eles são atrelados ao trabalho. Não nos deteremos no exame das belezas do sistema, mas voltaremos a ele mais tarde. Está, entretanto, evidente, à primeira vista, que esse sistema anulou toda a lei fabril, tanto no espírito quanto na letra. Como poderiam os inspetores de fábrica obrigar os patrões a respeitarem o horário legal de trabalho e a conceder o tempo reservado por lei para as refeições, diante da complicada contabilidade necessária para registrar o caso de cada criança e de cada adolescente? Em grande parte das fábricas, voltou a florescer, impune, a brutalidade antiga. Em reunião com o ministro do Interior, em 1844, demonstraram os inspetores a impossibilidade de qualquer controle, com o novo sistema que os patrões tinham astuciado.[136] Entrementes, a situação mudara muito. Os trabalhadores das fábricas, notadamente a partir de 1838, tinham feito da lei de 10 horas sua divisa econômica e da carta do povo sua divisa política e eleitoral. Uma parte dos próprios fabricantes, que tinha organizado as atividades da fábrica de acordo com a lei de 1833, assoberbou o Parlamento com memoriais sobre a concorrência imoral dos falsos irmãos, aos quais uma impudência maior ou circunstâncias locais mais favoráveis permitiam a violação da lei. Além disso, por mais que um fabricante quisesse dar livre curso a sua ganância, os representantes e líderes políticos da classe industrial tinham-lhe prescrito mudança de posição e de linguagem para com os trabalhadores. Tinham deflagrado a campanha para abolir as leis aduaneiras de proteção aos cereais e precisavam da ajuda dos trabalhadores para a vitória. Prometeram então a estes não só dobrar o tamanho do pão, mas também adotar a lei das 10 horas no reino de mil anos do comércio livre.[137] Por isso, não deviam de modo nenhum combater uma medida destinada apenas a tornar efetiva a lei de 1833. Ameaçados nos seus interesses mais sagrados, na renda da terra, trovejaram finalmente os *tories*, possuídos de fúria filantrópica contra "as práticas nefandas"[138] de seus inimigos.

Assim nasceu a lei fabril adicional de 7 de junho de 1844. Entrou em vigor em 10 de setembro do mesmo ano. Colocou sob a proteção da lei uma nova categoria de trabalhadores: as mulheres maiores de 18 anos. Foram, em todos os sentidos, equiparadas aos adolescentes menores de 18 anos, com o tempo de trabalho reduzido a 12 horas, sendo-lhes vedado o trabalho noturno etc. Pela primeira vez, foi a legislação levada a controlar o trabalho de pessoas adultas, direta e oficialmente. O relatório de 1844/45 sobre o trabalho nas fábricas diz, ironicamente:

> "Até agora, não chegou ao meu conhecimento nenhum caso de mulheres adultas que tenham se queixado contra esse atentado aos seus direitos."[139]

---

136 *Rep. of Insp. of Fact. 31ˢᵗ October 1849*, p. 6.

137 *Rep. of Insp. of Fact. 31ˢᵗ October 1848*, p. 98.

138 Leonard Horner usa a expressão "práticas nefandas", nos relatórios oficiais (*Reports of Insp. of Fact, 31ˢᵗ October 1859*, p. 7).

139 *Rep. etc. for 30ᵗʰ Spt. 1844*, p. 15.

O CAPITAL

O trabalho de menores de 13 anos foi reduzido a 6½ horas por dia e, em certas circunstâncias, a 7 horas.[140]

Para eliminar os abusos do falso sistema de turnos, a lei desceu aos seguintes importantes pormenores:

> "A jornada de trabalho das crianças e dos adolescentes (menores de 18) conta-se do momento em que qualquer criança ou qualquer adolescente comece a trabalhar na fábrica pela manhã."

Desse modo, se *A*, por exemplo, começa a trabalhar às 8 da manhã e *B* às 10, a jornada de trabalho de *B* termina à mesma hora que a de *A*. O começo da jornada de trabalho é marcado obrigatoriamente por um relógio público, por exemplo, o da estação ferroviária mais próxima, pelo qual tem de se regular o relógio da fábrica. O fabricante tem de afixar na fábrica um aviso bem legível onde estejam indicados o começo, o fim e os intervalos da jornada de trabalho. É proibido empregar, depois da 1 hora da tarde, as crianças que começam a trabalhar pela manhã antes das 12 horas. A turma da tarde, portanto, deve ser constituída de outras crianças. A 1½ hora para refeições tem de ser concedida nos mesmos intervalos do dia a todos os trabalhadores legalmente protegidos, dando-se a eles, pelo menos, uma hora para refeição antes das 3 horas da tarde. Crianças ou adolescentes não podem trabalhar mais de cinco horas antes da 1 hora da tarde, sem ter uma pausa para refeição de, no mínimo, meia hora. Durante qualquer refeição, as crianças, os adolescentes e as mulheres não podem permanecer em nenhum compartimento da fábrica onde esteja em curso qualquer processo de trabalho.

Essas disposições minuciosas que fixam o período, os limites, os intervalos do trabalho de maneira tão militarmente uniforme, de acordo com o relógio oficial, não resultaram de uma criação cerebrina do Parlamento. Desenvolveram-se progressivamente, de conformidade com as condições do modo de produção, como suas leis naturais. Sua elaboração, reconhecimento oficial e proclamação pelo Estado foram a consequência de uma longa luta de classes. Seu efeito mais imediato foi submeter, na prática, a jornada de trabalho do homem adulto aos mesmos limites, uma vez que

---

140 A lei permite empregar crianças de 10 anos, se não trabalharem em dias consecutivos, mas alternados. Essa condição ficou, de modo geral, sem efeito.

A JORNADA DE TRABALHO

a cooperação das crianças, dos adolescentes e das mulheres é imprescindível na maioria dos processos de produção. Em suma, no período de 1844 a 1847, vigorou geralmente o dia de trabalho de 12 horas em todos os ramos industriais submetidos à legislação fabril.

Os fabricantes, todavia, não permitiram esse progresso sem um retrocesso que os compensasse. Por pressão deles, a Câmara dos Comuns reduziu a idade mínima das crianças aptas para o trabalho de 9 para 8 anos, assegurando assim ao capital o direito que possui, por lei divina e natural, ao acréscimo da mão de obra infantil.[141]

Os anos de 1846 e 1847 são marcantes na história econômica da Inglaterra. Revogam-se as leis sobre cereais, eliminam-se as taxas aduaneiras sobre algodão e outras matérias-primas, o comércio livre torna-se a estrela polar da legislação. Em suma, raiou o novo milênio. Por outro lado, o movimento cartista e a campanha pelas 10 horas atingiram o ponto culminante. Encontraram-se aliados nos *tories* sedentos de vingança. Apesar da resistência fanática da coorte dos livre-cambistas, que, liderada por Bright e Cobden, não honrou seus compromissos, passou no Parlamento a lei das 10 horas, pela qual se lutara tanto tempo.

A nova lei fabril de 8 de junho de 1847 estabelecia que, a 1º de julho de 1847, o dia de trabalho dos adolescentes de 13 a 18 anos e de todas as mulheres seria, preliminarmente, reduzido a 11 horas e, a partir de 1º de maio de 1848, a 10 horas, definitivamente. Quanto ao mais, apenas emendava e completava as leis de 1833 e 1844.

O capital desfechou uma campanha inicial para impedir a plena aplicação da lei em 1º de maio de 1848. E os trabalhadores, supostamente escarmentados pela experiência, deveriam eles mesmos ajudar a destruir sua obra. Os patrões escolheram habilmente o momento.

> "Devemos lembrar-nos de que, em virtude da terrível crise de 1846 a 1847, muito sofriam os trabalhadores, pois muitas fábricas trabalhavam com o tempo reduzido e outras estavam paradas. Número considerável de trabalhadores encontrava-se na situação mais difícil, muitos deles endividados. Podia-se, por isso, admitir com razoável certeza que se colocariam a favor de um horário de trabalho mais longo, para se refazer das perdas sofridas, pagar provavelmente

---

141 "Uma vez que a redução das horas de trabalho das crianças levaria ao emprego de maior número delas, pensou-se que o acréscimo das crianças de 8 a 9 anos cobriria essa maior procura." (*Loc. cit.*, p. 13.)

dívidas, ou resgatar objetos empenhados, ou readquirir coisas vendidas, ou prover de roupas a si mesmos e suas famílias."[142]

Os fabricantes procuraram intensificar os efeitos naturais dessas circunstâncias com uma rebaixa geral dos salários em 10%. Isto ocorreu, por assim dizer, para festejar a inauguração da nova era livre-cambista. A seguir, nova baixa salarial de $8^1/_3$%, logo que o dia de trabalho foi reduzido a 11 horas, e o dobro dessa baixa, quando veio a redução definitiva para 10 horas. Por toda parte em que as circunstâncias permitiam, a rebaixa salarial atingiu pelo menos 25%.[143] Nessas condições tão favoráveis adrede preparadas, teve início a agitação junto aos trabalhadores em favor da revogação da lei de 1847. Os patrões recorreram a todas as formas de logro, de sedução e de ameaça, mas em vão. Com referência às petições que levavam meia dúzia de assinaturas de trabalhadores, compelidos a queixar-se contra "a opressão da lei", declararam os próprios peticionários, ao serem interrogados, que suas assinaturas foram extorquidas. "Somos vítimas de uma opressão, mas que não provém da lei."[144] Não conseguindo os fabricantes fazer os trabalhadores falarem no sentido desejado, passaram a bradar com mais vigor em nome dos trabalhadores, na imprensa e no Parlamento. Denunciaram os inspetores como uma espécie de comissários de revolução semelhantes àqueles da Convenção Nacional Francesa, que sacrificavam impiedosamente o infeliz trabalhador às suas fantasias reformistas e humanitárias. Também essa manobra fracassou. O inspetor Leonard Horner organizou, pessoalmente e por meio de seus subinspetores, numerosas audiências nas fábricas de Lancashire. Cerca de 70% dos trabalhadores interrogados pronunciaram-se a favor das 10 horas, uma percentagem muito menor, pelas 11, e uma minoria ínfima, pelas antigas 12 horas.[145]

---

142 *Rep. of Insp. of Fact., 31ˢᵗ Oct. 1848*, p. 16.

143 "Verifiquei que pessoas que ganhavam 10 xelins por semana tiveram uma redução de 1 xelim, em virtude da rebaixa de 10%, e de 1 xelim e 6 pence nos restantes 9 xelins, por motivo da diminuição do tempo de trabalho, ao todo 2 xelins e 6 pence; não obstante, muitos deles declararam que preferiam trabalhar 10 horas." (*Loc. cit.*)

144 "Quando assinei a petição, disse na ocasião que estava fazendo uma coisa errada. – E por que a assinou? – Porque, se recusasse, seria lançado no olho da rua. – O peticionário sentia-se na realidade oprimido, mas não pela lei fabril." (*Loc. cit.*, p. 102.)

145 *Loc. cit.*, p. 17. No distrito de Horner, em 181 fábricas, foram ouvidos 10.270 trabalhadores adultos. Seus depoimentos se encontram no apêndice do relatório fabril do semestre que termina em outubro de 1848. Esses depoimentos constituem, sob outros aspectos, material valioso.

A JORNADA DE TRABALHO

Para arranjar as coisas amigavelmente, os patrões faziam adultos trabalharem de 12 a 15 horas e em seguida apresentavam o fato como a melhor demonstração das aspirações íntimas do proletariado. Mas o "implacável" inspetor Leonard Horner já lhes atravessava o caminho. Os que trabalhavam além do tempo legal declararam, em sua maioria, que

> "[...] preferiam muito mais trabalhar 10 horas por menos salário, mas não tinham escolha; muitos deles estavam sem trabalho, muitos fiandeiros obrigados a trabalhar como simples emendadores e, desse modo, se se recusassem a trabalhar horas extraordinárias, outros tomariam imediatamente seus lugares; a questão para eles se reduzia, portanto, ao dilema ou trabalhar horas extraordinárias, ou ficar sem emprego."[146]

A campanha preliminar do capital fracassou, e a lei das 10 horas entrou em vigor a 1º de maio de 1848. Entrementes, o fracasso do partido cartista, com os chefes postos na cadeia e sua organização dissolvida, abalou a confiança da classe trabalhadora inglesa nas suas próprias forças. Em seguida, a insurreição de junho de Paris e seu afogamento em sangue reuniram, tanto na Europa Continental como na Inglaterra, todas as frações das classes dominantes – senhores de terra e capitalistas, especuladores de bolsa e lojistas, protecionistas e livre-cambistas, governo e oposição, clérigos e livre-pensadores, jovens prostitutas e velhas freiras – sob a bandeira comum de salvação da propriedade, da religião, da família e da sociedade. A classe trabalhadora foi, por toda parte, proscrita, anatematizada, considerada suspeita pelo aparelho de segurança do Estado (*"loi des suspects"*). Os fabricantes não precisavam mais fazer cerimônia. Rebelaram-se abertamente não só contra a lei das 10 horas, mas contra toda legislação que, a partir de 1833, procurava de certo modo refrear a "liberdade" de sugar a força de trabalho. Uma campanha, miniatura da rebelião escravista do Sul dos Estados Unidos, foi levada a cabo, durante mais de dois anos, com dureza cínica, com energia terrorista, que nada custava ao capitalista rebelde a não ser arriscar a pele de seus trabalhadores.

Para a compreensão do que segue, lembramos que as leis fabris de 1833, 1844 e 1847 estavam em pleno vigor, ressalvadas as emendas de uma na

---

146 *Loc. cit.* Vide os depoimentos coligidos pelo próprio Leonard Horner, de números 69-72, 92-93, e os reunidos pelo subinspetor A., no Apêndice, de números 51, 52, 58, 59, 62 e 70. Até um fabricante confessou a verdade dos fatos. Vide números 14 e 265, *loc. cit.*

outra; que nenhuma delas limita a jornada do trabalhador do sexo masculino maior de 18 anos; e que, a partir de 1833, o período de 15 horas de 5½ da manhã às 8½ da noite era o dia legal, dentro de cujos limites devia ser executado, inicialmente, o trabalho de 12 horas e, depois, o trabalho de 10 horas dos adolescentes menores de 18 anos e das mulheres, sob as condições legalmente prescritas.

Os fabricantes começaram, aqui e ali, a despedir uma parte, frequentemente a metade dos adolescentes e mulheres empregados, e restauraram, para os trabalhadores adultos do sexo masculino, o trabalho noturno que quase não se usava mais. A lei das 10 horas, bradaram eles, não lhes deixava outra saída.[147]

A segunda medida que tomaram atingiu os intervalos legais para refeições. Ouçamos os inspetores.

> "Desde a limitação da jornada de trabalho a 10 horas, os fabricantes, embora não tenham levado às últimas consequências seu ponto de vista, afirmam que estarão cumprindo os preceitos da lei ao estabelecerem, por exemplo, o horário das 9 da manhã às 7 da noite, concedendo uma hora para refeição antes das 9 da manhã e meia hora depois das 7 da noite, 1½ hora, portanto, para refeições. Em alguns casos, dão eles atualmente hora inteira ou meia para almoço, insistindo, porém, que não são de modo algum obrigados a outorgar qualquer fração da 1½ hora durante a jornada de trabalho de 10 horas."[148]

Os fabricantes sustentaram, portanto, que as determinações meticulosas da lei de 1844 sobre refeições davam ao trabalhador apenas a permissão para comer e beber antes de entrar na fábrica e depois de sair dela, ou seja, em casa. E perguntavam por que não poderiam os trabalhadores tomar seu almoço antes das 9 horas da manhã. Os consultores jurídicos da Coroa decidiram, entretanto, que as refeições prescritas

> "[...] tinham de realizar-se em pausas da jornada real de trabalho e que era ilegal fazer trabalhar 10 horas consecutivas, das 9 da manhã às 7 da noite, sem interrupção."[149]

---

147 *Reports* etc. *for 31st Oct. 1848*, pp. 133-134.
148 *Reports* etc. *for 30th April 1848*, p. 47.
149 *Reports* etc. *for 31st Oct. 1848*, p. 130.

A JORNADA DE TRABALHO

Depois dessas demonstrações cordiais, o capital procura dar corpo a sua revolta com uma medida que se ajustava à letra da lei de 1844, sendo, portanto, legal.

A lei de 1844 proibia crianças de 8 a 13 anos que trabalhassem pela manhã antes do meio-dia de serem empregadas de novo depois da 1 hora da tarde. Mas não regulava de modo nenhum o trabalho de 6½ horas das crianças cujo tempo de trabalho começasse ao meio-dia ou mais tarde. Por isso, crianças de 8 anos que começassem o trabalho ao meio-dia podiam ser empregadas das 12 à 1, durante 1 hora; das 2 às 4 da tarde, 2 horas; e, das 5 às 8½ da noite, 3½ horas; ao todo, as 6½ horas legais. Ou, melhor ainda, para ajustar sua atividade ao trabalho do operário adulto, bastava que o fabricante não lhes desse nenhum serviço até as 2 horas da tarde, mantendo-as daí em diante ininterruptamente na fábrica, até as 8½.

> "E agora admite-se expressamente que, em virtude da ganância dos fabricantes que querem manter sua maquinaria funcionando por mais de 10 horas, vigora na Inglaterra a prática de fazer trabalharem até as 8½ da noite crianças de 8 a 13 anos, de ambos os sexos, junto com homens adultos, quando todos os adolescentes e todas as mulheres já deixaram o trabalho."[150]

Os trabalhadores e os inspetores de fábricas protestaram por motivos de higiene e de ordem moral. Mas o capital pensa como Shylock:

> "Assumo a responsabilidade dos meus atos! Exijo meu direito! A multa e o penhor do meu contrato!"

Segundo dados estatísticos apresentados à Câmara dos Comuns em 26 de julho de 1850, estavam submetidas a essa prática, em 15 de julho de 1850, e apesar de todos os protestos, 3.742 crianças em 257 fábricas.[151] Mas ainda não era o bastante. O olhar de lince do capital descobriu que a lei de 1844, embora não permitisse trabalhar 5 horas pela manhã sem intervalo de pelo menos 30 minutos para descanso, nada desse gênero previa para o trabalho à tarde. Assim, o capital exigiu e obteve a satisfação de fazer mourejarem sem descanso, das 2 da tarde às 8 da noite, crianças de 8 anos, fazendo-as passar fome.

---

150 *Reports* etc., *loc. cit.*, p. 142.
151 *Reports* etc. *for 31st Oct. 1850*, pp. 5-6.

O CAPITAL

"Sim, a carne, assim diz o contrato."[152]

Esse apego shylockiano à letra da lei de 1844, na parte em que regula o trabalho das crianças, servia-lhes apenas para lançar sua revolta aberta contra a mesma lei, na parte em que regula o trabalho dos adolescentes e das mulheres. Estamos lembrados de que o objetivo principal, a essência daquela lei, era a eliminação do exorbitante sistema de turnos múltiplos.

Os fabricantes, rebelados, declararam simplesmente que os artigos da lei de 1844 que proibiam o emprego a seu arbítrio em vários turnos mais curtos dos adolescentes e das mulheres, durante o funcionamento diário da fábrica de 15 horas, eram

> "[...] relativamente inofensivos, enquanto a jornada de trabalho continha 12 horas. Mas, com a lei das 10 horas, criaram uma situação insuportável."[153]

Informaram friamente aos inspetores que se colocariam acima da letra da lei e implantariam de novo o velho sistema por sua própria conta.[154] É o que fariam, no interesse dos próprios trabalhadores mal aconselhados,

> "[...] a fim de pagar-lhes salários mais altos." "Era o único plano possível para manter a supremacia industrial britânica sob a lei das 10 horas."[155] "Podia ser difícil descobrir irregularidades na prática desse sistema de turnos múltiplos, mas e daí? Deveriam os grandes interesses industriais deste país ser tratados como coisa secundária, para poupar aos inspetores e subinspetores fabris um pouco mais de esforço?"[156]

---

152 A natureza do capital é a mesma, não importa o grau de desenvolvimento das suas formas. No código imposto ao território de Novo México pela influência dos senhores de escravos, pouco antes de rebentar a Revolução Civil americana, lê-se: o trabalhador, depois que o capitalista comprou sua força de trabalho, "é dinheiro do capitalista". A mesma concepção era corrente entre os patrícios romanos. O dinheiro que adiantavam aos devedores plebeus transformava-se, através dos meios de subsistência que estes adquiriam, em carne e sangue do devedor. Essa carne e esse sangue eram, portanto, dinheiro do patrício. Daí a lei shylockiana das 10 tábuas. Nada diremos sobre a hipótese de Linguet de que os credores patrícios, de vez em quando, organizavam banquetes do outro lado do Tibre, com carne dos devedores, nem comentaremos a hipótese de Daumer sobre a eucaristia.

153 *Reports* etc. *for 31ˢᵗ Oct. 1848*, p. 133.

154 Fez essa declaração, dentre outros, o filantropo Ashworth, numa repugnante carta quacriana, dirigida a Leonard Horner. (*Rep. Apr. 1849*, p. 4.)

155 *Reports* etc. *for 31ˢᵗ Oct. 1848*, p. 138.

156 *Loc. cit.*, p. 140.

A JORNADA DE TRABALHO

De nada adiantaram todos esses embustes. Os inspetores fabris agiram judicialmente. Mas logo o ministro do Interior, Sir George Grey, viu-se submergido sob um volume tão grande de petições dos industriais, que, em circular de 5 de agosto de 1848, instruiu os inspetores no sentido de

> "[...] não interferirem contra os fabricantes por infração à letra da lei, desde que não houvesse abuso manifesto no sistema, que praticavam, de turnos, fazendo adolescentes e mulheres trabalharem mais de 10 horas."

Imediatamente, o inspetor J. Stuart permitiu, em toda a Escócia, durante o funcionamento de 15 horas da fábrica, o sistema de turnos múltiplos, que logo refloresceu aí à velha maneira. Os inspetores ingleses, em contraposição, declararam que o ministro não possuía nenhum poder ditatorial para suspender o efeito das leis, e prosseguiram agindo judicialmente contra os rebeldes escravistas.

De que adiantava levar os patrões às barras da justiça, se esta, personificada nos magistrados de condado,[157] os absolvia? Nesses tribunais, estavam sentados os próprios patrões, para julgarem a si mesmos. Um exemplo. Certo cavalheiro de nome Eskrigge, diretor de fiação da firma Kershaw, Leese & Co., submetera ao inspetor do trabalho de seu distrito o esquema de um sistema de turnos destinado à sua fábrica. O esquema foi recusado, mas ele, por seu lado, não esboçou a menor reação. Poucos meses depois, um indivíduo de nome Robinson, também diretor de fiação, parente de Eskrigge, compareceu diante do tribunal comunal de Stockport, em virtude de ter introduzido sistema de turnos idêntico ao imaginado por Eskrigge. O tribunal estava constituído por quatro juízes, dentre os quais três patrões do ramo da fiação, tendo à frente o mesmo indefectível Eskrigge. Eskrigge absolveu Robinson e declarou então que o que era justo para Robinson era também justo para ele. Protegido por sua própria decisão judiciária, introduziu imediatamente o sistema em sua fábrica.[158] A composição do tribunal já era, na verdade, uma violação aberta à lei.[159]

---

157 Os "juízes de condado", os *"great unpaid"*, como os chama W. Cobbett, são uma espécie de juízes não remunerados, escolhidos entre os notáveis do condado. Constituem, na realidade, a justiça patrimonial das classes dominantes.

158 *Reports* etc. *for 30th April 1849*, pp. 21-22.

159 Pela lei fabril de Sir John Hobhouse, como é conhecida (1 e 2 William IV, c. 29, s. 10), proíbe-se que qualquer dono de uma fiação ou tecelagem, pai, filho e irmão desse dono funcionem como juiz de condado em questões que digam respeito à lei fabril.

"Estas farsas judiciais", brada o inspetor Howell, "clamam por um remédio urgente [...] ou a lei é alterada para se adaptar a essas sentenças, ou deve ser administrada por um tribunal menos falível que ajuste suas decisões à lei [...] em todos os casos dessa natureza. Que falta faz um juiz estipendiado."[160]

Os consultores jurídicos da Coroa declararam absurda a interpretação que os fabricantes davam à lei de 1848, mas os salvadores da sociedade não abriram mãos dos seus propósitos.

"Depois que tentei", relata Leonard Horner, "por meio de 10 processos judiciais em 7 circunscrições diferentes, obter a aplicação da lei, só encontrando apoio judiciário em um caso, [...] cheguei à conclusão de ser inútil prosseguir nesta atividade contra a violação da lei. A parte da lei redigida para criar uniformidade nas horas de trabalho [...] não vigora mais em Lancashire. Demais, eu e meus subagentes não dispomos mais de meios para nos assegurar de que as fábricas onde se aplica o sistema de turnos múltiplos não ponham a trabalhar por mais de 10 horas adolescentes e mulheres. [...] No fim de abril de 1849, já trabalhavam por esse método em meu distrito 114 fábricas, e seu número cresceu recentemente com rapidez. De modo geral, trabalham agora 13½ horas, das 6 da manhã até as 7½ da noite; em alguns casos, 15 horas, das 5½ da manhã às 8½ da noite."[161]

Já em dezembro de 1848, Leonard Horner tinha uma lista de 65 fabricantes e 29 supervisores que declaravam unanimemente ser impossível a qualquer regime de fiscalização impedir a prolongação mais extensa do trabalho sob esse sistema de turnos.[162] Ora as mesmas crianças e os mesmos adolescentes eram jogados da fiação para a tecelagem, ora, durante 15 horas, de uma fábrica para outra.[163] Como controlar um sistema

"[...] que abusa da palavra turno para movimentar os trabalhadores da maneira mais variada como cartas de um baralho e para mudar as horas de trabalho e de descanso, cada dia, para cada indivíduo, de tal maneira que nunca se encontra trabalhando, no mesmo lugar, no mesmo tempo, no dia seguinte, o mesmo conjunto de operários!"[164]

---

160 *Reports* etc. *for 30th April 1849*, [p. 22].

161 *Reports* etc. *for 30th April 1849*, p. 5.

162 *Reports* etc. *for 31st Oct. 1849*, p. 6.

163 *Rep.* etc. *for 30th April 1849*, p. 21.

164 *Rep.* etc. *for 31st Oct. 1848*, p. 95.

A JORNADA DE TRABALHO

Mas esse sistema de turnos, criado pela imaginação capitalista, é mais fantástico que a ideia de Fourier, que nos leva ao humorismo das "sessões curtas"; a diferença é que esta se destina a dar prazer ao trabalho, e aquela, a dar prazer ao capital, fazendo o operário trabalhar em excesso. Examinemos esse esquema patronal, louvado pela imprensa sadia como modelo "do que pode realizar um grau razoável de cuidado e de método". O pessoal era frequentemente dividido em 12 a 15 categorias, cujas partes componentes variavam continuamente. Durante as 15 horas do dia de trabalho, o capital atraía o trabalhador ora por 30 minutos, ora por uma hora, para repeli-lo em seguida, voltando depois a trazê-lo outra vez ao trabalho para, em seguida, afastá-lo, jogando-o aqui e ali em intervalos alternados de tempo, sem perder o controle sobre ele, até que preenchesse as 10 horas de trabalho efetivo. É como se se estivesse num palco onde as mesmas pessoas, alternadamente, entram nas diversas cenas dos diferentes atos. Mas, assim como o ator, durante todo o drama, pertence ao palco, também os trabalhadores agora, durante 15 horas, pertencem à fábrica, não se incluindo o tempo para chegar a ela e voltar para casa. As horas de repouso transformaram-se, assim, em horas de ociosidade forçada, as quais impeliam os adolescentes para a taverna, e as jovens, para o bordel. Cada nova investida astuciada diariamente pelo capitalista para manter sua maquinaria em funcionamento por 12 ou 15 horas, sem aumentar o pessoal, forçava o trabalhador a engolir sua refeição ora numa pausa, ora noutra. Ao tempo do movimento pelas 10 horas, bradaram os fabricantes que a plebe trabalhadora protestava na esperança de receber um salário de 12 horas, por 10 horas de trabalho. Mostravam agora o reverso de sua medalha. Estavam pagando salário de 10 horas para dispor das forças de trabalho durante 12 e 15 horas.[165] Esta era a substância oculta, a interpretação dos fabricantes da lei das 10 horas. Eram os mesmos untuosos livre-cambistas, porejando amor à humanidade, que, durante os 10 anos inteiros de sua agitação para revogar as leis aduaneiras sobre cereais, pregaram aos trabalhadores, com cálculos feitos minuciosamente, que, com a importação livre de cereais,

---

165 Vide *Reports* etc. *for 30ᵗʰ April 1849*, p. 6, e a explanação pormenorizada do sistema de trabalho em turnos múltiplos e/ou locais diversos (*shifting system*), pelos inspetores do trabalho Howell e Saunders, em *Reports* etc. *for 31ˢᵗ Oct. 1848*. Vide também a petição do clero de Ashton e localidades vizinhas, dirigida à Rainha, na primavera de 1849, contra esse sistema.

O CAPITAL

10 horas de trabalho com os meios da indústria inglesa seriam suficientes para enriquecer os capitalistas.[166]

A revolta de dois anos do capital foi finalmente coroada por decisão de uma das quatro altas cortes de justiça da Inglaterra, a Court of Exchequer, que sentenciou, num caso trazido a seu julgamento em 8 de fevereiro de 1850, que os fabricantes na verdade agiram contra o sentido da lei de 1844, mas que esta lei contém certas expressões que a tornavam sem sentido. "Com essa decisão, foi aniquilada a lei das 10 horas."[167] Muitos fabricantes, que até então receavam utilizar o sistema de turnos múltiplos para adolescentes e mulheres, passaram a lançar mão dele desabridamente.[168]

Com essa vitória aparentemente definitiva do capital, surgiu uma reviravolta. Os trabalhadores tinham oferecido uma resistência até então passiva, embora inflexível e quotidianamente renovada. Agora protestavam em comícios rumorosos e ameaçadores em Lancashire e Yorkshire. A pretensa lei das 10 horas, diziam eles, não passava de simples embuste, de logro parlamentar, e nunca existira. Os inspetores do trabalho preveniram o governo insistentemente a respeito do antagonismo de classes, que estava atingindo um grau inacreditável de tensão. Uma parte dos próprios fabricantes murmurava:

> "Em virtude das decisões contraditórias dos magistrados, reina uma situação anormal e anárquica. Em Yorkshire vigora uma lei, outra em Lancashire, já é diversa a lei que se aplica numa paróquia de Lancashire ou numa localidade vizinha, e assim por diante. O fabricante das grandes cidades pode burlar a lei, o da zona rural não acha o pessoal necessário para o sistema de turnos múltiplos e muito menos para o processo que desloca os trabalhadores de uma fábrica para outra etc."

E o direito fundamental do capital é a igualdade na exploração da força de trabalho por todos os capitalistas.

---

166 Vide, p. ex., *The Factory Question and the Ten Hours Bill*, de R. H. Greg, 1837.

167 F. Engels, *Die englische Zehnstundenbill*, na revista por nós editada *Neue Rheinische Zeitung: Politisch-ökonomische Revue*, caderno de abril de 1850, p. 13. A mesma alta corte descobriu também, durante a Guerra Civil americana, uma ambiguidade de expressão que dava à lei promulgada contra o armamento de navios piratas um sentido oposto à sua finalidade.

168 *Rep.* etc. *for 30th April 1850.*

Nestas circunstâncias, chegaram os fabricantes e os trabalhadores a um compromisso que foi consagrado pela nova lei fabril adicional de 5 de agosto de 1850. A jornada de trabalho para adolescentes e mulheres, nos primeiros 5 dias da semana, foi elevada de 10 para 10½ horas, e reduzida a 7½ horas aos sábados. O trabalho deve ser realizado no período das 6 da manhã às 6 da noite,[169] com 1½ hora de pausa para refeições, a ser concedida ao mesmo tempo e de acordo com as determinações da lei de 1844. Com isto, se pôs fim definitivo ao sistema de turnos múltiplos.[170] A lei de 1844 continuou em vigor para o trabalho das crianças.

Desta vez, uma categoria de fabricantes assegurou-se, especialmente, dos direitos senhoriais que já exerciam sobre os filhos dos proletários. Referimo-nos aos fabricantes de seda. Em 1833, tinham uivado ameaçadoramente que, "se lhes tirassem a liberdade de porem a trabalhar crianças de qualquer idade 10 horas por dia, teriam de fechar suas fábricas". Era-lhes impossível comprar força de trabalho adequada e suficiente se só pudessem empregar meninos com mais de 13 anos. Conseguiram extorquir o desejado privilégio. Uma investigação posterior revelou que o pretexto não passava de mentira,[171] o que não os impediu, durante um decênio, de fiar seda 10 horas por dia, sugando o sangue de crianças que, para execução do seu trabalho, tinham de ser colocadas em cima de cadeiras.[172] A lei de 1844 roubou-lhes a "liberdade" de porem a trabalhar mais de 6½ horas por dia crianças com menos de 11 anos, mas assegurou-lhes, em compensação, o privilégio de arrancar 10 horas de trabalho por dia de crianças entre 11 e 13 anos. Segundo a lei, esse ramo industrial ficou isento da obrigação escolar estabelecida para as crianças empregadas em outras fábricas. Desta vez, foi apresentado o pretexto seguinte:

> "A delicadeza do tecido exige uma leveza de tato que só pode ser adquirida com o início cedo no trabalho dessas fábricas."[173]

---

169 No inverno, o período pode ser também das 7 da manhã às 7 da noite.

170 "A lei atual [de 1850] foi uma transação pela qual o trabalhador abriu mão dos benefícios da lei das 10 horas para obter em troca um começo e um término uniformes do trabalho daqueles cujo horário estava legalmente sujeito a limitação." (*Reports* etc. *for 30th April 1852*, p. 14.)

171 *Reports etc. for 30th Spt. 1844*, p. 13.

172 *Loc. cit.*

173 "The delicate texture of the fabric in which they were employed requiring a lightness of touch, only to be acquired by their early introduction to these factories." (*Rep.* etc. *for 31st Oct. 1846*, p. 20.)

O CAPITAL

Por terem dedos com leveza de tato, foram as crianças sacrificadas como gado na Rússia Meridional por causa da pele e do sebo. Finalmente, em 1850, o privilégio concedido em 1844 reduziu-se aos departamentos de retorcer a seda e enrolar os fios, mas, para compensar o capital lesado em sua "liberdade", a jornada de trabalho das crianças de 11 a 13 anos foi elevada de 10 a 10½ horas. Pretexto: "O trabalho nas fábricas de seda é mais leve do que nas outras fábricas e de modo algum tão prejudicial à saúde."[174] Investigação médica oficial demonstrou depois que, ao contrário,

> "[...] a taxa média de mortalidade nos distritos da indústria de seda é excepcionalmente alta, e, para a parte feminina da população, é mais alta ainda do que nos distritos têxteis de Lancashire."[175]

Apesar dos protestos semestralmente repetidos dos inspetores do trabalho, o abuso continua até hoje.[176]

A lei de 1850 mudou as balizas do trabalho diurno apenas para adolescentes e mulheres, devendo sua jornada situar-se no espaço de tempo entre 6 da manhã e 6 da noite, e não no período das 5½ da manhã às 8½ da noite. Essa disposição não se aplicava às crianças que podiam ser empregadas meia hora antes de começar o período e 2½ horas depois de terminado, embora a duração total de seu trabalho não pudesse ultrapassar 6½ horas. Durante a discussão da lei, os inspetores do trabalho apresentaram ao Parlamento uma estatística referente aos iníquos abusos decorrentes dessa anomalia. Em vão. Atrás dos reposteiros estava vigilante a intenção de levar o prolongamento do dia de trabalho dos operários adultos, nos anos de prosperidade, a 15 horas, com a ajuda das crianças. A experiência dos três anos seguintes mostrou que a resistência dos homens empregados

---

174 *Reports* etc. *for 31ˢᵗ Oct. 1861*, p. 26.

175 *Loc. cit.*, p. 27. De modo geral, melhorou bastante, fisicamente, a população dos trabalhadores submetidos à lei fabril. Todos os testemunhos médicos são concordantes a esse respeito, e convenci-me dessa melhoria através da observação pessoal em diferentes períodos. Contudo, e pondo-se de lado a terrível taxa de mortalidade das crianças nos primeiros anos de vida, os relatórios oficiais do Dr. Greenhow mostram as condições de saúde insatisfatórias dos distritos industriais, em comparação com os distritos agrícolas de saúde normal. É o que demonstra a tabela do seu relatório de 1861. (Ver página seguinte.)

176 Sabemos com que relutância os "livre-cambistas" renunciaram à tarifa aduaneira protetora da indústria de seda. Serve agora de proteção contra a importação francesa a falta de proteção às crianças inglesas que trabalham nas fábricas.

ocasionava o fracasso de tentativas dessa natureza.[177] A lei de 1850 foi finalmente complementada em 1853 com a proibição de "empregar crianças, pela manhã, antes e, à noite, depois dos adolescentes e das mulheres". Daí em diante, a lei fabril de 1850 regulava, com pequenas exceções, a jornada de todos os trabalhos dos ramos industriais a ela submetidos.[178] Havia meio século que fora promulgada a primeira lei fabril.[179]

A legislação ultrapassou sua esfera original, com a lei sobre estamparias de algodão de 1845, o "Printworks' Act". A má vontade com que o capital deixou passar essa nova "extravagância" ressalta de cada linha da lei. Limita a jornada de trabalho de crianças de 8 a 13 anos e das mulheres a 16 horas, entre 6 da manhã e 10 da noite, sem qualquer pausa legal para refeições. Permite que se empreguem, dia e noite sem limites, trabalhadores do sexo masculino com mais de 13 anos.[180] É um aborto legislativo.[181] Contudo, venceu o princípio de regulamentar o trabalho, ao triunfar nos grandes ramos industriais que são a criação mais genuína do modo moderno de produção. Seu desenvolvimento maravilhoso de 1853 a 1860, paralelamente com o renascimento físico e moral dos trabalhadores, evidenciava-se até aos mais míopes. Os próprios fabricantes, aos quais foram arrancados, palmo a palmo, no curso de uma guerra civil de meio século, os limites e as regras da jornada de trabalho, apontavam orgulhosos para o contraste existente

---

177 *Reports* etc. *for 30th April 1853*, p. 30.

178 Nos anos de apogeu da indústria têxtil de algodão britânica, em 1859 e em 1860, alguns fabricantes tentaram levar os fiandeiros adultos a prolongarem o dia de trabalho, acenando-lhes com a isca de salários mais altos por horas extraordinárias. Os fiandeiros manuais e os das máquinas automáticas de fiação resolveram pôr fim a essas tentativas através de memorial dirigido a seus empregadores, onde se lê: "Falando francamente, nossa vida é para nós um fardo pesado, e, enquanto nós ficamos presos na fábrica quase dois dias a mais por semana [20 horas] do que os outros trabalhadores, sentimo-nos em nosso país como se fôssemos hilotas e condenamos a nós mesmos por perpetuar um sistema que prejudica, moral e fisicamente, a nós e nossos descendentes. [...] Por isto, informamo-los, respeitosamente, de que, a partir do primeiro dia do ano, não trabalharemos um minuto a mais além de 60 horas por semana, das 6 às 6, com o desconto das pausas legais de 1½ hora." (*Reports* etc. *for 30th April 1860*, p. 30.)

179 Quanto aos caminhos que a lei deixa abertos para sua própria violação, vide, na publicação parlamentar *Factories Regulation Acts* de 9 de agosto de 1859, as observações de Leonard Horner "Suggestions for Amending the Factory Acts to enable the Inspectors to prevent illegal working, now become very prevalent".

180 "Crianças com 8 anos de idade e mais foram empregadas em meu distrito, no último semestre, das 6 da manhã às 9 da noite." (*Reports* etc. *for 31st Oct. 1857*, p. 30.)

181 "Considera-se um fracasso a lei sobre estamparia de algodão, tanto em suas disposições sobre educação quanto em suas medidas protetoras." (*Reports* etc. *for 31st Oct. 1862*, p. 52.)

O CAPITAL

entre os seus setores e aqueles onde era "livre" a exploração.[182] Os fariseus da economia política proclamaram então ser uma nova conquista, característica de sua ciência, a compreensão da necessidade de regular legalmente a jornada de trabalho.[183] Compreende-se facilmente que, depois de terem os magnatas industriais se conformado e se reconciliado com o inevitável, se enfraquecesse gradualmente a força de resistência do capital, ao mesmo tempo que a capacidade de atacar da classe trabalhadora crescesse com o número de seus aliados nas camadas sociais não imediatamente interessadas. Daí o progresso relativamente mais rápido a partir de 1860. Em 1860, as tinturarias e branquearias[184] foram submetidas à lei fabril de 1850, e, em 1861, as fábricas de rendas e de meias. Em virtude do primeiro relatório da comissão sobre o trabalho das crianças (1863), caíram sob o império dessa lei os fabricantes de todos os artigos de cerâmica (não apenas louças), de fósforos de atrito, de cápsulas fulminantes, de cartuchos, de papéis estampados, de aparamento de veludo e de numerosos processos que se compreendem sob a denominação geral de acabamento. No ano de 1863, as lavanderias ao ar livre[185] e a panificação foram submetidas a duas leis es-

---

182 Assim, por exemplo, B.E. Potter, em carta ao *Times*, de 24 de março de 1863. O *Times* lembrou-lhe a revolta dos fabricantes contra a lei das 10 horas.

183 Dentre outros, W. Newmarch, colaborador e editor da *History of Prices*, de Tooke. Mas é progresso científico fazer concessões por receio da opinião pública?

184 A lei promulgada em 1860 sobre branquearias e tinturarias determinava que a jornada de trabalho seria reduzida preliminarmente a 12 horas, a 1º de agosto de 1861, e, definitivamente a 10 horas, a 1º de agosto de 1862, isto é, 10½ horas para cada um dos 5 primeiros dias da semana e 7½ para os sábados. Quando chegou o ano fatal de 1862, repetiu-se a velha farsa. Os fabricantes pediram ao Parlamento para manter por mais um ano a jornada de trabalho de 12 horas para adolescentes e mulheres. "Na situação atual dos negócios [durante a crise de algodão] seria grande vantagem para os trabalhadores terem a permissão de trabalhar 12 horas por dia e aumentarem assim seus salários. [...] Os fabricantes já tinham conseguido apresentar projeto neste sentido na Câmara dos Comuns. Este caiu em virtude de agitação dos trabalhadores nas lavanderias da Escócia." (*Reports* etc. *for 31ˢᵗ Oct. 1862*, pp. 14-15). Derrotado pelos próprios trabalhadores, em cujo nome pretendia falar, descobriu o capital, com a ajuda de juristas, que a lei de 1860, como as outras destinadas a proteger o trabalho, era redigida em termos ambíguos e dava margem a excluir de sua aplicação os calandreiros e os acabadores. A judicatura inglesa, fiel serva do capital, sancionou a chicana através do tribunal das ações cíveis. "Os trabalhadores ficaram profundamente desapontados, e é extremamente deplorável que a intenção clara da lei ficasse frustrada sob o pretexto de uma definição defeituosa." (*Loc. cit.*, p. 18.)

185 As branquearias ao ar livre escaparam à lei de 1860 sobre lavanderias, em virtude da alegação mentirosa de nelas não haver trabalho noturno de mulheres. A mentira foi descoberta pelos inspetores de trabalho, e as petições de trabalhadores destruíram a imagem lírica desses estabelecimentos, associada a refrescantes campinas perfumadas. Nessas branquearias ao ar livre, são empregadas câmaras de secagem, com 90 a 100 graus Fahrenheit, onde trabalham principalmente moças. Refrigeração é a expressão técnica aplicada para designar a vida eventual da câmara de secagem para o ar livre. "Quinze

pecíficas, proibindo a primeira, dentre outras coisas, o trabalho de crianças, adolescentes e mulheres à noite, isto é, das 8 horas da noite às 6 da manhã, e a segunda, utilizarem-se os empregados de panificação, menores de 18 anos, entre 9 da noite e 5 da manhã. Voltaremos às propostas ulteriores apresentadas pela mencionada comissão, as quais ameaçavam despojar da "liberdade" todos os ramos industriais importantes da Inglaterra, excetuados a agricultura, as minas e os transportes.[185a]

7. A LUTA PELA JORNADA NORMAL DE TRABALHO. REPERCUSSÕES DA LEGISLAÇÃO FABRIL INGLESA NOS OUTROS PAÍSES

O leitor já sabe que a produção de mais-valia ou a extração de trabalho excedente constitui o conteúdo e o objetivo específicos da produção capitalista, quaisquer que sejam as modificações do próprio modo de produção,

---

moças em estufas. Calor de 80 a 90 graus Fahrenheit para linho e de 100 graus e mais para cambraia. Doze moças passando a ferro e dobrando a cambraia etc. em um pequeno aposento quadrado, com cerca de dez pés de comprimento em cada lado; ao meio, um fogão hermeticamente fechado. As moças estão em volta do fogão, que irradia um calor terrível e seca a cambraia rapidamente para as passadeiras. É ilimitado o número de horas para elas. Quando há maior movimento, elas trabalham até 9 ou 12 horas da noite, muitos dias seguidos." (*Reports* etc. *for 31ˢᵗ Oct. 1862*, p. 56.) Um médico declara: "Não se concedem às trabalhadoras horas especiais para se refrescarem, mas, quando a temperatura se torna insuportável, ou as mãos ficam sujas de suor, é-lhes permitido sair ao ar livre por alguns minutos. [...] Minha experiência no tratamento das doenças dessas trabalhadoras compele-me a expressar a opinião de que seu estado de saúde é inferior ao das fiandeiras [e o capital, em suas petições ao Parlamento, as tinha pintado cheias de saúde, no estilo de Rubens). As doenças mais comuns entre elas são tísica, bronquite, irregularidade das funções uterinas, histeria na sua forma mais agravada e reumatismo. Decorrem, acredito, direta ou indiretamente da atmosfera viciada e superaquecida das câmaras onde trabalham ou da falta de roupas suficientemente confortáveis, para protegê-las da atmosfera úmida e fria, quando voltam para casa nos meses do inverno." (*Loc. cit.*, pp. 56-57.) Os inspetores de trabalho, a respeito da lei de 1863, arrancada a duras penas aos pândegos patrões das branquearias ao ar livre: "Esta lei fracassou no seu propósito manifesto de proteger os trabalhadores [...] e, além disso, está de tal modo redigida que só se pode cogitar de qualquer medida de proteção quando se surpreendem crianças e mulheres trabalhando depois das 8 horas da noite. Quando isso ocorre, o método legalmente estabelecido torna a prova tão difícil que é quase impossível obter-se uma condenação." (*Loc. cit.*, p. 52.) "A lei fracassou totalmente em seus objetivos humanitários e educativos. Não se pode qualificar de humanitário permitir, o que equivale a compelir, mulheres e crianças trabalharem 14 horas por dia com ou sem refeições, conforme for o caso, e talvez por mais horas, sem limite de idade, sem consideração ao sexo e sem respeito aos hábitos sociais das famílias da vizinhança onde se situam as branquearias." (*Reports* etc. *for 30ᵗʰ April 1863*, p. 40).

185a Nota da 2ª edição: A partir de 1866, quando escrevi as linhas acima, sobreveio uma reação contra essa perda "da liberdade".

O CAPITAL

relacionadas com a subordinação do trabalho ao capital. Recordar-se-á de que, de acordo com a tese vigorante até agora em nossa exposição, só o trabalhador independente e, em consequência, legalmente capaz contrata como vendedor de mercadoria o capitalista. Se, portanto, em nosso esboço histórico, desempenham papéis importantes a indústria moderna e o trabalho de menores juridicamente incapazes, é porque consideramos aquela e estes, respectivamente, uma esfera particular e um exemplo particular da exploração do trabalho. Sem antecipar o desenvolvimento subsequente de nosso estudo, infere-se, do conjunto dos fatos históricos examinados, o seguinte:

1º – De início, o capital satisfez seu impulso de prolongar o dia de trabalho, sem limites e sem consideração, nas indústrias que originalmente foram revolucionadas pela água, pelo vapor e pela maquinaria, nessas primeiras criações do modo moderno de produção, nas fiações e tecelagens de algodão, lã, linho e seda. As modificações no modo material de produção e as correspondentes modificações nas relações sociais dos produtores[186] deram origem, primeiro, a abusos desmedidos e provocaram, em contraposição, o controle social que regula e uniformiza a jornada de trabalho e suas pausas, limitando-a legalmente. Na primeira metade do século XIX, esse controle aparece sob a forma de leis de exceção.[187] Depois de ele ter conquistado o domínio original do novo modo de produção, verificou-se que outros ramos de atividades se tinham incorporado ao regime fabril, e que, além disso, tinham caído sob a mesma exploração capitalista que a lei procurava conter nas fábricas manufaturas com métodos mais ou menos antiquados, como as de louças, de vidros etc., ofícios antigos como a panificação e, finalmente, até as esparsas indústrias caseiras como o fabrico de pregos.[188] A legislação foi, assim, impelida a perder progressivamente seu caráter de exceção ou a estabelecer, arbitrariamente,

---

186 "A conduta de cada uma dessas classes [capitalistas e trabalhadores] tem sido o resultado da situação relativa em que elas têm sido colocadas." (*Reports* etc. *for 31st Oct. 1848*, p. 113.)

187 "O trabalho, sujeito a restrições, era o que se relacionava com a fabricação de produtos têxteis com a ajuda do vapor e da força hidráulica. Uma atividade tinha de preencher duas condições para ficar submetida à inspeção do trabalho, a saber, a aplicação do vapor ou da força hidráulica e a transformação de determinadas fibras." (*Reports* etc. *for 31st October 1864*, p. 8).

188 Sobre a situação da chamada indústria caseira, encontra-se material valioso e abundante nos últimos relatórios da "Children's Employment Commission".

A JORNADA DE TRABALHO

no estilo casuístico romano seguido na Inglaterra, que qualquer casa onde se trabalhe é uma fábrica.[189]

2º – A história da regulamentação da jornada de trabalho em alguns ramos de produção e a luta que ainda prossegue em outros para se obter essa regulamentação demonstram palpavelmente que o trabalhador isolado, o trabalhador como vendedor "livre" de sua força de trabalho, sucumbe sem qualquer resistência a certo nível de desenvolvimento da produção capitalista. A instituição de uma jornada normal de trabalho é, por isso, o resultado de uma guerra civil de longa duração, mais ou menos oculta, entre a classe capitalista e a classe trabalhadora. Começando essa luta no domínio da indústria moderna, travou-se primeiro na terra natal dessa indústria, a Inglaterra.[190] Os trabalhadores fabris ingleses foram não só os campeões de seus camaradas nacionais, mas de toda a classe trabalhadora moderna, do mesmo modo que seus teóricos foram os primeiros a desafiar a teoria do capital.[191] Daí Ure, o filósofo dos fabricantes, denunciar como vergonha inextinguível da classe trabalhadora inglesa o fato de inscrever ela na sua bandeira "a escravatura das leis fabris, na sua luta contra o capital, que se batia virilmente pela liberdade absoluta de trabalho".[192]

---

189 "As leis da última sessão legislativa [1864] [...] compreendem ramos de atividade de diversa natureza, nos quais reinam diferentes costumes, e a aplicação de força mecânica para movimentar as máquinas não se inclui mais, como antigamente, entre as condições necessárias para que um estabelecimento seja legalmente considerado fábrica." (*Reports* etc. *for 31ˢᵗ Oct. 1864*, p. 8.)

190 A Bélgica, o paraíso do liberalismo continental, não apresenta nenhum indício desse movimento. Mesmo em suas minas de carvão e de metal, os trabalhadores de ambos os sexos e de qualquer idade são empregados em qualquer período e sem qualquer limite quanto à duração do trabalho. Para cada 1.000 pessoas nelas ocupadas, há 733 homens, 88 mulheres, 135 rapazes e 44 moças com menos de 16 anos; nos altos-fornos etc., para cada 1.000: 668 homens, 149 mulheres, 98 rapazes e 85 moças com menos de 16 anos. Acrescente-se a isto os salários baixos para a imensa exploração de forças de trabalho constituídas de adultos e menores, recebendo os homens em média por dia 2 xelins e 8 pence; as mulheres, 1 xelim e 8 pence, e os jovens 1 xelim e 2½ pence. Em compensação, em 1863, a Bélgica quase que dobrou, em comparação com 1850, a quantidade e o valor de sua exportação de carvão, ferro etc.

191 Pouco depois da primeira década do século XIX, quando Robert Owen não só defendeu, no plano teórico, a necessidade de uma limitação do dia de trabalho, mas também introduziu realmente o dia de 10 horas em sua fábrica em New-Lanark, consideraram sua inovação objeto de escárnio, utopia comunista. O mesmo ocorreu com sua ideia de "união do trabalho produtivo com a educação da infância" e com as cooperativas dos trabalhadores que fundou. Hoje, a primeira utopia é lei fabril, a segunda figura como frase oficial em todas as leis fabris e a terceira até já serve para encobrir embustes reacionários.

192 Ure, tradução francesa, *Philosophie des manufactures*, Paris, 1836, t. II, pp. 39-40, 67, 77 etc.

O CAPITAL

A França vem manquejando lentamente atrás da Inglaterra. Foi necessária a revolução de fevereiro para surgir a lei das 12 horas,[193] muito mais deficiente que o original inglês. Contudo, o método revolucionário francês pôs em evidência suas vantagens especiais. De um só golpe, impõe a todas as oficinas e fábricas, sem distinção, o mesmo limite para a jornada de trabalho, enquanto a legislação inglesa resulta de concessões, relutantemente feitas, em cada caso, conforme a pressão das circunstâncias, com o risco de cair num confuso emaranhado jurídico.[194] Demais, a legislação francesa proclama como princípio o que só se consegue na Inglaterra através de uma luta em nome das crianças, menores e mulheres e só recentemente se reivindica como um direito geral.[195]

Nos Estados Unidos, todo o impulso de independência dos trabalhadores ficou paralisado enquanto a escravatura desfigurava uma parte da república. O trabalhador branco não pode emancipar-se onde se ferreteia o trabalhador negro. Mas da morte da escravatura surgiu imediatamente uma nova vida. O primeiro fruto da guerra civil foi a campanha pelas 8 horas, que se propagou, com a bota de sete léguas das ferrovias, do Atlântico ao Pacífico, da Nova Inglaterra à Califórnia. O Congresso Geral dos Trabalhadores de Baltimore, de agosto de 1866, declara:

---

193 No relatório do "Congresso Estatístico Internacional de Paris, 1855", lê-se: "A lei francesa que limita a duração do trabalho diário nas fábricas e oficinas a 12 horas não confina esse trabalho dentro de limites fixos de tempo, prescrevendo embora, para o trabalho das crianças, o período entre 5 horas da manhã e 9 da noite. Por isso, uma parte dos fabricantes utiliza-se do direito que lhes dá o silêncio fatal da lei para fazer seus empregados trabalharem, sem interrupção, por vezes até aos domingos. Para esse fim, empregam duas turmas de trabalhadores, e nenhum deles passa na fábrica mais de 12 horas, mas o trabalho dura dia e noite. Atende-se à lei, mas será atendida também a humanidade?" Além da "influência destruidora do trabalho noturno no organismo humano", ressalta-se também "a influência fatal da associação à noite de ambos os sexos em locais mal iluminados".

194 "Em meu distrito, por exemplo, no mesmo conjunto fabril, o mesmo fabricante dispõe de lavanderia e tinturaria, de estamparia de algodão e de processos de acabamento, estando sujeito a três leis diferentes, a referente a lavanderias e tinturarias, a relativa à estamparia e a lei fabril." (Relatório de Baker em *Reports* etc. *for 31ˢᵗ Oct. 1861*, p. 20.) Depois de enumerar as diferentes disposições dessas leis e as complicações daí resultantes, diz Baker: "Vê-se como é difícil assegurar a execução dessas três leis, se o fabricante resolve burlá-las." [*Loc. cit.*, p. 21.] Mas, com isso, se fabricam causas para os advogados.

195 Por fim, os inspetores do trabalho ousam dizer: "Essas objeções [do capital contra a limitação legal do tempo de trabalho] devem sucumbir diante do princípio geral dos direitos do trabalho [...] há um ponto em que cessa o direito do patrão ao trabalho do empregado e em que este pode dispor de seu tempo, embora ainda não se tenha exaurido." (*Reports* etc. *for 31ˢᵗ Oct. 1862*, p. 54.)

> "O primeiro e grande imperativo do presente, para libertar o trabalho deste país da escravatura capitalista, é a promulgação de uma lei estabelecendo a jornada normal de trabalho de 8 horas em todos os estados da União americana. Estamos dispostos a juntar todas as nossas forças com o fim de alcançar esse glorioso resultado."[196]

Ao mesmo tempo, no começo de setembro de 1866, resolveu o Congresso Internacional dos Trabalhadores, em Genebra, por proposta do Conselho Geral de Londres:

> "Consideramos a limitação do dia de trabalho uma condição preliminar sem a qual fracassarão necessariamente todos os outros esforços de emancipação. [...] Propomos 8 horas de trabalho como limite legal do dia de trabalho."

Assim, o movimento dos trabalhadores em ambos os lados do Atlântico, surgido instintivamente das próprias condições de produção, consagra as palavras do inspetor do trabalho R.J. Saunders:

> "Novos passos com o fim de reformar a sociedade não poderão ser dados com qualquer esperança de sucesso, a não ser que as horas de trabalho sejam limitadas e que os limites prescritos sejam impostos com rigor, coativamente."[197]

Temos de confessar que nosso trabalhador sai do processo de produção de maneira diferente daquela em que nele entrou. No mercado, encontramo-lo como possuidor da mercadoria chamada força de trabalho, em face de outros possuidores de mercadorias; vendedor, em face de outros vendedores. O contrato pelo qual vendeu sua força de trabalho ao capitalista demonstra, por assim dizer, preto no branco, que ele dispõe livremente de si mesmo.[198]

---

196 "Nós, os trabalhadores de Dunkirk, declaramos que é demasiadamente longa a jornada de trabalho exigida no presente sistema e que, longe de deixar ao trabalhador tempo para repouso e educação, o reduz à condição de servo, apenas ligeiramente melhor que a de escravo. Por isso, resolvemos que 8 horas bastam para uma jornada de trabalho e devem ser legalmente reconhecidas como suficientes. Apelamos para a ajuda da imprensa, essa poderosa alavanca [...] e consideramos inimigos da reforma do trabalho e dos direitos do trabalhador todos aqueles que se recusarem a atender nosso apelo." (Resoluções dos trabalhadores de Dunkirk, Estado de Nova York, 1866.)

197 *Reports* etc. *for 31st Oct. 1848*, p. 112.

198 "Estas maquinações [as manobras do capital de 1848 a 1850, por exemplo] proporcionaram, além disso, prova incontestável da falsidade da afirmativa tantas vezes feita de que os trabalhadores não precisam de proteção, mas devem ser considerados agentes livres ao disporem de sua única pro-

O CAPITAL

Concluído o negócio, descobre-se que ele não é nenhum agente livre, que o tempo em que está livre para vender sua força de trabalho é o tempo em que é forçado a vendê-la e que seu vampiro não o solta "enquanto houver um músculo, um nervo, uma gota de sangue a explorar".[199] Para proteger-se contra "a serpe de seus tormentos", têm os trabalhadores de se unir e, como classe, compelir a que se promulgue uma lei que seja uma barreira social intransponível, capaz de impedi-los definitivamente de venderem a si mesmos e à sua descendência ao capital, mediante livre acordo que os condena à morte e à escravatura.[200] O pomposo catálogo dos direitos inalienáveis do homem será, assim, substituído pela modesta Magna Carta que limita legalmente a jornada de trabalho e estabelece claramente, por fim, "quando termina o tempo que o trabalhador vende e quando começa o tempo que lhe pertence".[201] Que transformação!

---

priedade — o trabalho de suas mãos e o suor de seu rosto." (*Reports* etc. *for 30th April 1850*, p. 45.) "Trabalho livre, se assim pode ser chamado, precisa do braço forte da lei para proteger-se, mesmo num país livre." (*Reports* etc. *for 31st Oct. 1864*, p. 34.) "Permitir, o que significa forçar [...] a trabalhar 14 horas por dia com ou sem refeições." (*Reports* etc. *for 30th April 1863*, p. 40.)

199 Friedrich Engels, *Die englische Zehnstundenbill, loc. cit.*, p. 5.

200 A lei das 10 horas, nos ramos industriais a ela submetidos, "salvou os trabalhadores da degenerescência completa e protegeu sua saúde." (*Reports* etc. *for 31st Oct. 1859*, p. 47.) "O capital [nas fábricas] não pode jamais manter as máquinas em movimento além de um tempo determinado, sem prejudicar a saúde e a moral dos trabalhadores ocupados; e estes não estão em condições de proteger-se." (*Loc. cit.*, p. 8.)

201 "Maior vantagem ainda é a distinção que, por fim, se faz claramente entre o tempo que pertence ao trabalhador e o que pertence ao patrão. O trabalhador sabe agora quando termina o tempo que ele vende e quando começa o tempo que lhe pertence, e, tendo disto um conhecimento exato, pode dispor antecipadamente de seus minutos para seus próprios fins." (*Loc. cit.*, p. 52.) "Tornando-os donos do seu próprio tempo, deram-lhes [as leis fabris] uma energia moral que os impele possivelmente à posse do poder político." (*Loc. cit.*, p. 47.) Com discreta ironia e de maneira circunspecta, insinuam os inspetores do trabalho que a atual lei fabril de certo modo liberta o capitalista da brutalidade natural que provém de ser ele mera personificação do capital e lhe proporciona tempo para adquirir alguma cultura. Antes, "o patrão só tinha tempo para caçar dinheiro, e o trabalhador só dispunha de tempo para trabalhar". (*Loc. cit.*, p. 48.)

IX.

Taxa e massa de mais-valia

Neste capítulo, continuaremos supondo que o valor da força de trabalho e, consequentemente, a parte do dia de trabalho necessária para reproduzir ou manter a força de trabalho são magnitudes determinadas, constantes.

Desse modo, basta conhecer a taxa da mais-valia para se saber a quantidade dela que o trabalhador individual fornece ao capitalista em determinado período. Se, por exemplo, o trabalho necessário é de 6 horas por dia, expressando-se em uma quantidade de ouro de 3 xelins = 1 táler, constitui o táler o valor diário de uma força de trabalho ou o valor do capital adiantado para a compra de uma força de trabalho. E se a taxa da mais-valia é de 100%, esse capital variável de 1 táler produz uma massa de mais-valia de 1 táler, ou o trabalhador fornece diariamente uma quantidade de trabalho excedente de 6 horas.

Mas o capital variável é a expressão monetária do valor global de todas as forças de trabalho simultaneamente empregadas pelo capitalista. Seu valor é, portanto, igual ao valor médio de uma força de trabalho multiplicado pelo número das forças de trabalho empregadas. Dando-se o valor da força de trabalho, a magnitude do capital variável varia na razão direta do número dos trabalhadores simultaneamente ocupados. Se o valor diário de uma força de trabalho = 1 táler, para se explorar 100 forças de trabalho é necessário adiantar 100 táleres, e n forças de trabalho, n táleres.

Do mesmo modo, se um capital variável de 1 táler, o valor diário de uma força de trabalho, produz por dia uma mais-valia de 1 táler, um capital variável de 100 táleres produz por dia uma mais-valia de 100, e um de n táleres, uma mais-valia diária de 1 táler × n. A massa de mais-valia produzida é, portanto, igual à mais-valia fornecida pelo dia de trabalho do trabalhador individual multiplicada pelo número dos trabalhadores empregados. Mas, uma vez que a taxa da mais-valia determina a quantidade de mais-valia fornecida pelo trabalhador individual, se for dado o valor da força de trabalho, segue-se daí a primeira lei: A massa de mais-valia produzida é igual à magnitude do capital variável antecipado multiplicada pela taxa da mais-valia, ou é igual ao valor de uma força de trabalho multiplicado pelo grau de sua exploração e pelo número das forças de trabalho simultaneamente exploradas.[1]

---

[1] Para facilitar a compreensão do leitor, traduziu-se a passagem acima de acordo com a alteração feita pelo próprio autor, para a tradução francesa.

O CAPITAL

Seja M a quantidade de mais-valia; m, a mais-valia diariamente fornecida; em média, pelo trabalhador individual; v, o capital variável adiantado diariamente para compra de uma força de trabalho individual; V, a soma total do capital variável; f, o valor de uma força média de trabalho; $\frac{\text{t'trabalho excedente}}{\text{t trabalho necessário}}$, o grau e exploração dessa força, e n o número dos trabalhadores empregados. Teremos então:

$$M = \begin{cases} \dfrac{m}{v} \times V \\[2em] f \times \dfrac{t'}{t} \times n \end{cases}$$

Vamos supor sempre que o valor de uma força média de trabalho é constante e que os trabalhadores empregados por um capitalista são todos trabalhadores médios. Há exceções em que a mais-valia produzida não aumenta na proporção do número dos trabalhadores empregados, mas, nesses casos, o valor da força de trabalho não é constante.

Na produção de determinada quantidade de mais-valia pode, portanto, o decréscimo de um fator ser compensado com o acréscimo de outro. Se diminui o capital variável e, ao mesmo tempo, há um acréscimo proporcional adequado na taxa da mais-valia, não se altera a quantidade da mais-valia produzida. De acordo com os pressupostos estabelecidos, se o capitalista tem de adiantar 100 táleres para explorar diariamente 100 trabalhadores e a taxa da mais-valia é de 50%, esse capital variável de 100 táleres rende uma mais-valia de 50 táleres, ou de 100 × 3 horas de trabalho. Se dobrar a taxa da mais-valia ou se o dia de trabalho não for mais de 9 horas (6 de trabalho necessário + 3 de trabalho excedente) e sim de 12 horas (6 de trabalho necessário + 6 de trabalho excedente) e o capital variável for, ao mesmo tempo, reduzido à metade, diminuído para 50 táleres, produzirá ele, do mesmo modo, uma mais-valia de 50 táleres ou de 50 × 6 horas de trabalho. A redução do capital variável pode, portanto, ser compensada por aumento proporcional adequado no grau de exploração da força de trabalho, ou o decréscimo no número dos trabalhadores empregados, por aumento proporcional adequado do dia de trabalho. Dentro de certos limi-

TAXA E MASSA DE MAIS-VALIA

tes, a oferta de trabalho que o capital pode obter é, portanto, independente da oferta de trabalhadores.[202]

Ao contrário, um decréscimo na taxa da mais-valia não altera a quantidade da mais-valia produzida quando há um acréscimo compensatório na magnitude do capital variável ou no número dos trabalhadores ocupados.

Contudo, tem limites intransponíveis a compensação da queda do número de trabalhadores ou da magnitude do capital variável pela elevação da taxa da mais-valia ou pelo aumento do dia de trabalho. Qualquer que seja o valor da força de trabalho, importe em 2 ou 10 horas o tempo de trabalho necessário para manter o trabalhador, o valor global que o trabalhador pode produzir, dia a dia, é sempre menor do que o valor que se materializa em 24 horas de trabalho, menor do que 12 xelins ou 4 táleres, se esta é a expressão monetária que damos a 24 horas de trabalho realizado. Supusemos que são necessárias 6 horas de trabalho por dia para reproduzir a força de trabalho ou repor o valor do capital adiantado para comprá-la; de acordo com isso, um capital variável de 500 táleres que emprega 500 trabalhadores com a taxa da mais-valia de 100% ou com um dia de trabalho de 12 horas, produz diariamente uma mais-valia de 500 táleres ou 6 × 500 horas de trabalho. Um capital de 100 táleres que emprega diariamente 100 trabalhadores com a taxa da mais-valia de 200% ou um dia de trabalho de 18 horas produz uma quantidade de mais-valia de 200 táleres ou de 12 × 100 horas de trabalho. E o valor total produzido, equivalente ao capital variável acrescido da mais-valia, nunca poderá atingir, todos os dias, a soma de 400 táleres ou 24 × 100 horas de trabalho. O limite absoluto do dia médio de trabalho, que, por natureza, tem menos de 24 horas, constitui um limite absoluto à compensação da queda do capital variável pelo aumento da taxa da mais-valia, ou da queda do número dos trabalhadores empregados pelo acréscimo do grau de exploração da força de trabalho. Esta lei, a segunda, é evidente por si mesma. É importante para explicar muitos fenômenos oriundos da tendência do capital, a ser estudada mais tarde, de reduzir tanto quanto possível o número dos trabalhadores empregados, ou seja, de diminuir sua parte variável, a que se transforma em força de trabalho, em contradição com sua outra tendência de produzir a maior quantidade

---

202 Esta lei elementar, parece desconhecerem os economistas vulgares, que, ao contrário de Arquimedes, acreditam ter encontrado, na determinação do preço de mercado do trabalho pela oferta e pela procura, o ponto não para eles suspenderem o mundo, mas para o imobilizarem.

possível de mais-valia. Inversamente, se a quantidade das forças de trabalho aplicadas ou a magnitude do capital variável aumentam, mas não em proporção que compense a queda na taxa da mais-valia, diminui a quantidade da mais-valia produzida.

Terceira lei decorre da determinação da quantidade da mais-valia produzida por dois fatores: taxa da mais-valia e magnitude do capital variável adiantado. Se forem dados a taxa da mais-valia, ou o grau de exploração da força de trabalho, e o valor da força de trabalho, ou a magnitude do tempo de trabalho necessário, é evidente que, quanto maior o capital variável, tanto maior a quantidade de valor e de mais-valia produzidos. Se forem dados o limite da jornada de trabalho e o limite de sua parte necessária, a quantidade de valor e de mais-valia que um capitalista individual produz depende apenas, evidentemente, da quantidade de trabalho que põe em movimento. Essa quantidade, por sua vez, depende, com os pressupostos estabelecidos, da quantidade da força de trabalho ou do número, de trabalhadores que ele explora, e esse número, por sua vez, é determinado pela magnitude do capital variável adiantado. Dados a taxa da mais-valia e o valor da força de trabalho, a quantidade de mais-valia varia na razão direta da magnitude do capital variável adiantado. Sabemos que o capitalista divide seu capital em duas partes. Emprega uma parte em meios de produção. É a parte constante. Aplica a outra em força de trabalho. É a parte variável. No mesmo modo de produção, difere a repartição do capital em constante e variável, conforme os diversos ramos de produção. Dentro do mesmo ramo de produção, varia essa repartição, conforme as modificações ocorridas nas condições técnicas e na combinação social do processo de produção. Mas, qualquer que seja a proporção em que o capital se reparta em constante e variável, seja a proporção do variável para o constante de 1:2, de 1:10 ou de 1:x, a lei que acabamos de formular não se altera, uma vez que, conforme análise anteriormente feita, o valor do capital constante reaparece no valor do produto, mas não entra no novo valor produzido. Para empregar 1.000 fiandeiros, são necessários naturalmente mais matérias-primas, mais fusos etc. do que para empregar 100. O valor desses meios de produção a serem adicionados pode subir, cair, permanecer invariável, ser grande ou pequeno, mas não tem qualquer influência no processo de criação da mais-valia por meio das forças de trabalho que põem esses meios de produção em movimento. A lei formulada acima assume, portanto, a forma seguinte: As quantidades de valor e de mais-valia produzidos por diferentes capitais variam, se for dado o valor da força de trabalho e se for igual seu grau de exploração, na razão direta das magnitudes das partes variáveis desses capitais, isto é, das suas partes transformadas em força de trabalho viva.

Esta lei contraria, evidentemente, toda experiência que não vai além das aparências. Considerando-se a repartição percentual do capital aplicado, todo mundo sabe que um dono de fiação, que emprega, relativamente, muito capital constante e pouco capital variável, não obtém por isso lucro menor ou mais-valia inferior à auferida por um dono de padaria, que põe em movimento, relativamente, muito capital variável e pouco capital constante. Para resolver essa contradição aparente, são necessárias etapas intermediárias, do mesmo modo que, do ponto de vista da álgebra elementar, são indispensáveis muitos passos intermediários para se compreender que $0 \div 0$ pode representar uma grandeza real. Embora nunca tenha formulado essa lei, a economia clássica, instintivamente, apega-se a ela, por ser uma consequência necessária da lei do valor em geral. Procura salvá-la, por meio de abstrações extremadas, das contradições das aparências. Veremos mais tarde[203] como a escola de Ricardo tropeça nessa dificuldade. A economia vulgar, que "realmente nada tem aprendido", aferra-se aqui, como em tudo, às aparências contra a lei que as rege. Ao contrário de Spinoza, ela acredita que "a ignorância é um fundamento suficiente".

O trabalho que todo o capital de uma sociedade, dia a dia, põe em movimento, pode ser considerado uma única jornada de trabalho. Se o número de trabalhadores, por exemplo, é de um milhão e o dia de trabalho, em média, de um trabalhador é de 10 horas, o dia de trabalho social será de 10 milhões de horas. Dada a extensão do dia de trabalho, sejam seus limites estabelecidos física ou socialmente, a quantidade de mais-valia só pode ser aumentada por meio do aumento do número dos trabalhadores, isto é, da população trabalhadora. Aqui, o crescimento da população constitui o limite matemático da produção da mais-valia por meio de todo o capital social. Inversamente, dada a magnitude da população, esse limite será constituído do prolongamento eventualmente possível do dia de trabalho.[204]

---

203 Pormenores sobre o assunto no Livro 4.

204 "O trabalho, isto é, o tempo econômico de uma sociedade, representa uma magnitude dada, digamos 10 horas por dia de um milhão de pessoas ou 10 milhões de horas. [...] O capital tem limite de crescimento. Em qualquer período, esse limite é dado pela extensão real do tempo econômico empregado." (*An Essay on the Political Economy of Nations*, Londres, 1821, pp. 47-49.)

O CAPITAL

Veremos no próximo capítulo que esta lei só se aplica à forma de mais-valia de que temos tratado até agora.

Do exame feito até agora sobre a produção da mais-valia, infere-se que não é qualquer quantidade arbitrária de dinheiro ou de valor que se pode transformar em capital. Para essa transformação, pressupõe-se, necessariamente, certo mínimo de dinheiro ou de valor de troca nas mãos do possuidor individual de dinheiro ou de mercadorias. A quantidade mínima de capital variável é o preço de custo de uma força individual de trabalho empregada durante o ano inteiro, dia a dia, para produzir mais-valia. Se esse trabalhador possuir seus próprios meios de produção e contentar-se em viver como trabalhador, bastar-lhe-á trabalhar o tempo necessário para reproduzir seus meios de subsistência, digamos, 8 horas por dia. Precisará também de meios de produção para 8 horas de trabalho. Em contraposição, o capitalista que lhe impõe, digamos, 4 horas de trabalho excedente acima das 8 horas precisa de uma soma de dinheiro adicional para adquirir os meios de produção suplementares. Todavia, de acordo com nossa suposição, já terá de empregar dois trabalhadores, para viver da mais-valia de que se apropria diariamente, como se fosse um trabalhador, isto é, em condições de satisfazer suas necessidades indispensáveis. Nesse caso, o objetivo de sua produção seria apenas a manutenção da vida, e não o aumento da riqueza; e esse aumento é fundamental para a produção capitalista. A fim de viver duas vezes melhor do que um trabalhador comum e, ao mesmo tempo, converter a metade da mais-valia produzida em capital, terá de multiplicar por 8 o número de trabalhadores e aquela quantidade mínima de capital variável. Na verdade, ele pode, como seu empregado, trabalhar, participar diretamente do processo de produção, mas será então um ser intermediário entre capitalista e trabalhador, um pequeno patrão. Certo estágio de desenvolvimento da produção capitalista exige que o capitalista possa consagrar à apropriação, ao controle do trabalho alheio e à venda dos produtos desse trabalho todo o tempo durante o qual funciona como capital personificado.[205] As corporações da Idade Média procuraram impedir coercitivamente

---

205 "O arrendatário não deve contar com seu trabalho, e, se fizer assim, estará, na minha opinião, perdendo. Sua atividade deve consistir na supervisão do conjunto: tem de prestar atenção a seu debulhador, pois, do contrário, perderá o salário pago pelo trigo que não foi debulhado; do mesmo modo, tem de vigiar o segador, o ceifeiro etc.; tem de revistar continuamente suas cercas; tem de verificar se não há negligência, o que ocorrerá se se concentrar numa única tarefa." ([J. Arbuthnot,] *An Enquiry into the Connection between the Price of Provisions, and the Size of Farms* etc., *by a Farmer,*

a transformação do mestre artesão em capitalista, limitando a um mínimo o número máximo de trabalhadores que cada mestre podia empregar. O possuidor de dinheiro ou de mercadorias só se transforma realmente em capitalista quando a soma mínima adiantada para a produção ultrapassa de muito esse limite medieval. Aqui, como nas ciências naturais, evidencia-se a justeza da lei descoberta por Hegel, em sua *Lógica*: modificações quantitativas, além de certo ponto, se transformam em modificações qualitativas.[205a]

O montante mínimo de valor de que tem de dispor um possuidor de dinheiro ou de mercadorias, para virar capitalista, muda de acordo com os diferentes estágios da produção capitalista e, em determinado estágio de desenvolvimento, difere nos diferentes ramos de produção, segundo as condições técnicas de cada um. Certos ramos de produção já exigem, nas primeiras fases da produção capitalista, um mínimo de capital que não se encontra em mãos de indivíduos isolados. Isto faz surgirem os subsídios oficiais a particulares, como na França, no tempo de Colbert, em muitos estados alemães, até nossa época, e nas sociedades com monopólio legal para explorar determinados ramos industriais e comerciais,[206] as precursoras das modernas sociedades por ações.

Não nos deteremos no exame pormenorizado das modificações ocorridas nas relações entre capitalista e assalariado, no curso histórico do processo de produção, nem no estudo das transformações do capital. Apenas acentuaremos aqui alguns pontos principais.

Londres, 1773, p. 12.) Esta obra é muito interessante. Nela pode-se estudar a gênese do arrendatário capitalista ou arrendatário comerciante (*"capitalist farmer"* ou *"merchant farmer"*), como o autor o chama expressamente. Este é também arrendatário capitalista e glorifica seu negócio, comparando-o com o do pequeno arrendatário (*"small farmer"*), voltado essencialmente para sua subsistência. "A classe capitalista liberta-se, de início parcialmente e por fim totalmente, da necessidade de trabalho manual." (*Textbook of Lectures on the Polit. Economy of Nations*, by the Rev. Richard Jones, Hertford, 1852, Lecture, p. 39.)

205a A teoria molecular, formulada cientificamente, pela primeira vez, por Laurent e Gerhardt, aplicada à química moderna, está fundamentada nessa lei.
Adendo da 3ª edição: Para esclarecer esta observação, que soa obscura para os que não são versados em química, observamos que o autor fala aqui das séries homólogas, assim designadas por C. Gerhardt, em 1843, nos seus estudos sobre hidrocarbonetos. Cada uma delas tem uma fórmula algébrica própria. Assim, a série das parafinas: CH; a dos álcoois normais: CHO; a dos ácidos graxos normais: n2n + 2CHO n2n2, além de muitas outras. Nos exemplos acima, basta acrescentar-se de cada vez CH2 à fórmula molecular para se obter um corpo qualitativamente diferente. Quanto à participação de Laurent e Gerhardt, amplificada por Marx, na verificação desse importante fenômeno, vide Kopp, *Entwicklung der Chemie*, Munique, 1873, pp. 709 e 716, e Schorlemmer, *Rise and Progress of Organic Chemistry*, Londres, 1879, p. 54. — F.E.

206 Martinho Lutero chama a essas instituições de *sociedade monopolia*.

Dentro do processo de produção, conquistou o capital o comando sobre o trabalho, sobre a farsa do trabalho em funcionamento, ou seja, sobre o próprio trabalhador. O capital personificado, o capitalista, cuida para que o trabalhador realize sua tarefa com esmero e com o grau adequado de intensidade.

O capital transforma-se, além disso, numa relação coercitiva, que força a classe trabalhadora a trabalhar mais do que exige o círculo limitado das próprias necessidades. E, como produtor da laboriosidade alheia, sugador de trabalho excedente e explorador da força de trabalho, o capital ultrapassa em energia, em descomedimento e em eficácia todos os sistemas de produção anteriores fundamentados sobre o trabalho compulsório direto.

De início, o capital submete o trabalho ao seu domínio nas condições técnicas em que o encontra historicamente. Não modifica imediatamente o modo de produção. A produção da mais-valia, na forma estudada até agora, por meio de simples prolongamento do dia de trabalho, ocorreu, por isso, independentemente de qualquer modificação no processo de produção. Na panificação antiga, não era menos eficaz do que na fiação moderna de algodão.

Se observarmos o processo de produção do ponto de vista do processo de trabalho, veremos que, para o trabalhador, os meios de produção não são capital, mas simples meios e materiais de sua atividade produtiva adequada a um fim. Num curtume, por exemplo, as peles, para ele, não passam de simples objeto de trabalho. Ele não está curtindo a pele do capitalista. A situação muda de aspecto quando observamos o processo de produção do ponto de vista do processo de criar valor. Os meios de produção se transformam imediatamente em meios de absorção de trabalho alheio. Não é mais o trabalhador que emprega os meios de produção, mas os meios de produção que empregam o trabalhador. Em vez de serem consumidos por ele como elementos materiais de sua atividade produtiva, consomem-no como o fermento de seu próprio processo vital. E o processo vital do capital consiste apenas em mover-se como valor que se expande continuamente. Fornos e edifícios de fábricas parados à noite não absorvem trabalho vivo e são mera perda para o capitalista. Por isso, os fornos e os edifícios das fábricas dão o "direito de exigir o trabalho noturno" das forças de trabalho. A simples aplicação de dinheiro em fatores materiais do processo de produção, em meios de produção, transforma estes em título jurídico com poder coativo, para exigir trabalho alheio e trabalho excedente. Um exemplo nos mostrará como se reflete na consciência dos capitalistas essa inversão, pe-

TAXA E MASSA DE MAIS-VALIA

culiar e característica da produção capitalista, esse desvairamento na relação entre trabalho morto e vivo, entre valor e força criadora de valor. Durante a revolta dos fabricantes de 1848 a 1850, o chefe de uma das mais antigas firmas da Escócia Ocidental, a sociedade Carlile, Sons & Co., dona da fábrica de tecelagem de linho e algodão em Paisley, existente desde 1752 e administrada por várias gerações da mesma família, esse cavalheiro muito inteligente escreveu uma carta ao *Glasgow Daily Mail* de 25 de abril de 1849,[207] sob o título "O sistema de turnos", na qual se encontra a passagem seguinte, de uma ingenuidade grotesca:

> "Vejamos os males que decorrem de uma redução do tempo de trabalho de 12 para 10 horas. [...] Representam o maior dano infligido às perspectivas e à propriedade do fabricante. Se ele [isto é, seus empregados] trabalhava 12 horas e está limitado a 10, então 12 máquinas ou fusos em seu estabelecimento se reduzem a 10, e, se tiver de vender sua fábrica, em lugar de 12 máquinas considerar-se-á que existem apenas 10, de modo que ficará subtraída de cada fábrica em todo o país a sexta parte do seu valor."[208]

Nesse cérebro atávico do capital, nesse burguês da Escócia Ocidental, o valor dos meios de produção, dos fusos etc., se confunde com a propriedade do capital de expandir seu valor, isto é, de absorver diariamente, grátis, determinada quantidade de trabalho alheio. E esse ponto de vista domina-o tanto que o chefe da firma Carlile, Sons & Co. espera realmente que, se vender sua fábrica, não só o valor dos fusos ser-lhe-á pago, mas também o poder deles de obter mais-valia; não só o trabalho neles inserido, necessário para a produção de fusos do mesmo tipo, mas também o trabalho excedente que eles ajudam a sugar diariamente dos honrados escoceses de Paisley. E, por isso, ele pensa que, se o dia de trabalho for diminuído em duas horas, 12 máquinas de fiar passarão a ter o preço de 10.

---

207 *Reports of Insp. of Fact. for 30th April 1849*, p. 59.

208 *Loc. cit.*, p. 60. O inspetor do trabalho Stuart, também escocês e ao contrário de seus colegas inteiramente imbuído da mentalidade capitalista, observa expressamente a respeito dessa carta incorporada a seu relatório, que "é a comunicação mais útil feita por qualquer dos fabricantes que empreguem o sistema de turnos e que ela se propõe especialmente a remover os preconceitos e os escrúpulos que se opõem ao sistema".

QUARTA SEÇÃO

A PRODUÇÃO DA MAIS-VALIA RELATIVA

X.
Conceito de mais-valia relativa

A parte do dia de trabalho que apenas produz um equivalente do valor que o capital paga pela força de trabalho foi considerada, até agora, magnitude constante, o que ela realmente é em condições de produção dadas, num determinado estágio de desenvolvimento econômico da sociedade. O trabalhador podia continuar trabalhando 2, 3, 4, 6 e mais horas além desse tempo de trabalho necessário. Nessas condições, a taxa da mais-valia e a extensão da jornada de trabalho dependem da duração desse prolongamento. Se o tempo de trabalho necessário era constante, o dia total de trabalho era variável. Suponhamos agora uma jornada de trabalho cuja extensão e cuja repartição em trabalho necessário e trabalho excedente sejam dadas. A linha *ac*, ou seja, *a*-------*bc*, representa, por exemplo, um dia de trabalho de 12 horas; o segmento *ab*, 10 horas de trabalho necessário; e o segmento *bc*, 2 horas de trabalho excedente. Como aumentar a produção de mais-valia, isto é, como prolongar o trabalho excedente, sem prolongar *ac*, ou independentemente de qualquer prolongamento de *ac*? Apesar de dados os limites da jornada de trabalho *ac*, parece que se pode prolongar *bc* sem deslocar seu ponto extremo *c*, que representa o término da jornada de trabalho *ac*, empurrando seu ponto inicial *b* na direção oposta, para *a*. Suponha-se que *b' b*, na linha *a*------*b'-b*----*c*, seja igual à metade de *bc*, ou a uma hora de trabalho. Se, no dia de trabalho de 12 horas *ac*, o ponto *b* se desloca para *b'*, *bc* se equipara a *b'c*, o trabalho excedente aumenta de metade, de 2 horas para 3, embora o dia de trabalho continue sendo apenas de 12 horas. Essa extensão do trabalho excedente de *bc* para *b'c*, de 2 para 3 horas, é, evidentemente, impossível se, ao mesmo tempo, não for contraído o trabalho necessário de *ab* para *ab'*, de 10 para 9 horas. A prolongação do trabalho excedente corresponderá à redução do trabalho necessário, ou parte do tempo de trabalho que o trabalhador até agora utilizava realmente em seu benefício transforma-se em tempo de trabalho para o capitalista. O que muda não é a duração da jornada de trabalho, mas seu modo de repartir-se em trabalho necessário e trabalho excedente.

Demais, dados a magnitude da jornada de trabalho e o valor da força de trabalho, determina-se, evidentemente, a magnitude do trabalho excedente. O valor da força de trabalho, isto é, o tempo de trabalho necessário para a produção dessa força determina o tempo de trabalho necessário para reproduzir o valor dela. Se uma hora de trabalho está representada numa quantidade de ouro de meio xelim ou de 6 pence e se o valor diário

O CAPITAL

da força de trabalho é de 5 xelins, terá o trabalhador de trabalhar 10 horas por dia para repor o valor diário pago pelo capital à sua força de trabalho ou para produzir um equivalente dos meios de subsistência necessários à sua manutenção quotidiana. Com o valor desses meios de subsistência, se tem o valor de sua força de trabalho,[1] e, dado o valor de sua força de trabalho, se tem a duração diária do trabalho necessário. Obtém-se a magnitude do trabalho excedente subtraindo-se da jornada de trabalho o tempo de trabalho necessário. Tirando-se dez horas de doze ficam duas, e, nas condições dadas, não se pode ver como o trabalho excedente possa ter uma duração superior a duas horas. Na verdade, o capitalista pode pagar 4 xelins e 6 pence em lugar de 5 xelins, ou mesmo menos. Para reproduzir esse valor de 4 xelins e 6 pence, bastariam 9 horas de trabalho, aumentan-do-se o trabalho excedente, no dia de trabalho de 12 horas, de duas para 3 horas, e elevando-se a mais-valia de 1 xelim para 1 xelim e 6 pence. Mas esse resultado só seria obtido rebaixando-se o salário do trabalhador aquém do valor de sua força de trabalho. Com 4 xelins e 6 pence que produz em 9 horas, seus meios de subsistência diminuirão de $^{1}/_{10}$, e assim reprodu-zir-se-á de maneira atrofiada sua força de trabalho. O trabalho excedente estaria aí prolongado com a violação de seus limites normais, usurpando parte do tempo de trabalho necessário. Apesar do importante papel que esse método desempenha no movimento real dos salários, ele não é aqui objeto de consideração, em virtude do pressuposto de as mercadorias serem vendidas e compradas pelo seu valor integral, inclusive, portanto, a força de trabalho. Pressupondo-se isto, o tempo de trabalho necessário para produzir a força de trabalho ou reproduzir seu valor não pode decrescer por cair o salário abaixo do valor da força de trabalho, mas por cair esse valor. Dada a duração do dia de trabalho, o prolongamento do trabalho excedente tem de ser decorrência de se haver contraído o tempo de trabalho necessário, e

---

1 O valor do salário médio diário é determinado pelo que o trabalhador precisa "para viver, trabalhar e reproduzir-se". (William Petty, *Political Anatomy of Ireland*, 1672, p. 64.) "O preço do trabalho é sempre determinado pelas coisas necessárias à vida." O trabalhador não recebe o salário adequado, "quando [...] o salário não é suficiente para alimentar uma família tão grande como a que muitos deles costumam possuir, de acordo com o baixo nível de vida que lhes corresponde." (J. Vanderlint, *loc. cit.*, p. 15.) "O trabalhador comum, que nada possui além de seus braços e sua atividade, só tem o trabalho que consegue vender a outros. [...] Em toda a espécie de trabalho, tem de ocorrer e realmente sempre ocorre que o salário do trabalhador fica limitado ao que ele precisa para sua subsistência." (Turgot, *Reflexions* etc., *oeuvres*, éd. Daire, t. I, p. 10.) "O preço das coisas necessárias à vida é realmente igual ao custo de produção do trabalho." (Malthus, *Inquiry into* etc. *Rent*, Londres, 1815, p. 48, nota.)

não o contrário, essa contração ser uma decorrência do prolongamento do trabalho excedente. Em nosso exemplo, o valor da força de trabalho deve diminuir realmente de $1/10$, a fim de que o tempo de trabalho necessário se reduza de $1/10$, de 10 para 9 horas, prolongando-se assim o trabalho excedente de duas para 3 horas.

Essa diminuição de $1/10$ no valor da força de trabalho determina que se produza, em 9 horas, a mesma quantidade de meios de subsistência que antes se produzia em 10. Isto é, porém, impossível sem se aumentar a produtividade do trabalho. Com os meios dados pode um sapateiro, por exemplo, fazer um par de botas em um dia de trabalho de 12 horas. Para fazer no mesmo tempo dois pares de botas, tem de duplicar-se a produtividade de seu trabalho, o que exige alteração no instrumental ou no método de trabalho, ou em ambos ao mesmo tempo. Têm de ser revolucionadas as condições de produção de seu trabalho, o modo de produção e, consequentemente, o próprio processo de trabalho. Entendemos aqui por elevação da produtividade do trabalho em geral uma modificação no processo de trabalho por meio da qual se encurta o tempo de trabalho socialmente necessário para a produção de uma mercadoria, conseguindo-se produzir, com a mesma quantidade de trabalho, quantidade maior de valor de uso.[2] Supôs-se o modo de produção invariável, no estudo da forma até agora considerada de mais-valia. Mas, quando se trata de produzir mais-valia tornando excedente trabalho necessário, não basta que o capital se aposse do processo de trabalho na situação em que se encontra ou que lhe foi historicamente transmitida, limitando-se a prolongar sua duração. É mister que se transformem as condições técnicas e sociais do processo de trabalho, que mude o próprio modo de produção, a fim de aumentar a força produtiva do trabalho. Só assim pode cair o valor da força de trabalho e reduzir-se a parte do dia de trabalho necessária para reproduzir esse valor.

Chamo de mais-valia absoluta a produzida pelo prolongamento do dia de trabalho, e de mais-valia relativa a decorrente da contração do tempo de trabalho necessário e da correspondente alteração na relação quantitativa entre ambas as partes componentes da jornada de trabalho.

---

2 O aperfeiçoamento industrial não é outra coisa que a descoberta de novos meios de confeccionar um produto com menos gente ou "o que é o mesmo, em menos tempo". (Galiani, *loc. cit.*, pp. 158--159.) "Reduzir os custos de produção nada mais é do que reduzir o número de pessoas empregadas na produção." (Sismondi, *Études* etc., t. I, p. 22.)

Para diminuir o valor da força de trabalho, tem o aumento da produtividade de atingir ramos industriais cujos produtos determinam o valor da força de trabalho, pertencendo ao conjunto dos meios de subsistência costumeiros ou podendo substituir esses meios.

O valor de uma mercadoria não é determinado apenas pela quantidade de trabalho que lhe dá a última forma, mas também pela quantidade de trabalho contida em seus meios de produção. O valor de uma bota, por exemplo, não é determinado apenas pelo trabalho do sapateiro, mas também pelo valor do couro, da cera, dos fios etc. Fazem cair também o valor da força de trabalho a elevação da produtividade e o correspondente barateamento dos produtos nas indústrias que fornecem os elementos materiais do capital constante, o instrumental e o material de trabalho para produzir as mercadorias necessárias ao trabalhador. Mas em nada altera o valor da força de trabalho o aumento da produtividade nos ramos de atividade que não fornecem nem esses meios de subsistência nem os meios de produção para produzi-los.

A mercadoria que barateia diminui naturalmente o valor da força de trabalho apenas na proporção em que participa na reprodução da força de trabalho. Camisas, por exemplo, constituem apenas uma dentre muitas coisas necessárias. A queda de seu preço só diminui a despesa do trabalhador em camisas. A totalidade das coisas necessárias à vida compõe-se de diferentes mercadorias, oriundas de indústrias diferentes, e o valor de cada uma dessas mercadorias é uma parte alíquota do valor da força de trabalho. Esse valor diminui com o tempo de trabalho necessário à sua reprodução, sendo sua redução total igual à soma das reduções do tempo de trabalho necessário em todas essas indústrias. Aqui tratamos esse resultado geral como se fora o resultado imediato que se procura atingir diretamente em cada caso individual. Se um capitalista, individualmente, barateia camisas, elevando a força produtiva de trabalho, não tem ele necessariamente em mira reduzir em determinada percentagem o valor da força de trabalho e, consequentemente, o tempo de trabalho necessário, mas, na medida em que, por fim, contribui para esse resultado, concorre para elevar a taxa geral da mais-valia.[3] As tendências gerais e necessárias do capital devem ser distinguidas de suas formas de manifestação.

---

3 "Se o fabricante duplica seus produtos com o aperfeiçoamento da maquinaria [...] só ganha, no fim das contas, se consegue vestir mais barato o trabalhador [...] e assim vai para este uma parte menor do produto total." (Ramsay, *loc. cit.*, pp. 168-169.)

CONCEITO DE MAIS-VALIA RELATIVA

Não examinaremos agora o modo como as leis imanentes da produção capitalista se manifestam no movimento dos capitais particulares, como se impõem coercivamente na concorrência e surgem na consciência de cada capitalista sob a forma de motivos que o impelem à ação. Mas, desde já, está claro: a análise científica da concorrência só é possível depois de se compreender a natureza íntima do capital, do mesmo modo que só podemos entender o movimento aparente dos corpos celestes depois de conhecer seu movimento verdadeiro, que não é perceptível aos sentidos. Não obstante, para tornar compreensível a produção da mais-valia relativa, passaremos a fazer algumas considerações tomando por base os resultados a que chegamos até agora.

Se uma hora de trabalho está representada numa quantidade de ouro de 6 pence ou ½ xelim, numa jornada de trabalho de 12 horas se produzirá um valor de 6 xelins. Admita-se que se produzam, com determinada força produtiva de trabalho, 12 artigos nessas 12 horas de trabalho; que o valor dos meios de produção, matérias-primas etc. gastos em cada artigo seja de 6 pence. Nessas circunstâncias, cada mercadoria custa 1 xelim, a saber, 6 pence para o valor dos meios de produção e 6 pence para o novo valor adicionado em sua elaboração. Suponha-se que o capitalista consiga duplicar a força produtiva de trabalho produzindo 24 artigos da mesma espécie, em vez de 12, na jornada de trabalho de 12 horas. Não se alterando o valor dos meios de produção, cai o valor de cada artigo a 9 pence, sendo 6 pence de meios de produção e 3 pence de valor novo adicionado pelo trabalho. Apesar da força produtiva duplicada, um dia de trabalho cria agora, como dantes, um valor novo de 6 xelins, que, todavia, se reparte sobre o dobro do número anterior de artigos. Cada artigo contém, por isso, apenas, em vez de $^1/_{24}$, em vez de ½, do valor global, 3 pence em vez de 6 ou, o que é o mesmo, meia hora e não uma hora inteira é adicionada agora aos meios de produção quando se transformam em cada um dos artigos. O valor individual de cada uma dessas mercadorias fica então abaixo de seu valor social, isto é, custa menos tempo de trabalho do que o imenso volume dos mesmos artigos produzidos nas condições sociais médias. O artigo custa em média 1 xelim ou representa duas horas de trabalho social; com o modo de produção modificado, passa a custar apenas 9 pence ou a conter só 1½ hora de trabalho. O verdadeiro valor de uma mercadoria, porém, não é o valor individual, e sim o social; não se mede pelo tempo de trabalho que custa realmente ao produtor em cada caso, mas pelo tempo de trabalho socialmente exigido para sua produção. Se o capitalista que emprega o novo método vende a mercadoria pelo valor social de 1 xelim, vendê-la-á 3 pence acima de seu valor individual e realizará assim uma mais-valia extra de 3 pence. Além disso, o dia de trabalho de 12 horas significa agora para ele 24 artigos e não mais 12. Para vender, portanto, o produto de um dia de trabalho, precisa ele de duplicar as vendas ou de um mercado duas vezes maior. Não se alterando as circunstâncias, suas mercadorias só conquistarão maior área do mercado através da contração dos preços. Por isso, vendê-las-á acima do seu valor individual, mas abaixo do seu valor social, digamos, por 10 pence cada artigo. Assim, obtém ele ainda em cada artigo uma mais-valia extra de 1 pêni. Essa elevação da mais-valia se verifica para ele, pertença ou não sua mercadoria ao conjunto dos meios de subsistência necessários ao trabalhador, seja ou não elemento determinante do valor da força de trabalho. Independentemente dessa circunstância, existe, portanto, para cada capitalista motivo para baratear a mercadoria aumentando a produtividade do trabalho.

Contudo, mesmo nesse caso, a maior produção da mais-valia decorre de ter diminuído o tempo de trabalho necessário e de se ter prolongado o tempo de trabalho excedente.[3a] Supusemos que o tempo de trabalho necessário era de 10 horas, ou o valor diário da força de trabalho, de 5 xelins; o trabalho excedente, de duas horas, e a mais-valia produzida, consequentemente, de 1 xelim. Mas nosso capitalista produz agora 24 artigos que vende por 10 pence cada um, ou por 20 xelins, todos. Uma vez que o valor dos meios de produção é de 12 xelins, $14^2/_5$ artigos dão para repor o capital constante adiantado. A jornada de trabalho de 12 horas fica representada em $9^3/_5$ desses artigos. Uma vez que o preço da força de trabalho é de 5 xelins, fica o tempo de trabalho necessário representado em 6 artigos, e o trabalho excedente, em $3^3/_5$ artigos. A relação entre trabalho necessário e trabalho excedente, que era de 5:1 nas condições sociais médias, é agora de 5:3. O mesmo resultado se obtém da maneira como segue. O valor do produto do dia de trabalho de 12 horas é de 20 xelins. Destes, 12 xelins pertencem ao valor, que reaparece, dos meios de produção.

3a "O lucro de uma pessoa depende de seu comando sobre o trabalho dos outros, e não de seu comando sobre o produto desse trabalho. Se ela pode vender sua mercadoria a um preço mais elevado, mantendo inalterados os salários de seus trabalhadores, ganhará evidentemente. [...] Parte menor do que produz lhe basta para pôr o trabalho em movimento e, em consequência, fica para ela proporção maior de produto." ([J. Cazenove,] *Outlines of Polit. Econ.*, Londres, 1832, pp. 49-50.)

CONCEITO DE MAIS-VALIA RELATIVA

Restam, assim, 8 xelins, como expressão monetária do valor em que fica representado o dia de trabalho. Esta expressão é mais elevada que a do trabalho social médio da mesma espécie, em que 12 horas são representadas por 6 xelins. O trabalho de produtividade excepcional opera como trabalho potenciado ou cria, no mesmo espaço de tempo, valor mais elevado que o trabalho social médio da mesma espécie. Mas nosso capitalista paga agora, como dantes, apenas 5 xelins pelo valor diário da força de trabalho. Por isso, o trabalhador precisa agora apenas de 7½ horas e não mais de 10 para reproduzir esse valor. Seu trabalho excedente aumenta, assim, de 2½ horas, e a mais-valia por ele produzida, de 1 para 3 xelins. O capitalista que emprega o modo de produção aperfeiçoado apropria-se, assim, de parte do dia de trabalho, constituída de trabalho excedente, maior do que aquela de que se apropriam os demais capitalistas do mesmo ramo. Ele faz individualmente o que o conjunto dos capitalistas fazem coletivamente, ao produzirem a mais-valia relativa. Mas essa mais-valia extra se desvanece quando se generaliza o novo modo de produção, desaparecendo, assim, a diferença entre o valor individual das mercadorias que eram produzidas mais barato e seu valor social. A mesma lei que determina o valor pelo tempo de trabalho e que leva o capitalista que aplica o novo método a vender sua mercadoria abaixo do valor social impele seus competidores, coagidos pela concorrência, a adotar o novo modo de produção.[4] A taxa geral da mais-valia só experimenta alteração relacionada com o processo por inteiro quando a elevação da produtividade do trabalho atinge ramos de produção, baixando preços de mercadorias que fazem parte do conjunto dos meios de subsistência que constituem elementos do valor da força de trabalho.

O valor das mercadorias varia na razão inversa da produtividade do trabalho. Comporta-se do mesmo modo o valor da força de trabalho, por ser determinado pelos valores das mercadorias. Em contraposição, a mais-valia relativa varia na razão direta da produtividade do trabalho. Eleva-se ou cai

---

4 "Se meu vizinho, por fazer muito com pouco trabalho, pode vender barato, tenho de esforçar-me para vender tão barato quanto ele. Desse modo, cada técnica, cada processo ou cada máquina que realiza trabalho com menor número de mãos e, consequentemente, mais barato provoca em outros uma espécie de necessidade e emulação, seja para usar a mesma técnica, o mesmo processo ou a mesma máquina, seja para inventar algo semelhante, a fim de que todos fiquem no mesmo pé e ninguém possa vender mais barato que seu vizinho." (*The Advantages of the East-India Trade to England*, Londres, 1720, p. 67.)

com a ascensão ou queda da produtividade do trabalho. Não se alterando o valor do dinheiro, um dia médio social de trabalho de 12 horas produz sempre o mesmo valor de 6 xelins, não importando como essa soma se possa repartir em valor da força de trabalho e mais-valia. Mas se, em virtude de aumento da produtividade, cair o valor diário dos meios de subsistência e, em consequência, o valor diário da força de trabalho reduzir-se de 5 xelins para 3, aumentará a mais-valia de 1 xelim para 3. Para reproduzir o valor da força de trabalho, eram necessárias 10 horas de trabalho, e agora bastam 6. Quatro horas de trabalho ficaram livres e podem ser anexadas aos domínios do trabalho excedente. Por isso, é impulso imanente e tendência constante do capital elevar a força produtiva do trabalho para baratear a mercadoria e, como consequência, o próprio trabalhador.[5]

O valor absoluto da mercadoria não interessa, por si mesmo, ao capitalista que a produz. Só lhe interessa a mais-valia nela inserida e realizável através da venda. A realização da mais-valia já pressupõe a reposição do capital adiantado. Uma vez que a mais-valia relativa cresce na razão direta do desenvolvimento da produtividade do trabalho e que o valor das mercadorias varia na razão inversa desse desenvolvimento, e uma vez que o mesmíssimo processo barateia as mercadorias e eleva a mais-valia nelas contida, fica solucionado o mistério de o capitalista, preocupado apenas em produzir valor de troca, esforçar-se continuamente para baixar o valor de troca das mercadorias. Quesnay, um dos fundadores da economia política, atormentava seus opositores com essa contradição, à qual nunca puderam dar resposta.

"Reconheceis", diz Quesnay, "que, quanto mais puderdes, sem prejuízo para a produção, reduzir custos ou despesas de trabalho na fabricação de produtos industriais, tanto mais vantajosa será essa redução, porque diminui o preço

---

5 "Ao diminuírem as despesas de um trabalhador, diminui na mesma proporção seu salário, se, ao mesmo tempo, se eliminam as restrições à indústria." (*Considerations Concerning Taking off the Bounty on Corn Exported* etc., Londres, 1753, p. 7.) "O interesse do comércio exige que cereais e todos os gêneros necessários tenham o preço mais baixo possível: o que os encarece tem de encarecer também o trabalho. [...] Em todos os países nos quais a indústria não está sujeita a restrições, o preço dos meios de subsistência tem de influenciar necessariamente o preço do trabalho. Este é sempre rebaixado quando aqueles se tornam mais baratos." (*Loc. cit.*, p. 3.) "Os salários caem na mesma proporção em que aumenta o poder da produção. A máquina barateia as coisas necessárias à vida, mas, além disso, barateia também o trabalhador. (*A Prize Essay on the Comparative Merits of Competition and Cooperation*, Londres, 1834, p. 27.)

dos produtos. Apesar disso, acreditais que a produção da riqueza que tem sua origem no trabalho dos artesãos consiste no aumento do valor venal de seus produtos."[6]

Poupança do trabalho por meio do desenvolvimento da produtividade do trabalho[7] não tem como fim atingir, na produção capitalista, a redução da jornada de trabalho. Seu objetivo é apenas reduzir o tempo de trabalho requerido para produzir determinada quantidade de mercadoria. Que o trabalhador, em virtude da elevação da força produtiva de seu trabalho, produza agora, em uma hora, 10 vezes mais mercadorias que antes, precisando de 10 vezes menos tempo de trabalho para produzir cada unidade, não impede de nenhum modo que o capitalista continue fazendo-o trabalhar 12 horas para produzir, nessas 12 horas, 1.200 unidades em vez das 120 anteriores. Sua jornada de trabalho pode mesmo ser simultaneamente prolongada, de modo a produzir, em 14 horas, 1.400 unidades. Nas obras de economistas da estirpe de um MacCulloch, Ure, Senior e *tutti quanti*, pode-se ler, numa página, que o trabalhador tem uma dívida de gratidão para com o capital, que, desenvolvendo a força produtiva, encurta o tempo de trabalho necessário, e, na página seguinte, que ele deve demonstrar seu agradecimento, passando a trabalhar 15 horas em vez de 10. O desenvolvimento da produtividade do trabalho na produção capitalista tem por objetivo reduzir a parte do dia de trabalho durante a qual o trabalhador tem de trabalhar para si mesmo, justamente para ampliar a outra parte durante a qual pode trabalhar gratuitamente para o capitalista. Até onde, sem reduzir os preços das mercadorias, ainda se pode alcançar esse resultado, é o que veremos ao estudar os métodos particulares de produzir mais-valia relativa, o que faremos a seguir.

---

6 "*Ils conviennent que plus on peut, sans préjudice, épargner de frais ou de travaux dispendieux dans la fabrication des ouvrages des artisans, plus cette épargne est profitable par la diminution des prix de ces ouvrages. Cependant ils croient que la production de richesse que resulte des travaux des artisans consiste dans l'augmentation de la valeur vénale de leurs ouvrages.*" (Quesnay, *Dialogues sur le commerce et sur les travaux des artisans*, pp. 188-189.)

7 "Esses especuladores que poupam tanto o trabalho dos trabalhadores com o que diminuem o trabalho a ser pago." (J.N. Bidaut, *Du Monopole qui s'établit dans les arts industriels et le commerce*, Paris, 1828, p. 13). "O empregador fará tudo para poupar tempo e trabalho." (Dugald Stewart, *Works*, ed. by Sir W. Hamilton, v. viii, Edimburgo, 1855, *Lectures on Polit. Econ.*, p. 318.) "Eles [os capitalistas] estão interessados em que a força produtiva dos trabalhadores que empregam seja a maior possível. Sua atenção se fixa quase exclusivamente nos meios de aumentar essa força." (R. Jones, *loc. cit.*, Lecture iii.)

XI.

Cooperação

Conforme já vimos, a produção capitalista só começa realmente quando um mesmo capital particular ocupa, de uma só vez, número considerável de trabalhadores, quando o processo de trabalho amplia sua escala e fornece produtos em maior quantidade. A atuação simultânea de grande número de trabalhadores, no mesmo local, ou, se se quiser, no mesmo campo de atividade, para produzir a mesma espécie de mercadoria sob o comando do mesmo capitalista constitui, histórica e logicamente, o ponto de partida da produção capitalista. Nos seus começos, a manufatura quase não se distingue, do ponto de vista do modo de produção, do artesanato das corporações, a não ser através do número maior de trabalhadores simultaneamente ocupados pelo mesmo capital. Amplia-se apenas a oficina do mestre artesão.

De início, a diferença é puramente quantitativa. Já vimos que a massa de mais-valia produzida por determinado capital é igual à mais-valia fornecida por cada trabalhador, multiplicada pelo número de trabalhadores simultaneamente empregados. Esse número, por si mesmo, em nada altera a taxa da mais-valia ou o grau de exploração da força de trabalho. Do ponto de vista da produção do valor das mercadorias em geral, parece que não tem a menor importância qualquer modificação qualitativa no processo de trabalho. Isto decorre da natureza do valor. Se um dia de trabalho de 12 horas se materializa em 6 xelins, 1.200 dias de trabalho dessa ordem estarão representados em 6 xelins × 1.200. No primeiro caso, se incorporaram ao produto 12 horas de trabalho, e, no segundo, 12 × 1.200. Na produção de valor, qualquer conjunto de trabalhadores é apenas um múltiplo da unidade, um trabalhador. Não faz a menor diferença que os 1.200 trabalhadores trabalhem separadamente ou unidos sob o comando do mesmo capital.

Contudo, dentro de certos limites, ocorre uma modificação. O trabalho que se objetiva em valor é trabalho de qualidade social média, exteriorização de força de trabalho média. Mas uma magnitude média é apenas a média de muitas magnitudes distintas da mesma espécie. Em cada ramo de atividades, o trabalhador individual, Pedro ou Paulo, difere mais ou menos do trabalhador médio. Essas diferenças individuais, chamadas em matemática de erros, compensam-se e desaparecem quando se toma certo número de trabalhadores. Edmund Burke, o célebre sofista e sicofanta, acha, com base nas suas experiências práticas de agricultor, que todas as diferenças individuais dos trabalhadores já desaparecem "num pelotão tão pequeno" quanto o de cinco braceiros; os cinco primeiros braceiros adultos ingleses que forem encontrados executarão no mesmo tempo a mesma quantidade de trabalho que qualquer outro grupo de cinco.[8] Como quer que seja, é claro que o dia coletivo de trabalho de grande número de trabalhadores simultaneamente empregados, dividido pelo número desses trabalhadores, é por si mesmo uma jornada de trabalho social média. Suponhamos que o dia de trabalho de cada um seja de 12 horas. O dia de trabalho de 12 trabalhadores simultaneamente empregados constitui um dia de trabalho coletivo de 144 horas, e, embora o trabalho de cada um difira mais ou menos do trabalho social médio, e possa cada um precisar de mais ou de menos tempo para executar a mesma tarefa, possui o dia de trabalho individual, como $1/_{12}$ do dia de trabalho coletivo de 144 horas, a qualidade social média. Mas, para o capitalista que emprega uma dúzia, o que existe é o dia de trabalho como dia de trabalho coletivo da dúzia. O dia de trabalho de cada um existe como parte alíquota do dia de trabalho coletivo. No caso, não importa que os 12 trabalhadores se tenham ajudado reciprocamente no trabalho ou que toda a conexão existente entre seus trabalhos consista apenas em trabalharem para o mesmo capitalista. Se, todavia, os 12 trabalhadores forem divididos em 6 grupos de 2 e cada grupo for empregado por um pequeno patrão, será mera casualidade a produção do mesmo valor por cada um desses pequenos patrões, com a consequente realização da taxa geral da mais-valia.

Ocorreriam diferenças individuais. Se um trabalhador utiliza mais tempo na produção de uma mercadoria do que o socialmente exigido, e se o tempo de trabalho para ele individualmente necessário se desvia bastante do tempo socialmente necessário ou do tempo de trabalho médio necessário, não poderá seu trabalho ser aceito como trabalho médio, nem sua força de trabalho, como força de trabalho média. Esta não se vende ou apenas se vende abaixo do valor médio da força de trabalho. Pressupõe-se, por isso, um mínimo de eficiência, e veremos mais tarde que a produção capitalista encontra meios para medi-la. Esse mínimo, contudo, difere da média, embora, por outro lado, tenha o capitalista

---

8 "Sem dúvida, há uma grande diferença entre o valor do trabalho de um homem e o de outro, em virtude da força, destreza e honesta diligência. Mas fiquei absolutamente convencido, após cuidadosas observações, de que, nos períodos de vida mencionados, qualquer grupo de 5 homens realizará em conjunto uma proporção de trabalho igual ao de qualquer outro grupo de 5. No grupo de cinco encontrar-se-ão dois extremos, um trabalhador ótimo e outro péssimo, e três medianos, equidistantes do primeiro e do segundo. Assim, achar-se-á, num grupo tão pequeno como esse de cinco homens, tudo que cinco homens podem fazer." (E. Burke, *loc. cit.*, pp. 15-16.) Vide Quételet, a respeito do indivíduo médio.

COOPERAÇÃO

de pagar o valor médio da força de trabalho. Dos seis pequenos patrões, uns obteriam mais, outros menos do que a taxa geral da mais-valia. Para a sociedade, as diferenças se compensariam, mas não para cada um deles isoladamente. A lei da produção do valor só se realiza plenamente para o produtor individual quando produz como capitalista, empregando, ao mesmo tempo, muitos trabalhadores, pondo em movimento, desde o começo, trabalho social médio.[9]

Mesmo não se alterando o método de trabalho, o emprego simultâneo de grande número de trabalhadores opera uma revolução nas condições materiais do processo de trabalho. Construções onde muitos trabalham, depósitos para matéria-prima etc., recipientes, instrumentos, aparelhos etc. que servem a muitos simultânea ou alternadamente, em suma, uma parte dos meios de produção é agora utilizada em comum no processo de trabalho. O valor de troca das mercadorias e, portanto, dos meios de produção não aumenta em virtude da maior exploração de seu valor de uso. Aumenta a escala dos meios de produção utilizados em comum. Um local onde trabalham 20 tecelões com 20 teares deve ser bem maior do que o local ocupado por um tecelão independente com dois companheiros. Mas custa menos trabalho construir uma oficina para 20 pessoas do que 10 oficinas, cada uma com capacidade para duas pessoas, e, assim, o valor dos meios de produção concentrados para uso em comum e em larga escala não cresce na proporção em que aumenta seu tamanho e seu efeito útil. Meios de produção utilizados em comum cedem porção menor de valor a cada produto isolado, seja porque o valor total que transferem se reparte simultaneamente por quantidade maior de produtos, seja porque, em comparação com os meios de produção isolados, entram no processo de produção, em virtude de sua maior eficácia, com valor relativo menor, embora representem valor absoluto maior. Por isso, diminui a porção de valor do capital constante que se transfere a cada produto isolado, e, na proporção dessa queda, cai o valor global da mercadoria. O efeito é o mesmo que ocorreria se os meios de produção da mercadoria fossem produzidos mais barato. Essa economia no emprego dos meios de produção decorre apenas de sua utilização em comum no processo de trabalho de muitos. E esses meios adquirem esse

---

9 O Prof. Roscher descobriu que uma costureira empregada dois dias por sua esposa realizou mais trabalho que duas costureiras empregadas num dia. O professor não devia fazer suas observações sobre o processo de produção capitalista no quarto das crianças nem em circunstâncias em que falta o personagem principal, o capitalista.

caráter de condições do trabalho social ou condições sociais do trabalho em comparação com os meios de produção esparsos e relativamente custosos de trabalhadores autônomos isolados ou de pequenos patrões, mesmo quando os numerosos trabalhadores reunidos não se ajudam reciprocamente, mas apenas trabalham no mesmo local. Uma parte do instrumental ou dos meios de trabalho adquire esse caráter social antes que o processo de trabalho o conquiste.

A economia dos meios de produção tem de ser considerada sob dois aspectos. Primeiro, barateia as mercadorias, reduzindo desse modo o valor da força de trabalho. Segundo, altera a relação entre mais-valia e capital total adiantado, isto é, a soma de suas partes constante e variável. Este último ponto será examinado na Primeira Seção do Livro 3 desta obra, onde trataremos de vários outros assuntos conexos. A marcha da análise exige essa dissociação da matéria, que corresponde ao espírito da produção capitalista. Nesta as condições de trabalho aparecem como se fossem independentes do trabalhador; por isso, sua economia se apresenta como uma operação particular que em nada interessa ao trabalhador e, portanto, distinta dos métodos que elevam sua produtividade pessoal.

Chama-se cooperação[10] a forma de trabalho em que muitos trabalham juntos, de acordo com um plano, no mesmo processo de produção ou em processos de produção diferentes, mas conexos.

O poder de ataque de um esquadrão de cavalaria ou o poder de resistência de um regimento de infantaria diferem essencialmente da soma das forças individuais de cada cavalariano ou de cada infante. Do mesmo modo, a soma das forças mecânicas dos trabalhadores isolados diferente da força social que se desenvolve quando muitas mãos agem simultaneamente na mesma operação indivisa, por exemplo, quando é mister levantar uma carga, fazer girar uma pesada manivela ou remover um obstáculo.[11] O efeito do trabalho combinado não poderia ser produzido pelo trabalho individual, e só o seria num espaço de tempo muito mais longo ou numa escala muito reduzida. Não se trata aqui da elevação da força produtiva

---

10 *"Concours de forces."* (Destutt de Tracy, *loc. cit.*, p. 80).

11 "Há numerosas operações de natureza tão simples que não permitam sua decomposição em partes, mas que não podem ser realizadas sem a cooperação de muitas mãos. Está neste caso carregar um grande tronco de árvore para um vagão [...] em suma, tudo o que não pode ser feito se não houver a cooperação simultânea de muitas mãos na execução do mesmo ato indiviso." (E. G. Wakefield, *A View of the Art of Colonization*, Londres, 1849, p. 168.)

COOPERAÇÃO

individual através da cooperação, mas da criação de uma força produtiva nova, a saber, a força coletiva.[11a] Pondo de lado a nova potência que surge da fusão de muitas forças numa força comum, o simples contato social, na maioria dos trabalhos produtivos, provoca emulação entre os participantes, animando-os e estimulando-os, o que aumenta a capacidade de realização de cada um, de modo que uma dúzia de pessoas, no mesmo dia de trabalho de 144 horas, produz um produto global muito maior do que 12 trabalhadores isolados, dos quais cada um trabalha 12 horas, ou do que um trabalhador que trabalhe 12 dias consecutivos.[12] É que o homem, um animal político,[13] segundo Aristóteles, é por natureza um animal social.

Embora realizem simultaneamente e em conjunto o mesmo trabalho ou a mesma espécie de trabalho, podem os trabalhos individuais representar, como partes do trabalho total, diferentes fases do processo de trabalho, percorridas mais rapidamente pelo objeto de trabalho em virtude da cooperação. Se pedreiros, por exemplo, formam uma fila para levar tijolos do pé ao alto do andaime, cada um deles faz a mesma coisa, mas seus atos individuais constituem partes integrantes de uma operação conjunta, fases especiais que cada tijolo tem de percorrer no processo de trabalho, e os 24 braços do trabalhador coletivo, supondo-se que sejam 12 os trabalhadores, transportam-no mais rapidamente do que os mesmos 12 trabalhadores, se cada um, isoladamente, com seus dois braços, subisse e descesse o andaime.[14] O objeto de trabalho percorre, assim, o mesmo espaço em menos

---

11a "Para levantar uma tonelada, um homem não tem força suficiente, 10 homens precisam fazer força e 100 conseguem fazê-lo com um dedo apenas." (John Bellers, *Proposals for Raising a Colledge of Industry*, Londres, 1696, p. 21.)

12 "Há também [quando, por exemplo, determinado número de homens é empregado não por 10 arrendatários com 30 acres cada um, mas por 1 arrendatário com 300 acres] uma vantagem na proporção dos empregados e só os homens práticos estão em condições de compreendê-la. Diz-se naturalmente que 1:4 como 3:12; mas na prática a coisa é diferente. Na época de colheita e em outras ocasiões em que tudo tem de ser feito depressa, o trabalho se realiza melhor e mais rápido se há muitos trabalhadores. Durante a colheita, por exemplo, dois carroceiros, dois carregadores, dois enfeixadores, dois recolhedores e os trabalhadores restantes no palheiro e no celeiro realizam o dobro do trabalho que o mesmo número de trabalhadores divididos em grupos separados em diferentes fazendas." ([J. Arbuthnot], *An Enquiry into the Connection between the Present Price of Provisions and the Size of Farms, by a Farmer*, Londres, 1773, pp. 7-8.)

13 A definição de Aristóteles diz propriamente que o homem é por natureza um cidadão, habitante de uma cidade. Ela corresponde à Antiguidade clássica do mesmo modo que a definição de Franklin, de ser o homem um animal que faz instrumentos, corresponde ao espírito ianque.

14 "Deve-se observar ainda que esse parcelamento do trabalho se pode fazer também quando os trabalhadores estão ocupados numa mesma tarefa. Pedreiros, por exemplo, que fazem passar tijolos de mão em mão até o alto de um andaime, executam todos eles a mesma tarefa; existe, portanto, entre

O CAPITAL

tempo. Também ocorre a combinação de trabalho quando uma construção, por exemplo, é atacada ao mesmo tempo de vários lados, embora os trabalhadores que cooperam realizem a mesma tarefa ou tarefas da mesma espécie. O dia de trabalho combinado de 144 horas que ataca o objeto de trabalho de diversos lados faz avançar a produção total mais rapidamente do que 12 dias de trabalho de 12 horas, realizados por um trabalhador isolado. É que o trabalhador coletivo tem olhos e mãos em todas as direções e possui, dentro de certo limite, o dom da ubiquidade. Concluem-se ao mesmo tempo diversas partes do produto que estão separadas no espaço.

Quando os trabalhadores se completam mutuamente, fazendo a mesma tarefa ou tarefas da mesma espécie, temos a cooperação simples. Acentuamo-la porque ela desempenha importante papel, mesmo no estágio mais desenvolvido da cooperação. Se o processo de trabalho é complicado, a simples existência de um certo número de cooperadores permite repartir as diferentes operações entre os diferentes trabalhadores, de modo a serem executados simultaneamente, encurtando-se assim o tempo de trabalho necessário para a conclusão de todas as tarefas.[15]

Em muitos ramos de produção, há momentos críticos, períodos fixados pela própria natureza do processo de trabalho e durante os quais determinados resultados têm de ser atingidos. Se se trata de tosquiar um rebanho de ovelhas ou de ceifar e colher um campo de trigo, a quantidade e a qualidade do produto dependem de se iniciarem e se concluírem em tempos fixados essas operações. Está prescrito o espaço de tempo dentro do qual o processo de trabalho deve realizar-se, como é o caso com a pesca de arenque. O indivíduo isolado só pode tirar de um dia uma jornada de trabalho, digamos, de 12 horas, mas a cooperação de 100 converte essa jornada num dia de trabalho de 1.200 horas. A brevidade do período de trabalho é compensada pela quantidade de trabalho que pode ser empregado no campo de produção, no momento decisivo. O efeito oportuno depende aqui do

---

eles uma espécie de divisão de trabalho, consistente em que cada um deles movimenta o tijolo num espaço determinado, todos, em conjunto, fazendo-o chegar ao ponto de destino mais rapidamente do que o fariam se cada um deles carregasse separadamente seu tijolo até o alto do andaime." (F. Skarbek, *Théorie des richesses sociales*, 2ème éd., Paris, 1839, t. i, pp. 97-98.)

15 "Quando se trata de executar trabalho complicado, diversas coisas têm de ser feitas simultaneamente. Um faz uma coisa, outro, outra e todos contribuem para um resultado que nenhum homem isolado poderia produzir. Um rema, outro governa o leme, um terceiro lança a rede ou arpoa o peixe, e a pesca alcança um resultado impossível de obter sem essa cooperação." (Destutt de Tracy, *loc. cit.*, p. 78.)

emprego simultâneo de muitas jornadas combinadas, e a extensão do efeito útil, do número de trabalhadores; esse número, entretanto, é sempre menor que o número de trabalhadores que, isoladamente, realizariam o mesmo volume de trabalho no mesmo período.[16] É por falta dessa cooperação que no Oeste dos Estados Unidos se perde, todo ano, grande quantidade de trigo, e em partes da Índia Oriental, onde o domínio inglês destruiu o velho sistema de comunidade, grande quantidade de algodão.[17]

A cooperação permite ampliar o espaço no qual se realiza o trabalho, sendo exigida por certos processos de trabalho em virtude da extensão do espaço em que se executa. É o que ocorre com a drenagem, com a construção de diques, com obras de irrigação, canais, estradas, ferrovias etc. Além disso, ela possibilita que a produção, relativamente à sua escala, seja levada a cabo num espaço menor. Essa redução do espaço do trabalho simultaneamente com a ampliação de sua eficácia, com o que se elimina uma série de custos dispensáveis, torna-se possível com a aglomeração dos trabalhadores, a conjunção de vários processos e a concentração dos meios de produção.[18]

Comparando-se com uma soma igual de jornadas de trabalho individuais, isoladas, produz a jornada de trabalho coletiva maiores quantidades de valor de uso e reduz, por isso, o tempo de trabalho necessário para a produção de determinado efeito útil. A jornada coletiva tem essa maior produtividade, ou por ter elevado a potência mecânica do trabalho; ou por ter ampliado o espaço em que atua o trabalho; ou por ter reduzido esse espaço em relação à escala da produção; ou por mobilizar muito trabalho no momento crítico; ou por despertar a emulação entre os indivíduos e

---

16 "Sua realização [do trabalho na agricultura] no momento decisivo é da maior importância" ([J. Arbuthnot,] *An Enquiry into the Connection between the Present Price* etc., p. 7.) "Na agricultura, não existe fator mais importante que o fator tempo." (Liebig, *Über Theorie und Praxis in der Landwirthschaft*, 1856, p. 23.)

17 "Outro mal que dificilmente se espera encontrar num país que exporta mais trabalho que qualquer outro do mundo, excetuando-se talvez China e Inglaterra, é a impossibilidade de se obter número suficiente de braços para a colheita do algodão. A consequência disso é ficar grande quantidade de algodão sem ser colhida, enquanto outra parte é apanhada do chão depois de ter caído, descolorida e em parte deteriorada. Desse modo, por falta de trabalhadores na sazão própria, o plantador é forçado a submeter-se à perda de grande parte da colheita tão esperada pela Inglaterra." (Bengal Hurkaru, *Bi-Monthly Overland of News*, 22 de julho de 1861.)

18 "Com o progresso da agricultura, concentram-se agora no cultivo intensivo de 100 acres todo o capital e todo o trabalho que antes se espalhavam em 500 acres e talvez mais. Embora o espaço se tenha tornado reduzido em relação ao montante empregado de capital e de trabalho, representa ele uma área de produção maior que a ocupada e explorada antes por um único produtor independente." (R. Jones, *An Essay on the Distribution of Wealth*, "On Rent", Londres, 1831, p. 19.)

O CAPITAL

animá-los, ou por imprimir às tarefas semelhantes de muitos o cunho da continuidade e da multiformidade; ou por realizar diversas operações ao mesmo tempo; ou por poupar os meios de produção em virtude do seu uso em comum; ou por emprestar ao trabalho individual o caráter de trabalho social médio. Em todos os casos, a produtividade específica da jornada de trabalho coletiva é a força produtiva social do trabalho ou a força produtiva do trabalho social. Ela tem sua origem na própria cooperação. Ao cooperar com outros de acordo com um plano, desfaz-se o trabalhador dos limites de sua individualidade e desenvolve a capacidade de sua espécie.[19]

Se os trabalhadores não podem cooperar diretamente sem estar juntos, se sua aglomeração em determinado local é condição da sua cooperação, não podem os assalariados cooperar sem que o mesmo capital, o mesmo capitalista empregue-os simultaneamente, compre ao mesmo tempo suas forças de trabalho. O valor total dessas forças de trabalho, ou a soma dos salários dos trabalhadores por dia, por semana etc., tem de estar no bolso do capitalista antes de as forças de trabalho se reunirem no processo de produção. O pagamento, de uma vez, de 300 trabalhadores, mesmo por um dia, representa maior dispêndio de capital que o pagamento de um número reduzido de trabalhadores, semanalmente, durante o ano inteiro. Por isso, o número de trabalhadores que cooperam ou a escala da cooperação depende, de início, da magnitude do capital que cada capitalista pode empregar na compra da força de trabalho, isto é, da proporção em que cada capitalista dispõe dos meios de subsistência de numerosos trabalhadores.

O que ocorre com o capital variável sucede com o constante. As despesas de matérias-primas, para o capitalista que emprega 300 trabalhadores, são 30 vezes maiores do que para cada um de 30 capitalistas que emprega 10 trabalhadores. O valor e a quantidade do instrumental de trabalho utilizado em comum não aumentam na mesma proporção do número de trabalhadores empregados, mas aumentam consideravelmente. A concentração de grandes quantidades de meios de produção em mãos de cada capitalista é, portanto, condição material para a cooperação dos assalariados, e a extensão da cooperação ou a escala da produção dependem da amplitude dessa concentração.

---

19 "A força do homem isolado é mínima, mas a junção dessas forças mínimas gera uma força total maior do que a soma das forças reunidas, bastando a simples união delas para diminuir o tempo e aumentar o espaço em que se executa a operação." (G.R. Carli, nota de P. Verri, *loc. cit.*, t. xv, p. 196.)

COOPERAÇÃO

Vimos que, no início, era necessária certa magnitude mínima de capital individual, a fim de que o número dos trabalhadores explorados ao mesmo tempo e a consequente quantidade de mais-valia produzida fossem suficientes para liberar o empregador do trabalho manual e transformá-lo de mestre artesão em capitalista, estabelecendo-se, assim, formalmente o sistema capitalista. Vemos, agora, que certo montante mínimo é condição necessária para a conversão de muitos processos isolados e independentes num processo de trabalho social, combinado.

Vimos também de início que o comando do capital sobre o trabalho era a consequência formal de o trabalhador trabalhar não para si mesmo, mas para o capitalista e, portanto, sob seu controle. Com a cooperação de muitos assalariados, o domínio do capital torna-se uma exigência para a execução do próprio processo de trabalho, uma condição necessária da produção. O comando do capitalista no campo da produção torna-se então tão necessário quanto o comando de um general no campo de batalha.

Todo trabalho diretamente social ou coletivo, executado em grande escala, exige, com maior ou menor intensidade, uma direção que harmonize as atividades individuais e preencha as funções gerais ligadas ao movimento de todo o organismo produtivo, que difere do movimento de seus órgãos isoladamente considerados. Um violinista isolado comanda a si mesmo; uma orquestra exige um maestro. Essa função de dirigir, superintender e mediar, assume-a o capital logo que o trabalho a ele subordinado se torna cooperativo. Enquanto função específica do capital, adquire a função de dirigir caracteres especiais.

Antes de tudo, o motivo que impele e o objetivo que determina o processo de produção capitalista é a maior expansão possível do próprio capital,[20] isto é, a maior produção possível de mais-valia, portanto, a maior exploração possível da força de trabalho. Com a quantidade dos trabalhadores simultaneamente empregados, cresce sua resistência, e com ela, necessariamente, a pressão do capital para dominar essa resistência. A direção exercida pelo capitalista não é apenas uma função especial, derivada da natureza do processo de trabalho social e peculiar a esse processo; além disso, ela se destina a explorar um processo de trabalho social, e, por isso, tem por condição o antagonismo inevitável entre o explorador e a

---

20 "Lucros [...] são o único objetivo dos negócios." (J. Vanderlint, *loc. cit.*, p. 11.)

O CAPITAL

matéria-prima de sua exploração. Com o volume dos meios de produção que se põem diante do trabalhador como propriedade alheia, cresce a necessidade de se controlar adequadamente a aplicação desses meios.[21] Além disso, a cooperação dos assalariados é levada a efeito apenas pelo capital que os emprega simultaneamente. A conexão entre as funções que exercem e a unidade que formam no organismo produtivo estão fora deles, no capital que os põe juntos e os mantém juntos. A conexão entre seus trabalhos aparece-lhes idealmente como plano, e praticamente como autoridade do capitalista, como o poder de uma vontade alheia que subordina a um objetivo próprio a ação dos assalariados.

Se a direção capitalista é dúplice em seu conteúdo, em virtude da dupla natureza do processo de produção a dirigir que, ao mesmo tempo, é processo de trabalho social para produzir um produto e processo de produzir mais-valia – ela é, quanto à forma, despótica. À medida que a cooperação amplia sua escala, esse despotismo assume formas peculiares. De início, o capitalista em germe liberta-se do trabalho manual quando seu capital atinge aquela magnitude mínima em que começa a produção capitalista propriamente dita. Com o desenvolvimento, o capitalista se desfaz da função de supervisão direta e contínua dos trabalhadores isolados e dos grupos de trabalhadores, entregando-a a um tipo especial de assalariados. Do mesmo modo que um exército, a massa de trabalhadores que trabalha em conjunto sob o comando do mesmo capital precisa de oficiais superiores (dirigentes, gerentes) e suboficiais (contramestres, inspetores, capatazes, feitores), que, durante o processo de trabalho, comandam em nome do capital. O trabalho de supervisão torna-se sua função exclusiva. Comparando o modo de produção dos camponeses independentes ou dos artífices autônomos com a economia das plantações, baseada na escravatura, o economista político arrola esse trabalho de superintendência como

---

21 Um periódico inglês, de espírito filisteu, o *Spectator*, de 26 de maio de 1866, noticia que, depois que se formou uma sociedade entre capitalista e trabalhadores na "Wirework Company of Manchester", "o primeiro resultado foi o decréscimo súbito no desperdício de material, uma vez que os trabalhadores não podiam distinguir entre a parte de desperdício que recaía sobre sua própria propriedade e a que recaía sobre a do capitalista, e o desperdício é talvez, ao lado dos débitos incobráveis, a maior fonte de prejuízos na indústria". O mesmo periódico descobre que o principal defeito na experiência de cooperativismo de Rochdale é o seguinte: "Ela mostrou que associações de trabalhadores podem gerir lojas, fábricas e quase todas as formas de atividade com sucesso, e melhorou imediatamente a condição das pessoas; mas não deixou nenhum lugar visível para capitalistas." Que horror!

COOPERAÇÃO

despesa anormal da produção.[21a] Em contraposição, ao observar o modo de produção capitalista, identifica a função de direção que deriva da natureza do processo de trabalho coletivo com a que deriva do caráter capitalista do processo produtivo, do antagonismo entre patrão e trabalhador.[22] O capitalista não é capitalista por ser dirigente industrial, mas ele tem o comando industrial porque é capitalista. O comando supremo na indústria é atributo do capital, como no tempo feudal a direção da guerra e a administração da justiça eram atributos da propriedade da terra.[22a]

O trabalhador é proprietário da sua força de trabalho quando a mercadeja, e só pode vender o que possui, sua força de trabalho individual, isolada. Essa condição não se altera por comprar o capitalista 100 forças de trabalho, em vez de uma, ou por concluir contratos com 100 trabalhadores independentes entre si, e não com um apenas. Ele pode utilizar os 100 trabalhadores sem submetê-los a um regime de cooperação. O capitalista paga a cada um dos 100 o valor da sua força de trabalho independente, mas não paga a força combinada dos 100. Sendo pessoas independentes, os trabalhadores são indivíduos isolados que entram em relação com o capital, mas não entre si. Sua cooperação só começa no processo de trabalho, mas, depois de entrar neste, deixam de pertencer a si mesmos. Incorporam-se então ao capital. Quando cooperam, ao serem membros de um organismo que trabalha, representam apenas uma forma especial de existência do capital. Por isso, a força produtiva que o trabalhador desenvolve como trabalhador social é a produtividade do capital. A força produtiva do trabalho coletivo desenvolve-se gratuitamente quando os trabalhadores são colocados em determinadas condições, e o capital coloca-os nessas condições. Nada custando ao capital a força produtiva do trabalho coletivo, não sendo ela, por outro lado, desenvolvida pelo trabalhador antes de seu

---

21a O Prof. Cairnes, depois de destacar a superintendência do trabalho como característica principal da produção baseada na escravatura, no Sul dos Estados Unidos, prossegue: "Uma vez que o lavrador proprietário [do Norte] apropria-se de todo o produto de seu labor, não precisa ele de nenhum outro estímulo para esforçar-se. A superintendência aqui é totalmente desnecessária." (Cairnes, *loc. cit.*, pp. 48-49.)

22 Sir James Stewart, que se distingue por estar sempre atento às diferenças sociais existentes entre os diversos modos de produção, observa: "Por que os grandes empreendimentos manufatureiros destroem a indústria em domicílio, senão por estarem próximos da simplicidade do regime de escravos?" (*Princ. of Pol. Econ.*, Londres, 1767, v. I, pp. 167-168.)

22a Augusto Comte e sua escola poderiam ter demonstrado a eterna necessidade dos senhores feudais do mesmo modo que o fizeram em relação aos senhores do capital.

O CAPITAL

trabalho pertencer ao capital, fica parecendo que ela é força produtiva natural e imanente do capital.

A poderosa força da cooperação simples se revela nas obras gigantescas realizadas pelos antigos povos asiáticos, pelos egípcios, pelos etruscos etc.

> "Ocorria antigamente que os estados orientais, depois de custearem suas despesas civis e militares, dispunham de um excedente de meios de subsistência que podiam utilizar para empreender obras magníficas ou úteis. Seu comando sobre os braços de quase toda a população não agrícola e o domínio exclusivo do monarca e da classe sacerdotal sobre esse excedente proporcionavam-lhes os meios para construírem aqueles monumentos portentosos com que encheram o país. [...] Para movimentar estátuas colossais e massas enormes cujo transporte causa espanto, empregou-se, de maneira pródiga e quase exclusivamente, trabalho humano. Bastavam o número dos trabalhadores e a concentração de seus esforços. Também vemos possantes recifes de coral surgirem das profundidades do oceano e se ampliarem em ilhas formando terra firme, embora cada indivíduo que concorreu para a formação deles seja ínfimo, frágil e desprezível. Os trabalhadores não agrícolas de uma monarquia asiática têm muito pouco a trazer para as obras, além de seus esforços físicos individuais, mas seu número é sua força, e o poder de dirigir essas massas deu origem àquelas obras colossais. Foi a concentração das receitas de que vivem os trabalhadores, numa única mão ou em poucas mãos, que possibilitou esses empreendimentos."[23]

Esse poder dos reis asiáticos e egípcios ou dos teocratas etruscos etc. transferiu-se, na sociedade moderna, para o capitalista, atue ele isolado ou como capitalista coletivo, em associações como a sociedade anônima.

A cooperação no processo de trabalho que encontramos no início da civilização humana, nos povos caçadores[23a] ou, por exemplo na agricultura de comunidades indianas, fundamenta-se na propriedade comum dos meios de produção e na circunstância de o indivíduo isolado estar preso à tribo ou à comunidade, como a abelha está presa à colmeia. Distingue-se da cooperação capitalista sob dois aspectos. O emprego esporádico da cooperação em larga escala no mundo antigo, na Idade Média e nas colônias

---

23 R. Jones, *Textbook of Lectures* etc., pp. 77-78. As coleções dos antigos assírios, egípcios etc. que encontramos em Londres e noutras capitais europeias dão-nos o testemunho daqueles processos cooperativos de trabalho.

23a Linguet não está talvez sem razão quando, em sua *Théorie des lois civiles*, diz que a caça é a primeira forma de cooperação, e a caça humana (a guerra), uma das primeiras formas de caça.

COOPERAÇÃO

modernas baseia-se em relações diretas de domínio e servidão, principalmente na escravatura. A cooperação capitalista, entretanto, pressupõe, de início, o assalariado livre que vende sua força de trabalho ao capital. Historicamente, desenvolve-se em oposição à economia camponesa e ao exercício independente dos ofícios, possuam estes ou não a forma gremial.[24] Nesse confronto, a cooperação capitalista não se manifesta como forma histórica especial de cooperação, mas a cooperação é que se manifesta como forma histórica peculiar do processo de produção capitalista, como forma histórica que o distingue especificamente.

Se a força produtiva social desenvolvida pela cooperação aparece como força produtiva do capital, a cooperação aparece como forma específica do processo de produção capitalista, em contraste com o processo de produção de trabalhadores isolados independentes, ou mesmo dos pequenos patrões. A transformação que torna cooperativo o processo de trabalho é a primeira que esse processo experimenta realmente ao subordinar-se ao capital. Essa transformação se opera naturalmente. Seu pressuposto, o emprego simultâneo de numerosos assalariados no mesmo processo de trabalho, constitui o ponto de partida da produção capitalista. Esse ponto de partida marca a existência do próprio capital. Se o modo de produção capitalista se apresenta como necessidade histórica de transformar o processo de trabalho num processo social, essa forma social do processo de trabalho se revela um método empregado pelo capital para ampliar a força produtiva do trabalho e daí tirar mais lucro.

Em sua feição simples até agora observada, a cooperação coincide com a produção em larga escala, mas não constitui nenhuma forma fixa, característica de uma época especial de desenvolvimento do modo de produção capitalista. Ostenta de leve essa aparência, no máximo, quando ocorre o início artesanal da manufatura[25] e naquela agricultura em grande escala que corresponde ao período manufatureiro, e se distingue, substancialmente, da economia camponesa apenas pelo número dos trabalhadores empregados ao

---

24 A pequena economia camponesa e os ofícios independentes que constituem a base do modo de produção feudal e, após o desaparecimento deste, aparecem ao lado da produção capitalista formam também a base econômica da comunidade clássica em sua melhor época, depois de se ter dissolvido a propriedade comum de origem oriental e antes de a escravatura se ter apossado efetivamente da produção.

25 "Não é a associação da habilidade, da diligência e da emulação de muitos no mesmo trabalho o meio de apressá-lo? Teria sido de outro modo possível à Inglaterra levar sua manufatura de lã a tão alto grau de perfeição?" (Berkeley, *The Querist*, Londres, 1750, p. 56, §521.)

mesmo tempo e pela quantidade de meios de produção concentrados num só empreendimento. A cooperação simples continua sendo sempre a forma predominante nos ramos de produção em que o capital opera em grande escala, sem que a divisão do trabalho ou a maquinaria desempenhem papel importante.

A cooperação é a forma fundamental do modo de produção capitalista. Na sua feição simples, constitui o germe de espécies mais desenvolvidas de cooperação, e continua a existir ao lado delas.

XII.
Divisão do trabalho e manufatura

1. DUPLA ORIGEM DA MANUFATURA

A cooperação fundada na divisão do trabalho adquire sua forma clássica na manufatura. Predomina como forma característica do processo de produção capitalista durante o período manufatureiro propriamente dito, que, *grosso modo*, vai de meados do século XVI ao último terço do século XVIII.

A manufatura se origina de dois modos.

Nasce quando são concentrados numa oficina, sob o comando do mesmo capitalista, trabalhadores de ofícios diversos e independentes, por cujas mãos tem de passar um produto até seu acabamento final. Uma carruagem, por exemplo, era o produto global dos trabalhos de numerosos artífices independentes, tais como o carpinteiro de seges, o estofador, o costureiro, o serralheiro, o correeiro, o torneiro, o passamaneiro, o vidraceiro, o pintor, o envernizador, o dourador etc. A manufatura de carruagens reúne todos esses diferentes artífices numa oficina onde trabalham simultaneamente em colaboração. Não se pode dourar uma carruagem antes de ela ser feita. Se, porém, muitas carruagens são feitas ao mesmo tempo, umas podem ser douradas enquanto outras estão em outra fase do processo de produção. Até aí, estamos no domínio da cooperação simples, que encontra, pronto e acabado, seu material constituído por homens e coisas. Mas logo sucede uma modificação substancial. O costureiro, o serralheiro, o correeiro etc. que se ocupam apenas com a feitura de carruagens perdem pouco a pouco, com o costume, a capacidade de exercer seu antigo ofício em toda a extensão. Além disso, sua atividade especializada assume a forma mais apropriada a essa esfera restrita. No início, a manufatura de carruagens era uma combinação de ofícios independentes. Progressivamente, ela se transformou num sistema que divide a produção de carruagens em suas diversas operações especializadas; cada operação se cristaliza em função exclusiva de um trabalhador e a sua totalidade é executada pela união desses trabalhadores parciais. Desse modo, combinando diferentes ofícios sob o comando do mesmo capital, surgiram as manufaturas de panos e muitas outras.[26]

---

26 Um exemplo mais moderno é a fiação e tecelagem de seda de Lyon e Nîmes, "inteiramente patriarcal. Emprega muitas mulheres e crianças, mas sem esgotá-las ou arruinar-lhes a saúde; põe-nas em seus belos vales, no Drôme, no Var, no Isère e no Vaucluse, para criarem lá o bicho-da-seda e enovelarem seus casulos; nunca chega a ser uma verdadeira fábrica, e, embora extensamente aplicado [...] o princípio da divisão do trabalho assume aí uma particularidade especial. Há dobadouras, torcedores

O CAPITAL

Mas a manufatura pode ter origem oposta. O mesmo capital reúne, ao mesmo tempo, na mesma oficina, muitos trabalhadores que fazem a mesma coisa ou a mesma espécie de trabalho. Isso pode ocorrer, por exemplo, com trabalhadores especializados em papel ou em tipos de imprensa ou em agulhas. É a cooperação na forma mais simples. Cada um desses artífices, talvez com um ou dois aprendizes, produz a mercadoria por inteiro e leva a cabo, portanto, as diferentes operações exigidas para sua fabricação, de acordo com a sequência delas. Continua a trabalhar à maneira profissional antiga. Contudo, circunstâncias externas logo levam o capitalista a utilizar de maneira diferente a concentração dos trabalhadores no mesmo local e a simultaneidade de seus trabalhos. É mister, por exemplo, fornecer quantidade maior de mercadoria num determinado prazo. Redistribui-se então o trabalho. Em vez de o mesmo artífice executar as diferentes operações dentro de uma sequência, são elas destacadas umas das outras, isoladas, justapostas no espaço, cada uma delas confiada a um artífice diferente e todas executadas ao mesmo tempo pelos trabalhadores cooperantes. Essa repartição acidental de tarefas repete-se, revela suas vantagens peculiares e ossifica-se, progressivamente, em divisão sistemática do trabalho. A mercadoria deixa de ser produto individual de um artífice independente que faz muitas coisas para se transformar no produto social de um conjunto de artífices, cada um dos quais realiza, ininterruptamente, a mesma e única tarefa parcial. As operações que se encadeiam na sequência das tarefas sucessivas do artesão de papel, nas corporações alemãs, destacam-se, na manufatura holandesa de papel, em operações independentes, parciais, que correm paralelas, executadas por muitos trabalhadores cooperantes. O agulheiro corporativo de Nuremberg constitui o elemento fundamental da manufatura inglesa de agulhas. Mas, enquanto aquele realizava uma série de talvez 20 operações consecutivas, na manufatura inglesa havia 20 operários trabalhando juntos, cada um realizando uma das 20 operações; e, em virtude de experiências, cada operação foi sendo cada vez mais

---

de seda, tintureiros, encoladores, além de tecelões; mas não estão reunidos na mesma oficina, nem dependem de um mesmo patrão; todos são independentes." (A. Blanqui, *Cours d'écon. industrielle*, recueilli par A. Blaise, Paris, 1838, p. 79.) Depois dessa descrição de Blanqui, esses trabalhadores independentes foram em parte reunidos em fábricas.

Adendo da 4ª edição: E, desde que Marx escreveu o que está acima, o tear a vapor invadiu as fábricas, expulsando rapidamente o tear manual. Sobre o assunto, a indústria de seda de Krefeld tem um testemunho a dar. — F.E.

DIVISÃO DO TRABALHO E MANUFATURA

subdividida, e cada nova subdivisão, isolada e transformada em função exclusiva de um trabalhador determinado.

A manufatura, portanto, se origina e se forma, a partir do artesanato, de duas maneiras. De um lado, surge da combinação de ofícios independentes diversos que perdem sua independência e se tornam tão especializados que passam a constituir apenas operações parciais do processo de produção de uma única mercadoria. De outro, tem sua origem na cooperação de artífices de determinado ofício, decompondo o ofício em suas diferentes operações particulares, isolando-as e individualizando-as para tornar cada uma delas função exclusiva de um trabalhador especial. A manufatura, portanto, ora introduz a divisão do trabalho num processo de produção ou a aperfeiçoa, ora combina ofícios anteriormente distintos. Qualquer que seja, entretanto, seu ponto de partida, seu resultado final é o mesmo: um mecanismo de produção cujos órgãos são seres humanos.

Para melhor compreender a divisão do trabalho na manufatura, é necessário atentar para os pontos que seguem. Antes de mais nada, a análise do processo de produção em suas diferentes fases coincide inteiramente com a decomposição da atividade do artesão nas diversas operações que a compõem. Complexa ou simples, a operação continua manual, artesanal, dependendo, portanto, da força, habilidade, rapidez e segurança do trabalhador individual, ao manejar seu instrumento. O ofício continua sendo a base. Essa estreita base técnica exclui realmente a análise científica do processo de produção, pois cada processo parcial percorrido pelo produto tem de ser realizável como trabalho parcial profissional de um artesão. É justamente por continuar sendo a habilidade profissional do artesão o fundamento do processo de produção que o trabalhador é absorvido por uma função parcial e sua força de trabalho se transforma para sempre em órgão dessa função parcial. Finalmente, a divisão manufatureira do trabalho é uma espécie particular de cooperação, e muitas de suas vantagens decorrem não dessa forma particular, mas da natureza geral da cooperação.

2. O TRABALHO PARCIAL E SUA FERRAMENTA

Descendo ao pormenor, vê-se, de início, que um trabalhador que, durante sua vida inteira, executa uma única operação transforma todo o seu corpo em órgão automático especializado dessa operação. Por isso, levará menos tempo em realizá-la que o artesão que executa toda uma série de diferentes

O CAPITAL

operações. O trabalhador coletivo que constitui o mecanismo vivo da manufatura consiste apenas nesses trabalhadores parciais, limitados. Por isso, produz-se em menos tempo ou eleva-se a força produtiva do trabalho[27], em comparação com os ofícios independentes. Também aperfeiçoa-se o método do trabalho parcial, depois que este se torna função exclusiva de uma pessoa. A repetição contínua da mesma ação limitada e a concentração nela da atenção do trabalhador ensinam-no, conforme indica a experiência, a atingir o efeito útil desejado com um mínimo de esforço. Havendo sempre diversas gerações de trabalhadores que vivem simultaneamente e cooperam nas mesmas manufaturas, os artifícios técnicos assim adquiridos firmam-se, acumulam-se e se transmitem.[28]

A manufatura produz realmente a virtuosidade do trabalhador mutilado, ao reproduzir e levar sistematicamente ao extremo, dentro da oficina, a especialização natural dos ofícios que encontra na sociedade. Por outro lado, sua ação de transformar o trabalho parcial em profissão eterna de um ser humano corresponde à tendência de sociedades antigas de tornar hereditários os ofícios, petrificá-los em castas ou, então, ossificá-los em corporações, quando determinadas condições históricas produziam no indivíduo uma tendência a variar, incompatível com o sistema de castas. Castas e corporações derivam da ação da mesma lei natural que regula a diferenciação das plantas e animais em espécies e subespécies, com a diferença de que a hereditariedade das castas e a exclusividade das corporações são decretadas como lei social logo que se atinge determinado grau de desenvolvimento.[29]

---

27 "Quanto maior o número de artesãos diferentes a que se distribua e se atribua a execução de uma manufatura complexa, tanto melhor e tanto mais rápido será ela feita, com menos perda de tempo e de trabalho." (*The Advantages of the East-India Trade to England*, Londres, 1720, p. 71.)

28 "Destreza é habilidade transmitida." (Th. Hodgskin, *Popular Political Economy*, p. 48.)

29 "Também as artes [...] alcançaram no Egito o grau pertinente de perfeição. Com efeito, os artesãos, nesse país, não têm o direito de enveredar nos negócios de outra classe de cidadãos, mas têm de seguir apenas a profissão que por lei é hereditária em seu grupo social. [...] Em outros países verifica-se que os artesãos dispersam sua atenção por coisas demais. [...] Ora tentam a agricultura, ora se lançam ao comércio, ora se ocupam com duas ou três artes ao mesmo tempo. Em Estados livres, frequentam na maioria as assembleias do povo. [...] No Egito, ao contrário, qualquer artesão é severamente punido se se imiscui nos negócios do Estado ou se exerce ao mesmo tempo várias artes. Assim, nada pode perturbar sua diligência profissional. [...] Além disso, como herdaram numerosas regras de seus antepassados, empenham-se em descobrir novos artifícios." (Diodoro da Sicília, *Biblioteca histórica*, L. I, cap. 74.)

DIVISÃO DO TRABALHO E MANUFATURA

"Nunca foram superados, em sua finura, as musselinas de Daca; em suas cores brilhantes e duráveis, os panos de algodão e outros tecidos de Coromandel. São, entretanto, produzidos sem capital, sem maquinaria, sem divisão de trabalho ou sem qualquer dos meios que proporcionam tantas facilidades à fabricação europeia. O tecelão é um indivíduo isolado que faz o tecido por encomenda, utilizando um tear da mais rudimentar construção, consistente às vezes de hastes de madeira toscamente unidas. O tecelão não possui nem mesmo um dispositivo para enrolar a urdidura; o tear tem de ser utilizado em todo o seu comprimento e torna-se demasiadamente grande para ficar dentro da cabana do produtor. Este tem de executar sua tarefa ao ar livre, onde qualquer mudança do tempo o interrompe."[30]

O que empresta essa virtuosidade ao hindu é a perícia profissional acumulada e transmitida de pai a filho, através das gerações. Essa perícia lembra a da aranha. E o tecelão indiano realiza um trabalho muito complicado em comparação com a maioria dos trabalhadores da manufatura.

Um artífice que executa, uma após outra, as diversas operações parciais da produção de uma mercadoria é obrigado, ora a mudar de lugar, ora a mudar de ferramenta. A passagem de uma operação para outra interrompe o fluxo do seu trabalho e forma, por assim dizer, lacunas em seu dia de trabalho. Essas lacunas somem quando o executa, o dia inteiro, continuamente, uma única operação, ou desaparecem na medida em que diminuem as mudanças de operação. O acréscimo de produtividade se deve então ao dispêndio crescente da força de trabalho num dado espaço de tempo, isto é, à intensidade crescente do trabalho, ou a um decréscimo do dispêndio improdutivo da força de trabalho. O gasto extra de força exigido pela transição do repouso para o movimento é substituído pelo trabalho de prolongar por mais tempo a velocidade normal, uma vez adquirida. Por outro lado, a continuidade de um trabalho uniforme destrói o impulso e a expansão das forças anímicas, que se recuperam e se estimulam com a mudança de atividade.

A produtividade do trabalho depende não só da virtuosidade do trabalhador, mas também da perfeição de suas ferramentas. Ferramentas da mesma espécie, tais como facas, perfuradores, verrumas, martelos etc., são utilizadas em diferentes processos de trabalho, e a mesma ferramenta se

---

30 *Historical and Descriptive Account of Brit. India* etc., por Hugo Murray, James Wilson etc., Edimburgo, 1832, pp. 449-450. O tear indiano é alto, sendo a urdidura estendida verticalmente.

presta para realizar operações diferentes no mesmo processo de trabalho. Mas, logo que as diversas operações de um processo de trabalho se dissociam e cada operação parcial assume nas mãos do trabalhador parcial a forma mais adequada possível e, portanto, exclusiva, tornam-se necessárias modificações nos instrumentos anteriormente utilizados para múltiplos fins. O sentido dessa modificação de forma é determinado pela experiência das dificuldades especiais encontradas com a utilização da forma primitiva. A manufatura se caracteriza pela diferenciação das ferramentas, que imprime aos instrumentos da mesma espécie formas determinadas para cada emprego útil especial, e pela especialização, que só permite a cada uma dessas ferramentas operar plenamente em mãos do trabalhador parcial específico. Só em Birmingham se produzem umas quinhentas variedades de martelos, cada um destinado a um processo de produção particular, empregando-se, porém, grande número deles apenas em operações especializadas que fazem parte do mesmo processo. O período manufatureiro simplifica, aperfeiçoa e diversifica as ferramentas, adaptando-as às funções exclusivas especiais do trabalhador parcial.[31] Com isso, cria uma das condições materiais para a existência da maquinaria, que consiste numa combinação de instrumentos simples.

O trabalhador parcial e seu instrumento constituem os elementos simples da manufatura. Examinemo-la agora em seu conjunto.

3. AS DUAS FORMAS FUNDAMENTAIS DA MANUFATURA: MANUFATURA HETEROGÊNEA E MANUFATURA ORGÂNICA

A manufatura se apresenta sob duas formas fundamentais. Embora se combinem eventualmente, elas constituem duas espécies essencialmente diversas e desempenham papéis inteiramente distintos na transformação posterior da manufatura na grande indústria baseada na maquinaria. Esse duplo caráter decorre da natureza do artigo produzido. Ou o artigo se constitui pelo

---

31 Em sua célebre obra *A origem das espécies*, observa Darwin com referência aos órgãos das plantas e animais: "Quando o mesmo órgão tem de executar diferentes funções pode-se talvez explicar sua variabilidade com o fato de a seleção natural preservar ou suprimir cada pequena variação de forma empregando nisso menos empenho do que empregaria se esse órgão fosse destinado apenas a uma função especial. Assim, facas destinadas a cortar qualquer coisa quase que podem ter qualquer forma; mas instrumentos destinados a serem utilizados de determinado modo têm de ter uma forma especial para cada uso."

DIVISÃO DO TRABALHO E MANUFATURA

simples ajustamento mecânico de produtos parciais independentes, ou deve sua forma acabada a uma sequência de operações e manipulações conexas.

Uma locomotiva, por exemplo, constitui-se de mais de 5.000 peças distintas. Mas não serve de exemplo para a primeira espécie de manufatura, pois é uma estrutura produzida pela grande indústria. Mas um relógio serve, e William Petty utilizou-o para ilustrar a divisão do trabalho na manufatura. De produto individual do artífice de Nuremberg, o relógio transformou-se no produto social de numerosos trabalhadores parciais, cada um com o encargo de um produto parcial, como as rodas em bruto, as molas, o mostrador, a mola espiral, os furos para as pedras e as alavancas com rubis, os ponteiros, a caixa, os parafusos, o douramento. Há muitas subdivisões, como o artesão de rodas de latão e o de rodas de aço, o dos carretes, o da engrenagem dos ponteiros, o *acheveur de pignon* (fixa as rodas nos carretes, dá polimento às facetas etc.), o artesão do pivô, o *planteur de finissage* (engrena diversas rodas e carretes), o *finisseur de barillet* (entalha os dentes nas rodas, faz os furos com a dimensão adequada etc.), o artesão da tranqueta de âncora, o do cilindro para essa tranqueta, o da roda catarina, o do volante, o do balancim, o *planteur d'échappement* (o que faz o escapo propriamente), o *repasseur de barillet* (faz a caixa da mola etc.), o polidor do aço, o das rodas, o dos parafusos, o pintor dos números, o esmaltador do mostrador (esmalta sobre cobre), o *fabricant de pendants* (faz apenas a argola do relógio), o *finisseur de charnière* (coloca o eixo no centro da caixa etc.), o *faiseur de secret* (coloca na caixa as molas que servem para abrir as tampas), o gravador, o cinzelador, o polidor da caixa etc. etc., e, por fim, o *repasseur*, que monta todo o relógio e o entrega funcionando. Só poucas partes do relógio passam por diferentes mãos; em regra, todas essas peças esparsas são ajustadas para formar um todo mecânico quando chegam pela primeira vez às mãos do trabalhador encarregado da montagem. Essa relação externa do produto acabado com seus diferentes elementos, observada na relojoaria e em fabricações análogas, torna acidental a congregação dos trabalhadores parciais na mesma oficina. As operações parciais podem mesmo ser executadas como ofícios independentes entre si. É o que ocorre nos cantões de Vaud e Neuchâtel. Em Genebra, entretanto, existem grandes manufaturas de relógios onde funciona a cooperação direta dos trabalhadores parciais sob o comando do mesmo capital. Mas, mesmo neste caso, o mostrador, as molas e a caixa raramente são feitos na própria manufatura. Só excepcionalmente é lucrativa a exploração manufatureira nesse

O CAPITAL

ramo, pois é a mais aguçada possível a concorrência entre os trabalhadores que querem trabalhar em casa; o fracionamento da produção em numerosos processos heterogêneos pouco permite o emprego de instrumental comum de trabalho; e o capitalista evita as despesas de construção com o sistema disperso de fabricação.[32] Todavia, a condição desses trabalhadores parciais que trabalham em domicílio para um capitalista (fabricante, *établisseur*) é totalmente diversa da do artífice independente que trabalha para seus próprios clientes.[33]

A segunda espécie de manufatura, sua forma perfeita, produz artigos que percorrem fases de produção conexas, uma sequência de processos gradativos, como, por exemplo, na manufatura de agulhas, em que o arame passa pelas mãos de 72 e até de 92 trabalhadores parciais, realizando cada um uma operação específica.

Manufatura dessa espécie, quando combina ofícios primitivamente dispersos, reduz o espaço que separa as diversas fases de produção do artigo. O tempo gasto em passar de um estágio a outro da produção é reduzido, do mesmo modo que o trabalho de efetuar essa transição.[34] Ganha-se força produtiva em relação ao artesanato, e essa vantagem advém do caráter cooperativo geral da manufatura. Por outro lado, a divisão do trabalho, o princípio característico da manufatura, exige o isolamento das diferentes fases de produção e sua independência recíproca, como outros tantos trabalhos parciais de caráter artesanal. Para estabelecer e manter a conexão entre as diferentes funções isoladas, é necessário o transporte ininterrupto do artigo de uma mão para outra e de um processo para outro. Isto repre-

---

32 Em 1854, Genebra produziu 8.000 relógios, menos de um quinto da produção do cantão de Neuchâtel. Chaux-de-Fonds, que se pode considerar uma única manufatura de relógios, fornece por ano o dobro de Genebra. De 1850 a 1861, Genebra forneceu 720.000 relógios. Vide "Report from Geneva on the Watch Trade", em *Reports by H. M.'s Secretaries of Embassy and Legation on the Manufactures, Commerce* etc., nº 6, 1863. A falta de conexão entre os processos em que se decompõe a produção de objetos apenas justapostos dificulta a transformação de manufaturas desse gênero em grande indústria mecanizada. Para os relógios, acrescem ainda dois outros obstáculos: seus elementos são minúsculos e delicados e, além disso, os relógios, como artigos de luxo, pressupõem grande variedade. Nas melhores casas de Londres, por exemplo, dificilmente se chega a fabricar, durante o ano inteiro, uma dúzia de relógios parecidos. A fábrica de Vacheron & Constantin, onde se empregam máquinas com sucesso, fornece no máximo três ou quatro variedades de relógio, distintas pelo tamanho e pela forma.

33 Na feitura de relógios, esse exemplo clássico da manufatura heterogênea, pode-se estudar com precisão a mencionada diferenciação e especialização dos instrumentos, oriunda da subdivisão dos ofícios.

34 "Quando os homens trabalham tão juntos uns dos outros, o transporte entre eles tem de ser necessariamente menor." (*The Advantages of the East-India Trade to England*, p. 106.)

382

DIVISÃO DO TRABALHO E MANUFATURA

senta, confrontando-se com a grande indústria mecanizada, uma limitação peculiar, custosa e imanente ao princípio da manufatura.[35]

Uma quantidade determinada de matéria-prima – por exemplo, de trapos, na manufatura de papel, ou de arame, na manufatura de agulhas – percorre, nas mãos dos diferentes trabalhadores parciais, uma sequência cronológica de fases de produção até chegar à sua forma final. Mas, se observamos a oficina como um todo, a matéria-prima se encontra simultaneamente em todas as fases de produção. O trabalhador coletivo, com suas muitas mãos armadas com ferramentas, a um só tempo, estende o arame, estica-o, corta-o, aguça-o etc. De sucessivas no tempo, as diversas operações parciais se transformam em justapostas no espaço. Daí o fornecimento de maior quantidade de mercadorias acabadas no mesmo espaço de tempo.[36] Essa simultaneidade decorre, na verdade, da forma cooperativa geral do processo global; a manufatura, entretanto, não se limita a aproveitar as condições para cooperação como as encontra; ela as cria, até certo ponto, decompondo a atividade do artesão. Por outro lado, consegue essa organização social do processo de trabalho apenas aprisionando cada trabalhador a uma única fração de ofício.

Sendo o produto parcial de cada trabalhador parcial apenas um estágio particular na produção do mesmo artigo, cada trabalhador ou cada grupo de trabalhadores recebe de outro sua matéria-prima. O resultado do trabalho de um é o ponto de partida para o trabalho do outro. Um trabalhador dá ocupação diretamente ao outro. O tempo de trabalho necessário para se atingir o efeito útil almejado em cada processo parcial é fixado de acordo com a experiência, e todo o mecanismo da manufatura repousa no pressuposto de se alcançar um resultado determinado num tempo determinado. Só estabelecendo-se essa condição podem os diferentes processos de trabalho que se complementam prosseguir lado a lado, simultaneamente e sem interrupção. É claro que essa dependência direta dos trabalhos e dos

---

35 "A separação que existe entre os estágios da manufatura, decorrente do emprego de trabalho manual, eleva extraordinariamente os custos de produção, originando-se perda principalmente da transição de um processo de trabalho para outro." (*The Industry of Nations*, Londres, 1855, parte II, p. 200.)

36 "A divisão do trabalho produz também uma economia de tempo ao decompor o trabalho em suas diversas partes, podendo todas elas ser executadas ao mesmo tempo. [...] Executando-se simultaneamente todos os diferentes processos de trabalho, que um indivíduo isolado teria de executar separadamente, é possível, por exemplo, produzir uma grande quantidade de agulhas no mesmo tempo gasto por um operário na operação de cortar e aguçar, ao fazer uma agulha." (Dugald Stewart, *loc. cit.*, p. 319.)

O CAPITAL

trabalhadores entre si obriga cada um a só empregar o tempo necessário à sua função, obtendo-se assim continuidade, uniformidade, regularidade, ordenamento[37] e, notadamente, intensidade de trabalho que não se alcançam no ofício independente e nem mesmo na cooperação simples. Na produção de mercadorias em geral, revela-se norma coativa e externa da concorrência o princípio de só se aplicar na fabricação de uma mercadoria o tempo de trabalho socialmente necessário, pois, falando-se superficialmente, cada produtor tem de vender a mercadoria ao preço de mercado. Na manufatura, torna-se lei técnica do próprio processo de produção o fornecimento de determinada quantidade de produto num tempo dado.[38]

Operações diferentes precisam, todavia, de espaços de tempo desiguais e fornecem, no mesmo tempo, quantidades desiguais de produtos parciais. Se o mesmo trabalhador tem de executar, cada dia, a mesma operação e mais nenhuma outra, será necessário empregar nas diferentes operações proporções diferentes de trabalhadores. Assim, numa manufatura de tipos de imprensa, por exemplo, há quatro fundidores e dois quebradores para um polidor: o fundidor funde 2.000 tipos por hora, o quebrador destaca 4.000 e o polidor dá polimento a 8.000. Reaparece aí o princípio da cooperação em sua forma mais simples, o emprego simultâneo de muitos que fazem a mesma coisa; só que agora ele exprime uma relação orgânica. A divisão manufatureira do trabalho simplifica e diversifica não só os órgãos qualitativamente diversos do trabalhador coletivo social, mas também cria uma relação matemática fixa para o tamanho desses órgãos, isto é, para o número relativo de trabalhadores ou para a magnitude relativa do grupo de trabalhadores em cada função particular. Isso desenvolve, juntamente com a subdivisão qualitativa do processo de trabalho social, a regra quantitativa e a proporcionalidade do processo social do trabalho.

Fixada pela experiência a proporção mais adequada dos diferentes grupos de trabalhadores parciais para determinada escala de produção, só se pode ampliar essa escala empregando-se um múltiplo de cada grupo especial.[39] Acresce que o mesmo indivíduo realiza certos tipos de trabalho tanto

---

37 "Quanto maior a variedade de artífices em cada manufatura, tanto maior a ordem e a regularidade de cada trabalho, e tanto menor a perda de tempo de trabalho." (*The Advantages* etc., p. 68.)

38 Em muitos ramos, contudo, a exploração manufatureira só imperfeitamente alcança esse resultado, pois não sabe controlar com segurança as condições físicas e químicas gerais do processo de produção.

39 "Quando a experiência, de acordo com a natureza especial do produto de cada manufatura, revela a maneira mais vantajosa de dividir a fabricação em operações parciais e o número de trabalhadores

DIVISÃO DO TRABALHO E MANUFATURA

em grande quanto em pequena escala, como, por exemplo, o trabalho de superintendência, o transporte dos produtos parciais de uma fase de produção para outra etc. Tornar essas funções independentes ou atribuí-las a trabalhadores especiais só se torna vantajoso quando se aumenta o número dos trabalhadores ocupados, mas esse aumento tem de ser proporcional para todos os grupos.

O grupo isolado, certo número de trabalhadores que executa a mesma função parcial, consiste em elementos homogêneos e constitui órgão especial do mecanismo global. Em diversas manufaturas, entretanto, o próprio grupo é um conjunto heterogêneo de trabalho, um organismo de trabalho, sendo o organismo global constituído pela repetição ou pela multiplicação desses organismos produtivos elementares. Tomemos, por exemplo, a manufatura de garrafas de vidro. Ela se decompõe em três fases substancialmente diversas. Primeiro, a fase preliminar, consistente em preparar a composição do vidro, misturando areia, cal etc., e em fundir essa composição numa massa líquida.[40] Ocupam-se, nessa primeira fase, espécies diferentes de trabalhadores parciais, ocorrendo o mesmo na fase final, para afastar as garrafas dos fornos de secagem, selecioná-las, acondicioná-las etc. No meio, entre essas duas fases, está a fabricação de vidro propriamente dita, a manipulação da massa fluida. Na mesma boca de um forno trabalha um grupo, chamado na Inglaterra de *hole*, composto de um encarregado de fazer a garrafa, um soprador, um apanhador, um carregador e um arrumador. Estes cinco trabalhadores parciais constituem órgãos especiais de um organismo de trabalho, que só pode atuar unido, com a cooperação direta de todos os cinco. Faltando um destes cinco membros, o organismo fica paralisado. O mesmo forno de fabricação de vidro, porém, tem diversas bocas (na Inglaterra, quatro a seis), cada uma com um cadinho de argila contendo a massa líquida de vidro e com seu grupo de cinco trabalhadores. A estruturação de cada grupo se fundamenta diretamente na divisão do trabalho, mas o que liga esses grupos é a cooperação simples, que emprega da maneira mais econômica, por utilizá-lo em comum, um

---

a elas necessárias, fabricarão com maiores custos todos os estabelecimentos que não empreguem um múltiplo exato desse número. [...] Daí se origina uma das causas do grande tamanho dos estabelecimentos manufatureiros." (Ch. Babbage, *On the Economy of Machinery*, Londres, 1832, cap. XXI, pp. 172-173.)

40 Na Inglaterra, o forno de fusão é separado do forno onde se elabora o vidro; na Bélgica, o mesmo forno serve para as duas operações.

dos meios de produção, no caso, o forno para fabricação de vidro. Cada um desses fornos, com seus quatro a seis grupos, constitui uma vidraria, e uma manufatura de vidros compreende certo número de vidrarias, juntamente com as instalações e os trabalhadores para as fases de produção preparatórias e finais.

Finalmente, a manufatura, do mesmo modo que pode derivar da combinação de ofícios diferentes, pode tornar-se uma combinação de diferentes manufaturas. As maiores vidrarias inglesas, por exemplo, fabricam o próprio cadinho de argila, por dependerem substancialmente da qualidade deste o sucesso ou o fracasso da produção. A manufatura de um meio de produção combina-se aqui com a manufatura do produto. A manufatura do produto pode, ao contrário, combinar-se com manufaturas a que serve de matéria-prima ou com cujos produtos se junta posteriormente. Assim, por exemplo, na Inglaterra, a manufatura de *flint-glass* combina-se com o entalhamento de vidro e com a fundição de latão, utilizando-se este na guarnição metálica de diversos artigos de vidro. As diversas manufaturas assim combinadas constituem departamentos mais ou menos separados de uma manufatura global e, ao mesmo tempo, processos de produção independentes entre si, cada um com sua divisão de trabalho. Apesar das vantagens oferecidas por essa combinação de manufaturas, ela nunca adquire, em virtude de sua própria base manufatureira, verdadeira unidade técnica. Esta só surge quando a manufatura se transforma em indústria mecanizada.

O período manufatureiro estabelece conscientemente como princípio a diminuição do tempo de trabalho necessário para a produção de mercadorias,[41] e, de maneira esporádica, chega a utilizar máquinas, sobretudo para certos processos preliminares simples que têm de ser executados em larga escala e com grande emprego de força. Assim, logo se introduzem na manufatura de papel máquinas para triturar os trapos, e, na metalurgia, máquinas para moer o minério.[42] O Império Romano transmitiu-nos a forma elementar de todas as máquinas com o moinho de água.[43] O período

---

41 É o que demonstram, dentre outras, as obras de W. Petty, John Bellers, Andrew Yarranton, *The Advantages of the East-India Trade* e J. Vanderlint.

42 Na França, ainda nos fins do século XVI, utilizavam-se o almofariz e a peneira para triturar e lavar os minérios.

43 Toda a história do desenvolvimento da maquinaria pode ser seguida através da história dos moinhos de trigo. Em inglês, continua-se a chamar a fábrica de *mill* (moinho). Nas obras tecnológicas alemãs dos primeiros decênios do século XIX, utiliza-se a palavra moinho (*Mühle*) não só para

DIVISÃO DO TRABALHO E MANUFATURA

do artesanato gerou as invenções importantes da bússola, da pólvora, da imprensa e do relógio automático. Mas, em geral, a maquinaria desempenha, no período manufatureiro, aquele papel secundário que Adam Smith lhe atribui, ao compará-la com a divisão do trabalho.[44] O emprego esporádico das máquinas no século XVII tornou-se muito importante, por ter oferecido aos grandes matemáticos daquele tempo uma base prática e um estímulo para criarem a mecânica moderna.

O mecanismo específico do período manufatureiro é o trabalhador coletivo, constituído de muitos trabalhadores parciais. As diferentes operações executadas sucessivamente pelo produtor de uma mercadoria e que se entrelaçam no conjunto de seu processo de trabalho apresentam-lhe exigências diversas. Numa, tem ele de desenvolver mais força; noutra, mais destreza; numa terceira, atenção mais concentrada etc.; e o mesmo indivíduo não possui, no mesmo grau, essas qualidades. Depois de separar, tornar independentes e isolar essas diversas operações, são os trabalhadores separados, classificados e grupados segundo suas qualidades dominantes. Se suas peculiaridades naturais constituem a base em que se implanta a divisão do trabalho, desenvolve a manufatura, uma vez introduzida, forças de trabalho que, por natureza, só são aptas para funções especiais, limitadas. O trabalhador coletivo passa a possuir, então, todas as qualidades produtivas no mesmo grau elevado de virtuosidade e as despende ao mesmo tempo, da maneira mais econômica, individualizando todos os seus órgãos em trabalhadores especiais ou em grupos de trabalho aplicados exclusivamente em suas funções específicas.[45] A estreiteza e as deficiências

---

designar maquinaria movida por forças naturais, mas também todas as manufaturas que aplicavam aparelhos mecânicos.

44 Como se verá pormenorizadamente no Livro 4 desta obra, Adam Smith não apresenta nenhuma proposição nova relativamente à divisão do trabalho. Mas o que faz dele o economista político por excelência do período manufatureiro é a ênfase que dá à divisão do trabalho. O papel secundário que atribui às máquinas provocou, no começo da grande indústria, a polêmica de Lauderdale e posteriormente a de Ure. A. Smith confunde a diferenciação das ferramentas, na qual houve ativa participação do trabalhador parcial da manufatura, com a invenção das máquinas. Nesta desempenharam importante papel não os trabalhadores das manufaturas, mas os sábios, os artífices, inclusive os camponeses (Brindley) etc.

45 "Dividindo o trabalho a executar em diferentes operações, cada uma exigindo graus diversos de habilidade ou de força, pode o patrão manufatureiro comprar exatamente a quantidade de força e de habilidade necessária a cada operação. Se, ao contrário, todo o trabalho fosse executado por um trabalhador, teria este de possuir suficiente habilidade para realizar o mais difícil e suficiente força para levar a cabo a parte mais cansativa." (Ch. Babbage, *loc. cit.*, Cap. XIX.)

O CAPITAL

do trabalhador parcial tornam-se perfeições quando ele é parte integrante do trabalhador coletivo.[46] O hábito de exercer uma função única limitada transforma-o naturalmente em órgão infalível dessa função, compelindo-o à conexão com o mecanismo global a operar com a regularidade de uma peça de máquina.[47]

As diferentes funções do trabalhador coletivo são simples ou complexas, inferiores ou superiores, e seus órgãos, as forças individuais de trabalho, exigem diferentes graus de formação, possuindo, por isso, valores diversos. A manufatura desenvolve, portanto, uma hierarquia nas forças de trabalho, à qual corresponde uma escala de salários. O trabalhador individual pertence a uma função única, limitada, sendo anexado a ela por toda a vida, e as diferentes tarefas estabelecidas nessa hierarquia são adaptadas às habilidades naturais e adquiridas.[48] Todo processo de produção, entretanto, exige certos manejos simples que qualquer ser humano é capaz de realizar. Eles são destacados de sua conexão dinâmica com as operações mais importantes e ossificados em funções exclusivas.

Em todo ofício de que se apossa, a manufatura cria uma classe de trabalhadores sem qualquer destreza especial, os quais o artesanato punha totalmente de lado. Depois de desenvolver, até atingir a virtuosidade, uma única especialidade limitada, sacrificando a capacidade total de trabalho do ser humano, põe-se a manufatura a transformar numa especialidade a ausência de qualquer formação. Ao lado da graduação hierárquica, surge a classificação dos trabalhadores em hábeis e inábeis. Para os últimos, não há custos de aprendizagem, e, para os primeiros, esses custos se reduzem em relação às despesas necessárias para formar um artesão, pois a função deles

---

46 Por exemplo, desenvolvimento anormal dos músculos, deformação dos ossos etc.

47 Perguntado pelo comissário de inquérito como mantinha em atividade seus jovens trabalhadores, responde corretamente Wm. Marshall, gerente-geral de uma manufatura de vidros: "Não há meios de eles negligenciarem seu trabalho; depois de o terem iniciado, têm de prosseguir como se fossem peças de uma máquina." (*Child. Empl. Comm., Fourth Report*, 1865, p. 247.)

48 O Dr. Ure, em sua apoteose à grande indústria mecanizada, descobre as características da manufatura com mais nitidez que os economistas anteriores, que não tinham seu interesse polêmico, e até com mais clareza que seus contemporâneos, como, por exemplo, Babbage, que, embora superior a ele como matemático e mecânico, considera a indústria do ponto de vista da manufatura. Ure observa: "A assimilação do trabalhador a uma única operação particular constitui a substância da divisão do trabalho." Conceitua a divisão de trabalho como "adaptação de trabalho a diferentes capacidades individuais". Por fim, caracteriza todo o sistema manufatureiro como "um sistema de divisão ou gradação do trabalho" e "uma divisão do trabalho segundo os diferentes graus de destreza" etc. (Ure, *Philos. of manuf.*, pp. 19-23 *passim*.)

DIVISÃO DO TRABALHO E MANUFATURA

foi simplificada. Em ambos os casos, cai o valor da força de trabalho.[49] A exceção é constituída pelas novas funções gerais resultantes da decomposição do processo de trabalho, as quais não existiam no artesanato ou, quando existiam, desempenhavam papel inferior. A desvalorização relativa da força de trabalho, decorrente da eliminação ou da redução dos custos de aprendizagem, redunda, para o capital, em acréscimo imediato de mais-valia, pois tudo o que reduz o tempo de trabalho necessário para reproduzir a força de trabalho aumenta o domínio do trabalho excedente.

4. DIVISÃO DO TRABALHO NA MANUFATURA E DIVISÃO DO TRABALHO NA SOCIEDADE

Estudamos, inicialmente, a origem da manufatura; a seguir, seus elementos simples, o trabalhador parcial e suas ferramentas; e, por fim, o conjunto de seu mecanismo. Examinaremos agora, rapidamente, a relação entre a divisão manufatureira do trabalho e a divisão social do trabalho, que constitui o fundamento geral de toda produção de mercadoria.

Considerando apenas o trabalho, podemos chamar a separação da produção social em seus grandes ramos – agricultura, indústria etc. – de divisão do trabalho em geral; a diferenciação desses grandes ramos em espécies e variedades, de divisão do trabalho em particular; e a divisão do trabalho numa oficina, de divisão do trabalho individualizada, singularizada.[50]

A divisão social do trabalho e a correspondente limitação dos indivíduos a esferas profissionais particulares desenvolvem-se, como a divisão do trabalho na manufatura, partindo de pontos opostos. Numa família[50a]

---

49 "Todo operário […] colocado em posição de aperfeiçoar-se pela prática num só ponto […] ficou sendo um trabalhador mais barato." (Ure, *loc. cit.*, p. 19.)

50 "A divisão do trabalho vai desde a separação das profissões mais diferentes possíveis até aquela divisão em que diversos trabalhadores dividem entre si a elaboração de um único produto, como na manufatura." (Storch, *Cours d'econ. pol.*, ed. de Paris, t. I, p. 173.) "Encontramos, nos povos que alcançaram certo estágio de civilização, três espécies de divisão do trabalho: a primeira, que chamamos geral, distingue os produtores em agricultores, manufatores e comerciantes, correspondendo aos três ramos principais do trabalho nacional; a segunda, que se poderia chamar especial, é a divisão de cada ramo do trabalho em espécies […] a terceira divisão de trabalho, finalmente, que se deveria qualificar de divisão das tarefas ou divisão do trabalho propriamente dita, é a que se estabelece em cada ofício e profissão […] e que se faz na maioria das manufaturas e das oficinas." (Skarbek, *loc. cit.*, pp. 84-85.)

50a Nota da 3ª edição: Cuidadosos estudos posteriores realizados pelo autor sobre as condições primitivas do homem levaram-no a concluir que não foi a família que se desenvolveu para formar a tribo, mas, ao contrário, a tribo foi a forma primitiva natural de associação humana baseada nas relações de sangue, de modo que só mais tarde se desenvolveram as múltiplas e diferentes formas de família, derivadas da desagregação inicial dos laços tribais. — F.E.

e posteriormente numa tribo surge uma divisão natural de trabalho, em virtude das diferenças de sexo e de idade, uma divisão de base puramente fisiológica. Essa divisão amplia seus elementos com a expansão da comunidade, com o crescimento da população e notadamente com o conflito entre as diversas tribos e a subjugação de uma a outra. Conforme já observei,[I] a troca de produtos se origina nos pontos em que diferentes famílias, tribos, comunidades entram em contato, pois, nos começos da civilização, não são os indivíduos, mas as famílias, as tribos etc. que entram em relações como entidades independentes. Comunidades diferentes encontram diferentes meios de produção e diferentes meios de subsistência em seu ambiente natural. Seu modo de produção, modo de vida e produtos são, por isso, diversos. É essa diferença natural que provoca a troca recíproca de produtos e, em consequência, a transformação progressiva desses produtos em mercadoria, ao entrarem em contato as comunidades. A troca não cria a diferença entre os ramos de produção, mas estabelece relações entre os ramos diferentes e transforma-os em atividades mais ou menos interdependentes dentro do conjunto da produção social. A divisão social do trabalho surge aí através da troca entre ramos de produção que são originalmente diversos e independentes entre si. Mas, quando a divisão fisiológica do trabalho constitui o ponto de partida, os órgãos particulares de um todo unificado e compacto se desprendem uns dos outros, se dissociam, sob a influência da troca de mercadorias com outras comunidades, e tornam-se independentes até o ponto em que a conexão entre os diversos trabalhos se processa por intermédio dos produtos como mercadorias. No primeiro caso, o que era independente se torna dependente; no segundo, o que era dependente se torna independente.

O fundamento de toda divisão do trabalho desenvolvida e processada através da troca de mercadorias é a separação entre a cidade e o campo.[51] Pode-se dizer que toda história econômica da sociedade se resume na dinâmica dessa antítese, em cujo exame não nos deteremos aqui.

I Vide, neste volume, p. 105.

51 Sir James Stewart foi quem melhor tratou dessa questão. Sua obra apareceu 10 anos antes da *Wealth of Nations*. Quão pouco conhecida ela é atualmente demonstra, dentre outras coisas, a circunstância de os admiradores de Malthus não saberem que este, na primeira edição de sua obra sobre população, pondo-se de lado a parte puramente declamatória, quase que se limita a copiar Stewart e os clérigos Wallace e Towsend.

DIVISÃO DO TRABALHO E MANUFATURA

Constitui condição material para a divisão do trabalho na manufatura o emprego ao mesmo tempo de certo número de trabalhadores. De maneira análoga, a divisão do trabalho na sociedade depende da magnitude e densidade da população, que correspondem à aglomeração dos operários numa oficina.[52] Mas essa densidade é algo relativo. Um país relativamente pouco povoado, com meios de transporte desenvolvidos, possui uma população mais densa do que um país mais povoado com escassos meios de transporte, e a esse respeito os estados setentrionais da União americana são mais densamente povoados do que a Índia.[53]

Sendo a produção e a circulação de mercadorias condições fundamentais do modo de produção capitalista, a divisão manufatureira do trabalho pressupõe que a divisão do trabalho na sociedade tenha atingido certo grau de desenvolvimento. Reciprocamente, a divisão manufatureira do trabalho, reagindo, desenvolve e multiplica a divisão social do trabalho. Com a diferenciação das ferramentas, diferenciam-se cada vez mais os ofícios que fazem essas ferramentas.[54] Se a manufatura se apossa de um ofício que até então era exercido por uma espécie de artesão em conjunto com outros ofícios, como atividade principal ou acessória, sobrevirão imediatamente a separação e a independência entre esses ofícios. Se a manufatura se apodera de um estágio particular de produção de uma mercadoria, os demais estágios de produção se transformam em diversas indústrias independentes. Já verificamos que, quando o artigo representa um ajustamento puramente mecânico de produtos parciais, os trabalhos parciais podem desagregar-se e transformar-se de novo em ofícios independentes. Para aperfeiçoar a divisão do trabalho na manufatura, o mesmo ramo de produção é subdividido em manufaturas diversas, em grande parte inteiramente novas, de acordo com as variedades de sua matéria-prima ou das formas que a mesma matéria-prima pode assumir. Assim, já na primeira metade do século XVIII, na

---

52 "Há certa densidade de população que é adequada às relações sociais e à combinação das forças que aumentam o produto de trabalho." (James Mill, *loc. cit.*, p. 50.) "Quando aumenta o número de trabalhadores, eleva-se a força produtiva da sociedade na razão composta desse aumento, multiplicada pelos efeitos da divisão do trabalho." (Th. Hodgskin, *loc. cit.*, p. 120.)

53 Em virtude da grande procura de algodão a partir de 1861, ampliou-se, em alguns distritos densamente povoados da Índia, a produção de algodão, sacrificando-se a de arroz. A população de uma parte do país sofreu o flagelo da fome, porque a falta de meios de transporte não permitia compensar a queda de produção de arroz de um distrito com a importação de outros distritos.

54 Assim, a manufatura de lançadeiras já constituía, no século XVII, na Holanda, uma indústria especial.

França, eram tecidas mais de 100 variedades de seda, e em Avignon era lei que "todo aprendiz tinha de dedicar-se apenas a uma espécie de fabricação, não devendo aprender ao mesmo tempo a tecer mais de uma espécie de tecido". A divisão territorial do trabalho, que confina ramos particulares de produção em áreas determinadas de um país, recebe novo impulso com a atividade manufatureira, que explora todas as peculiaridades.[55] No período manufatureiro, a divisão do trabalho na sociedade desenvolveu-se muito com a ampliação do mercado mundial e com o sistema colonial, que figuram entre as condições de existência gerais desse período. Não se tratará aqui de mostrar como essa divisão se apossa das outras esferas da sociedade, além da econômica, lançando por toda parte a base para o desenvolvimento das especialidades, para um parcelamento do homem que levou A. Ferguson, o mestre de A. Smith, a exclamar: "Construímos uma nação de hilotas e não temos cidadãos livres."[56]

Apesar das numerosas analogias e das conexões entre a divisão do trabalho na sociedade e a divisão do trab...ho na manufatura, há entre elas uma diferença não só de grau, mas de substância. A analogia mais se evidencia incontestável quando uma conexão íntima entrelaça diversos ramos de atividades. O criador de gado, por exemplo, produz peles; o curtidor transforma as peles em couro; o sapateiro, o couro em sapatos. Cada produto é uma etapa para o artigo final que é o produto de todos os trabalhos especiais combinados. Acrescem a isso os diferentes ramos de trabalho que fornecem os meios de produção ao criador, ao curtidor e ao sapateiro. Podemos, com A. Smith, imaginar que a divisão social do trabalho se distingue da divisão do trabalho na manufatura apenas subjetivamente, isto é, para o observador, que, na manufatura, vê em conjunto os diversos trabalhos parciais que se processam no mesmo local, enquanto a divisão do trabalho na sociedade tem sua conexão obscurecida por estar dispersa em imensas áreas e pelo grande número dos que estão ocupados em cada ramo determinado.[57] Mas que é que estabelece a conexão entre

---

55 Que se vê? A manufatura de lã na Inglaterra está dividida em diversos ramos, cada um sediado num lugar diferente, onde ocorre toda a sua produção ou a maior parte dela: tecidos finos em Somersetshire, comuns em Yorkshire, enfestados em Exeter, crepes em Norwich, meia-lã em Kendal, cobertores em Whitney e assim por diante." (Berkeley, *The Querist*, 1750, p. 520.)

56 A. Ferguson, *History of Civil Society*, Edimburgo, 1767, Parte IV, seção II, p. 285.

57 Segundo ele, das manufaturas propriamente ditas, a divisão do trabalho é mais visível porque "os ocupados em cada ramo de trabalho podem muitas vezes estar reunidos na mesma oficina e ser

DIVISÃO DO TRABALHO E MANUFATURA

os trabalhos independentes do criador, do curtidor e do sapateiro? O fato de os respectivos produtos serem mercadorias. E que é que caracteriza a divisão manufatureira do trabalho? Não produzir o trabalhador parcial nenhuma mercadoria.[58] Só o produto coletivo dos trabalhadores parciais transforma-se em mercadorias.[58a] A divisão do trabalho na sociedade se processa através da compra e venda dos produtos dos diferentes ramos de trabalho. A conexão, dentro da manufatura, dos trabalhos parciais se realiza através da venda de diferentes forças de trabalho ao mesmo capitalista que as emprega como força de trabalho coletiva. A divisão manufatureira do trabalho pressupõe concentração dos meios de produção nas mãos de um capitalista; a divisão social do trabalho, dispersão dos meios de produção entre produtores de mercadorias, independentes entre si. Na manufatura, a lei de ferro da proporcionalidade submete determinadas quantidades de trabalhadores a determinadas funções; na sociedade, o acaso e o arbítrio desempenham livremente seu papel na distribuição dos produtores de mercadorias e de seus meios de produção entre os diferentes ramos de trabalho social. As diferentes esferas de produção procuram, na verdade, se

---

vistos ao mesmo tempo pelo observador. Ao contrário, naquelas grandes manufaturas [!] destinadas a satisfazer as necessidades principais da grande massa da população, cada ramo de trabalho ocupa um número tão grande de trabalhadores que é impossível reuni-los na mesma oficina. [...] A divisão aí está longe de ser tão evidente." (A. Smith, *Wealth of Nations*, Livro I, Cap. I.) O célebre trecho no mesmo capítulo, que começa com as palavras, "observe os haveres do mais comum dos artesãos ou do jornaleiro num país civilizado e florescente etc.", e prossegue descrevendo as inúmeras e variadas indústrias que trabalham em conjunto para satisfazer as necessidades de um trabalhador comum, é copiado quase literalmente dos comentários feitos por B. de Mandeville em sua *Fable of the Bees, or Private Vices, Publick Benefits* (1ª ed., sem os comentários, 1705; com os comentários, 1714.)

58 "Nada mais existe que se possa chamar o salário natural do trabalho de cada um. Cada trabalhador só produz parte de um todo, e uma vez que cada parte, de *per se*, não tem valor ou utilidade, nada existe que o trabalhador possa tomar e do qual possa dizer: Este produto é meu, quero guardá-lo para mim." (*Labour Defended against the Claims of Capital*, Londres, 1825, p. 25.) O autor desta excelente obra é o já citado Th. Hodgskin.

58a Essa diferença entre divisão manufatureira do trabalho e divisão social do trabalho, viram-na os ianques ilustrada na prática. Um dos novos impostos criados em Washington durante a Guerra Civil foi o tributo de 6% sobre todos os produtos industriais. Ora, que é um produto industrial? Resposta do legislador: Uma coisa é produto, "quando está feita" (*when it is made*), e considera-se feita quando está pronta para venda. Um exemplo entre muitos. Manufaturas de Nova York a Filadélfia costumavam "fazer" guarda-chuvas com todos os acessórios. Mas, sendo um guarda-chuva composto de várias partes inteiramente diversas, tornaram-se elas pouco a pouco artigos independentes entre si, produzidos por diferentes ramos em diferentes lugares. Como mercadorias separadas, eram levados à manufatura de guarda-chuva, que os combinava para formarem um todo. Os ianques batizaram os artigos assim reunidos com o nome de "*assembled articles*" (artigos reunidos), nome adequado por representarem também uma reunião de impostos. Assim, o guarda-chuva reunia 6% sobre o preço de cada um de seus elementos e mais 6% de seu preço global.

O CAPITAL

pôr em equilíbrio. De um lado, cada produtor de mercadoria deve produzir um valor de uso, isto é, satisfazer uma particular necessidade social. Mas essas necessidades diferem quantitativamente em sua extensão, e um nexo interno entrosa as diferentes massas de necessidades num sistema espontâneo, natural. Por sua vez, a lei do valor das mercadorias determina quanto do tempo global de trabalho disponível a sociedade pode despender para produzir cada espécie de mercadoria. Todavia, essa tendência constante das diferentes esferas de produção de se porem em equilíbrio revela-se apenas através da reação contra a contínua destruição desse equilíbrio. Ao sistema fixado *a priori*, metodicamente seguido na divisão do trabalho dentro da oficina, corresponde um sistema que atua *a posteriori* na divisão do trabalho na sociedade, como necessidade natural, interna, muda, perceptível nas flutuações barométricas dos preços do mercado, dominando o arbítrio desmedido dos produtores de mercadorias. A divisão manufatureira do trabalho pressupõe a autoridade incondicional do capitalista sobre seres humanos transformados em simples membros de um mecanismo que a ele pertence. A divisão social do trabalho faz confrontarem-se produtores independentes de mercadorias, os quais não reconhecem outra autoridade além da concorrência, além da coação exercida sobre eles pela pressão dos recíprocos interesses, do mesmo modo que no reino animal a guerra de todos contra todos, o *bellum omnium contra omnes*, preserva mais ou menos as condições de existência de todas as espécies. O mesmo espírito burguês que louva, como fator de aumento da força produtiva, a divisão manufatureira do trabalho, a condenação do trabalhador a executar perpetuamente uma operação parcial e sua subordinação completa ao capitalista, com a mesma ênfase denuncia todo controle e regulamentação sociais conscientes do processo de produção como um ataque aos invioláveis direitos de propriedade, de liberdade e de iniciativa do gênio capitalista. É curioso que o argumento mais forte até agora encontrado pelos apologistas entusiastas do sistema de fábrica contra qualquer organização geral do trabalho social seja o de que esta transformaria toda a sociedade numa fábrica.

Na sociedade em que rege o modo capitalista de produção, condicionam-se reciprocamente a anarquia da divisão social do trabalho e o despotismo da divisão manufatureira do trabalho. Mas em antigas formas de sociedade em que a diferenciação dos ofícios se desenvolveu naturalmente, cristalizando-se depois e fixando-se por fim legalmente, encontramos, de um lado, uma organização social do trabalho subordinada a um plano e

DIVISÃO DO TRABALHO E MANUFATURA

a uma autoridade e, do outro, a ausência total da divisão do trabalho na oficina, ou sua existência numa escala mínima, ou seu desenvolvimento apenas esporádico e acidental.[59]

Aquelas pequenas comunidades indianas dos tempos mais remotos e que em parte ainda continuam a existir fundamentam-se na posse comum da terra, na união direta entre agricultura e ofícios e numa inalterável divisão do trabalho, que serve de plano e de modelo ao se estabelecer qualquer nova comunidade. Constituem organismos de produção que se bastam a si mesmos, ocupando áreas que variam de 100 a alguns milhares de acres. A maior parte dos produtos é destinada imediatamente ao próprio consumo da comunidade; assim, os produtos não são mercadorias, e a própria produção é independente da divisão do trabalho processada através da troca de mercadorias na sociedade indiana em conjunto. Só o excedente dos produtos se transforma em mercadoria, e uma porção deles, só depois de chegar às mãos do Estado, ao qual se entrega, desde tempos imemoriais, certa quantidade de produtos, como renda. Variam as formas de comunidade nas diferentes regiões da Índia. Na sua forma mais simples, a terra é cultivada em comum, e os produtos obtidos, divididos entre os seus membros. Ao mesmo tempo, cada família se ocupa, acessoriamente, de trabalhos domésticos, dentre os quais os de fiar, tecer etc. Junto a essa gente ocupada de maneira uniforme, encontramos o "habitante principal", que é, ao mesmo tempo, juiz, polícia e coletor de impostos; o contador, encarregado da contabilidade agrícola e que cadastra e registra tudo o que a ela diz respeito; um terceiro funcionário, que persegue criminosos e protege viajantes estrangeiros, escoltando-os de uma aldeia a outra; o guarda de fronteira, que vigia os limites que separam sua comunidade das vizinhas; o inspetor de águas, que distribui, para as necessidades agrícolas, a água dos reservatórios comuns; o brâmane, que exerce as funções do culto religioso; o mestre-escola, que ensina os meninos da comunidade a ler e a escrever na areia; o brâmane do calendário, que, como astrólogo, indica as ocasiões para semeadura, colheita e as boas e as más horas para os diversos

---

59 "Pode-se estabelecer como regra geral: Quanto menos intervém a autoridade na divisão do trabalho na sociedade, tanto mais se desenvolve a divisão do trabalho no interior da oficina e tanto mais se subordina esta divisão à autoridade de um só. Assim, a autoridade na oficina e a autoridade na sociedade estão, com referência à divisão do trabalho, na razão inversa uma da outra." (Karl Marx, *loc. cit.*, pp. 130-131.)

trabalhos agrícolas; um ferreiro e um carpinteiro, que fazem e consertam todos os instrumentos agrícolas; o oleiro, que faz toda a louça da aldeia; o barbeiro, o lavadeiro que lava as roupas, o ourives de prata, e, de vez em quando, o poeta, que, em algumas comunidades, substitui o ourives e, em outras, o mestre-escola. Essa dúzia de pessoas é sustentada por toda a comunidade. Se a população aumenta, estabelece-se nova comunidade em terra não cultivada, de acordo com o modelo tradicional. A comunidade em seu conjunto ostenta uma divisão planejada do trabalho, mas é impossível surgir aí a divisão manufatureira, enquanto o mercado do ferreiro, do carpinteiro etc. permanecer inalterado, podendo encontrar-se, em vez de um, dois ou três deles, no máximo, numa aldeia de maior tamanho.[60] A lei que regula a divisão do trabalho na comunidade opera com a força irresistível de uma lei natural. Cada artesão particular, o ferreiro, o oleiro etc., realiza todas as operações pertinentes a seu ofício, de maneira tradicional, mas independente e sem reconhecer qualquer autoridade acima dele em sua oficina. Essas comunidades se bastam a si mesmas e se reproduzem constantemente da mesma forma, e, se forem destruídas, se reconstroem no mesmo lugar, com o mesmo nome.[61] A simplicidade de seu organismo produtivo fornece a chave do segredo da imutabilidade das sociedades asiáticas, que contrasta de maneira tão chocante com a dissolução e a reconstrução dos Estados asiáticos e com as incessantes mudanças de dinastias. A estrutura dos elementos econômicos fundamentais da sociedade não é atingida pelas tormentas desencadeadas no mundo político.

As leis das corporações da Idade Média impediam metodicamente, conforme já observamos, a transformação de um mestre artesão em capitalista, limitando severamente o número de companheiros que ele tinha o direito de empregar. Também só lhe era permitido empregar companheiros no ofí-

---

60 Tenente-coronel Mark Wilks, *Historical Sketches of the South of India*, Londres, 1810 a 1817, V. 1, pp. 118-120. Em *Modern India*, de George Campbell, Londres, 1852, encontra-se uma boa descrição das diferentes formas de comunidade indiana.

61 "Dessa maneira simples [...] têm vivido, desde tempos imemoriais, os habitantes do país. Só raramente se alteram os limites das aldeias, e, embora estas tenham sido às vezes atingidas e mesmo devastadas pela guerra, pela fome ou por epidemias, o mesmo nome, os mesmos limites, os mesmos interesses e inclusive as mesmas famílias têm sobrevivido através de gerações. Os habitantes não se preocupam com o desmoronamento ou a divisão de reinos; desde que a aldeia permaneça íntegra, pouco lhes importa o poder a que foi transferida ou o soberano a que foi adjudicada; sua economia interna permanece inalterada." (Th. Stamford Raffles, ex-vice-governador de Java, *The History of Java*, Londres, 1817, V. 1, p. 285.)

cio em que era mestre. A corporação se defendia zelosamente contra qualquer intrusão do capital mercantil, a única forma livre de capital com que se confrontava. O comerciante podia comprar todas as mercadorias, mas não o trabalho como mercadoria. Só era tolerado como distribuidor dos produtos dos artesãos. Se circunstâncias externas provocavam progressiva divisão do trabalho, as corporações existentes se subdividiam em subespécies ou se fundavam novas corporações junto às antigas, sem que diferentes ofícios se reunissem numa única oficina. A organização corporativa excluía, portanto, a divisão manufatureira do trabalho, embora muito contribuísse para as condições de existência desta, especializando, separando e aperfeiçoando os ofícios. Em geral, o trabalhador e seus meios de produção permaneciam indissoluvelmente unidos, como o caracol e sua concha, e, assim, faltava a base principal da manufatura: a separação do trabalhador de seus meios de produção e a conversão desses meios em capital.

Enquanto a divisão social do trabalho, quer se processe, quer não através da troca de mercadorias, é inerente às mais diversas formações econômicas da sociedade, a divisão do trabalho na manufatura é uma criação específica do modo de produção capitalista.

5. CARÁTER CAPITALISTA DA MANUFATURA

Um grande número de trabalhadores sob o comando de um mesmo capital é o ponto de partida natural tanto da cooperação em geral quanto da manufatura. E a divisão manufatureira do trabalho torna o incremento do número dos trabalhadores empregados uma necessidade técnica. O mínimo de trabalhadores que cada capitalista tem de empregar é-lhe então prescrito pela divisão do trabalho estabelecida. Por outro lado, as vantagens de uma divisão de maior porte dependem de um acréscimo do número de trabalhadores, que só se pode fazer por múltiplos. Crescendo o capital variável, aumenta necessariamente o capital constante; ampliando-se as condições comuns de produção, tais como construções, fornos etc., tem de aumentar principalmente a quantidade de matérias-primas, e mais rapidamente que o número de trabalhadores empregados. A quantidade de matéria-prima consumida num tempo dado por determinada quantidade de trabalho aumenta na mesma proporção em que a produtividade cresce em virtude da divisão do trabalho. O incremento progressivo do montante mínimo de capital necessário ao capitalista ou a transformação crescente dos meios sociais de subsistência e de produção em capital são, portanto, uma lei que decorre do caráter técnico da manufatura.[62]

O organismo coletivo que trabalha, na cooperação simples ou na manufatura, é uma forma de existência do capital. Esse mecanismo coletivo de produção composto de numerosos indivíduos, os trabalhadores parciais, pertence ao capitalista. A produtividade que decorre da combinação dos trabalhos aparece, por isso, como produtividade do capital. A manufatura propriamente dita não só submete ao comando e à disciplina do capital o trabalhador antes independente, mas também cria uma graduação hierárquica entre os próprios trabalhadores. Enquanto a cooperação simples, em geral, não modifica o modo de trabalhar do indivíduo, a manufatura o revoluciona inteiramente e se apodera da força individual de trabalho em suas raízes. Deforma o trabalhador monstruosamente, levando-o, artificialmente, a desenvolver uma habilidade parcial, à custa da repressão de um mundo de instintos e capacidades produtivas, lembrando aquela prática das regiões platinas onde se mata um animal apenas para tirar-lhe a pele ou o sebo. Não só o trabalho é dividido e suas diferentes frações são distribuídas entre os indivíduos, mas o próprio indivíduo é mutilado e transformado no aparelho automático de um trabalho parcial,[63] tornando-se, assim, realidade a fábula absurda de Menênio Agripa que representa um ser humano como simples fragmento de seu próprio corpo,[64] Originariamente, o trabalhador vendia sua força de trabalho ao capital por lhe faltarem os meios materiais para produzir uma mercadoria. Agora, sua força individual de trabalho não funciona se não estiver vendida ao capital. Ela só opera dentro de uma conexão que só existe depois da venda, no interior da oficina do capitalista. O trabalhador da manufatura, incapacitado, naturalmente, por sua condição, de fazer algo independente, só

---

62 "Não basta que o capital necessário para a subdivisão dos ofícios [o autor deveria dizer os meios de subsistência e os de produção, para esse fim necessários] exista na sociedade; além disso, é mister que esteja acumulado em mãos dos empresários montante suficiente que lhes permita mobilizar trabalho em grande escala. [...] À medida que a divisão aumenta, a ocupação constante de um mesmo número de trabalhadores exige um capital cada vez maior em matérias-primas, ferramentas etc." (Storch, *Cours d'écon. polit.*, edição de Paris, t. I, pp. 250-251.) "A concentração dos instrumentos de produção e a divisão do trabalho são tão inseparáveis entre si quanto, no regime político, a centralização dos poderes públicos e a divisão dos interesses privados." (Karl Marx, *loc. cit.*, p. 134.)

63 Dugald Stewart chama os trabalhadores de manufatura "autômatos vivos [...] empregados em trabalhos parciais". (*Loc. cit.*, p. 318.)

64 Nos corais, cada indivíduo constitui realmente o estômago de todo o grupo; mas esse estômago leva os alimentos para toda a comunidade, em vez de os tirar dela, como o faziam os patrícios romanos.

DIVISÃO DO TRABALHO E MANUFATURA

consegue desenvolver sua atividade produtiva como acessório da oficina do capitalista.[65] O povo eleito trazia escrito na fronte que era propriedade de Jeová; do mesmo modo, a divisão do trabalho ferreteia o trabalhador com a marca de seu proprietário: o capital.

O camponês e o artesão independentes desenvolvem, embora modestamente, os conhecimentos, a sagacidade e a vontade, como o selvagem que exerce as artes de guerra apurando sua astúcia pessoal. No período manufatureiro, essas faculdades passam a ser exigidas apenas pela oficina em seu conjunto. As forças intelectuais da produção só se desenvolvem num sentido, por ficarem inibidas em relação a tudo o que não se enquadre em sua unilateralidade. O que perdem os trabalhadores parciais, concentra-se no capital que se confronta com eles.[66] A divisão manufatureira do trabalho opõe-lhes as forças intelectuais do processo material de produção como propriedade de outrem e como poder que os domina. Esse processo de dissociação começa com a cooperação simples, em que o capitalista representa, diante do trabalhador isolado, a unidade e a vontade do trabalhador coletivo. Esse processo desenvolve-se na manufatura, que mutila o trabalhador, reduzindo-o a uma fração de si mesmo, e completa-se na indústria moderna, que faz da ciência uma força produtiva independente de trabalho, recrutando-a para servir ao capital.[67]

Na manufatura, o enriquecimento do trabalhador coletivo e, por isso, do capital em forças produtivas sociais realiza-se à custa do empobrecimento do trabalhador em forças produtivas individuais.

> "A ignorância é a mãe da indústria e da superstição. O raciocínio e a imaginação estão sujeitos a erros; mas é independente de ambos um modo habitual de mover a mão ou o pé. Por isso, as manufaturas prosperam mais onde mais se dispensa o espírito e onde a manufatura pode [...] ser considerada uma máquina cujas partes são seres humanos."[68]

---

65 "O trabalhador que domina um ofício completo pode trabalhar por toda parte para se manter; o outro [o trabalhador da manufatura] é apenas um acessório e, separado de seus colegas de trabalho, não tem nem capacidade nem independência, sendo forçado a aceitar a norma que lhe queiram impor." (Storch, *loc. cit.*, edição de Petersburgo, 1815, t. I, p. 204.)

66 A. Ferguson, *loc. cit.*, p. 281: "Um pode ter ganho o que o outro perdeu."

67 "O homem de saber e o trabalhador produtivo se separaram completamente um do outro, e a ciência, em vez de permanecer em poder do trabalho, em mãos do trabalhador, para aumentar suas forças produtivas em seu benefício, colocou-se contra ele em quase toda a parte. [...] O conhecimento torna-se um instrumento que pode separar-se do trabalho e opor-se a ele." (W. Thompson, *An Inquiry into the Principles of the Distribution of Wealth*, Londres, 1824, p. 274.)

68 A. Ferguson, *loc. cit.*, p. 280.

Realmente, em meados do século XVIII, algumas manufaturas empregavam, de preferência, indivíduos meio idiotas em certas operações simples que constituíam segredos de fabricação.[69]

"A compreensão da maior parte das pessoas", diz Adam Smith, "se forma necessariamente através de suas ocupações ordinárias. Um homem que despende toda a sua vida na execução de algumas operações simples [...] não tem oportunidade de exercitar sua inteligência. [...] Geralmente, ele se torna tão estúpido e ignorante quanto se pode tornar uma criatura humana."

Depois de descrever a imbecilidade do trabalhador parcial, prossegue Smith:

"A uniformidade de sua vida estacionária corrompe naturalmente seu ânimo. [...] Destrói mesmo a energia de seu corpo e torna-o incapaz de empregar suas forças com vigor e perseverança em qualquer outra tarefa que não seja aquela para que foi adestrado. Assim, sua habilidade em seu ofício particular parece adquirida com o sacrifício de suas virtudes intelectuais, sociais e guerreiras. E, em toda sociedade desenvolvida e civilizada, esta é a condição a que ficam necessariamente reduzidos os pobres que trabalham (*the labouring poor*), isto é, a grande massa do povo."[70]

Para evitar a degeneração completa do povo em geral, oriunda da divisão do trabalho, recomenda A. Smith o ensino popular pelo Estado, embora em doses prudentemente homeopáticas. Coerente, combate contra essa ideia seu tradutor e comentador francês, G. Garnier, que, no primeiro império francês, encontrou as condições naturais para se transformar em senador. Segundo ele, a instrução popular contraria as leis da divisão do trabalho, e adotá-la "seria proscrever todo o nosso sistema social".[71]

---

69 J. D. Tuckett, *A History of the Past and Present State of the Labouring Population*, Londres, 1846, Vol. I, p. 148.

70 A. Smith, *Wealth of Nations*, Livro V, Cap. I, art. II. Discípulo de A. Ferguson, que expusera as consequências funestas da divisão do trabalho, A. Smith conhecia-as perfeitamente. Na introdução de sua obra, louva *ex professo* a divisão do trabalho, limitando-se a informar, de passagem, que é, fonte das desigualdades sociais. Só reproduz Ferguson no Livro V, relativo à receita pública. Em *Miséria da filosofia* expus o necessário sobre a relação histórica existente entre Ferguson, A. Smith, Lemontey e Say, em suas críticas à divisão do trabalho, e mostrei, pela primeira vez, que a divisão manufatureira do trabalho é forma específica do modo de produção capitalista. (*Loc. cit.,* pp. 122 e segs.)

71 Já dizia Ferguson: "E a arte de pensar, nesta época em que tudo se separa, pode se tornar um ofício especial." (*Loc. cit.*, p. 281.)

DIVISÃO DO TRABALHO E MANUFATURA

"Como todas as outras divisões do trabalho", diz ele, "a que existe entre o trabalho manual e o trabalho intelectual se torna mais acentuada e mais evidente à medida que a sociedade [refere-se naturalmente ao capital, à propriedade das terras e ao estado que é de ambos] se torna mais rica. Como qualquer outra divisão do trabalho, esta é consequência de progressos passados e causa de progressos futuros. [...] Deve então o governo contrariar essa divisão e retardar sua marcha natural? Deve empregar uma parte da receita pública para confundir e misturar duas espécies de trabalho que tendem por si mesmas a se separar?"[72]

Certa deformação física e espiritual é inseparável mesmo da divisão do trabalho na sociedade. Mas, como o período manufatureiro leva muito mais longe a divisão social do trabalho e também, com sua divisão peculiar, ataca o indivíduo em suas raízes vitais, é ele que primeiro fornece o material e o impulso para a patologia industrial.[73]

"Subdividir um homem é executá-lo, se merece a pena de morte; é assassiná-lo, se não a merece. A subdivisão do trabalho é o assassinato de um povo."[74]

A cooperação baseada na divisão do trabalho, ou seja, a manufatura, é, nos seus começos, uma criação natural, espontânea. Ao adquirir certa consistência e base suficientemente ampla, torna-se a forma consciente, metódica e sistemática do modo de produção capitalista. A história da manufatura propriamente dita mostra como sua divisão peculiar do trabalho, de início, através de tentativas e experiências, sem haver, de certo modo,

---

72 G. Garnier, Vol. v de sua tradução, pp. 4-5.

73 Ramazzini, professor de medicina prática em Pádua, publicou em 1713 a obra *De morbis artificum*, traduzida para o francês em 1777, tradução reeditada em 1841 na *Encyclopédie des sciences médicales. 7me Div. Auteurs Classiques*. Seu catálogo das doenças profissionais foi, naturalmente, muito ultrapassado no período da indústria moderna. Vide, dentre outras obras, *Hygiène physique et morale de l'ouvrier dans les grandes villes en général, et dans la ville de Lyon en particulier*, do Dr. A.L. Fonteret, Paris, 1858, e *Die Krankheiten, welche verschiednen Standen, Altern und Geschlechtern eigenthümlich sind*, [de R. H. Rohatzsch], 6 volumes, Ulm, 1840. Em 1854, a "Society of Arts" nomeou uma comissão de inquérito sobre patologia industrial. A relação dos documentos coligidos por essa comissão se encontra no catálogo do "Twickenham Economic Museum". São muito importantes os documentos oficiais sobre saúde pública *Reports on Public Health*. Vide também Eduard Reich, M. D., *Ueber die Entartung des Menschen*, Erlangen, 1868.

74 *"To subdivide a man is to execute him, if he deserves the sentence, to assassinate him, if he does not [...] the subdivision of labour is the assassination of a people."* (D. Urquhart, *Familiar Words*, Londres, 1855, p. 119.) Hegel tinha ideias muito heréticas sobre a divisão do trabalho. "Por homem culto entendemos, em primeiro lugar, o capaz de fazer tudo o que os outros fazem", diz ele em sua obra *Rechtsphilosophie*.

O CAPITAL

o controle consciente dos participantes, atinge as formas adequadas, procurando depois, como os ofícios corporativos, manter tradicionalmente as formas descobertas que, em alguns casos, duraram mais de um século. Excetuando aspectos acessórios, só existe mudança de forma quando sobrevém uma revolução nos instrumentos de trabalho. A manufatura moderna – não falo aqui da grande indústria baseada na maquinaria – ou já encontra seus elementos prontos e dispersos nas cidades onde aparece, tendo apenas de juntá-los, como é o caso da manufatura de roupas, ou o princípio da divisão do trabalho é de aplicação fácil, bastando atribuir as diferentes operações de um ofício, o de encadernação, por exemplo, a diferentes trabalhadores. Não chega custar uma semana de experiência descobrir, em casos dessa natureza, a proporção que deve existir entre os trabalhadores necessários para cada função.[75]

Decompondo o ofício manual, especializando as ferramentas, formando os trabalhadores parciais, grupando-os e combinando-os num mecanismo único, a divisão manufatureira do trabalho cria a subdivisão qualitativa e a proporcionalidade quantitativa dos processos sociais de produção; cria, assim, determinada organização do trabalho social e, com isso, desenvolve ao mesmo tempo nova força produtiva social do trabalho. A divisão manufatureira do trabalho, nas bases históricas dadas, só poderia surgir sob forma especificamente capitalista. Como forma capitalista do processo social de produção, é apenas um método especial de produzir mais-valia relativa ou de expandir o valor do capital, o que se chama de riqueza social, *wealth of nations* etc., à custa do trabalhador. Ela desenvolve a força produtiva do trabalho coletivo para o capitalista, e não para o trabalhador, e, além disso, deforma o trabalhador individual. Produz novas condições de domínio do capital sobre o trabalho. Revela-se, de um lado, progresso histórico e fator necessário do desenvolvimento econômico da sociedade, e, do outro, meio civilizado e refinado de exploração.

A economia política, que só aparece como ciência autônoma no período manufatureiro, observa a divisão social do trabalho em geral do ponto de vista exclusivo da divisão manufatureira do trabalho, e vê nela apenas o

---

75 A credulidade no gênio inventivo do capitalista, que cria, *a priori*, a divisão do trabalho, só se encontra hoje em professores alemães tais como Roscher, que lhe consagra diversos salários para compensá-la pela divisão do trabalho que sai pronta de sua cabeça jupiteriana. A maior ou menor aplicação da divisão do trabalho não depende da grandeza do gênio, mas da grandeza da bolsa.

DIVISÃO DO TRABALHO E MANUFATURA

meio de produzir, com a mesma quantidade de trabalho, mais mercadorias, barateando-as e apressando assim a acumulação do capital.[76] Em vivo contraste com essa acentuação dada à quantidade e ao valor de troca detêm-se os escritores da Antiguidade clássica na qualidade e no valor de uso.[77]

Para eles, da separação dos ramos sociais da produção resulta que as mercadorias são mais bem-feitas, que as diferentes tendências e talentos dos seres humanos procuram as esferas de ação[78] a que melhor se ajustam; além disso, sem limitação nada se pode realizar de importante.[79] Com a divisão do trabalho melhoram, portanto, o produto e o produtor. Qualquer menção eventualmente feita ao aumento da quantidade de produtos refere-se apenas à maior abundância dos valores de uso. Não se faz a menor alusão ao valor de troca, ao barateamento das mercadorias. O ponto de vista do valor de uso é o que domina em Platão,[80] que faz da

---

76 Escritores que precederam A. Smith, como Petty e o autor anônimo de *Advantages of the East-India Trade*, apreenderam melhor do que ele o caráter capitalista da divisão manufatureira do trabalho.

77 Entre os escritores modernos, excetuam-se alguns do século XVIII, como Beccaria e James Harris, que, em relação à divisão do trabalho, reproduzem praticamente o pensamento dos antigos. Assim diz Beccaria: "A experiência demonstra a qualquer um que, empregando sua inteligência e suas mãos sempre na mesma espécie de trabalhos e de produtos, chega mais facilmente a resultados mais abundantes e melhores do que se procurar produzir isoladamente todas as coisas de que necessita. [...] Desse modo, dividem-se os homens em diferentes classes e condições, para proveito de todos e de cada um." (Cesare Beccaria, *Elementi di Econ. Publica*, ed. Custodi, Parte Moderna, t. XI, p. 28.) James Harris, mais tarde Conde de Malmesbury, famoso pelos *Diários* de sua época de embaixador em São Petersburgo, em nota de seu *Dialogue Concerning Happiness*, Londres, 1741, reimpresso mais tarde em Three Treatises etc., 3ª edição, Londres, 1772, diz: "Toda a argumentação para provar que a sociedade é natural [fundando-se sobre a divisão das ocupações] foi tirada do Livro Segundo da *República* de Platão."

78 Assim diz a *Odisseia*, XIV, 228: "Diferem os trabalhos que deleitam cada ser humano", e Arquíloco, citado por Sexto Empírico, afirma: "Cada um recreia os sentidos em trabalho diferente."

79 "Sabia muitos ofícios, mas todos mal sabidos", diz uma frase grega. Por serem produtores de mercadorias, os atenienses sentiam-se superiores aos espartanos: estes, na guerra, podiam dispor de homens, mas não de dinheiro, conforme palavras de Péricles em discurso incitando os atenienses à guerra do Peloponeso, citadas por Tucídides: "Os que não ultrapassam os limites da autarcia preferem conduzir a guerra com seus corpos a conduzi-la com dinheiro." (Tucídides, Livro I, Cap. 141.) Apesar disso, a autarcia era o ideal ateniense, mesmo na produção material onde se confronta com a divisão do trabalho, "pois, se esta proporciona bem-estar, aquela proporciona, além do bem-estar, independência". Importa considerar que, à época da queda dos trinta tiranos, não chegavam a 5.000 os atenienses que não eram proprietários de terra.

80 Segundo Platão, a divisão do trabalho dentro da comunidade decorre da multiplicidade das necessidades e da limitação das capacidades individuais. Sustenta, sobretudo, que o trabalhador tem de ajustar-se à obra, e não a obra ao trabalhador. A obra fica em segundo plano quando ele exerce simultaneamente diferentes ofícios, sendo por isso levado a negligenciar um ou outro. "O trabalho não pode esperar pelo tempo livre daquele que o executa, e o trabalhador tem de ater-se ao trabalho, mas não de maneira leviana. Isto é necessário. Daí se infere que tudo se faz melhor, mais belo e com

O CAPITAL

divisão do trabalho o fundamento da divisão da sociedade em classes, e em Xenofonte,[81] que, com instinto caracteristicamente burguês, já antevê a divisão do trabalho na oficina. Na *República* de Platão, o ponto de vista aí desenvolvido da divisão do trabalho como princípio formador do Estado não passa de idealização ateniense do sistema egípcio de castas. Outros contemporâneos de Platão, dentre os quais Isócrates,[82] consideravam o Egito o país industrial modelo, conceito que era ainda válido para os gregos do tempo do Império Romano.[83]

Durante o período manufatureiro propriamente dito, isto é, o período em que a manufatura era a forma dominante do modo de produção capitalista, opunham-se à plena realização de suas tendências obstáculos de

---

mais facilidade quando cada um faz apenas uma coisa, de acordo com seus dotes naturais, no tempo adequado e livre de outras ocupações." (*De Republica*, I, 2ª edição, Baiter, Orelli etc.) Do mesmo modo se manifestara Tucídides, *loc. cit.*, cap. 142: "A navegação é uma arte, e, como qualquer arte, não pode ser exercida de maneira acessória, ao sabor das circunstâncias; além disso, outras ocupações não podem ser exercidas acessoriamente com ela." Segundo Platão, se a obra tem de esperar pelo trabalhador, o trabalhador pode muitas vezes não estar presente no momento crítico da produção, e a obra, se estragar. "Perde-se o tempo próprio para executar o trabalho." Essa ideia platônica encontramos no protesto dos donos das branquearias, na Inglaterra, contra a disposição da lei fabril que fixa uma hora determinada para a refeição de todos os trabalhadores. O ramo deles não pode se ajustar aos trabalhadores, pois não se pode interromper num momento dado, sem risco de dano, nenhuma das diversas operações de aquecer, lavar, clarear, passar, calandrar e tingir. [...] Exigir que todos os trabalhadores tenham refeição à mesma hora pode ocasionalmente sujeitar valiosas peças ao perigoso risco das operações incompletas. Onde vai se refugiar o platonismo!

81 Xenofonte diz que é honroso participar da mesa do rei persa, e que suas iguarias são muito mais saborosas. "E não admira que assim seja, pois, assim como as outras artes adquirem uma perfeição especial nas grandes cidades, as iguarias reais são preparadas de maneira requintada. Nas cidades pequenas, o mesmo indivíduo faz cama, portas, arado, mesa; muitas vezes ainda constrói casas e fica satisfeito quando consegue uma clientela suficiente para manter-se. É impossível que um ser humano que exerce tantos ofícios faça tudo bem. Nas grandes cidades, entretanto, onde se encontram muitos compradores, um ofício basta para sustentar um homem. Frequentemente, nem é necessário um ofício por inteiro; um faz sapatos de homem, e outro, sapatos de mulher. Aqui e ali, se encontra um que vive de costurar, outro de cortar sapatos; um corta roupas, outro costura. Daí se deduz necessariamente que, quanto mais simples o trabalho a fazer, melhor será ele feito. O mesmo ocorre com a culinária." (Xenofonte, *Ciropedia*, Livro VIII, Cap. 2.) Xenofonte acentua a qualidade a ser atingida pelo valor de uso, embora já saiba que a escala da divisão do trabalho depende do tamanho do mercado.

82 "Ele [Busíris] dividiu todos os habitantes em castas particulares [...] decretou que sempre os mesmos indivíduos tinham de executar os mesmos ofícios, porque ele sabia que os que mudam de ocupação nunca se tornam perfeitos em nenhuma; os que permanecem, porém, fiéis à mesma ocupação realizam-na com a maior perfeição possível. Verificamos, realmente, que, em suas artes e ofícios, os egípcios estão mais acima de seus rivais do que o mestre está do remendão. Notamos também que o sistema através do qual mantêm a monarquia e outras instituições é tão excelente que os mais célebres filósofos que trataram do assunto colocam a constituição egípcia acima de todas as outras." (Isócrates, *Busíris*, Cap. 8.)

83 Vide Diodoro da Sicília.

DIVISÃO DO TRABALHO E MANUFATURA

diversa natureza. Embora, como vimos, ela criasse, junto à estruturação hierárquica dos trabalhadores, uma divisão simples entre trabalhadores hábeis e inábeis, o número dos inábeis ficou muito reduzido, em virtude da influência predominante dos hábeis. Embora ajustasse as operações parciais aos diversos graus de maturidade, força e desenvolvimento dos seus órgãos vivos de trabalho, o que levava à exploração de mulheres e crianças, chocava-se essa tendência geralmente com os hábitos e a resistência do trabalhador adulto masculino. Embora a decomposição do ofício manual reduzisse os custos de formação do trabalhador e, em consequência, seu valor, continuava necessário um longo tempo de aprendizagem para o trabalho especializado mais difícil; e, quando essa aprendizagem se tornava desnecessária, os trabalhadores procuravam zelosamente mantê-la. Até o fim do período manufatureiro, na Inglaterra, vigoravam plenamente as leis que prescreviam a aprendizagem, que durava sete anos. Só foram postas de lado pela indústria moderna. Uma vez que a habilidade manual constituía o fundamento da manufatura e que o mecanismo coletivo que nela operava não possuía nenhuma estrutura material independente dos trabalhadores, lutava o capital constantemente contra a insubordinação do trabalhador.

> "Em virtude da fraqueza da natureza humana", exclama nosso amigo Ure, "ocorre que, quanto mais destro o trabalhador, mais voluntarioso é ele, mais difícil de ser tratado e, sem dúvida, menos apto para participar de um mecanismo coletivo ao qual pode causar grande dano."[84]

Por todo o período manufatureiro, estendem-se as queixas sobre a falta de disciplina dos trabalhadores.[85] E, se não tivéssemos os testemunhos dos escritores da época, valeriam como prova definitiva as circunstâncias de o capital não conseguir apoderar-se do tempo disponível do trabalhador manufatureiro, do século XVI até a época da indústria moderna, e de as manufaturas terem pequena duração, mudando sua sede de um país para outro, de acordo com a migração dos trabalhadores. "A ordem tem de ser instituída de qualquer modo", exclama em 1770 o autor repetidamente citado de *Essay on Trade and Commerce*. Ordem, grita, 66 anos mais tarde,

---

84 Ure, *loc. cit.*, p. 20.
85 A afirmação é mais válida para a Inglaterra do que para a França, e mais para a França do que para a Holanda.

o Dr. Andrew Ure; faltava "ordem" na manufatura, baseada no "dogma escolástico da divisão do trabalho", e "Arkwright criou a ordem".

Ao mesmo tempo, a manufatura não podia assenhorear-se da produção social em toda a sua extensão, nem revolucioná-la em seu cerne. Como obra de arte econômica, atingiu seu apogeu apoiada na extensa base constituída pelos ofícios das cidades e pela indústria doméstica rural. Mas seu estreito fundamento técnico, ao atingir ela certo estágio de desenvolvimento, entrou em conflito com as necessidades de produção que ela mesma criou.

Uma das suas obras mais perfeitas foi a oficina para produção de ferramentas e ainda dos mais complicados aparelhos mecânicos, que já eram aplicados em algumas manufaturas.

> "Essas oficinas", diz Ure, "ostentavam a divisão do trabalho realizado em múltiplas gradações. A lima, a verruma, o torno, tinham, cada um, seus próprios trabalhadores, ordenados de acordo com a respectiva destreza."

Essa oficina, produto da divisão manufatureira do trabalho, produziu, por sua vez, máquinas. Estas eliminam o ofício manual como princípio regulador da produção social. Assim, não há mais necessidade técnica de fixar o trabalhador a uma operação parcial, por toda a vida. E caíram as barreiras que aquele princípio opunha ao domínio do capital.

XIII.
A maquinaria e a indústria moderna

1. DESENVOLVIMENTO DA MAQUINARIA

Em sua obra *Principles of Political Economy*, diz John Stuart Mill:

> "É duvidoso que as invenções mecânicas feitas até agora tenham aliviado a labuta diária de algum ser humano."[86]

Não é esse o objetivo do capital, quando emprega maquinaria. Esse emprego, como qualquer outro desenvolvimento da força produtiva do trabalho, tem por fim baratear as mercadorias, encurtar a parte do dia de trabalho da qual precisa o trabalhador para si mesmo, para ampliar a outra parte que ele dá gratuitamente ao capitalista. A maquinaria é meio para produzir mais-valia.

Na manufatura, o ponto de partida para revolucionar o modo de produção é a força de trabalho, na indústria moderna, o instrumental de trabalho. É mister, portanto, investigar como o instrumental de trabalho se transforma de ferramenta manual em máquina e, assim, fixar a diferença que existe entre a máquina e a ferramenta. Interessam os grandes traços, as características gerais, pois, como ocorre com as eras geológicas, não existem linhas de demarcação rigorosas separando as diversas épocas da História da sociedade.

Matemáticos e mecânicos, seguidos nesse ponto por alguns economistas ingleses, consideram a ferramenta uma máquina simples, e a máquina, uma ferramenta complexa. Não veem nenhuma diferença essencial entre elas, e chamam de máquinas as potências mecânicas simples, tais como a alavanca, o plano inclinado, o parafuso, a cunha etc.[87] Na verdade, toda máquina é constituída por aquelas potências simples, qualquer que seja o modo por que se disfarcem e combinem. Mas essa explicação não tem utilidade do ponto de vista econômico, pois lhe falta o elemento histórico. Por outro lado, procura-se distinguir a ferramenta da máquina, afirmando-se ser a ferramenta movida pela força humana, e a máquina, por uma força natural diversa da força humana, a saber, a de um animal, a da água, a do

---

86 Mill deveria ter dito: "De algum ser humano que não viva do trabalho alheio. As máquinas aumentaram, certamente, o número dos abastados ociosos."

87 Vide, por exemplo, *Course of Mathematics* de B. Hutton.

vento etc.[88] De acordo com isso, um arado puxado por bois, que pertence às mais diferentes épocas de produção, seria uma máquina; e o tear circular de Claussen, que, movido pela mão de um trabalhador, faz 96.000 malhas por minuto, uma ferramenta. E mais, o mesmo tear seria ferramenta, se movido a mão, e máquina, se movido a vapor. Uma vez que a aplicação da força animal é uma das mais antigas invenções da humanidade, a produção por meio de máquinas teria precedido a produção por meio dos ofícios manuais. Quando, em 1735, John Wyatt anunciou sua máquina de fiar e, com ela, a Revolução Industrial do século XVIII, não disse que a máquina seria movida por um burro e não por um homem, embora o burro desempenhasse o papel de força motriz. Seu prospecto falava numa máquina "para fiar sem os dedos".[89]

Toda maquinaria desenvolvida consiste em três partes essencialmente distintas: o motor, a transmissão e a máquina-ferramenta ou máquina de trabalho. O motor é a força motriz de todo o mecanismo. Produz sua própria força motriz, como a máquina a vapor, a máquina a ar quente, a máquina eletromagnética etc., ou recebe o impulso de uma força natural externa adrede preparada, como a roda hidráulica, o impulso da água; as asas do moinho, a força do vento etc. A transmissão é constituída de volantes, eixos, rodas dentadas, turbinas, barras, cabos, cordas, dispositivos e

---

88 "Desse ponto de vista, podemos traçar uma linha distinguindo claramente a ferramenta da máquina: estão na categoria de ferramentas, por maior que seja a perfeição, pás, martelos, escopros etc., engrenagens de parafusos e alavancas, movidos pela força humana; têm de ser considerados máquinas o arado movido por força animal, os moinhos impulsionados pelo vento, pela água etc." (Wilhelm Schulz, *Die Bewegung der Produktion*, Zurique, 1843, p. 38.) Uma obra excelente sob vários aspectos.

89 Antes dele, foram empregadas máquinas para fiar, embora muito imperfeitas, e a Itália foi provavelmente o país onde primeiro apareceram. Uma história crítica da tecnologia mostraria que dificilmente uma invenção do século XVIII pertence a um único indivíduo. Até hoje não existe essa obra. Darwin interessou-nos na história da tecnologia natural, na formação dos órgãos das plantas e dos animais como instrumentos de produção necessários à vida das plantas e dos animais. Não merece igual atenção a história da formação dos órgãos produtivos do homem social, que constituem a base material de toda organização social? E não seria mais fácil reconstruí-la, uma vez que, como diz Vico, a história humana se distingue da história natural, por termos feito uma e não termos feito a outra? A tecnologia revela o modo de proceder do homem para com a natureza, o processo imediato de produção de sua vida, e, assim, elucida as condições de sua vida social e as concepções mentais que delas decorrem. Mesmo uma história da religião que ponha de lado essa base material não é uma história crítica. Em realidade, é muito mais fácil descobrir o cerne terreno das nebulosas representações religiosas, analisando-as, do que, seguindo o caminho oposto, descobrir, partindo das relações da vida real, as formas celestiais correspondentes a essas relações. Este último é o único método materialista e, portanto, científico. As falhas do materialismo abstrato fundado sobre as ciências naturais, excluindo o processo histórico, são logo percebidas quando nos detemos nas concepções abstratas e ideológicas de seus porta-vozes, sempre que se aventuram a ultrapassar os limites de sua especialidade.

A MAQUINARIA E A INDÚSTRIA MODERNA

engrenagens de transmissão da mais variada espécie. Regula o movimento, transforma-o, quando necessário, da forma, por exemplo, perpendicular em circular, distribui-o e transmite-o às máquinas-ferramenta. O motor e a transmissão existem apenas para transmitir movimento à máquina-ferramenta, que se apodera do objeto de trabalho e o transforma de acordo com o fim desejado. É desta parte da maquinaria, a máquina-ferramenta, que parte a Revolução Industrial no século XVIII. E a máquina-ferramenta continua a servir de ponto de partida, sempre que se trata de transformar um ofício ou manufatura em exploração mecanizada.

Examinemos de perto a máquina-ferramenta. Os aparelhos e instrumentos com que trabalhavam o artesão e o trabalhador manufatureiro nela reaparecem, de modo geral, embora muitas vezes sob forma muito modificada; não são mais instrumentos do homem, e sim ferramentas de um mecanismo, instrumentos mecânicos. Às vezes, a máquina por inteiro é uma edição mecânica mais ou menos modificada do antigo instrumento profissional, como ocorre com o tear mecânico;[90] outras vezes, os órgãos ativos implantados na armação da máquina-ferramenta são velhos conhecidos, tais como os fusos na máquina de fiar, as agulhas na máquina de fazer malhas, a lâmina da serra na máquina de serrar, o cutelo na máquina de cortar etc. A diferença entre essas ferramentas e o corpo propriamente dito da máquina-ferramenta onde se engastam vem desde a origem. Em grande parte, são ainda produzidas por artífices ou pela manufatura e depois encaixadas no corpo da máquina-ferramenta, oriundo da produção mecanizada.[91] A máquina-ferramenta é, portanto, um mecanismo que, ao lhe ser transmitido o movimento apropriado, realiza com suas ferramentas as mesmas operações que eram antes realizadas pelo trabalhador com ferramentas semelhantes. Provenha a força motriz do homem ou de outra máquina, a coisa não muda em sua essência. Quando a ferramenta propriamente dita se transfere do homem para um mecanismo, a máquina toma o lugar da simples ferramenta. A diferença salta aos olhos, mesmo quando o

---

90 Na forma primitiva do tear mecânico reconhece-se, à primeira vista, o velho tear manual. Sua forma moderna experimentou modificações substanciais.

91 Só a partir de 1850, aproximadamente, é que se fabrica a máquina, na Inglaterra, uma porção cada vez maior de ferramentas de máquinas-ferramenta, embora não pelos mesmos fabricantes que fazem as máquinas. Máquinas para fabricar essas ferramentas mecânicas são, por exemplo, as máquinas automáticas para fabricar bobinas, as máquinas para fabricar cardas, a para fazer lançadeiras, 2 para fazer fusos de máquinas de fiar.

homem continua sendo o primeiro motor. O número de ferramentas com que o homem pode operar ao mesmo tempo é limitado pelo número de seus instrumentos naturais de produção, seus órgãos físicos. Na Alemanha, tentou-se inicialmente fazer um fiandeiro trabalhar com duas rodas de fiar, utilizando ao mesmo tempo as duas mãos e os dois pés. Mas era demais. Mais tarde, inventou-se uma roda de fiar com pedal e dois fusos, mas os virtuosos capazes de fiar dois fios simultaneamente eram quase tão raros como seres humanos de duas cabeças. A máquina de fiar "Jenny", entretanto, fia, de saída, com 12 a 18 fusos; a máquina de fazer malhas trabalha com muitos milhares de agulhas a um só tempo etc. O número de ferramentas com que opera simultaneamente a máquina-ferramenta emancipa-se, desde o início, da barreira orgânica que a ferramenta manual de um trabalhador não podia ultrapassar.

Muitas ferramentas põem em evidência de maneira bem contrastante a diferença entre o homem na função de simples força motriz e o homem como trabalhador que exerce seu ofício manual. Na roda de fiar, por exemplo, o pé age apenas como força motriz, enquanto a mão executa a operação de fiar propriamente dita, trabalhando com o fuso, puxando e torcendo o fio. A Revolução Industrial apodera-se primeiro desta segunda parte da ferramenta e deixa para o ser humano, no começo, a função puramente mecânica de força motriz, ao lado do novo trabalho de vigiar a máquina e corrigir com a mão seus erros. Por outro lado, ferramentas em que o homem desde o início agia como simples força motriz, ao fazer girar a manivela de um moinho,[92] ao tocar a bomba para puxar água, ao mover o braço de um fole, ao bater com um pilão etc., cedo deram origem à aplicação de animais, da água e do vento[93] como forças motrizes. As ferramentas dessa espécie, em parte no período manufatureiro e esporadicamente antes dele, transformaram-se em máquinas, mas, apesar disso, não revolucionaram o

---

92 Diz Moisés: "Não atarás a boca ao boi que debulha tuas messes." Os filantropos cristãos da Alemanha, ao contrário, ao empregarem o servo como força motriz para moer o cereal, colocavam-lhe em volta do pescoço um grande disco de madeira, a fim de que não pudesse levar a farinha à boca.

93 A falta de quedas-d'água e as inundações que os acometiam forçaram os holandeses a utilizar o vento como força motriz. O moinho de vento lhes veio da Alemanha, onde essa invenção provocou curiosa luta entre a nobreza, o clero e o imperador, reclamando cada um dos três para si a propriedade do vento. O ar gera a servidão, dizia-se na Alemanha, enquanto o vento tornava a Holanda livre. Nesta o que ele tornava servo não eram os holandeses, mas o solo para os holandeses. Ainda em 1836, havia na Holanda 12.000 moinhos de vento com 6.000 cavalos, para impedir que dois terços do país se transformassem novamente em pântano.

A MAQUINARIA E A INDÚSTRIA MODERNA

modo de produção. No período da indústria moderna, torna-se claro que, mesmo na sua forma manual, já são máquinas. As bombas, por exemplo, com que os holandeses, de 1836 a 1837, secaram o lago de Harlem, foram construídas de acordo com o princípio das bombas comuns, com a diferença apenas de serem seus êmbolos acionados por ciclópicas máquinas a vapor, e não por mãos humanas. O fole comum e muito imperfeito do ferreiro, na Inglaterra, se converte ocasionalmente numa máquina de insuflar ar, apenas ligando-se seu braço a uma máquina a vapor. A própria máquina a vapor, na forma em que foi inventada no fim do século XVII, durante o período manufatureiro, e em que subsistiu até o começo da década dos 80 do século XVIII,[94] não provocou nenhuma revolução industrial. Foi, ao contrário, a criação das máquinas-ferramenta que tornou necessária uma revolução na máquina a vapor. Quando o homem passa a atuar apenas como força motriz numa máquina-ferramenta, em vez de atuar com a ferramenta sobre o objeto de trabalho, podem tomar seu lugar o vento, a água, o vapor etc., e torna-se acidental o emprego da força muscular humana como força motriz. Essas mudanças dão origem a grandes modificações técnicas no mecanismo primitivamente construído apenas para ser impulsionado pela força humana. Hoje em dia, todas as máquinas que têm ainda de impor-se, tais como as máquinas de costura, de fazer pão etc., são construídas tanto para serem movidas pela força humana quanto para serem impulsionadas por força puramente mecânica, sempre que a própria natureza delas não impeça que sejam utilizadas em tamanho pequeno.

A máquina da qual parte a Revolução Industrial substitui o trabalhador que maneja uma única ferramenta por um mecanismo que, ao mesmo tempo, opera com certo número de ferramentas idênticas ou semelhantes àquela, e é acionado por uma única força motriz, qualquer que seja sua forma.[95] Temos então a máquina, mas ainda como elemento simples da produção mecanizada.

O aumento do tamanho da máquina-ferramenta e do número dos instrumentos com que opera ao mesmo tempo exige um motor mais possante, que, para vencer a própria resistência, precisa de uma força motriz

---

94 A máquina a vapor foi muito aperfeiçoada com a primeira máquina de ação simples de Watt, mas, sob esta forma, continuava a servir apenas para puxar a água comum e salgada.

95 "A reunião de todas essas ferramentas, postas em movimento por um único motor, constitui uma máquina." (Babbage, *loc. cit.*, [p. 136].)

413

O CAPITAL

superior à força humana. Além disso, a força humana é um instrumento muito imperfeito para produzir um movimento uniforme e contínuo. Mas, supondo-se que o homem exerça apenas a função de força motriz, tomando uma máquina-ferramenta o lugar de sua ferramenta, pode ele ser substituído nessa função por forças naturais. De todas as grandes forças motrizes legadas pelo período manufatureiro, a pior era a força do cavalo, uma vez que este não é suficientemente disciplinado, é caro e só pode ser empregado nas fábricas de maneira limitada.[96] Apesar disso, foi o cavalo aplicado com frequência na infância da indústria moderna, conforme testemunha, além das queixas dos agrônomos da época, a circunstância de ter chegado até nós a expressão "cavalo" ou "cavalo-vapor" para mensurar a potência das máquinas. O vento era inconstante demais e incontrolável, e, já durante o período manufatureiro, predominava na Inglaterra, berço da indústria moderna, a aplicação da força hidráulica. Já se tentara, no século XVII, fazer girar dois pares de mós de um moinho com uma única roda hidráulica. O maior tamanho do mecanismo de transmissão entrou em conflito com a força hidráulica insuficiente, um dos motivos que levou à investigação mais cuidadosa das leis de fricção. Do mesmo modo, a atuação irregular da força motriz dos moinhos, postos em movimento empurrando-se e puxando-se uma manivela, conduziu à teoria da aplicação do volante,[97] que desempenha mais tarde papel de grande importância na indústria moderna. Assim, o período manufatureiro desenvolveu os primeiros elementos científicos e

---

96 Em dezembro de 1859, na "Society of Arts", John C. Morton leu um estudo sobre "as forças empregadas na agricultura", no qual se diz: "Toda melhoria que contribua para a uniformidade do solo favorece o emprego da máquina a vapor para produzir força puramente mecânica. [...] O cavalo é necessário onde há cercados irregulares e outros obstáculos que impedem ação uniforme. Esses obstáculos estão cada dia a desaparecer. A única força aplicável às tarefas que exigem mais vontade do que força real é a controlada a cada instante pelo espírito humano, em outras palavras, a força do homem." Morton reduz a força do vapor, a do cavalo e a do homem à unidade de medida usualmente aplicada às máquinas a vapor, isto é, a força para levantar 33.000 libras à altura de um pé, por minuto, calculando os custos de um cavalo-vapor por hora em 3 pence, para a máquina a vapor, e 5½ pence para o cavalo. Demais, o cavalo, para não se estropiar, tem de ser empregado apenas durante 8 horas por dia. Usando a força do vapor, podem ser poupados durante um ano inteiro, no cultivo da terra, 3 em 7 cavalos, e o correspondente dispêndio não é maior do que o que dariam os cavalos dispensados durante 3 ou 4 meses, o tempo em que são realmente utilizados. Nos trabalhos agrícolas em que se pode aplicar a força do vapor melhora ela a qualidade do produto, comparado com o que se obtém com o emprego do cavalo. Para realizar o trabalho de uma máquina a vapor, seriam necessários 66 trabalhadores, ao preço total de 15 xelins por hora, e, para fazer o trabalho de um cavalo, 32 homens, ao preço total de 8 xelins por hora.

97 Faulhaber, 1625; De Cous, 1688.

A MAQUINARIA E A INDÚSTRIA MODERNA

técnicos da indústria moderna. A máquina de fiar aperfeiçoada de Arkwright, quando apareceu, era impulsionada pela água. Mas o uso da água como força motriz dominante também acarretava certas dificuldades. Não podia ser aumentada à vontade, nem remediada sua escassez; às vezes faltava e não podia ser deslocada do local onde se situava.[98] Só com a segunda máquina a vapor de Watt, a máquina rotativa de ação dupla, se encontrou um motor que produzia sua própria força motriz, consumindo para isso carvão e água, com potência que podia ser inteiramente controlada; um motor que podia ser transferido de um lugar para outro e servir de meio de locomoção, utilizável na cidade e não exclusivamente no campo como a roda hidráulica, permitindo concentrar a produção nas cidades, em vez de dispersá-la pelo interior;[99] universal em sua aplicação tecnológica, pouco dependendo sua instalação das circunstâncias locais. O grande gênio de Watt revela-se na especificação da patente que obteve em abril de 1784, a qual descreve sua máquina a vapor não como uma invenção destinada a objetivos particulares, mas como agente geral da indústria mecanizada. Ele indicava aplicações das quais muitas só foram introduzidas mais de meio século depois, como, por exemplo, o martelo-pilão. Duvidava, entretanto, da aplicabilidade da máquina a vapor na navegação. Seus sucessores, Boulton e Watt, apresentaram na exposição industrial de Londres, em 1851, a mais colossal máquina a vapor para transatlânticos.

Depois que os instrumentos se transformam de ferramentas manuais em ferramentas incorporadas a um aparelho mecânico, a máquina motriz, o motor, adquire uma forma independente, inteiramente livre dos limites da força humana. Com isso, a máquina-ferramenta isolada que observamos até agora se reduz a um simples elemento da produção mecanizada. Uma máquina motriz, um motor, pode agora impulsionar ao mesmo tempo

---

98 A moderna invenção das turbinas liberta a exploração industrial da força hidráulica de muitas limitações que a cerceavam.

99 "No início das manufaturas têxteis, a localização da fábrica dependia da existência de uma queda-d'água com força suficiente para fazer girar uma roda hidráulica. E, embora o estabelecimento das manufaturas movidas a água significasse o começo da decadência do sistema manufatureiro doméstico, essas manufaturas, que tinham de se instalar necessariamente junto aos cursos d'água e frequentemente se situavam a uma apreciável distância uma da outra, representavam parte de um sistema rural, e não urbano. Somente com a introdução do vapor, em substituição ao curso d'água, foram as fábricas concentradas em cidades e localidades onde o carvão e a água, necessários à produção do vapor, eram encontrados em quantidade suficiente. A máquina a vapor é a mãe das cidades industriais." (A. Redgrave, em *Reports of the Insp. of Fact. 30th April 1860*, p. 36.)

O CAPITAL

muitas máquinas-ferramenta. Com o número das máquinas-ferramenta impulsionadas ao mesmo tempo, aumenta o tamanho do motor e o mecanismo de transmissão assume grandes proporções.

Temos, então, de distinguir duas coisas: a cooperação de muitas máquinas da mesma espécie e o sistema de máquinas.

No primeiro caso, o produto por inteiro é feito por uma máquina. Ela executa as diversas operações que eram realizadas por um artesão com sua ferramenta, por exemplo, um tecelão com seu tear, ou que eram executadas em série por artesãos com diferentes ferramentas, independentes uns dos outros ou como membros de uma manufatura.[100] Por exemplo, na manufatura de envelopes, um trabalhador dobrava o papel com a dobradeira; outro passava a goma; um terceiro dobrava a aba do envelope na qual fica o emblema que um quarto estampava etc.; e cada envelope mudava de mão em cada uma dessas operações parciais. Uma única máquina de fazer envelopes realiza todas essas operações de uma só vez e faz 3.000 envelopes ou mais em uma hora. Uma máquina americana para fazer cartuchos de papel, exibida na exposição industrial de Londres de 1862, cortava o papel, passava goma e concluía 300 unidades por minuto. O processo global, dividido e realizado na manufatura através de operações sucessivas, passa a ser executado por uma máquina-ferramenta, que opera através da combinação de diferentes ferramentas. Essa máquina-ferramenta pode ser mera reprodução mecânica de um instrumento manual mais complicado, ou uma combinação de instrumentos simples, diferentes, que tinham, cada um, uma aplicação especial na manufatura. Nas duas modalidades, teremos na fábrica, na oficina que funciona com o emprego dessas máquinas, a cooperação simples. Pondo-se de lado o trabalhador, ela se patenteia, antes de tudo, na aglomeração num mesmo local de máquinas-ferramenta da mesma espécie, operando ao mesmo tempo. Assim, uma fábrica de tecelagem se constitui de muitos teares mecânicos aglomerados no mesmo local, e uma fábrica de costura, de muitas máquinas de costura também

---

100 Do ponto de vista da divisão manufatureira do trabalho, o ofício de tecer não é simples, mas, ao contrário, um trabalho manual complicado. Em consequência, o tear mecânico é uma máquina que executa múltiplas operações. É falsa a ideia de as máquinas se terem apoderado inicialmente das operações que a divisão manufatureira do trabalho tinha simplificado. A fiação e a tecelagem foram diversificadas em novas espécies, no período manufatureiro, e suas ferramentas, aperfeiçoadas e diferenciadas, mas o processo de trabalho não foi dividido, mantendo seu caráter artesanal. Não é o trabalho, mas o instrumento de trabalho que serve de ponto de partida para a máquina.

reunidas no mesmo ponto. Essas máquinas-ferramenta, entre si independentes, possuem, entretanto, uma unidade técnica: recebem impulso de um motor comum, e esse impulso lhes é transmitido por um mecanismo de transmissão que lhes é até certo ponto comum, uma vez que dele parte uma ramificação particular para cada máquina-ferramenta. As numerosas máquinas-ferramenta constituem, assim, órgãos homogêneos do mesmo mecanismo motor, do mesmo modo que as ferramentas são órgãos da máquina-ferramenta.

Um verdadeiro sistema de máquinas só toma o lugar das máquinas independentes quando o objeto de trabalho percorre diversos processos parciais conexos, levados a cabo por um conjunto de máquinas-ferramenta de diferentes espécies, mas que se completam reciprocamente. Reaparece então a cooperação peculiar à manufatura baseada na divisão do trabalho, mas agora sob a forma de combinação de máquinas-ferramenta parciais, complementares. As ferramentas específicas dos diferentes trabalhadores parciais – na manufatura de lã, por exemplo, a do batedor, a do cardador, a do tosador, a do fiandeiro etc. – transformam-se então nas ferramentas de máquinas especializadas, constituindo, cada uma destas, um órgão especial adequado a uma função especial no sistema. A própria manufatura, de modo geral, fornece ao sistema de máquinas, nos ramos em que este primeiro se introduz, a base original da divisão e, consequentemente, da organização do processo de produção.[101] Mas verifica-se imediatamente uma diferença essencial. Na manufatura, cada operação parcial tem de ser executável manualmente pelos operários, trabalhando isolados ou em grupos, com suas ferramentas. Se o trabalhador é incorporado a determinado

---

101 Antes da indústria moderna, a manufatura de lã era, na Inglaterra, a manufatura dominante. Por isso, nela se fizeram, durante a primeira metade do século XVIII, a maior parte dos experimentos. O algodão, cuja industrialização mecanizada exige um tratamento prévio menos exaustivo, beneficiou-se com as experiências feitas com a lã, do mesmo modo que, mais tarde, a indústria mecanizada de lã desenvolveu-se tomando por base a fiação e tecelagem a máquina do algodão. Elementos isolados da manufatura de lã foram incorporados ao sistema fabril no decurso dos últimos 10 anos que precedem 1866, como ocorreu com a cardagem. "Aplicação da força mecânica ao processo de cardagem [...], a qual muito se generalizou desde a introdução da máquina de cardar, especialmente a de Lister [...] teve sem dúvida o efeito de deixar sem emprego grande número de trabalhadores. A lã era cardada, antes, com a mão, na maioria dos casos na cabana do cardador. Agora ela é geralmente cardada na fábrica, e suprimiu-se o trabalho manual, exceto para alguns casos especiais em que se prefere ainda a lã cardada a mão. Muitos dos cardadores manuais encontraram emprego nas fábricas, mas sua produção é tão pequena em relação à das máquinas que grande número de cardadores ficou sem ocupação." (*Rep. of Insp. of Fact. for 31ˢᵗ Oct. 1856*, p. 16.)

O CAPITAL

processo, foi este antes ajustado ao trabalhador. Na produção mecanizada, desaparece esse princípio subjetivo da divisão do trabalho. Nela o processo por inteiro é examinado objetivamente em si mesmo, em suas fases componentes, e o problema de levar a cabo cada um dos processos parciais e de entrelaçá-los é resolvido com a aplicação técnica da mecânica, da química etc.,[102] embora a teoria tenha sempre de ser aperfeiçoada pela experiência acumulada em grande escala. Cada máquina parcial fornece matéria-prima à máquina seguinte. Funcionando todas elas ao mesmo tempo, o produto encontra-se, continuamente, em todas as suas fases de transição, em todos os estágios de sua fabricação. Na manufatura, a cooperação direta entre os trabalhadores parciais estabelece determinadas proporções entre os grupos especializados de trabalhadores; do mesmo modo, no sistema de máquinas, a contínua ocupação interdependente das máquinas parciais cria uma determinada proporção com referência ao número, ao tamanho e à velocidade das máquinas. A máquina-ferramenta combinada, que consiste num sistema coordenado de várias espécies isoladas ou agrupadas de máquinas-ferramenta, é tanto mais perfeita quanto mais contínuo é o processo em toda a sua extensão, isto é, quanto menos for interrompido o trânsito da matéria-prima da primeira à última etapa e quanto mais o mecanismo elimina a interferência humana, levando a matéria-prima de uma fase a outra. Na manufatura, o isolamento dos processos parciais é um princípio fixado pela própria divisão do trabalho; na fábrica mecanizada, ao contrário, é imperativa a continuidade dos processos parciais.

Um sistema de máquinas – quer se baseie na cooperação simples de máquinas-ferramenta da mesma espécie, como na tecelagem, ou na combinação de máquinas de espécie diferente, como na fiação – constitui em si mesmo um grande autômato, sempre que é movido por um primeiro motor que se impulsiona a si mesmo. Mas todo o sistema pode ser impulsionado pela máquina a vapor, por exemplo, embora certas máquinas-ferramenta precisem do trabalhador para determinados movimentos (a máquina de fiar precisava da ajuda do trabalhador para ser posta em funcionamento, até que se inventou a máquina automática; na fiação fina, ainda é necessária essa ajuda), ou determinadas partes da máquina, para que

---

102 "O princípio do sistema fabril consiste em substituir a divisão ou a graduação do trabalho entre os artesãos pela decomposição do processo de trabalho em seus elementos essenciais." (Ure, *loc. cit.*, p. 20.)

A MAQUINARIA E A INDÚSTRIA MODERNA

esta leve a cabo sua tarefa, tenham de ser dirigidas pelo trabalhador, como se fosse uma ferramenta. É o que se dava na construção de máquinas antes de a espera de torno se transformar em elemento automático. Quando a máquina-ferramenta, ao transformar a matéria-prima, executa sem ajuda humana todos os movimentos necessários, precisando apenas da vigilância do homem para uma intervenção eventual, temos um sistema automático, suscetível, entretanto, de contínuos aperfeiçoamentos. São invenções mais recentes o aparelho que para a máquina de fiar quando se parte um fio, ou o freio automático, que para o tear a vapor aperfeiçoado quando falta o fio da trama na canela da lançadeira. A fabricação moderna de papel pode servir para ilustrar a continuidade da produção e a aplicação do princípio automático.

A produção de papel fornece elementos bastante ilustrativos para o estudo pormenorizado não só da diferença entre modos de produção diversos, baseados em instrumentos de produção também diversos, mas também da conexão entre as relações sociais de produção e esses modos de produção. A antiga fabricação alemã de papel nos fornece o modelo da produção artesanal; a holandesa do século XVII e a francesa do século XVIII, o modelo da manufatureira; e a fabricação inglesa moderna, o modelo da fabricação automática. Demais, a China e a Índia nos oferecem duas formas diferentes da antiga produção asiática de papel.

A produção mecanizada encontra sua forma mais desenvolvida no sistema orgânico de máquinas-ferramenta combinadas que recebem todos os seus movimentos de um autômato central e que lhes são transmitidos por meio do mecanismo de transmissão. Surge, então, em lugar da máquina isolada, um monstro mecânico que enche edifícios inteiros e cuja força demoníaca se disfarça nos movimentos ritmados quase solenes de seus membros gigantescos e irrompe no turbilhão febril de seus inumeráveis órgãos de trabalho.

Havia máquinas de fiar, máquinas a vapor etc., antes de existirem trabalhadores cuja ocupação exclusiva fosse a de fazer máquinas a vapor, máquinas de fiar etc., do mesmo modo que o homem já se vestia antes de haver alfaiates. As invenções de Vaucanson, Arkwright, Watt e outros só puderam concretizar-se porque eles encontraram à mão um número apreciável de hábeis trabalhadores mecânicos, que vieram do período manufatureiro. Uma parte desses trabalhadores era constituída de artesãos independentes, de profissões diversas, e outra estava concentrada nas manufaturas, onde

O CAPITAL

reinava, conforme já vimos, rigorosa divisão do trabalho. Com a afluência das invenções e a procura crescente das novas máquinas inventadas, cada vez mais se diferenciava em ramos autônomos diversos a produção de máquinas e se desenvolvia a divisão do trabalho nas manufaturas que construíam máquinas. A manufatura se constitui, assim, em base técnica imediata da indústria moderna. A primeira produzia a maquinaria com que a segunda eliminava o artesanato e a manufatura nos ramos de produção de que se apoderava. A produção mecanizada se erguia, naturalmente, sobre uma base material que lhe era inadequada. Atingindo certo estágio de desenvolvimento, tinha ela de remover essa base, que encontrou pronta e aperfeiçoou em sua forma antiga, para estabelecer nova base adequada a seu modo de produção. A máquina isolada era de tamanho reduzido enquanto era movida apenas pelo homem; o sistema de máquinas não pode se desenvolver livremente antes de a máquina a vapor substituir as forças motrizes encontradas, o animal, o vento e a água. Do mesmo modo, a indústria moderna ficou manietada em todo o seu desenvolvimento enquanto seu instrumento de produção característico, a própria máquina, devia sua existência à força e à habilidade pessoais, dependendo da força muscular, da penetração da vista e da virtuosidade manual com que conduziam seus fracos instrumentos o trabalhador parcial, na manufatura, e o artesão independente, fora dela. Pondo-se de lado o encarecimento das máquinas feitas por esse processo, circunstância que sempre preocupa o capitalista, ficaram a expansão da indústria já mecanizada e a penetração da maquinaria em novos ramos de produção na dependência exclusiva de uma categoria de trabalhadores que só podia aumentar lentamente, em virtude da natureza semiartística de suas ocupações. Além disso, em certo estágio de desenvolvimento, a indústria moderna entrou tecnicamente em conflito com a base que possuía no artesanato e na manufatura. Ampliação crescente das dimensões do motor, do mecanismo de transmissão e das máquinas-ferramenta; maior complicação e diversidade, mais minucioso ajustamento dos elementos componentes, à medida que a máquina-ferramenta se desprende do modelo de ferramenta manual em que se baseava sua construção primitiva e adquire uma forma livre, subordinada apenas à sua função mecânica;[103]

---

103 No início, o tear mecânico era principalmente de madeira; o moderno, aperfeiçoado, é de ferro. Ligeira observação basta para evidenciar a influência que a antiga forma do instrumental tem sobre as formas mecanizadas que surgiram no começo da indústria moderna. Compare-se, por exemplo, com o moderno o tear a vapor antigo, os modernos aparelhos de insuflar ar com a pouco eficiente adaptação mecânica do fole comum. O caso mais contrastante é talvez a locomotiva construída antes

420

A MAQUINARIA E A INDÚSTRIA MODERNA

aperfeiçoamento do sistema automático; e aplicação cada vez mais inevitável de materiais com maior resistência, por exemplo, ferro em vez de madeira: todos esses problemas surgiam naturalmente e sua solução encontrava por toda a parte as limitações pessoais que mesmo o trabalhador coletivo da manufatura só podia enfrentar até certo ponto, sem chegar a transpô-las qualitativamente. A manufatura não podia produzir máquinas, como o prelo moderno, o moderno tear a vapor e a máquina de cardar moderna.

A revolução no modo de produção de um ramo industrial acaba se propagando a outros. É o que se verifica principalmente nos ramos industriais que constituem fases de um processo global, embora estejam isolados entre si pela divisão social do trabalho, de modo que cada um produz uma mercadoria independente. Assim, a mecanização da fiação torna necessária a mecanização da tecelagem, e ambas ocasionam a revolução química e mecânica no branqueamento, na estampagem e na tinturaria. A revolução na fiação do algodão provocou a invenção da descaroçadora de algodão, com que se tornava possível a produção de algodão na enorme escala então exigida.[104] A revolução no modo de produção da indústria e da agricultura tornou sobretudo necessária uma revolução nas condições gerais do processo social de produção, isto é, nos meios de comunicação e de transporte. Os meios de comunicação e de transporte de uma sociedade – cujo pivô, para utilizar uma expressão de Fourier, eram a pequena agricultura com sua indústria doméstica acessória e o artesanato urbano – não podiam de modo nenhum satisfazer as necessidades de produção do período manufatureiro, com sua extensa divisão do trabalho social, com sua concentração de instrumentos de trabalho e de trabalhadores e com seus mercados coloniais, e, por isso, foram inteiramente transformados. Do mesmo modo, os meios de transporte e de comunicação, legados pelo período manufatureiro, logo se tornaram obstáculos insuportáveis para a indústria moderna, com sua velocidade febril de produção em grande escala, seu contínuo deslocamento de massas de capital e de trabalhadores de um ramo de produção para

---

da invenção das atuais que possuía duas patas que movia alternativamente como um cavalo. Só depois do desenvolvimento ulterior da ciência mecânica e de se acumularem muitas experiências práticas é que a forma passa a ser determinada inteiramente pelos princípios mecânicos, emancipando-se inteiramente da antiga forma tradicional do instrumento que se transformou em máquina.

104 A descaroçadora de algodão do ianque Eli Whitney experimentou, até pouco tempo, menos modificações essenciais que qualquer outra máquina do século XVIII. Só na última década que precede 1867 outro americano, Emery, de Albany, Nova York, tornou a máquina de Whitney obsoleta, introduzindo-lhe uma modificação ao mesmo tempo simples e eficaz.

O CAPITAL

outro e com as novas conexões que criou no mercado mundial. Além das transformações radicais ocorridas na construção de navios a vela, o sistema de transportes e comunicações foi progressivamente adaptado ao modo de produção de grande indústria com a introdução dos navios a vapor fluviais, das vias férreas, dos transatlânticos e do telégrafo. Mas as massas gigantescas de ferro que tinham então de ser forjadas, soldadas, cortadas, brocadas e moldadas exigiam máquinas ciclópicas, cuja produção não se poderia conseguir através dos métodos da manufatura.

A indústria moderna teve então de apoderar-se de seu instrumento característico de produção, a própria máquina, e de produzir máquinas com máquinas. Só assim criou ela sua base técnica adequada e ergueu-se sobre seus próprios pés. Com a produção mecanizada crescente das primeiras décadas do século XIX, apoderou-se a maquinaria progressivamente da fabricação das máquinas-ferramenta. Mas só durante as últimas décadas (que precedem 1866), a enorme construção de ferrovias e a navegação transatlântica fizeram surgir as máquinas ciclópicas empregadas na construção dos motores.

A condição de produção mais essencial para a fabricação de máquinas com máquinas era um motor capaz de desenvolver qualquer potência e perfeitamente controlável. Ele já existia na máquina a vapor. Mas, ao mesmo tempo, era necessário produzir mecanicamente as formas rigorosamente geométricas necessárias às diversas partes componentes da máquina: linha, plano, círculo, cilindro, cone e esfera. Henry Maudslay resolvera esse problema, na primeira década do século XIX, inventando a espera de torno (*slide rest*), que logo se tornou um dispositivo automático e, em forma modificada, se adaptou a outras máquinas construtoras, além do torno para o qual fora primitivamente destinada. Esse dispositivo mecânico não substitui uma ferramenta qualquer, mas a própria mão humana, que cria uma forma determinada no material de trabalho, o ferro, por exemplo, utilizando o gume dos instrumentos cortantes etc. Conseguiu-se, assim, produzir as formas geométricas das partes componentes da máquina "com uma facilidade, precisão e rapidez que nem mesmo a mão do mais experiente dos artesãos conseguiria atingir".[105]

---

105 *The Industry of Nations*, Londres, 1855, Parte II, p. 239. Aí lê-se: "Por mais simples e sem importância que possa parecer esse acessório do torno, acreditamos não exagerar afirmando que sua influência no sentido de melhorar e ampliar o uso da máquina tem sido tão grande quanto a exercida pelas melhorias que Watt introduziu na máquina a vapor. Esse acessório contribuiu imediatamente para aperfeiçoar e baratear todas as máquinas e estimulou invenções e aperfeiçoamentos."

A MAQUINARIA E A INDÚSTRIA MODERNA

Se atentamos, na construção de máquinas, para a parte da maquinaria que constitui a máquina-ferramenta propriamente dita, vemos que nesta reaparece o instrumento do artesão, mas em tamanho ciclópico. A parte operante da máquina de perfurar é uma broca imensa, impulsionada por uma máquina a vapor, e sem a qual não poderiam ser feitos os cilindros das grandes máquinas a vapor e as prensas hidráulicas. O torno mecânico é a reedição ciclópica do torno de pedal; a máquina de plainar, um carpinteiro de ferro que trabalha no ferro com as mesmas ferramentas utilizadas pelo carpinteiro na madeira; o instrumento que nos estaleiros de Londres corta as chapas é uma navalha gigantesca; a tesoura mecânica, de dimensão monstruosa, corta o ferro como o alfaiate corta o pano; e o martelo-pilão a vapor se assemelha à cabeça de um martelo comum, mas é tão pesado que nem o deus Tor conseguiria brandi-lo.[106] Um desses martelos-pilão que foram inventados por Nasmyth pesa mais de 6 toneladas e cai perpendicularmente de uma altura de 7 pés sobre uma bigorna que pesa 36 toneladas. Pulveriza, brincando, um bloco de granito e não é menos capaz de enterrar um prego em madeira mole com uma série de pancadas leves.[107]

O instrumental de trabalho, ao converter-se em maquinaria, exige a substituição da força humana por forças naturais, e da rotina empírica, pela aplicação consciente da ciência. Na manufatura, a organização do processo de trabalho social é puramente subjetiva, uma combinação de trabalhadores parciais. No sistema de máquinas, tem a indústria moderna o organismo de produção inteiramente objetivo que o trabalhador encontra pronto e acabado como condição material da produção. Na cooperação simples e mesmo na cooperação fundada na divisão do trabalho, a supressão do trabalhador individualizado pelo trabalhador coletivizado parece ainda ser algo mais ou menos contingente. A maquinaria, com exceções a mencionar mais tarde, só funciona por meio de trabalho diretamente coletivizado ou comum. O caráter cooperativo do processo de trabalho torna-se uma necessidade técnica imposta pela natureza do próprio instrumental de trabalho.

---

106 Uma dessas máquinas empregadas em Londres para forjar o eixo das rodas de pás é chamada de Tor. Ela forja um eixo de 16½ toneladas com a mesma facilidade com que o ferreiro forja uma ferradura.

107 São na maioria de invenção americana as máquinas que trabalham a madeira e podem ser empregadas em pequena escala.

2. O VALOR QUE A MAQUINARIA TRANSFERE AO PRODUTO

Vimos que nada custam ao capital as forças produtivas que derivam da cooperação e da divisão do trabalho. São as forças naturais do trabalho social.

Também nada custam as forças naturais, como vapor e água, incorporadas aos processos produtivos. Assim como o homem, para respirar, precisa de um pulmão, para consumir produtivamente as forças naturais ele precisa de algo criado pelo seu esforço. Para explorar a força motriz da água, é necessária uma roda hidráulica, e, para explorar a elasticidade do vapor, uma máquina a vapor. O que ocorre com as forças naturais sucede também com a ciência. A lei do desvio da agulha magnética no campo de ação de uma corrente elétrica ou a lei relativa à produção do magnetismo do ferro em torno do qual circula uma corrente elétrica nada custam, depois de descobertas.[108] Mas a exploração dessas leis pela telegrafia exige instalações custosas e vastas. Conforme vimos, a ferramenta não é suprimida pela máquina: de um instrumento diminuto do organismo humano, ela se amplia e se multiplica no instrumental de um mecanismo criado pelo homem. O capital faz o operário trabalhar, agora, não com a ferramenta manual, mas com a máquina que maneja os próprios instrumentos. Um primeiro exame põe em evidência que a indústria moderna deve aumentar extraordinariamente a produtividade do trabalho, ao incorporar as imensas forças naturais e a ciência ao processo de produção; o que não está claro, entretanto, é se essa elevada produtividade não se realiza à custa de maior dispêndio de trabalho. Como qualquer outro elemento do capital constante, as máquinas não criam valor, mas transferem seu próprio valor ao produto para cuja feitura contribuem. Enquanto a máquina possui valor e, consequentemente, transfere valor ao produto, ela constitui um componente do valor do produto. Em vez de barateá-lo, encarece-o na proporção de seu próprio valor. É evidente que a máquina e a maquinaria desenvolvida, que são o instrumento característico da indústria moderna, possuem incomparavelmente mais valor do que os instrumentos de trabalho do artesanato e da manufatura.

---

108 A ciência nada custa ao capitalista, o que não o impede de explorá-la. A ciência alheia é incorporada ao capital do mesmo modo que o trabalho alheio. Apropriação capitalista e apropriação pessoal, seja da ciência, seja da riqueza material, são coisas totalmente diversas. O próprio Dr. Ure deplorava a ignorância profunda da mecânica manifestada por seus queridos fabricantes, exploradores das máquinas, e Liebig fala do apavorante desconhecimento da química que encontrou nos fabricantes ingleses de produtos químicos.

A MAQUINARIA E A INDÚSTRIA MODERNA

De início, é mister observar que as máquinas entram por inteiro no processo de trabalho e apenas por partes no processo de formação do valor. Nunca acrescentam mais valor do que o que perdem com seu desgaste médio.

Há, portanto, grande diferença entre o valor dà máquina e a parte do valor que ela transfere periodicamente ao produto. Há uma grande diferença entre o papel que a máquina desempenha na formação do valor do produto e o que desempenha na formação do produto. E, quanto mais dure a máquina repetindo o mesmo processo, tanto maior a diferença. Já vimos que todo instrumental de trabalho entra por inteiro no processo de trabalho e sempre por partes, na proporção do seu desgaste médio diário, no processo de formação do valor. Essa diferença entre utilização e desgaste é muito maior nas máquinas do que nos instrumentos manuais, pois elas são construídas com material mais resistente, duram mais, tendo sua aplicação regulada por leis rigorosamente científicas, o que possibilita poupar mais suas partes componentes e as matérias que consomem; finalmente, seu campo de produção é incomparavelmente mais vasto que o do instrumento manual. Pondo-se de lado os custos diários da maquinaria e dos instrumentos manuais, isto é, a parte de valor que acrescentam ao produto, com o desgaste médio e o consumo de materiais auxiliares, como óleo e carvão, ver-se-á que atuam gratuitamente, do mesmo modo que as forças fornecidas pela natureza agem sem interferência humana. Quanto maior a força produtiva das máquinas em relação à dos instrumentos manuais, tanto maior o serviço gratuito que prestam, em comparação com o que se obtém desses instrumentos. Só com a indústria moderna aprende o homem a fazer o produto de seu trabalho passado, o trabalho já materializado, operar em grande escala, gratuitamente, como se fosse uma força natural.[109]

Na cooperação e na manufatura, as condições gerais de produção, como edifícios, utilizadas em comum, se tornam menos onerosas, em comparação

---

109 Ricardo dá tanta ênfase a essa ação da máquina (não se detendo, porém, em seu estudo, nem expondo a diferença geral entre processo de trabalho e processo de formação de valor) que esquece ocasionalmente a porção de valor que as máquinas transferem ao produto, colocando-as em pé de igualdade com as forças naturais. Diz ele: "Adam Smith não subestima em nenhuma passagem os serviços que nos prestam as forças naturais e as máquinas, e distingue acertadamente a natureza do valor que adicionam às mercadorias. [...] Executando elas seu trabalho gratuitamente, a ajuda que nos dão nada acrescenta ao valor de troca." (Ricardo, *loc. cit.*, pp. 336-337.) É, naturalmente, correta a observação de Ricardo dirigida contra J.B. Say, que imagina prestarem as máquinas o serviço de criar valor que constitui parte do lucro.

com as condições dispersas dos trabalhadores isolados, ocorrendo, por isso, redução do preço do produto. Na maquinaria, não só o corpo da máquina-ferramenta é utilizado por muitas ferramentas, mas também o mesmo motor, com uma parte do mecanismo de transmissão, é consumido por muitas máquinas-ferramenta.

Dada a diferença entre o valor da máquina e o valor parcial que ela transfere ao produto durante um dia, o grau em que esse valor parcial encarece o produto depende, antes de tudo, do seu tamanho, da sua extensão, por assim dizer. Em conferência publicada em 1857, Baynes, de Blackburn, estima que

> "[...] cada cavalo-vapor real[109a] impulsiona 450 fusos da máquina de fiar automática ou 200 fusos da *throstle* ou 15 teares para pano de 40 polegadas de largura, juntamente com os acessórios para urdir o tecido, prepará-lo etc."

Os custos diários de um cavalo-vapor e o desgaste da maquinaria por ele posta em movimento se repartem, no primeiro caso, sobre o produto diário de 450 fusos da máquina automática; no segundo, sobre o de 200 fusos da *throstle*; e, no terceiro, sobre o de 15 teares mecânicos. Desse modo, um valor ínfimo se transfere a 100 gramas de fio ou a 1 metro de pano. O mesmo sucede com o martelo-pilão, mencionado antes. Repartindo-se seu desgaste diário, seu consumo de carvão etc., por imensos volumes de ferro que ele martela quotidianamente, só se acrescenta a 100 quilos de ferro um

---

109a Nota da 3ª edição: um cavalo-vapor é igual à força de 33.000 libras-pé por minuto, isto é, a força que levanta num minuto 33.000 libras à altura de 1 pé, ou 1 libra à altura de 33.000 pés. É neste sentido que se usa no texto a expressão cavalo-vapor. Mas, na linguagem comum e em algumas passagens deste livro, se distingue entre cavalo-vapor "nominal" e cavalo-vapor "comercial" ou "indicado", em relação à mesma máquina. O cavalo-vapor antigo ou nominal é calculado exclusivamente pelo comprimento do curso do êmbolo e pelo diâmetro do cilindro, deixando-se de lado a pressão do vapor e a velocidade do êmbolo. Isto equivale a dizer praticamente: Esta máquina tem 50 cavalos-vapor, se trabalhar com a mesma baixa pressão e a mesma reduzida velocidade do êmbolo, como no tempo de Boulton e Watt. Mas estes dois últimos fatores cresceram enormemente desde então. Para medir a força real fornecida hoje por uma máquina, inventou-se o indicador que registra a pressão do vapor. A velocidade do êmbolo é fácil de verificar. Desse modo, mede-se o cavalo-vapor "indicado" ou "comercial" de uma máquina por meio de uma fórmula matemática que considera simultaneamente o diâmetro do cilindro, o comprimento do curso do êmbolo, a velocidade do êmbolo e a pressão do vapor. Através dessa fórmula se determina quantas vezes a máquina realiza 33.000 libras-pé por minuto. Um cavalo-vapor nominal pode, assim, corresponder na verdade a três, quatro e até cinco cavalos-vapor indicados ou reais. Esta observação se destina a esclarecer citações que virão a seguir. — F.E.

A MAQUINARIA E A INDÚSTRIA MODERNA

valor muito reduzido, que seria demasiadamente grande se esse instrumento ciclópico fosse empregado para cravar pregos pequenos.

Dado o raio de ação da máquina-ferramenta – isto é, o número de suas ferramentas, ou, tratando-se de força, o tamanho das ferramentas –, o volume da produção dependerá da velocidade com que ela opera, da velocidade, por exemplo, com que giram os fusos ou do número de golpes vibrados pelo martelo em um minuto. Muitos desses martelos colossais vibram 70 golpes por minuto; a máquina patenteada de Ryder, que forja fusos com pequenos martelos a vapor, vibra 700 golpes.

Dada a proporção em que a maquinaria transfere valor ao produto, a magnitude do valor transferido depende da magnitude do seu próprio valor.[110] Quanto menos trabalho contiver, tanto menos valor acrescenta ao produto. Quanto menos valor transfere, tanto mais produtiva é ela e tanto mais seus serviços se aproximam dos prestados pelas forças naturais. A produção de maquinaria com maquinaria reduz, porém, seu valor em relação à sua amplitude e à sua eficácia.

Comparando-se os preços das mercadorias da produção mecanizada com os das mesmas mercadorias produzidas pelos ofícios ou pelas manufaturas, verifica-se, em geral, que o valor transferido pelo instrumental de trabalho ao produto, na indústria mecanizada, cresce relativamente e decresce absolutamente. Em outras palavras, sua magnitude absoluta diminui, mas sua magnitude em relação ao valor total do produto, por exemplo, de um quilo de fio, aumenta.[111]

---

110 O leitor que esteja prisioneiro dos conceitos capitalistas achará, naturalmente, que estão faltando aí os juros que a máquina acrescenta ao produto, na proporção do capital que ela representa. Mas é evidente que a máquina, não criando nenhum valor novo, como parte que é do capital constante, não poderá dispor de um valor que não gera para adicioná-lo sob o nome de juros. Demais, uma vez que estamos tratando agora da produção da mais-valia, é claro que não podemos pressupor *a priori* a existência de uma parte dela sob o nome de juros. A contabilização capitalista, que, ao primeiro exame, se revela absurda e contrária às leis da formação do valor, será objeto de análise no Livro 3 desta obra.

111 A porção de valor acrescentada pela máquina cai, absoluta e relativamente, quando ela substitui cavalos ou outros animais, empregados na função de força motriz, e não na de transformar a matéria. Observamos incidentalmente que Descartes, ao definir os animais como simples máquinas, os vê com os olhos do período manufatureiro; na Idade Média, o animal era considerado o ajudante do homem, concepção reproduzida depois por von Haller em sua obra *Restauration der Staatswissenschaften*. Como Bacon, Descartes considerava que a modificação no modo de pensar tem por consequência a mudança na forma de produção e domínio prático da natureza pelo homem. É o que comprova, dentre outras, a seguinte passagem do seu *Discours de la méthode*: É possível [aplicando o método que introduziu na filosofia] atingir conhecimentos muito úteis à vida e chegar a uma filosofia prática que substituirá aquela filosofia especulativa aprendida nas escolas. Através dessa filosofia prática, que

O CAPITAL

Há mero deslocamento de trabalho quando a produção de uma máquina custa tanto trabalho quanto o que ela economiza ao ser aplicada, não diminuindo, portanto, o trabalho exigido para produzir determinada quantidade de mercadoria nem aumentando a força produtiva do trabalho. A diferença, porém, entre o trabalho que ela custa e o trabalho que economiza, ou o nível de sua produtividade, não depende, evidentemente, da diferença que existe entre seu próprio valor e o valor da ferramenta substituída. Enquanto o custo de trabalho da máquina e, consequentemente, o valor por ela transferido ao produto for menor que o valor que o trabalhador adiciona ao objeto de trabalho com sua ferramenta, haverá sempre uma diferença de trabalho economizado em favor da máquina. A produtividade da máquina mede-se, por isso, pela proporção em que ela substitui a força de trabalho do homem. Segundo Baynes, são necessários 2½ trabalhadores para 450 fusos da máquina de fiar automática e acessórios, acionados por um cavalo de força;[112] cada fuso automático fia, por dia de 10 horas, 13 onças de fio (médio). Desse modo, 2½ trabalhadores fiam, por semana, $365^5/_8$ libras-peso de fio. Pondo-se de lado a perda em resíduos, 366 libras-peso de algodão absorvem, ao se transformarem em fio, 150 horas de trabalho ou 15 jornadas de trabalho de 10 horas; com a roda de fiar, entretanto, fornecendo o fiandeiro manual 13 onças de fio em 60 horas, a mesma quantidade de algodão absorveria 2.700 jornadas de trabalho de 10 horas, ou seja, 27.000 horas de trabalho.[113] Nas fábri-

---

nos leve a conhecer a força e os efeitos do fogo, da água, do ar, dos astros e de todos os demais corpos que nos cercam, de maneira tão clara quanto conhecemos os diversos ofícios de nossos artesãos, nós poderíamos utilizá-los com a mesma eficiência e para todos os fins a que são adequados e assim nos tornar senhores e possuidores da natureza" e "contribuir para aperfeiçoar a vida humana." No prefácio de *Discourses upon Trade*, 1691, de Sir Dudley North, se diz que a economia política, com a aplicação do método de Descartes, deu início à sua libertação de velhas fábulas e noções supersticiosas sobre ouro, comércio etc. Mas os antigos economistas ingleses apegaram-se a Bacon e Hobbes como seus filósofos; mais tarde, Locke tornou-se o filósofo, por excelência, da economia política, tanto na Inglaterra quanto na França e na Itália.

112 Segundo relatório anual da Câmara de Comércio de Essen, de outubro de 1863, a fábrica de fundição de aço da Krupp produziu, em 1862, 13 milhões de libras-peso de aço fundido, utilizando 161 fornos de fundição, caldeamento e cementação, 32 máquinas a vapor (em 1800, era este o número aproximado das máquinas a vapor empregadas em Manchester) e 14 martelos-pilão, com força total de 1.236 cavalos-vapor, 49 forjas, 203 máquinas-ferramenta e cerca de 2.400 trabalhadores. Não chega a 2 o número de trabalhadores por cada cavalo-vapor.

113 Babbage calcula que só o trabalho de fiação, em Java, adiciona 117% ao valor do algodão. Ao mesmo tempo (em 1832), na Inglaterra, o valor total acrescentado ao algodão pela maquinaria e pelo trabalho, na fiação fina, representava aproximadamente 33% do valor da matéria-prima (*On the Economy of Machinery*, pp. 165-166.)

A MAQUINARIA E A INDÚSTRIA MODERNA

cas onde o velho método de estampar tecidos a mão foi substituído pela máquina, uma só máquina, assistida por um adulto ou menor, estampa, em uma hora, a mesma quantidade de tecido a quatro cores, tarefa que exigia, antes, 200 homens para ser realizada no mesmo tempo.[114] Antes de Eli Whitney inventar a descaroçadora de algodão, separar das sementes uma libra-peso de algodão custava, em média, uma jornada de trabalho. Com sua invenção, podia uma negra produzir, num dia, 100 libras-peso de algodão, e, desde então, a eficiência da descaroçadora foi aumentada consideravelmente. Uma libra-peso de algodão, produzida antes por 50 *cents*, é vendida mais tarde a 10 *cents*, com maior lucro, em virtude de maior quantidade de trabalho não pago. Na Índia, emprega-se, para separar a fibra da semente, um instrumento semimecânico, a *churka*, com a qual um homem e uma mulher obtêm, por dia, 28 libras-peso de algodão. Com uma nova *churka*, inventada há alguns anos pelo Dr. Forbes, um adulto e um menor produzem, por dia, 250 libras-peso; quando se utilizam bois, vapor ou água como força motriz, bastam alguns meninos ou meninas para alimentar a máquina. Dezesseis dessas máquinas movidas por bois realizam, por dia, o trabalho médio diário de 750 pessoas.[115]

Conforme já mencionei, o arado a vapor executa, em uma hora, ao custo de 3 pence ou ¼ de xelim, tanto trabalho quanto 66 homens, no mesmo tempo, por 15 xelins. Volto ao exemplo para dissipar uma noção errônea. Os 15 xelins não expressam, de nenhum modo, o trabalho acrescentado pelos 66 homens durante uma hora. Se a relação entre trabalho excedente e trabalho necessário for de 100%, esses 66 trabalhadores produzirão, por hora, um valor de 30 xelins, embora sua remuneração represente apenas metade do seu tempo de trabalho, isto é, 33 horas. Se se supõe que uma máquina custa tanto quanto os salários anuais de 150 trabalhadores que ela substitui, no montante, digamos, de 3.000 libras esterlinas, esse montante não exprime monetariamente o trabalho adicionado ao objeto produzido por esses 150 homens, mas apenas a parte paga do seu trabalho anual. Em contraposição, o valor monetário da máquina, de 3.000 libras, expressa todo o trabalho despendido em sua produção, qualquer que seja a proporção em que esse trabalho se reparta em salário para o trabalhador

---

114 A estampagem a máquina economiza ainda a tinta.

115 Vide "Paper read by Dr. Watson, Reporter on Products to the Government of India, before the Society of Arts", 17 de abril de 1860.

O CAPITAL

e mais-valia para o capitalista. Se a máquina custa tanto quanto a força de trabalho que substitui, o trabalho nela materializado será sempre muito menor que o trabalho vivo por ela substituído.[116]

Do ponto de vista exclusivo de baratear o produto, a aplicação da máquina deve conter-se dentro do limite em que sua própria produção exija menos trabalho que o que ela substitui com sua aplicação. Para o capital, entretanto, o limite é mais apertado. Uma vez que não paga o trabalho empregado, mas o valor da força de trabalho utilizada, a aplicação da maquinaria, para o capital, fica limitada pela diferença entre o valor da máquina e o valor da força de trabalho que ela substitui. A divisão da jornada de trabalho em trabalho necessário e trabalho excedente varia conforme os países; no mesmo país, conforme os diferentes períodos; no mesmo período, conforme os ramos de atividade, e o salário real do trabalhador, ora cai abaixo do valor da força de trabalho, ora se eleva acima dele. Por isso, pode variar muito a diferença entre o preço da máquina e o preço da força de trabalho a substituir, embora permaneça invariável a diferença entre a quantidade de trabalho necessária para produzir a máquina e a quantidade total de trabalho que ela substitui.[116a] Mas é só a primeira diferença que determina os custos de produção da mercadoria para o capitalista e o influencia através das leis coativas da concorrência. Por isso, máquinas hoje inventadas na Inglaterra só são empregadas na América do Norte. Do mesmo modo, máquinas que se inventaram na Alemanha nos séculos XVI e XVII só foram empregadas na Holanda, e descobertas francesas do século XVIII só foram exploradas na Inglaterra. Em velhos países civilizados, a aplicação da máquina em alguns ramos provoca tal excesso de oferta de trabalho (*redundancy of labour*, diz Ricardo) em outros ramos que, nestes, a queda do salário abaixo do valor da força de trabalho impede a aplicação das máquinas, tornando-a muitas vezes impossível, supérflua, do ponto de vista do capital, cujo lucro deriva não da diminuição do trabalho empregado, mas da diminuição do trabalho pago. Nos últimos anos, reduziu-se muito o trabalho infantil em alguns ramos da indústria

---

116 "Esses agentes mudos [as máquinas] são sempre produto de muito menos trabalho do que o que substituem, mesmo quando ambos os trabalhos possuem o mesmo valor monetário." (Ricardo, *loc. cit.*, p. 40.)

116a Nota da 2ª edição: Numa sociedade comunista, a aplicação da máquina teria amplitude inteiramente diversa daquela que encontra na sociedade burguesa.

inglesa de lã, sendo quase suprimido, em alguns casos. Por quê? A lei fabril exigia duas turmas de crianças, trabalhando uma turma 6 horas, e a outra, 4, ou cada uma 5 horas apenas. Mas os pais não queriam vender o tempo parcial das crianças mais barato do que vendiam antes o tempo integral. Por isso, as máquinas substituíram as crianças, que trabalhavam em tempo parcial.[117] Antes da proibição de mulheres e de crianças com menos de 10 anos trabalharem nas minas, o capital achava a utilização nelas de mulheres e moças despidas, muitas vezes em conjunto com homens, perfeitamente de acordo com seu código moral, principalmente com seu livro-caixa, de modo que só após a proibição legal passou a lançar mão da maquinaria. Os ianques inventaram as máquinas britadoras. Os ingleses não as aplicam, pois o pagamento recebido pelo desgraçado, *wretch* (*wretch* é o termo com que a economia política inglesa designa o trabalhador agrícola), que realiza esse trabalho, corresponde a uma parte tão ínfima de seu trabalho que a maquinaria encareceria a produção para o capitalista.[118] Na Inglaterra, em vez de cavalos, empregam-se ainda, ocasionalmente, mulheres para sirgar os barcos nos canais,[119] pois o trabalho necessário para produzir cavalos e máquinas é uma grandeza matemática bem definida, e o necessário para manter as mulheres da população excedente não chega a merecer consideração. Por isso, é a Inglaterra, o país das máquinas, o lugar do mundo onde mais vergonhosamente se dilapida a força humana de trabalho em tarefas miseravelmente pagas.

---

117 "Os empregadores não querem manter desnecessariamente duas turmas de crianças com menos de 13 anos. [...] Na realidade, os fabricantes do ramo de fiação de lã raramente empregam hoje crianças com menos de 13 anos, isto é, em trabalho de tempo parcial. Introduziram máquinas novas aperfeiçoadas que tornam supérfluo o emprego de meninos [com menos de 13 anos]. Para ilustrar essa diminuição do número de crianças, mencionarei um processo de trabalho em que se adapta um aparelho chamado máquina de emendar às máquinas existentes; por meio dele, um jovem [com mais de 13 anos] pode realizar, de acordo com a peculiaridade da máquina, o trabalho de 6 ou 4 crianças que só podem trabalhar tempo parcial. [...] O sistema de tempo parcial [provocou] a invenção da máquina de emendar." (*Reports of Insp. of Fact. for 31ˢᵗ Oct. 1858*, [pp. 42-43].)

118 "Frequentemente, a máquina [...] não pode ser empregada enquanto a trabalho [ele quer dizer salário] não subir." (Ricardo, *loc. cit.*, p. 479.)

119 Vide *Report of the Social Science Congress at Edinburgh. Octob. 1863.*

3. CONSEQUÊNCIAS IMEDIATAS DA PRODUÇÃO MECANIZADA SOBRE O TRABALHADOR

O ponto de partida da indústria moderna, conforme já vimos, é a revolução do instrumental de trabalho, e esse instrumental revolucionado assume sua forma mais desenvolvida no sistema orgânico de máquinas da fábrica. Antes de examinarmos como o material humano se incorpora a esse organismo mecânico, observemos algumas repercussões gerais daquela revolução sobre o próprio trabalhador.

a) Apropriação pelo capital das forças de trabalho suplementares. O trabalho das mulheres e das crianças

Tornando supérflua a força muscular, a maquinaria permite o emprego de trabalhadores sem força muscular ou com desenvolvimento físico incompleto, mas com membros mais flexíveis. Por isso, a primeira preocupação do capitalista, ao empregar a maquinaria, foi a de utilizar o trabalho das mulheres e das crianças. Assim, de poderoso meio de substituir trabalho e trabalhadores, a maquinaria transformou-se imediatamente em meio de aumentar o número de assalariados, colocando todos os membros da família do trabalhador, sem distinção de sexo e de idade, sob o domínio direto do capital. O trabalho obrigatório, para o capital, tomou o lugar dos folguedos infantis e do trabalho livre realizado, em casa, para a própria família, dentro de limites estabelecidos pelos costumes.[120]

O valor da força de trabalho era determinado não pelo tempo de trabalho necessário para manter individualmente o trabalhador adulto, mas pelo necessário à sua manutenção e à de sua família. Lançando todos os membros da família do trabalhador no mercado de trabalho, a máquina reparte o valor da força de trabalho do homem adulto pela família inteira.

---

120 Durante a crise do algodão, causada pela Guerra Civil americana, o governo inglês mandou o Dr. Edward Smith a Lancashire, Cheshire e a outros lugares para investigar as condições de saúde dos trabalhadores na indústria têxtil algodoeira. Em seu relatório, diz ele que, do ponto de vista higiênico e pondo de lado a circunstância de os trabalhadores terem sido retirados da atmosfera da fábrica, decorreram da crise diversas vantagens: as mulheres tinham agora tempo para amamentar seus filhos, em vez de envená-las com o "Godfrey's Cordial", um produto à base de ópio; tinham tempo de aprender a cozinhar. Infelizmente, a arte de cozinhar apareceu num momento em que elas nada tinham para comer. Mas se vê como o capital usurpou, para expandir seu próprio valor, o tempo exigido pelas tarefas que fazem parte da vida familiar. Aproveitou-se a crise para que as filhas dos trabalhadores aprendessem a costurar em escolas de costura. Uma revolução americana e uma crise mundial foram necessárias para que jovens que fiam para o mundo inteiro aprendessem a costurar.

A MAQUINARIA E A INDÚSTRIA MODERNA

Assim, desvaloriza a força de trabalho do adulto. A compra, por exemplo, de quatro forças de trabalho componentes de uma família talvez custe mais do que a aquisição, anteriormente, da força de trabalho do chefe da família, mas, em compensação, se obtêm quatro jornadas de trabalho em lugar de uma, e o preço da força de trabalho cai na proporção em que o trabalho excedente dos quatro ultrapassa o trabalho excedente de um. Quatro têm de fornecer ao capital, não só trabalho, mas também trabalho excedente, a fim de que uma família possa viver. Desse modo, a máquina, ao aumentar o campo específico de exploração do capital, o material humano,[121] amplia, ao mesmo tempo, o grau da exploração.

Ela revoluciona radicalmente o contrato entre o trabalhador e o capitalista, contrato que estabelece formalmente suas relações mútuas. Tomando por base a troca de mercadorias, pressupuséramos, de início, que o capitalista e o trabalhador se confrontam como pessoas livres, como possuidores independentes de mercadorias, sendo um o detentor do dinheiro e dos meios de produção e o outro o detentor da força de trabalho, mas agora o capital compra incapazes ou parcialmente capazes, do ponto de vista jurídico. Antes, vendia o trabalhador sua própria força de trabalho, da qual dispunha formalmente como pessoa livre. Agora, vende mulher e filhos. Torna-se traficante de escravos.[122] A procura de trabalho infantil lembra,

---

121 "Aumentou muito o número de trabalhadores porque os homens foram substituídos no trabalho pelas mulheres e sobretudo porque os adultos foram substituídos por crianças. Três meninas com 13 anos de idade e salário de 6 a 8 xelins por semana substituem um homem adulto com salário de 18 a 45 xelins." (Th. de Quincey, *The Logic of Politic. Econ.*, Londres, 1844, nota da p. 147.) Uma vez que não podem ser suprimidas inteiramente certas funções da família, tais como cuidar de crianças e amamentá-las, têm as mães de família confiscadas pelo capital de arranjar algo que as substitua. Os trabalhos necessários na vida familiar, como costurar e remendar, têm de ser substituídos pela compra de mercadorias fabricadas. Ao menor dispêndio de trabalho doméstico corresponde maior gasto de dinheiro. Os custos de manutenção da família do trabalhador aumentam até se contrabalançarem com a receita suplementar. Acresce que se tornam impossíveis a poupança e o discernimento no uso e na preparação dos alimentos. Encontram-se informações abundantes sobre esses fatos, dissimulados pela economia política oficial, nos relatórios dos inspetores de fábrica, nos da "Children's Employment Commission" e notadamente nos *Reports on Public Health*.

122 Contrastando com o importante acontecimento da limitação do trabalho das mulheres e das crianças nas fábricas inglesas ter sido uma conquista que os trabalhadores adultos masculinos arrancaram ao capital, ainda encontramos, nos mais recentes relatórios da "Children's Employment Commission", atitudes de trabalhadores que vendem seus filhos, realmente revoltantes e com todas as características de tráfico de escravos. O fariseu capitalista, porém, como se pode ver nesses relatórios, denuncia essa bestialidade que ele mesmo criou, eterniza e explora e que batizou com o nome de "liberdade de trabalho". "Emprega-se trabalho infantil [...] até para as crianças obterem o próprio pão de cada dia. Sem força para aguentarem trabalho tão desproporcional, sem instrução para orientá-las mais tarde, foram lançadas a uma situação física e moralmente abjeta. A propósito da destruição de

às vezes, a procura de escravos através de anúncios que costumávamos ler nos jornais americanos.

> "Minha atenção", diz um inspetor de fábrica inglês, "foi despertada por um anúncio, na folha local de uma das mais importantes cidades industriais de meu distrito, que dizia o seguinte: 'Precisa-se de 12 a 20 jovens com a aparência de 13 anos, pelo menos. Salário: 4 xelins por semana. Dirigir-se a etc.'"[123]

A frase "com a aparência de 13 anos, pelo menos" é motivada pela lei fabril que limita a 6 horas o trabalho de meninos com menos de 13 anos. Um médico oficialmente qualificado (*certifying surgeon*) tem de atestar a idade. O fabricante exige, portanto, jovens que aparentem já ter 13 anos. A queda surpreendente e vertical no número de meninos empregados com menos de 13 anos, que frequentemente aparece nas estatísticas inglesas dos últimos 20 anos, foi, em grande parte, segundo o depoimento dos inspetores de fábrica, resultante de atestados médicos que aumentavam a idade das crianças para satisfazer a ânsia de exploração do capitalista e a necessidade de traficância dos pais. Em Bethnal Green, distrito mal-afamado de Londres, todas as manhãs de segunda e terça-feira, realiza-se publicamente leilão em que crianças de ambos os sexos, a partir de 9 anos, se alugam diretamente às fábricas de seda de Londres. "As condições usuais são 1 xelim e 8 pence por semana (que pertencem aos pais) e mais 2 pence e chá, para mim." Os contratos são válidos apenas por uma semana. As cenas e o linguajar desse mercado são realmente revoltantes.[124] Ocorre ainda na Inglaterra que mulheres "tomam garotos aos asilos e os alugam a qualquer comprador por 2 xelins e 6 pence por semana."[125] Apesar da legislação, 2.000 garotos, pelo menos, são vendidos pelos pais, na Grã-Bretanha, como máquinas vivas de limpar chaminés, embora existam máquinas para substituí-los.[126] A revolução efetuada pela máquina na relação jurídica entre comprador e vendedor da força de trabalho tira a toda transação a aparência de um

---

Jerusalém por Tito, observou o historiador judeu que não era de admirar fosse a cidade totalmente arrasada, pois lá uma mãe desumana sacrificou seu próprio filho para matar a fome que a torturava." (*Public Economy Concentrated*, Carlisle, 1833, p. 66.)

123 A. Redgrave em *Report., of Insp. of Fact. for 31st October 1858*, pp. 40-41.

124 *Children's Employment Commission, V. Report*, Londres, 1866, p. 81, n. 31. Nota da 4ª edição: A indústria de seda de Bethnal Green está atualmente quase desaparecida. — F.E.

125 *Child. Employm. Comm., III. Report*, Londres, 1864, p. 53, n. 15.

126 *Loc. cit.*, *Report*, p. xxii, n. 137.

A MAQUINARIA E A INDÚSTRIA MODERNA

contrato entre pessoas livres, propiciando mais tarde ao Parlamento inglês a justificativa para a interferência do Estado nas fábricas. Toda vez que a lei fabril limita a 6 horas o trabalho infantil, nos ramos industriais que a ela não estavam sujeitos, renovam-se as lamentações dos fabricantes. Alegam que uma parte dos pais tira os filhos da indústria legalmente controlada para vendê-los naquelas onde existe "liberdade de trabalho", isto é, onde meninos com menos de 13 anos são forçados a trabalhar como se fossem adultos e, por isso, se vendem mais caro. Sendo, porém, o capital um nivelador por natureza, que exige, como um direito natural, inato, a igualdade das condições de exploração do trabalho em todos os ramos de produção, a limitação legal do trabalho infantil num ramo industrial torna-se causa para estender essa limitação a outro ramo.

Já aludimos à ruína física das crianças, dos jovens, das mulheres, submetidos diretamente pela máquina à exploração do capital nas fábricas mecanizadas e, depois, indiretamente, em todos os demais ramos de atividade. Por isso, só nos deteremos agora num ponto: a imensa mortalidade dos filhos dos trabalhadores, nos primeiros anos de vida. Em 16 distritos de registro da Inglaterra, há anualmente, em média, 9.085 óbitos (num distrito, só 7.047) em cada grupo de 100.000 crianças com menos de um ano de vida; em 24 distritos, 10 a 11.000 óbitos; em 39, 11 a 12.000; em 48, 12 a 13.000; em 22, mais de 20.000; em 25, mais de 21.000; em 17, mais de 22.000; em 11, mais de 23.000; em Hoo, Wolverhampton, Ashton-under-Lyne e Preston, mais de 24.000; em Nottingham, Stockport e Bradford, mais de 25.000; em Wisbeach, 26.001; e em Manchester, 26.125.[127] Conforme demonstrou uma investigação médica oficial em 1861, pondo-se de lado circunstâncias locais, as altas taxas de mortalidade decorrem principalmente de trabalharem as mães fora de casa. Daí resulta serem as crianças abandonadas e malcuidadas. Esse desleixo se revela na alimentação inadequada ou insuficiente e no emprego de narcóticos; além disso, as mães, desnaturadamente, se tornam estranhas a seus próprios filhos e, intencionalmente, os deixam morrer de fome ou os envenenam.[128] "Em contraposição, a taxa de mortalidade mais reduzida se encontra" naqueles

---

127 *Sixth Report on Public Health*, Londres, 1864, p. 34.

128 "Ela [a investigação de 1861] [...] demonstrou, além disso, que as crianças morrem nas circunstâncias descritas porque as mães, absorvidas em seus empregos, as abandonam e descuidam, e as mães se tornam desnaturadas, em proporção assustadora, para com seus rebentos, não se preocupando geralmente com sua morte e às vezes [...] tomando medidas diretas para provocá-la." (*Loc. cit.*)

O CAPITAL

distritos agrícolas "onde é mínimo o emprego de mulheres."[129] Todavia, a comissão de investigação de 1861 chegou à inesperada conclusão de que a taxa de mortalidade de crianças com menos de um ano, em alguns distritos agrícolas banhados pelo Mar do Norte, quase se equiparava à dos piores distritos industriais. O Dr. Julian Hunter foi incumbido de pesquisar o fenômeno no próprio local. Seu relatório foi incorporado ao "VI Report on Public Health".[130] Até então, supunha-se que as crianças eram dizimadas pela malária e por outras doenças típicas de áreas baixas e pantanosas. A investigação provou o contrário, isto é,

> "[...] que a mesma causa que extinguiu a malária, a saber, a transformação do solo pantanoso no inverno e das pastagens pobres do verão em terra fértil para o trigo ocasionou a grande taxa de mortalidade das crianças."[131]

Os 70 clínicos interrogados pelo Dr. Hunter naqueles distritos revelaram, a respeito desse ponto, "impressionante unanimidade". O sistema industrial se introduziu com a revolução na cultura do solo.

> "Mulheres casadas que trabalham em grupo com moças e rapazes são postas à disposição do arrendatário das terras por um homem, o agenciador, que contrata pelo grupo inteiro. Os bandos assim formados se deslocam frequentemente para lugares que ficam a muitas milhas de distância de suas aldeias, e são encontrados nas estradas, ao amanhecer e ao anoitecer; as mulheres, com anáguas curtas, com as correspondentes saias e botas, às vezes de calças, com a maravilhosa aparência de fortes e sadias, mas corrompidas por costumeira licenciosidade, sem cuidar das consequências nefastas que seu gosto por essa vida movimentada e independente acarreta para os seus rebentos, que definham em casa."[132]

Reproduzem-se aí todos os fenômenos dos distritos industriais e, com maior intensidade ainda, o infanticídio dissimulado e o emprego de narcóticos para aquietar as crianças.[133]

---

129 *Loc. cit.*, p. 454.

130 *Loc. cit.*, pp. 454-462. "Reports by Dr. Henry Julian Hunter on the excessive mortality of infants in some rural districts of England."

131 *Loc. cit.*, pp. 35, 455-456.

132 *Loc. cit.*, p. 456.

133 Como ocorre nos distritos industriais ingleses, aumenta dia a dia nos distritos agrícolas o ópio comprado pelos trabalhadores e trabalhadoras adultos. "Aumentar a venda de narcóticos [...] é a

A MAQUINARIA E A INDÚSTRIA MODERNA

"Meu conhecimento a respeito desses males", diz o Dr. Simon, funcionário médico do Conselho Privado da Inglaterra e redator-chefe dos relatórios sobre saúde pública, "basta para justificar o profundo horror com que vejo qualquer emprego industrial em grande escala de mulheres adultas."[134] "Será", exclama o inspetor de fábrica R. Baker, em relatório oficial, "uma verdadeira felicidade para os distritos industriais da Inglaterra quando se proibir qualquer mulher casada com família de trabalhar em qualquer fábrica."[135]

A degradação moral ocasionada pela exploração capitalista do trabalho das mulheres e das crianças foi descrita de maneira exaustiva por F. Engels, em sua obra *Lage der arbeitenden Klasse Englands*, e por outros escritores, de maneira tão exaustiva que não é mister voltar ao assunto. A obliteração intelectual dos adolescentes, artificialmente produzida com a transformação deles em simples máquinas de fabricar mais-valia, é bem diversa daquela ignorância natural em que o espírito, embora sem cultura, não perde sua capacidade de desenvolvimento, sua fertilidade natural. Essa obliteração forçou finalmente o Parlamento inglês a fazer da instrução elementar condição compulsória para o emprego "produtivo" de menores de 14 anos em todas as indústrias sujeitas às leis fabris. O espírito da produção capitalista resplandecia vitorioso na redação confusa das chamadas cláusulas de educação das leis fabris, na falta de aparelhagem administrativa, que tornava frequentemente ilusória a obrigatoriedade do ensino, na oposição dos próprios fabricantes contra essa obrigatoriedade e nas suas manhas e trapaças para se furtarem a ela.

"Toda crítica deve ser dirigida contra a legislatura que promulgou uma lei ilusória que, ostentando o pretexto de cuidar da instrução das crianças, não contém nenhum dispositivo que assegure a consecução desse objetivo. Essa lei estabelece apenas que as crianças sejam encerradas 'por determinado número de horas' [3 horas] por dia entre as quatro paredes de um local chamado escola,

---

maior preocupação de alguns atacadistas empreendedores. Para os droguistas, os narcóticos são o produto principal." (*Loc. cit.*, p. 459). Crianças de peito a que administram narcóticos "atrofiam-se, parecendo velhinhos liliputianos ou macaquinhos". (*Loc. cit.*, p. 460.) A Índia e a China se vingam da Inglaterra.

134 *Loc. cit.*, p. 37.

135 *Reports of Insp. of Fact. for 31st Oct. 1882*, p. 59. Anteriormente, esse inspetor de fábrica era médico.

e que o empregador receba por isso, semanalmente, certificado subscrito por uma pessoa que se qualifique de professor ou professora."[136]

Antes da lei fabril emendada, de 1844, não eram raros os certificados de frequência à escola subscritos com uma cruz por professores ou professoras que não sabiam escrever.

"Ao visitar uma dessas escolas que expediam certificado, fiquei tão chocado com a ignorância do mestre-escola que lhe perguntei: 'Por favor, o senhor sabe ler?' Responde ele: 'Ah! sei somar.' Para justificar-se, acrescentou: 'Em todo caso, estou à frente dos meus alunos.'"

Quando se elaborava a lei de 1844, os inspetores de fábrica denunciaram a situação lamentável das pretensas escolas, cujos certificados eram obrigados a aceitar como legalmente válidos. Tudo o que conseguiram foi que, a partir de 1844,

"[...] o mestre-escola tinha de escrever, com seu próprio punho, o número do certificado escolar, subscrevendo-o com seu nome e sobrenome."[137]

Sir John Kincaid, inspetor de fábrica na Escócia, narra experiências semelhantes em suas funções oficiais.

"A primeira escola que visitamos era mantida por uma senhora, Ann Killin. Quando lhe pedi para soletrar o sobrenome, cometeu logo um erro, começando-o com a letra C, mas, corrigindo-se imediatamente, disse que seu sobrenome começava com K. Olhando suas assinaturas nos livros de certificados escolares, reparei que o escrevia de maneiras diferentes, não deixando sua letra nenhuma dúvida quanto à sua incapacidade para ensinar. [...] Ela mesma confessou que não sabia fazer os registros. [...] Numa segunda escola, a sala de aula tinha 15 pés de comprimento por 10 pés de largura e continha 75 crianças que grunhiam algo ininteligível."[138] "Mas não é apenas nesses lugares miseráveis que as crianças recebem atestados de frequência escolar e nenhum ensino; existem muitas escolas com professores competentes, mas seus

---

136 Leonard Horner, em *Reports of Insp. of Fact. for 30th April 1857*, p. 17.

137 Leonard Horner, em *Reports of Insp. of Fact. for 31st Oct. 1855*, pp. 18-19.

138 Sir John Kincaid, em *Reports of Insp. of Fact. for 31st Oct. 1858*, pp. 31-32.

A MAQUINARIA E A INDÚSTRIA MODERNA

esforços se perdem diante do perturbador amontoado de meninos de todas as idades, a partir de 3 anos. Sua subsistência, miserável, depende totalmente do número dos pence recebidos do maior número possível de crianças que se consegue empilhar num quarto. Além disso, o mobiliário escolar é pobre, há falta de livros e de material de ensino e uma atmosfera viciada e fétida exerce efeito deprimente sobre as infelizes crianças. Estive em muitas dessas escolas e nelas vi filas inteiras de crianças que não faziam absolutamente nada, e a isto se dá o atestado de frequência escolar; e esses meninos figuram na categoria de instruídos de nossas estatísticas oficiais."[139]

Na Escócia, os fabricantes procuram, de todos os modos possíveis, excluir de suas fábricas os meninos obrigados a frequentar a escola.

"Isto basta para demonstrar a hostilidade dos fabricantes contra as disposições legais relativas à instrução."[140]

Isto se patenteia de maneira horrível e grotesca nas estamparias, que são regulamentadas por uma lei fabril específica. De acordo com as prescrições desta lei,

"[...] toda criança, antes de começar a trabalhar numa dessas estamparias, deve ter frequentado a escola pelo menos durante 30 dias, e não menos de 150 horas, no decurso dos 6 meses que precedem imediatamente o primeiro dia de seu emprego. Enquanto permanecer trabalhando na estamparia, tem de frequentar a escola do mesmo modo, por um período de 30 dias ou 150 horas durante cada semestre. [...] A frequência à escola deve ocorrer entre 8 horas da manhã e 6 da tarde. Para ser contada dentro das 150 horas, cada frequência diária não deve ser de menos de 2½ horas nem de mais de 5. Nas circunstâncias costumeiras, os meninos frequentam a escola pela manhã e pela tarde, 5 horas por dia, durante 30 dias, e, após o decurso dos 30 dias, quando se atinge a frequência legal de 150 horas e eles, no seu modo de dizer, leram seu livro, retornam à estamparia, onde permanecem por 6 meses, findos os quais se torna obrigatória nova frequência à escola; voltam então a ela, para repassar o livro etc. Muitos meninos que frequentaram a escola durante as 150 horas prescritas, ao voltarem a ela, ao fim de sua permanência de 6 meses na estamparia, não sabem mais do que sabiam quando começaram. [...]

---

139 Leonard Horner, em *Reports* etc. *for 30th Apr. 1857*, pp. 17-18.

140 Sir J. Kincaid, em *Rep. Insp. Fact. 31st Oct. 1856*, p. 66.

O CAPITAL

Naturalmente, esqueceram tudo o que aprenderam na sua frequência escolar anterior. Em outras estamparias, a frequência escolar depende totalmente das exigências do trabalho dentro da fábrica. O número regulamentar de horas é preenchido cada 6 meses por prestações de 3 a 5 horas que podem se espalhar pelos 6 meses. Num dia, por exemplo, o menino frequenta a escola das 8 às 11 da manhã, noutro, da 1 às 4 da tarde, e, depois de ter se ausentado dela por diversos dias, volta subitamente, das 3 às 6 da tarde; poderá frequentá-la por 3 ou 4 dias consecutivos ou durante uma semana e não reaparecer por 3 semanas ou 1 mês, e, depois disso, em dias avulsos e em horas avulsas, quando seu empregador eventualmente não precisa dele. E o garoto é assim chutado para lá e para cá, da escola para a fábrica, da fábrica para a escola, até que chegue ao fim a novela das 150 horas."[141]

Com o afluxo predominante de crianças e mulheres na formação do pessoal de trabalho combinado, quebra a maquinaria finalmente a resistência que o trabalhador masculino opunha, na manufatura, ao despotismo do capital.[142]

b) Prolongamento da jornada de trabalho

Se a maquinaria é o meio mais poderoso para aumentar a produtividade do trabalho, isto é, para diminuir o tempo de trabalho necessário à produção de uma mercadoria, em mãos do capital torna-se ela, de início nos ramos industriais de que diretamente se apodera, o meio mais potente para prolongar a jornada de trabalho além de todos os limites estabelecidos pela natureza humana. A maquinaria gera novas condições que capacitam o

---

141 A. Redgrave, em *Reports of Insp. of Fact. far 31st Oct. 1857*, pp. 41-43. Nos ramos industriais ingleses onde a lei fabril propriamente dita (não a lei fabril referente às estamparias, a qual acabamos de mencionar no texto) vigora há muito tempo, foram de certo modo superados nos últimos anos os obstáculos que se opunham à aplicação dos dispositivos relativos à instrução. Nas indústrias que não estão sujeitas à lei fabril, predomina o ponto de vista do fabricante de vidros J. Geddes, que explica ao comissário de investigação White: "Pelo que posso verificar, é um mal a maior dose de educação recebida pelos trabalhadores nos últimos anos. É perigoso porque os torna independentes." (*Children's Empl. Commission, IV. Report*, Londres, 1865, p. 253.)

142 "O Sr. E., fabricante, informou-me que só empregava mulheres em seus teares mecânicos; preferia as mulheres casadas, especialmente as que tinham família em casa e que dependiam delas para a manutenção; eram muito mais atentas e dóceis do que as solteiras e compelidas a empregar o máximo de seus esforços para obter os meios de vida necessários. Assim, as virtudes, as qualidades peculiares do caráter feminino, revertem em seu prejuízo, todos os componentes morais e delicados de sua natureza se transformam em meios de escravizar a mulher e fazê-la sofrer." (*Ten Hours' Factory Bill. The Speech of Lord Ashley, 15th March*, Londres, 1844, p. 20.)

capital a dar plena vazão a essa tendência constante que o caracteriza, e cria novos motivos para aguçar-lhe a cobiça por trabalho alheio.

Antes de tudo, o movimento e a atividade do instrumental de trabalho se tornam, com a maquinaria, independentes do trabalhador. O instrumental passa a ser animado por um movimento perpétuo, e produziria ininterruptamente, se não fosse tolhido por certas limitações naturais dos auxiliares humanos: a debilidade física e os caprichos. Como capital, esse autômato possui, na pessoa do capitalista, consciência e vontade, e está dominado pela paixão de reduzir ao mínimo a resistência que lhe opõe essa barreira natural, elástica: o homem.[143] Além disso, essa resistência diminui ante a aparente leveza do trabalho à máquina e com o afluxo de elementos mais dóceis e flexíveis, as mulheres e as crianças.[144]

A produtividade da maquinaria, conforme vimos, está na razão inversa do valor que ela transfere ao produto. Quanto maior o período em que funciona, tanto maior a quantidade de produtos em que se reparte o valor transferido pela máquina, e tanto menor a porção de valor que acrescenta a cada mercadoria em particular. O período de vida ativa da máquina é, evidentemente, determinado pela duração do dia de trabalho ou do processo diário de trabalho, multiplicada pelo número de dias em que esse processo se repete.

O desgaste da máquina de nenhum modo corresponde de maneira matemática e exata ao tempo de utilização dela. Mas, admitida essa correspondência, uma máquina que funciona, durante 7½ anos, 16 horas por dia cobre o mesmo período de produção e acrescenta ao produto total

---

143 "Desde a introdução geral das máquinas que se tem exigido da natureza humana muito mais do que o que está ao alcance de sua força média." (Robert Owen, *Observations on the Effects of the Manufacturing System*, 2ª ed., Londres, 1817, [p. 16].)

144 Os ingleses, que gostam de considerar a primeira manifestação empírica de uma coisa a causa dela, inclinam-se a indicar, como causa do prolongamento da jornada de trabalho nas fábricas, o monstruoso rapto de crianças, praticado pelos capitalistas no início do sistema industrial moderno, em asilos e orfanatos, obtendo, por esse meio, material humano desprovido de vontade. Assim, Fielden, fabricante inglês, afirma: "É claro que as longas horas de trabalho se estabeleceram por causa da circunstância de haver um suprimento tão grande de crianças indigentes, de diversas partes do país, que os patrões ficaram independentes dos trabalhadores e, depois de assentado o costume de longas jornadas de trabalho, por meio do miserável material humano assim obtido, puderam impô-lo com maior facilidade a seus vizinhos." (J. Fielden, *The Curse of the Factory System*, Londres, 1836, p. 11.) Com relação ao trabalho das mulheres, diz o inspetor de fábrica Saunders, em seu relatório de 1844: "Entre as operárias, há mulheres que trabalham muitas semanas seguidas, com exceção de alguns dias, das 6 da manhã até a meia-noite, com menos de 2 horas para refeições, de modo que, em 5 dias na semana, só dispõem de 6 horas das 24, a fim de ir para casa dormir e voltar."

O CAPITAL

o mesmo valor que a mesma máquina, se funcionasse, durante 15 anos, apenas 8 horas por dia. No primeiro caso, o valor da máquina seria reproduzido com velocidade duas vezes maior do que no segundo, e o capitalista teria embolsado em 7½ anos tanta mais-valia quanto, no segundo, em 15.

A máquina experimenta duas espécies de desgaste. Um decorre de seu uso, como moedas que se gastam na circulação; o outro provém da inação, como a espada inativa que enferruja na bainha. Esta é a deterioração causada pelos elementos. O desgaste da primeira espécie está em relação mais ou menos direta, e o segundo, até certo ponto, na razão inversa do uso da máquina.[145]

Mas a máquina experimenta ainda, além do material, o desgaste moral. Perde valor de troca, na medida em que se podem reproduzir mais barato máquinas da mesma construção ou fazer melhores máquinas que com ela concorram.[146] Em ambos os casos, por mais nova e forte que seja a máquina, seu valor não é mais determinado pelo tempo de trabalho que nela realmente se materializou, mas pelo tempo de trabalho necessário para reproduzir a ela mesma ou a uma máquina melhor. Sofre, por isso, maior ou menor desvalorização. Quanto mais curto o período em que se reproduz seu valor global, tanto menor o perigo de desgaste moral, e, quanto maior a duração da jornada de trabalho, tanto mais curto aquele período. Quando se introduz a maquinaria, pela primeira vez, em qualquer ramo industrial, aparecem, sucessivamente, novos métodos para reproduzi-la mais barato[147] e aperfeiçoamentos que atingem não só partes e dispositivos determinados, mas sua construção inteira. É, por isso, na primeira fase de sua existência que esse motivo especial influi de maneira mais poderosa no sentido de prolongar a jornada de trabalho.[148]

---

145 "A inação constitui motivo de se estragarem as partes móveis, delicadas do mecanismo metálico." (Ure, *loc. cit.*, p. 281.)

146 O já mencionado *Manchester Spinner* (*Times*, 26 de novembro de 1862) enumera entre os custos da maquinaria: "Ela [a amortização para atender ao desgaste da maquinaria] tem também por fim cobrir o prejuízo que surge constantemente em virtude de as máquinas serem postas fora de uso por outras novas, de melhor construção, antes de estarem desgastadas."

147 "Estimou-se, *grosso modo*, que a primeira máquina construída de acordo com novo modelo sai cinco vezes mais cara que a construção da segunda." (Babbage, *loc. cit.*, pp. 211-212.)

148 "Ocorreram, há alguns anos, aperfeiçoamentos tão importantes e numerosos no instrumental de fabricação de tule que uma máquina bem-conservada, que custara 1.200 libras esterlinas, foi vendida poucos anos depois por 60. [...] Os aperfeiçoamentos se sucederam com tal velocidade que máquinas inacabadas foram abandonadas nas mãos dos construtores; novos inventos tornaram-nas obsoletas."

A MAQUINARIA E A INDÚSTRIA MODERNA

Fixando-se a duração diária do trabalho e permanecendo invariáveis as demais circunstâncias, a exploração do dobro do número de trabalhadores exige duplicação da parte do capital constante empregada em maquinaria e construções e também da parte empregada em matérias-primas, materiais auxiliares etc. Prolongada a duração diária do trabalho, amplia-se a escala da produção, permanecendo invariável a parte do capital despendida em maquinaria e construções.[149] Aumenta, então, a mais-valia, ao mesmo tempo que diminuem os gastos necessários para obtê-la. É verdade que isso ocorre, em maior ou menor grau, com qualquer prolongamento do dia de trabalho, mas essa ocorrência é mais decisiva na indústria moderna, porque a parte do capital que se transforma em instrumental de trabalho é nela mais preponderante.[150] O desenvolvimento da produção mecanizada dá a uma parte cada vez maior do capital uma forma em que ele pode, continuamente, expandir seu valor e, ao mesmo tempo, perde valor de uso e valor de troca, logo que se interrompe seu contato com o trabalho vivo. Mr. Ashworth, magnata da indústria têxtil algodoeira inglesa, diz ao professor Nassau W. Senior:

> "Quando um trabalhador agrícola põe de lado sua pá, torna inútil um capital de 18 pence, durante o período em que ela está parada. Quando um dos nossos [ele se refere aos trabalhadores das fábricas] abandona a fábrica, torna inútil um capital que custou 100.000 libras esterlinas."[151]

Vejam só! Tornar inútil, ainda que por um instante, um capital que custou 100.000 libras esterlinas! É realmente de clamar aos céus que um dos nossos pense em abandonar a fábrica. O domínio crescente da maquinaria

---

Nesse período agitado e tempestuoso, os fabricantes de tule logo aumentaram a duração do dia de trabalho, de 8 horas para 24, utilizando duas turmas de trabalhadores. (*Loc. cit.*, p. 233.)

149 "É evidente que, com as flutuações do mercado, a subida e a queda alternadas da procura, reaparecerão continuamente oportunidades para o fabricante empregar capital de giro adicional, sem acrescer seu dispêndio em capital fixo [...] sempre que possam ser transformadas quantidades adicionais de matérias-primas sem gastos adicionais com construções e maquinaria." (R. Torrens, *On Wages and Combinations*, Londres, 1834, p. 64.)

150 Essa circunstância é mencionada apenas para não interromper o assunto, pois só no Livro 3 tratarei da taxa de lucro, isto é, a relação entre a mais-valia e todo o capital desembolsado.

151 "*When a labourer*", said Mr. Ashworth, "*lays down his spade, he renders useless, for that period, a capital worth 18 d. When one of our people leaves the mill, he renders useless a capital that has cost 100.000 pounds.*" (Senior, *Letters on the Factory Act*, Londres, 1837, p. 14.)

torna "desejável" o prolongamento crescente do dia de trabalho, conforme reconhece Senior, doutrinado por Ashworth.[152]

A máquina produz mais-valia relativa diretamente, ao depreciar a força de trabalho; indiretamente, ao baratear as mercadorias que entram na reprodução dessa força e, ainda, em suas primeiras aplicações esporádicas, transformando em trabalho potenciado, de maior eficácia, o trabalho empregado, ficando o valor individual de seu produto inferior ao social e capacitando o capitalista a cobrir o valor diário da força de trabalho com menor porção de valor do produto diário. Nesse período de transição em que a produção mecanizada assume o aspecto de monopólio, os lucros são extraordinariamente altos, e o capitalista procura explorar ao máximo essa lua de mel, prolongando ao máximo possível o dia de trabalho. Quanto mais lucra, mais quer lucrar.

Ao generalizar-se o uso da maquinaria no mesmo ramo de produção, cai o valor social do produto da máquina ao nível do valor individual, impondo-se a lei segundo a qual a mais-valia não deriva das forças de trabalho que o capitalista substitui com a máquina, mas das forças de trabalho nela ocupadas. A mais-valia origina-se apenas da parte variável do capital, e vimos que a quantidade da mais-valia é determinada por dois fatores: a taxa da mais-valia e o número dos trabalhadores empregados ao mesmo tempo. Dada a jornada de trabalho, a taxa da mais-valia é determinada pela proporção em que a jornada se reparte em trabalho necessário e trabalho excedente. O número dos trabalhadores ocupados depende da proporção existente entre capital variável e capital constante. É claro que a produção mecanizada, por mais que amplie, aumentando a produtividade do trabalho, o trabalho excedente à custa do trabalho necessário, só obtém esse resultado diminuindo o número dos trabalhadores ocupados por dado montante de capital. Ela transforma uma parte do capital que antes era variável, investido em força viva de trabalho, em maquinaria, em capital constante, que não produz mais-valia. É impossível, por exemplo, que dois trabalhadores forneçam tanto mais-valia quanto 24. Se cada um dos

---

152 "A grande proporção do capital fixo em relação ao circulante [...] torna desejável prolongar a jornada de trabalho." Com o domínio crescente da máquina etc., "tornam-se mais poderosos os motivos para prolongar o tempo de trabalho como único meio de tornar lucrativa grande proporção do capital fixo." (*Loc. cit.*, pp. 11-14.) "Há numa fábrica certos gastos que permanecem constantes, funcione a fábrica com tempo total ou parcial; por exemplo, aluguel dos edifícios, tributos locais e gerais, seguro contra fogo, salário do pessoal permanente, deterioração da maquinaria e outros encargos; a proporção desses gastos com relação ao lucro aumenta na medida em que diminui a produção." (*Reports of the Insp. of Fact. for 31ˢᵗ Oct. 1862*, p. 19.)

A MAQUINARIA E A INDÚSTRIA MODERNA

24 trabalhadores proporcionar, em 12 horas, apenas uma hora de trabalho excedente, proporcionarão em conjunto 24 horas de trabalho excedente, enquanto o trabalho total de dois será apenas de 24 horas. Há, portanto, uma contradição imanente na aplicação da maquinaria para produzir mais-valia, pois, dos dois fatores da mais-valia obtida com um capital de magnitude dada, um fator, a taxa da mais-valia, só pode ser aumentado por essa aplicação se ela diminuir o outro fator, o número de trabalhadores. Essa contradição imanente se patenteia quando, com o emprego generalizado da maquinaria num ramo industrial, o valor da mercadoria produzida à máquina regula o valor de todas as mercadorias da mesma espécie, e é essa contradição que, por sua vez, impele o capitalista, sem tomar consciência dela,[153] a prolongar desmedidamente a jornada de trabalho, a fim de compensar a redução do número relativo dos trabalhadores explorados com o aumento, tanto do trabalho excedente relativo quanto do absoluto.

A aplicação capitalista da maquinaria cria motivos novos e poderosos para efetivar a tendência de prolongar sem medida o dia de trabalho e revoluciona os métodos de trabalho e o caráter do organismo de trabalho coletivo de tal forma que quebra a oposição contra aquela tendência. Demais, ao recrutar para o capital camadas da classe trabalhadora que antes lhe eram inacessíveis e ao dispensar trabalhadores substituídos pelas máquinas, produz uma população trabalhadora excedente,[154] compelida a submeter-se à lei do capital. Daí esse estranho fenômeno da história da indústria moderna: a máquina põe abaixo todos os limites morais e naturais da jornada de trabalho. Daí o paradoxo econômico que torna o mais poderoso meio de encurtar o tempo de trabalho no meio mais infalível de transformar todo o tempo da vida do trabalhador e de sua família em tempo de trabalho de que pode lançar mão o capital para expandir seu valor.

> "Se as ferramentas", sonhava Aristóteles, o maior pensador da Antiguidade, "atendendo às nossas ordens e aos nossos desejos, pudessem executar as tarefas para que foram feitas, como os engenhos de Dédalo, que se movimentavam por si mesmos, ou as trípodes de Vulcano, que se punham a executar espontanea-

---

153 Nas primeiras seções do Livro 3, se verá por que o capitalista e a economia política prisioneira de suas concepções não tomam consciência dessa contradição imanente.

154 Um dos grandes méritos de Ricardo foi ter compreendido que a maquinaria não era apenas meio de produzir mercadorias, mas também população excedente.

O CAPITAL

mente seu trabalho sagrado, se as lançadeiras do tecelão tecessem sozinhas, o mestre de ofício não precisaria de auxiliares, nem os senhores, de escravos."[155]

E Antípatro, um poeta grego do tempo de Cícero, saúda a invenção do moinho de água para moer o trigo, forma elementar de toda maquinaria produtiva, como a aurora libertadora das escravas e restauradora da idade de ouro.[156] Ah! Esses pagãos! Nada entendiam de economia política nem de cristianismo, de acordo com a descoberta do avisado Bastiat e, antes dele, do mais sagaz ainda MacCulloch. Entre outras coisas, eles não entendiam que a máquina fosse o meio mais eficiente de prolongar a jornada de trabalho. Desculpavam, talvez, a escravatura de uns para assegurar o pleno desenvolvimento humano de outros. Mas pregar a escravatura das massas, para transformar alguns *parvenus* grosseiros ou semicultos em "eminentes industriais de fiação", "grandes fabricantes de salsichas" e "prestigiosos comerciantes de graxa", era uma tarefa para a qual não possuíam a necessária "bossa" cristã.

c) Intensificação do trabalho

O prolongamento desmedido da jornada de trabalho, produzido pela maquinaria nas mãos do capital, ao fim de certo tempo provoca, conforme já vimos, uma reação da sociedade, que, ameaçada em suas raízes vitais, estabelece uma jornada normal de trabalho, legalmente limitado. Em consequência dessa limitação, assume decisiva importância um fenômeno que já examinamos: a intensificação do trabalho. Na análise da mais-valia absoluta, preocupamo-nos primacialmente com a duração do trabalho e supusemos dado o grau de sua intensidade. Examinaremos agora a con-

---

155 F. Biese, *Die Philosophie der Aristoteles*, segundo volume, Berlim, 1842, p. 408.

156 O poema foi traduzido por Stolberg, e caracteriza bem a antítese que existe entre a concepção antiga e a moderna, conforme se depreende das citações anteriores relativas à divisão do trabalho. Ei-lo:
"Poupai, raparigas, vossas mãos que trituram o grão, e dormi
Suavemente. Que o galo vos anuncie em vão a madrugada.
Deo confiou o trabalho das jovens às ninfas
Que correm agora saltitantes e lépidas sobre as rodas,
Os eixos estremecidos giram com seus ralos
Fazendo rodar a pesada pedra.
Vivamos a vida dos antepassados e alegremo-nos,
Sem trabalho, com as dádivas que a deusa nos proporciona."
("Gedichte aus dem Griechischen übersetzt von Christian Graf zu Stolberg", Hamburgo, 1782).

versão da grandeza extensiva em grandeza intensiva, o grau da intensidade do trabalho.

É claro que, ao expandir-se a aplicação da maquinaria e ao acumular-se a experiência de uma classe especial de trabalhadores a ela ajustados, aumenta naturalmente a velocidade do trabalho e, em consequência, sua intensidade. Assim, durante meio século, na Inglaterra, o prolongamento da jornada de trabalho marcha passo a passo com a intensidade crescente do trabalho na fábrica. Compreende-se, entretanto, que, num trabalho que não se caracteriza por auges espasmódicos, mas pela uniformidade cada dia invariavelmente repetida, há de se chegar a um ponto em que se excluem a extensão e a intensidade do trabalho, de modo que o prolongamento da jornada só se possa combinar com trabalho de intensidade mais fraca, e um grau maior de intensidade, apenas com uma jornada de trabalho menor. Quando a rebeldia crescente da classe trabalhadora forçou o Estado a diminuir coercitivamente o tempo de trabalho, começando por impor às fábricas propriamente ditas um dia normal de trabalho, quando, portanto, se tornou impossível aumentar a produção da mais-valia, prolongando o dia de trabalho, lançou-se o capital, com plena consciência e com todas as suas forças, à produção da mais-valia relativa, acelerando o desenvolvimento do sistema de máquinas.

Ocorreu ao mesmo tempo uma alteração no caráter da mais-valia relativa. Em termos genéricos, o método de produção da mais-valia relativa consiste em capacitar o trabalhador, com o acréscimo da produtividade do trabalho, a produzir mais, com o mesmo dispêndio de trabalho no mesmo tempo. O mesmo tempo de trabalho, continua, então, a acrescentar o mesmo valor ao produto total, embora esse valor de troca inalterado se represente agora em quantidade maior de valores de uso, de artigos, caindo, desse modo, o valor de cada mercadoria em particular. Mas a coisa é diferente depois que se reduz coercitivamente o dia de trabalho. Essa redução, com o poderoso impulso que dá ao desenvolvimento da força produtiva e à poupança das condições de produção, impõe ao trabalhador maior dispêndio de trabalho no mesmo tempo, mais elevada tensão da força de trabalho, preenchimento mais denso dos poros da jornada, em suma, um tal grau de condensação do trabalho que só pode ser alcançado reduzindo-se o dia de trabalho. Essa compressão de massa maior de trabalho num período dado significa, então, o que realmente é: maior quantidade de trabalho. O tempo de trabalho é medido agora de duas maneiras: segundo sua extensão, sua duração, e segundo seu grau de condensação, sua intensidade.[157] A hora mais intensa do dia de trabalho de 10 horas contém agora mais trabalho, isto é, força de trabalho despendida, do que a hora menos densa do dia de trabalho de 12 horas. O produto dessa hora mais intensa tem, digamos, tanto ou mais valor quanto o produto de $1^1/_5$ hora menos densa. Pondo de lado o aumento da mais-valia relativa por meio da mais elevada força produtiva de trabalho, $3^1/_3$ horas de trabalho excedente fornecem agora, ao capitalista, para $6^2/_3$ horas de trabalho necessário, o mesmo montante de valor proporcionado antes por 4 horas de trabalho excedente para 8 horas de trabalho necessário.

Mas como se intensifica o trabalho?

O primeiro efeito da jornada de trabalho diminuída decorre desta lei evidente: A capacidade de operar da força de trabalho está na razão inversa do tempo em que opera. Por isso, dentro de certos limites, o que se perde em duração, ganha-se em eficácia. Através do método de retribuição,[158] o capital induz o trabalhador a empregar realmente maior força de trabalho. Em manufaturas, por exemplo, na cerâmica, em que a máquina não intervém ou desempenha papel secundário, a introdução da lei fabril demonstrou de maneira flagrante que a simples redução da jornada aumenta extraordinariamente a regularidade, a uniformidade, a ordem, a continuidade e a energia do trabalho.[159] Esse efeito parecia, entretanto, duvidoso nas fábricas propriamente ditas, porque a dependência do trabalhador do movimento contínuo e uniforme da máquina tinha criado nelas, há muito tempo, a mais rigorosa disciplina. Por isso, quando em 1844 se debatia a questão de reduzir a jornada de trabalho a menos de 12 horas, declararam os fabricantes, quase unânimes, que

> "[...] seus supervisores cuidavam nas diferentes seções para que não houvesse nenhuma perda de tempo", que "o grau de vigilância e de atenção dos trabalhadores dificilmente poderia ser aumentado", e que, supondo-se inalteradas a

---

157 Há, sem dúvida, diferenças na intensidade do trabalho em diferentes ramos de produção. Elas se compensam até certo ponto, conforme A. Smith já demonstrou, pelas circunstâncias peculiares a cada espécie de trabalho. Mas o tempo de trabalho, como medida de valor, só é influenciado quando as grandezas intensiva e extensiva representam expressões antitéticas e mutuamente exclusivas da mesma quantidade de trabalho.

158 Por meio do salário por peça ou tarefa, forma que será examinada na Quarta Seção deste livro.

159 Vide *Reports of Insp. of Fact. for 31st Oct. 1865.*

A MAQUINARIA E A INDÚSTRIA MODERNA

velocidade da máquina e todas as demais condições, "era um absurdo esperar nas fábricas bem administradas qualquer resultado apreciável da maior atenção dos trabalhadores."[160]

A experiência refutou esta afirmação. A 20 de abril de 1844, em suas duas fábricas em Preston, R. Gardner reduziu a jornada de 12 para 11 horas. Decorrido um ano, aproximadamente, verificou-se que

> "[...] obteve-se, com o mesmo custo, a mesma quantidade de produto, e os trabalhadores em conjunto ganharam em 11 horas o mesmo salário que recebiam antes em 12."[161]

Deixo de lado a experiência feita nas seções de fiação e cardagem, por ter ocorrido, paralelamente, acréscimo de cerca de 27% na velocidade das máquinas. No setor de tecelagem, entretanto, onde, ademais, se produziam tipos bem diferentes de artigos finos, com desenhos, não ocorreu nenhuma modificação nas condições objetivas de produção. Resultado atingido:

> "De 6 de janeiro a 20 de abril de 1844, com jornada de 12 horas, salário médio semanal de cada trabalhador: 10 xelins e 1½ pence; de 20 de abril a 29 de junho de 1844, com jornada de 11 horas, salário médio semanal: 10 xelins e 3½ pence; de 20 de abril a 29 de junho de 1844, com jornada de 11 horas, salário médio semanal: 10 xelins e 3½ pence."[162]

Em 11 horas, produziu-se mais do que antes em 12, em virtude, exclusivamente, do maior afinco dos trabalhadores e da maior economia de seu tempo. Enquanto recebiam a mesma retribuição e ganhavam uma hora de tempo livre, recebia o capitalista a mesma quantidade de produto e poupava os gastos de carvão, gás e outros itens durante uma hora. Fizeram-se experiências semelhantes, com igual resultado nas fábricas de Horrocks e Jacson.[163]

---

160 *Reports of Insp. of Fact. for 1844 and the quarter ending 30th April 1845*, pp. 20-21.

161 *Loc. cit.*, p. 19. Não tendo mudado o salário por peça, o montante do salário semanal dependia da quantidade do produto.

162 *Loc. cit.*, p. 20.

163 *Loc. cit.*, p. 21. O elemento moral desempenhou importante papel nas experiências mencionadas acima. Os trabalhadores declararam ao inspetor de fábrica: "Trabalhamos mais animados, pensamos

O CAPITAL

A redução da jornada cria de início a condição subjetiva para intensificar o trabalho, capacitando o trabalhador a empregar mais força num tempo dado. Quando essa redução se torna legalmente obrigatória, transforma-se a máquina nas mãos do capital em instrumento objetiva e sistematicamente empregado para extrair mais trabalho no mesmo espaço de tempo. É o que se obtém de duas maneiras: aumentando a velocidade da máquina e ampliando a maquinaria a ser vigiada por cada trabalhador, ou seja, seu campo de trabalho. É necessário aperfeiçoar a construção das máquinas para exercer maior pressão sobre o trabalhador. Aliás, esse aperfeiçoamento corre paralelo com a intensificação do trabalho, pois a redução da jornada força o capitalista a administrar da maneira mais severa os custos de produção. O aperfeiçoamento da máquina a vapor aumenta a velocidade do êmbolo e possibilita, com maior economia de força, impulsionar um mecanismo mais volumoso com o mesmo motor, não se alterando ou mesmo diminuindo o consumo de carvão. O aperfeiçoamento do mecanismo de transmissão diminui o atrito e, o que tanto distingue a maquinaria moderna da antiga, reduz o diâmetro e o peso dos eixos de transmissão a um mínimo em constante decréscimo. As máquinas-ferramenta, com os aperfeiçoamentos, diminuem de tamanho, aumentando a velocidade e a eficácia, conforme sucede com o moderno tear a vapor; ou ampliam, com seu corpo, o tamanho e o número das ferramentas com que operam, como sucede com a máquina de fiar; ou elevam a velocidade dessas ferramentas por meio de imperceptíveis alterações de pormenores, como as que aumentaram a velocidade dos fusos em cerca de $1/5$ nas máquinas de fiar automáticas, em meados da década de 1850/59.

Na Inglaterra, data de 1832 a redução da jornada de trabalho para 12 horas. Já em 1836, declarava um fabricante inglês:

> "Comparado com o de antigamente, aumentou muito o trabalho que hoje se executa nas fábricas, em virtude da maior atenção e atividade exigidas do trabalhador pelo grande aumento da velocidade das máquinas."[164]

Em 1844, Lord Ashley, atualmente Conde de Shaftesbury, fez a seguinte comunicação apoiada em documentos:

---

sempre na recompensa de sair mais cedo à noite, sentimo-nos todos alegres e estimulados, do mais jovem ao mais velho, e ficamos em condições de ajudar efetivamente uns aos outros." (*Loc. cit.*)

164 John Fielden, *loc. cit.*, p. 32.

A MAQUINARIA E A INDÚSTRIA MODERNA

"O trabalho dos que se ocupam com os processos executados nas fábricas é hoje três vezes maior do que o empregado quando se iniciou esse gênero de operações. Sem dúvida, a máquina tem realizado tarefas que exigiriam a força de milhões de homens, mas multiplicou monstruosamente o trabalho daqueles que são governados por seus terríveis movimentos. [...] Em 1815, o trabalho de acompanhar um par de máquinas de fiar para produzir fio número 40 acarretava a necessidade de percorrer uma distância de 8 milhas. Em 1832, a distância percorrida para acompanhar esse par, produzindo fio do mesmo número, era de 20 milhas e frequentemente mais. Em 1825, o fiandeiro tinha de realizar em cada máquina de fiar, durante 12 horas, 820 operações, o que resultava num total de 1.640. Em 1832, tinha o fiandeiro, durante seu dia de 12 horas, de realizar 2.200 operações em cada máquina, ao todo 4.400; em 1844, em cada máquina, 2.400, ao todo 4.800; e, em alguns casos, a quantidade de trabalho exigida é ainda maior. [...] Tenho outro documento que recebi em 1842, mostrando que o trabalho está aumentando progressivamente, não só porque é maior a distância percorrida, mas também porque aumenta a quantidade das mercadorias produzidas, enquanto decresce proporcionalmente o número de trabalhadores; e, além disso, porque se fia uma qualidade inferior de algodão, que exige mais trabalho. [...] Na seção de cardagem, houve também grande acréscimo de trabalho. Uma pessoa realiza hoje o trabalho que antes se dividia por duas. [...] Na seção de tecelagem, onde está empregado grande número de pessoas, principalmente mulheres, o trabalho, nos últimos anos, aumentou de 10% pelo menos, em virtude da maior velocidade das máquinas. Em 1838, o número de novelos fiados por semana era de 18.000; em 1843, de 21.000. Em 1819, na tecelagem com o tear a vapor, o número de passadas de lançadeira (*picks*) era de 60 por minuto; em 1842, de 140, o que indica um grande acréscimo de trabalho."[165]

Em face da extraordinária intensidade atingida pelo trabalho, já em 1844, sob o domínio da lei das 12 horas, parecia então justificar-se a afirmação feita pelos fabricantes ingleses de ser impossível qualquer progresso nessa direção e de qualquer nova diminuição do tempo de trabalho significar diminuição da produção. A justeza aparente do raciocínio melhor se confirma com as seguintes palavras do inspetor de fábrica Leonard Horner, seu incansável censor:

---

165 Lord Ashley, *loc. cit.*, pp. 6-9 *passim*.

O CAPITAL

"Sendo a quantidade produzida regulada principalmente pela velocidade da máquina, deve ser interesse do fabricante impulsioná-la com a maior velocidade consistente com as seguintes condições: preservar a máquina de deterioração excessivamente rápida, manter a qualidade do artigo fabricado e capacitar o trabalhador a acompanhar o movimento sem esforço maior que o que pode sustentar continuamente. Acontece frequentemente que o fabricante acelera demais o movimento. As quebras e os defeitos de produção não tardam a contrabalançar a velocidade estabelecida, e ele é forçado a moderar a marcha da maquinaria. Uma vez que um fabricante ativo e inteligente descobre o máximo exequível, cheguei à conclusão de que é impossível produzir em 11 horas tanto quanto em 12. Admiti, além disso, que o trabalhador pago por peça se esforça ao máximo que pode para continuar até o fim com a mesma intensidade do trabalho."[166]

Horner concluiu, por isso, apesar das experiências de Gardner etc., que uma redução de dia de trabalho a menos de 12 horas tinha de diminuir a quantidade do produto.[167] Dez anos mais tarde, ele mesmo cita seu pensamento de 1845, para demonstrar que subestimou a elasticidade que a máquina e a força humana revelam, quando são simultaneamente distendidas ao máximo pela diminuição compulsória da jornada de trabalho.

Chegamos ao período que começa com a introdução da lei das 10 horas, em 1847, nas fábricas inglesas de algodão, lã, seda e linho.

"A velocidade dos fusos nas máquinas de fiar *throstle* acresceu de 500 rotações por minuto; nas de fiar automáticas, de 1.000; a velocidade dos primeiros, em 1839, era de 4.500 rotações por minuto, e agora, [em 1862] de 5.000; e a dos segundos, que era de 5.000 rotações por minuto, elevou-se agora a 6.000.

"No primeiro caso, a velocidade foi aumentada de $1/10$ e, no segundo, de $1/6$."[168] I

James Nasmyth, o famoso engenheiro civil de Patricroft, perto de Manchester, em carta dirigida, em 1852, a Leonard Horner, analisa os aperfeiçoamentos feitos na máquina a vapor, de 1848 a 1852. Observa que, nas estatísticas oficiais relativas às fábricas, a força em cavalo-vapor,

---

166 *Reports of Insp. of Fact. to 30th April 1845*, p. 20.

167 *Loc. cit.*, p. 22.

168 *Reports of Insp. of Fact. for 31st Oct. 1862*, p. 62.

I A velocidade no primeiro caso foi realmente aumentada de $1/9$ e, no segundo, de $1/5$.

A MAQUINARIA E A INDÚSTRIA MODERNA

ainda estimada segundo o rendimento da máquina a vapor de 1828,[169] é apenas nominal, só servindo de índice na verdadeira potência. E prossegue:

> "Não há dúvida de que a máquina a vapor por unidade de peso está proporcionando em média 50% a mais de força. Além disso, muitas máquinas a vapor que, nos tempos da velocidade limitada de 220 pés por minuto, tinham a força de 50 cavalos, estão proporcionando hoje, com os aperfeiçoamentos introduzidos, mais de 100 cavalos-vapor. [...] A moderna máquina a vapor de mesma força nominal possui maior potência, em virtude dos aperfeiçoamentos em sua construção, na estrutura das caldeiras etc. [...] Embora continue o mesmo o número de trabalhadores em proporção ao cavalo-vapor nominal, esse número diminuiu em relação às máquinas-ferramenta."[170]

Em 1850, as fábricas do Reino Unido empregavam 134.217 cavalos-vapor nominais para movimentar 25.638.716 fusos e 301.445 teares. Em 1856, o número de fusos e de teares era respectivamente de 33.503.580 e 369.205. Se se estimassem os cavalos-vapor nominais exigidos em 1856 na base de 1850, seriam necessários 175.000 cavalos-vapor nominais. Estes, entretanto, segundo os dados oficiais, foram de 161.435, uma diferença, portanto, superior a 10.000 em relação à estimativa feita na base dos dados de 1850.[171]

> "De acordo com o último relatório parlamentar de 1856, [estatística oficial] verifica-se que o sistema de fábrica está crescendo rapidamente, que diminuiu o número de trabalhadores em relação à maquinaria, que a máquina a vapor por meio de economia de força e de outros métodos impulsiona maior peso mecânico e se consegue maior quantidade de produção em virtude do aperfeiçoamento das máquinas-ferramenta, de novos métodos de fabricação, do aumento da velocidade das máquinas e de muitas outras cousas."[172] "Os grandes aperfeiçoamentos feitos em máquinas de todo o tipo aumentou muito sua

---

169 Isto muda no relatório parlamentar ("Parliamentary Return") de 1862. Aí aparece a força real das modernas máquinas a vapor e das rodas hidráulicas, em lugar da força nominal (vide nota 109a, p. 426). Os fusos duplos não são mais misturados com os fusos de fiar propriamente ditos, como nos relatórios de 1839, 1850 e 1856; além disso, dá-se, para as fábricas de lã, o número de cardas mecânicas, distingue-se entre fábricas de juta e fábricas de cânhamo de um lado e fábricas de linho do outro, e, finalmente, a fabricação de meias é incluída pela primeira vez no relatório.

170 *Reports of Insp. of Fact. for 31ˢᵗ Oct. 1856*, pp. 14 e 20.

171 *Loc. cit.*, pp. 14-15.

172 *Loc. cit.*, p. 20.

O CAPITAL

força produtiva. A redução da jornada de trabalho deu, sem a menor sombra de dúvida, [...] o incentivo para levá-los a cabo. Esses aperfeiçoamentos e o esforço mais intenso do trabalhador fazem com que se consiga produzir tanto na jornada reduzida [em 2 horas ou em 1/6] quanto antes."[173]

Basta um fato para demonstrar como se enriqueceram os fabricantes com a exploração mais intensa da força de trabalho. O crescimento médio anual das fábricas de algodão etc., de 1838 a 1850, foi de 32; de 1850 a 1856, de 86.

Foi grande o progresso da indústria inglesa, nos 8 anos que vão de 1848 a 1856, sob o domínio da jornada de trabalho de 10 horas. Mas foi de longe ultrapassado no período seguinte de 6 anos, de 1856 a 1862. Nas fábricas de seda, por exemplo, em 1856: fusos, 1.093.799; em 1862, 1.388.544; em 1856: teares, 9.260; em 1862, 10.709. O número de trabalhadores em 1856 era, entretanto, de 56.137, e, em 1862, de 52.429. Daí resulta que o número de fusos cresceu de 26,9%, e o de teares, de 15,6%, com decréscimo simultâneo do número de trabalhadores em 7%. Em fábricas de lá (*worsted*), foram empregados, em 1850, 875.830 fusos; em 1856, 1.324.549 (acréscimo de 51,2%); e em 1862, 1.289.172 (decréscimo de 2,7%). Descontando-se os fusos de torcer, incluídos na contagem de 1856, mas excluídos da de 1862, verifica-se que o número de fusos, desde aquele ano, permaneceu quase estacionário. Além disso, depois de 1850, dobrou, em muitos casos, a velocidade dos fusos e dos teares. Número de teares nas referidas fábricas, em 1850: 32.617; em 1856, 38.956, e, em 1862, 43.048. Número de pessoas nelas empregadas em 1850: 79.737; em 1856, 87.794, e, em 1862, 86.063. Dessas pessoas, eram menores de 14 anos, em 1850: 9.956; em 1856, 11.228, e, em 1862, 13.178. Apesar do grande aumento do número de teares de 1856 a 1862, diminuiu o total dos empregados e aumentou o número de crianças exploradas.[174]

A 27 de abril de 1863, declarou o parlamentar Ferrand, na Câmara dos Comuns:

"Delegados dos trabalhadores de 16 distritos de Lancashire e Cheshire, em nome dos quais falo, comunicaram-me que aumenta constantemente o traba-

---

173 *Reports* etc. *for 31ˢᵗ Oct. 1858*, p. 10. Vide *Reports* etc. *for 30ᵗʰ April 1860*, pp. 30 e segs.

174 *Reports of Insp. of Fact. for 31ˢᵗ Oct. 1862*, pp. 100; 103, 129-130.

lho nas fábricas em consequência dos aperfeiçoamentos da maquinaria. Antes, uma pessoa com dois auxiliares atendia a dois teares; hoje, sem auxiliares, atende a três, e não é raro uma pessoa atender a quatro. Conforme se evidencia dos fatos apresentados, extraem-se hoje 12 horas de trabalho em menos de 10 horas. Compreende-se perfeitamente a enorme proporção em que aumentou o esforço dos trabalhadores das fábricas nos últimos anos."[175]

Por isso, os inspetores de fábricas, embora louvem incansavelmente e com razão os resultados favoráveis das leis fabris de 1844 e 1850, confessam que a redução da jornada de trabalho provocou uma intensificação do trabalho que destrói a saúde do trabalhador e, portanto, a própria força de trabalho.

"Na maioria das fábricas têxteis de algodão, de lã e de seda, o esgotamento provocado pela sobre-excitação necessária ao trabalho atento com as máquinas, cujo movimento foi grandemente acelerado nos últimos anos, parece ser uma das causas do excesso de mortalidade por doenças do pulmão, posto em destaque pelo Dr. Greenhow em seu recente e admirável relatório."[176]

Não existe a menor dúvida de que a tendência do capital, com a proibição legal definitiva de prolongar a jornada de trabalho, é de compensar-se com a elevação sistemática do grau de intensidade do trabalho e de converter todo aperfeiçoamento da maquinaria em meio para absorver maior quantidade de força de trabalho. Essa tendência logo atingirá um ponto crítico em que será inevitável nova redução das horas de trabalho.[177] Demais, o período da jornada de 10 horas, de 1848 até hoje, superou, pela rapidez do progresso da indústria inglesa, o período da jornada de 12 horas, de 1833 a 1847, muito mais do que este conseguiu superar o período da

---

175 Hoje, um tecelão, utilizando dois teares a vapor modernos, fabrica, numa semana de 60 horas, 26 peças de certa qualidade, com determinados comprimento e largura, quando, com os teares antigos, não podia fazer mais do que 4 dessas peças. O custo de tecer uma peça do mesmo tecido já tinha caído, por volta de 1850, de 2 xelins e 9 pence para $5^{1}/_{8}$ pence.
Adendo da 2ª edição: "Há 30 anos [em 1841] um fiandeiro com 3 auxiliares tinha de atender apenas a um par de máquinas de fiar, com 300 a 324 fusos. Hoje [fim de 1871] tem de atender a máquinas de fiar, ao todo com 2.200 fusos, e produz pelo menos sete vezes mais fio do que em 1841." (Alexander Redgrave, inspetor de fábrica, em *Journal of the Soc. of Arts*, 5 de janeiro de 1872.)
176 *Reports of Insp. of Fact. for 31st Oct. 1861*, pp. 25-26.
177 A agitação em favor da jornada de trabalho de 8 horas começou agora (1867) entre os trabalhadores de fábrica em Lancashire.

O CAPITAL

jornada sem limites, que durou meio século, começando com a introdução do sistema fabril.[178]

---

[178] Seguem alguns dados que indicam o progresso das fábricas propriamente ditas do Reino Unido, a partir de 1848:

A. QUANTIDADE EXPORTADA
(L = LIBRAS-PESO; J = JARDAS)

	1848	1851	1860	1865
ALGODÃO				
FIO (L)	135.831.162	143.966.106	197.343.655	103.751.455
LINHA DE COSER (L)		4.392.176	6.297.554	4.648.611
TECIDOS (J)	1.091.373.930	1.543.161.789	277.218.427	2.015.237.851
LINHO E CÂNHAMO				
FIOS (L)	11.722.182	18.841.326	31.210.612	36.777.334
TECIDOS (J)	88.901.519	129.106.753	143.996.773	247.012.329
SEDA				
FIOS (L)	466.825 [I]	462.513	897.402	812.589
TECIDOS (J)		1.181.455[II]	1.307.293[II]	2.869.837
LÃ				
FIOS (L)		14.670.880	27.533.968	31.669.267
TECIDOS (J)		151.231.153	190.371.537	278.837.418

[I] 1846
[II] *LIBRAS-PESO*

B. VALOR EXPORTADO (LIBRAS ESTERLINAS)

	1848	1851	1860	1865
ALGODÃO				
FIO	5.927.831	6.634.026	9.870.875	10.351.049
TECIDOS	16.753.369	23.454.810	42.141.505	46.903.796
LINHO E CÂNHAMO				
FIOS	493.449	951.426	1.801.272	2.505.497
TECIDOS	2.802.789	4.107.396	4.804.803	9.155.358
SEDA				
FIOS	77.789	196.380	826.107	768.064
TECIDOS		1.130.398	1.587.303	1.409.221
LÃ				
FIOS	776.975	1.484.544	3.843.450	5.424.047
TECIDOS	5.733.828	8.377.183	12.156.998	20.102.259

(Vide os livros azuis *Statistical...*, n⁰ˢ 8 e 13, Londres, 1861 e 1866.)

Em Lancashire, as fábricas aumentaram, de 1839 a 1850, de 4% apenas; entre 1850 e 1856, de 19%; entre 1856 e 1862, de 33%, enquanto o número das pessoas nelas empregadas aumentou absolutamente, mas diminuiu relativamente. Vide *Reports of Insp. of Fact. for 31ˢᵗ Oct. 1862*, p. 63. Em Lancashire, predomina a indústria têxtil de algodão. Pode-se formar uma ideia da sua posição relativa na fabricação de fios e tecidos, considerando-se que estão em Lancashire 45,2% de todas as

4. A FÁBRICA

No começo deste capítulo, estudamos o corpo da fábrica, a estrutura do sistema de máquinas. Vimos então como a maquinaria aumenta o material humano explorável pelo capital, ao apropriar-se do trabalho das mulheres e das crianças; como confisca a vida inteira do trabalhador; ao estender sem medida a jornada de trabalho; e como seu progresso, que possibilita enorme crescimento da produção em tempo cada vez mais curto, serve de meio para extrair sistematicamente mais trabalho em cada fração de tempo, ou seja, para explorar cada vez mais intensivamente a força de trabalho. Passamos agora a considerar a fábrica em seu conjunto e em sua forma acabada atual.

O Dr. Ure, o Píndaro da fábrica automática, descreve-a de duas maneiras. Ela é

> "[…] cooperação de classes diferentes de trabalhadores, adultos e menores, que, com destreza e assiduidade, tomam conta de um sistema de máquinas produtivas impulsionadas continuamente por uma força central (o primeiro motor) […]"

e ela é, também,

> "[…] um autômato imenso composto de numerosos órgãos, uns mecânicos e outros conscientes, que operam de mútuo acordo e ininterruptamente para produzir um objeto comum, todos eles subordinados a uma força motriz que se regula a si mesma."

Essas duas conceituações não são de modo algum idênticas. Numa, o trabalhador coletivo ou o organismo de trabalho coletivo aparece como o sujeito que intervém, e o autômato mecânico, como o objeto; na outra, o próprio autômato é o sujeito, e os trabalhadores são apenas órgãos conscientes, coordenados com órgãos inconscientes e, juntamente com eles, subordinados à força motriz central. A primeira conceituação aplica-se a qualquer emprego

---

fábricas têxteis de algodão da Inglaterra, País de Gales, Escócia e Irlanda; 83,3% de todos os fusos; 81,4% de todos os teares a vapor; 72,6% dos cavalos-vapor que movem essa indústria; e 58,2% de todas as pessoas nela ocupadas (*Loc. cit.*, pp. 62-63).

O CAPITAL

da maquinaria em grande escala; a segunda caracteriza seu emprego capitalista e, consequentemente, o moderno sistema fabril. Por isso, Ure gosta de apresentar a máquina central donde se origina o movimento não como um autômato, mas como um autocrata.

> "Nessas imensas oficinas, a benfazeja potência do motor reúne em torno de si miríades de súditos."[179]

Com a ferramenta que se transfere à máquina segue a virtuosidade desenvolvida pelo trabalhador em seu manejo. A eficácia da ferramenta emancipa-se dos limites pessoais da força humana. Desse modo, desaparece a base técnica em que se fundamentava a divisão manufatureira do trabalho. A hierarquia dos trabalhadores especializados que a caracteriza é substituída, na fábrica automática, pela tendência de igualar ou nivelar os trabalhos que os auxiliares das máquinas têm de executar;[180] as diferenças artificiais entre os trabalhadores parciais são predominantemente substituídas pelas diferenças naturais de idade e de sexo.

Quando a divisão do trabalho reaparece na fábrica automática, ela é, antes de tudo, distribuição dos trabalhadores pelas diferentes máquinas especializadas, e das massas de trabalhadores, que não formam grupos específicos, pelas seções da fábrica, em cada uma das quais trabalham em máquinas da mesma espécie, juntas umas às outras, em regime, portanto, de cooperação simples. O grupo organizado da manufatura é substituído pela conexão entre o trabalhador principal e seus poucos auxiliares. A distinção essencial ocorre entre os trabalhadores que estão realmente ocupados com as máquinas-ferramenta (inclusive alguns trabalhadores que tomam conta da máquina motriz e a alimentam) e seus auxiliares (que são quase exclusivamente crianças). Entre os auxiliares podem ser incluídos os que alimentam a máquina com o material a ser trabalhado. Ao lado dessas duas classes principais, há um pessoal pouco numeroso, que se ocupa com o controle de toda a maquinaria e a repara continuamente, como os engenheiros, mecânicos, marceneiros etc. É uma classe de trabalhadores de nível superior, uns possuindo formação científica, outros dominando um ofício;

---

179 Ure, *loc. cit.*, p. 18.
180 *Loc. cit.*, p. 20. Vide Karl Marx, *Miséria da filosofia*, pp. 140-141.

A MAQUINARIA E A INDÚSTRIA MODERNA

distinguem-se dos trabalhadores de fábrica, estando apenas agregados a eles.[181] Sua divisão de trabalho é puramente técnica.

Para trabalhar com máquinas, o trabalhador tem de começar sua aprendizagem muito cedo, a fim de adaptar seu próprio movimento ao movimento uniforme e contínuo de um autômato. Quando a maquinaria, como um todo, forma um sistema de máquinas diferentes, operando simultâneas e combinadas, exige a cooperação nela baseada uma distribuição das diferentes espécies de grupos de trabalhadores pelas diferentes espécies de máquinas. Mas a produção mecanizada elimina a necessidade, que havia na manufatura, de cristalizar essa distribuição anexando permanentemente o mesmo trabalhador à mesma função.[182] Não partindo do trabalhador o movimento global da fábrica, mas da máquina, pode-se mudar o pessoal a qualquer hora sem interromper o processo de trabalho. A prova mais contundente disso é o sistema de turnos múltiplos (*relays system*) posto em prática na Inglaterra, durante a revolta patronal de 1848 a 1850.[I] Finalmente, a velocidade com que os menores aprendem a trabalhar a máquina elimina a necessidade de se preparar uma classe especial de trabalhadores para operar exclusivamente com as máquinas.[183] Os serviços dos simples

---

181 Sente-se a ambiguidade estatística intencional, que se poderia comprovar em muitos casos de maneira pormenorizada, na circunstância de a legislação fabril inglesa excluir de sua esfera de ação a última classe de trabalhadores mencionada no texto e de os relatórios estatísticos parlamentares publicados incluírem na categoria de trabalhadores de fábrica não só engenheiros, mecânicos etc., mas também gerentes, vendedores, mensageiros, enfardadores etc., enfim todas as pessoas, exceto o dono da fábrica.

182 Assim o admite Ure. Ele diz que o trabalhador "em caso de necessidade, a critério do dirigente, pode ser transferido de uma máquina para outra" e exclama triunfante: "Essa transferência contraria abertamente a velha rotina, que divide o trabalho e atribui a um trabalhador a tarefa de modelar a cabeça de um alfinete, e a outro, a de aguçar a ponta." Ele deveria ter perguntado por que, na fábrica automática, só se abandona a velha rotina em caso de necessidade.

I Vide pp. 315-321.

183 Quando necessário, como ocorreu durante a Guerra Civil americana, a burguesia emprega excepcionalmente os trabalhadores de fábrica nas tarefas mais rudes, tais como construção de estradas etc. As obras públicas inglesas dos anos de 1862 e seguintes, destinadas a absorver os trabalhadores desempregados da indústria têxtil algodoeira, distinguem-se das "oficinas nacionais" destinadas aos desempregados franceses de 1848, porque nestas o trabalhador tinha de executar tarefas improdutivas à custa do Estado e, naquelas, tinha de executar tarefas produtivas relacionadas com melhoramentos urbanos, benéficas para a burguesia e a salário mais baixo que o pago aos trabalhadores regulares, com os quais era lançado assim em competição. "Melhorou, sem dúvida, a aparência física dos trabalhadores da indústria têxtil algodoeira. Atribuo isto [...] com relação aos homens, ao trabalho ao ar livre nas obras públicas." (Trata-se dos trabalhadores das fábricas de Preston, postos a trabalhar nos pântanos da cidade.) (*Rep. of Insp. of Fact. Oct. 1863*, p. 59.)

O CAPITAL

auxiliares podem, até certo ponto, ser substituídos por máquinas[184] e, em virtude de sua extrema simplicidade, permitem que se mude a qualquer momento o pessoal atribulado com sua execução.

Embora a maquinaria, tecnicamente, lance por terra o velho sistema da divisão do trabalho, continua ele a sobreviver na fábrica como costume tradicional herdado da manufatura, até que o capital o remodela e consolida, de forma mais repugnante, como meio sistemático de explorar a força de trabalho. A especialização de manejar uma ferramenta parcial, por uma vida inteira, se transforma na especialização de servir sempre a uma máquina parcial. Utiliza-se a maquinaria para transformar o trabalhador, desde a infância, em parte de uma máquina parcial.[185] Assim, não só se reduzem os custos necessários para reproduzi-lo, mas também se torna completa sua desamparada dependência da fábrica como um todo e, portanto, do capitalista. Como sempre, é mister distinguir entre a maior produtividade que se origina do desenvolvimento do processo social de produção e a que decorre da exploração capitalista desse processo.

Na manufatura e no artesanato, o trabalhador se serve da ferramenta; na fábrica, serve à máquina. Naqueles, procede dele o movimento do instrumental de trabalho; nesta, ele tem de acompanhar o movimento do instrumental. Na manufatura, os trabalhadores são membros de um mecanismo vivo. Na fábrica, eles se tornam complementos vivos de um mecanismo morto que existe independente deles.

> "A lúgubre rotina de um trabalho atribulante e sem fim, em que se repete sempre o mesmo processo mecânico, lembra o tormento de Sísifo; como o rochedo, o peso de trabalho volta sempre a sobrecarregar o trabalhador esgotado."[186]

---

184 Exemplo: Os diferentes aparelhos mecânicos, introduzidos nas fábricas de lã a partir da lei de 1844, para substituir o trabalho das crianças. Quando os filhos dos próprios fabricantes forem obrigados a cursar a "escola" de auxiliar de fábrica, passará a ter extraordinário impulso esse domínio da mecânica, ainda inexplorado quase. "As máquinas de fiar automáticas são talvez as mais perigosas. A maioria dos acidentes atinge crianças que se arrastam embaixo das máquinas para varrer o chão, enquanto elas estão em movimento. Os inspetores de fábrica agiram judicialmente contra os encarregados das máquinas, que foram condenados a pagar multas, mas não conseguiram nenhum resultado apreciável. Se os construtores de máquinas inventassem uma vassoura mecânica que eliminasse a necessidade de as crianças se agacharem embaixo da maquinaria, dariam uma contribuição oportuna a nossas medidas protetoras." (*Reports of Insp. of Factories for 31st October 1866*, p. 63.)

185 Podemos por aí avaliar a ideia fabulosa de Proudhon, que vê na máquina não a síntese de instrumentos de trabalho, mas a síntese de trabalhos parciais feita em benefício dos próprios trabalhadores.

186 F. Engels, *Lage* etc., p. 217. Até um livre-cambista vulgar e otimista, Molinari, observa: "Um homem se gasta mais rapidamente vigiando diariamente, durante 15 horas, o movimento uniforme

A MAQUINARIA E A INDÚSTRIA MODERNA

O trabalho na fábrica exaure os nervos ao extremo, suprime o jogo variado dos músculos e confisca toda a atividade livre do trabalhador, física e espiritual.[187] Até as medidas destinadas a facilitar o trabalho se tornam meio de tortura, pois a máquina, em vez de libertar o trabalhador do trabalho, despoja o trabalho de todo o interesse. Sendo, ao mesmo tempo, processo de trabalho e processo de criar mais-valia, toda produção capitalista se caracteriza por o instrumental de trabalho empregar o trabalhador, e não o trabalhador empregar o instrumental de trabalho. Mas essa inversão só se torna uma realidade técnica e palpável com a maquinaria. Ao se transformar em autômato, o instrumental se confronta com o trabalhador durante o processo de trabalho como capital, trabalho morto que domina a força de trabalho viva, a suga e exaure. A separação entre as forças intelectuais do processo de produção e o trabalho manual e a transformação delas em poderes de domínio do capital sobre o trabalho se tornam uma realidade consumada, conforme já vimos, na grande indústria fundamentada na maquinaria. A habilidade especializada e restrita do trabalhador individual, despojado, que lida com a máquina, desaparece como uma quantidade infinitesimal diante da ciência, das imensas forças naturais e da massa de trabalho social, incorporadas ao sistema de máquinas e formando com ele o poder do patrão. No cérebro deste, estão indissoluvelmente unidos a maquinaria e o monopólio patronal sobre ela e, por isso, o patrão, nas divergências com os trabalhadores, a estes se dirige depreciativamente:

> "Os trabalhadores das fábricas deveriam lembrar-se agradecidos de que seu trabalho é de baixa qualificação, não havendo nenhuma outra espécie mais fácil de ser adquirida ou mais bem-remunerada, considerada sua qualidade; nem mais fácil de ser aprendida pelo menos experimentado e pelo maior número. A maquinaria do patrão desempenha de fato, na atividade da produção, papel muito mais importante que o trabalho e a habilidade do trabalhador, que se podem aprender em seis meses de instrução, estando ao alcance de qualquer braceiro do campo."[188]

---

de um mecanismo que utilizando, no mesmo espaço de tempo, sua força física. Esse trabalho de vigilância, que serviria talvez de ginástica útil à inteligência, se não se prolongasse demasiadamente, destrói com a continuação, por seu excesso, tanto o espírito quanto o corpo." (G. de Molinari, *Études économiques*, Paris, 1846, [p. 49].)

187 F. Engels, *loc. cit.*, p. 216.

188 *"The factory operatives should keep in wholesome remembrance the fact that theirs is really a low species of skilled labour; and that there is none which is more easily acquired or of its quality more amply*

O CAPITAL

A subordinação técnica do trabalhador ao ritmo uniforme do instrumental e a composição peculiar do organismo de trabalho, formado de indivíduos de ambos os sexos e das mais diversas idades, criam uma disciplina de caserna, que vai ao extremo no regime integral de fábrica. Por isso, desenvolve-se plenamente o trabalho de supervisão anteriormente mencionado, dividindo-se os trabalhadores em trabalhadores manuais e supervisores de trabalho, em soldados rasos e em suboficiais do exército da indústria.

> "A dificuldade principal na fábrica automática residia na disciplina necessária para fazer seres humanos renunciarem a seus hábitos irregulares de trabalho e se identificarem com a invariável regularidade do grande autômato. Inventar um código disciplinar adequado às necessidades e velocidade do sistema automático, aplicando-o com sucesso, foi uma empresa digna de Hércules, a nobre tarefa de Arkwright. Mesmo hoje, quando o sistema está inteiramente organizado, é quase impossível encontrar, entre os trabalhadores que passaram da puberdade, auxiliares úteis para o sistema automático."[189]

Através do código da fábrica, o capital formula, legislando particular e arbitrariamente, sua autocracia sobre os trabalhadores, pondo de lado a divisão dos poderes tão proclamada pela burguesia e o mais proclamado ainda regime representativo. O código é apenas a deformação capitalista da regulamentação social do processo de trabalho, que se torna necessária com a cooperação em grande escala e com a aplicação de instrumental comum de trabalho, notadamente a maquinaria. O látego do feitor de escravos se transforma no regulamento penal do supervisor. Todas as penalidades se reduzem naturalmente a multas e a descontos salariais, e a sagacidade

---

remunerated, or which, by a short training of the least expert can be more quickly as well as abundantly acquired. [...] *The master's machinery really plays a far more important part in the business of production than the labour and the skill of the operative, which six months' education can teach, and a common labourer can learn."* (*The Master Spinners' and Manufacturers' Defence Fund. Report of the Committee*, Manchester, 1854, p. 17.) Ver-se-á depois que o patrão fala outra linguagem quando se sente ameaçado de perder seus autômatos vivos.

189 Ure, *loc. cit.*, p. 15. Quem conhece a biografia de Arkwright evitará a palavra "nobre", ao referir-se a esse barbeiro genial. Dentre os grandes inventores do século XVIII, era incontestavelmente o maior ladrão de invenções alheia e o maior velhaco.

A MAQUINARIA E A INDÚSTRIA MODERNA

legislativa desses Licurgos de fábrica torna a transgressão de suas leis, sempre que possível, mais rendosa que a observância delas.[190]

---

190 "A escravização em que a burguesia mantém sujeito o proletariado revela-se com maior clareza no sistema fabril. Neste cessa de direito e de fato toda liberdade. O trabalhador tem de estar na fábrica às 5½ da manhã; se se atrasa alguns minutos, é punido; se o atraso é de 10 minutos, sua entrada é impedida até depois do desjejum, perdendo a quarta parte de seu salário diário. Tem de comer, beber e dormir, de acordo com o comando que recebe. [...] O sino despótico arranca-o da cama; tira-o do desjejum e do almoço. E que é que acontece na fábrica? Nela, o fabricante é o legislador absoluto. Dita os regulamentos que lhe aprazem; altera e faz acréscimos ao seu código, conforme lhe apetece; e, por mais absurda que seja a disposição que introduza no seu código, dizem os tribunais ao trabalhador: Uma vez que vos obrigastes espontaneamente dentro do contrato, tendes de cumpri-lo. [...] E os trabalhadores estão condenados a viver, dos 9 anos até a morte, sob essa tirania espiritual e física." (F. Engels, *loc. cit.*, pp. 217 e segs.)

Ilustrarei com dois exemplos o que "dizem os tribunais". Um caso ocorreu em Sheffield, nos fins de 1866. Um trabalhador fez lá um contrato de trabalho de 2 anos com uma fábrica metalúrgica. Em virtude de divergência com o fabricante, abandonou a fábrica e declarou que sob nenhuma circunstância trabalharia mais para ele. Foi processado por quebra do contrato e condenado a 2 meses de cadeia (se fosse o fabricante quem não cumprisse o contrato, seria apenas demandado civilmente, ficando exclusivamente sujeito ao risco de pagar uma multa). Cumprida a pena de 2 meses, notificou-o o mesmo fabricante para que voltasse à fábrica sob o mesmo contrato antigo. O trabalhador recusa-se. Já cumprira a pena correspondente à ruptura do contrato. O fabricante processa-o de novo e a justiça condena-o novamente, embora um dos membros do tribunal, o juiz Shee, tachasse a sentença publicamente de monstruosidade jurídica, qual seja a de punir repetidamente, em períodos sucessivos, um mesmo homem pela mesma ofensa ou pelo mesmo crime. Esse julgamento não foi proferido pelos "Great Unpaid",[I] os *Dogberries* provincianos, mas em Londres, por uma das mais altas cortes de justiça. (Nota da 4ª edição: Isto foi abolido. Excetuados alguns poucos casos, por exemplo, as usinas públicas de gás, o trabalhador, na Inglaterra, em caso de ruptura de contrato, está equiparado ao empregador e só pode ser demandado civilmente. — F.E.)

O segundo caso sucedeu em Wiltshire, em fins de novembro de 1863. Cerca de 30 tecelãs de tear a vapor, empregadas de certo Harrupp, fabricante de toalhas em Leower's Mill, Westbury Leigh, fizeram uma greve, por ter o patrão o agradável costume de reduzir-lhes o salário por atraso na primeira hora de trabalho: 6 pence por 2 minutos, 1 xelim por 3 minutos, 1 xelim e 6 pence por 10 minutos. A 9 xelins por hora, o desconto atingiria 4 libras e 10 xelins por dia, quando o salário médio semanal por ano nunca ultrapassa de 10 a 12 xelins. Ao mesmo tempo, Harrupp encarregou um garoto de apitar, marcando o início da primeira hora. O garoto, frequentes vezes, apitava antes das 6 da manhã, e, se todos os trabalhadores não estavam presentes, as portas eram imediatamente fechadas após esse aviso. Os que ficaram do lado de fora eram multados. Não existindo relógio no estabelecimento, ficaram os infelizes operários à mercê do jovem guardião do tempo, inspirado por Harrupp. As mães de família e moças que estavam em greve declararam que queriam voltar ao trabalho quando esse guardião fosse substituído por um relógio e introduzido um sistema mais racional de multas. Harrupp iniciou ação judicial contra 19 empregadas por ruptura de contrato. Elas foram condenadas a pagar, cada uma, 6 pence de multa e 2 xelins e 6 pence de custas, o que provocou a indignação geral do auditório presente ao julgamento. Ao sair do tribunal, Harrupp foi acompanhado por uma multidão que o vaiava. Um método preferido dos fabricantes é punir os trabalhadores com descontos salariais por falhas do material que lhes é fornecido. Esse método provocou, em 1866, greve geral nos distritos ingleses de indústria cerâmica. Os relatórios da "Ch. Employm. Commiss." (1863-1866) apresentam fatos em que o trabalhador, em vez de receber salários, acaba por se tornar, com seu trabalho e em virtude do regulamento de penalidades, devedor de seu augusto patrão. Edificantes façanhas que revelam a sagacidade dos autocratas de fábrica para reduzir salários ocorreram durante a recente crise algodoeira.

O CAPITAL

Aludiremos de passagem às condições materiais em que se realiza o trabalho na fábrica. Os órgãos dos sentidos são, todos eles, igualmente prejudicados pela temperatura artificialmente elevada, pela atmosfera poluída com os resíduos das matérias-primas, pelo barulho ensurdecedor etc., para não falarmos do perigo de vida que advém das máquinas muito próximas umas das outras, as quais produzem sua lista de acidentes da batalha industrial com a regularidade das estações do ano.[190a] A diretriz de economizar os meios sociais de produção, diretriz que se concretiza, de maneira cabal e forçada, no sistema de fábrica, leva o capital ao roubo sistemático das condições de vida do trabalhador durante o trabalho. O capital usurpa-lhe o espaço, o ar, a luz e os meios de proteção contra condições perigosas ou insalubres do processo de trabalho, para não falarmos nas medidas necessá-

---

"Há pouco tempo", diz o inspetor R. Baker, "tive de agir judicialmente contra um fabricante do ramo têxtil algodoeiro, porque, nestes tempos duros e difíceis, descontava 10 pence de alguns de seus jovens empregados [maiores de 13 anos] por conta do certificado médico, que lhe custava apenas 6 pence; além disso, a lei só lhe permite deduzir do salário, por esse certificado, 3 pence, é o costume não admite nenhuma dedução. [...] Outro fabricante, para atingir o mesmo objetivo sem contrariar a lei, desconta de cada uma das pobres crianças que trabalham para ele 1 xelim como pagamento pelo ensino da arte e do mistério de fiar, no momento em que o atestado médico as declara aptas para essa ocupação. Existem causas subterrâneas que são necessárias conhecer para se poder compreender esses fenômenos extraordinários que são as greves nos tempos atuais." (Ele alude aí à greve dos tecelões mecânicos em Darwin, em junho de 1863.) (*Reports of Insp. of Fact. for 30th April 1863*, pp. 50-51.) Esses relatórios vão sempre além de sua data oficial.

I Vide p. 317.

190a Tiveram efeito benéfico as leis de proteção contra máquinas perigosas. "Mas [...] há agora novas fontes de acidentes que não existiam há 20 anos, sendo a principal a maior velocidade das máquinas. Rodas, cilindros, fusos e teares são impulsionados agora com força maior e crescente; os dedos têm de pegar o fio que se quebrou mais rápida e firmemente, pois, a qualquer hesitação ou imprudência, são sacrificados. [...] Grande número de acidentes decorre da ânsia do trabalhador de concluir rapidamente sua tarefa. Sabemos que é da maior importância para o fabricante manter suas máquinas continuamente em movimento, produzindo fios e tecidos. Cada parada de um minuto significa não só perda de força motriz, mas também de produção. Os trabalhadores são incitados por supervisores, interessados na quantidade da produção, a manter as máquinas em movimento, o que interessa a trabalhadores que são pagos por peso ou por peça. Por isso, embora seja estritamente proibido, na maioria das fábricas, limpar as máquinas em movimento, esta é a prática generalizada. Ela constitui a causa exclusiva de 906 acidentes ocorridos nos últimos 6 meses. [...] Embora haja limpeza todos os dias, destinam-se os sábados para a limpeza minuciosa e geral das máquinas, o que sucede em grande parte enquanto as máquinas estão em movimento. [...] É um trabalho sem remuneração, e os trabalhadores procuram, por isso, concluí-lo o mais rápido possível. Daí ser o número de acidentes muito maior às sextas-feiras e principalmente aos sábados do que nos outros dias de trabalho. Às sextas, o número de acidentes excede a média diária dos 4 primeiros dias da semana em cerca de 12%; aos sábados, esse número excede a média dos 5 dias precedentes em 25%. Se se levar em conta que o dia de trabalho aos sábados é apenas de 7½ horas, e de 10½ horas nos demais dias da semana, o número de acidentes aos sábados ultrapassa em mais de 65% a média dos outros 5 dias." (*Reports of Insp. of Factories for etc. 31st October 1866*, Londres, 1867, pp. 9, 15-17.)

A MAQUINARIA E A INDÚSTRIA MODERNA

rias para assegurar a comodidade do trabalhador.[191] Estava Fourier errado quando chamava as fábricas de "penitenciárias abrandadas"?[192]

5. LUTA ENTRE O TRABALHADOR E A MÁQUINA

A luta entre o capitalista e o trabalhador remonta à própria origem do capital. Ressoa durante todo o período manufatureiro.[193] Mas só a partir da introdução da máquina passa o trabalhador a combater o próprio instrumental de trabalho, a configuração material do capital. Revolta-se contra essa forma determinada dos meios de produção, vendo nela o fundamento material do modo capitalista de produção.

Durante o século XVII, quase toda a Europa presenciou revoltas dos trabalhadores contra a máquina de tecer fitas e galões, o chamado moinho de fitas, denominado em alemão *Bandmühle*, *Schnurmühle* ou *Mühlenstuhl*.[194]

---

191 Na Primeira Seção do Livro 3, falarei de uma campanha recente dos fabricantes ingleses contra as disposições da lei fabril destinadas a proteger a integridade física dos trabalhadores contra máquinas perigosas. Por ora, basta citar trecho de um relatório oficial do inspetor Leonard Horner: "Tenho ouvido fabricantes falarem com imperdoável leviandade de alguns acidentes, considerando, por exemplo, uma bagatela a perda de um dedo. A vida e as possibilidades do trabalhador dependem tanto de seus dedos que uma perda dessa ordem é, para ele, acontecimento extremamente sério. Quando ouço dos fabricantes observações absurdas a esse respeito, pergunto: Se o senhor precisar de um trabalhador e dois se apresentarem, ambos igualmente aptos sob todos os aspectos, mas faltando a um o polegar ou o indicador, qual dos dois escolheria? Sem um instante de hesitação na resposta, é sempre escolhido o que tem todos os dedos. [...] Os fabricantes possuem, erradamente, preconceitos contra o que chamam legislação pseudofilantrópica." (*Reports of Insp. of Fact. for 31st Oct. 1855*, [pp. 6-7].) Esses senhores são gente sagaz e não se entusiasmam em vão pela rebelião dos escravocratas do Sul dos Estados Unidos.

192 Nas fábricas que, há muito tempo, estão submetidas à lei fabril, à limitação coercitiva do tempo de trabalho e a outras disposições reguladoras, desapareceram muitos dos abusos que existiam. O aperfeiçoamento das máquinas, atingido certo ponto, exige "melhor construção dos edifícios de fábrica", o que beneficia os trabalhadores. Vide *Reports* etc. *for 31st Oct. 1863*, p. 109.

193 Vide, entre outros, John Houghton, *Husbandry and Trade Improved*, Londres, 1727; *The Advantages of the East-India Trade*, 1720; John Bellers, *loc. cit.* "Infelizmente, patrões e trabalhadores estão entre si em estado permanente de guerra. O objetivo invariável daqueles é obter o trabalho destes o mais barato possível; e não hesitam em empregar para esse fim qualquer artimanha, enquanto os trabalhadores procuram aproveitar toda oportunidade para forçar os patrões a atenderem suas pretensões de melhoria." (*An Enquiry into the Causes of the Present High Prices of Provisions*, 1767, pp. 61 e 62.) O autor desta obra é o reverendo Nathaniel Forster, partidário dos trabalhadores.

194 A máquina de tecer fitas e galões, o chamado moinho de fitas, foi inventada na Alemanha. Em obra publicada em 1636, em Veneza, conta o abade italiano Lancellotti: "Anton Müller de Danzig, viu nessa cidade, há cerca de 50 anos [L. escrevia em 1629] uma máquina muito engenhosa que fabricava 4 a 6 tecidos ao mesmo tempo; receando o Conselho da cidade que a invenção lançasse na miséria grande quantidade de trabalhadores, proibiu o emprego da invenção e mandou secretamente estrangular ou afogar o inventor." A mesma máquina foi empregada em Leyden pela primeira vez

O CAPITAL

Nos fins do primeiro terço do século XVII, um motim popular destruiu uma serraria movida a vento construída por um holandês nas proximidades de Londres. Ainda no começo do século XVIII, só dificilmente as máquinas de serrar movidas a água venceram a resistência popular protegida pelo Parlamento. Quando, em 1758, Everet construiu a primeira máquina de tosquiar lã, movida a água, foi ela lançada ao fogo por cem mil pessoas que ficaram sem trabalho. Cinquenta mil trabalhadores que até então viviam de cardar lã dirigiram uma petição ao Parlamento contra as máquinas de carduçar e de cardar de Arkwright. A enorme destruição de máquinas nos distritos manufatureiros ingleses durante os primeiros 15 anos do século XIX, provocada principalmente pelo emprego do tear a vapor, conhecida pelo nome de movimento luddita, proporcionou aos governos antija-cobinos de Sidmouth, Castlereagh e quejandos o pretexto para as mais reacionárias medidas de violência. Era mister tempo e experiência para o trabalhador aprender a distinguir a maquinaria de sua aplicação capitalista e atacar não os meios materiais de produção, mas a forma social em que são explorados.[195]

As lutas por salário dentro da manufatura pressupunham a manufatura e não se dirigiam contra sua existência. Os que combatem a criação de manu-faturas não são os assalariados, mas os mestres das corporações e as cidades privilegiadas. Por isso, os escritores do período manufatureiro consideram a divisão do trabalho sobretudo o meio de suprir virtualmente a carência

em 1629. As revoltas dos tecelões de fitas levaram de início as autoridades municipais a proibi-la; os Estados Gerais, através de diversos decretos, de 1623, 1639 etc., limitaram seu uso; autorizaram-no pelo decreto de 15 de dezembro de 1661, mas ainda sob certas condições. Referindo-se à introdu-ção do moinho de fitas em Leyden, diz Boxhorn (*Inst. Pol.*, 1663): "Nesta cidade, inventaram, há cerca de 20 anos, um instrumento para tecer, com o qual uma só pessoa podia fabricar com maior facilidade maior quantidade de tecido do que várias manualmente no mesmo espaço de tempo. Daí surgiram agitações e protestos dos tecelões, até que as autoridades municipais proibiram o emprego desse instrumento." A mesma máquina foi proibida em Colônia, em 1676, enquanto sua introdução na Inglaterra, à mesma época, provocava agitações dos trabalhadores. Por edito imperial de 19 de fevereiro de 1685, foi seu emprego proibido em toda a Alemanha. Foi queimada publicamente em Hamburgo, por ordem das autoridades municipais. Carlos VI renovou em 9 de fevereiro de 1719 o edito de 1685, e a Saxônia eleitoral só autorizou seu emprego em 1765. Essa máquina que causou tanta agitação no mundo, foi a precursora das máquinas, de fiar e tecer e, portanto, da Revolução Industrial do século XVIII. Ela capacitava um jovem sem qualquer experiência de tecelagem a pôr em movimento, empurrando e puxando uma biela, o tear inteiro com todas as suas lançadeiras, e produzia, em sua forma aperfeiçoada, 40 a 50 peças de uma só vez.

195 Ainda hoje, ocorrem por vezes em velhas manufaturas, em sua forma brutal, revoltas dos traba-lhadores contra as máquinas. É o que sucedeu, por exemplo, com os picadores de lima, em Sheffield, em 1865.

A MAQUINARIA E A INDÚSTRIA MODERNA

de trabalhadores, mas não de dispensar realmente trabalhadores. Essa distinção é evidente. Quando se diz, por exemplo, que seriam necessários, na Inglaterra, 100 milhões de homens para fiar, com a velha roda de fiar, a quantidade de algodão fiada hoje por 500.000 com a máquina, não se quer dizer que a máquina tomou o lugar daqueles milhões de homens que nunca existiram. Quer-se dizer apenas que muitos milhões de trabalhadores seriam necessários para substituir a maquinaria de fiação. Quando se diz, porém, que o tear a vapor, na Inglaterra, lançou na rua 800.000 tecelões, não se fala de maquinaria existente que teria de ser substituída por certo número de trabalhadores, mas de um número existente de trabalhadores realmente substituídos ou suprimidos pela maquinaria. Durante o período manufatureiro, os ofícios manuais, embora decompostos pela divisão do trabalho, continuaram sendo a base da produção. O número relativamente pequeno dos trabalhadores urbanos, que constituíam legado da Idade Média, não podia satisfazer as exigências dos novos mercados coloniais, e as manufaturas propriamente ditas abriam novos campos de produção para a população rural expulsa das terras com a dissolução do sistema feudal. Destacava-se, então, o lado positivo da divisão do trabalho e da cooperação nas oficinas, tornando os trabalhadores empregados mais produtivos.[196] Aplicadas à agricultura, a cooperação e a concentração em poucas mãos dos instrumentos de trabalho provocaram transformações grandes, súbitas e violentas no modo de produção e, consequentemente, nas condições de vida e nas possibilidades de trabalho da população rural, em muitos países e bem antes do período da indústria moderna. Mas essa luta, originalmente, se trava mais entre grandes e pequenos proprietários de terras do que entre capital e trabalho assalariado; por outro lado, quando trabalhadores são suprimidos por instrumentos de trabalho, ovelhas, cavalos etc., os atos

---

196 Sir James Stewart não compreende de outro modo a atuação das máquinas. "Considero portanto as máquinas meios de aumentar (virtualmente) o número de pessoas ativas sem a obrigação de alimentá-las. [...] Em que difere a atuação de uma máquina daquela de novos habitantes?" (Tradução francesa, T. I, L. I, cap. XIX.) Muito mais ingênuo, diz Petty que ela substitui a poligamia. Esse ponto de vista é admissível no máximo para algumas partes dos Estados Unidos. Em contrário: "Raramente o emprego da máquina serve para abreviar o trabalho de um único indivíduo; perder-se-ia mais tempo construindo-a do que empregando-a. Só é realmente útil quando opera em grande escala, quando uma única máquina ajuda o trabalho de milhares. Por isso, há mais máquinas nos países mais populosos, em que existe maior número de pessoas sem trabalho. [...] Ela não é utilizada por causa da escassez de trabalhadores, mas pela facilidade com que podem ser empregadas massas de trabalhadores." (Piercy Ravenstone, *Thoughts on the Funding System and its Effects*, Londres, 1824, p. 45.)

de violência diretamente aplicados constituem prelúdio da Revolução Industrial. Primeiro, os trabalhadores são expulsos das terras; depois, vêm as ovelhas. O roubo de terras em grande escala, praticado na Inglaterra, cria as condições para a agricultura em grande escala.[196a]

Em seu começo, essa subversão da agricultura tinha mais o aspecto de uma revolução política.

O instrumento de trabalho, ao tomar a forma de máquina, logo se torna concorrente do próprio trabalhador.[197] A autoexpansão do capital através da máquina está na razão direta do número de trabalhadores cujas condições de existência ela destrói. Todo o sistema de produção capitalista baseia-se na venda da força de trabalho como mercadoria pelo trabalhador. A divisão manufatureira do trabalho particulariza essa força de trabalho, reduzindo-a à habilidade muito limitada de manejar uma ferramenta de aplicação estritamente especializada. Quando a máquina passa a manejar a ferramenta, o valor de troca de força de trabalho desaparece ao desvanecer seu valor de uso. O trabalhador é posto fora do mercado como o papel-moeda retirado da circulação. A parte da classe trabalhadora que a maquinaria transforma em população supérflua, não mais imediatamente necessária à autoexpansão do capital, segue uma das pontas de um dilema inarredável: ou sucumbe na luta desigual dos velhos ofícios e das antigas manufaturas contra a produção mecanizada, ou inunda todos os ramos industriais mais acessíveis, abarrotando o mercado de trabalho e fazendo o preço da força de trabalho cair abaixo do seu valor. Para os trabalhadores lançados à miséria, é um grande consolo, dizem, serem apenas temporários seus sofrimentos; outro consolo decorreria de a máquina apropriar-se, apenas pouco a pouco, de um ramo inteiro de produção, com o que se reduz a extensão e a intensidade dos seus efeitos destruidores. Os dois consolos se anulam. Quando a máquina se apodera, pouco a pouco, de um ramo de produção, produz ela miséria crônica na camada de trabalhadores com que concorre. Quando a transição é rápida, seus efeitos são enormes e agudos. A História não oferece nenhum espetáculo mais horrendo que a extinção progressiva dos tecelões manuais ingleses, arrastando-se durante decênios e consumando-se finalmente em 1838.

196a Nota da 4ª edição: O mesmo se pode dizer da Alemanha. Nas regiões alemãs onde existe agricultura em grande escala, notadamente no Leste, só se tornou ela possível através da confiscação das terras dos camponeses dependentes, em voga desde o século XVI, mas principalmente a partir de 1648. — F.E.

197 "Máquina e trabalho estão em constante competição." (Ricardo, *loc. cit.*, p. 479.)

A MAQUINARIA E A INDÚSTRIA MODERNA

Muitos deles morreram de fome; muitos vegetaram por longos anos com suas famílias, com uma renda de 2½ pence por dia.[198] Por outro lado, foram agudos os efeitos da maquinaria da indústria têxtil algodoeira na Índia. O governador-geral, em 1834/35, constatava:

> "A miséria encontrará dificilmente um paralelo na história do comércio. Os ossos dos tecelões de algodão branqueiam as planícies da Índia."

A máquina, sem dúvida, ao criar para esses tecelões "sofrimentos passageiros", tirava-os desta vida passageira. Demais, apoderando-se a máquina continuamente de novos ramos de produção, seus efeitos temporários são, na realidade, permanentes. A feição independente e estranha que o modo capitalista de produção imprime às condições e ao produto do trabalho em relação ao trabalhador se converte, com a maquinaria, em oposição completa.[199] Daí a revolta brutal do trabalhador contra esse instrumental de trabalho, a maquinaria.

O instrumental de trabalho liquida, então, o trabalhador. Esse antagonismo direto se patenteia de maneira mais evidente quando a nova maquinaria introduzida concorre com os ofícios e as manufaturas tradicionais. Mas, dentro da própria indústria moderna, produzem efeitos análogos o aperfeiçoamento contínuo da maquinaria e o desenvolvimento do sistema automático.

---

198 A competição entre a tecelagem a mão e a tecelagem a máquina prolongou-se na Inglaterra, antes de introduzir-se a nova lei de assistência à pobreza de 1834, porque se completavam com subsídios paroquiais os salários que caíam muito abaixo do mínimo. "O reverendo Turner era, em 1827, pároco em Wilmslow, em Cheshire, um distrito industrial. As perguntas do comitê de emigração e as respostas do reverendo Turner mostram como se mantém a competição do trabalho manual com a máquina. Pergunta: O emprego do tear mecânico não suplantou o emprego do tear manual? Resposta: Sem dúvida, e teria suplantado mais do que ocorreu, se os tecelões manuais não tivessem sido colocados em condições de se submeterem a uma redução de salário. Pergunta: Mas, ao se submeterem, aceitaram eles salários que são insuficientes e passam a contar com a contribuição paroquial para completar seu sustento? Resposta: Sim, e a competição entre o tear manual e o mecânico é na realidade mantida pela proteção dada à indigência. – Eis aí as vantagens que a introdução da maquinaria trouxe aos que se dedicam ao trabalho: a pobreza degradante ou a expatriação. De artesãos respeitáveis e até certo ponto independentes, são rebaixados a miseráveis pedintes que vivem do pão degradante da caridade. Chama-se a isto de inconveniência passageira." (*A Prize Essay on the Comparative Merits of Competition and Cooperation*, Londres, 1834, p. 29.)

199 "A mesma causa que pode aumentar a renda do país [ou seja, conforme explica Ricardo na mesma passagem, as rendas dos proprietários das terras e dos capitalistas, cuja riqueza do ponto de vista dos economistas, constitui a riqueza da nação] pode também aumentar a população supérflua e piorar a situação do trabalhador." (Ricardo, *loc. cit.*, p. 469.) "O objetivo constante e a tendência de todo aperfeiçoamento das máquinas é na realidade dispensar inteiramente o trabalho do homem ou diminuir seu preço, substituindo os trabalhadores adultos por mulheres e crianças ou o trabalhador qualificado pelo trabalhador sem habilitações." (Ure, [*Loc. cit.*, p. 23].)

O CAPITAL

"O objetivo constante da maquinaria aperfeiçoada é diminuir o trabalho manual ou completar um elo na cadeia de produção da fábrica, substituindo aparelhos humanos por aparelhos de aço."[200]

"A aplicação do vapor e da força hidráulica à maquinaria, até então movida manualmente, é acontecimento de todos os dias. [...] São constantes os pequenos aperfeiçoamentos na maquinaria, que têm por fim economia da força motriz, melhoria do produto, maior produção no mesmo espaço de tempo ou supressão de uma criança, de uma mulher ou de um homem; embora pareçam não ter grande importância, trazem resultados consideráveis."[201]

"Sempre que uma operação exija muita habilidade e mão segura, é ela retirada, com a maior brevidade possível, do trabalhador destro, frequentemente propenso a irregularidades de toda a espécie, e confiada a um mecanismo tão bem regulado que uma criança pode tomar conta dele."[202]

"No sistema automático,[203] suprime-se progressivamente o talento do trabalhador."[203a]

"O aperfeiçoamento das máquinas se destina não só a diminuir o número dos trabalhadores adultos necessários à concretização de determinado resultado, mas substitui uma classe de indivíduos por outra, o mais hábil pelo menos hábil, os adultos por crianças, os homens por mulheres. Todas essas mudanças causam flutuações contínuas na taxa do salário."[204]

"A maquinaria lança continuamente adultos fora da fábrica."[205]

A extraordinária elasticidade do sistema mecanizado, em virtude da experiência prática acumulada, do volume dos meios mecânicos já existentes e do progresso contínuo da técnica, ficou patenteada com a marcha

---

200 *Reports of Insp. of Fact. 31ˢᵗ Oct. 1858*, p. 43.

201 *Reports etc. 31ˢᵗ Oct. 1856*, p. 15.

202 Ure, *loc. cit.*, p. 19. "A grande vantagem da maquinaria empregada na fabricação de tijolos e ladrilhos é a de libertar inteiramente o empregador dos trabalhadores qualificados." (*Ch. Empl. Comm., V. Report*, Londres, 1866, p. 130, n. 46.)

203 Adendo à 2ª edição: A. Sturrock, superintendente do departamento de máquinas da Great Northern Railway, diz, com referência à construção de máquinas (locomotivas etc.): "Cada dia, menos se utilizam trabalhadores ingleses caros. Aumenta-se a produção empregando-se instrumentos aperfeiçoados, e esses instrumentos ficam aos cuidados de uma espécie inferior de trabalhadores. [...] Antes, eram os trabalhadores destros que produziam necessariamente todas as partes da máquina a vapor. As mesmas partes são agora produzidas por trabalhadores com menos habilidades, mas com bons instrumentos. [...] Por instrumentos entendo as máquinas empregadas na construção de máquinas." (*Royal Commission on Railways. Minutes of Evidence*, n. 17.862 e 17.863, Londres, 1867.).

203a Ure, *loc. cit.*, p. 20.

204 *Loc. cit.*, p. 321.

205 *Loc. cit.*, p. 23.

A MAQUINARIA E A INDÚSTRIA MODERNA

acelerada do sistema sob a pressão de uma jornada de trabalho reduzida. Mas quem teria imaginado, em 1860, o ano do apogeu da indústria têxtil algodoeira inglesa, os aperfeiçoamentos extraordinários das máquinas e a redução correspondente do trabalho manual que ocorreriam nos três anos seguintes, sob o estímulo da Guerra Civil americana? Para ilustrar o que aconteceu, bastam alguns exemplos tirados dos relatórios dos inspetores de fábrica. Um fabricante de Manchester declara:

> "Agora, em vez de 75 máquinas de cardar, precisamos de 12, que produzem a mesma quantidade com a mesma ou melhor qualidade. [...] Economizamos, em salários, 10 libras por semana, e em algodão, 10%."

Numa fiação fina de Manchester,

> "[...] dispensou-se, com o movimento mais rápido das máquinas e a introdução de diversos processos automáticos, ¼ do pessoal numa seção e ½ noutra, e a substituição da segunda máquina de cardar pela máquina de pentear lã reduziu bastante o número de trabalhadores na sala de cardar."

Outra fiação estima sua economia geral de braços em 10%. Os Srs. Gilmore, de uma fiação de Manchester, declaram:

> "Estimamos as economias feitas em braços e salários, na sala dos batedores, com a nova maquinaria, em $^1/_3$, pelo menos. [...] Na sala dos cilindros estiradores, as despesas e o número de trabalhadores diminuíram aproximadamente de $^1/_3$; na sala de fiação, as despesas caíram em cerca de $^1/_3$. Mas não é tudo; quando nosso fio vai para a tecelagem, sua qualidade é tão melhor, em virtude da aplicação da nova maquinaria, que os fabricantes produzem mais e melhor tecido do que antes com o fio das máquinas antigas."[206]

A esse respeito, observa o inspetor A. Redgrave:

> "A diminuição dos trabalhadores com aumento da produção avança rapidamente; começou recentemente nas fábricas de lã nova redução dos trabalhadores, que continua; há alguns dias, um mestre-escola que mora em Rochdale disse-me que a grande redução da frequência escolar das meninas era devida não só à crise

---

206 *Reports of Insp. of Fact. 31ˢᵗ Oct. 1863*, pp. 108 e segs.

O CAPITAL

atual, mas também às modificações ocorridas na maquinaria da fábrica de lã, em virtude das quais ocorreu uma redução de 70 empregados de meia jornada."[207]

Os resultados globais dos aperfeiçoamentos mecânicos havidos na indústria têxtil algodoeira inglesa em consequência da Guerra Civil americana se apresentam na seguinte tabela:

NÚMERO DE FÁBRICAS

	1856	1868	1861
INGLATERRA E PAÍS DE GALES	2.046	2.715	2.405
ESCÓCIA	152	163	131
IRLANDA	12	9	13
REINO UNIDO	2.210	2.887	2.549

NÚMERO DE TEARES A VAPOR

INGLATERRA E PAÍS DE GALES	275.590	368.125	344.719
ESCÓCIA	21.624	30.110	31.864
IRLANDA	1.633	1.757	2.746
REINO UNIDO	298.847	399.992	379.329

NÚMERO DE FUSOS

INGLATERRA E PAÍS DE GALES	25.818.576	28.352.125	30.478.228
ESCÓCIA	2.041.129	1.915.398	1.397.546
IRLANDA	150.512	119.944	124.240
REINO UNIDO	28.010.217	30.387.467	32.000.014

---

207 *Loc. cit.*, p. 109. O aperfeiçoamento rápido das máquinas durante a crise algodoeira permitiu aos fabricantes ingleses, logo após o término da Guerra Americana de Secessão, abarrotar prontamente o mercado mundial. Os tecidos ficaram quase invendáveis já no decurso dos últimos 6 meses de 1866. Com isso, começou a consignação de mercadorias à China e à Índia, o que agravava ainda mais a inundação do mercado. No começo de 1867, recorreram os fabricantes a seu expediente habitual, reduzindo os salários em 5%. Os trabalhadores se opuseram e declararam, teoricamente com razão, que o único remédio era trabalhar menos tempo, 4 dias por semana. Depois de resistirem bastante, os capitães de indústria, promovidos ao posto por si mesmos, decidiram-se por essa solução, reduzindo os salários, em alguns casos, em 5%, e, em outros, não fazendo nenhuma redução.

A MAQUINARIA E A INDÚSTRIA MODERNA

NÚMERO DE PESSOAS EMPREGADAS

INGLATERRA E PAÍS DE GALES	341.170	407.598	357.052
ESCÓCIA	34.698	41.237	39.809
IRLANDA	3.345	2.734	4.203
REINO UNIDO	379.213	451.569	401.064

De 1861 até 1868, desapareceram 338 fábricas têxteis de algodão; máquinas mais produtivas e mais potentes concentraram-se nas mãos de menor número de capitalistas. O número dos teares a vapor diminuiu de 20.663, mas, ao mesmo tempo, aumentou seu produto, de modo que um tear aperfeiçoado produziu mais que um antigo. O número de fusos aumentou de 1.612.547, enquanto o número de trabalhadores ocupados caiu de 50.505. A miséria "passageira" com que a crise algodoeira oprimiu o trabalhador foi intensificada e consolidada com o rápido e permanente progresso das máquinas.

A máquina não é apenas o concorrente todo-poderoso, sempre pronto a tornar "supérfluo" o assalariado. O capital, aberta e tendenciosamente, proclama-a o poder inimigo do trabalhador, manejando-a em função desse atributo. Ela se torna a arma mais poderosa para reprimir as revoltas periódicas e as greves dos trabalhadores contra a autocracia do capital.[208] Segundo Gaskell, a máquina a vapor foi, desde o início, antagonista da "força humana", tendo capacitado o capitalista a esmagar as exigências crescentes dos trabalhadores que ameaçavam lançar em crise o sistema fabril que nascia.[209] Poder-se-ia escrever toda uma história das invenções feitas a partir de 1830 com o único propósito de suprir o capital com armas contra as revoltas dos trabalhadores. Destaca-se entre elas a máquina de fiar automática, pois ela abre uma nova época no sistema automático.[210]

---

208 "As relações entre patrões e trabalhadores na fabricação por sopro de cristais e vidros ocos caracterizam-se por greve crônica." Daí o impulso dado à fabricação de vidro prensado, em que as operações principais são feitas a máquina. Uma firma de Newcastle, que antes produzia anualmente 350.000 libras-peso de cristal por sopro, produz agora, em vez disso, 3.000.500 libras-peso de vidro prensado. (*Ch. Empl. Camm. IV. Rep.*, 1865, pp. 262-263.)

209 Gaskell, *The Manufacturing Population of England*, Londres, 1833, pp. 11-12.

210 Fairbairn inventou diversas aplicações importantes de maquinaria para construir máquinas, em consequência de greves em sua própria fábrica de máquinas.

O CAPITAL

Em seu depoimento perante a *Trade Union Commission*, Nasmyth, o inventor do martelo a vapor, falando sobre os aperfeiçoamentos de máquinas por ele introduzidos, em virtude da greve grande e longa dos trabalhadores em construção de máquinas em 1851, informa o seguinte:

> "A característica marcante de nossos aperfeiçoamentos mecânicos modernos é a introdução de máquinas-ferramenta automáticas. O que qualquer trabalhador mecânico tem de fazer agora, e o que qualquer jovem pode fazer, não é trabalhar diretamente, mas superintender o belo trabalho da máquina. Toda a classe de trabalhadores dependentes exclusivamente de sua perícia está agora posta de lado. Antes, empregava quatro meninos para um mecânico. Graças às minhas novas combinações mecânicas, reduzi o número de homens adultos de 1.500 para 750. O resultado foi um considerável aumento de meus lucros."

Sobre a máquina de estampar tecidos, diz Ure:

> "Por fim, procuraram os capitalistas libertar-se dessa escravatura insuportável [isto é, das condições do contrato de trabalho, que consideravam onerosas] apelando para os recursos da ciência, e logo se reintegraram em seus direitos legítimos, os da cabeça sobre as demais partes do corpo."

A respeito de uma invenção para engomar a urdidura, surgida por causa de uma greve, diz ele:

> "A horda dos insatisfeitos que imaginava entrincheirar-se invencível atrás da velha divisão do trabalho, viu-se atacada pelos flancos e teve suas defesas destruídas pela moderna tática mecânica. Teve de render-se incondicionalmente."

A propósito da invenção da máquina de fiar automática, diz ele:

> "Uma criação destinada a restaurar a ordem entre as classes industriosas. [...] Essa invenção confirma a doutrina por nós sustentada, segundo a qual o capital compele à docilidade o braço rebelde do trabalho, quando põe a ciência a seu serviço."[211]

---

211 Ure, *loc. cit.*, pp. 367-370.

A MAQUINARIA E A INDÚSTRIA MODERNA

Embora a obra de Ure aparecesse em 1835, quando o sistema fabril estava ainda relativamente pouco desenvolvido, continua ela sendo a expressão clássica do espírito da fábrica, não só em virtude do cinismo franco, mas também da ingenuidade com que descerra as contradições absurdas do cérebro capitalista. Depois de expor a doutrina de que o capital, com a ajuda da ciência a seu soldo,

> "[...] compele sempre à docilidade o trabalhador rebelde", indigna-se ele de "alguns acusarem a ciência físico-mecânica de alugar-se ao capitalista rico, como instrumento de opressão das classes pobres."

Depois de pregar seu longo sermão, destacando as vantagens do desenvolvimento rápido da maquinaria para os trabalhadores, admoesta-os, dizendo que, com sua obstinação e suas greves, apressam o desenvolvimento da maquinaria.

> "Essas revoltas violentas", diz ele, "evidenciam a cegueira humana em seu aspecto mais vil, quando o homem se torna seu próprio carrasco."

Poucas linhas antes, dizia ele o contrário:

> "Se não fossem as colisões e interrupções violentas, ocasionadas pelas ideias errôneas dos trabalhadores, o sistema fabril ter-se-ia desenvolvido muito mais rápido e de maneira muito mais útil para todas as partes interessadas."

Depois disso, exclama ele:

> "Felizmente para a população dos distritos industriais da Grã-Bretanha, realizam-se gradualmente os aperfeiçoamentos mecânicos. Sem razão, atribuem às máquinas diminuírem os salários dos adultos, desempregando uma parte deles, ficando o número de operários maior do que o necessário. Mas elas aumentam a procura do trabalho infantil e, assim, aumentam a receita em salários por família."

Esse apóstolo do capital defende o rebaixamento dos salários das crianças argumentando que "freia a tendência dos pais de mandarem os filhos cedo demais para as fábricas". Seu livro todo é uma apologia da jornada de trabalho ilimitada, e sua alma liberal vê, na legislação que proíbe crianças de

O CAPITAL

13 anos de se matarem trabalhando mais de 12 horas por dia, uma volta aos tempos mais sombrios e sinistros da Idade Média. E ainda convida os trabalhadores de fábrica a darem graças à Providência, "que lhes proporcionou com a maquinaria o lazer para meditarem sobre seus interesses imortais".[212]

6. A TEORIA DA COMPENSAÇÃO PARA OS TRABALHADORES DESEMPREGADOS PELA MÁQUINA

James Mill, MacCulloch, Torrens, Senior, John Stuart Mill e toda uma série de economistas burgueses afirmam que toda maquinaria, ao desempregar trabalhadores, sempre libera, simultânea e necessariamente, capital adequado para empregar esses trabalhadores desempregados.[213]

Suponhamos que um capitalista empregue 100 trabalhadores na fabricação de papéis estampados, cada trabalhador a 30 libras por ano. O capital variável por ele gasto durante o ano importa, portanto, em 3.000 libras esterlinas. Despede 50 trabalhadores e ocupa os 50 restantes com uma máquina que lhe custa 1.500 libras esterlinas. Para simplificar, não se levam em conta construções, carvão etc. Admitamos ainda que o custo atual da matéria-prima seja o mesmo anterior, de 3.000 libras esterlinas.[214] Libera-se com essa metamorfose algum capital? Antes, a soma global despendida era de 6.000 libras esterlinas, dividida em duas partes iguais, uma de capital constante e outra de capital variável. Agora, ela se constitui de 4.500 libras esterlinas de capital constante (3.000 de matéria-prima e 1.500 de máquina) e 1.500 libras esterlinas de capital variável. O capital variável, a parte do capital investida em força de trabalho, representa agora não mais a metade, mas ¼ do capital total. Não houve liberação de capital, mas seu aprisionamento a uma forma que o impede de trocar-se por força de trabalho, isto é, ocorreu transformação de capital variável em constante. O capital de 6.000 libras, não se modificando as demais condições, não pode empregar mais do que 50 trabalhadores. A cada aperfeiçoamento feito na maquinaria, empregará menos. Se a nova máquina introduzida custasse menos do que a soma da força de trabalho e das ferramentas que

---

212 Ure, *loc. cit.*, 368, 7, 370, 280, 321, 281 e 475.

213 Inicialmente, Ricardo esposava esse ponto de vista, mas a ele contrapôs-se expressamente, mais tarde, com sua imparcialidade científica e amor à verdade. Vide *loc. cit.*, Cap. XXXI, *On Machinery*.

214 O leitor notará que estou exemplificando de acordo com o método dos economistas acima mencionados.

A MAQUINARIA E A INDÚSTRIA MODERNA

suprimiu – por exemplo, 1.000 libras esterlinas, em vez de 1.500 –, um capital variável de 1.000 libras se transformaria em constante, enquanto um capital de 500 libras ficaria liberado. Este último, permanecendo invariável o salário anual, constituiria um fundo para empregar aproximadamente 16 trabalhadores, quando 50 estariam demitidos; aliás, esse fundo só daria para um número de trabalhadores bem abaixo de 16, uma vez que, para transformar as 500 libras esterlinas em capital, seria necessário converter uma parte delas em capital constante, de modo que só em parte se poderiam transformar em força de trabalho.

Mas, supondo-se ainda que a feitura da nova máquina ocupasse grande número de mecânicos, seria isso uma compensação para trabalhadores de papéis estampados que foram despedidos? Em todo caso, a fabricação da máquina ocupará menos trabalhadores do que os que sua aplicação despede. A soma de 1.500 libras, que representava apenas os salários dos trabalhadores despedidos da estamparia de papel, passa a representar, agora, corporificada na máquina: 1) o valor dos meios de produção necessários à feitura da máquina; 2) os salários dos mecânicos empregados em sua construção; e 3) a mais-valia que vai para o patrão. Demais, depois de pronta, não precisa a máquina ser renovada, até que se desgaste. Por isso, para manter empregado o número adicional de mecânicos, é necessário que os fabricantes de papéis estampados, um após outro, despeçam empregados, substituindo-os por máquinas.

Na realidade, aqueles apologistas não se referem a essa espécie de mobilização de capital. Referem-se aos meios de subsistência dos trabalhadores que foram despedidos ou liberados. Não se pode negar que, no caso considerado, a máquina não só despediu 50 trabalhadores, tornando-os disponíveis, mas ainda cortou a conexão que tinham com os meios de subsistência no valor de 1.500 libras esterlinas, liberando esses meios. O simples e conhecido fato de a maquinaria dissociar o trabalhador dos meios de subsistência significa, na linguagem dos economistas, que a maquinaria libera meios de subsistência para o trabalhador ou os transforma em capital para empregar o trabalhador. Como vimos, tudo depende do modo de dizer. Doura-se a realidade com palavras.

Segundo essa teoria, os meios de subsistência, no valor de 1.500 libras, eram um capital que estava sendo valorizado pelo trabalho dos 50 trabalhadores despedidos. Em consequência, esse capital perde seu emprego logo que os 50 entram em férias, e não descansa, até achar uma nova aplicação

O CAPITAL

em que, de novo, possa consumir produtivamente esses 50 trabalhadores. Mais cedo ou mais tarde, capital e trabalhador têm de reencontrar-se, ocorrendo então a compensação. Os sofrimentos dos trabalhadores despedidos pela máquina são tão passageiros quanto as riquezas deste mundo.

Os meios de subsistência no valor de 1.500 libras esterlinas nunca assumiram, para os trabalhadores despedidos, a forma de capital. O que assumiu para eles a forma de capital foram as 1.500 libras esterlinas que se transformaram em máquina. Olhando mais de perto, vê-se que essas 1.500 libras representam apenas uma parte dos papéis estampados produzidos por meio dos 50 trabalhadores despedidos, a qual receberam de seu empregador sob a forma de salário, em dinheiro, em vez de espécie. Com os papéis estampados transformados em 1.500 libras esterlinas, compravam meios de subsistência da mesma importância. Esses meios eram, para eles, não capital, mas mercadorias, e eles eram, para essas mercadorias, não assalariados, mas compradores. A circunstância de a máquina dissociá-los agora dos meios de compra transforma-os de compradores em não compradores. Daí decorre menor procura daquelas mercadorias. Eis tudo. Se essa procura diminuída não for compensada por maior procura de outro setor, cairão os preços das mercadorias. Se essa situação durar por algum tempo e se ampliar, haverá desemprego dos trabalhadores ocupados na produção daquelas mercadorias. Parte do capital, destinada antes a produzir meios de subsistência, passará a se reproduzir de outra forma. Com a queda dos preços e com o deslocamento do capital, os trabalhadores empregados na produção dos meios de subsistência necessários ficarão privados de parte de seus salários. Em vez de demonstrar que a maquinaria, ao dissociar o trabalhador dos meios de subsistência, transforma estes simultaneamente em capital para empregar aquele, os senhores apologistas nos levam, com a lei da oferta e da procura, à evidência de que a maquinaria põe na rua não só trabalhadores do ramo de produção onde se introduz, mas também trabalhadores de ramos onde não foi introduzida.

Os verdadeiros fatos, dissimulados pelo otimismo econômico, são estes: os trabalhadores despedidos pela máquina são transferidos da fábrica para o mercado de trabalho e, lá, aumentam o número das forças de trabalho que estão à disposição da exploração capitalista. Na Sétima Seção, ver-se-á que esse efeito da máquina, que foi apresentado sob a forma de compensação para a classe trabalhadora, flagela-a, ao contrário, da maneira mais terrível. Por ora, basta dizer o seguinte: os trabalhadores despedidos de um ramo industrial podem, sem dúvida, procurar emprego em qualquer outra ocupação. Se o acham, recompondo-se assim o laço que existia entre eles e os meios de subsistência de que foram dissociados, isto acontece através de novo capital adicional que procura aplicação, e de modo nenhum através do capital que já operava antes e se transformou em máquina. Mesmo nesse caso, suas possibilidades são ínfimas. Atrofiados pela divisão do trabalho, esses pobres-diabos valem tão pouco fora de seu âmbito de atividade que só encontram acesso em ramos de trabalho inferiores e, por isso, superlotados e mal pagos.[215] Além disso, cada ramo industrial atrai anualmente novo fluxo de seres humanos, o contingente para substituir e para aumentar seus trabalhadores conforme suas necessidades regularmente renovadas. Quando a maquinaria despede parte dos trabalhadores ocupados em determinado ramo industrial, o contingente que para ele aflui é redistribuído e absorvido por outros ramos, enquanto os despedidos, em grande parte, se arruínam e perecem no período de transição.

É incontestável que a maquinaria em si mesma não é responsável por serem os trabalhadores despojados dos meios de subsistência. Ela barateia e aumenta o produto no ramo de que se apodera e, de início, não modifica a quantidade de meios de subsistência produzidos em outros ramos. Depois de sua introdução, possui, portanto, a sociedade a mesma ou maior quantidade de meios de subsistência para os trabalhadores despedidos, não se levando em conta a enorme porção do produto anual dilapidada pelos que não são trabalhadores. E este é o ponto nevrálgico da apologética econômica. Para ela, as contradições e os antagonismos inseparáveis da aplicação capitalista da maquinaria não existem, simplesmente porque não decorrem da maquinaria, mas da sua aplicação capitalista. A maquinaria, como instrumental que é, encurta o tempo de trabalho; facilita o trabalho; é uma vitória do homem sobre as forças naturais; aumenta a riqueza dos que realmente produzem; mas, com sua aplicação capitalista, gera resultados opostos: prolonga o tempo de trabalho, aumenta sua intensidade,

---

215 Com relação ao assunto, observa um ricardiano, combatendo os dislates de J. B. Say: "Sempre que a divisão do trabalho está bastante desenvolvida, a habilidade do trabalhador só é aplicável no ramo especial em que ele a adquiriu; ele mesmo é uma espécie de máquina. Por isso, de nada adianta ficar repetindo, como um papagaio, que as coisas têm a tendência de encontrar seu nível. Observando bem, vemos apenas que elas não são capazes por longo tempo de achar seu nível; e, quando acham, o nível está sempre mais abaixo do que no início do processo." (*An Inquiry into those Principles Respecting the Nature of Demand* etc., Londres, 1821, p. 72.)

O CAPITAL

escraviza o homem por meio das forças naturais, pauperiza os verdadeiros produtores. O economista burguês explica, então, que a observação da maquinaria em si demonstra, sem a menor sombra de dúvida, que todas essas contradições palpáveis são aparências vulgares da realidade, mas que não têm nem existência real nem teórica. Assim, evita quebrar a cabeça com o assunto e, por cima, imputa a seu opositor a estupidez de combater não o emprego capitalista da maquinaria, mas a própria maquinaria.

O economista burguês não nega que sucedam aborrecimentos temporários com esse emprego; mas qual é a medalha que não tem reverso? Para ele, é impossível qualquer outra utilização da maquinaria que não seja a capitalista. A exploração do trabalhador pela máquina é, para ele, idêntica à exploração da máquina pelo trabalhador. Quem, portanto, põe em evidência o que realmente ocorre com o emprego capitalista da máquina não admite de nenhum modo sua aplicação, opõe-se ao progresso social.[216] Seu raciocínio é o mesmo do célebre degolador Bill Sikes:

> "Senhores jurados, esse caixeiro-viajante foi, sem dúvida, degolado. Mas a culpa não é minha, e sim da faca. Devemos, em virtude desses aborrecimentos passageiros, proibir o emprego da faca? Refleti! Que seria da agricultura e dos ofícios, sem a faca? Não é ela um meio de cura na cirurgia e um instrumento de pesquisa na anatomia? Não nos ajuda prestimosa nos alegres festins? Suprimi a faca e lançar-nos-eis na mais profunda barbaria."[216a]

Embora a maquinaria despeça necessariamente trabalhadores nos ramos onde se introduz, pode ela provocar acréscimo de emprego em outros ramos. Mas esse efeito nada tem de comum com a chamada teoria da compensação. Uma vez que todo produto de máquina – um metro de pano feito a máquina, por exemplo – é mais barato que o produto manual da mesma espécie, que foi suplantado, tem-se como lei absoluta: Se a

---

216 MacCulloch é, dentre outros, um modelo desse cretinismo presunçoso. "Se é vantajoso", diz ele com a afetada ingenuidade de uma criança de 8 anos, "desenvolver progressivamente a habilidade do trabalhador, de modo a capacitá-lo a produzir, com a mesma ou menor quantidade de trabalho, quantidade constantemente crescente de mercadoria, deve ser vantajoso também que recorra à ajuda da espécie de máquina que lhe sirva para atingir mais eficazmente esse resultado." (MacCulloch, *Princ. of Pol. Econ.*, Londres, 1830, p. 182.)

216a "O inventor da máquina de fiar arruinou a Índia, fato que pouco nos preocupa. (A. Thiers, *De la propriété*, [p. 275].) Thiers confunde máquina de fiar com tear mecânico, "fato que pouco nos preocupa".

A MAQUINARIA E A INDÚSTRIA MODERNA

quantidade total do artigo feito a máquina permanecer igual à quantidade total do artigo que substitui, produzido pelo artesanato ou manufatura, diminuirá o total de trabalho empregado. O acréscimo de trabalho eventualmente necessário para a produção dos meios de trabalho, maquinaria, carvão etc. tem de ser menor que o decréscimo de trabalho resultante da aplicação da máquina. Do contrário, o produto feito a máquina seria tão caro ou mais caro que o produto manual. Mas a quantidade total do artigo feito a máquina com menor número de trabalhadores, em vez de permanecer igual à quantidade total do artigo manual suprimido, aumenta muito além dessa quantidade. Suponhamos que 400.000 metros de tecido fossem produzidos a máquina por menos trabalhadores que 100.000 metros de tecido a mão. No produto quadruplicado, se insere quatro vezes mais matéria-prima. A produção da matéria-prima tem, portanto, de ser quadruplicada. Mas, quanto aos meios de trabalho consumidos, construções, carvão, máquinas etc., o limite dentro do qual pode aumentar o trabalho adicional necessário à sua produção varia com a diferença entre a quantidade de tecido feito a máquina e a quantidade de tecido que o mesmo número de trabalhadores pode fazer a mão.

Com a expansão do sistema fabril num ramo industrial, aumenta a produção em outros ramos que lhe fornecem meios de produção. Até que ponto, nesses ramos fornecedores, cresce o número de empregados depende, dadas a duração da jornada de trabalho e a intensidade do trabalho, da composição do capital aplicado, isto é, da relação entre capital constante e capital variável. Essa relação, por sua vez, varia com a proporção em que a maquinaria se apoderou ou está se apoderando desses ramos. O número de pessoas condenadas a trabalhar nas minas de carvão e de metal cresceu enormemente com o progresso do sistema fabril inglês, embora seu aumento se tenha tornado mais lento nas últimas décadas, com o emprego de nova maquinaria na mineração.[217] Uma nova espécie de trabalhador aparece com a maquinaria: o encarregado de produzi-la. Já sabemos que a maquinaria se apossou desse ramo de produção que tem a função de fabricá-la, em escala

---

217 Segundo o censo de 1861 (Vol. II, Londres, 1863), o número de trabalhadores empregados nas minas de carvão da Inglaterra e País de Gales era de 246.613, dos quais 63.546 eram menores e 173.067 maiores de 20 anos. Aqueles se repartiam em 835 de 5 a 10 anos, 30.701 de 10 a 15 anos e 42.010 de 15 a 19 anos. O número dos empregados nas minas de ferro, cobre, chumbo, zinco e dos demais metais era de 319.222.

O CAPITAL

cada vez maior.[218] Quanto às matérias-primas,[219] não há a menor dúvida, por exemplo, de que o rápido progresso da fiação de algodão incentivou fortemente a plantação de algodão dos Estados Unidos e, com ela, não só o tráfico de escravos africanos, mas também a criação de negros, que se tornou o negócio principal dos estados escravistas fronteiriços. Segundo o primeiro censo de escravos feito nos Estados Unidos, em 1796, seu número era de 697.000, atingindo, em 1861, cerca de quatro milhões. Por outro lado, não é menos certo que o florescimento da indústria de lã mecanizada, na Inglaterra, juntamente com a progressiva transformação das áreas rurais em pastagens de ovelhas, levou ao êxodo forçado dos trabalhadores agrícolas que se tornaram supérfluos. Na Irlanda, está atualmente em curso o processo de reduzir, ao nível correspondente às necessidades dos grandes proprietários de terras e dos fabricantes ingleses de lã, sua população, que, nos últimos 20 anos, foi diminuída quase à metade.

Quando a maquinaria se apodera das fases preliminares ou intermediárias, percorridas por um objeto ou material de trabalho antes de atingir sua forma final, aumenta, com a produção desse objeto em seus estágios mecanizados, a procura de trabalho nos ofícios ou nas manufaturas que o empregam nesses estágios. A fiação a máquina, por exemplo, fornecia o fio tão barato e abundante que o tecelão manual, no início, poderia trabalhar todo o tempo, sem maiores despesas. Assim, elevava-se seu rendimento.[220] Daí a afluência de pessoas para a tecelagem de algodão, na Inglaterra, chegando a 800.000 os tecelões surgidos em virtude das máquinas de fiar "Jenny", *throstle* e *mule* e liquidados, depois, pelo tear a vapor. Do mesmo modo, com a pletora dos tecidos produzidos a máquina, cresceu o número de alfaiates, modistas e costureiros etc., até que apareceu a máquina de costura.

---

218 Na Inglaterra e País de Gales, em 1861, a produção de máquinas ocupava 60.807 pessoas, inclusive os fabricantes, agentes, caixeiros, caixeiros-viajantes etc. relacionados com essa atividade. Foram excluídos os produtores de pequenas máquinas, tais como máquinas de costura etc., e os produtores das ferramentas para as máquinas-ferramenta, tais como fusos etc. O número total de engenheiros civis era de 3.329.

219 Quanto ao ferro, uma das mais importantes matérias-primas, havia em 1861, na Inglaterra e País de Gales, 125.771 fundidores, dos quais 123.430 do sexo masculino e 2.341 do sexo feminino. Dos primeiros, 30.810 eram menores e 92.620 maiores de 20 anos.

220 "Uma família de 4 pessoas adultas (tecelões de algodão), com 2 meninos como dobadores, ganhava, no fim do século XVIII e começo do século XIX, 4 libras esterlinas por semana, trabalhando 10 horas por dia. Se era necessário trabalhar mais, podia ganhar mais. [...] Antes, era sempre prejudicada pela falta de fios." (Gaskell, *loc. cit.*, pp. 34-35.)

A MAQUINARIA E A INDÚSTRIA MODERNA

Com a massa crescente de matérias-primas, de produtos semielaborados, de instrumentos de trabalho etc., fornecidos pela máquina com número relativamente pequeno de trabalhadores, especializaram-se as atividades que trabalham com essas matérias-primas e produtos em numerosas variedades, aumentando a diversificação dos ramos sociais de produção. O sistema fabril impulsiona a divisão social do trabalho muito mais do que a manufatura, porque aumenta, em grau desproporcionalmente maior, a força produtiva dos ramos de que se apodera.

A maquinaria tem por resultado imediato ampliar a mais-valia e, simultaneamente, a quantidade de produtos em que ela se incorpora. Assim, ela aumenta a substância de que vive a classe capitalista e seu cortejo, fazendo crescer essas camadas sociais. Sua riqueza em expansão e a diminuição relativamente constante do número dos trabalhadores necessários para a produção dos gêneros de primeira necessidade geram, juntamente com novas necessidades de luxo, novos meios de satisfazê-las. Uma porção maior do produto social transforma-se em produto excedente, e uma parte maior do produto excedente é fornecida e consumida sob formas refinadas e mais variadas. Em outras palavras, a produção de luxo aumenta.[221] O refinamento e a diversificação dos produtos correspondem também a novas relações comerciais com o exterior, criadas pela indústria moderna. Não só se trocam mais artigos de consumo estrangeiros por produtos nacionais, mas uma massa maior de matérias-primas, ingredientes, produtos semielaborados etc., importados do estrangeiro, são utilizados como meios de produção pela indústria nacional. Com essas relações comerciais externas, aumenta a procura de trabalho na indústria de transportes, e esta se divide em novas variedades.[222]

A ampliação dos meios de produção e dos meios de subsistência, com o decréscimo relativo do número de trabalhadores, leva ao aumento do trabalho em ramos industriais cujos produtos, tais como canais, docas, túneis, pontes etc., só proporcionam frutos em futuro distante. Formam-se, baseados diretamente na maquinaria ou na transformação industrial geral ocasionada por ela, ramos de produção inteiramente novos e, em conse-

---

221 F. Engels, em *Lage* etc., mostra a condição miserável de grande parte dos trabalhadores da produção de luxo. A esse respeito, há abundantes dados nos relatórios da "Child. Empl. Comm."

222 Em 1861, havia na Inglaterra e País de Gales 94.665 marinheiros empregados na marinha mercante.

quência, novos campos de trabalho. Mas a participação deles na produção total não é importante, mesmo nos países mais desenvolvidos. O número de trabalhadores por eles ocupados aumenta na medida em que surge a necessidade de trabalhos braçais. Como indústrias principais dessa espécie podemos considerar, atualmente: usinas de gás, telegrafia, fotografia, navegação a vapor e estradas de ferro. O censo de 1861, na Inglaterra e País de Gales, registra, na indústria de gás (usinas de gás, produção de aparelhos mecânicos, agentes das companhias de gás etc.), 15.211 pessoas; na telegrafia, 2.399; na fotografia, 2.366; no serviço de navegação a vapor, 3.570; e em estradas de ferro, 70.599, dentre os quais cerca de 28.000, abrangendo os cantoneiros mais ou menos permanentes, sem qualquer preparação profissional, e todo o pessoal administrativo e comercial. Número total de indivíduos ocupados nessas cinco indústrias novas: 94.145.

Por fim, a força produtiva extraordinariamente elevada nos ramos da indústria mecanizada, sincronizada com a exploração mais extensa e mais intensa da força de trabalho em todos os demais ramos da produção, permite empregar, improdutivamente, uma parte cada vez maior da classe trabalhadora e, assim, reproduzir, em quantidade cada vez maior, os antigos escravos domésticos, transformados em classe dos serviçais, compreendendo criados, criadas, lacaios etc. Segundo o censo de 1861, a população total da Inglaterra e do País de Gales era de 20.066.224 habitantes, dos quais 9.776.259 do sexo masculino e 10.289.965 do sexo feminino. Deduzindo-se daí os que são muito velhos ou muito jovens para trabalhar; todas as mulheres, jovens e crianças improdutivos; as classes ideológicas, como governo, clero, magistratura, militares etc.; todos cuja ocupação exclusiva seja consumir o trabalho alheio sob a forma de renda da terra, juros etc.; e, por fim, indigentes, vagabundos, criminosos etc. – ficam, em números redondos, 8 milhões de ambos os sexos e das mais diversas idades, inclusive todos os capitalistas que intervêm de algum modo na produção, no comércio, nas finanças etc. Entre esses 8 milhões figuram:

Trabalhadores agrícolas (inclusive os pastores, os moços de lavoura e as criadas que moram nas casas dos arrendatários) 1.098.261

Trabalhadores empregados nas fábricas têxteis de algodão, lã, linho, cânhamo, seda, juta e nas indústrias mecanizadas de meias e renda....... 642.607[223]

---

223 Destes, só 177.696 são do sexo masculino com mais de 13 anos.

A MAQUINARIA E A INDÚSTRIA MODERNA

Trabalhadores empregados nas minas de carvão e de metal 565.835

Trabalhadores empregados em usinas metalúrgicas (altos-fornos, laminações etc.) e em manufaturas metalúrgicas de toda a espécie........ 396.998[224]

Classe dos serviçais .... 1.208.648[225]

Se juntarmos os empregados em todas as fábricas têxteis com os da mineração de carvão e de metal, teremos 1.208.442; se juntarmos o pessoal de todas as fábricas têxteis com o das usinas e manufaturas metalúrgicas, obteremos o total de 1.039.605. Cada uma das somas é menor do que o número dos modernos escravos domésticos. Que resultado edificante nos dá a exploração capitalista da maquinaria!

7. REPULSÃO E ATRAÇÃO DOS TRABALHADORES PELA FÁBRICA. CRISES DA INDÚSTRIA TÊXTIL ALGODOEIRA

Todos os representantes de algum porte da economia política admitem que a introdução das máquinas constitui uma calamidade para os trabalhadores dos artesanatos e das manufaturas tradicionais, com os quais elas competem inicialmente. Quase todos deploram a escravatura do trabalhador de fábrica. E qual é o argumento mais importante que apresentam? Este: a máquina, após os horrores de seu período de introdução e desenvolvimento, aumenta, em sua etapa final, os escravos do trabalho, em vez de diminuí-los. Sim, a economia política rejubila-se com o teorema repugnante – mesmo para o filantropo que crê na necessidade eterna do modo capitalista de produção – de que a fábrica baseada na exploração mecanizada, depois de certo período de crescimento, após transição mais ou menos longa, chegará à fase em que absorverá integralmente número tão grande de trabalhadores que não haverá possibilidade de deixá-los sem emprego como no estágio inicial.[226]

---

224 Destes, 30.501 são do sexo feminino.

225 Destes, 137.447 são do sexo masculino. Estão excluídos de 1.208.648 todo o pessoal que não trabalha em casas particulares. Adendo à 2ª edição: De 1861 a 1870 dobrou o número de serviçais do sexo masculino. Aumentou para 267.671. Em 1847, havia 2.694 guarda-caças, nas tapadas aristocráticas; em 1869, 4.921. Na linguagem popular, as jovens empregadas nas casas dos pequenos-burgueses em Londres são chamadas de *little slaveys*, pequenas escravas.

226 Em sentido contrário, Ganilh considera que o resultado final do sistema fabril é a diminuição absoluta do número dos trabalhadores escravos, à custa dos quais aumenta o número das pessoas dignas que desenvolvem aquela célebre "perfectibilidade perfectível". Por pouco que entenda da dinâmica

O CAPITAL

Já se mostrou em alguns exemplos, como o das fábricas inglesas de lã e de seda, que, em certo estágio de desenvolvimento, a extraordinária expansão de indústrias mecanizadas pode estar associada ao decréscimo, tanto relativo quanto absoluto, do número de trabalhadores empregados.[I] Em 1860, quando se fez um censo especial de todas as fábricas do Reino Unido, por ordem do Parlamento, era de 652 o número das fábricas das zonas de Lancashire, Cheshire e Yorkshire, sob a jurisdição do inspetor R. Baker. Dessas fábricas, 570 continham: 85.622 teares a vapor; 6.819.146 fusos (excluídos os fusos duplos); 27.439 cavalos-vapor em máquinas a vapor e 1.390 em rodas hidráulicas; e 94.119 pessoas empregadas. Em 1865, as mesmas fábricas continham: 95.163 teares a vapor; 7.025.031 fusos; 28.925 cavalos-vapor em máquinas a vapor e 1.445 em rodas hidráulicas; e 88.913 pessoas ocupadas. De 1860 a 1865, o acréscimo nessas fábricas de teares a vapor foi de 11%, o de fusos 3% e o de cavalos-vapor 5%, enquanto o número de pessoas ocupadas diminuiu de 5,5%.[227] De 1852 a 1862, houve considerável aumento na fabricação inglesa de lã, enquanto o número de trabalhadores empregados ficou quase estacionário.

> "Isto mostra as grandes proporções em que a introdução de novas máquinas suprimiu o trabalho de períodos precedentes."[228]

---

da produção, sente Ganilh, pelo menos, que a maquinaria teria de ser uma entidade funesta, se sua introdução transformasse trabalhadores empregados em indigentes, enquanto seu desenvolvimento fizesse surgir mais escravos do trabalho do que os que liquidou. O cretinismo de seu ponto de vista só pode ser expresso com suas próprias palavras: "As classes condenadas a produzir e consumir diminuem, e as classes que dirigem o trabalho, aliviam, consolam e esclarecem a população aumentam [...] e apropriam-se de todas as vantagens que decorrem da diminuição dos custos do trabalho, da pletora das mercadorias e do barateamento dos artigos de consumo. Sob essa direção, a espécie humana se eleva às mais sublimes criações do gênio, penetra nos arcanos misteriosos da religião, estabelece os princípios salutares da moral [que consiste em "apropriar-se de todas as vantagens etc."], as leis tutelares da liberdade [a liberdade das "classes condenadas a produzir"?] e do poder, da obediência e da justiça, do dever e da humanidade." Esses disparates se encontram em *Des systèmes d'économie politique* etc., por M. Ch. Ganilh, 2ª ed., Paris, 1821, t. I, p. 224. Vide também p. 212.

I Vide pp. 474 e 476.

227 *Reports of Insp. of Fact., 31st Oct. 1865*, pp. 58 e segs. Mas já havia, ao mesmo tempo, a base material para empregar um número crescente de trabalhadores em 110 novas fábricas com 11.625 teares a vapor, 628.576 fusos, 2.695 cavalos de força de vapor e hidráulica. (*Loc. cit.*)

228 *Reports etc. for 31st Oct. 1862*, p. 79.

Adendo à 2ª edição: Em fins de dezembro de 1871, em palestra pronunciada na "New Mechanics' Institutions", em Bradford, disse o inspetor A. Redgrave: "O que há algum tempo tem me parecido estranho é a mudança ocorrida nas fábricas de lã. Antes, estavam cheias.de mulheres e crianças, agora parece que a maquinaria faz todo o trabalho. Pedi uma explicação a um fabricante, que me deu a seguinte: No velho sistema, eu empregava 63 pessoas; depois de introduzir maquinaria aperfeiçoada,

A MAQUINARIA E A INDÚSTRIA MODERNA

Em casos tomados à realidade, o acréscimo dos trabalhadores empregados nas fábricas é apenas aparente, isto é, não decorre da expansão da fábrica já baseada na exploração mecanizada, mas da anexação progressiva de ramos correlatos que se vão mecanizando. Assim, o acréscimo dos teares mecânicos e dos trabalhadores que os manejavam, de 1838 a 1858, nas fábricas da indústria têxtil algodoeira britânica, foi uma simples consequência da extensão da área mecanizada dessa indústria; o acréscimo de trabalhadores nas fábricas de tapetes, fitas, linho etc. foi devido à nova aplicação do vapor aos teares, que eram antes impulsionados pela força muscular humana.[229] O acréscimo desses trabalhadores fabris corresponde, portanto, a um decréscimo no número global dos trabalhadores ocupados. Aqui não se levou em conta constituírem os trabalhadores menores de 18 anos, as mulheres e as crianças o elemento predominante do pessoal de fábrica, excetua das usinas metalúrgicas.

Apesar da quantidade de trabalhadores realmente eliminados e virtualmente substituídos, é compreensível que, com o crescimento do sistema mecanizado, expresso no maior número de fábricas da mesma espécie ou nas dimensões ampliadas das fábricas existentes, possam os trabalhadores fabris se tornar, por fim, mais numerosos do que os trabalhadores suprimidos das manufaturas e dos ofícios. Suponhamos que, com o antigo modo de produção, o capital de 500 libras esterlinas semanalmente empregado consiste, por exemplo, em $^2/_5$ de capital constante e $^3/_5$ de variável, isto é, 200 libras despendidas em meios de produção e 300 em forças de trabalho, digamos, a 1 libra por trabalhador. O emprego da máquina muda a composição do capital global. Este se decompõe agora, digamos, em $^4/_5$ de constante e $^1/_5$ de variável, isto é, só se aplicam 100 libras em força de trabalho. Dois terços dos trabalhadores anteriormente empregados são, portanto, despedidos. Se a fábrica se expande e aumenta o capital aplicado de 500 para 1.500 libras, sem se modificarem as demais condições, serão empregados 300 trabalhadores, tantos quantos antes dessa Revolução Industrial. Se o capital aplicado se eleva para 2.000, serão empregados 400 trabalhadores, portanto $^1/_3$ mais do que no antigo modo de produção. Em termos absolutos, o número de trabalhadores aumentou de 100, relativa-

---

consegui reduzi-las para 33, e, recentemente, em virtude de novas e extensas modificações, pude diminuí-las de 33 para 13."

229 *Reports* etc. *for 31st Oct. 1856*, p. 16.

O CAPITAL

mente, isto é, em relação ao capital global desembolsado, diminuiu de 800, pois o capital de 2.000 libras esterlinas teria empregado, no velho modo de produção, 1.200, em vez de 400 trabalhadores. Decréscimo relativo do número de trabalhadores empregados é, portanto, compatível com seu aumento absoluto. Supusemos acima que o capital global não muda a composição, com o crescimento, e que permanecem constantes as condições de produção. Mas já sabemos que, com cada avanço da produção mecanizada, cresce o capital constante, constituído de maquinaria, matérias-primas etc., enquanto diminui o variável, despendido em força de trabalho. Sabemos também que, em nenhum outro modo de produção, são tão constantes os aperfeiçoamentos da maquinaria e, em consequência, tão variável a composição do capital global. Essa variação contínua é, porém, constantemente interrompida por pontos de parada e pela expansão puramente quantitativa numa base técnica dada. Desse modo, aumenta o número dos trabalhadores empregados. Assim, o número de todos os trabalhadores, em 1835, nas fábricas têxteis inglesas de algodão, lã, linho e seda, era apenas de 354.684, enquanto, em 1861, só o número dos tecelões de teares a vapor (de ambos os sexos e das mais diversas idades a partir de 8 anos) era de 230.654. Esse crescimento diminui de importância quando se pondera que, em 1838, o número de tecelões manuais britânicos, juntamente com os familiares que com eles trabalhavam, atingia 800.000,[230] havendo ainda a considerar os que foram suprimidos na Ásia e no Continente Europeu.

Nas poucas observações adicionais que temos de fazer sobre o assunto, mencionaremos alguns fatos concretos que até agora ficaram à margem de nossa exposição teórica.

Quando a produção mecanizada se estende num ramo à custa do artesanato tradicional e da manufatura, sua vitória é tão certa quanto a de um exército equipado com armas de fogo em luta contra índios armados com arco e flecha. Esse primeiro período em que a máquina conquista seu campo de ação é decisivamente importante, em virtude dos lucros extraordinários que ajuda a produzir. Estes constituem fonte de acumulação acelerada e, além disso, atraem grande parte do capital social adicional que

---

230 "Os sofrimentos dos tecelões manuais [de algodão e de outras matérias misturadas com algodão] foram objeto de inquérito por uma comissão real, mas, embora sua miséria fosse reconhecida e deplorada, deixou-se a melhoria de sua situação ao acaso e às mudanças do tempo, devendo-se esperar agora que esses sofrimentos [20 anos mais tarde!] tenham quase desaparecido, para o que contribuiu, com toda a probabilidade, a grande expansão dos teares a vapor." (*Rep. Insp. Fact. 31st Oct. 1856*, p. 15.)

A MAQUINARIA E A INDÚSTRIA MODERNA

está se formando constantemente e procura aplicação nos setores favore-cidos da produção. As vantagens especiais desse período febril e agitado se repetem sempre nos ramos de produção que a maquinaria invade. Mas, quando o sistema fabril adquire base mais ampla e certo grau de maturi-dade; quando principalmente sua base técnica, a maquinaria, é produzida por máquinas; quando a mineração de carvão e ferro, a elaboração dos metais e o sistema de transportes são revolucionados; quando, em suma, se estabelecem as condições gerais de produção correspondentes à indústria moderna, adquire esse sistema de exploração elasticidade, capacidade de expandir-se bruscamente e aos saltos, que só se detém diante dos limites impostos pela matéria-prima e pelo mercado. A maquinaria, de um lado, amplia diretamente a produção de matéria-prima, como, por exemplo, a máquina descaroçadora, que aumentou a produção de algodão.[231] Por ou-tro lado, o barateamento dos produtos feitos a máquina e a revolução nos meios de transporte e comunicação servem de armas para a conquista de mercados estrangeiros. Arruinando com seus produtos o artesanato de paí-ses estrangeiros, a produção mecanizada transforma necessariamente esses países em campos de produção de suas matérias-primas. Assim, a Índia foi compelida a produzir algodão, lã, cânhamo, juta, anil etc. para a Grã-Bre-tanha.[232] Tornando constantemente supérflua uma parte dos trabalhadores, a indústria moderna, nos países em que está radicada, estimula e incita a emigração para países estrangeiros e sua colonização, convertendo-se assim em colônias fornecedoras de matérias-primas para a mãe-pátria, como a Austrália, por exemplo, que produz lã.[233] Cria-se nova divisão internacio-nal do trabalho, adequada aos principais centros da indústria moderna,

---

231 No Livro 3, serão mencionados outros meios pelos quais a máquina influi na produção das matérias-primas.

232 Exportação de algodão da Índia para a Grã-Bretanha
(em libras-peso)

| 1846 | 34.540.143 | 1860 | 204.141.168 | 1865 | 445.947.600 |

Exportação de lã da Índia para a Grã-Bretanha
(em libras-peso)

| 1846 | 4.570.581 | 1860 | 20.214.173 | 1865 | 20.679.111 |

233 Exportação de lã do Cabo para a Grã-Bretanha
(em libras-peso)

| 1846 | 2.958.457 | 1860 | 16.574.345 | 1865 | 29.920.623 |

Exportação de lã da Austrália para a Grã-Bretanha
(em libras-peso)

| 1846 | 21.789.346 | 1860 | 59.166.616 | 1865 | 109.734.261 |

O CAPITAL

transformando uma parte do planeta em áreas de produção predominantemente agrícola, destinada à outra parte primordialmente industrial. Esta transformação está ligada a mudanças radicais na agricultura, matéria de que não se tratará ainda aqui.[234]

Por iniciativa de Gladstone, a Câmara dos Comuns determinou, em 18 de fevereiro de 1867, levantamento de todas as quantidades de trigo, grãos e farinhas de toda a espécie, importados e exportados pelo Reino Unido, entre 1831 e 1866. Apresento mais adiante um sumário do resultado. A farinha está reduzida a quartas de trigo. Vide tabela na página 494.

O enorme poder de expansão, aos saltos, do sistema fabril e sua dependência do mercado mundial geram necessariamente uma produção em ritmo febril, seguida de abarrotamento dos mercados, que, ao se contraírem, ocasionam um estado de paralisação. A vida da indústria se converte numa sequência de períodos de atividade moderada, prosperidade, superprodução, crise e estagnação. A incerteza e a instabilidade a que a produção mecanizada submete a ocupação e, consequentemente, as condições de vida do trabalhador tornam-se normais como aspectos das variações periódicas do ciclo industrial. Excetuados os períodos de prosperidade, travam-se entre os capitalistas os mais furiosos combates, procurando, cada um deles,

---

234 O desenvolvimento econômico dos Estados Unidos é um produto da moderna indústria europeia, especialmente da inglesa. Em seu estágio atual (1866), devem ser considerados ainda um país colonial em relação à Europa.

Adendo à 4ª edição: A partir de então, os Estados Unidos se desenvolveram, tornando-se o segundo país industrial do mundo, sem com isso perder inteiramente seu caráter colonial. — F.E.

Exportação de algodão dos Estados Unidos para a Grã-Bretanha

(em libras-peso)

| 1846 | 401.949.393 | 1852 | 765.630.544 |
| 1859 | 961.707.264 | 1860 | 1.115.890.608 |

Exportação de cereais etc. dos Estados Unidos para a Grã-Bretanha, em 1862 (em quintais ingleses)

Trigo	1850	16.202.312	1862	41.033.503
Cevada	1850	3.669.653	1862	6.624.800
Aveia	1850	3.174.801	1862	4.426.994
Centeio	1850	388.149	1862	7.108
Farinha de trigo	1850	3.819.440	1862	7.207.113
Trigo sarraceno	1850	1.054	1862	19.561
Milho	1850	5.473.161	1862	11.694.818
Cevada superior (bere ou bigg)	1850	2.039	1862	7.675
Ervilhas	1850	811.620	1862	1.024.722
Feijão	1850	1.822.972	1862	2.037.137
Importação total	1850	35.365.801	1862	74.083.441

A MAQUINARIA E A INDÚSTRIA MODERNA

obter uma participação no mercado. Essa participação está na razão direta do barateamento do produto. Por isso, rivalizam-se no emprego de maquinaria aperfeiçoada que substitui força de trabalho e na aplicação de novos métodos de produção. Mas, em todo ciclo industrial, chega o momento em que se procura baratear as mercadorias, diminuindo-se à força o salário abaixo do valor da força de trabalho.[235]

O acréscimo do número dos trabalhadores tem, portanto, por condição o incremento proporcionalmente muito mais rápido do capital global empregado nas fábricas. Mas esse incremento está condicionado pelo fluxo e refluxo do ciclo industrial. Além disso, é continuamente interrompido pelo progresso técnico, que ora substitui virtualmente trabalhadores, ora os suprime de fato. Essa mudança qualitativa na produção mecanizada afasta constantemente trabalhadores da fábrica ou fecha suas portas a novos candidatos a emprego, enquanto a simples expansão quantitativa das fábricas absorve, com os despedidos, novos contingentes. Os trabalhadores são, assim, ininterruptamente repelidos e atraídos, jogados de um lado para outro, variando constantemente o recrutamento deles em relação ao sexo, à idade e à habilidade.

Ficarão mais bem evidenciadas as vicissitudes do trabalhador fabril se fizermos um rápido exame dos vaivéns da indústria têxtil algodoeira inglesa.

---

235 Num apelo dos trabalhadores despedidos por *lockout* dos fabricantes de calçados em Leicester, dirigido às "Trade Societies of England", em julho de 1866, lê-se: "Há 20 anos, transformou-se a fabricação de calçados em Leicester, ao introduzir-se o método de pregar em vez de costurar. Naquele tempo podia-se obter bons salários. As firmas concorriam fortemente entre si para fornecer artigos mais elegantes, mas logo depois surgiu outra espécie de concorrência, cada uma procurando vender mais barato do que a outra. As consequências funestas se evidenciaram na redução de salários, que foi tão rápida que muitas firmas não pagam hoje mais do que a metade do salário primitivo. E, embora os salários caiam cada vez mais, parece que os lucros aumentam com cada alteração da escala salários." Os fabricantes se aproveitam dos períodos desfavoráveis da indústria para fazer lucros extraordinários através da redução exagerada de salários, isto é, do roubo direto dos meios de subsistência indispensáveis ao trabalhador. Um exemplo disso é a crise na tecelagem de seda em Coventry: "De informações que recebi de fabricantes e também de trabalhadores, parece não haver dúvida de que os salários foram reduzidos numa extensão maior do que impunha a concorrência dos produtores estrangeiros ou outras circunstâncias. A maioria dos tecelões trabalha com uma redução salarial de 30 a 40%. Uma peça de fita, pela qual o tecelão, 5 anos atrás, recebia 6 ou 7 xelins, só lhe rende agora 3 xelins e 3 pence ou 3 xelins e 6 pence; outro trabalho pelo qual se recebia antes 4 xelins ou 4 xelins e 3 pence, recebe-se agora 2 xelins ou 2 xelins e 3 pence. A redução de salários é maior do que a necessária para incentivar a procura. Na realidade, a redução salarial na tecelagem de muitas espécies de fita não foi acompanhada por nenhuma redução no preço do artigo." (Relatório do comissário F. D. Longe, em *Ch. Emp. Comm., V. Rep. 1866*, p. 114, n. 1.)

O CAPITAL

De 1770 a 1815, a indústria têxtil algodoeira só em 5 anos experimentou depressão ou estagnação. Durante esses primeiros 45 anos, os fabricantes ingleses possuíam o monopólio da maquinaria e do mercado mundial. De 1815 a 1821, houve depressão; em 1822 e 1823, prosperidade; em 1824, abolição das leis contra as *trade unions*, grande expansão geral das fábricas; em 1825, crise; em 1826, grande miséria e revoltas entre os trabalhadores das fábricas; em 1827, ligeira melhoria; em 1828, grande aumento dos teares a vapor e das exportações; em 1829, as exportações, especialmente para a Índia, ultrapassaram todos os anos anteriores; em 1830, mercados abarrotados, grande penúria; de 1831 a 1833, mantém-se a depressão, e retira-se da Companhia das Índias Orientais o monopólio do comércio com a Índia e a China. Em 1834, há grande aumento de fábricas e de maquinaria e escassez de braços. A nova lei dos pobres promove a emigração dos trabalhadores rurais para os distritos das fábricas. Os condados rurais se esvaziam de crianças. Tráfico de escravos brancos. Em 1835, grande prosperidade. Ao mesmo tempo, os tecelões morrem de fome. Em 1836, grande prosperidade. Em 1837 e 1838, depressão e crise. Em 1839, reanimação. Em 1840, grande depressão, revoltas, intervenção de tropas. Em 1841 e 1842, sofrimentos terríveis dos trabalhadores fabris. Em 1842, os fabricantes fecham suas fábricas aos trabalhadores para forçar a abolição das leis aduaneiras sobre cereais. Os trabalhadores afluem aos milhares a Yorkshire, sendo repelidos pelas tropas, e seus líderes, levados a julgamento em Lancaster. Em 1843, grande miséria. Em 1844, reanimação. Em 1845, grande prosperidade. Em 1846, de início continuação da melhoria, seguida de sintomas opostos. Revogação das leis sobre cereais. Em 1847, crise. Redução geral dos salários em 10% e mais para comemorar o enorme pão (*"big loaf "*) prometido pelos livre-cambistas. Em 1848, continua a depressão. Manchester sob proteção militar. Em 1849, reanimação. Em 1850, prosperidade. Em 1851, preços em declínio, salários baixos, greves frequentes. Em 1852, início de melhoria. Continuam as greves, os fabricantes ameaçam importar trabalhadores estrangeiros. Em 1853, exportações em ascensão. Greve de 6 meses e grande miséria em Preston. Em 1854, prosperidade, mercados abarrotados. Em 1855, notícias de falências acorrem dos Estados Unidos, do Canadá e dos mercados orientais. Em 1856, grande prosperidade. Em 1857, crise. Em 1858, melhoria. Em 1859, grande prosperidade, aumento das fábricas. Em 1860, apogeu da indústria têxtil algodoeira. Então, os mercados indianos, australianos e de outras

A MAQUINARIA E A INDÚSTRIA MODERNA

áreas ficaram tão abarrotados que, mesmo em 1863, não tinham absorvido ainda todo o encalhe. Tratado de comércio com a França. Desenvolvimento enorme das fábricas e da maquinaria. Em 1861, a melhoria continua por algum tempo, manifestam-se tendências opostas, sobrevindo a Guerra Civil americana e a falta de algodão. De 1862 a 1863, colapso completo.

A história da carência de algodão caracteriza tão bem o processo capitalista que não podemos deixar de nos referir a ela. Pelas condições mencionadas do mercado mundial em 1860 e 1861, vê-se que a crise do algodão surgiu para os fabricantes no momento oportuno e em parte lhes foi favorável, fato reconhecido nos relatórios da Câmara de Comércio de Manchester, proclamado no Parlamento por Palmerston e Derby e confirmado pelos acontecimentos.[236] Em 1861, havia muitas fábricas pequenas entre as 2.887 fábricas têxteis algodoeiras do Reino Unido. Segundo o relatório do inspetor A. Redgrave, cuja circunscrição administrativa abrangia 2.109 daquelas fábricas, 392, ou seja, 19% empregavam menos de 10 cavalos-vapor; 345, ou seja, 16%, de 10 até menos de 20; e 1.372,20 cavalos-vapor ou mais.[237] A maioria das pequenas fábricas eram tecelagens, construídas durante o período de prosperidade a partir de 1858, na maior parte por especuladores, dos quais um fornecia o fio, outro a maquinaria e um terceiro o prédio; eram movimentadas por antigos supervisores ou por outras pessoas sem recursos. Na maioria dos casos, sucumbiram esses pequenos fabricantes. A crise comercial posterior, contida pela crise algodoeira, lhes teria reservado a mesma sorte. Embora constituíssem um terço do número de fabricantes, suas fábricas absorviam uma porção desproporcionadamente menor do capital investido no ramo. Dimensionando a estagnação, estimativas idôneas calculavam que, em outubro de 1862, estavam parados 60,3% dos fusos e 58% dos teares. Isto se referia a todo o ramo industrial, variando, naturalmente, bastante de um distrito para outro. Só muito poucas fábricas trabalhavam em tempo integral (60 horas por semana); as restantes, com interrupções. Mesmo os poucos trabalhadores que operam em tempo integral e com salário por peça tiveram necessariamente diminuída sua remuneração semanal, em virtude da substituição do algodão de qualidade normal pelo de qualidade inferior: o de Sea Island, pelo egípcio (na fiação fina); o americano e o egípcio, pelo *surat* (da Índia); e o algodão puro,

---

236 Vide *Reports of Insp. of Fact. for 31st Oct. 1862*, p. 30.

237 *Loc. cit.*, pp. 18-19.

PERÍODOS QUINQUENAIS E ANO DE 1866

	1831-1835	1836-1840	1841-1845	1846-1850	1851-1855	1856-1860	1861-1865	1866
Importação anual média (quartas)	1.096.373	2.389.729	2.843.865	8.776.522	8.345.237	10.913.612	15.009.871	16.457.340
Exportação anual média (quartas)	225.263	251.770	139.056	155.461	307.491	341.150	302.754	216.218
Diferença anual média (quartas)	871.110	2.137.959	2.704.809	8.621.091	8.037.746	10.572.462	14.707.117	16.241.404
Média anual consumida (em quartas) por habitante, excluindo-se o consumo da produção interna	0,036	0,082	0,099	0,310	0,291	0,372	0,501	0,543

A MAQUINARIA E A INDÚSTRIA MODERNA

por misturas de resíduos de algodão com *surat*. A fibra curta do algodão *surat*, sujo por natureza, a maior fragilidade dos fios, a substituição da farinha por toda a espécie de ingredientes pesados para engomar os fios da urdidura etc., reduziam a velocidade da maquinaria ou o número de teares que um tecelão podia supervisionar, aumentavam o trabalho, em virtude de defeitos das máquinas, e diminuíam o salário por peça ao decrescer a quantidade produzida. Com o emprego do algodão *surat* e com tempo integral de trabalho, a perda do trabalhador elevava-se a 20% a 30% e ainda a mais. A maioria dos fabricantes, porém, rebaixava a taxa do salário por peça de 5%, 7½%, e 10%. Podemos imaginar a situação dos que trabalhavam apenas 3, 3½ ou 4 dias por semana, ou apenas 6 horas por dia. Em 1863, depois de sobrevir relativa melhoria, os salários semanais para tecelões, fiandeiros etc. oscilavam entre 3 xelins e 4 pence, 3 xelins e 10 pence, 4 xelins e 6 pence, 5 xelins e 1 pence etc.[238] Mesmo nessas condições miseráveis, não se esgotava o talento que tinham os fabricantes em inventar reduções salariais. Estas eram impostas, em parte, como castigo por defeitos de produção devidos à má qualidade do algodão, à maquinaria inadequada etc. Quando o fabricante era proprietário dos casebres dos trabalhadores, descontava ele o aluguel do salário nominal. O inspetor Redgrave conta-nos de supervisores responsáveis por um par de máquinas de fiar automáticas, que

> "[...] ao fim de uma quinzena de trabalho em tempo integral, receberam 8 xelins e 11 pence, e que dessa soma foi deduzido o aluguel da casa, tendo o fabricante devolvido metade do aluguel como presente. Os supervisores ficaram apenas com 6 xelins e 11 pence. Em fins de 1862, esses supervisares ganhavam de 5 a 9 xelins por semana, e os tecelões, de 2 a 6 xelins."[239]

Mesmo quando o operário trabalhava em horário reduzido, o patrão descontava frequentemente do salário o aluguel.[240] Não admira que em algumas partes de Lancashire irrompesse uma epidemia causada pela fome. Mais característico, porém, do que tudo isso foi a revolução do processo de produção à custa do trabalhador. Foram verdadeiras experiências com seus corpos, como a dos anatomistas *"in corpore vili"*, com as rãs, por exemplo.

---

238 *Reports of Fact. for 31ˢᵗ Oct. 1863*, pp. 41-45 e 51.
239 *Reports etc. 31ˢᵗ Oct. 1863*, pp. 41-42.
240 *Loc. cit.*, p. 57.

O CAPITAL

"Embora tenha eu", disse o inspetor Redgrave, "apresentado as receitas reais dos trabalhadores em muitas fábricas, não se deduza daí que eles recebam a mesma importância todas as semanas. Seus salários estão sujeitos às maiores flutuações, em virtude das contínuas experiências que os fabricantes fazem. [...] Sua remuneração sobe e desce com a qualidade da mistura do algodão; uma semana, seus salários só se afastam em 15% do nível primitivo, para diminuírem de 50% a 60%, em relação a esse nível, uma ou duas semanas depois."[241]

Esses experimentos não foram feitos apenas à custa dos meios de subsistência dos trabalhadores, que tiveram de padecer, ainda, com males infligidos aos seus cinco sentidos.

"Os empregados encarregados de abrir os fardos de algodão informaram-me que o cheiro insuportável lhes faz mal. [...] Nas salas de misturar, carduçar e cardar, a poeira e o cheiro que se desprendem irritam as vias respiratórias, causam tosse e dificuldade de respiração. [...] Em virtude da fibra curta, adiciona-se ao fio, na ocasião de engomar, grande quantidade de todas as espécies de ingredientes que substituem a farinha que se utilizava antigamente. Daí as náuseas e as dispepsias dos tecelões. A poeira causa bronquite, inflamação da garganta, além de uma doença de pele, em virtude da irritação desta provocada pela sujeira do algodão *surat*."

Os ingredientes que substituíram a farinha se constituíram numa fonte de lucros para os fabricantes, em virtude de aumentar o peso do fio. Faziam "15 libras de matéria-prima pesar 20 libras, depois de tecida".[242] No relatório dos inspetores, de 30 de abril de 1864, lê-se:

"Os industriais se aproveitam dessa fonte de lucro, de maneira realmente vergonhosa. Soube, por fonte idônea, de um caso em que se obtém 8 libras-peso de tecido com 5¼ libras-peso de algodão e 2¾ de goma, e de outro em que havia, em 5¼ libras-peso de tecido, duas de goma. Tratava-se de panos ordinários de camisa, destinados à exportação. Em outros tipos de tecidos, a adição de goma chegou às vezes a 50%. Desse modo, há fabricantes que podem se vangloriar, e realmente o fazem, de que ficam ricos vendendo tecidos por menos dinheiro do que custa o fio que eles deveriam conter."[243]

---

241 *Loc. cit.*, pp. 50-51.
242 *Loc. cit.*, pp. 62-63.
243 *Reports* etc. *30th April 1864*, p. 27.

A MAQUINARIA E A INDÚSTRIA MODERNA

Mas os trabalhadores não tinham apenas de sofrer com os experimentos feitos pelos patrões nas fábricas e pelas municipalidades fora das fábricas; com a redução salarial e com a falta de trabalho; com a miséria e com a mendicidade; com a retórica louvaminheira de membros das Câmaras dos Lordes e dos Comuns.

> "Infelizes mulheres, lançadas fora do emprego em virtude da crise algodoeira, tornaram-se e continuaram sendo a escória da sociedade. [...] O número de jovens prostitutas ultrapassou o nível de tudo o que pude verificar nos últimos 25 anos."[244]

Nos primeiros 45 anos da indústria têxtil algodoeira britânica, de 1770 a 1815, houve apenas 5 anos de crise e estagnação, mas esse foi o período em que ela tinha o monopólio mundial. O segundo período, de 48 anos, de 1815 a 1863, apresenta 20 anos de reanimação e de prosperidade para 28 anos de depressão e de estagnação. De 1815 a 1830, começa a concorrência da Europa Continental e dos Estados Unidos. A partir de 1833, força-se a expansão dos mercados asiáticos, mesmo à custa da "destruição da raça humana". A partir da abolição das leis aduaneiras sobre os cereais, de 1846 a 1863, a 8 anos de atividade moderada e de prosperidade correspondem 9 anos de depressão e estagnação. A nota abaixo[245] proporciona elementos

---

244 De uma carta do chefe de polícia Harris, de Bolton, em *Reports of Insp. of Fact. 31ˢᵗ Oct. 1865*, pp. 61-62.

245 Num apelo dos trabalhadores da indústria têxtil algodoeira, feito na primavera de 1863, para formar uma sociedade de emigração, lê-se: "Só poucos negarão que atualmente é absolutamente necessária grande emigração dos trabalhadores de fábrica. Que uma contínua corrente emigratória é sempre necessária, sendo impossível, sem ela, manter nossa posição nas condições reinantes, demonstram os seguintes fatos: Em 1814, o valor oficial (que é apenas um índice da quantidade) dos artigos de algodão exportados foi de 17.665.378 libras esterlinas, seu valor real de mercado de 20.070.824 libras esterlinas. Em 1858, o valor oficial desses artigos exportados era de 182.221.681 libras esterlinas, e o valor real de mercado apenas 43.001.322, de modo que a quantidade vendida se decuplicou e o montante recebido em libras esterlinas apenas chegou a ser pouco mais do que o dobro. Este resultado tão funesto para o país em geral e para os trabalhadores em particular decorreu do concurso de diversas causas. Uma das principais é o constante excesso de trabalhadores, sem o qual não se pode manter esse negócio tão ruinoso, que exige constante ampliação do mercado, para escapar ao aniquilamento. Nossas fábricas têxteis de algodão podem parar com a estagnação periódica do comércio, tão inevitável quanto a morte, no regime atual. Mas o espírito inventivo do homem não para por isso. Nos últimos 25 anos, abandonaram o país, num cálculo subestimado, 6 milhões de pessoas. Entretanto, em virtude da contínua supressão de trabalhadores, para baratear o produto, grande percentagem dos trabalhadores adultos, mesmo nos anos de maior prosperidade, não encontra emprego de nenhuma espécie, em qualquer condição, nas fábricas." (*Reports of Insp. of Fact. 30ᵗʰ April 1863*, pp. 51-52.) Veremos noutro capítulo como os fabricantes, durante a crise algodoeira, se

para se avaliar a situação dos trabalhadores adultos da indústria têxtil algo-doeira, inclusive durante os anos de prosperidade.

8. REVOLUÇÃO QUE A INDÚSTRIA MODERNA REALIZA NA MANUFATURA, NO ARTESANATO E NO TRABALHO EM DOMICÍLIO

a) Eliminação da cooperação baseada no ofício e na divisão do trabalho

Vimos como a maquinaria elimina a cooperação baseada no ofício e a ma-nufatura fundamentada na divisão do trabalho manual. Um exemplo do primeiro fenômeno é a máquina de segar, que substitui a cooperação dos ceifeiros. Um exemplo bem ilustrativo do segundo fenômeno é a máquina para fabricar agulhas. Segundo Adam Smith, no seu tempo, por meio da divisão do trabalho, 10 homens faziam, por dia, mais de 48.000 agulhas. Uma única máquina fornece hoje 145.000, num dia de trabalho de 11 horas. Uma mulher ou uma menina supervisiona, em média, 4 dessas máquinas, produzindo com a maquinaria 600.000 agulhas por dia; por semana, mais de 3 milhões.[246] Quando uma máquina-ferramenta isolada toma o lugar da cooperação ou da manufatura, pode ela servir de base a um novo artesanato. Mas essa reprodução do artesanato baseado na ma-quinaria é apenas uma transição para o sistema fabril, que, em regra, se estabelece quando a força motriz mecânica, o vapor ou a água, substitui a força muscular humana na movimentação da máquina. De maneira es-porádica e também transitória, uma exploração em pequena escala pode aliar-se com a força motriz mecânica, por meio do aluguel do vapor, como sucede em algumas manufaturas de Birmingham, ou com o emprego de máquinas a ar quente, como em certos ramos da tecelagem etc.[247] Na tece-lagem de seda de Coventry, desenvolveu-se espontaneamente a experiência da "*cottage factory*", a fábrica formada de um aglomerado de galpões. No centro de um quadrado formado por filas de galpões, constrói-se o local para a máquina a vapor, ligada por um sistema de transmissão aos teares situados nos galpões. Em todos os casos, o vapor era alugado a 2½ xelins

---

empenharam por impedir a emigração dos trabalhadores fabris, por todas as formas, inclusive por meio da interferência do Estado.

246 *Ch. Empl. Comm., III. Report*, 1864, p. 108, n. 447.

247 Nos Estados Unidos, é frequente essa reprodução do artesanato baseado na maquinaria. Por isso mesmo, quando se dá a inevitável transição para o sistema fabril, a concentração se realiza lá a passos gigantescos, em comparação com a Europa e mesmo com a Inglaterra.

A MAQUINARIA E A INDÚSTRIA MODERNA

por tear. O aluguel do vapor era pago por semana, funcionassem ou não os teares. Cada galpão continha 2 a 6 teares, pertencentes aos trabalhadores, ou comprados a crédito, ou alugados. A luta entre a *"cottage factory"* e a fábrica propriamente dita durou mais de 12 anos. Terminou com a ruína completa das 300 *"cottage factories"*.[248] Quando a natureza do processo não determinava, desde o início, a produção em grande escala, as novas indústrias surgidas nas últimas décadas percorreram em regra, primeiro, o estágio do artesanato, em seguida, a etapa manufatureira, como fases transitórias, até chegarem ao sistema fabril. Tiveram essa evolução, dentre outras, a produção de envelopes e a de penas de aço. Essa metamorfose é mais difícil nos casos em que a produção manufatureira do artigo não se constitui de uma progressão de processos gradativos, mas de uma multiplicidade de processos desconexos. Este foi, por exemplo, um grande obstáculo a que se estabelecessem as fábricas de penas de aço. Mas, há cerca de 15 anos, inventou-se uma máquina que executava ao mesmo tempo seis processos desconexos. Em 1820, o artesanato fornecia a grosa de penas de aço a 7 libras esterlinas e 4 xelins; em 1830, a manufatura a fornecia a 8 xelins; e hoje, a fábrica a fornece ao atacadista ao preço de 2 a 6 pence.[249]

b) Repercussões do sistema fabril sobre a manufatura e o trabalho em domicílio

Com o desenvolvimento do sistema fabril e com a transformação da agricultura que o acompanha, não só se estende a escala da produção nos demais ramos de atividades, mas também muda seu caráter. Torna-se por toda parte uma diretiva dominante o princípio da indústria mecanizada, de decompor o processo de produção em suas fases constitutivas e de resolver os problemas daí resultantes com o emprego da mecânica, da química etc., em suma, das ciências naturais. A maquinaria vai penetrando progressivamente nos processos parciais das manufaturas. A organização rígida e cristalizada destas, baseada na velha divisão do trabalho, dissolve-se, dando lugar a transformações constantes. Além disso, transforma-se radicalmente

---

248 Vide *Reports of Insp. of Fact. 31ˢᵗ Oct. 1865*, p. 64.

249 A primeira manufatura de penas de aço foi fundada em Birmingham por Gillott. Em 1851, já produzia mais de 180 milhões de penas e consumia 120 toneladas de chapas de aço. Birmingham, que monopoliza essa indústria em todo o Reino Unido, produz hoje por ano bilhões de penas de aço. O número de pessoas empregadas, segundo o censo de 1861, era de 1.428, das quais 1.268 do sexo feminino, a partir dos 5 anos de idade.

O CAPITAL

a composição do trabalhador coletivo, das pessoas que trabalham em combinação. Em contraste com o período manufatureiro, o plano da divisão do trabalho baseia-se no emprego de mulheres, de crianças de todas as idades, de trabalhadores sem habilitação, sempre que possível; enfim, na mão de obra barata, no "*cheap labour*", como a chamam os ingleses. Isto se aplica não só à produção organizada em grande escala, com ou sem emprego de maquinaria, mas também à indústria em domicílio, exercida nas residências dos trabalhadores ou em pequenas oficinas. Essa indústria em domicílio moderna só tem o nome em comum com a antiga, que pressupunha o artesanato urbano independente, a economia camponesa independente e a casa da família do trabalhador. A indústria em domicílio se converteu hoje na seção externa da fábrica, da manufatura ou do estabelecimento comercial. Além dos trabalhadores fabris, de manufatura e dos artesãos, que concentra em grande número num mesmo local e comanda diretamente, o capital põe em movimento, por meio de fios invisíveis, um grande exército de trabalhadores em domicílio, espalhados nas grandes cidades e pelo interior do país. É o caso da camisaria dos Tillie, em Londonderry, Irlanda, que, na fábrica propriamente, emprega 1.000 trabalhadores e, espalhados pelo campo, 9.000 trabalhadores em domicílio.[250]

Na manufatura moderna, a exploração da força de trabalho barata e imatura é mais vergonhosa do que na fábrica propriamente, pois o fundamento técnico que existe nesta, a substituição da força muscular pela máquina e a decorrente facilidade do trabalho, falta em grande parte naquela, onde o organismo feminino ou ainda imaturo fica exposto, da maneira mais inescrupulosa, às influências de substâncias tóxicas etc. Essa exploração se reveste, no trabalho em domicílio, de maior cinismo ainda que na manufatura, pois a capacidade de resistência dos trabalhadores diminui com sua disseminação; uma série de parasitas rapaces se insere entre o empregador propriamente dito e os trabalhadores; na própria especialidade, o trabalho em domicílio luta por toda parte contra a produção mecanizada ou pelo menos contra a manufatureira; nele, a pobreza despoja o trabalhador das condições mais indispensáveis ao trabalho, o espaço, a luz, a ventilação etc.; a irregularidade do emprego aumenta; e, finalmente, nesse último refúgio daqueles que a indústria e a agricultura moderna tornaram supérfluos, atinge o máximo, por força das circunstâncias, a concorrência entre os tra-

---

250 *Ch. Empl. Comm., II. Rep.*, 1864, p. LXVIII, n. 415.

A MAQUINARIA E A INDÚSTRIA MODERNA

balhadores. A diretiva de economizar os meios de produção é levada a cabo sistematicamente pela produção mecanizada e coincide, desde o início, com o sacrifício implacável da força de trabalho e com o esbulho das condições normais em que se realiza o trabalho. Essa diretiva revela agora suas tendências antagônicas e mortíferas de maneira tanto mais forte quanto menos desenvolvidas se encontram num ramo de atividades a produtividade do trabalho coletivo e a base técnica dos processos combinados de trabalho.

c) A manufatura moderna

Ilustrarei com alguns exemplos as afirmações feitas anteriormente. O leitor já conhece os abundantes dados que apresentamos no capítulo relativo à jornada de trabalho. As manufaturas metalúrgicas em Birmingham e cercanias empregam, em trabalhos na maior parte pesados, 30.000 crianças e jovens, além de 10.000 mulheres. São aí empregados em atividades insalubres, nas fundições de cobre, na fabricação de botões, nas oficinas de esmaltar, de galvanizar e de laquear.[251] O trabalho em excesso a que são submetidos os adultos e os menores nas impressoras de jornais e de livros de Londres conquistou para esses estabelecimentos o famigerado nome de "matadouros".[251a] Os mesmos excessos se encontram na encadernação de livros, e suas vítimas são principalmente mulheres, meninas e crianças. Menores realizam trabalhos pesados nas cordoarias, ou trabalham à noite nas salinas, nas manufaturas de velas e em outras manufaturas químicas. Há o emprego criminoso de menores, para rodarem os teares, em tecelagens de seda que não são movidas a máquina.[252] Um dos trabalhos mais humilhantes, mais sujos e mais mal pagos, em que se empregam de preferência meninas e mulheres, é o de classificar trapos. Sabe-se que a Grã-Bretanha, além de possuir seus próprios estoques de trapo, é o empório mundial desse artigo. Os trapos afluem do Japão, dos mais distantes países da América do Sul e das Ilhas Canárias. Mas seus principais fornecedores são a Alemanha, a França, a Rússia, a Itália, o Egito, a Turquia, a Bélgica e a Holanda. Servem para adubos, para fazer estofo de roupa de cama, lã artificial e papel. As classificadoras de trapos servem para transmitir varíola e outras doenças

---

251 E até crianças empregadas como picadoras de lima em Sheffield.

251a *Ch. Empl. Comm., V. Rep.*, 1866, p. 3, n. 24; p. 6, nºs 55-56; p. 7, nºs 59-60.

252 *Loc. cit.*, pp. 114-115, nºs 6 e 7. O comissário observa com razão que, embora a máquina em regra substitua o homem, aqui é a criança que substitui a máquina.

O CAPITAL

contagiosas das quais são as primeiras vítimas.[253] Além da mineração em geral e da produção de carvão, constituem as olarias um exemplo clássico do trabalho em excesso, pesado e desproporcionado, com a consequente brutalização dos trabalhadores explorados nessa atividade desde a infância, só esporadicamente empregando-se nesse ramo a maquinaria recentemente inventada na Inglaterra (1866). Entre maio e setembro, o trabalho dura das 5 horas da manhã até as 8 da noite, e, quando a secagem se faz ao ar livre, muitas vezes das 4 da manhã até as 9 da noite. O dia de trabalho das 5 horas da manhã até as 7 da noite é considerado reduzido, moderado. São empregadas crianças de ambos os sexos, de 6 e até de 4 anos. Trabalham o mesmo número de horas dos adultos; muitas vezes, mais. O trabalho é duro, e o calor do verão aumenta sua exaustão. Numa olaria de Mosley, por exemplo, uma moça de 24 anos fazia por dia 2.000 tijolos, ajudada por duas meninas, que traziam o barro e arrumavam os tijolos. Essas meninas transportavam diariamente 10 toneladas de barro, retirado de uma cova com profundidade de 30 pés e declives escorregadios e levado a uma distância de 210 pés.

> "É impossível passar uma criança pelo purgatório de uma olaria sem degradar-se moralmente. [...] A linguagem baixa que costumam ouvir desde a mais tenra idade, os hábitos obscenos, sórdidos e impudentes em meio aos quais crescem inconscientes e meio selvagens, tornam-nas, para o futuro, marginais, vis e dissolutas. [...] Fonte terrível de desmoralização é a maneira como moram. Cada modelador [o trabalhador realmente habilitado e chefe de um grupo de trabalho] fornece a seu bando de 7 pessoas cama e mesa em seu casebre. Membros de sua família ou não, os homens, os adolescentes de ambos os sexos, dormem no casebre, que ordinariamente contém duas peças, excepcionalmente três, todas no rés do chão, mal ventiladas. Todos estão tão esgotados pelo trabalho do dia que ninguém observa nem regras de higiene, nem de limpeza, nem de decência. Muitos desses casebres são verdadeiros modelos de confusão, de sujeira e de poeira. [...] O mais grave mal do sistema de empregar meninas nessa espécie de trabalho decorre de elas, em regra, se integrarem, desde a infância para o resto da vida, na mais abjeta corja. Elas se tornam garotas grosseiras, desbocadas, antes de a natureza lhes ensinar que são

---

253 Vide relatório sobre o comércio de trapos e abundante documentação em *Public Health*, *VIII. Report*, Londres, 1866, Apêndice, pp. 196-208.

A MAQUINARIA E A INDÚSTRIA MODERNA

mulheres. Cobertas com alguns trapos imundos, as pernas desnudas até bem acima do joelho, os cabelos e o rosto sujos de lama, aprendem a desprezar todos os sentimentos de decência e de pudor. Durante o tempo das refeições, ficam deitadas no campo ou olham os garotos que se banham no canal próximo. Concluído seu pesado trabalho quotidiano, vestem melhor roupa e fazem companhia aos homens nas tabernas."

É natural, portanto, que a embriaguez reine nesta classe, desde a infância.

"O pior de tudo é que os oleiros desesperam de si mesmos. Um dos melhores disse ao capelão de Southallfield que ele poderia mais facilmente reabilitar e emendar o diabo do que um oleiro."[254]

Sobre a diretriz capitalista de economizar as condições de trabalho na manufatura moderna (nela incluídas todas as oficinas em grande escala, com exceção das fábricas propriamente ditas), encontram-se as mais abundantes informações de caráter oficial no IV (1861) e no VI (1864) *Public Health Reports*. A descrição das oficinas (locais de trabalho), notadamente dos impressores e dos alfaiates de Londres, ultrapassa as mais horrendas fantasias de nossos romancistas. São evidentes os efeitos sobre a saúde dos trabalhadores. O Dr. Simon, médico-chefe do Conselho Privado e redator oficial dos *Public Health Reports*, afirma:

"Em meu quarto relatório [1861] mostrei que é praticamente impossível aos trabalhadores sustentarem seu direito primordial no domínio da saúde, o direito de ter seu trabalho livre de todas as condições insalubres que possam ser evitadas e dependam do patrão, qualquer que seja a tarefa para a qual ele os mobilize. Mostrei que os trabalhadores, praticamente incapazes de criar para si mesmos essa justiça sanitária, não podem conseguir nenhuma ajuda eficaz das autoridades sanitárias. [...] A vida de milhões de trabalhadores e trabalhadoras é hoje atormentada e encurtada inutilmente por sofrimentos físicos sem fim, produzidos pelo simples fato de trabalharem."[255]

---

254 *Child. Empl. Comm., V. Report, 1866*, pp. XVI a XVIII, nᵒˢ 86-97 e pp. 130-133, nᵒˢ 39-71. Vide também III. *Report, 1864*, pp. 48 e 56.
255 *Public Health, VI. Rep.*, Londres, 1864, pp. 29 e 31.

Para ilustrar a influência dos locais de trabalho sobre as condições de saúde, o Dr. Simon apresenta a seguinte tabela:

INDÚSTRIAS COMPARADAS DO PONTO DE VISTA DA MORTALIDADE

NÚMERO DE PESSOAS EMPREGADAS DE TODAS AS IDADES	INDÚSTRIAS	NÚMERO DE ÓBITOS POR 100.000 PESSOAS, SEGUNDO AS FAIXAS ETÁRIAS INDICADAS		
		DE 25 ANOS	DE 35 ANOS	DE 45 ANOS
	AGRICULTURA NA INGLATERRA E NO PAÍS DE GALES	743	805	1.145
958.265	ALFAIATES DE LONDRES	958	1.262	2.093
22.301 HOMENS				
12.377 MULHERES	IMPRESSORES DE LONDRES	894	1.747	2.367[256]
13.803				

d) O moderno trabalho em domicílio

Trataremos agora do trabalho em domicílio. Para se formar uma ideia desse campo de exploração do capital, constituído na retaguarda da indústria moderna, e de suas monstruosidades, conviria observar a indústria caseira de fazer pregos, de aparência tão idílica, localizada em algumas aldeias remotas da Inglaterra.[257] Mas já bastam para esclarecer o assunto alguns exemplos tirados daquelas modalidades de produção de rendas e de trançados de palha, que ainda não foram mecanizadas nem concorrem com as fábricas e as manufaturas.

Das 150.000 pessoas ocupadas na produção inglesa de rendas, quase 10.000 estão sujeitas à lei fabril de 1861. A imensa maioria das restantes

---

256 *Loc. cit.*, p. 30. O Dr. Simon observa que a mortalidade dos alfaiates e dos impressores de Londres, entre 25 e 35 anos, é na realidade muito maior, porque os empregadores em Londres recebem grande número de jovens até a idade de 30 anos, como aprendizes e como profissionais que desejam aperfeiçoar-se em seu ofício. Figuram no censo como se fossem londrinos, aumentando o número de pessoas em relação às quais se calcula a taxa de mortalidade, sem concorrer proporcionalmente para o número dos óbitos verificados. Grande parte deles volta para o interior, principalmente quando ficam gravemente doentes. (*Loc. cit.*)

257 Trata-se de pregos feitos a martelo e não de pregos feitos a máquina. Vide *Child. Empl. Comm.*, *III Report*, p. XI. p. XIX, ns. 125-130; p. 52, n. 11; pp. 113-114, n. 487; p. 137, n. 674.

A MAQUINARIA E A INDÚSTRIA MODERNA

140.000 são mulheres, adolescentes e crianças de ambos os sexos, estando o sexo masculino aí fracamente representado. O estado de saúde desse material de exploração barato pode ser verificado na tabela do Dr. Trueman, médico no dispensário geral de Nottingham. Em cada grupo de 686 pacientes rendeiras, a maioria entre 17 e 24 anos, havia uma tuberculosa,

para 45 em 1852,	para 13 em 1857,
para 28 em 1853,	para 15 em 1858,
para 17 em 1854,	para 9 em 1859,
para 18 em 1855,	para 8 em 1860,
para 15 em 1856,	para 8 em 1861.[258]

Este progresso na taxa de incidência de tuberculose deve dar o que pensar ao mais otimista dos progressistas e aos bufarinheiros alemães do livre-cambismo, alardeadores de lorotas.

A lei fabril de 1861 regula o trabalho de produzir rendas, quando feito a máquina, regra que continua em vigor na Inglaterra. Os ramos que vamos examinar, relacionados com os trabalhadores em domicílio, e não com trabalhadores concentrados em manufaturas ou estabelecimentos comerciais, comportam duas divisões: 1) acabamento (última demão nas rendas feitas a máquina, um tipo de atividade que compreende numerosas subdivisões); 2) rendas feitas com bilros.

O acabamento de rendas se realiza ou nas "casas das patroas" ou por intermédio de mulheres, ajudadas ou não pelos filhos, em sua residência. São pobres as mulheres que mantêm as "casas das patroas". O local de trabalho é parte de sua residência. Recebem encomendas de fabricantes, donos de lojas etc. e empregam mulheres, meninas e meninos, de acordo com o tamanho de seus quartos e com a procura flutuante do negócio. O número das trabalhadoras empregadas varia em alguns casos de 20 a 40 e em outros de 10 a 20. A idade mínima em que as crianças começam a trabalhar é de 6 anos, mas muitas começam com menos de 5. O tempo ordinário de trabalho vai das 8 da manhã às 8 da noite, com 1½ hora para refeições, que são tomadas irregularmente e muitas vezes nos fétidos cubículos de trabalho. Quando o negócio se anima, o trabalho dura das 8 ou mesmo 6 da manhã até as 10, 11 ou 12 da noite. Nos quartéis ingleses, o espaço regulamentar reservado

---

258 *Child. Empl. Comm., II. Report*, p. XXII, n. 166.

O CAPITAL

para cada soldado é de 500 a 600 pés cúbicos; nos hospitais militares, de 1.200. Naqueles cubículos de trabalho, cabem a cada pessoa 67 a 100 pés cúbicos, e a luz do gás ainda consome o oxigênio do ar.

Para manter as rendas limpas, as crianças têm muitas vezes de descalçar os sapatos, mesmo no inverno, embora o chão seja de laje ou de ladrilho.

> "Em Nottingham, não é raro encontrarem-se 15 a 20 crianças amontoadas num pequeno quarto que talvez não tenha mais de 144 pés quadrados, ocupadas, durante 15 das 24 horas, num trabalho, em si mesmo esgotante, entediante e monótono, executado nas piores condições de insalubridade. [...] Mesmo as crianças menores trabalham com uma atenção contínua e uma velocidade surpreendente, quase nunca descansando os dedos nem retardando seus movimentos. Quando lhes fazemos perguntas, não levantam os olhos do trabalho, com medo de perder um simples instante."[259]

As patroas usam uma vara como estimulante, à medida que o trabalho se prolonga.

> "As crianças se cansam progressivamente e ficam agitadas como pássaros à medida que se aproxima o fim da longa tarefa a que estão aprisionadas, monótona, fatigante para a vista, esgotante pela postura uniforme do corpo. É um verdadeiro trabalho de escravo."

Quando as senhoras trabalham com os próprios filhos em casa, o que modernamente significa num quarto alugado, frequentemente num sótão, a situação é ainda pior, se isso é possível. Essa espécie de trabalho é encontrada num raio de 80 milhas em volta de Nottingham. Quando o garoto empregado nos estabelecimentos comerciais deixa-o, às 9 ou 10 da noite, dão-lhe muitas vezes um embrulho com rendas para fazer o seu acabamento em casa. O fariseu capitalista, representado por um dos seus lacaios assalariados, faz-lhe a entrega com a frase untuosa: "Isto é para a mamãe", mas sabe muito bem que o pobre menino vai ter de ficar sentado ajudando.[260]

O artesanato de rendas feitas com bilros sedia-se principalmente em dois distritos agrícolas ingleses: o de Honiton, com 20 a 30 milhas ao longo da costa meridional de Devonshire, abrangendo alguns lugares de North

---

259 *Child. Empl. Comm., II. Report.* 1864, pp. XIX-XXI.
260 *Loc. cit.*, pp. XXI-XXII.

A MAQUINARIA E A INDÚSTRIA MODERNA

Devon; e outro distrito que compreende grande parte dos condados de Buckingham, Bedford, Northampton e as partes vizinhas de Oxfordshire e Huntingdonshire. Os casebres dos jornaleiros agrícolas constituem, em regra, os locais do trabalho. Muitos donos de manufaturas empregam mais de 3.000 trabalhadores em domicílio, principalmente crianças e jovens do sexo feminino. Repetem-se as condições descritas com relação ao acabamento de rendas. No lugar das "casas das patroas", vêm agora as "escolas de rendas", mantidas por pobres mulheres em seus casebres. A partir dos 5 anos, frequentes vezes em idade mais tenra, as crianças trabalham nessas escolas até os 12 ou 15 anos de idade; no primeiro ano, as mais novas, de 4 a 8 horas, mais tarde, das 6 da manhã até as 8 e 10 da noite.

> "Os quartos são, em regra, as costumeiras salas de estar dos casebres; as chaminés são tapadas para impedir correntes de ar, e os que trabalham só se aquecem com o próprio calor do corpo, inclusive no inverno. Às vezes, essas salas de aula, assim chamadas, se parecem com pequenas despensas, sem lareira. [...] Esses cubículos ficam superlotados demais e o ar se torna extremamente viciado. Além disso, há os efeitos maléficos dos regos, das privadas, das substâncias em decomposição e de outras sujeiras que ordinariamente se encontram junto aos casebres."

Com relação à cubagem da sala de aula, diz-se:

> "Numa escola de rendas com 18 meninas e a mestra, há 33 pés cúbicos para cada pessoa; noutra, com insuportável mau cheiro, havia 18 pessoas, cabendo 24½ pés cúbicos a cada uma. Nessa indústria, encontram-se empregadas crianças de 2 e 2½ anos."[261]

Quando termina o artesanato de rendas nos condados rurais de Buckingham e Bedford, começa o de entrançamento de palha. Este se estende por grande parte de Hertfordshire e pelas zonas ocidentais e setentrionais de Essex. Em 1861, estavam empregados nesse artesanato, inclusive o de chapéus de palha, 48.043 pessoas, das quais 3.815 do sexo masculino em todas as idades, e as restantes do sexo feminino, das quais 14.913 menores de 20 anos, e 7.000 crianças. Em vez de escolas de renda, existem aqui escolas de entrançamento de palha. As crianças começam a aprender a trançar

---

261 *Loc. cit.*, pp. XXIX-XXX.

O CAPITAL

palha geralmente aos 4 anos, mas frequentes vezes entre 3 e 4 anos. Natu-ralmente, não recebem nenhuma educação. As próprias crianças chamam a escola primária de "escola natural", para distingui-la desses estabelecimentos que lhes sugam o sangue, onde são apenas postas a trabalhar até concluírem a tarefa prescrita por suas mães famintas, em regra uma produção de 30 jardas por dia. Muitas vezes, essas mães ainda as fazem trabalhar depois que chegam em casa, até as 10, 11 ou 12 horas da noite. A palha corta-lhes os dedos e a boca com a qual a umedecem constantemente. Segundo o ponto de vista unânime dos médicos da saúde pública de Londres, apresentado pelo Dr. Ballard, a cubagem mínima para cada pessoa num quarto de dor-mir ou num local de trabalho é de 300 pés cúbicos. Nas escolas de entran-çamento de palha, a cubagem por pessoa ainda é menor do que a que se verifica nas escolas de rendas, variando de 12½ pés cúbicos, 17, 18½ até 22.

> "O menor desses números", diz o comissário White, "representa uma cubagem menor do que a metade que seria ocupada por uma criança se empacotada numa caixa que contivesse 3 pés em cada uma das suas dimensões."

Isto é o que as crianças usufruem da vida até os 12 ou 14 anos. Os pais, mergulhados na miséria e na degradação, só pensam em extrair o máximo possível dos filhos. Estes, depois de crescidos, não querem mais saber dos pais e os abandonam.

> "Não admira que grassem a ignorância e o vício em gente assim criada. [...] Sua moral está no nível mais baixo. [...] Grande número de mulheres têm filhos ilegítimos, e em idade tão imatura que assombra mesmo os familiarizados com a estatística criminal."[262]

E a pátria dessas famílias modelares é o país cristão exemplar da Europa, diz o Conde de Montalembert, por certo indiscutível autoridade em ma-téria de cristianismo.

Os salários nas atividades acima consideradas, em si mesmos miseráveis (excepcionalmente, o salário máximo das crianças na escola de trançar palha é de 3 xelins por semana), são reduzidos muito abaixo do seu montante nominal por meio do sistema de pagamento com gêneros, que predomina principalmente nos distritos das rendeiras.[263]

---

262 *Loc. cit.*, pp. XL-XLI.
263 *Child. Empl. Comm., I. Rep.*, 1863, p. 185.

A MAQUINARIA E A INDÚSTRIA MODERNA

e) Transição, para a indústria mecanizada, da manufatura e do trabalho em domicílio modernos. A aplicação das leis fabris a essas atividades acelera a transição

A exploração abusiva do trabalho de mulheres e crianças, o esbulho de todas as condições normais requeridas pelo trabalho e pela vida e a brutalidade do trabalho excessivo ou noturno constituem métodos de baratear a força de trabalho que acabam por encontrar certas barreiras naturais, intransponíveis. Chocam-se contra as mesmas barreiras o barateamento das mercadorias e toda a exploração capitalista, baseados nesses métodos. Leva-se muitos anos até atingir esse ponto. Ao ser ele atingido, soa a hora de ser introduzida a máquina e de se transformar rapidamente em produção mecanizada o trabalho em domicílio ou a manufatura, dispersos pelo país.

O maior exemplo dessa transição, fornece-nos o ramo de vestuário. Segundo a classificação da "Child. Empl. Comm.", esse ramo compreende: chapeleiros de senhoras, os de chapéus de palha, confecção de gorros, alfaiates, modistas e confecção de mantos e toucados,[264] camiseiros, espartilheiros, luveiros, sapateiros, além de outras atividades menores, a dos gravateiros, a confecção de colarinhos etc. O pessoal feminino ocupado nessas atividades, na Inglaterra e no País de Gales, em 1861, atingia 586.298 pessoas, das quais pelo menos 115.242 com menos de 20 anos, 16.560 com menos de 15. Em todo o Reino Unido, em 1861, o número dessas trabalhadoras era de 750.334. O número dos trabalhadores do sexo masculino ocupados na feitura de chapéus, sapatos, luvas e em alfaiatarias, na Inglaterra e no País de Gales, era de 437.969, dos quais 14.964 menores de 15 anos, 89.285 entre 15 e 20 anos e 333.117 maiores de 20. Faltam dados sobre muitas pequenas indústrias desse ramo. Mas, se tomamos os números como eles se apresentam, temos, apenas para a Inglaterra e País de Gales, segundo o censo de 1861, um total de 1.024.267 pessoas, quase tantas quanto as que são absorvidas pela agricultura e pela pecuária. Começa-se a compreender o motivo por que a maquinaria faz surgir como por encanto massa tão imensa de produtos, contribuindo para pôr na rua quantidade tão grande de trabalhadores.

A produção de vestuário é realizada: por manufaturas, que reproduziram em suas oficinas a divisão do trabalho, cujos elementos dispersos

---

264 Em inglês, usa-se *millinery* para designar confecção de toucados e mantos de senhoras, tendo *dressmaker* o mesmo sentido da palavra "modista".

O CAPITAL

já encontraram prontos e acabados; por mestres artesãos, que não trabalham, como antigamente, para consumidores individuais, mas para manufaturas e estabelecimentos comerciais, sendo muitas vezes tão numerosos que cidades e zonas inteiras se dedicam a este ou aquele ramo do artesanato, como sapataria etc.; finalmente, e com a maior amplitude, pelos trabalhadores em domicílio, que constituem a seção externa das manufaturas, dos estabelecimentos comerciais e das pequenas oficinas dos mestres artesãos.[265] A grande indústria mecanizada fornece a massa de material de trabalho, as matérias-primas, os produtos semiacabados etc. e a massa de material humano barato, à mercê de exploração mais implacável e constituída por aqueles que perderam seus empregos na indústria e agricultura mecanizadas. As manufaturas do ramo de vestuário devem sua origem principalmente à necessidade do capitalista de ter à mão um exército de trabalhadores, pronto a atender a qualquer flutuação da procura.[266] Essas manufaturas permitem, entretanto, que subsistam a seu lado, como ampla base, as dispersas atividades do artesanato e do trabalho em domicílio. A grande produção de mais-valia nesses ramos de trabalho e o barateamento progressivo de seus artigos tinham e têm por causas principais o salário reduzido ao mínimo indispensável para vegetar e o tempo de trabalho ampliado ao máximo que o organismo humano possa suportar. Foi o baixo preço do sangue e do suor humanos transformados em mercadorias que atuou continuamente no sentido de ampliar o mercado e continua a ampliá-lo todos os dias. Isto é verdadeiro principalmente para os mercados coloniais da Inglaterra, nos quais predominam o gosto e os costumes ingleses. Chegou-se por fim a um ponto crítico. O fundamento do velho método, a simplista exploração brutal do material humano, mais ou menos acompanhada por uma divisão do trabalho sistematicamente desenvolvida, não era suficiente para atender aos mercados crescentes e para fazer face à competição dos capitalistas, cada vez maior. Soou a hora da maquinaria. A máquina decisivamente revolucionária que se apodera

---

265 Na Inglaterra, os trabalhos relacionados com toucados e mantos de senhoras e com modas se realizam, em regra, nos estabelecimentos dos empregadores, por trabalhadoras que lá moram e por mulheres diaristas que moram fora.

266 O comissário White visitou uma manufatura de uniformes militares que empregava 1.000 a 1.200 pessoas, quase todas do sexo feminino, e uma manufatura de sapatos com 1.300 pessoas, das quais quase a metade eram crianças e menores adolescentes. (*Child. Empl. Comm. II Rep.*, p. xlvii, n. 319).

de todas as numerosas especialidades desse ramo de produção, entre as quais figuram modas, alfaiataria, sapataria, costura e chapelaria, é a máquina de costura.

Seu efeito imediato sobre os trabalhadores é semelhante ao de todas as máquinas que, no período de implantação da indústria moderna, conquistam novos ramos de atividades. São afastadas as crianças em idade mais tenra. O salário do trabalhador a máquina se eleva em relação ao dos trabalhadores manuais, muitos dos quais passam a figurar entre os mais pobres dos pobres. Cai o salário dos artesãos mais bem colocados, logo que a máquina com eles compete. Os novos trabalhadores a máquina são exclusivamente meninas e mulheres jovens. Com a ajuda da força da máquina, destroem o monopólio do trabalho masculino em trabalho pesado, ao mesmo tempo que expulsam das tarefas mais leves massas de mulheres velhas e de crianças tenras. A concorrência arrasadora elimina os trabalhadores manuais mais fracos. O aumento horrendo da morte pela fome em Londres, na última década, corre paralelo à expansão da costura a máquina.[267] Conforme o peso, o tamanho e a especialidade da máquina de costura, as novas trabalhadoras movem-na com a mão e o pé ou só com a mão, sentadas ou de pé, despendendo muita força de trabalho. Sua ocupação se torna prejudicial à saúde com a duração do processo, embora ele seja, em regra, mais curto do que no velho sistema. Quando a máquina de costura se instala em oficinas acanhadas e superlotadas, como ocorre com as sapatarias, com a confecção de espartilhos, chapelarias etc., contribui ela para aumentar a insalubridade.

> "Os efeitos que sentimos", diz o comissário Lord, "ao entrar nesses locais de trabalho, de teto baixo, onde 30 a 40 pessoas trabalham a máquina, são insuportáveis. [...] É horrível o calor, que se deve, em parte, ao fogão a gás que serve para aquecer os ferros de passar. [...] Nesses locais, mesmo quando o horário de trabalho é moderado, assim chamado o que vai das 8 da manhã às 6 da noite, verifica-se regularmente, todos os dias, desmaio de 3 ou 4 pessoas."[268]

---

267 Um exemplo. O relatório hebdomadário de óbitos do registro oficial consignava 5 casos de morte por fome, durante a semana que acabava a 26 de fevereiro de 1864. No mesmo dia, o *Times* noticiava novo caso de morte por fome. Numa semana, a fome causa a morte de 6 pessoas.

268 *Child. Empl. Comm., II. Rep.,* 1864, p. LXVII, ns. 406-409; p. 84, n. 124; p. LXXIII, n. 441; p. 68, n. 6; p. 84, n. 126; p. 78, n. 85; p. 76, n. 69; p. LXXII, n. 438.

O CAPITAL

A revolução do modo social de exploração, produto necessário da transformação dos meios de produção, realiza-se através de uma desordem multifária de formas transitórias. Elas variam com a proporção em que a máquina de costura se apossou deste ou daquele ramo de atividade; com o tempo durante o qual neles tem operado; com a situação anterior dos trabalhadores; com a preponderância da manufatura, do artesanato ou do trabalho em domicílio; com o aluguel do local de trabalho[269] etc. Na confecção de roupas femininas, por exemplo, em que o trabalho, na sua maior parte, já estava organizado, com o predomínio da cooperação simples, a máquina de costura constitui, de início, apenas novo fator para a exploração manufatureira. Na alfaiataria, na camisaria, na sapataria etc., entrecruzam-se todas as formas. Ora se encontra o sistema fabril, ora intermediários que recebem matérias-primas do chefe capitalista e agrupam em quartos ou sótãos 10 a 50 assalariados, às vezes mais, para trabalharem com as máquinas de costura. Finalmente, como sucede com toda maquinaria que não se constitui de um sistema orgânico de máquinas e pode ser aplicada em tamanho reduzido, empregam os artesãos ou os trabalhadores em domicílio máquinas de costura que lhes pertencem, utilizando como mão de obra a própria família ou alguns elementos de fora.[270] O sistema que prepondera atualmente na Inglaterra é o de o capitalista concentrar grande número de máquinas em seus estabelecimentos, distribuindo depois o produto feito a máquina a um exército de trabalhadores em domicílio, encarregados da manipulação subsequente.[271] A multiplicidade das formas transitórias não dissimula a tendência para a transformação em verdadeiro sistema fabril. Essa tendência é incentivada: pela própria natureza da máquina de costura, cujos múltiplos empregos levam à reunião, no mesmo estabelecimento, de ramos de atividades anteriormente separados e que passam a ficar sob o comando de um mesmo capital; pela circunstância de se realizarem melhor no local onde está a máquina trabalhos de costura preparatórios e certas outras operações; e, finalmente, pela expropriação inevitável dos artesãos

---

269 "O nível dos aluguéis dos locais de trabalho parece ser o fator decisivo e, em consequência, é na metrópole que o velho sistema de distribuir trabalhos a pequenos empresários e a famílias se manteve por mais tempo e onde primeiro voltou a aparecer." (*Loc. cit.*, p. 83, n. 123.) A frase final refere-se apenas a sapataria.

270 Isto não ocorre na luvaria etc., em que a situação do trabalhador dificilmente se distingue da do indigente.

271 *Loc. cit.*, p. 83, n. 122.

A MAQUINARIA E A INDÚSTRIA MODERNA

e dos trabalhadores em domicílio que produzem com suas próprias máquinas. Essa expropriação já é, em parte, fato consumado. O montante cada vez maior do capital empregado em máquinas de costura[272] impulsiona a produção, que abarrota os mercados, fazendo soar a hora de os trabalhadores em domicílio venderem suas máquinas de costura. A superprodução dessas máquinas leva seus produtores, que necessitam vendê-las, a alugá-las por semana, criando-se assim uma concorrência mortal para os pequenos possuidores de máquinas.[273] As mudanças constantemente introduzidas nas máquinas fabricadas e seu barateamento depreciam continuamente os velhos modelos, que só podem ser vendidos em lotes, a preços irrisórios, só estando em condições de empregá-los lucrativamente os grandes capitalistas. Finalmente, a substituição do homem pela máquina a vapor dá o golpe final, como ocorre em todos os processos semelhantes de transformação. O emprego da força a vapor encontra, de início, obstáculos puramente técnicos, tais como trepidação das máquinas, dificuldade de controlar sua velocidade, desgaste rápido das máquinas mais leves etc., mas a experiência logo ensina a superá-los.[274] A concentração de muitas máquinas-ferramenta em grandes manufaturas provoca o emprego do vapor como força motriz, e, além disso, a concorrência entre o vapor e a força muscular humana acelera a concentração, nas grandes fábricas, de trabalhadores e de máquinas-ferramenta. Assim, experimenta hoje a Inglaterra, no imenso ramo do vestuário e na maioria dos outros ramos de atividades, a transformação, em sistema fabril da manufatura, do artesanato e do trabalho em domicílio, depois de todas essas formas, totalmente modificadas, decompostas e desfiguradas sob a influência da grande indústria mecanizada, já terem, durante muito tempo, reproduzido e mesmo ultrapassado todas as monstruosidades do sistema fabril, sem os elementos de progresso que ele encerra.[275]

---

272 Em Leicester, já se empregavam, em 1864, 800 máquinas de costura na confecção de calçados e botas, destinados ao comércio atacadista.

273 *Loc. cit.*, p. 84, n. 124.

274 Assim ocorreu no almoxarifado militar de uniformes em Pimlico, em Londres, na fábrica de camisas de Tillie e Henderson, em Londonderry, e na fábrica de roupas da firma Tait, em Limerick, a qual emprega 1.200 trabalhadores.

275 "Tendência para o sistema fabril." (*Loc. cit.*, p. LXIII.) "Toda a ocupação encontra-se hoje num estágio de transição e experimenta as mesmas modificações por que passaram os ramos de rendas, tecelagem etc." (*Loc. cit.*, n. 405.) "Uma revolução completa." (*Loc. cit.*, p. XLVI, n. 318.) Ao tempo da "Child. Empl. Comm." de 1840, a confecção de meias era ainda feita à mão. A partir de 1846, introduziram-se no ramo máquinas de diversos tipos, atualmente impulsionadas a vapor. Em 1862,

O CAPITAL

Esta Revolução Industrial que se processa de maneira espontânea é artificialmente acelerada pela extensão das leis fabris a todos os ramos em que trabalham mulheres, menores e crianças. A regulamentação coativa da jornada de trabalho, estabelecendo a duração, as pausas, o começo e o fim da jornada, o sistema de turnos das crianças, a exclusão das crianças abaixo de certa idade etc. passam a exigir mais maquinaria[276] e a substituição dos músculos pelo vapor.[277] Além disso, para ganhar em espaço o que se perde em tempo, ampliam-se os meios de produção utilizados em comum, os fornos, as construções etc., ocorrendo, em suma, maior concentração dos meios de produção e a correspondente maior aglomeração de trabalhadores. A objeção principal, reiterada com veemência por toda manufatura ameaçada da pela aplicação da lei fabril, é a de ser necessário maior dispêndio de capital para manter o mesmo nível de atividade da empresa. No tocante ao trabalho em domicílio e às formas intermediárias entre ele e a manufatura, significam sua ruína a limitação da jornada de trabalho e as restrições ao trabalho infantil. A exploração sem limites de forças de trabalho baratas constitui única base de sua capacidade de concorrência.

Condição essencial à existência do sistema fabril, principalmente quando a jornada de trabalho está regulamentada, é a certeza normal do resultado, o que significa produção de determinada quantidade de mercadoria ou de um efeito útil almejado num dado espaço de tempo. As pausas legais da jornada de trabalho regulamentar pressupõem ainda paradas periódicas e súbitas do trabalho sem prejuízo dos artigos que estão no curso do processo de produção. Essa certeza do resultado e a possibilidade de interromper o trabalho podem ser naturalmente obtidas mais facilmente nas atividades puramente mecânicas do que naquelas onde intervêm processos físicos e químicos como é o caso, por exemplo, da cerâmica, da branquea-

---

o número de pessoas empregadas de ambos os sexos e de todas as idades, a partir dos 3 anos, na fabricação de meias, era aproximadamente de 120.000. Dessas, só 4.063 estavam subordinadas às leis fabris, segundo o relatório parlamentar de 11 de fevereiro de 1862.

276 Assim, por exemplo, no ramo de cerâmica, informa a firma Cochran da "Britannia Pottery Glasgow": "Para manter nosso nível de produção, passamos a empregar amplamente máquinas com que trabalham operários sem qualificação, e cada dia estamos mais convencidos de que podemos produzir mais com os métodos atuais do que com os antigos." *Reports of Insp. of Fact., 31ˢᵗ Oct. 1865*, p. 13. "A lei fabril provoca a introdução de mais máquinas." (*Loc. cit.*, pp. 13-14.)

277 Depois que a lei fabril se estendeu à cerâmica, aumentou nesta o emprego do torno mecânico que substituiu os tornos manuais.

A MAQUINARIA E A INDÚSTRIA MODERNA

ria, tinturaria, panificação e da maioria das indústrias metalúrgicas. Nas atividades onde existem a jornada de trabalho ilimitada, o trabalho noturno e o desperdício sem restrições da vida humana, consideram-se quaisquer dificuldades à regulamentação da jornada "barreiras naturais intransponíveis". Nenhum veneno é tão eficaz para eliminar os animais daninhos quanto é a lei fabril para liquidar essas "barreiras naturais intransponíveis". Ninguém gritava mais alto, alegando "impossibilidades", do que os donos das cerâmicas. Em 1864 foi-lhes imposta a lei fabril, e 16 meses depois já tinham desaparecido todas as impossibilidades. Em virtude da lei fabril, surgiram melhoramentos,

> "[...] método aperfeiçoado de produzir massa de revestimento (*slip*) por meio de pressão e não mais de evaporação, construção de novos fornos para secar o artigo cru etc., acontecimentos esses de grande importância para a arte cerâmica e que marcam um progresso que a última década não pôde ostentar. [...] Diminuiu-se a temperatura dos fornos, com redução considerável do consumo de carvão e maior eficiência na produção."[278]

Desmentindo todas as profecias, não subiu O preço de custo dos artigos de cerâmica, mas a quantidade de produtos, de modo que a exportação de 12 meses, de dezembro de 1864 a dezembro de 1865, ultrapassou de 138.628 libras esterlinas o montante médio exportado nos 3 anos anteriores. Na fabricação de fósforos, considerava-se uma lei irremovível que os menores, enquanto engoliam seu almoço tinham de molhar os palitos numa composição de fósforo aquecida, cujos vapores tóxicos subiam-lhes ao rosto. Com a necessidade de economizar tempo, em virtude da lei fabril (1864), inventou-se uma máquina de imersão, cujos vapores não atingem mais o trabalhador.[279] Hoje, nos ramos da manufatura de rendas não submetidos à lei fabril, afirma-se que as refeições não podem ser feitas em horas regulares, em virtude dos diversos períodos exigidos para secagem pelos diversos materiais das rendas, variando de 3 minutos a 1 hora e até mais. A isso respondem os comissários da "Children's Employment Comm.":

---

278 *Rep. Insp. Fact., 31st Oct., 1865*, p. 96 e 127.

279 A introdução dessa e de outras máquinas na fabricação de fósforos provocou a substituição na seção de uma fábrica de 230 adolescentes por 32 rapazes e com 14 a 17 anos. Essa economia de trabalhadores prosseguiu em 1865, com o emprego do vapor.

O CAPITAL

"As circunstâncias são as mesmas que foram encontradas no ramo de papéis estampados. Alguns dos principais fabricantes do ramo sustentavam veementemente que a natureza dos materiais empregados e a diversidade dos processos por eles percorridos não permitiam nenhuma parada súbita do trabalho para refeições, sem a ocorrência de grandes prejuízos. [...] O artigo 6º da 6ª seção da lei que estende os efeitos da lei fabril, em 1864, concedeu-lhes um prazo de 16 meses a partir da sua promulgação, findo o qual terão de submeter-se às pausas para refeições, fixadas na lei fabril."[280]

Pouco depois de a lei receber sanção parlamentar, descobriam os fabricantes:

"A lei não trouxe os males que esperávamos. Não houve nenhum prejuízo para a produção. Na realidade, agora produzimos mais no mesmo espaço de tempo."[281]

Como se vê, o Parlamento inglês, que não se caracteriza por criações geniais, chegou, pela experiência, à conclusão de que uma lei coercitiva basta para afastar os alegados obstáculos naturais que se encontram no processo de produção e se antepõem à limitação e à regulamentação da jornada de trabalho. Por isso, ao introduzir-se a lei fabril num ramo industrial, é concedido a este um prazo de 6 a 18 meses, dentro dos quais cabe ao fabricante eliminar os obstáculos técnicos. A tecnologia moderna pode exclamar, com Mirabeau: "Impossível? Nunca me diga essa palavra estúpida." A lei fabril força o amadurecimento dos elementos materiais necessários à transformação do sistema manufatureiro em fabril, e acelera, por exigir maior dispêndio de capital, a ruína das empresas menores e a concentração de capital.[282]

Além dos obstáculos puramente técnicos e tecnicamente elimináveis, encontra a regulamentação da jornada de trabalho os constituídos pelos hábitos irregulares dos trabalhadores, notadamente nas atividades em que predomina o salário por peça e em que o tempo perdido num dia

---

280 *Child. Empl. Comm.*, II. *Rep.*, 1864, p. IX, n. 50.
281 *Reports of Insp. of Fact. 31ˢᵗ Oct. 1865*, p. 22.
282 "Em muitas manufaturas antigas não se podem introduzir [...] os melhoramentos necessários, sem dispêndio de capital que não está ao alcance dos meios de muitos dos atuais donos. [...] Uma desorganização passageira acompanha necessariamente a implantação das leis fabris. A extensão dessa desorganização está na razão direta da magnitude dos males a curar." (*Loc. cit.*, pp. 96-97.)

A MAQUINARIA E A INDÚSTRIA MODERNA

ou numa semana pode ser compensado por horas extraordinárias ou por trabalho noturno. Esse método, que brutaliza os trabalhadores adultos, arruína os companheiros imaturos e os do sexo feminino.[283] Embora essa irregularidade no dispêndio da força de trabalho seja uma reação natural e rude contra o enfado de um labor monótono e mortificante, tem ela sua principal causa na anarquia da própria produção, que pressupõe a exploração desenfreada do trabalhador pelo capital. Além das variações periódicas gerais do ciclo industrial e das flutuações de mercado peculiares a cada ramo de produção, há a considerar as estações ou temporadas devidas à moda ou à variação das épocas do ano mais ou menos favoráveis à navegação e, ainda, a premência de grandes encomendas a serem executadas em prazo extremamente curto. Esse estilo de encomendas amplia-se com as ferrovias e o telégrafo.

> "A expansão do sistema ferroviário", diz um fabricante londrino, "incentivou em todo o país o hábito de encomendas urgentes. Chegam agora compradores de Glasgow, Manchester e Edimburgo, em cada quinzena mais ou menos, nos estabelecimentos atacadistas da metrópole, aos quais fornecemos mercadorias. Fazem encomendas de produtos que têm de ser fabricados imediatamente, em lugar de comprarem o que já está armazenado, conforme era o costume. Antes, podíamos, nos meses de pouco movimento, trabalhar para a próxima estação, mas hoje ninguém pode prever qual será a procura quando ela chegar."[284]

Nas fábricas e nas manufaturas que não estão ainda subordinadas à lei fabril, reina periodicamente o mais terrível excesso de trabalho durante estações ou temporadas, em fluxos imprevisíveis, em virtude de encomendas

---

283 Nos altos-fornos, por exemplo, "geralmente se prolonga demais o trabalho no fim da semana, em virtude do hábito que tem o trabalhador de folgar às segundas-feiras e ocasionalmente toda a terça-feira ou parte dela." (*Child. Empl. Comm., III. Rep.*, p. VI.) "Os que trabalham por conta própria têm em regra um horário de trabalho muito irregular. Perdem dois ou três dias e então trabalham a noite inteira, para compensar a perda. [...] Empregam seus próprios filhos, quando os possuem." (*Loc. cit.*, p. VII.) "A falta de regularidade em comparecer ao trabalho é incentivada pela possibilidade e pela prática de compensar a perda com trabalho em excesso." (*Loc. cit.*, p. XVIII.) "Imensa perda de tempo em Birmingham [...] folgando os trabalhadores parte do tempo para trabalhar depois como escravos." (*Loc. cit.*, p. XV.)

284 *Child. Empl. Comm. IV. Rep.*, p. XXXII. "Dizem que a expansão do sistema ferroviário incentivou o hábito de fazer encomendas urgentes; daí resultam, para os trabalhadores, premência de tempo, abandono de horas de refeições e horas extraordinárias." (*Loc. cit.*, p. XXXI.)

O CAPITAL

repentinas. A seção externa da fábrica, da manufatura e do estabelecimento comercial, isto é, o trabalho em domicílio, onde a irregularidade é a regra, depende, quanto às matérias-primas e às encomendas, inteiramente dos caprichos do capitalista, que, no caso, não precisa levar em conta a depreciação de construções, de máquinas etc. e nada arrisca além da pele dos próprios trabalhadores. Nesse ramo de atividades, cria-se, em grande escala e sistematicamente, um exército industrial de reserva sempre disponível, numa parte do ano dizimado pelo trabalho excessivo mais desumano, noutra, lançado à miséria por falta de trabalho.

> "Os empregadores", diz a "Child. Empl. Comm.", "exploram a irregularidade habitual do trabalho em domicílio para, nas ocasiões de premência, forçar as pessoas que dele vivem a trabalhar até as 11, 12 da noite, 2 da madrugada, literalmente, todas as horas", e em locais "onde o mau cheiro basta para arrasar uma pessoa. A gente pode ir talvez até a porta, abri-la, mas não tem coragem de prosseguir."[285] "Nossos patrões são engraçados", diz uma das testemunhas inquiridas, um sapateiro, "eles acreditam que não faz mal nenhum a um rapaz matar-se de trabalhar metade do ano, se ficar mais ou menos ocioso, na outra metade."[286]

Como ocorreu com os obstáculos técnicos, os capitalistas afirmaram e afirmam que os usos e praxes comerciais são obstáculos naturais que a produção encontra. Era o argumento preferido, proclamado pelos maiorais da indústria têxtil algodoeira, quando se viram ameaçados pela lei fabril. Embora sua indústria, mais que qualquer outra, dependesse do mercado mundial e, em consequência, da navegação, a experiência os desmentiu. Desde então, os inspetores de fábrica ingleses tratam qualquer pretenso obstáculo à produção como simples embuste.[287] As investigações escrupulosas da "Child. Empl. Comm." demonstraram o seguinte: a regulamen-

---

285 *Child. Empl. Comm., IV. Rep.*, p. xxxv, ns. 235 e 237.

286 *Loc. cit.*, p. 127, n. 56.

287 "Quanto ao prejuízo para o comércio pela não execução em tempo de uma encomenda a ser remetida por navio, lembro-me de que era este o argumento preferido dos fabricantes, em 1832 e 1833. Nada que se possa alegar hoje em torno desse assunto poderia ter tanto peso quanto antigamente, quando o vapor não tinha ainda reduzido as distâncias nem estabelecido novas normas de tráfego. Quando submetido naquele tempo à prova, ficou evidente que o argumento não tinha validade, e hoje não resistirá por certo a uma verificação." (*Reports of Insp. of Fact. 31ˢᵗ Oct. 1862,* pp. 54-55.)

A MAQUINARIA E A INDÚSTRIA MODERNA

tação do dia de trabalho, em certas indústrias, serviu para distribuir mais regularmente, no decurso do ano, os trabalhadores já ocupados;[288] essa regulamentação é o primeiro freio racional para os caprichos vãos da moda, destruidores de vidas humanas, absurdos e em si mesmos incompatíveis com o sistema da indústria moderna;[289] o desenvolvimento da navegação oceânica e dos meios de comunicação em geral eliminou o fundamento realmente técnico do trabalho sazonal;[290] todas as outras circunstâncias pretensamente incontroláveis são eliminadas com maiores construções, mais máquinas, maior número de trabalhadores empregados ao mesmo tempo[291] e pelas repercussões consequentes dessas mudanças sobre o comércio atacadista.[292] Mas o capital, conforme reiteradamente declaram seus representantes, só se prontifica a aderir à reclamada modificação de métodos "sob a pressão de uma lei geral do Parlamento",[293] regulamentando coercitivamente a jornada de trabalho.

---

288 *Child. Empl. Comm., III. Rep.*, p. xviii, n. 118.

289 Já em 1699, observava John Bellers: "A incerteza da moda aumenta o número dos pobres lançados à miséria. Ela acarreta dois grandes males: 1) os oficiais, no inverno, ficam numa situação miserável, por falta de trabalho, pois nem os comerciantes nem os mestres tecelões se arriscam a desembolsar seus capitais para empregar os oficiais, antes de chegar a primavera, quando saberão qual será a moda; 2) na primavera, não há oficiais em número suficiente, de modo que o mestre tecelão tem de recrutar muitos aprendizes, para poder prover o comércio do Reino, trabalhando um quarto ou a metade do ano. Com isso, o arado fica sem mãos, a terra sem trabalhadores, as cidades se enchem em grande parte de mendigos e há os que morrem de fome no inverno com vergonha de pedir esmolas." (*Essays about the Poor, Manufactures* etc., p. 9.)

290 *Child. Empl. Comm., V. Rep.*, p. 171, n. 34.

291 Nos depoimentos dos exportadores de Bradford, encontramos o seguinte: "Nessas circunstâncias, está claro que não é necessário que um jovem trabalhe num horário maior que o que se estende das 8 da manhã até as 7 ou 7½ da noite. Tudo se reduz a uma questão de despesa extra e de mão de obra suplementar. Se os patrões não fossem tão gananciosos, os jovens não precisariam trabalhar pela noite adentro; uma máquina extra custa apenas 16 ou 18 libras esterlinas. [...] Todas as dificuldades decorrem de instalações insuficientes e de falta de espaço." (*Loc. cit.*, p. 171, ns. 35, 36 e 38.)

292 *Loc. cit.*, [p. 81, n. 32]. Um fabricante londrino, que considera a regulamentação coativa da jornada de trabalho meio de proteção dos trabalhadores contra os fabricantes e dos fabricantes contra o comércio atacadista, declara: "Em nosso ramo, sofremos a pressão dos exportadores, que, por exemplo, querem remeter a mercadoria por um navio a vela, para tê-la em determinada época do ano no seu local de destino, embolsando assim a diferença de frete entre o navio a vela e o navio a vapor, ou que escolhem, de dois navios, o que sai primeiro, a fim de chegar no mercado externo antes de seus concorrentes."

293 "Poder-se-iam evitar esses males", diz um fabricante, "desde que se forçasse a ampliação das fábricas sob a pressão de uma lei geral do Parlamento." (*Loc. cit.*, p. x, n. 38.)

9. LEGISLAÇÃO FABRIL INGLESA, SUAS DISPOSIÇÕES RELATIVAS À HIGIENE E À EDUCAÇÃO E SUA GENERALIZAÇÃO A TODA PRODUÇÃO SOCIAL

A legislação fabril, essa primeira reação consciente e metódica da sociedade contra a forma espontaneamente desenvolvida de seu processo de produção, é, conforme vimos, um produto necessário da indústria moderna, do mesmo modo que a fiação de algodão, as máquinas automáticas e o telégrafo elétrico. Antes de passarmos a tratar de sua generalização na Inglaterra, referir-nos-emos ainda a algumas disposições da legislação fabril inglesa que não se relacionam com as horas de trabalho.

Além da redação que permite ao capitalista burlá-las, as disposições sobre higiene são extremamente pobres, limitando-se a prescrever a caiação de paredes e algumas outras medidas de limpeza, de ventilação e de proteção contra máquinas perigosas. No Livro 3, voltaremos a tratar da luta fanática dos fabricantes contra a disposição que lhes impõe uma pequena despesa para proteger os membros dos trabalhadores. Isto demonstra "brilhantemente" o dogma livre-cambista de que, numa sociedade de interesses antagônicos, cada um concorre para o bem comum procurando obter seu próprio proveito pessoal. Um exemplo basta. Nos últimos 20 anos, aumentou muito na Irlanda a indústria de linho e, com ela, os estabelecimentos de estomentar o linho. Em 1864, havia cerca de 1.800 desses estabelecimentos. Periodicamente, no outono e no inverno, são recrutadas pessoas que trabalham na lavoura, principalmente menores e mulheres, os filhos, as filhas e as esposas dos pequenos arrendatários vizinhos, sem qualquer experiência de trabalho com máquinas, para alimentar as máquinas de estomentar, o linho. Os acidentes, pelo seu número e pela sua espécie, não têm paralelo na história da maquinaria. Num único estabelecimento de estomentar, em Kildinan, perto de Cork, houve, de 1852 a 1856, seis casos de morte e 60 de mutilações graves, que poderiam ter sido todos eles evitados por meio de dispositivos muito simples, ao preço de alguns xelins. O Dr. W. White, médico oficial das fábricas de Downpatrick, declara, num relatório oficial de 16 de dezembro de 1865:

> "Os acidentes com as máquinas de estomentar o linho são terríveis. Em muitos casos, é arrancada a quarta parte do corpo. As consequências costumeiras dos ferimentos são a morte ou um futuro de miséria impotente e de

A MAQUINARIA E A INDÚSTRIA MODERNA

sofrimentos. O aumento das fábricas neste país aumentará naturalmente esses terríveis resultados. Estou convencido de que se evitariam mutilações e grandes sacrifícios de vidas humanas por meio de adequada supervisão, pelo Estado, dos estabelecimentos de estomentar linho."[294]

Que poderia caracterizar melhor o sistema capitalista de produção do que a necessidade de o Estado impor-lhe, coativamente, a adoção das mais simples precauções de limpeza e de higiene?

> "Graças à lei fabril de 1864, mais de 200 estabelecimentos de cerâmica foram caiados e limpos, depois de uma abstinência de 20 anos, ou total, em relação a operações dessa natureza. [Esta é a abstinência do capital.] Neles trabalham 27.878 empregados que, até então, respiravam, durante as jornadas prolongadas e muitas vezes durante o trabalho noturno, uma atmosfera pestilencial que tornava insalubre e mortífera uma atividade relativamente inofensiva. A lei melhorou muito a ventilação nas fábricas."[295]

Ao mesmo tempo, essa parte da lei fabril evidencia, de maneira contundente, como o sistema de produção capitalista, de acordo com sua natureza, exclui qualquer melhoria racional que ultrapasse determinado ponto. Reiteradas vezes dissemos que os médicos ingleses sustentam unanimemente que, para o trabalho contínuo, 500 pés cúbicos de ar por pessoa constituem o mínimo absolutamente indispensável. Pois bem. A lei fabril apressa a transformação de pequenos estabelecimentos em fábricas, em virtude de caráter coercitivo de suas providências, ferindo indiretamente o direito de propriedade dos capitalistas menores e assegurando o monopólio aos grandes. Bastaria a imposição legal da cubagem de ar necessária para cada trabalhador nos locais de trabalho para expropriar, de um só golpe, milhares de pequenos capitalistas. Ela atacaria a raiz do modo capitalista de produção, isto é, a autoexpansão do capital, grande ou pequeno, por meio da compra "livre" e do consumo da força de trabalho. A legislação fabril perde o alento diante dos 500 pés cúbicos de ar. As autoridades sanitárias, as comissões industriais de investigação, os inspetores de fábricas, reiteram continuamente a necessidade desses 500 pés cúbicos e a impossibilidade de impô-los ao capital. Isto equivale realmente a sustentar que a tuberculose

---

294 *Loc. cit.*, p. xv, n. 72 e segs.
295 *Reports of Insp. of Fact. 31ˢᵗ. Oct. 1865*, p. 127.

O CAPITAL

e outras doenças pulmonares decorrentes do trabalho são condições necessárias à existência do capital.[296]

Apesar da aparência mesquinha que apresentam em seu conjunto, as disposições da lei fabril relativas à educação fizeram da instrução primária condição indispensável para o emprego de crianças.[297] Seu sucesso demonstrou, antes de tudo, a possibilidade de conjugar educação e ginástica com o trabalho manual, e, consequentemente, o trabalho manual com educação e ginástica.[298] Os inspetores de fábrica logo descobriam, através dos depoimentos dos mestres-escolas, que as crianças empregadas nas fábricas, embora só tivessem meia frequência escolar, aprendiam tanto e muitas vezes mais que os alunos regulares que tinham a frequência diária integral.

> "A coisa é simples. Aqueles que só permanecem na escola metade do dia estão sempre lépidos, em regra dispostos e desejosos de aprender. O sistema de metade trabalho e metade escola torna cada uma das duas ocupações descanso e recreação em relação à outra, sendo por isso mais apropriado para a criança do que a continuação ininterrupta de uma das duas. Um menino que desde cedo fica sentado na escola, especialmente no verão, não pode concorrer com outro que chega alegre e animado de seu trabalho."[299]

---

296 Pela experiência, verificou-se que um indivíduo médio com saúde consome, a cada respiração de intensidade média, cerca de 25 polegadas cúbicas de ar, realizando aproximadamente 20 respirações por minuto. O consumo de ar de um indivíduo em 24 horas seria então, aproximadamente, de 720 mil polegadas cúbicas ou 416 pés cúbicos. Sabemos que o ar, depois de inspirado, só pode servir ao mesmo processo após purificar-se na grande oficina da natureza. Segundo as experiências de Valentin e Brunner, um homem sadio expiraria, por hora, cerca de 1.300 polegadas cúbicas de ácido carbônico; isto equivaleria aproximadamente a 8 onças de carvão sólido, expelidas pelos pulmões em 24 horas. "Todo homem deveria dispor, pelo menos, de 800 pés cúbicos." (Huxley.)

297 Segundo a lei fabril inglesa, os pais não podem mandar seus filhos com menos de 14 anos para as fábricas subordinadas a essa lei, sem colocá-los ao mesmo tempo na escola primária. O fabricante é responsável pela observância da lei. "O ensino às crianças empregadas nas fábricas é obrigatório e é uma das condições para o trabalho." (*Reports of Insp. of Fact. 31ˢᵗ Oct. 1865*, p. 111.)

298 Sobre os resultados excelentes obtidos da conjugação da ginástica (para os jovens, também exercícios militares) com o ensino obrigatório das crianças empregadas nas fábricas e dos alunos pobres, vide o discurso de N.W. Senior no 7º congresso anual da "National Association for the Promotion of Social Science", em *Report of Proceedings* etc., Londres, 1863, pp. 63-64. Vide também o relatório dos inspetores da fábrica de 31 de outubro de 1865, pp. 118-120, 126 e segs.

299 *Reports of Insp. of Fact., loc. cit.*, pp. 118-119. Um fabricante de seda declara ingenuamente aos comissários da "Child. Empl. Comm.": "Estou inteiramente convencido de que o verdadeiro segredo de obterem-se trabalhadores capazes reside na conjugação do trabalho com a educação, a partir da infância. Naturalmente, o trabalho não deve ser demasiado fatigante nem fastidioso, nem prejudicial à saúde. Gostaria que meus próprios filhos alternassem a escola com trabalho e jogos." (*Child. Empl. Comm., V. Rep.*, p. 82, n. 36.)

A MAQUINARIA E A INDÚSTRIA MODERNA

Mais informações sobre o assunto encontram-se no discurso de Senior no congresso sociológico de Edimburgo, em 1863. Dentre outras coisas, mostra ele como o dia escolar monótono, improdutivo e prolongado das crianças das classes superiores e médias aumenta inutilmente o trabalho do professor, "que desperdiça o tempo, a saúde e a energia das crianças de maneira infrutífera e absolutamente prejudicial".[300] Do sistema fabril, conforme expõe pormenorizadamente Robert Owen, brotou o germe da educação do futuro, que conjugará o trabalho produtivo de todos os meninos além de uma certa idade com o ensino e a ginástica, constituindo-se em método de elevar a produção social e em único meio de produzir seres humanos plenamente desenvolvidos.

Já vimos que a indústria moderna elimina tecnicamente a divisão manufatureira do trabalho, na qual um ser humano, com todas as suas faculdades e por toda a vida, fica prisioneiro de uma tarefa parcial. Mas, ao mesmo tempo, a forma capitalista da indústria moderna reproduz aquela divisão de trabalho de maneira ainda mais monstruosa, na fábrica propriamente dita, transformando o trabalhador no acessório consciente de uma máquina parcial; e, fora da fábrica, por toda parte, com o emprego esporádico das máquinas e dos trabalhadores de máquinas,[301] e com a introdução do trabalho das mulheres, das crianças e dos trabalhadores sem habilitação, que servem de nova base à divisão do trabalho. A contradição entre a divisão manufatureira do trabalho e a natureza da indústria moderna se impõe de maneira

---

300 Senior, *loc. cit.*, p. 66. Para se verificar até que ponto a indústria moderna, ao atingir certo nível, transforma os espíritos através da transformação que opera no modo material da produção e nas relações sociais de produção, basta comparar o discurso de N. W. Senior de 1863 e sua filípica contra a lei fabril de 1833, ou comparar os pontos de vista do mencionado congresso com a circunstância de, em certas zonas rurais da Inglaterra, os pais pobres serem proibidos de mandar seus filhos à escola, sob pena de morrerem de fome. Nesse sentido, informa Snell ser praxe em Somersetshire obrigar o pobre que requer ajuda paroquial a retirar seus filhos da escola. O pároco Wollaston, de Felltham, refere casos em que se nega qualquer ajuda a famílias "por mandarem seus filhos à escola".

301 Quando máquinas manuais, impulsionadas por força humana, concorrem direta ou indiretamente com maquinaria aperfeiçoada, isto é, movida por força mecânica, ocorre uma grande mudança com relação ao trabalhador que move a máquina. No início, a máquina a vapor substituiu esse trabalhador, agora ele tem de substituir a máquina a vapor. Tornam-se monstruosos a tensão e o desgaste de sua força de trabalho, para não falarmos dos menores que são condenados a essa tortura. O comissário Longe encontrou, em Coventry e cercanias, menores de 10 a 15 anos empregados para rodarem teares de tecer fitas, além de crianças, com menos idade ainda, que rodavam teares de menor dimensão. "É um trabalho extremamente cansativo. O menor não passa de um sucedâneo da força do vapor." (*Child. Empl. Comm., v. Rep.* 1866, p. 114, n. 6.) Sobre as consequências mortíferas "desse sistema de escravatura", como o denomina o relatório oficial, vide *loc. cit.*, pp. 114 e segs.

poderosa. Ela se patenteia, por exemplo, no terrível fato de grande parte dos meninos empregados nas fábricas e manufaturas modernas, condenados desde a mais tenra idade a repetir sempre as operações mais simples, serem explorados anos seguidos, sem aprender qualquer trabalho que os torne úteis mais tarde, mesmo que fosse na mesma manufatura ou fábrica. Antigamente, nas tipografias inglesas, por exemplo, os aprendizes, de acordo com o velho sistema da manufatura e do artesanato, começavam pelas tarefas mais fáceis, evoluindo gradativamente para as mais complexas. Percorriam as etapas de uma aprendizagem, até se tornarem tipógrafos completos. Saber ler e escrever era, para todos, uma exigência do ofício. Tudo isso mudou com a máquina de imprimir. Esta precisa de duas espécies de trabalhadores: um adulto, o supervisor da máquina, e meninos, na maioria entre 11 e 17 anos, cuja atividade consiste exclusivamente em colocar uma folha de papel na máquina e retirá-la depois de impressa. Notadamente em Londres, realizam eles essa tarefa enfadonha numa jornada de 14, 15 e 16 horas ininterruptas, em alguns dias da semana e, frequentemente, durante 36 horas consecutivas, com apenas duas horas de pausa para comer e dormir.[302] Grande parte deles não sabe ler; são geralmente criaturas embrutecidas, anormais.

> "Para capacitá-los para seu trabalho, nenhum treino intelectual é necessário; não há margem para o emprego de nenhuma habilidade nem de discernimento; seu salário, embora relativamente alto para meninos, não aumenta na proporção em que eles crescem, e a grande maioria não tem possibilidade de atingir a posição mais bem paga e de maior responsabilidade do supervisor da máquina, pois para cada máquina existe apenas um supervisor a que correspondem, em regra, 4 meninos."[303]

Quando se tornam demasiadamente velhos para esse trabalho infantil, o mais tardar aos 17 anos, são despedidos da tipografia. Vão então aumentar as fileiras do crime. Algumas tentativas para arranjar-lhes ocupação noutras atividades fracassam diante da sua ignorância, brutalização e degradação física e espiritual.

O que é válido para a divisão manufatureira do trabalho dentro da oficina, pode-se dizer da divisão do trabalho no interior da sociedade. Enquanto

---

302 *Loc. cit.*, p. 3, n. 24.
303 *Loc. cit.*, p. 7, n. 60.

A MAQUINARIA E A INDÚSTRIA MODERNA

o artesanato e a manufatura constituem o fundamento geral da produção social, a subordinação do produtor a um ramo de produção exclusivo, a decomposição da multiplicidade primitiva de suas ocupações,[304] representam uma fase necessária do desenvolvimento histórico. Sobre aquele fundamento, cada ramo especial de produção encontra, por meios empíricos, a forma técnica conveniente, aperfeiçoa-a lentamente e cristaliza-a logo que atinge certo grau de maturidade. As únicas modificações que se produzem, excetuadas as novas matérias-primas fornecidas pelo comércio, são as que ocorrem progressivamente com os instrumentos de trabalho. Uma vez alcançada, pela experiência, a forma adequada, esta se petrifica, conforme se verifica muitas vezes através de sua transferência de uma geração para outra, durante milênios. É bem significativo que ainda no século XVIII os diferentes ofícios tivessem a denominação de mistérios (*mystères*).[305] em cujos arcanos só podiam penetrar os empírica e profissionalmente iniciados. A indústria moderna rasgou o véu que ocultava ao homem seu próprio processo social de produção e que transformava os ramos de produção naturalmente diversos em enigmas, mesmo para aquele que fosse iniciado num deles. Criou a moderna ciência da tecnologia o princípio de considerar em si mesmo cada processo de produção e de decompô-lo, sem levar em conta qualquer intervenção da mão humana, em seus elementos constitutivos. As formas multifárias, aparentemente desconexas e petrificadas do processo social de produção se decompõem em aplicações da ciência conscientemente planejadas e sistematicamente especializadas segundo o efeito útil requerido. A tecnologia descobriu as poucas formas fundamentais do movimento, em que se resolve necessariamente toda a ação produtiva do corpo humano, apesar da variedade dos instrumentos empregados, do mesmo modo que a mecânica nos faz ver, através da grande complicação

---

304 Segundo o *Statistical Account*, há algum tempo, em algumas zonas montanhosas da Escócia, todo camponês fazia seus próprios sapatos, cujo couro ele mesmo curtia. Muitos pastores e lavradores, com esposas e filhos, apareciam na igreja com roupas inteiramente feitas por eles mesmos, sendo o material delas a lã da ovelha que tosquiaram ou o linho que plantaram. Ao fazerem seu vestuário, nada compraram fora, exceto sovela, agulhas, dedal e algumas peças de ferro utilizadas no trabalho de tecer. O material de tingir era extraído pelas mulheres de árvores, arbustos e ervas etc." (Dugald Stewart, *Works*, ed. Hamilton, Vol. VIII, pp. 327-328).

305 No célebre *Livre des métiers* de Etienne Boileau, encontram-se, dentre outras, as seguintes prescrições: "Todo companheiro, quando recebido na ordem dos mestres, deve prestar o juramento de amar fraternalmente seus irmãos, de os apoiar no respectivo ofício, de não divulgar voluntariamente de nenhum modo os segredos do ofício e, no interesse da corporação, de não chamar a atenção do comprador para os defeitos das mercadorias mal confeccionadas, a fim de valorizar as suas."

O CAPITAL

da maquinaria, a contínua repetição das potências mecânicas simples. A indústria moderna nunca considera nem trata como definitiva a forma existente de um processo de produção. Sua base técnica é revolucionária, enquanto todos os modos anteriores de produção eram essencialmente conservadores.[306] Por meio da maquinaria, dos processos químicos e de outros modos, a indústria moderna transforma continuamente, com a base técnica da produção, as funções dos trabalhadores e as combinações sociais do processo de trabalho. Com isso, revoluciona constantemente a divisão do trabalho dentro da sociedade e lança ininterruptamente massas de capital e massas de trabalhadores de um ramo de produção para outro. Exige, por sua natureza, variação do trabalho, isto é, fluidez das funções, mobilidade do trabalhador em todos os sentidos. Entretanto, reproduz em sua forma capitalista a velha divisão do trabalho, com suas peculiaridades rígidas. Já vimos como essa contradição absoluta elimina toda a tranquilidade, solidez e segurança da vida do trabalhador, mantendo-o sob a ameaça constante de perder os meios de subsistência, ao ser-lhe tirado das mãos o instrumental de trabalho,[307] de tornar-se supérfluo, ao ser impedido de exercer sua função parcial; como essa contradição se patenteia poderosa na hecatombe ininterrupta de trabalhadores, no desgaste sem freio das forças de trabalho e nas devastações da anarquia social. Isto é o aspecto negativo. Mas, se a variação do trabalho só se impõe agora como uma lei natural sobrepujante e com o efeito cego e destruidor de uma lei natural que encontra obstáculos por toda parte,[308] a indústria moderna, com suas próprias catástrofes, torna

---

306 "A burguesia não pode existir sem revolucionar continuamente o instrumental de produção e, em consequência, as relações de produção e todas as relações sociais. A conservação inalterada do modo tradicional de produção era, ao contrário, a primeira condição de existência de todas as classes industriais precedentes. A contínua transformação da produção, a turbulência ininterrupta de todas as condições sociais, a incerteza e a agitação permanentes distinguem a era burguesa de todas as que a precederam. Todas as relações fixas, enrijecidas com seu séquito de ideias e concepções venerandas, se dissolvem, todas as que de novo se formam se tornam obsoletas antes de se ossificarem. Tudo o que é estável e sólido se esfuma, tudo que é sagrado se profana, e os seres humanos são por fim compelidos a encarar, objetivamente, suas condições reais de vida e suas relações recíprocas." (F. Engels e Karl Marx, *Manifesto do Partido Comunista*, Londres, 1848, p. 5.)

307 "Tu me tomas a vida,
Quando me privas dos meios de que vivo."
(Shakespeare)

308 Ao regressar de San Francisco, escreve um trabalhador francês: "Nunca acreditaria que seria capaz de exercer todos os ofícios que desempenhei em Califórnia. Era minha convicção firme que nada sabia fazer além de tipografia. Colocado nesse mundo de aventureiros que trocam de profissão mais facilmente que de camisas, tive de proceder como os demais. A mineração não era bastante remuneradora,

A MAQUINARIA E A INDÚSTRIA MODERNA

questão de vida ou morte reconhecer como lei geral e social da produção a variação dos trabalhos e, em consequência, a maior versatilidade possível do trabalhador, e adaptar as condições à efetivação normal dessa lei. Torna questão de vida ou morte substituir a monstruosidade de uma população operária miserável, disponível, mantida em reserva para as necessidades flutuantes da exploração capitalista, pela disponibilidade absoluta do ser humano para as necessidades variáveis do trabalho; substituir o indivíduo parcial, mero fragmento humano que repete sempre uma operação parcial, pelo indivíduo integralmente desenvolvido, para o qual as diferentes funções sociais não passariam de formas diferentes e sucessivas de sua atividade. As escolas politécnicas e agronômicas são fatores desse processo de transformação, que se desenvolveram espontaneamente na base da indústria moderna; constituem também fatores dessa metamorfose as escolas de ensino profissional, onde os filhos dos operários recebem algum ensino tecnológico e são iniciados no manejo prático dos diferentes instrumentos de produção. A legislação fabril arrancou ao capital a primeira e insuficiente concessão de conjugar a instrução primária com o trabalho na fábrica. Mas não há dúvida de que a conquista inevitável do poder político pela classe trabalhadora trará a adoção do ensino tecnológico, teórico e prático, nas escolas dos trabalhadores. Também não há dúvida de que a forma capitalista de produção e as correspondentes condições econômicas dos trabalhadores se opõem diametralmente a esses fermentos de transformação e ao seu objetivo, a eliminação da velha divisão do trabalho. Mas o desenvolvimento das contradições de uma forma histórica de produção é o único caminho de sua dissolução e do estabelecimento de uma nova forma. A máxima da sabedoria do artesanato, "sapateiro, não passes do sapato", tornou-se mera sandice no dia em que o relojoeiro Watt inventou a máquina a vapor; o barbeiro Arkwright, o tear; o artífice de ourivesaria Fulton, o navio a vapor.[309]

---

por isso abandonei-a e fui para a cidade, onde sucessivamente trabalhei como tipógrafo, telhador, fundidor etc. Depois de experimentar a possibilidade de desempenhar toda a espécie de trabalho, sinto-me menos molusco e mais homem." (A. Corbon, *De l'enseignement professionnel*, 2ª ed., p. 50.)

309 John Bellers, verdadeiro fenômeno da história da economia política, viu com absoluta clareza, no fim do século XVII, a necessidade de eliminar o sistema atual de educação e a divisão do trabalho, que produzem hipertrofia e atrofia nas duas extremidades opostas da sociedade. Dentre outras coisas, diz ele: "Aprender ociosamente é pouco melhor que aprender a ociosidade. [...] O trabalho físico foi o próprio Deus que instituiu originalmente. [...] O trabalho é tão necessário para a saúde do corpo quanto o alimento para conservá-lo; pois as dores que se poupam com o ócio, encontram-se com a doença. [...] O trabalho põe óleo na lâmpada da vida, o pensamento a acende. [...] Uma ocupação

O CAPITAL

Quando regula o trabalho nas fábricas, nas manufaturas etc., a legislação fabril é considerada apenas intervenção nos direitos de exploração exercidos pelo capital. Toda regulamentação do trabalho em domicílio,[310] entretanto, se apresenta como ataque direto ao pátrio poder, um passo diante do qual o Parlamento inglês vacilava, por ferir sua pretensa delicadeza de sentimentos. A força dos fatos, entretanto, compeliu a que se reconhecesse finalmente que a indústria moderna, ao dissolver a base econômica da família antiga e o correspondente trabalho familiar, desintegrou também as velhas relações familiares.[I] O direito das crianças tinha de ser proclamado.

> "Infelizmente", diz o relatório final da "Child. Empl. Comm." de 1866, "ressalta da totalidade dos depoimentos que as crianças de ambos os sexos precisam ser protegidas principalmente contra seus pais". O sistema da exploração sem limites do trabalho infantil em geral e do trabalho em domicílio em particular é "mantido pelos pais, que exercem sobre seus novos e tenros rebentos uma autoridade arbitrária e nefasta, sem freio e sem controle. [...] Os pais não devem possuir o poder absoluto de transformar seus filhos em simples máquinas de produzir, por semana, determinada quantia em salário. [...] Crianças e jovens têm um direito à proteção da lei contra os abusos do poder paterno, os quais destroem prematuramente sua força física e os degradam intelectual e moralmente."[311]

Mas não foram os abusos do poder paterno que criaram a exploração direta ou indireta das forças imaturas do trabalho pelo capital; ao contrário, foi o modo capitalista de exploração que, ao suprimir a base econômica correspondente à autoridade paterna, fez o exercício dela degenerar em abusos nefastos. Por mais terrível e repugnante que pareça ser a decomposição da velha estrutura familiar dentro do sistema capitalista, a indústria moderna cria, apesar disso, com o papel decisivo que reserva às mulheres, aos adolescentes e aos meninos de ambos os sexos nos proces-

---

estúpida para a criança [um pressentimento contra os Basebows e seus imitadores modernos] torna seu espírito estúpido." (*Proposals for Raising a Colledge of Industry of All Useful Trades and Husbandry*, Londres, 1696, pp. 12, 14, 16 e 18.)

310 Essa espécie de trabalho ocorre em grande parte também nas pequenas oficinas, conforme vimos nos artesanatos de rendas e de entrançamentos de palha e como se poderia mostrar, de maneira pormenorizada, nas manufaturas metalúrgicas de Sheffield, Birmingham etc.

I Vide pp. 504-508.

311 *Child. Empl. Comm., v. Rep.*, p. xxv, n. 162 e 11. Rep., p. xxxviii, ns. 285 e 289, pp. xxv-xxvi, n. 191.

sos de produção socialmente organizados e fora da esfera familiar, o novo fundamento econômico para uma forma superior da família e das relações entre os sexos.

Seria naturalmente uma tolice considerar absoluta a forma germano--cristã da família, do mesmo modo que não se justifica esse ponto de vista em relação à forma romana antiga, ou à grega antiga, ou à oriental, as quais se interligam numa progressão histórica. Além disso, é óbvio que a composição do pessoal de trabalho constituído de indivíduos de ambos os sexos e das mais diversas idades, fonte de degradação e escravatura em sua forma espontânea, brutal, capitalista (em que o trabalhador existe para o processo de produção e não o processo de produção para o trabalhador), tem de transformar-se em fonte de desenvolvimento humano, quando surjam as condições adequadas.[312]

O desenvolvimento histórico da indústria moderna criou a necessidade de generalizar a lei fabril a toda produção social, no início uma lei de exceção restrita à fiação e à tecelagem, primeiras manifestações da produção mecanizada. Na retaguarda desta, revolucionam-se completamente as estruturas tradicionais da manufatura, do artesanato e do trabalho em domicílio: a manufatura se transforma constantemente em fábrica, o artesanato em manufatura, e, por fim, as esferas do artesanato remanescente e do trabalho em domicílio se convertem, com relativa rapidez, em antros de miséria, onde campeiam livremente as monstruosidades extremas da exploração capitalista. Duas circunstâncias têm sido decisivas para a generalização da lei fabril: primeiro, a experiência sempre repetida de que o capital, quando fica sujeito ao controle do Estado em alguns pontos da esfera social, procura compensar-se nos demais, da maneira mais desmesurada;[313] segundo, o clamor dos próprios capitalistas pela igualdade das condições de concorrência, isto é, o estabelecimento de barreiras iguais para todos os que exploram o trabalho.[314] Ouçamos, a respeito, duas queixas saídas do fundo do coração. A empresa dos W. Cooksley, que fabrica agulhas, correntes etc., em Bristol, espontaneamente introduziu a regulamentação da lei fabril em seu negócio.

---

312 "O trabalho de fábrica pode ser tão limpo e excelente quanto o trabalho doméstico, e talvez mais." (*Reports of Insp. of Fact., 31ˢᵗ Oct. 1865*, p. 129.)

313 *Loc. cit.*, pp. 27 e 32.

314 Abundantes dados sobre o assunto em *Rep. of Insp. of Fact.*

O CAPITAL

"Uma vez que o sistema antigo, irregular, continua vigorando nas oficinas vizinhas, ficam eles expostos à injustiça de ver seus jovens empregados levados a continuar seu trabalho noutra parte depois das 6 da tarde. Dizem eles naturalmente: 'É uma injustiça contra nós e uma perda, pois se esgota assim parte da força dos jovens, a qual, em sua totalidade, nos pertence.'"[315]

J. Simpson, fabricante de sacos de papel e caixas de papelão, declara aos comissários da "Child. Empl. Comm." que

"[...] subscreveria qualquer petição a favor da implantação das leis fabris. Na situação em que se encontrava, sentia-se intranquilo à noite, após fechar sua fábrica, receando que outros estivessem trabalhando até mais tarde, arrebatando-lhe encomendas."[316] "Seria uma injustiça", diz a 'Child. Empl. Comm.', sumariando, "contra os empregadores das grandes empresas, submeter suas fábricas à regulamentação, e simultaneamente deixar, em seu próprio ramo, a produção em pequena escala com o tempo de trabalho livre de qualquer limitação legal. Além da injustiça de condições desiguais de concorrência em relação às horas de trabalho, por se isentarem da lei as pequenas oficinas, experimentariam os grandes fabricantes outra desvantagem, que é o desvio do suprimento de mão de obra jovem e feminina para as oficinas não sujeitas à lei. Finalmente, incentivar-se-ia assim o aumento das pequenas oficinas, que, quase invariavelmente, apresentam as condições menos favoráveis à saúde, ao conforto, à educação e à melhoria geral do povo."[317]

Em seu relatório final, a "Children's Employment Commission" propõe subordinar à lei fabril mais de 1.400.000 crianças, adolescentes e mulheres, dos quais a metade, mais ou menos, é explorada pela pequena indústria e pelo trabalho em domicílio.[318]

---

315 *Child. Empl. Comm.*, v. *Rep.*, p. x, n. 35.

316 *Loc. cit.*, p. ix, n. 28.

317 *Loc. cit.*, p. xxv, ns. 165 a 167. Sobre as vantagens da produção em grande escala comparadas com as da produção em pequena escala, vide *Child. Empl. Comm.*, *III. Rep.*, p. 13, n. 144; p. 25, n. 121; p. 26, n. 125; p. 27, ns. 140 e segs.

318 Os ramos de atividades a regulamentar são: indústria de rendas, tecelagem de meias, entrançamento de palha, indústria de vestuário com suas numerosas categorias, confecção de flores artificiais, sapatarias, chapelarias, luvarias, alfaiatarias; todas as fábricas metalúrgicas, dos altos-fornos até as fábricas de agulhas etc., fábricas de papel, indústria de vidro, indústria de artigos de fumo, indústria de borracha, fabricação de liço (para tecelagem), manufatura de tapetes, indústria de guarda-chuvas e guarda-sóis, fabricação de fusos e canilhas, tipografias, encadernação, indústria de artigos de papel (inclusive caixas de papelão, cartões, papéis coloridos etc.), cordoaria, indústria de adornos de aze-

A MAQUINARIA E A INDÚSTRIA MODERNA

"Se o Parlamento", diz o relatório, "aceitar nossa proposta em toda a sua extensão, é fora de dúvida que a legislação sugerida teria os efeitos mais benéficos, não só em relação aos menores e aos fracos, aos quais se destina em primeiro lugar, mas também em relação à quantidade maior de trabalhadores adultos, que ficariam diretamente [mulheres] e indiretamente [homens] dentro de sua esfera de ação. Impor-lhes-ia horas de trabalho regulares e moderadas. Pouparia e acumularia reservas de força física, das quais depende o bem-estar deles e o do próprio país; protegeria a geração que se forma contra o trabalho em excesso, em idade prematura, o qual arruína sua constituição e leva à decadência precoce; proporcionaria a oportunidade da instrução primária, pelo menos até os 13 anos, pondo, desse modo, fim à incrível ignorância, tão fielmente descrita nos relatórios da Comissão e que não podemos ver sem sentir a mais dolorosa tristeza e o mais profundo sentimento de humilhação nacional."[319]

Na fala do trono de 5 de fevereiro de 1867, o gabinete conservador anunciou que tinha transformado em projetos de lei as recomendações da comissão de inquérito industrial.[319a] Para chegar a esse resultado, fora necessária uma nova experiência de 20 anos, com as características de uma operação em corpo vil. Já em 1840, fora nomeada uma comissão parlamentar para investigar as condições de trabalho das crianças. Seu relatório de 1842 retratava, segundo as palavras de N.W. Senior,

"[…] o mais terrível quadro de avareza, egoísmo e crueldade, por parte dos patrões e dos pais, e de miséria, degradação e destruição, nunca vistas, das crianças e dos adolescentes. […] Tem-se a impressão de que o relatório se refere a horrores de uma época passada. Infelizmente, está demonstrado que esses horrores continuam com a mesma intensidade. Uma publicação feita por Hardwicke afirma que os abusos denunciados em 1842 florescem plenamente hoje [1863]. Esse relatório [de 1842] ficou esquecido durante 20 anos, período

---

viche, olarias, manufatura de seda, tecelagem de Coventry, salinas, produção de velas, fabricação de cimento, refinarias de açúcar, produção de biscoitos, indústrias em madeira e outras indústrias mistas.
319 *Child. Empl. Comm., V. Rep.*
319a Foi aprovada em 12 de agosto de 1867 a lei que estende as leis fabris ("Factory Acts Extension Act"). Ela regula todas as fundições, forjas e indústrias metalúrgicas, as fábricas de máquinas, a indústria de vidro, papel, guta-percha, borracha e artigos de fumo, as tipografias, encadernadoras, enfim todos os estabelecimentos em que trabalham mais de 50 pessoas. A lei que regula o horário de trabalho ("Hours of Labour Regulation Act") foi aprovada em 17 de agosto de 1867 e se aplica aos pequenos estabelecimentos e ao trabalho em domicílio. Voltarei a tratar dessas leis e da lei que regulamenta o trabalho nas minas ("Mining Act") de 1872 no Livro 2.

em que se permitiu que aquelas crianças crescessem sem a menor noção do que chamamos de moral, sem educação, sem religião ou afeto natural de família e se tornassem os pais da geração atual."[320]

Entrementes, mudara a situação social. O Parlamento não se atreveu a rechaçar as recomendações da Comissão de 1863, do mesmo modo que o fizera com as de 1842. Por isso, já em 1864, quando a Comissão publicou, pela primeira vez, uma parte de seus relatórios, foram estendidas à indústria cerâmica (inclusive louça de barro), à fabricação de papéis estampados, de fósforos, de cartuchos, de espoletas e à aparação de veludo as leis fabris em vigor para a indústria têxtil. Na fala do trono de 5 de fevereiro de 1867, o gabinete conservador de então anunciou projetos de lei baseados nas conclusões da Comissão que encerrara seus trabalhos em 1866.

Em 15 de agosto de 1867, a lei de extensão das leis fabris ("Factory Acts Extension Act") e, a 21 de agosto, a lei que regulamenta as oficinas ("Workshops' Regulation Act") receberam a sanção real; a primeira lei regulamenta as grandes indústrias, a segunda, as pequenas.

A lei que estende as leis fabris regula os altos-fornos, as usinas siderúrgicas e de cobre, as fundições, as fábricas de máquinas, os estabelecimentos metalúrgicos, as fábricas de guta-percha, papel, vidros, artigos de fumo, as tipografias e encadernadoras e, em geral, todos os estabelecimentos industriais dos ramos mencionados em que estejam simultaneamente empregadas 50 ou mais pessoas, durante pelo menos 100 dias do ano.

Para dar uma ideia do domínio por que se estende a lei que regulamenta as oficinas ("Workshops' Regulation Act"), seguem algumas definições nela contidas:

> "Ofício é qualquer trabalho manual exercido como meio de vida, ou com fins de lucro, ou na confecção, ou na modificação, conserto, adorno, acabamento, de um artigo ou parte dele, ou por ocasião dessas operações, ou com o fim de adaptar, seja de que modo for, qualquer artigo para venda."
>
> "Oficina é qualquer aposento ou local, com teto ou ao ar livre, onde exerce um ofício qualquer criança, adolescente ou mulher, e em relação ao qual tem o direito de acesso e controle aquele que emprega essa criança, adolescente ou mulher."

---

320 Senior, *Social Science Congress*, pp. 55-58.

A MAQUINARIA E A INDÚSTRIA MODERNA

"Empregado significa ocupado em qualquer ofício, com ou sem salário, subordinado a um patrão ou a um pai, definido nesta lei."

"Pai significa pai, mãe, tutor ou qualquer outra pessoa que exerça tutela ou controle sobre qualquer [...] criança ou adolescente."

O artigo 7º, que impõe penalidades por emprego de crianças, adolescentes e mulheres, infringindo as determinações da lei, estabelece multas não só para o dono da oficina, seja ele ou não um dos pais, mas também para:

"os pais ou outras pessoas que tenham sob sua vigilância a criança, o adolescente ou a mulher, ou extraiam vantagens diretas do trabalho deles".

A lei que estende as leis fabris ("Factory Acts Extension Act"), relativa aos grandes estabelecimentos, é inferior à lei fabril, em virtude de uma série de lamentáveis disposições de exceção e de covardes compromissos com os capitalistas.

A lei que regulamenta as oficinas ("Workshops' Regulation Act"), deplorável em todos os seus pormenores, ficou sendo letra morta na mão das autoridades locais e urbanas encarregadas de sua execução. Quando o Parlamento, em 1871, lhes retirou essa atribuição, a fim de transferi-la aos inspetores de fábrica, cuja jurisdição aumentou, de um golpe, de mais de 100.000 oficinas e de umas trezentas olarias, teve o cuidado de só acrescentar ao pessoal de inspeção, que já era extremamente escasso, mais 8 assistentes.[321]

O que surpreende nessa legislação inglesa de 1867 é, de um lado, a necessidade, imposta ao Parlamento das classes dominantes, de aceitar em princípio medidas tão extraordinárias e extensas contra os desmandos da exploração capitalista; de outro lado, a hesitação, a aversão e a má-fé com que levou à prática essas medidas.

A comissão de inquérito de 1862 propôs também nova regulamentação do trabalho na indústria mineira, indústria que se distingue de todas as outras por marcharem juntos os interesses dos proprietários das terras e dos capitalistas industriais. A oposição entre esses interesses favorecera a

---

321 O pessoal de inspeção das fábricas era constituído de 2 inspetores, 2 inspetores-auxiliares e 41 subinspetores. Em 1871, foram nomeados mais 8 subinspetores. Os custos totais da execução das leis fabris na Inglaterra, Escócia e Irlanda, de 1871 a 1872, eram apenas de 25.347 libras esterlinas, inclusive as despesas judiciais dos processos contra os transgressores.

legislação fabril; a ausência dela basta para explicar as dilações e obstruções capciosas sofridas pela legislação sobre minas.

A comissão de inquérito de 1840 tinha feito revelações tão terríveis e revoltantes e provocado tanto escândalo em toda a Europa que o Parlamento foi obrigado a salvar sua face, promulgando a lei sobre o trabalho nas minas ("Mining Act") de 1842, que se limitava a proibir o trabalho embaixo da terra das mulheres e crianças com menos de 10 anos.

Em 1860, foi promulgada a lei de inspeção das minas, que previa a fiscalização delas por funcionários especialmente nomeados para esse fim e proibia o emprego nelas de menores entre 10 e 12 anos, excetuados os que possuíssem um certificado escolar ou frequentassem a escola durante certo número de horas. Essa lei ficou sendo letra morta em virtude do número ridiculamente ínfimo dos inspetores nomeados, dos escassos poderes que lhes foram conferidos e de outras causas que serão objeto de nosso exame.

Um dos mais recentes livros azuis sobre minas é o *Report from the Select Committee on Mines, together with... Evidence*, 23 *July 1866*. É o trabalho de um comitê de membros da Câmara dos Comuns, com poderes para citar testemunhas e inquiri-las; um volumoso in-fólio em que a parte propriamente relatada pelo comitê contém apenas cinco linhas, afirmando que o comitê nada tem a dizer e que é mister ainda inquirir mais testemunhas.

O modo de inquirir as testemunhas lembra a inquirição contraditória da justiça inglesa, em que o advogado procura confundir as testemunhas por meio de perguntas impudentes, capciosas e inesperadas e, ao mesmo tempo, torcer-lhes o sentido das palavras. Os advogados aqui são os inquiridores parlamentares, dentre eles donos ou exploradores de minas; as testemunhas, os trabalhadores de minas, principalmente as de carvão. Toda a farsa caracteriza tão bem o espírito do capital que daremos dela alguns extratos. Para facilitar a leitura, apresentá-los-emos devidamente classificados. As perguntas e as correspondentes respostas são numeradas nos livros azuis.

Os depoimentos citados são de trabalhadores das minas de carvão.

1. Emprego nas minas de menores a partir de 10 anos. O trabalho, juntamente com o percurso de ir até a mina e voltar para casa, dura em regra 14 a 15 horas, excepcionalmente mais, das 3, 4 ou 5 da manhã até as 5 e 6 da tarde (nos 6, 83, 452). Os trabalhadores adultos trabalham em duas turmas, cada uma de 8 horas, mas não se aplica esse sistema aos menores, para poupar despesas (nos 80, 203, 204). Os meninos de menos idade, são empregados principalmente para abrir e fechar as portas de ventilação

A MAQUINARIA E A INDÚSTRIA MODERNA

nas diversas seções da mina; os de mais idade, em trabalho pesado, no transporte de carvão etc. (n°^{os} 122, 739, 740). O longo horário de trabalho subterrâneo vigora para o menor até completar 18 ou 22 anos, quando passa a trabalhar diretamente em mineração (n° 161). As crianças e os adolescentes trabalham mais duramente hoje do que em qualquer período anterior (n°^{os} 1.663 a 1.667). Os operários das minas reivindicam, quase unanimemente, uma lei que proíba o trabalho nas minas até os 14 anos. A propósito, pergunta Hussey Vivian, explorador de minas:

> "Essa reivindicação não está condicionada à maior ou menor pobreza dos pais?" Mr. Bruce: "Não seria impiedoso, nos casos de morte, de mutilação do chefe da família etc., impedi-la por esse meio de obter recursos para sua subsistência? É imprescindível uma regra geral? Pretendeis proibir em todos os casos o trabalho subterrâneo das crianças, até os 14 anos?" Resposta: "Em todos os casos" (n°^{os} 107 a 110). Vivian: "Se for proibido o trabalho de menores de 14 anos nas minas, os pais não os empregariam nas fábricas etc.? – Em regra, não" (n° 174). Operário: "Parece ser fácil abrir e fechar as portas. É uma tarefa penosa. Tirando a corrente de ar contínua, o menor fica preso como se estivesse numa cela escura." O burguês Vivian: "O menino não pode ler enquanto vigia a porta, se dispuser de uma luz? – Primeiro, ele precisa ter velas. Segundo, isto não seria permitido. Ele está ali para cuidar de sua ocupação, tendo de dar conta de sua obrigação. Nunca vi um menino lendo dentro da mina" (n°^{os} 139, 141 e 160).

2. Educação. Os operários das minas reivindicam lei que torne o ensino obrigatório para as crianças, como nas fábricas. Consideram puramente ilusória a disposição da lei de 1860, exigindo o certificado escolar para o emprego de menores de 10 a 12 anos. O processo de interrogatório dos juízes de instrução capitalista assume nessa altura aspecto cômico (n° 115).

> "A lei é mais necessária contra os empregadores ou contra os pais? – Contra ambos" (n° 116). "Mais contra um do que contra o outro? – É difícil saber" (n° 137). "Mostram os empregadores algum desejo de adaptar as horas de trabalho às da escola? – Nunca" (n° 211). "Os trabalhadores das minas melhoram sua educação depois de empregados? – Em geral se tornam piores; adquirem maus costumes; entregam-se à embriaguez e ao jogo e se arruínam inteiramente" (n° 454). "Por que não mandar os garotos para as escolas noturnas? Na maioria dos distritos de carvão, não existe nenhuma. Mas a causa principal é o excesso de

trabalho que os esgota e os faz fecharem os olhos de cansaço." Conclui então o burguês: "Sois contra a educação? – De modo nenhum, mas etc." (nº 443). "Os donos das minas não são obrigados pela lei de 1800 a exigir certificado escolar quando empregam crianças entre 10 e 12 anos? – São, mas não fazem isso" (nº 444). "Na sua opinião, geralmente não se observa essa disposição da lei? – Ela não é posta em prática de modo nenhum" (nº 717). "Os trabalhadores das minas interessam-se muito pela educação? – A grande maioria" (nº 718). "Estão eles ansiosos pela execução da lei? – A grande maioria" (nº 720). "Por que não forçam então a aplicação dela? – Muito trabalhador pode querer se opor ao emprego de um menor que não tenha certificado escolar, mas ficará marcado se o fizer" (nº 721). "Marcado por quem? – Por seu empregador" (nº 722). "Por certo não acreditais que os empregadores perseguiriam um homem por observar a lei? – Acredito que são capazes disso" (nº 723). "Por que os trabalhadores não se opõem a que se empreguem esses menores? – Não é matéria de sua competência" (nº 1.634). "Quereis a intervenção do Parlamento? – Para que haja algo de prático em favor da educação dos filhos dos operários das minas, é necessário que ela se torne compulsória por meio de uma lei" (nº 1.636). "Deve isso ser feito para os filhos de todos os trabalhadores da Grã-Bretanha ou apenas para os dos trabalhadores das minas? – Estou aqui para falar em nome dos trabalhadores das minas" (nº 1.638). "Por que distinguir dos outros os menores que trabalham nas minas? – Porque são uma exceção à regra" (nº 1.639). "Em que sentido? – No sentido físico" (nº 1.640). "Por que a educação seria mais importante para eles do que para os menores de outras classes? – Não digo que é mais importante para eles, mas que eles têm menos oportunidade para instruir-se nas escolas diurnas e dominicais, em virtude do excessivo trabalho nas minas" (nº 1.644). "É impossível considerar questões dessa natureza de maneira absoluta e isolada, não é verdade?" (nº 1.644). "É suficiente o número de escolas? – Não" (nº 1.647). "Se o Estado exigisse que toda criança frequentasse a escola, donde surgiriam as escolas para todas elas? – Acredito que, à medida que exijam as circunstâncias, aparecerão as escolas." "A maioria das crianças e dos trabalhadores adultos nas minas não sabe ler nem escrever" (nºs 705 e 726).

3. Trabalho da mulher. Desde 1842 que as trabalhadoras não são mais empregadas no subsolo, mas para carregar carvão, arrastar as cubas até os canais e os vagões ferroviários, selecionar o carvão etc. O emprego delas aumentou muito nos últimos 3 a 4 anos (nº 1.727). São na maioria mulheres, filhas ou viúvas dos operários das minas, dos 12 até os 50 e 60 anos de idade (nºs 647, 1.779 e 1.781).

A MAQUINARIA E A INDÚSTRIA MODERNA

"Que pensam os operários a respeito do emprego de mulheres nas minas? Condenam isso, geralmente" (nº 648). "Por quê? – Consideram degradante para o sexo (nº 649) [...] Elas vestem uma roupa de estilo masculino. Em muitos casos, desaparece o pudor. Há umas que fumam. O trabalho é tão sujo quanto o que se realiza dentro das minas. Muitas delas são casadas e não podem cumprir suas obrigações domésticas" (nºs 651 e seguintes, 701 e 709). "Podem as viúvas obter noutra parte ocupação tão rendosa [de 8 a 10 xelins por semana]? – Nada posso dizer sobre o assunto" (nº 710). "E apesar disso" (ó coração de pedra!), "estais decidido a tirar delas esse ganha-pão?" – Sem dúvida" (nº 1.715). "Por quê? – Nós, operários das minas, respeitamos muito o belo sexo para vê-lo condenado ao trabalho das minas. [...] Esse trabalho é em grande parte muito pesado. Muitas das jovens carregam 10 toneladas por dia" (nº 1.732). "Acreditais que as empregadas nas minas são mais imorais de que as mulheres que trabalham nas fábricas? – A percentagem das ruins é maior nas minas do que nas fábricas" (nº 1.733). "Mas também não estais satisfeito com a situação da moralidade nas fábricas? – Não" (nº 1.734). "Quereis também proibir o trabalho das mulheres nas fábricas? – Não" (nº 1.735). "Por que não? – Porque é mais digno e mais adequado para o sexo feminino" (nº 1.736). "Apesar disso, é prejudicial à moralidade, segundo vossa opinião? – Não, de modo algum, não tanto quanto o trabalho nas minas. Além disso, não falo apenas do ponto de vista moral, mas também do físico e do social. A degradação social das jovens é deplorável e extrema. Quando se tornam esposas dos operários das minas, são os homens as vítimas dessa degradação, que os faz deixarem o lar e se entregarem à bebida" (nº 1.737). "Mas o mesmo não seria verdade para as mulheres empregadas nas usinas siderúrgicas? – Não posso falar sobre outros ramos de atividades" (nº 1.740). "Mas qual é a diferença entre as mulheres ocupadas nos estabelecimentos siderúrgicos e nas minas? – Não me ocupei com esse assunto" (nº 1.741). "Poderíeis descobrir alguma diferença *entre* uma e outra classe? – Nada averiguei sobre isso, mas conheço a situação deplorável de nosso distrito depois de visitar casa por casa" (nº 1.750). "Não é grande o vosso desejo de eliminar a ocupação das mulheres em todos os ramos que a degradam? – Sim [...] os melhores sentimentos das crianças têm de provir da educação dada pela mulher" (nº 1.751). "Mas isso ocorre também com a ocupação das mulheres no setor agrícola? – O trabalho aí dura apenas duas estações, nas minas elas trabalham todas as quatro estações, frequentemente dia e noite, molhadas até os ossos, com a constituição enfraquecida e a saúde arruinada" (nº 1.753). "Provavelmente não investigastes o assunto [o emprego das mulheres]? – Tenho observado o que se passa e posso dizer que em nenhum lugar encontrei algo semelhante à ocupação das mulheres nas minas de carvão [n⁰ˢ 1.793, 1.794 e 1.798]. É trabalho de homem e para homens *fortes*. A melhor categoria dos trabalhadores de minas procura melhorar e humanizar-se, mas, em *vez* de encontrar apoio em suas mulheres, são arruinados por elas."

Depois de formular outras perguntas capciosas, revela finalmente o burguês o segredo de sua compaixão para com as viúvas, as famílias pobres etc.:

"O proprietário da mina nomeia pessoas para supervisioná-la, e a política que tem a aprovação dele é a de economizar o máximo possível, e uma empregada jovem recebe 1 xelim a 1 xelim e 6 pence por dia nos casos em que um homem exige 2 xelins e 6 pence" (n⁰ 1.816).

4. Júris de instrução relativos a acidentes mortais.

"Estão os trabalhadores dos vossos distritos satisfeitos com o processo judiciário dos inquéritos sobre acidentes? – Não" (n⁰ 360). "Por que não? – Principalmente porque os nomeados para o júri absolutamente nada entendem de minas. Os trabalhadores nunca são convocados para o júri, exceto como testemunhas. Em regra, servem de jurados negociantes da vizinhança que estão sob a influência dos donos das minas, seus fregueses, e não entendem as expressões peculiares das testemunhas. Queremos que uma parte do júri seja constituída de operários das minas. Em regra, a sentença está em desacordo com os depoimentos das testemunhas" (n⁰ˢ 361 a 375). "Mas não devem os júris ser imparciais? – Sim" (n⁰ 378). "Seriam os trabalhadores imparciais? – Não vejo nenhum motivo por que os trabalhadores agissem parcialmente. Têm conhecimento da situação real" (n⁰ 379). "Mas não teriam eles a tendência, no interesse dos trabalhadores, de pronunciar sentenças injustamente severas? – Não, acredito que não" (n⁰ 380).

5. Falsos pesos e medidas etc. Os trabalhadores reivindicam pagamento por semana e não quinzenal, por peso e não por cubagem, proteção contra o uso de pesos falsos etc. (n⁰ 1.071).

"Se as cubas foram aumentadas fraudulentamente, pode o trabalhador abandonar a mina após o aviso prévio de 14 dias, não é verdade? – Mas, se ele for trabalhar noutra usina, encontrará a mesma coisa (n⁰ 1.072). – Mas ele pode deixar o lugar onde se pratica a fraude?" Não é preciso dizer mais nada.

A MAQUINARIA E A INDÚSTRIA MODERNA

6. Inspeção das minas. Os trabalhadores não são apenas vítimas dos acidentes causados por gases explosivos (n.º 234 e seguintes).

> "Queixamo-nos ainda da má ventilação das minas de carvão, onde as pessoas quase não podem respirar e acabam ficando incapacitadas para qualquer espécie de trabalho. Na parte da mina onde trabalho, por exemplo, o ar pestilencial causou a enfermidade de muitas pessoas durante semanas. As galerias principais são, em regra, suficientemente ventiladas, mas não os lugares onde trabalhamos. Se um trabalhador apresenta queixa ao inspetor sobre a ventilação, é despedido e fica marcado, de modo que não acha mais ocupação noutro lugar. A lei de inspeção das minas de 1860 é um mero papel sem valor. É extremamente reduzido o número de inspetores, e a mina só foi inspecionada uma vez em 7 anos. Temos um inspetor de 70 anos de idade para inspecionar mais de 130 minas de carvão. Além de mais inspetores, precisamos de subinspetores" (n.º 280). "Deve o governo manter um exército de inspetores tão grande que possa fazer tudo o que exigis, sem informações dos trabalhadores? – É impossível, mas eles devem vir às minas colher as informações" (n.º 285). "Não achais que o efeito seria transferir a responsabilidade da ventilação etc. dos proprietários de minas para os funcionários do governo? – De modo nenhum; tem de ser atribuição destes forçar o cumprimento das leis já existentes" (n.º 294). "Quando falais de subinspetores, quereis dizer pessoas com menor salário e de qualificação inferior em relação aos inspetores atuais? – Não desejo que sejam inferiores, se podem ser melhores" (n.º 295). "Quereis mais inspetores ou uma classe de pessoas inferiores aos inspetores? – Precisamos de pessoas que percorram as minas, sem medo de arriscar a pele" (n.º 297). "Se, de acordo com vosso desejo, fossem nomeados inspetores de qualidade inferior, não traria perigo a falta de competência deles etc.? – Não; é atribuição do governo designar pessoas adequadas."

O próprio presidente do comitê de investigação acaba achando demasiadamente estúpido esse processo de inquirição.

> "Quereis", intervém ele, "pessoas práticas que inspecionem as minas e relatem para o inspetor, que poderá então aplicar seus conhecimentos de mais alto nível" (n.º 531). "Não causaria muitas despesas a ventilação de todas essas velhas minas? – Sim, as despesas aumentariam, mas vidas humanas seriam protegidas" (n.º 581).

Um operário das minas de carvão protesta contra a seção 17 da lei de 1860:

O CAPITAL

"Atualmente, quando o inspetor de fábrica encontra qualquer parte da mina em condições inadequadas para o trabalho, tem de fazer uma comunicação sobre o assunto ao dono da mina e ao ministro do Interior. É dado então ao dono da mina o prazo de 20 dias para pensar sobre o assunto. Ao fim do prazo, pode ele opor-se a qualquer modificação na mina. Se fizer isso, tem de dirigir-se ao ministro do Interior, apresentando uma lista de 5 engenheiros de minas, dentre os quais o ministro tem de escolher os árbitros. Pensamos que, nesse caso, é o dono da mina quem nomeia virtualmente seu próprio juiz" (nº 586).

O inquiridor burguês, ele mesmo dono de minas:

"Isso é uma alegação puramente especulativa" (nº 588). "Tendes uma opinião muito desfavorável a respeito da honestidade dos engenheiros de minas? – Digo que o processo atual fere a equidade e a justiça" (nº 589). "Não possuem os engenheiros de minas uma espécie de fé pública que coloca suas decisões acima da parcialidade que temeis? – Não desejo responder a uma questão que envolve o caráter pessoal desses homens. Estou convencido de que, em muitos casos, agem parcialmente e que lhes deve ser tirado esse poder sempre que estejam em jogo vidas humanas."

O mesmo burguês não tem vergonha de perguntar:

"Não achais que os donos das minas têm também prejuízos com as explosões?"

Finalmente:

"Vós trabalhadores não sois capazes de cuidar de vossos próprios interesses sem apelar para a ajuda do governo? – Não" (nº 1.042).

Em 1865, havia 3.217 minas de carvão, na Grã-Bretanha, para 12 inspetores. Um proprietário de minas de Yorkshire (*Times*, 26 de janeiro de 1867) calcula que, se os inspetores forem desobrigados de seu trabalho burocrático que lhes absorve todo o tempo, cada mina só poderá ser inspecionada uma vez em 10 anos. Não admira que as catástrofes nos últimos anos, notadamente em 1866 e 1867, tenham aumentado progressivamente em número e em amplitude, havendo casos de 200 a 300 trabalhadores mortos. Estas são as belezas da "livre" produção capitalista.

A MAQUINARIA E A INDÚSTRIA MODERNA

Apesar de todos os seus defeitos, a lei de 1872 é a primeira que regula o horário de trabalho das crianças nas minas e responsabiliza, até certo ponto, os exploradores e os proprietários das minas pelo que se chama de acidente.

A comissão real de 1867, nomeada para investigar o emprego na agricultura de crianças, adolescentes e mulheres, publicou alguns relatórios de grande importância. Foram feitas diversas tentativas de aplicar na agricultura, com modificações, os princípios da legislação fabril, mas, até agora, fracassaram todas elas. Mas o que desejo acentuar é que existe uma tendência irresistível para a aplicação geral desses princípios.

A extensão das leis fabris a todos os ramos se tornou indispensável para proteger mental e fisicamente a classe trabalhadora. Ela generaliza e acelera, conforme já vimos, a transformação dos processos de trabalho dispersos e de diminuta escala em processos de trabalho combinados que operam em grande escala social; em consequência, acelera a concentração do capital e o domínio exclusivo do sistema fabril. Ela destrói todas as formas antigas e transitórias, atrás das quais ainda se esconde parcialmente o capital, e as substitui pelo domínio direto e franco do capital. Com isso, generaliza também a luta direta contra esse domínio. Ao impor, em cada estabelecimento, isoladamente considerado, a uniformidade, a regularidade, a ordem e a economia, aumenta, com o imenso estímulo que a limitação e a regulamentação da jornada de trabalho dão ao progresso técnico, a anarquia e as catástrofes da produção capitalista em seu conjunto, a intensidade do trabalho e a competição entre a maquinaria e o trabalhador. Ao arruinar a pequena indústria e o trabalho em domicílio, destrói os últimos refúgios dos trabalhadores supérfluos e, portanto, a válvula de segurança que até agora tem preservado todo o mecanismo social. Ao favorecer as condições materiais e as combinações sociais do processo de produção, aguça as contradições e os antagonismos da forma capitalista de produção, amadurecendo, ao mesmo tempo, os elementos formadores de uma sociedade nova e os destruidores da sociedade antiga.[322]

---

322 Robert Owen, o pai das cooperativas de produção e de consumo, que, conforme observamos, de nenhum modo participava das ilusões de seus imitadores sobre a importância desses elementos isolados de transformação, não só tomava, praticamente, o sistema fabril como ponto de partida para seus experimentos, mas o considerava, teoricamente, o ponto de partida da revolução social. Vissering, professor de economia política na Universidade de Leyden, parece suspeitar dessa potencialidade revolucionária do sistema fabril em sua obra *Handboek van praktische staathuishoudkunde*, 1860 a 1862, onde expõe, no estilo mais adequado, os chavões da economia vulgar, e defende o artesanato contra a indústria moderna.

O CAPITAL

10. INDÚSTRIA MODERNA E AGRICULTURA

Trataremos mais adiante da revolução realizada pela indústria moderna na agricultura e nas relações sociais de seus agentes de produção. Por ora, basta indicar, antecipando, alguns resultados. Na agricultura, o emprego da maquinaria está, em grande parte, livre dos prejuízos físicos que acarreta ao trabalhador na fábrica,[323] mas atua, de maneira mais intensa e sem oposição, no sentido de tornar supérfluos os trabalhadores, conforme se verá pormenorizadamente mais tarde. Nos condados de Cambridge e Suffolk, por exemplo, a área cultivada ampliou-se muito nos últimos 20 anos, enquanto a população rural, no mesmo período, decresceu tanto relativa quanto absolutamente. Nos Estados Unidos, as máquinas agrícolas por ora substituíram trabalhadores apenas virtualmente, isto é, elas capacitam o trabalhador a cultivar uma superfície maior, mas não despedem

---

Nota da 4ª edição: A confusão jurídica (p. 318) que se criou na Inglaterra com as leis fabris, a lei que estende as leis fabris e a lei que regula o trabalho nas oficinas, as quais reciprocamente se contradizem, tornou-se por fim insuportável, dando origem a uma codificação de toda a legislação sabre a matéria, através da lei de 1878, relativa às fábricas e oficinas ("Factory and Workshop Act"). Naturalmente, não podemos apresentar aqui uma crítica pormenorizada a esse código industrial atualmente em vigor na Inglaterra. Por isso, limitamo-nos às seguintes observações: A lei abrange: 1) As fábricas têxteis. Neste ramo, não há alteração de monta: horário de trabalho permitido para crianças com mais de 10 anos, 5½ horas por dia, ou então 6 horas, se o sábado for livre; adolescentes e mulheres, 10 horas em 5 dias e 6½ no máximo aos sábados. 2) Fábricas não têxteis. As normas aqui estão mais próximas do que antigamente das normas do item 1, mas ainda existem muitas exceções que favorecem os capitalistas, as quais, em certos casos, podem ser ampliadas mediante licença especial do ministro do Interior. 3) Oficinas, com uma definição aproximada da conceituação da lei anterior. As disposições relativas as crianças, adolescentes ou mulheres se assemelham bastante às que se aplicam nas fábricas não têxteis, mas com exceções favoráveis aos patrões, em certos casos. 4) Oficinas em que não trabalham crianças nem menores de 18 anos, mas pessoas de ambos os sexos que ultrapassam essa idade. Nessa categoria, há exceções adicionais em favor do empregador. 5) Oficinas domésticas onde só trabalham membros da família na casa da própria família. As disposições legais são ainda mais favoráveis ao empregador, e, ao mesmo tempo, se proíbe o inspetor de penetrar nas peças da casa destinadas a residência, sem licença ministerial especial ou judiciária. Finalmente, o entrançamento de palha, a renda de bilros e a confecção manual de luvas, exercidos dentro da família, ficaram livres de qualquer disposição legal. Apesar de todos os seus defeitos, esta lei, do mesmo modo que a lei fabril da Confederação Suíça de 23 de março de 1877, é o que há de melhor sobre a matéria. Uma comparação entre ela e a mencionada lei suíça é de especial interesse, porque põe à mostra as vantagens e desvantagens dos dois métodos de legislar: o inglês, histórico, que interfere de caso em caso, e o continental, baseado nas tradições da Revolução Francesa, mais generalizante. Infelizmente, o código inglês, no que se aplica a oficinas, ainda é em grande parte letra morta, em virtude da insuficiência do pessoal de inspeção. — F.E.

323 Encontra-se descrição pormenorizada da maquinaria aplicada na agricultura inglesa em *Die Landwirthschaftlichen Gerathe und Maschinen Englands*, do Dr. W. Hamm, 2ª ed., 1856. No esboço sobre o desenvolvimento da agricultura inglesa, o autor acompanha cegamente as ideias de Léonce de Lavergne. (Nota da 4ª edição: obra hoje naturalmente obsoleta. — F.E.)

A MAQUINARIA E A INDÚSTRIA MODERNA

realmente empregados. Em 1861, na Inglaterra e País de Gales, o número das pessoas ocupadas na fabricação de máquinas agrícolas era de 1.034, enquanto o número dos trabalhadores rurais que trabalhavam com essas máquinas, as máquinas a vapor e as máquinas-ferramenta da agricultura, era apenas de 1.205.

A indústria moderna atua na agricultura mais revolucionariamente que em qualquer outro setor, ao destruir o baluarte da velha sociedade, o camponês, substituindo-o pelo trabalhador assalariado. As necessidades de transformação social e a oposição de classes no campo são, assim, equiparadas às da cidade. Os métodos rotineiros e irracionais da agricultura são substituídos pela aplicação consciente, tecnológica, da ciência. O modo de produção capitalista completa a ruptura dos laços primitivos que, no começo, uniam a agricultura e a manufatura. Mas, ao mesmo tempo, cria as condições materiais para uma síntese nova, superior, para a união da agricultura e da indústria, na base das estruturas que desenvolveram em mútua oposição. Com a preponderância cada vez maior da população urbana que se amontoa nos grandes centros, a produção capitalista, de um lado, concentra a força motriz histórica da sociedade, e, do outro, perturba o intercâmbio material entre o homem e a terra, isto é, a volta à terra dos elementos do solo consumidos pelo ser humano sob a forma de alimentos e de vestuário, violando assim a eterna condição natural da fertilidade permanente do solo. Com isso, destrói a saúde física do trabalhador urbano e a vida mental do trabalhador do campo.[324] Mas, ao destruir as condições naturais: que mantêm aquele intercâmbio, cria a necessidade de restaurá-lo sistematicamente, como lei reguladora da produção e em forma adequada ao desenvolvimento integral do homem. Na agricultura, como na manufatura, a transformação capitalista do processo de produção significa, ao mesmo tempo, o martirológio dos produtores; o instrumental de trabalho converte-se em meio de subjugar, explorar e lançar à miséria o trabalhador, e a combinação social dos processos de trabalho torna-se a opressão organizada contra a vitalidade, a liberdade e a independência

---

324 "Dividis o povo em dois acampamentos inimigos, os camponeses broncos e os raquíticos emasculados. Meu Deus! Uma nação dividida em interesses agrícolas e interesses comerciais considera-se sadia; mais ainda, tem-se na conta de esclarecida e civilizada, não só apesar mas em virtude dessa divisão monstruosa e desnaturada." (David Urquhart, *loc. cit.*, p. 119.) Esta passagem mostra ao mesmo tempo, a força e a fraqueza de uma espécie de crítica que sabe julgar e condenar o presente sem compreendê-lo.

O CAPITAL

do trabalhador individual. A dispersão dos trabalhadores rurais em áreas extensas quebra sua força de resistência, enquanto a concentração aumenta a dos trabalhadores urbanos. Na agricultura moderna, como na indústria urbana, o aumento da força produtiva e a maior mobilização do trabalho obtêm-se com a devastação e a ruína física da força de trabalho. E todo progresso da agricultura capitalista significa progresso na arte de despojar não só o trabalhador, mas também o solo; e todo aumento da fertilidade da terra num tempo dado significa esgotamento mais rápido das fontes duradouras dessa fertilidade. Quanto mais se apoia na indústria moderna o desenvolvimento de um país, como é o caso dos Estados Unidos, mais rápido é esse processo de destruição.[325] A produção capitalista, portanto, só desenvolve a técnica e a combinação do processo social de produção, exaurindo as fontes originais de toda a riqueza: a terra e o trabalhador.

---

325 Vide Liebig, *Die Chemie in ihrer Anwendung auf Agrikultur und Physiologie*, 7ª ed., 1862, especialmente, no Volume Primeiro, "Einleitung in die Naturgesetze des Feldbaus". Um dos méritos imortais de Liebig é ter exposto o aspecto negativo da agricultura moderna, do ponto de vista das ciências naturais. Seus esboços sobre a história da agricultura, embora não estejam livres de erros grosseiros, contêm observações lúcidas. É de lamentar que faça certas asserções gratuitas como a seguinte: "Pulverizando mais e arando com mais frequência o solo, ativa-se a circulação do ar nas camadas porosas da terra, aumenta-se e renova-se a superfície exposta à ação do ar; mas compreende-se facilmente que a produção do campo não aumenta na mesma proporção do trabalho nele aplicado, mas em proporção bem menor." "Esta lei", acrescenta Liebig, "foi formulada, pela primeira vez, por J. St. Mill, em sua obra *Princ. of Pol. Econ.*, V. I, p. 17, da seguinte maneira: '*Caeteris paribus*, o rendimento do solo aumenta em proporção decrescente com o aumento do número dos trabalhadores; esta é a lei geral da economia agrícola.' [Mill formula aí erroneamente a lei de Ricardo, pois o decréscimo dos trabalhadores empregados corre sempre paralelo, na Inglaterra, com o progresso da agricultura, e uma lei descoberta nas condições da Inglaterra e para ser válida nessas condições não teria, pela fórmula de Mill, nenhuma aplicação na Inglaterra.] "É surpreendente que Mill tenha descoberto essa lei, pois não conhecia seu fundamento." (Liebig, *loc. cit.*, V. I, p. 143 e nota.) Pondo de lado a palavra trabalho, a que Liebig dá um sentido diverso do corrente em economia política, é "surpreendente" que ele faça de J. St. Mill o descobridor de uma teoria que James Anderson apresentou pela primeira vez, ao tempo de A. Smith, repetindo-a em diversas obras até o início do século XIX; que Malthus, mestre em plágios (toda a sua teoria da população é um impudente plágio), empolgou em 1815; que West, ao mesmo tempo e independentemente de Anderson, desenvolveu; que Ricardo, em 1817, relacionou com a teoria geral do valor, e passou então a dar a volta ao mundo, associada ao nome de Ricardo; que James Mill (o pai de J. St. Mill), em 1820, vulgariza, e, finalmente, que J. St. Mill se limita a repetir como um dogma que já se transformara num batido chavão. É incontestável que J. St. Mill deve sua "surpreendente" autoridade a equívocos dessa natureza.

QUINTA SEÇÃO

PRODUÇÃO DA MAIS-VALIA ABSOLUTA E DA MAIS-VALIA RELATIVA

XIV.
Mais-valia absoluta e mais-valia relativa

No Capítulo v, estudamos o processo de trabalho em abstrato, independentemente de suas formas históricas, como um processo entre o homem e a natureza. Dissemos: "Observando-se todo o processo do ponto de vista do resultado, do produto, evidencia-se que meio e objeto de trabalho são meios de produção, e o trabalho é trabalho produtivo." Na nota 7, acrescentamos: "Essa conceituação de trabalho produtivo, derivada apenas do processo de trabalho, não é de modo nenhum adequada ao processo de produção capitalista." Mais algumas observações sobre o assunto.

Enquanto o processo de trabalho é puramente individual, um único trabalhador exerce todas as funções que mais tarde se dissociam. Ao apropriar-se individualmente de objetos naturais para prover sua vida, é ele quem controla a si mesmo; mais tarde, ficará sob o controle de outrem. O homem isolado não pode atuar sobre a natureza sem pôr em ação seus músculos sob o controle de seu cérebro. Fisiologicamente, cabeça e mãos são partes de um sistema; do mesmo modo, o processo de trabalho conjuga o trabalho do cérebro e o das mãos. Mais tarde, se separam e acabam por se tornar hostilmente contrários. O produto deixa de ser o resultado imediato da atividade do produtor individual para tornar-se produto social, comum, de um trabalhador coletivo, isto é, de uma combinação de trabalhadores, podendo ser direta ou indireta a participação de cada um deles na manipulação do objeto sobre que incide o trabalho. A conceituação do trabalho produtivo e de seu executor, o trabalhador produtivo, amplia-se em virtude desse caráter cooperativo do processo de trabalho. Para trabalhar produtivamente não é mais necessário executar uma tarefa de manipulação do objeto de trabalho; basta ser órgão do trabalhador coletivo, exercendo qualquer uma das suas funções fracionárias. A conceituação anterior de trabalho produtivo, derivada da natureza da produção material, continua válida para o trabalhador coletivo, considerado em conjunto. Mas não se aplica mais a cada um de seus membros, individualmente considerados.

Ademais, restringe-se o conceito de trabalho produtivo. A produção capitalista não é apenas produção de mercadorias, ela é essencialmente produção de mais-valia. O trabalhador não produz para si, mas para o capital. Por isso, não é mais suficiente que ele apenas produza. Ele tem de produzir mais-valia. Só é produtivo o trabalhador que produz mais-valia para o capitalista, servindo assim à autoexpansão do capital. Utilizando um exemplo fora da esfera da produção material: um mestre-escola é um trabalhador produtivo quando trabalha não só para desenvolver a mente das crianças, mas também para enriquecer o dono da escola. Que este invista seu capital numa fábrica de ensinar, em vez de numa de fazer salsicha, em nada modifica a situação. O conceito de trabalho produtivo não compreende apenas uma relação entre atividade e efeito útil, entre trabalhador e produto do trabalho, mas também uma relação de produção especificamente social, de origem histórica, que faz do trabalhador o instrumento direto de criar mais-valia. Ser trabalhador produtivo não é nenhuma felicidade, mas azar. No Livro 4, que trata da história da teoria, veremos mais claramente que a economia política clássica sempre fez da produção da mais-valia a característica marcante do trabalhador produtivo. Por isso, sua definição de trabalhador produtivo varia com sua concepção da natureza da mais-valia. Assim, os fisiocratas sustentam que só o trabalho agrícola é produtivo, porque só ele cria mais-valia. Para os fisiocratas, só existe mais-valia sob a forma de renda da terra.

A produção da mais-valia absoluta se realiza com o prolongamento da jornada de trabalho além do ponto em que o trabalhador produz apenas um equivalente ao valor de sua força de trabalho e com a apropriação pelo capital desse trabalho excedente. Ela constitui o fundamento do sistema capitalista e o ponto de partida da produção da mais-valia relativa. Esta pressupõe que a jornada de trabalho já esteja dividida em duas partes: trabalho necessário e trabalho excedente. Para prolongar o trabalho excedente, encurta-se o trabalho necessário com métodos que permitem produzir-se em menos tempo o equivalente ao salário. A produção da mais-valia absoluta gira exclusivamente em torno da duração da jornada de trabalho; a produção da mais-valia relativa revoluciona totalmente os processos técnicos de trabalho e as combinações sociais.

A produção da mais-valia relativa pressupõe, portanto, um modo de produção especificamente capitalista, que, com seus métodos, meios e condições, surge e se desenvolve, de início, na base da subordinação formal do trabalho ao capital. No curso desse desenvolvimento, essa subordinação formal é substituída pela sujeição real do trabalho ao capital.

Indicaremos, de passagem, formas intermediárias em que o trabalho excedente não é extorquido por coação direta ao produtor, ainda não estando este formalmente sujeito ao capital. Nessas formas, o capital ainda não se apossou diretamente do processo de trabalho. Ao lado dos produtores independentes, que exercem seus ofícios ou lavram a terra com métodos tradicionais e antigos, encontramos o usurário ou o comerciante,

MAIS-VALIA ABSOLUTA E MAIS-VALIA RELATIVA

o capital usurário ou o capital comercial, que os suga parasitariamente. A predominância dessa forma de exploração numa sociedade exclui o modo capitalista de produção, para o qual pode servir de transição, como ocorreu nos fins da Idade Média. Finalmente, como é o caso do trabalho em domicílio moderno, certas formas intermediárias se reproduzem dispersamente na retaguarda da grande indústria mecanizada, embora com fisionomia totalmente modificada.

Basta, para a produção da mais-valia absoluta, a subordinação meramente formal do trabalho ao capital: os artesãos, por exemplo, que trabalhavam antes para si mesmos ou como oficiais de um mestre, ficam, como assalariados, sob o controle direto do capitalista. Por outro lado, vimos como os métodos para produzir mais-valia relativa são, ao mesmo tempo, métodos para produzir mais-valia absoluta. E mais, o prolongamento desmedido da jornada de trabalho revelou-se o produto mais genuíno da grande indústria mecanizada. Em substância, o modo de produção especificamente capitalista cessa de ser mero meio de produzir mais-valia relativa, logo que se apossa de todo um ramo de produção, e mais ainda, depois que conquista todos os ramos decisivos da produção. Ele se torna então a forma geral, socialmente dominante do processo de produção. Como método especial de produzir mais-valia relativa, só opera, em sua propagação, ao apossar-se de indústrias até então apenas formalmente subordinadas ao capital e quando revoluciona continuamente, com novos métodos de produção, as indústrias que já estão sob seu domínio.

De certo ponto de vista, parece ilusória a diferença entre mais-valia absoluta e mais-valia relativa. A mais-valia relativa é absoluta por exigir a prolongação absoluta da jornada de trabalho além do tempo necessário à existência do trabalhador. A mais-valia absoluta é relativa por exigir um desenvolvimento da produtividade do trabalho que permita reduzir o tempo de trabalho necessário a uma parte da jornada de trabalho. Mas, quando focalizamos o movimento da mais-valia, se desvanece essa aparência de identidade. Assim que se estabelece o modo de produção capitalista e se torna o modo geral de produção, sente-se a diferença entre a mais-valia absoluta e a mais-valia relativa, quando o problema é elevar a taxa da mais--valia. Admitindo que a força de trabalho seja paga pelo seu valor, ficamos com a alternativa: dados a produtividade do trabalho e seu grau normal de intensidade, só é possível elevar a taxa da mais-valia com o prolongamento absoluto da jornada de trabalho; dada a duração da jornada de trabalho, só

O CAPITAL

é possível elevar a taxa da mais-valia variando relativamente as magnitudes das suas partes componentes, o trabalho necessário e o trabalho excedente, o que pressupõe (admitida a hipótese de que o salário não deve cair abaixo do valor da força de trabalho) variação da produtividade ou da intensidade do trabalho.

Se o trabalhador precisa de todo o seu tempo, a fim de produzir os meios de subsistência necessários para sua manutenção e de seus dependentes, não lhe restará tempo nenhum a fim de trabalhar gratuitamente para outra pessoa. Se não se atinge certo grau de produtividade do trabalho, não sobra tempo ao trabalhador para produzir além da subsistência; sem esse tempo de sobra, não haveria capitalistas, nem donos de escravos, nem barões feudais, em suma, nenhuma classe de grandes proprietários.[1]

Só se pode falar de uma base natural da mais-valia no sentido muito geral de que não há nenhum obstáculo natural absoluto que impeça uma pessoa de transferir o trabalho necessário à própria existência para outra pessoa, do mesmo modo que não existe um obstáculo natural absoluto que impeça um ser humano de repastar-se com a carne de seu semelhante.[1a] Não há nenhuma razão, como se faz às vezes, para relacionar com ideias místicas essa produtividade do trabalho que se desenvolve naturalmente. Só depois que os homens ultrapassam sua primitiva condição animal e socializam até certo ponto seu próprio trabalho é que surgem condições em que o trabalho excedente de um se torna condição de existência de outro. Nos primórdios da civilização, são pequenas as forças produtivas de trabalho adquiridas, mas também são reduzidas as necessidades que se desenvolvem com os meios de satisfazê-las e através deles. Além disso, naqueles primórdios, é ínfima a proporção dos indivíduos do setor social que vivem do trabalho alheio, comparada com a massa dos produtores diretos. Com o progresso da força produtiva social do trabalho, essa proporção cresce absoluta e relativamente.[2] O sistema capitalista surge sobre um terreno econômico que é o resultado de um longo processo de desenvolvimento. A produtividade

---

1 "A simples existência dos patrões capitalistas, como uma classe distinta, decorre da produtividade do trabalho." (Ramsay, *loc. cit.*, p. 206.) "Se o trabalho de cada ser humano fosse apenas suficiente para produzir seus próprios alimentos, não haveria nenhuma propriedade." (Ravenstone, *loc. cit.*, p. 14.)

1a Segundo estimativa recentemente feita, vivem nas regiões da Terra já exploradas, pelo menos, 4 milhões de canibais.

2 "Entre os índios selvagens da América quase tudo pertence ao trabalhador, que recebe 99% do produto de seu trabalho. Na Inglaterra, o trabalhador talvez não chegue a receber $2/3$. (*The Advantages of the East-India Trade* etc., pp. 72-73.)

do trabalho que encontra e que lhe serve de ponto de partida é uma dádiva não da natureza, mas de uma história que abrange milhares de séculos.

Pondo de lado a estrutura mais ou menos desenvolvida da produção social, a produtividade do trabalho depende de condições naturais. Essas condições podem se referir à própria natureza do homem, como raça etc., ou à natureza que o cerca. As condições naturais externas se distinguem economicamente em duas grandes classes: riquezas naturais de meios de subsistência, isto é, solo fértil, águas piscosas etc., e riquezas naturais de meios de trabalho, a saber, quedas-d'água, rios navegáveis, madeira, metais, carvão etc. Nos primórdios da civilização, o papel decisivo cabe à primeira espécie de riquezas naturais; nos estágios de desenvolvimento superiores, à segunda espécie. Compare-se, por exemplo, a Inglaterra com a Índia, ou, na Antiguidade, Atenas e Corinto com as populações da costa do Mar Negro.

Quanto menor o número das necessidades naturais que é imperativo satisfazer e quanto maior a fertilidade natural do solo e a excelência do clima, tanto menor o tempo de trabalho necessário para manter e reproduzir o produtor. Em consequência, pode ser maior o trabalho adicional que realiza para outro em relação ao trabalho que realiza para si mesmo. Diodoro já observava, a respeito dos antigos egípcios:

> "É inacreditável quão pouco esforço e despesas exige a criação dos filhos. Preparam para eles alimentos bons, simples, facilmente disponíveis; dão-lhes para comer a parte inferior do papiro, desde que possam assá-la ao fogo, e as raízes e caules das plantas dos charcos, cruas, cozidas ou assadas. As crianças, em sua maioria, andam descalças e nuas, pois o clima é muito ameno. Por isso, um filho, até ficar adulto, não custa aos pais mais que 20 dracmas. É isto principalmente que explica por que a população do Egito é tão numerosa, razão pela qual se podem construir obras tão grandiosas."[3]

Contudo, as grandes construções do Egito antigo se devem menos à densidade da população do que à grande proporção em que se podia dispor dela. O trabalhador individual pode fornecer tanto mais trabalho excedente quanto menor for seu tempo de trabalho necessário; do mesmo modo, quanto menor for a parte da população exigida para a produção dos meios de subsistência necessários, tanto maior sua parte disponível para outros empreendimentos.

---

3 Diodoro, *loc. cit.*, l. i, Cap. 80.

O CAPITAL

Admitida a produção capitalista, não se alterando as demais condições e dada a duração da jornada de trabalho, a magnitude do trabalho excedente variará com as condições naturais do trabalho, especialmente com a fertilidade do solo. Mas não se segue daí que o solo mais fértil seja o mais adequado para o desenvolvimento do modo de produção capitalista. Esse modo pressupõe o domínio do homem sobre a natureza. Uma natureza excessivamente pródiga "mantém o homem preso a ela como uma criança sustentada por andadeiras". Ela não lhe impõe a necessidade de desenvolver-se.[4] A pátria do capital não é o clima tropical com sua vegetação exuberante, mas a zona temperada. Não é a fertilidade absoluta do solo, mas sua diferenciação e a variedade de seus produtos naturais que constituem a base física da divisão social do trabalho e que incitam o homem, com a diversidade das condições naturais em que vive, a multiplicar suas necessidades, aptidões, instrumentos e métodos de trabalho. A necessidade de controlar socialmente uma força natural, de utilizá-la, de apropriar-se dela ou domá-la por meio de obras em grande escala feitas pelo homem, desempenha o papel mais decisivo na história da indústria. É o que se verifica, por exemplo, com as obras para guiar as águas no Egito,[5] na Lombardia, Holanda etc.; ou na Índia, Pérsia etc., onde a irrigação por meio dos canais artificiais não só proporciona a água indispensável ao cultivo do solo, mas deposita nele, com a lama que a água traz das montanhas, adubos minerais. O segredo do florescimento industrial da Espanha e da Sicília, sob o domínio árabe, estava nas obras de irrigação.[6]

---

4 "Sendo a primeira [a riqueza natural] mais nobre e vantajosa, torna a população descuidada, orgulhosa e dada a todos os excessos; enquanto a segunda desenvolve a vigilância, a literatura, as artes e a prudência política." (*England's Treasure by Foreign Trade. Or the Balance of Our Foreign Trade is the Rule of Our Treasure. Written by Thomas Mun, of London, Merchant, and Now Nublished for the Common good by His Son John Mun*, Londres, 1669, pp. 181-182.) "Não poderia imaginar maior desgraça para um povo do que habitar uma região em que a produção dos meios de subsistência e de alimentação seja em grande parte espontânea e onde o clima exija ou admita poucos cuidados com relação a vestuário e teto. [...] O mesmo inconveniente pode decorrer do extremo oposto. Um solo que, apesar do trabalho, nada produz, é tão ruim como um solo que, sem trabalho, produza abundantemente." ([N. Forster,] *An Enquiry Into the Present High Price of Provisions*, Londres, 767, p. 10.)

5 A necessidade de calcular os períodos das cheias do Nilo criou a astronomia egípcia e, com ela, o domínio da classe sacerdotal como orientadora da agricultura. "O solstício é a época do ano em que começa a cheia do Nilo e, por isso, é a que os egípcios tinham de observar com a maior atenção. [...] Era esse ano tropical que tinham de fixar para se orientarem em suas operações agrícolas. Tinham, por isso, de procurar no céu um sinal visível de sua volta." ([Georges] Cuvier, *Discours sur les révolutions du globe*, ed. Hoefer, Paris, 1863, p. 141.)

6 O regime de adução das águas na Índia era uma das bases materiais do poder do Estado sobre os pequenos organismos de produção, entre si desconexos. Os dominadores maometanos compreenderam isso melhor que seus sucessores ingleses. Lembramos, a propósito, a epidemia de fome de 1866, a qual custou a vida a mais de 1 milhão de hindus, no distrito de Orissa, em Bengala.

MAIS-VALIA ABSOLUTA E MAIS-VALIA RELATIVA

As condições naturais favoráveis criam apenas a possibilidade, mas nunca a realidade do trabalho excedente e, consequentemente, da mais-valia ou do produto excedente. Em virtude da diversidade das condições naturais do trabalho, a mesma quantidade de trabalho satisfaz, em diferentes países, quantidades diversas de necessidades,[7] e, portanto, em circunstâncias análogas, sob outros aspectos, difere o tempo de trabalho necessário. As condições naturais não têm outro efeito sobre o trabalho excedente que o de estabelecer um limite natural, de determinar o ponto em que pode começar o trabalho para outrem. Na mesma proporção em que a indústria avança, retrocede esse limite natural. Na sociedade europeia ocidental em que o trabalhador só adquire o direito de trabalhar para seu próprio sustento, fornecendo trabalho excedente, imagina-se facilmente que é uma propriedade inata do trabalho humano proporcionar um produto excedente.[8] Mas, tomemos por exemplo, o habitante das ilhas orientais do arquipélago asiático onde o sagueiro cresce selvagem na floresta.

> "Quando os habitantes, furando a árvore, se convencem de que a medula está madura, derrubam o tronco e dividem-no em vários pedaços, extraindo a medula que é misturada com água e coada; obtém-se assim sagu pronto para ser usado. Uma árvore fornece comumente 300 libras-peso, havendo casos de 500 a 600 libras-peso. Lá, o homem vai à floresta e corta seu pão como nós aqui cortamos lenha."[9]

Suponhamos que esse cortador de pão da Ásia Oriental precise de 12 horas de trabalho por semana para satisfazer todas as suas necessidades. O que a natureza favorável lhe proporciona diretamente é muito tempo ocioso. A fim de utilizá-lo produtivamente para si mesmo, é mister toda

---

7 "Não há dois países que forneçam igual número de bens necessários à vida, com igual abundância, empregando igual quantidade de trabalho. As necessidades do homem aumentam ou diminuem de acordo com a severidade ou amenidade do clima em que vive; em consequência, não pode ser igual a quantidade de trabalho que os habitantes dos diferentes países têm necessariamente de executar, e só se pode avaliar o grau em que varia essa quantidade por meio dos graus da temperatura. Por isso, pode-se concluir, de modo geral, que a quantidade de trabalho necessário ao sustento de certo número de pessoas é maior nos climas frios do que nos quentes; naqueles, os seres humanos precisam de mais vestuário e o solo tem de ser mais bem cultivado do que destes." (*An Essay on the Governing Causes of the Natural Rate of Interest*, Londres, 1750, p. 59.) O autor desse notável trabalho anônimo é J. Massie. Hume extraiu dele sua teoria dos juros.

8 "Todo trabalho deve [isso já parece ser parte dos direitos e deveres do cidadão] deixar um excedente." (Proudhon.)

9 F. Schouw, *Die Erde, die Pflanze und der Mensch*, 2ª edição, Leipzig, 1854, p. 148.

O CAPITAL

uma série de circunstâncias históricas, e, a fim de empregá-lo em trabalho excedente para outrem, é indispensável coação externa. Se fosse introduzida a produção capitalista, teria nosso herói de trabalhar talvez seis dias na semana, a fim de apropriar-se do produto de um dia de trabalho. A natureza favorável não explica por que estaria ele trabalhando então seis dias por semana ou por que estaria fornecendo cinco dias de trabalho excedente. Ela apenas explica o motivo por que seu tempo de trabalho necessário se reduz a um dia por semana. De modo nenhum, entretanto, seu produto excedente se originaria de uma qualidade oculta, inata ao trabalho humano.

As forças produtivas naturais do trabalho, do mesmo modo que suas forças produtivas sociais, historicamente desenvolvidas, parecem ser forças produtivas do capital ao qual o trabalho se incorpora.

Ricardo não se preocupa com a origem da mais-valia. Trata-a como coisa inerente ao modo capitalista de produção, o qual é, a seus olhos, a forma natural da produção social. Quando fala da produtividade do trabalho, não procura nela a causa da existência da mais-valia, mas a causa que determina a magnitude dela. Por outro lado, sua escola proclama a produtividade do trabalho a causa geradora do lucro (leia-se mais-valia). De qualquer modo, um progresso em relação aos mercantilistas, que derivam da troca, da venda do produto acima do seu valor, a parte em que o preço excede os custos de produção. Apesar disso, a escola de Ricardo limitou-se também a contornar o problema, em vez de resolvê-lo. Esses economistas burgueses, na realidade, sentiam intuitivamente que era perigoso aprofundar demais o problema candente da origem da mais-valia. O que dizer, porém, de John Stuart Mill, que, meio século depois de Ricardo, solenemente anuncia sua superioridade em relação aos mercantilistas, repetindo mediocremente os subterfúgios levianos dos primeiros vulgarizadores de Ricardo? Diz Mill:

> "A causa do lucro decorre de o trabalho produzir mais do que é necessário para seu sustento."

Até aí o velho realejo; mas Mill quer acrescentar algo original:

> "Ou, para mudar a forma da proposição: o motivo por que o capital proporciona um lucro é a duração dos alimentos, roupas, matérias-primas e instrumentos de trabalho por mais tempo que o necessário para sua produção."

MAIS-VALIA ABSOLUTA E MAIS-VALIA RELATIVA

Ele confunde a duração do trabalho com a duração dos produtos do trabalho. De acordo com esse ponto de vista, o dono de uma padaria, cujos produtos só duram um dia, nunca poderia extrair de seus assalariados o mesmo lucro obtido por um construtor de máquinas, cujos produtos duram 20 anos e mais. É verdade que se os ninhos não durassem além do tempo necessário para serem construídos, os pássaros teriam de viver sem eles.

Depois de estabelecer essa verdade fundamental, Mill proclama sua superioridade em relação aos mercantilistas:

> "Vemos assim que o lucro se origina não do incidente da troca, mas da força produtiva do trabalho; os lucros globais de um país são sempre determinados pela força produtiva do trabalho, haja ou não troca. Se não houvesse divisão das ocupações, não haveria nem compra nem venda, mas haveria lucros."

Para ele, troca, compra e venda, condições gerais da produção capitalista, não passam de mero incidente, e haveria sempre lucros sem compra e venda da força de trabalho.

E mais:

> "Se a totalidade dos trabalhadores de um país produz 20% acima da soma de seus salários, os lucros serão de 20%, quaisquer que sejam os preços das mercadorias."

Sua afirmação não passa de uma perfeita tautologia, pois, se os trabalhadores produzem uma mais-valia de 20% para o patrão capitalista, o lucro deste em relação ao salário global dos trabalhadores estará na razão de 20:100. Por outro lado, é absolutamente falso que o lucro seja "de 20%". Será sempre menor, pois se calcula o lucro em relação à soma de todo o capital desembolsado. Se o capitalista desembolsou, por exemplo, 500 libras esterlinas, das quais 400 em meios de produção e 100 em salários, e se a taxa de mais-valia for de 20%, a taxa de lucro será de 20:500, isto é, de 4%, e não de 20%.

O método de Mill tratar as diversas formas históricas de produção social evidencia-se brilhantemente na seguinte passagem:

> "Suponho, por toda parte, o presente estado de coisas que prevalece, com poucas exceções, universalmente, a saber, que o capitalista adianta todas as despesas, inclusive a remuneração completa do trabalhador."

O CAPITAL

Estranha ilusão de ótica, ver por toda parte uma situação que até hoje só existe na terra excepcionalmente. Prossigamos. Mill admite que "não é uma necessidade absoluta que assim seja".[1] Ao contrário,

> "O trabalhador, se tiver em mãos recursos suficientes para seu sustento temporário, poderia esperar mesmo pelo salário por inteiro, até concluir-se a produção. Mas, nesse caso, seria de certo modo um capitalista no negócio, suprindo parte dos fundos necessários para levá-lo avante."

Do mesmo modo, Mill poderia dizer que o trabalhador que adianta a si mesmo não só os meios de subsistência, mas também os instrumentos de trabalho, é, em realidade, assalariado de si mesmo. Ou que o camponês americano que trabalha na lavoura para si, e não para um senhor, é escravo de si mesmo.

Depois de Mill nos ter demonstrado assim, luminosamente, que a produção capitalista existiria sempre, mesmo quando não existisse, revela-se bastante coerente consigo mesmo para mostrar que ela não existe ainda quando existe:

> "E mesmo no caso anterior" (quando o capitalista adianta ao assalariado todos os meios de subsistência), "pode o trabalhador ser visto sob o mesmo ângulo", isto é, como um capitalista, "pois, ao fornecer seu trabalho a preço inferior ao do mercado, pode se considerar que adianta ao patrão a diferença etc."[9a]

Na realidade, o trabalhador adianta seu trabalho ao capitalista gratuitamente durante uma semana etc., para receber seu preço de mercado no fim da semana etc.; isto o torna, segundo Mill, capitalista. Na planura imensa, montículos de terra parecem colinas; hoje mede-se a mediocridade de nossa burguesia pelo calibre de seus grandes espíritos.

---

[1] Em sua carta de 28 de novembro de 1878 a N.F. Danielson, tradutor russo de *O capital*, propôs Marx para esse trecho a seguinte versão:
O método de Mill tratar as diversas formas históricas de produção social evidencia-se brilhantemente na seguinte passagem: "Suponho", diz ele, "por toda parte, o presente estado de coisas que, onde trabalhadores e capitalistas são classes separadas, prevalece, com poucas exceções, universalmente, a saber, que o capitalista adianta todas as despesas, inclusive a remuneração completa do trabalhador." Mill inclina-se a acreditar que não é uma necessidade absoluta que assim seja, mesmo no sistema econômico em que trabalhadores e capitalistas são classes separadas.

9a J. St. Mill, *Principles of Political Economy*, Londres, 1868, pp. 252-253, *passim*. (As passagens acima foram traduzidas para o alemão de acordo com a edição francesa de *O capital*. — F.E.)

XV.
Variações quantitativas no preço da força de trabalho e na mais-valia

O valor da força de trabalho é determinado pelo valor dos meios de subsistência habitualmente necessários ao trabalhador médio. Embora a forma desses meios possa variar, é determinada sua quantidade num tempo dado de uma dada sociedade, justificando-se, nessas condições, considerá-la magnitude constante. O que muda é o valor dessa quantidade. Há dois outros fatores que influem no valor da força de trabalho. Um, os custos de sua formação, que variam com o modo de produção; outro, a diversidade natural, a diferença entre as forças de trabalho dos homens e das mulheres, dos menores e dos adultos. O emprego dessas diversas forças de trabalho, determinado por sua vez pelo modo de produção, modifica bastante os custos de manutenção da família do trabalhador e o valor do trabalhador adulto masculino. Ambos os fatores estão excluídos da investigação que segue.[9b]

Pressupomos que 1) as mercadorias são vendidas por seu valor, e que 2) o preço da força de trabalho pode eventualmente elevar-se acima de seu valor, mas não cai nunca abaixo dele.

Isto posto, verificamos que as magnitudes relativas do preço da força de trabalho e da mais-valia são determinadas por três circunstâncias: 1) a duração do trabalho ou a magnitude extensiva do trabalho; 2) a intensidade normal do trabalho ou sua magnitude intensiva, segundo a qual dada quantidade de trabalho é despendida em determinado espaço de tempo; 3) finalmente, a produtividade do trabalho, segundo a qual a mesma quantidade de trabalho fornece, no mesmo tempo, uma quantidade maior ou menor de produto, dependendo do grau de desenvolvimento das condições de produção. Evidentemente, são possíveis as mais diversas combinações, com um dos três fatores constante e dois variáveis, ou com dois fatores constantes e um variável, ou, finalmente, com todos os três fatores simultaneamente variáveis. O número das combinações aumenta se consideramos a magnitude e o sentido das variações simultâneas dos diversos fatores. Apresentaremos apenas as combinações principais.

1. DURAÇÃO E INTENSIDADE DO TRABALHO, CONSTANTES; PRODUTIVIDADE DO TRABALHO, VARIÁVEL

Nessas condições, o valor da força de trabalho e a mais-valia são determinados por três leis.

9b Naturalmente, omitiu-se também o caso examinado na p. 347. (Nota da 3ª edição — F.E.)

Primeira: O dia de trabalho de duração dada produz sempre o mesmo valor, embora a produtividade do trabalho varie e com ela a quantidade dos produtos e, em consequência, o preço de cada mercadoria produzida.

Se o valor produzido por um dia de trabalho de 12 horas for de 6 xelins, e se for maior ou menor a quantidade dos valores de uso por aumentar ou diminuir a produtividade do trabalho, esse valor de 6 xelins se repartirá por uma quantidade maior ou menor de mercadorias.

Segunda: O valor da força de trabalho e a mais-valia variam em direções opostas. A mais-valia varia no mesmo sentido da produtividade do trabalho, e o valor da força de trabalho em sentido oposto.

O valor produzido pelo dia de trabalho de 12 horas é uma magnitude constante, digamos, 6 xelins. Essa grandeza constante é igual à soma da mais-valia com o valor da força de trabalho, o qual o trabalhador substitui por um equivalente. É claro que nenhuma das duas partes que compõem uma quantidade constante pode aumentar sem que a outra diminua. O valor da força de trabalho não pode elevar-se de 3 para 4 xelins sem que a mais-valia caia de 3 para 2, e a mais-valia não pode aumentar de 3 para 4 sem que o valor da força de trabalho caia de 3 para 2. Nessas condições, portanto, não é possível nenhuma modificação na magnitude absoluta, seja no valor da força de trabalho, seja na mais-valia, sem a variação simultânea de suas magnitudes relativas. Não é possível que elas, simultaneamente, aumentem ou diminuam.

Além disso, o valor da força de trabalho não pode diminuir e, em consequência, aumentar a mais-valia sem que se eleve a produtividade do trabalho. No exemplo acima, o valor da força de trabalho não pode cair de 3 para 2 xelins sem que o aumento da produtividade do trabalho permita a produção, em 4 horas, da mesma quantidade de meios de subsistência, que antes exigiam 6 horas para sua produção. Por outro lado, o valor da força de trabalho não pode elevar-se de 3 para 4 xelins se não cair a produtividade do trabalho, exigindo 8 horas para a produção da mesma quantidade de meios de subsistência que se conseguia antes com 6 horas. Daí se conclui que o acréscimo da produtividade do trabalho faz cair o valor da força de trabalho e subir a mais-valia, o decréscimo eleva o valor da força de trabalho e faz cair a mais-valia.

Ao formular esta lei, Ricardo deixou de lado uma circunstância: embora a variação da magnitude da mais-valia ou do trabalho excedente ocasione uma variação oposta na magnitude do valor da força de trabalho ou do trabalho necessário, não se segue daí que variem elas na mesma proporção. Elas aumentam ou diminuem da mesma grandeza. Mas a proporção em que cada parte do valor produzido ou da jornada de trabalho aumenta ou diminui depende da posição em que cada uma se encontrava antes da variação da produtividade do trabalho. Se o valor da força de trabalho era de 4 xelins ou era de 8 horas o tempo de trabalho necessário, e se a mais-valia era de 2 xelins ou de 4 horas o trabalho excedente, ao cair o valor da força de trabalho para 3 xelins ou o trabalho necessário para 6 horas, em virtude de aumento da produtividade do trabalho, eleva-se para 3 xelins a mais-valia ou para 6 horas o trabalho excedente. A mesma magnitude de 2 horas ou de 1 xelim se tira de um lado e se acrescenta ao outro. Mas é diversa a variação relativa de cada lado. Enquanto o valor da força de trabalho cai de 4 para 3 xelins, de $1/4$ ou de 25%, a mais-valia se eleva de 2 para 3 xelins, de ½ ou 50%. Segue-se daí que o acréscimo ou decréscimo relativos da mais-valia, em virtude de dada variação da produtividade do trabalho, será tanto maior quanto menor e tanto menor quanto maior a parte da jornada de trabalho que representava antes a mais-valia.

Terceira: Acréscimo ou decréscimo da mais-valia é sempre consequência, e não causa, do correspondente decréscimo ou acréscimo do valor da força de trabalho.[10]

Sendo constante a jornada de trabalho, objetivando-se numa magnitude de valor constante, a cada variação na magnitude da mais-valia corresponde uma variação oposta na magnitude do valor da força de trabalho, e o valor da força de trabalho só pode variar em virtude de uma variação na produtividade do trabalho. Nessas condições, é claro que cada variação na magnitude da mais-valia decorre de uma variação oposta na magnitude do valor da força de trabalho. Firmado que não é possível nenhuma variação absoluta no valor da força de trabalho e da mais-valia sem uma variação em suas magnitudes relativas, conclui-se que não é possível nenhuma variação

---

10 MacCulloch fez uma adição absurda a essa terceira lei, afirmando que a mais-valia pode elevar-se, sem cair o valor da força de trabalho, com a supressão de impostos que o capitalista tenha de pagar. A supressão de impostos em nada modifica o montante de valor excedente que o capitalista industrial extrai diretamente do trabalhador. Ela apenas modifica a proporção em que ele embolsa a mais-valia ou a divide com outros. A supressão de impostos, portanto, em nada altera a relação entre valor da força de trabalho e mais-valia. A exceção imaginada por MacCulloch demonstra sua compreensão errônea da lei, um mal que frequentemente o acomete, ao vulgarizar Ricardo, e também a J. B. Say, ao vulgarizar A. Smith.

em suas magnitudes relativas de valor sem uma variação na magnitude absoluta do valor da força de trabalho.

De acordo com a terceira lei, a variação na magnitude da mais-valia pressupõe um deslocamento no valor da força de trabalho, causado por variação na produtividade do trabalho. O limite daquela variação é estabelecido pelo novo limite do valor da força de trabalho. Mas podem ocorrer deslocamentos intermediários, mesmo quando as circunstâncias permitam que a lei funcione. Se o valor da força de trabalho, em virtude do aumento da produtividade do trabalho, cai de 4 xelins para 3, ou o tempo de trabalho necessário cai de 8 para 6 horas, poderá o preço da força de trabalho cair apenas a 3 xelins e 8 pence, ou a 3 xelins e 6 pence, ou a 3 xelins e 2 pence etc., e a mais-valia, em consequência, elevar-se a 3 xelins e 4 pence, ou a 3 xelins e 6 pence, ou a 3 xelins e 10 pence etc. A dimensão da queda, cujo limite mínimo é de 3 xelins, depende das forças relativas da pressão do capital e da resistência dos trabalhadores.

O valor da força de trabalho é determinado pelo valor de dada quantidade de meios de subsistência. O que muda com a produtividade do trabalho é o valor desses meios de subsistência, e não sua quantidade. A própria quantidade pode, ao elevar-se a produtividade do trabalho, aumentar simultaneamente e na mesma proporção para o trabalhador e o capitalista, sem qualquer variação de magnitude entre preço da força de trabalho e mais-valia. Se o valor primitivo da força de trabalho é de 3 xelins, e o tempo necessário de trabalho, de 6 horas, a mais-valia também de 3 xelins, ou o trabalho excedente, de 6 horas, uma duplicação da produtividade sem modificar a divisão da jornada deixaria inalterados o preço da força de trabalho e a mais-valia. Cada um dos dois, o preço da força de trabalho e a mais-valia, passa apenas a objetivar-se em quantidade duplicada de valores de uso que se tornam proporcionalmente mais baratos. Embora o preço da força de trabalho permaneça inalterado, ter-se-ia elevado acima do valor dela. Se o preço da força de trabalho caísse não ao limite mínimo de 3 xelins, dado pelo seu novo valor, mas a 2 xelins e 10 pence, a 2 xelins e 6 pence etc., esse preço menor representaria ainda maior quantidade de meios de subsistência. O preço da força de trabalho poderia assim, ao elevar-se a produtividade do trabalho, cair continuamente com o crescimento simultâneo e constante da quantidade de meios de subsistência do trabalhador. Relativamente, porém, isto é, comparado com a mais-valia, cairia continuamente o valor da força de trabalho e ampliar-se-ia, em con-

VARIAÇÕES QUANTITATIVAS NO PREÇO DA FORÇA DE TRABALHO...

sequência, o abismo que separa as condições de vida do trabalhador das do capitalista.[11]

Ricardo foi o primeiro a formular rigorosamente essas três leis. Mas sua exposição tem as seguintes falhas: 1) Considera as condições peculiares em que são válidas aquelas leis as condições naturais, gerais e exclusivas da produção capitalista. Não toma conhecimento de nenhuma variação, seja na duração da jornada de trabalho, seja na intensidade do trabalho, de modo que a produtividade do trabalho se torna para ele o único fator variável; 2) Como os outros economistas, nunca analisou a mais-valia em geral, isto é, independentemente de suas formas particulares, tais como lucro, renda da terra etc., o que prejudica ainda mais sua análise. Por isso, confunde as leis relativas à taxa da mais-valia com as relativas à taxa de lucro. Conforme já se disse, a taxa de lucro é a relação entre a mais-valia e o capital global desembolsado, ao passo que a taxa da mais-valia é a relação entre a mais-valia e a parte variável desse capital. Admitamos um capital de 500 libras esterlinas (C), dividido em duas parcelas: uma destinada a matérias-primas, instrumental de trabalho etc., no montante de 400 libras esterlinas (c), e outra a salários, no montante de 100 libras esterlinas (v). Seja a mais-valia de 100 libras esterlinas (m). Então, a taxa da mais-valia é $\frac{m}{v} = \frac{100\ \text{libras esterlinas}}{100\ \text{libras esterlinas}} = 100\%$. Mas a taxa de lucro é $\frac{m}{C} = \frac{100\ \text{libras esterlinas}}{500\ \text{libras esterlinas}} = 20\%$. Além disso, é evidente que a taxa de lucro pode depender de circunstâncias que não têm nenhuma influência na taxa da mais-valia. No Livro 3, mostrarei que a mesma taxa de mais-valia pode corresponder às mais diversas taxas de lucro, e diferentes taxas de mais-valia, em certas circunstâncias, à mesma taxa de lucro.

2. DURAÇÃO E PRODUTIVIDADE DO TRABALHO, CONSTANTES; INTENSIDADE DO TRABALHO, VARIÁVEL

O aumento da intensidade do trabalho pressupõe maior dispêndio de trabalho no mesmo espaço de tempo. A jornada de trabalho de maior intensidade corporifica-se, por isso, em mais produtos do que a jornada de menor intensidade mas da mesma duração. Sem dúvida, a jornada cuja

---

11 "Quando sucede uma alteração na produtividade da indústria, de modo que se produz mais ou menos com a mesma quantidade de trabalho e capital, a proporção dos salários pode evidentemente variar, permanecendo a mesma a quantidade que a proporção representa, ou a quantidade pode variar enquanto a proporção permanece a mesma." ([J. Cazenove,] *Outlines of Political Economy* etc., p. 67.)

duração não se altera fornece mais produtos, se aumenta a produtividade. Mas, neste caso, cai o valor de cada produto, por custar menos trabalho do que antes; no caso anterior, esse valor permanece inalterado, pois cada produto continua a custar a mesma quantidade precedente de trabalho. O número dos produtos aumenta, sem cair o preço da unidade. Com seu número eleva-se a soma de seus preços, enquanto, no caso de aumento da produtividade, o mesmo valor global se distribui por maior quantidade de produtos. Não se alterando a duração, a jornada mais intensiva produz maior valor, corresponde, portanto, a mais dinheiro, desde que não se modifique o valor do dinheiro. O valor produzido varia à medida que sua intensidade se afasta do grau normal vigente na sociedade. A mesma jornada de trabalho não cria mais agora, como no caso de aumento da produtividade, um valor constante e sim variável; a jornada mais intensiva de 12 horas produz um valor, digamos, de 7 xelins, 8 xelins etc., em vez de 6 xelins, como a jornada de 12 horas de intensidade normal. É claro que, se variar o valor produzido pela jornada de trabalho, digamos, de 6 para 8 xelins, podem aumentar simultaneamente as duas partes desse valor, o preço da força de trabalho e a mais-valia, de maneira igual ou desigual. Tanto o preço da força de trabalho quanto a mais-valia podem aumentar, ao mesmo tempo, de 3 para 4 xelins, se o valor produzido se eleva de 6 para 8. O preço da força de trabalho pode aumentar sem ultrapassar necessariamente o valor da força de trabalho; a elevação de preço pode ficar abaixo desse valor. É o que sempre ocorre quando essa elevação não compensa a aceleração do desgaste da força de trabalho.

Sabemos que, pondo-se de lado exceções transitórias, uma variação da produtividade do trabalho só ocasiona uma variação na magnitude do valor da força de trabalho, e, por conseguinte, na magnitude da mais-valia, quando os produtos das indústrias atingidas são artigos habitualmente consumidos pelos trabalhadores. Essa limitação desaparece no presente caso. Se a magnitude do trabalho varia extensiva ou intensivamente, há uma variação correspondente à magnitude do valor criado, independentemente da natureza do artigo em que esse valor se corporifica.

Se a intensidade do trabalho se elevar simultânea e igualmente em todos os ramos industriais, o novo grau mais elevado de intensidade tornar-se-á o grau normal da sociedade e não será mais computado como se fosse uma grandeza extensiva. Mas, mesmo nessa hipótese, os graus médios de intensidade de trabalho das diversas nações continuariam sendo diferentes

VARIAÇÕES QUANTITATIVAS NO PREÇO DA FORÇA DE TRABALHO...

e transpareceriam, por conseguinte, na aplicação da lei do valor às distintas jornadas de trabalho nacionais. A jornada mais intensa de uma nação seria representada por uma expressão monetária superior à da jornada de trabalho menos intensa de outra.[12]

3. PRODUTIVIDADE E INTENSIDADE DO TRABALHO, CONSTANTES; DURAÇÃO DO TRABALHO, VARIÁVEL

A jornada de trabalho pode variar em dois sentidos: ser reduzida ou prolongada.

1) Redução da jornada de trabalho nas condições dadas, isto é, inalteradas a produtividade e a intensidade do trabalho. Deixa inalterados o valor da força de trabalho e, em consequência, o tempo de trabalho necessário. Diminui o trabalho excedente e a mais-valia. Com a magnitude absoluta desta, reduz-se a magnitude relativa, isto é, sua magnitude em relação à magnitude inalterada do valor da força de trabalho. Só diminuindo o preço desta abaixo do seu valor poderia o capitalista evitar a redução da mais-valia.

Todos os argumentos usuais contra a redução da jornada de trabalho pressupõem que o fenômeno se passa nas condições aqui estabelecidas, quando na realidade a variação da produtividade e a da intensidade do trabalho precedem ou seguem imediatamente a redução da jornada de trabalho.[13]

2) Prolongamento da jornada de trabalho. Admitamos que o tempo de trabalho necessário seja de 6 horas, e o valor da força de trabalho de 3 xelins; o trabalho excedente, de 6 horas, e a mais-valia de 3 xelins; o dia de trabalho dure 12 horas e produza um valor de 6 xelins. Se o dia de trabalho for prolongado de 2 horas e o preço da força de trabalho permanecer inalte-

---

12 "Em circunstâncias iguais, o fabricante inglês pode conseguir, num determinado tempo, uma quantidade de trabalho consideravelmente maior que a obtida por fabricante estrangeiro, eliminando assim a diferença na duração do trabalho, que aqui é de 60 horas por semana e noutros países é de 72 a 80 horas." (*Reports of Insp. of Fact. for 31st Oct. 1855*, p. 65.) Maior redução legal do dia de trabalho nas fábricas do Continente seria o meio infalível para reduzir essa diferença qualitativa entre a hora de trabalho inglesa e a do Continente.

13 "Há circunstâncias compensadoras [...] que foram postas em evidência com a execução da lei das 10 horas." (*Reports of Insp. of Fact. for 31st October 1848*, p. 7.)

O CAPITAL

rado, a mais-valia aumentará relativa e absolutamente. Embora a magnitude absoluta do valor da força de trabalho permaneça inalterada, esse valor diminuirá relativamente. Nas condições da seção 1, a magnitude relativa do valor da força de trabalho só pode variar se variar sua magnitude absoluta. Aqui, ao contrário, a variação da magnitude relativa do valor da força de trabalho resulta de uma variação da magnitude absoluta da mais-valia.

Uma vez que o valor criado em que se representa a jornada de trabalho aumenta com o prolongamento desta, o preço da força de trabalho e a mais-valia podem elevar-se simultaneamente com acréscimos iguais ou desiguais. Esse aumento simultâneo é, portanto, possível em dois casos: quando se prolonga realmente a jornada de trabalho e quando se aumenta a intensidade do trabalho sem prolongar sua duração.

Ao prolongar-se a jornada de trabalho, o preço da força de trabalho pode cair abaixo de seu valor, embora permaneça nominalmente inalterado ou mesmo se eleve. O valor diário da força de trabalho é calculado, conforme já vimos, pela duração média normal dessa força, ou seja, pela duração normal da vida do trabalhador, e pela correspondente transformação normal de substância vital em movimento, de conformidade com a natureza humana.[14] Até certo ponto, o desgaste da força de trabalho inseparável do prolongamento da jornada de trabalho pode ser compensado com maior salário. Além desse ponto, o desgaste aumenta em progressão geométrica e se destroem ao mesmo tempo todas as condições normais para a reprodução e a atividade da força de trabalho. O preço da força de trabalho e o grau de exploração desta deixam de ser grandezas comensuráveis.

4. A DURAÇÃO, A PRODUTIVIDADE E A INTENSIDADE DO TRABALHO VARIAM SIMULTANEAMENTE

Nessas condições, é evidente que é possível grande número de combinações. Dois fatores podem variar e um permanecer constante ou todos os três podem variar simultaneamente. Podem variar em proporção igual ou desigual, no mesmo sentido ou em sentido oposto; suas variações podem, por conseguinte, compensar-se parcial ou totalmente. Todavia, a análise

---

14 "Pode-se avaliar aproximadamente a quantidade de trabalho que um homem realizou no espaço de 24 horas, por meio de uma das modificações químicas que se processaram em seu organismo; as transformações ocorridas na matéria indicam o exercício anterior de força dinâmica." (Grave, *On the Correlation of Physical Forces*, [pp. 308-309].)

VARIAÇÕES QUANTITATIVAS NO PREÇO DA FORÇA DE TRABALHO...

de todos os casos possíveis é fácil, tomando-se por base as conclusões das seções 1, 2 e 3. Acha-se o resultado de cada uma das combinações possíveis tomando-se, um a um, cada fator como variável e os outros como constantes. Examinaremos, de passagem, apenas dois casos importantes.

1) Decréscimo da produtividade do trabalho com prolongamento simultâneo da jornada de trabalho.

Ao falarmos aqui de diminuição da produtividade do trabalho, estamos voltados para os ramos industriais cujos produtos determinam o valor da força de trabalho, como, por exemplo, um declínio de produtividade oriundo da fertilidade decrescente do solo, com o correspondente encarecimento dos produtos da terra. Seja a jornada de trabalho de 12 horas, e o valor que produz, de 6 xelins, dos quais a metade repõe o valor da força de trabalho, e a outra metade constitui mais-valia. A jornada de trabalho divide-se, portanto, em 6 horas de trabalho necessário e 6 horas de trabalho excedente. Admitamos que, com o encarecimento dos produtos da terra, o valor da força de trabalho se eleve de 3 a 4 xelins, e, em consequência, o tempo do trabalho necessário, de 6 a 8 horas. Permanecendo inalterada a jornada de trabalho, o trabalho excedente cai de 6 para 4 horas; a mais-valia, de 3 para 2 xelins. Se a jornada for prolongada de 4 horas, de 12 para 16 horas, as magnitudes relativas da mais-valia e do valor da força de trabalho, do trabalho excedente e do trabalho necessário permanecerão inalteradas, mas a magnitude absoluta da mais-valia aumentará de 3 para 4 xelins, e a do trabalho excedente, de 6 para 8 horas, portanto, de $^1/_3$, ou seja, de $33^1/_3\%$. Com a diminuição da produtividade do trabalho e o prolongamento simultâneo da jornada de trabalho, a magnitude absoluta da mais-valia pode permanecer inalterada enquanto cai sua magnitude relativa; esta pode permanecer a mesma enquanto aumenta sua magnitude absoluta, e ambas podem crescer, se for suficientemente grande o prolongamento da jornada de trabalho.

No período de 1799 a 1815, os preços ascendentes dos gêneros na Inglaterra provocaram um aumento nominal de salários, embora estes caíssem realmente, traduzidos em gêneros. Daí concluíram West e Ricardo que a diminuição da produtividade do trabalho agrícola tinha causado uma redução na taxa da mais-valia. E fizeram da suposição desse fato, que só existia em sua fantasia, o ponto de partida de importantes análises sobre as relações quantitativas entre salários, lucro e renda da terra. Mas,

O CAPITAL

graças à elevação da intensidade do trabalho e ao prolongamento forçado da jornada de trabalho, a mais-valia aumentou, então, absoluta e relativamente. Foi o período em que o prolongamento sem limites da jornada de trabalho conquistara direitos de cidadania,[15] período que se caracterizara especialmente pelo incremento acelerado do capital, de um lado, e pelo pauperismo, do outro.[16]

2) Aumento da intensidade e da produtividade do trabalho com redução simultânea de sua duração.

O aumento da produtividade e o da intensidade do trabalho atuam na mesma direção. Ambos aumentam a quantidade produzida num dado espaço de tempo. Ambos reduzem, portanto, a parte da jornada que o trabalhador precisa para produzir seus meios de subsistência ou o equivalente deles. O limite mínimo absoluto da jornada de trabalho é constituído dessa parte necessária, mas compressível. Se toda a jornada de trabalho se reduzisse a essa parte, desapareceria o trabalho excedente, o que é impossível no regime do capital. A eliminação da forma capitalista de produção permite limitar a jornada de trabalho ao trabalho necessário. Todavia, não

---

15 "Trigo e trabalho dificilmente marcham juntos; mas há um limite óbvio além do qual não se podem separar. Os extraordinários esforços das classes trabalhadoras nos tempos de carestia, que trazem a queda de salários verificada nos depoimentos [prestados perante as comissões parlamentares de inquérito de 1814 a 1815], granjeiam méritos para os indivíduos e por certo favorecem o crescimento do capital. Mas ninguém que possua espírito de humanidade pode desejar que prossigam indefinidamente. São esforços dignos da maior admiração quando efetuados temporariamente, mas, se forem feitos constantemente, os efeitos resultantes seriam semelhantes aos sofridos por uma população levada ao mínimo possível de alimentação." (Malthus, *Inquiry Into the Nature and Progress of Rent*, Londres, 1815, p. 48, nota.) É honroso para Malthus ter destacado o prolongamento da jornada de trabalho, de que fala diretamente em outra parte de seu panfleto, enquanto Ricardo e outros, apesar de fatos ululantes, consideram a jornada constante em todas as suas investigações. Mas os interesses conservadores a que Malthus servia impediam-no de ver que o prolongamento desmedido da jornada, juntamente com o extraordinário desenvolvimento da maquinaria e a exploração do trabalho das mulheres e das crianças, tornava necessariamente supérflua grande parte da classe trabalhadora, notadamente depois de ter terminado a guerra e ter acabado o monopólio da Inglaterra nos mercados mundiais. Era, naturalmente, muito mais cômodo e muito mais conveniente aos interesses das classes dominantes, incensadas pelo sacerdote Malthus, atribuir a causa dessa população supérflua às leis eternas da natureza, e não às leis históricas da produção capitalista.

16 "Uma das causas principais do aumento do capital durante a guerra estava nos maiores esforços e talvez nas maiores privações das classes trabalhadoras, as mais numerosas em toda a sociedade. Mais crianças e mulheres foram forçadas, por sua situação de indigência, a se entregar a ocupações árduas, e aqueles que antes já eram trabalhadores foram compelidos, pela mesma razão, a consagrar maior parte de seu tempo ao aumento da produção." (*Essays on Political Econ. in Which are Illustrated the Principal Causes of the Present National Distress*, Londres, 1830, p. 248.)

VARIAÇÕES QUANTITATIVAS NO PREÇO DA FORÇA DE TRABALHO...

se alterando as demais circunstâncias, seria ampliado o trabalho necessário, por dois motivos: as condições de vida do trabalhador seriam mais ricas e maiores suas exigências; uma parte do atual trabalho excedente seria considerada trabalho necessário, para constituir um fundo social de reserva e de acumulação.

Quanto mais cresce a produtividade do trabalho, tanto mais pode reduzir-se a jornada de trabalho, e quanto mais se reduz a jornada, tanto mais pode aumentar a intensidade do trabalho. Do ponto de vista social, a produtividade do trabalho aumenta com sua economia. Esta implica economizar meios de produção e evitar todo trabalho inútil. O modo capitalista de produção, ao mesmo tempo que impõe economia em cada negócio particular, produz, com seu sistema anárquico de concorrência, o desperdício mais desmedido dos meios de produção e das forças de trabalho da sociedade, além de criar inúmeras funções para ele indispensáveis, mas em si mesmas supérfluas.

Dadas a intensidade e a produtividade do trabalho, o tempo que a sociedade tem de empregar na produção material será tanto menor e, em consequência, tanto maior o tempo conquistado para a atividade livre, espiritual e social dos indivíduos, quanto mais equitativamente se distribua o trabalho entre todos os membros aptos da sociedade e quanto menos uma camada social possa furtar-se à necessidade natural do trabalho, transferindo-a para outra classe. Então, a redução da jornada de trabalho encontra seu último limite na generalização do trabalho. Na sociedade capitalista, consegue-se tempo livre para uma classe, transformando a vida inteira das massas em tempo de trabalho.

XVI.
Diversas fórmulas da taxa de mais-valia

Vimos que a taxa de mais-valia se expressa nas seguintes fórmulas:

$$\text{I.} \frac{\text{mais-valia}}{\text{capital variável}}, \text{ ou seja, } \frac{m}{v} = \frac{\text{mais-valia}}{\text{valor da força de trabalho}} = \frac{\text{trabalho excedente}}{\text{trabalho necessário}}$$

As duas primeiras fórmulas exprimem como relação entre valores o que a terceira expressa como relação entre espaços de tempo nos quais esses valores são produzidos. Estas fórmulas que se substituem entre si obedecem a uma conceituação rigorosa. Encontramo-las implícitas na economia política clássica que, entretanto, não chegou a elaborá-las conscientemente. Em compensação, nela encontramos as fórmulas seguintes:

$$\text{II.} \frac{\text{trabalho excedente}^{\text{I}}}{\text{jornada de trabalho}} = \frac{\text{mais-valia}}{\text{valor do produto}} = \frac{\text{produto excedente}}{\text{produto final}}$$

A mesma proporção é aqui expressa alternativamente sob a forma de uma relação entre quantidades de trabalho, entre valores nos quais elas se realizam, ou entre produtos nos quais existem esses valores. Pressupõe-se, naturalmente, que valor do produto compreende apenas o valor criado pela jornada de trabalho, excluindo-se a parte constante do valor do produto.

Nestas fórmulas (II) expressa-se erroneamente o grau de exploração de trabalho ou a taxa de mais-valia. Admitamos uma jornada de 12 horas e os demais pressupostos de nosso exemplo anterior. O verdadeiro grau de exploração do trabalho ficaria expresso nas seguintes proporções:

$$\frac{6 \text{ horas de trabalho excedente}}{6 \text{ horas de trabalho necessário}} = \frac{\text{mais-valia de 3 xelins}}{\text{capital variável de 3 xelins}} = 100\%$$

Entretanto, segundo as fórmulas II, temos:

$$\frac{6 \text{ horas de trabalho excedente}}{\text{jornada de trabalho de 12 horas}} = \frac{\text{mais-valia de 3 xelins}}{\text{valor criado de 6 xelins}} = 50\%$$

As duas últimas fórmulas expressam, na realidade, a proporção em que a jornada de trabalho ou o valor que produziu se divide entre o capitalista e o trabalhador. Se forem válidas como expressões diretas da valorização do capital, teríamos de aceitar esta falsa lei: O trabalho excedente ou a

---

I Na tradução francesa autorizada, Marx põe esta fórmula entre parênteses "porque não se encontra claramente expresso na economia política burguesa o conceito de trabalho excedente".

O CAPITAL

mais-valia nunca pode atingir 100%.[17] Uma vez que o trabalho excedente é sempre uma fração da jornada de trabalho, ou que a mais-valia é sempre uma fração do valor produzido, o trabalho excedente tem de ser sempre menor que o dia de trabalho ou a mais-valia menor que o valor produzido. Para se comportar como $^{100}/_{100}$ teriam de ser iguais. Para o trabalho excedente absorver toda a jornada de trabalho (trata-se aqui da jornada média da semana, do ano de trabalho etc.), o trabalho necessário teria de ser reduzido a zero. Mas, se o trabalho necessário desaparece, desaparece também o trabalho excedente, uma vez que este é função daquele. A proporção $\frac{\text{trabalho excedente}}{\text{jornada de trabalho}} = \frac{\text{mais-valia}}{\text{valor produzido}}$ nunca poderá atingir o limite $^{100}/_{100}$ e muito menos elevar-se $\frac{100 + x}{100}$. Mas pode atingir esse nível a taxa de mais-valia ou o verdadeiro grau de exploração do trabalho. Tomemos, por exemplo, a estimativa de L. de Lavergne, segundo a qual o trabalhador agrícola só recebe $^1/_4$ do produto[18] ou de seu valor, e o capitalista arrendatário $^3/_4$, qualquer que seja o modo como se reparta depois a pilhagem entre o capitalista e o proprietário da terra etc. O trabalho excedente do trabalhador agrícola inglês está para seu trabalho necessário numa proporção de 3 para 1; o grau de exploração é, portanto, de 300%.

O método clássico de considerar a jornada de trabalho grandeza constante tornou-se habitual com a aplicação das fórmulas II, pois nelas se

---

17 Vide, por exemplo, *Dritter Briefe an v. Kirchmann von Rodbertus. Widerlegung der Ricardo'schen Theorie von der Grundrente und Begründung einer neuen Rententheorie*, Berlim, 1851. Voltarei mais tarde a esse trabalho, que, embora sustente uma teoria errônea sobre a renda da terra, penetra na natureza da produção capitalista.

Adendo à 3ª edição: Por aí vemos como Marx julgava benevolamente seus predecessores, sempre que encontrava neles um progresso real, um pensamento novo e acertado. A publicação subsequente das cartas de Rodbertus a Rud. Meyer restringiu de certo modo aquele reconhecimento. Nelas encontramos o seguinte trecho: "Temos de salvar o capital não só do trabalho, mas de si mesmo. E o melhor meio de fazê-lo é considerar a atividade do empresário capitalista como uma função econômica e social que lhe foi delegada pela propriedade do capital, e seu lucro, como uma forma de recompensa, pois até agora não dispomos de outra organização social. Mas recompensas devem ser reguladas e também moderadas, quando reduzem demais os salários Desse modo, temos de rebater a irrupção de Marx contra a sociedade, pois este é o sentido de seu livro. [...] De modo geral, o livro de Marx é menos um estudo sobre o capital do que uma polêmica contra a forma atual do capital, a qual ele confunde com o próprio conceito de capital, radicando-se aí a origem de seus erros." (*Briefe etc. von Dr. Rodbertus — Jagetzow, herausgg von Dr. Rud. Meyer*, Berlim, 1881, I Bd., p. III, 48. Brief von Rodbertus.) As incursões realmente corajosas de Rodbertus em suas "cartas sociais" acabaram naufragando nesses lugares-comuns ideológicos. — F.E.

18 Do cálculo está naturalmente excluída a parte do produto que substitui o capital constante despendido. L. de Lavergne, cego admirador da Inglaterra, tende a subestimar a cota do capitalista.

compara sempre o trabalho excedente com uma jornada de trabalho de magnitude dada. O mesmo ocorre quando se trata apenas da repartição do valor criado: a jornada que já se objetivou num valor produzido tem sempre uma duração dada.

O hábito de considerar a mais-valia e o valor da força de trabalho frações do valor criado – hábito que tem sua origem no próprio modo capitalista de produção e cuja importância examinaremos depois – dissimula a operação especificamente capitalista, a troca de capital variável por força de trabalho e a correspondente exclusão do trabalhador de qualquer direito ao produto. Doura-se a realidade com a falsa aparência de uma associação em que trabalhador e capitalista repartem o produto na proporção dos elementos com que contribuem para sua formação.[19]

As fórmulas II podem sempre ser convertidas nas fórmulas I.

Se temos, por exemplo,

$$\frac{\text{trabalho excedente de 6 horas}}{\text{jornada de trabalho de 12 horas}}$$

o tempo de trabalho necessário = jornada de trabalho de 12 horas menos trabalho excedente de 6 horas. Daí resultando:

$$\frac{\text{trabalho excedente de 6 horas}}{\text{trabalho necessário de 6 horas}} = \frac{100}{100}$$

Já antecipamos ocasionalmente a terceira fórmula que se segue:

III. $\dfrac{\text{mais-valia}}{\text{valor da força de trabalho}} = \dfrac{\text{trabalho excedente}}{\text{trabalho necessário}} = \dfrac{\text{trabalho não pago}}{\text{trabalho pago}}$

Depois do que foi exposto anteriormente, não há mais motivo para que a fórmula $\frac{\text{trabalho não pago}}{\text{trabalho pago}}$ induza ao equívoco de que o capitalista paga o trabalho e não a força de trabalho. Esta fórmula trabalho excedente é apenas expressão popular de $\frac{\text{trabalho excedente}}{\text{trabalho necessário}}$. O capitalista paga o valor da força de trabalho, ou seu preço, que coincide ou não com o valor, e recebe em

---

19 Uma vez que todas as formas desenvolvidas do processo capitalista de produção são formas de cooperação, nada mais fácil que pôr de lado seus antagonismos específicos e transformá-las verbalmente em formas de livre associação, como o fez o conde A. de Laborde, em *De l'ésprit de l'association dans tous les intérêts de la communauté*, Paris, 1818. O ianque H. Carey emprega o mesmo truque com igual sucesso, procurando envolver até as relações vigentes no sistema escravista.

troca o direito de dispor diretamente da força viva de trabalho. Usufrui a força de trabalho em dois períodos. Num período, o trabalhador produz apenas um valor que é igual ao valor de sua força de trabalho, um equivalente, portanto. O capitalista recebe assim um produto de preço igual ao que ele pagou pela força de trabalho. É como se tivesse comprado o produto pronto no mercado. Mas, no período de trabalho excedente, a força de trabalho que o capitalista utiliza produz para ele um valor que não lhe custa nenhuma contrapartida.[20] Explora gratuitamente a força de trabalho. Nesse sentido, pode-se chamar trabalho excedente de trabalho não pago.

Capital, por isso, não é apenas comando sobre trabalho, como dizia A. Smith. É essencialmente comando sobre trabalho não pago. Toda mais-valia, qualquer que seja a forma na qual se cristalize, a de lucro, juros, renda etc., é, por sua substância, materialização de trabalho não pago. O segredo da autoexpansão ou valorização do capital se reduz ao seu poder de dispor de uma quantidade determinada de trabalho alheio não pago.

---

20 Embora os fisiocratas não devassassem o segredo da mais-valia, era-lhes evidente que ela "é uma riqueza independente e disponível que ele [o possuidor] não comprou, mas vende". (Turgot, *Reflexions sur la formation et la distribution des richesses*, p. 11.)

SEXTA SEÇÃO

O SALÁRIO

XVII.

Transformação do valor ou do preço da força de trabalho em salário

Na superfície da sociedade burguesa, o salário do trabalhador aparece como preço do trabalho, determinada quantidade de dinheiro com que se paga determinada quantidade de trabalho. Nela se fala do valor do trabalho e chama-se sua expressão monetária de preço necessário ou natural. Fala-se também dos preços de mercado do trabalho, isto é, dos preços que oscilam abaixo e acima do preço necessário.

Mas, o que é valor? Forma objetiva do trabalho social despendido para produzir uma mercadoria. E como medir a magnitude do valor de uma mercadoria? Pela magnitude de trabalho que ela contém. Como seria então determinado o valor, por exemplo, de uma jornada de trabalho de 12 horas? Se respondermos que pelas 12 horas de trabalho contidas na jornada de 12 horas, estaremos incidindo numa horrível tautologia.[1]

Para ser vendido no mercado como mercadoria, o trabalho tem de existir antes da venda. Mas, se o trabalhador pudesse dar-lhe uma existência independente dele, objetiva, venderia mercadoria e não trabalho.[2]

Pondo de lado essas contradições, uma troca direta de dinheiro, isto é, de trabalho cristalizado em valor, por trabalho vivo, ou suprimiria a lei do valor, que só se desenvolve livremente na base da produção capitalista, ou destruiria a própria produção capitalista, que tem seu fundamento precisamente no trabalho assalariado. Admitamos que a jornada de trabalho de 12 horas esteja representada num valor monetário de 6 xelins. Se se trocam equivalentes, o trabalhador receberá 6 xelins por 12 horas de trabalho. O preço de seu trabalho seria igual ao preço de seu produto. Nesta hipótese, não produziria nenhuma mais-valia para o comprador de seu trabalho, os 6

---

1 "Ricardo, bastante engenhoso, evita uma dificuldade que, à primeira vista, ameaça antepor-se à sua teoria de que o valor depende da quantidade de trabalho empregado na produção. Interpretando-se literalmente esse princípio, segue-se que o valor do trabalho depende da quantidade de trabalho despendido na produção do trabalho, o que é evidentemente um contrassenso. Ricardo, inteligentemente, faz o valor do trabalho depender da quantidade de trabalho necessária para produzir o salário; ou, para falarmos sua linguagem, ele afirma que o valor do trabalho deve ser estimado pela quantidade de trabalho exigida para produzir o salário; refere-se, com isso, à quantidade de trabalho necessária para produzir o dinheiro ou as mercadorias que são dados ao trabalhador. Do mesmo modo, poder-se-ia dizer que o valor de um pano é calculado não pela quantidade de trabalho empregado na sua produção, mas pela quantidade de trabalho despendido para produzir a prata, pela qual se troca o pano." ([S. Bailey,] *A Critical Dissertation on the Nature* [...] *of Value*, pp. 50-51.)

2 "Embora se diga que trabalho é uma mercadoria, não é ele igual a uma mercadoria que primeiro é produzida com o objetivo de troca e em seguida levada ao mercado, para trocar-se por outras mercadorias, de acordo com as quantidades respectivas que lá se encontram na mesma ocasião; cria-se o trabalho no momento em que é levado ao mercado, ou melhor, é levado ao mercado antes de ser criado." (*Observations on Some Verbal Disputes* etc., pp. 75-76.)

O CAPITAL

xelins não se transformariam em capital, e desapareceria a base da produção capitalista. Mas, por existir essa base, vende seu trabalho, e este é trabalho assalariado. Se ele receber menos de 6 xelins pelas 12 horas de trabalho, isto é, menos de 12 horas de trabalho, essas 12 horas se trocariam então por 10 ou 6 horas de trabalho etc. Essa equalização de magnitudes desiguais não destrói apenas a determinação do valor. É uma contradição que se destrói a si mesma e não pode ser enunciada ou formulada como lei.[3]

De nada serve explicar essa troca de mais trabalho por menos alegando a diferença de forma: de um lado, o trabalho objetivado, e, do outro, o trabalho vivo.[4] Essa explicação se torna ainda mais absurda quando se sabe que o valor de uma mercadoria não é determinado pela quantidade de trabalho que nela realmente se corporifica, mas pela quantidade de trabalho vivo necessário para produzi-la. Admitamos que uma mercadoria represente 6 horas de trabalho. Se invenções tornarem possível produzi-la em 3 horas, o valor da mercadoria já produzida se reduzirá também à metade. Esta representará agora, em vez de 6, 3 horas de trabalho social necessário. Seu valor é determinado pela quantidade de trabalho exigido para sua produção, e não pela forma materializada desse trabalho.

O que o possuidor de dinheiro encontra no mercado não é o trabalho, mas o trabalhador. O que este vende é sua força de trabalho. Ao começar realmente seu trabalho, já deixa este de pertencer-lhe, não lhe sendo mais possível vendê-lo. O trabalho é a substância e a medida imanente dos valores, mas ele próprio não tem nenhum valor.[5]

Na expressão "valor do trabalho", a ideia de valor não só se desvanece inteiramente, mas também se converte no oposto dela. É uma expressão imaginária, como, por exemplo, "valor da terra". Essas expressões imagi-

---

3 "Se consideramos trabalho uma mercadoria e capital, produto do trabalho, outra, e se os valores dessas duas mercadorias forem determinados por iguais quantidades de trabalho, então, dada quantidade de trabalho trocar-se-á por uma quantidade de capital que tenha sido produzido por quantidade equivalente de trabalho; trabalho passado trocar-se-á pela mesma quantidade de trabalho atual. Mas o valor do trabalho em relação a outras mercadorias [...] não é determinado por iguais quantidades de trabalho." (E.G. Wakefield em sua ed. de A. Smith, *Wealth of Nations*, Londres, 1835, v. I, pp. 230-231, nota.)

4 "Foi necessário convencionar [uma nova edição do contrato social] que, sempre que se troque trabalho realizado por trabalho a realizar, o último [o capitalista] teria de receber um valor maior que o primeiro [o trabalhador]." (Sismondi, *De la richesse commerciale*, Genebra, 1803, t. I, p. 37.)

5 "Trabalho, a medida exclusiva do valor [...] o criador de todas as riquezas, não é mercadoria." (Th. Hodgskin, *loc. cit.*, p. 186.)

TRANSFORMAÇÃO DO VALOR OU DO PREÇO DA FORÇA...

nárias, entretanto, têm sua origem nas próprias relações de produção.[6] São categorias que correspondem a formas aparentes de relações essenciais. Todas as ciências, exceto a economia política, reconhecem que as coisas apresentam frequentemente uma aparência oposta à sua essência.

Sem o necessário espírito crítico, a economia política clássica tomou de empréstimo à vida quotidiana a categoria "preço do trabalho", para formular depois a questão: Como se determina esse preço? Logo reconheceu que as mudanças na relação entre a oferta e a procura só servem para explicar as mudanças no preço do trabalho ou de qualquer outra mercadoria, isto é, a flutuação dos preços do mercado acima ou abaixo de certa magnitude. Se a oferta e a procura se equilibram, não se alterando as demais condições, cessa a oscilação dos preços. Mas, então, a oferta e a procura não explicam mais nada. O preço do trabalho, quando oferta e procura se equilibram, é seu preço natural, determinado independentemente da relação entre oferta e procura. A questão é justamente saber como esse preço é determinado. Tomou-se também um período longo de oscilações dos preços de mercado, um ano, por exemplo, e verificou-se que elas se cancelavam reciprocamente, tendendo para uma média, para uma magnitude constante. Essa magnitude tinha, naturalmente, de ser determinada de modo diverso das oscilações que dela se desviam, se compensam. Esse preço que predomina sobre os preços eventuais do mercado e os regula, "o preço necessário" (fisiocratas) ou o "preço natural" do trabalho (Adam Smith) só poderia ser, como ocorre com as demais mercadorias, o valor do trabalho expresso em dinheiro. Desse modo, acreditava a economia política chegar ao valor do trabalho através dos preços eventuais. Esse valor, como o de qualquer

---

6 Afirmar que essas expressões irracionais constituem mera licença poética é confessar a impotência da análise. Diz Proudhon: "Atribui-se valor ao trabalho não como mercadoria propriamente, mas considerando os valores que se supõem potencialmente nele contidos. O valor do trabalho é uma expressão figurada etc." A propósito disso, observei: "Na mercadoria trabalho, uma terrível realidade, ele vê apenas uma metáfora. Assim, toda a sociedade atual, baseada sobre o trabalho como mercadoria, se fundamenta numa licença poética, numa expressão figurada. Se a sociedade quer suprimir todas as injustiças que tem de suportar, basta eliminar as expressões inconvenientes, mudar a linguagem, e, para isso, precisa apenas dirigir-se à Academia, pedindo que edite um novo dicionário." (K. Marx, *Misère de la philosophie*, pp. 34-35.) Naturalmente, é mais cômodo ainda esvaziar a palavra valor de qualquer sentido. Assim, pode-se incluir nessa categoria o que se quiser. É o que sucede com J. B. Say. O que é "valor"? Resposta: "O que uma coisa vale." E o que é "preço"? Resposta: "O valor de uma coisa expresso em moeda." E por que tem "a função da terra [...] um valor? Porque se atribui a ela um preço." Valor, portanto, é o que uma coisa vale, e a terra tem um "valor", porque "se expressa em dinheiro" o valor dela. Este é, de qualquer modo, um método muito simples de explicar as razões das coisas.

outra mercadoria, era determinado pelos custos de produção. Mas, o que são custos de produção… do trabalhador, isto é, custos para produzir ou reproduzir o próprio trabalhador? A economia política ficou girando em torno dos custos de produção do trabalho como tal, sem chegar a nenhum resultado, e, inconscientemente, deixou essa pergunta ser suplantada pela questão anterior. O que ela, portanto, chama de valor do trabalho é, na realidade, o valor da força de trabalho, a qual existe na pessoa do trabalhador e difere da sua função, o trabalho, do mesmo modo que uma máquina se distingue de suas operações. Ocupada com a diferença entre os preços de mercado do trabalho e o chamado valor do trabalho, com a relação entre esse valor e a taxa de lucro ou entre ele e os valores das mercadorias produzidas pelo trabalho etc., não notou que o curso da análise, além de evoluir dos preços de mercado do trabalho para o suposto valor do trabalho, levara esse valor a resolver-se em valor da força de trabalho. Por não ter tomado consciência desse resultado de sua própria análise, por ter aceitado sem crítica as categorias "valor do trabalho", "preço natural do trabalho" etc. como últimas expressões adequadas da relação de valor em exame, emaranhou-se a economia política clássica, como se verá mais adiante, em confusões e contradições insolúveis, oferecendo ao mesmo tempo à economia vulgar segura base de operações para sua superficialidade, voltada para o culto das aparências.

Vejamos agora como o valor e os preços da força de trabalho assumem a forma transmutada de salário.

Sabemos que o valor diário da força de trabalho é calculado tomando-se por base certa duração de vida do trabalhador, à qual corresponde certa duração da jornada de trabalho. Admitamos que a jornada de trabalho vigente seja de 12 horas e o valor diário da força de trabalho, de 3 xelins, expressão monetária de um valor em que se representam 6 horas de trabalho. Se o trabalhador recebe 3 xelins, percebe o valor de sua força de trabalho que funciona durante 12 horas. Se formos considerar o valor diário da força de trabalho o valor do trabalho de um dia, chegaremos à formula: 12 horas de trabalho têm um valor de 3 xelins. Assim, o valor da força de trabalho determina o valor do trabalho ou, exprimindo monetariamente, seu preço necessário. Mas, se o preço da força de trabalho se desvia de seu valor, do mesmo modo o preço do trabalho se desvia de seu pretenso valor.

Sendo o valor do trabalho apenas uma expressão irracional que se dá ao valor da força de trabalho, daí resulta necessariamente que o valor do

TRANSFORMAÇÃO DO VALOR OU DO PREÇO DA FORÇA...

trabalho tem de ser sempre menor que o valor que produz, pois o capitalista põe a força de trabalho a funcionar por tempo mais longo que o necessário à reprodução de seu próprio valor. No exemplo acima, o valor da força de trabalho que opera durante 12 horas é de 3 xelins, valor para cuja reprodução precisa ela de 6 horas. Mas o valor que ela cria é de 6 xelins, pois funciona realmente durante 12 horas, e o valor que produz não depende de seu próprio valor, mas do tempo que dura seu funcionamento. Desse modo chega-se, à primeira vista, ao resultado absurdo de que o trabalho, que cria um valor de 6 xelins, possui um valor de 3 xelins.[7]

E mais. O valor de 3 xelins em que se representa a parte paga da jornada de trabalho, isto é, 6 horas de trabalho, aparece como o valor ou o preço da jornada inteira de trabalho de 12 horas, que contém 6 horas não pagas. A forma salário apaga, portanto, todo vestígio da divisão da jornada de trabalho em trabalho necessário e trabalho excedente, em trabalho pago e trabalho não pago. Todo o trabalho aparece como trabalho pago. Na corveia distinguem-se, no tempo e no espaço, sensível e palpavelmente, o trabalho do servo para si mesmo e seu trabalho compulsório para o senhor da terra. Na escravatura, a parte da jornada de trabalho em que o escravo apenas compensa o valor de seus próprios meios de subsistência, trabalhando na realidade para si mesmo, aparece como trabalho destinado a seu dono. Todo o seu trabalho tem a aparência de trabalho não pago.[8] No trabalho assalariado, ao contrário, o mesmo trabalho excedente ou não renumerado parece pago. No primeiro caso, a relação de propriedade oculta o trabalho do escravo para si mesmo; no segundo, a relação monetária dissimula o trabalho gratuito do assalariado.

Compreende-se, assim, a importância decisiva da metamorfose do valor e do preço da força de trabalho em salário ou em valor e preço do próprio trabalho. Nessa forma aparente, que torna invisível a verdadeira relação e ostenta o oposto dela, repousam todas as noções jurídicas do assalariado

---

7 Vide *Contribuição à crítica da economia política*, p. 40, em que afirmo que o estudo do capital permitirá que se resolva o seguinte problema: "Como é que a produção baseada no valor de troca determinado apenas pelo tempo de trabalho conduz ao resultado de ser o valor de troca do trabalho menor do que o valor de troca do seu produto?"

8 O *Morning Star*, órgão livre-cambista de Londres, cândido até a parvoíce, não parava de deplorar, durante a Guerra Civil americana, com a maior indignação moral, que os negros trabalhassem gratuitamente nos Estados Confederados. Esse jornal teria feito melhor se comparasse o custo diário de um desses negros com o do trabalhador livre no "East End" de Londres.

e do capitalista, todas as mistificações do modo capitalista de produção, todas as suas ilusões de liberdade, todos os embustes apologéticos da economia vulgar.

Se a história universal precisou de muito tempo para decifrar o segredo do salário, nada, entretanto, é mais fácil de compreender do que a necessidade, as razões de ser dessa forma fenomênica.

A troca entre capital e trabalho apresenta-se de início à percepção como absolutamente igual à compra e venda das outras mercadorias. O comprador dá determinada quantia em dinheiro; o vendedor, um artigo diferente de dinheiro. A consciência jurídica reconhece aí no máximo uma diferença material que não altera a equivalência das fórmulas: Dou para que dês, dou para que faças, faço para que dês, faço para que faças (*do ut des, do ut facias, facio ut des, facio ut facias*).

Além disso, sendo valor de troca e valor de uso magnitudes intrinsecamente incomensuráveis, a expressão "valor do trabalho", "preço do trabalho", não parece ser mais irracional do que a expressão "valor do algodão", "preço do algodão". Acresce que o trabalhador é pago, depois de ter fornecido seu trabalho. Em sua função de meio de pagamento, o dinheiro realiza subsequentemente o valor ou o preço do artigo fornecido e, no caso considerado, o valor ou o preço do trabalho fornecido. Finalmente, o valor de uso que o trabalhador fornece ao capitalista não é, na realidade, sua força de trabalho, mas a função dela, determinado trabalho útil, como o do alfaiate, do sapateiro, do tecelão etc. Que o mesmo trabalho, encarado sob outro aspecto, é um elemento universal formador de valor, propriedade que o distingue de todas as outras mercadorias, é um fato que não está ao alcance da consciência costumeira.

Coloquemo-nos no lugar do trabalhador que, por 12 horas de trabalho, recebe o valor produzido em 6 horas, digamos, de 3 xelins. Assim, seu trabalho de 12 horas é para ele, na realidade, um meio de adquirir 3 xelins. O valor de sua força de trabalho pode variar com o valor dos seus meios de subsistência habituais de 3 para 4 xelins ou de 3 para 2, ou o preço dela, sem que se altere seu valor, pode subir a 4 xelins ou cair a 2, em virtude de flutuações da oferta e da procura, mas ele fornece sempre 12 horas de trabalho. Cada variação na magnitude do equivalente que recebe parece-lhe ser necessariamente variação no valor ou no preço de suas 12 horas de trabalho. Essa circunstância levou Adam Smith, que considera a jornada de trabalho uma grandeza constante,[9] a afirmar que o valor do trabalho é constante, embora varie o valor dos meios de subsistência e, em consequência, a jornada de trabalho para o trabalhador se represente em mais ou menos dinheiro.

Vejamos a posição do capitalista. Quer receber o máximo possível de trabalho pelo mínimo possível de dinheiro. Praticamente, interessa-lhe apenas a diferença entre o preço da força de trabalho e o valor que cria ao funcionar. Mas ele procura comprar todas as mercadorias o mais barato possível e supõe sempre que a origem de seu lucro está simplesmente no seu truque de comprar abaixo e vender acima do valor. Por isso, nunca chega a ver que, se existisse realmente valor do trabalho e se ele pagasse realmente esse valor, não existiria nenhum capital e seu dinheiro não se transformaria em capital.

Além disso, o movimento real dos salários apresenta fenômenos que parecem demonstrar que não se paga o valor da força de trabalho, mas o valor de sua função, o próprio trabalho. Esses fenômenos podem ser grupados em duas grandes classes. *Primeiro*: Variação do salário com variação da duração do trabalho. Analogamente, poder-se-ia concluir que se paga não o valor da máquina, mas o de sua operação, pois custa mais o aluguel de uma máquina por uma semana do que por um dia. *Segundo*: A diferença individual dos salários dos diversos trabalhadores que exercem a mesma função. Mas essas diferenças individuais também se encontram, sem motivo para ilusões, no sistema de escravatura, onde a própria força de trabalho é vendida franca e livremente, sem disfarces. No sistema de escravatura, a vantagem ou desvantagem da força de trabalho superior ou inferior à média cabe ao dono de escravos; no sistema assalariado, cabe ao próprio trabalhador que vende a força de trabalho, a qual, no regime de escravidão, é vendida por terceira pessoa.

À forma aparente, "valor e preço do trabalho" ou "salário", em contraste com a relação essencial que ela dissimula, o valor e o preço da força de trabalho, podemos aplicar o que é válido para todas as formas aparentes e seu fundo oculto. As primeiras aparecem direta e espontaneamente como formas correntes de pensamento; o segundo só é descoberto pela ciência. A economia política clássica avizinhou-se da essência do fenômeno, sem, entretanto, formulá-la conscientemente. E isto não lhe é possível enquanto não se despojar de sua pele burguesa.

---

9 A. Smith só acidentalmente alude à variação da jornada de trabalho, ao tratar do salário por peça.

XVIII.

O salário por tempo

O salário assume as mais variadas formas, sobre as quais os compêndios de economia, exclusivamente interessados no aspecto mais imediato da questão, não oferecem nenhum esclarecimento. Uma exposição sobre todas essas formas é matéria para um tratado especial sobre trabalho assalariado e transcende ao domínio desta obra. Entretanto, ocupar-nos-emos sucintamente das duas formas principais.

Já vimos que a força de trabalho é vendida por determinado espaço de tempo. A forma aparente em que se apresenta o valor diário, semanal etc. da força de trabalho é, portanto, a de salário por tempo, isto é, salário diário, semanal etc.

De início, cabe observar que as leis expostas no Capítulo xv, relativas à variação de magnitude do preço da força de trabalho e da mais-valia, se transformam em leis do salário por meio de simples mudança de forma. Do mesmo modo, a diferença entre o valor de troca da força de trabalho e a soma dos meios de subsistência em que se transforma esse valor se patenteia agora como diferença entre salário nominal e salário real. Seria inútil repetir agora, em relação à forma fenomênica, o que já se expôs com relação à forma essencial. Limitar-nos-emos, por isso, a alguns pontos característicos do salário por tempo.

A soma em dinheiro[10] que o trabalhador recebe por seu trabalho diário, semanal etc. constitui o montante de seu salário nominal ou estimado em valor. Mas é claro que, conforme for a duração da jornada de trabalho, isto é, a quantidade de trabalho por ele diariamente fornecida, o mesmo salário por dia, por semana etc. pode representar preços bem diferentes do trabalho, somas de dinheiro bem diferentes para a mesma quantidade de trabalho.[11] Ao considerar o salário por tempo, devemos distinguir entre o montante do salário diário, semanal etc. e o preço do trabalho. Como achar esse preço, isto é, o valor monetário de determinada quantidade de trabalho? Acha-se o preço médio do trabalho dividindo-se o valor diário médio da força de trabalho pelo número de horas da jornada média de trabalho. Se o valor diário da força de trabalho for de 3 xelins, o valor produzido por 6 horas de trabalho, e se a jornada de trabalho for de 12 horas, o preço de

---

10 Aqui estamos supondo sempre constante o valor do dinheiro.

11 "O preço do trabalho é a soma que se paga por dada quantidade de trabalho." (Sir Edward West, *Price of Corn and Wages of Labour*, Londres, 1826, p. 67.) West é o autor da obra anônima: *Essay on the Application of Capital to Land. By a Fellow of Univ. College of Oxford*, Londres, 1815. É uma obra marcante na história da economia política.

O CAPITAL

uma hora de trabalho será = 3 pence. O preço da hora de trabalho assim obtido serve de unidade de medida para o preço do trabalho.

Segue-se daí que o salário por dia, por semana etc. pode permanecer o mesmo, embora o preço do trabalho caia continuamente. Se a jornada normal de trabalho for de 10 horas e o valor diário da força de trabalho for de 3 xelins, o preço da hora de trabalho será de $3^3/_5$ pence; cairá para 3 pence, se a jornada de trabalho for aumentada para 12 horas, e para $2^2/_5$ pence, se a jornada for aumentada para 15 horas. O salário por dia ou por semana permanecerá, entretanto, inalterado. Ao contrário, o salário por dia ou por semana pode subir, embora o preço do trabalho permaneça constante ou mesmo diminua. Se a jornada de trabalho for de 10 horas e o valor diário da força de trabalho de 3 xelins, o preço de uma hora de trabalho será de $3^3/_5$ pence. Se o operário trabalhar 12 horas, em virtude do acréscimo de atividade, sem que se altere o preço do trabalho, seu salário por dia aumentará para 3 xelins e $7^1/_5$ pence, sem ocorrer variação no preço do trabalho. Poder-se-ia verificar o mesmo resultado se aumentasse não a magnitude extensiva do trabalho, mas a intensiva.[12] A elevação do salário nominal diário ou semanal pode, portanto, ser acompanhada por um preço do trabalho estacionário ou em baixa. O mesmo é válido para a receita da família do trabalhador quando a quantidade de trabalho fornecida pelo chefe da família é aumentada pelo trabalho dos membros da família. Há, portanto, métodos para reduzir o preço do trabalho independentemente da diminuição do salário nominal diário ou semanal.[13]

---

12 "Os salários dependem do preço do trabalho e da quantidade de trabalho realizada. [...] Uma elevação dos salários não implica necessariamente uma elevação do preço do trabalho. Os salários podem aumentar apreciavelmente, com o aumento extensivo e intensivo do trabalho, enquanto o preço do trabalho pode continuar o mesmo." (West, *loc. cit.*, pp. 67, 68-112.) Quanto à questão principal: "Como é determinado o preço do trabalho?", West se descarta dela com meras banalidades.

13 Percebeu isto muito bem o representante fanático da burguesia industrial do século XVIII, o autor do *Essay on Trade Commerce*, por nós frequentemente citado, embora apresente o assunto de maneira confusa: "Não é o preço do trabalho [como tal entende o salário nominal diário ou semanal] mas a sua quantidade que é determinada pelo preço dos meios de subsistência e outros gêneros de primeira necessidade: se reduzirdes fortemente os preços dos meios de subsistência, sem dúvida reduzireis proporcionalmente a quantidade de trabalho. [...] Os donos das manufaturas sabem que há diferentes meios de diminuir ou de elevar o preço do trabalho, independentemente de qualquer alteração em seu montante nominal." (*Loc. cit.*, pp. 48-61.) Em sua obra, *Three Lectures on the Rate of Wages*, Londres, 1830, N. W. Senior utiliza a obra de West, sem citá-la. Diz ele à p. 15: "O trabalhador está interessado fundamentalmente no montante de seu salário." Acha, assim, que o trabalhador está fundamentalmente interessado no que recebe, no montante nominal do salário, e não no que ele dá, a quantidade de trabalho.

O SALÁRIO POR TEMPO

Pode-se formular a seguinte lei geral: dada a quantidade de trabalho por dia, por semana etc., o salário por dia ou por semana depende do preço do trabalho, o qual varia, por sua vez, seja com o valor da força de trabalho, seja com os desvios do preço dela em relação ao valor. Mas, dado o preço do trabalho, o salário por dia ou por semana depende da quantidade do trabalho diário ou semanal.

A unidade de medida do salário por tempo, o preço da hora de trabalho, é o quociente da divisão do valor diário da força de trabalho pelo número de horas da jornada normal de trabalho. Admitamos que esta seja de 12 horas, e o valor diário da força de trabalho, de 3 xelins, o valor produzido por 6 horas de trabalho. Nessas condições, o preço da hora de trabalho é de 3 pence, e o valor por ela produzido, de 6 pence. Se o operário trabalha então menos de 12 horas por dia (ou menos de 6 dias por semana), apenas 6 ou 8 horas, recebe ele, com esse preço do trabalho, só 2 ou 1½ xelins como salário diário.[14] Tendo ele, segundo se pressupôs, de trabalhar em média 6 horas por dia, para produzir um salário diário que corresponda ao valor de sua força de trabalho, trabalhando, segundo o mesmo pressuposto, ½ hora para si mesmo e ½ para o capitalista, é claro que não pode obter para si mesmo o valor produzido por 6 horas se trabalhar menos que 12 horas. Vimos anteriormente as consequências destruidoras do trabalho em excesso e agora nos defrontamos com os males que acometem o trabalhador, decorrentes do subemprego.

Se o salário por hora for fixado de modo que o capitalista não se obrigue a pagar o salário de um dia ou de uma semana, mas apenas as horas de trabalho em que lhe apraz ocupar o trabalhador, poderá ele empregá-lo por espaço de tempo inferior ao que serviu originalmente de base para calcular o salário por hora ou a unidade de medida do preço do trabalho. Sendo essa unidade de medida determinada pela proporção $\frac{\text{valor diário da força de trabalho}}{\text{jornada de trabalho com dado número de horas}}$ perde ela, naturalmente, qualquer sentido quando a jornada de trabalho deixa de contar determinado

---

14 O efeito desse subemprego anormal difere totalmente do oriundo de uma redução geral, legalmente compulsória, da jornada de trabalho. Tanto pode ocorrer numa jornada de trabalho de 15 horas quanto de 6 horas, independentemente, portanto, da duração absoluta da jornada. No primeiro caso, o preço normal do trabalho é calculado na base de uma jornada média de 15 horas; no segundo, na base de uma jornada média de 6 horas. O efeito, por isso, é o mesmo se o operário trabalhar, num caso, 7½ horas e, no outro, 3 horas.

número de horas. Rompe-se a conexão entre o trabalho pago e o não pago. O capitalista pode, então, extrair do trabalhador determinada quantidade de trabalho excedente, sem lhe proporcionar o tempo de trabalho necessário à própria manutenção. Pode destruir toda a regularidade da ocupação e fazer alternarem-se, de acordo com sua comodidade, arbítrio e interesse momentâneo, o mais monstruoso trabalho excessivo com a desocupação relativa ou absoluta. Pode, sob o pretexto de pagar o "preço normal do trabalho", prolongar anormalmente a jornada de trabalho, sem qualquer compensação correspondente para o trabalhador. Daí a revolta perfeitamente racional, em 1860, dos trabalhadores de Londres, empregados no ramo de construção, contra a tentativa dos capitalistas de impor-lhes esse sistema de salário por hora. A limitação legal da jornada de trabalho pôs fim a esse abuso, embora sem, naturalmente, impedir o subemprego decorrente da concorrência da maquinaria, das mudanças na qualidade dos trabalhadores empregados, das crises parciais e gerais.

Ao elevar-se o salário por dia ou por semana, o preço do trabalho pode permanecer nominalmente constante e, apesar disso, cair abaixo de seu nível normal. É o que ocorre toda vez que o dia de trabalho é prolongado além de sua duração normal, permanecendo constante o preço do trabalho ou da hora de trabalho, quando o denominador da fração $\frac{\text{valor diário da força de trabalho}}{\text{jornada de trabalho}}$ aumenta, o numerador aumenta mais rapidamente ainda. O valor da força de trabalho, o qual depende do desgaste dela, aumenta com a duração do funcionamento dessa força, e em proporção mais rápida do que o acréscimo da duração desse funcionamento. Em muitos ramos industriais nos quais predomina o salário por tempo, sem limitação legal da jornada, introduziu-se espontaneamente o costume de só se considerar normal a jornada de trabalho que não ultrapassa determinado ponto e contém, por exemplo, 10 horas ("*normal working day*", "*the day's work*", "*the regular hours of work*"). Além desse limite, começa o tempo suplementar (*over time*), que, tomando-se a hora como unidade de medida, é pago (*extra pay*), embora muitas vezes em proporção ridícula.[15] A jornada normal é, então, fração da verdadeira jornada, e esta, muitas

---

15 "A taxa de pagamento por tempo suplementar [na indústria de rendas] é tão pequena, ½ pence etc. por hora, que contrasta de maneira deplorável com o grande prejuízo que causa à saúde e à força vital dos trabalhadores. [...] A pequena remuneração suplementar assim obtida tem muitas vezes de ser despendida em alimentação extra." (*Child. Empl. Comm., II. Rep.*, p. XVI, n. 117.)

O SALÁRIO POR TEMPO

vezes, vigora mais, no decurso do ano, do que aquela.[16] Em diversos ramos industriais britânicos, o aumento do preço do trabalho, ao prolongar-se a jornada além de certo limite normal, é feito de tal modo que o baixo preço do trabalho durante o chamado tempo normal impõe ao trabalhador trabalhar no tempo suplementar pago, a fim de obter um salário suficiente.[17] A limitação legal da jornada de trabalho suprime esses abusos.[18]

É um fato notório que, quanto mais longa a jornada de trabalho num ramo industrial, mais baixo é o salário.[19] O inspetor de fábrica A. Redgrave ilustra isso com um quadro comparativo do período de 20 anos, de 1839 a 1859, de acordo com o qual o salário subiu nas fábricas submetidas à lei das 10 horas e desceu nas fábricas onde se trabalha 14 a 15 horas por dia.[20]

A lei segundo a qual "dado o preço do trabalho, o salário diário ou semanal depende da quantidade de trabalho fornecido" tem por primeira

---

16 Na estamparia de papéis, por exemplo, antes da recente introdução da lei fabril. "Trabalhamos sem pausa para refeições, de modo que o dia de trabalho de 10½ horas termina às 4½ da tarde, e daí para a frente tudo é tempo suplementar, que raramente acaba antes das 6 da tarde. Assim, realizamos durante o ano inteiro trabalho em tempo suplementar." (Depoimento de Mr. Smith em *Child. Emp. Comm., I. Rep.*, p. 125.)

17 É o caso das branquearias escocesas. Antes da introdução da lei fabril de 1862, "essa indústria era explorada, em algumas partes da Escócia, de acordo com o sistema de tempo suplementar, isto é, 10 horas constituíam a jornada normal de trabalho. Por esta recebia o trabalhador 1 xelim e 2 pence. Mas havia ainda todos os dias um tempo suplementar de 3 ou 4 horas, pagas a 3 pence por hora. O efeito do sistema era um homem não poder ganhar por semana quantia superior a 8 xelins se só trabalhasse no horário normal. Sem tempo suplementar, o salário não era suficiente." (*Reports of Insp. of Fact., 30th April 1863*, p. 10.) "O pagamento extra por tempo suplementar é uma tentação a que os trabalhadores não podem resistir." (*Rep. of Insp. of Fact. 30th April 1848*, p. 5.) As encadernadoras no centro de Londres empregam muitas moças de 14 a 15 anos ou mais, e sob contrato de aprendizagem que estabelece determinado número de horas de trabalho. Apesar disso, trabalham na última semana de cada mês até 10, 11, 12 horas da noite e 1 da manhã, com os trabalhadores mais velhos, formando um grupo muito misturado. "Os patrões tentam-nas com salário extra e dinheiro para um bom jantar à noite", numa das tabernas vizinhas. A libertinagem, que se gera então entre essas "jovens almas imortais" (*Child. Impl. Comm., V. Rep.*, p. 44, n. 191), se compensa quando encadernam bíblias e livros piedosos.

18 Vide *Reports of Insp. of Fact., 30th April 1863, loc. cit.* Com acertada apreciação crítica da situação, os trabalhadores empregados no ramo de construção em Londres declararam, durante a grande greve e *lockout* de 1860, que só aceitavam o salário por hora sob duas condições: 1) que se fixasse com o preço da hora de trabalho uma jornada de trabalho normal de 9 ou de 10 horas, e que o preço da hora da jornada de 10 horas fosse maior que o da jornada de 9; 2) que cada hora que excedesse a jornada de trabalho normal tivesse uma remuneração proporcionalmente mais elevada.

19 "É de admirar que, onde a jornada de trabalho é longa, os salários são baixos." (*Rep. of Insp. of Pact., 31st Oct. 1863*, p. 9.) "A jornada que proporciona um salário de fome é, em regra, demasiadamente longa." (*Public Health, Sixth Rep.* 1863, p. 15.)

20 *Reports of Insp. of Fact., 30th April 1860*, pp. 31-32.

consequência que, quanto mais baixo o preço do trabalho, maior tem de ser a quantidade de trabalho ou tanto mais longa a jornada, a fim de que o trabalhador chegue a assegurar-se de um miserável salário médio. O baixo preço do trabalho incentiva o prolongamento do tempo de trabalho.[21]

Reciprocamente, o prolongamento do tempo de trabalho produz queda no preço do trabalho e, em consequência, no salário diário ou semanal.

A determinação do preço do trabalho pela proporção

$$\frac{\text{valor diário da força de trabalho}}{\text{jornada de trabalho com dado número de horas}}$$ prova que o simples prolongamento da jornada faz cair o preço do trabalho, desde que não haja uma compensação. Mas as mesmas circunstâncias que capacitam o capitalista a prolongar a jornada de maneira permanente capacitam-no, de início, e compelem-no, por fim, a diminuir também nominalmente o preço do trabalho, até que o preço total do número aumentado de horas se reduza e, consequentemente, o salário diário ou semanal. A propósito, basta referirmo-nos a duas circunstâncias. Se um homem realiza a tarefa de 1½ ou 2 homens, aumenta o afluxo de trabalho, embora permaneça constante a oferta de forças de trabalho que se encontram no mercado. A concorrência que se cria, assim, entre os trabalhadores capacita o capitalista a reduzir o preço do trabalho, ao mesmo tempo que o preço reduzido do trabalho, reciprocamente, capacita-o a distender ainda mais o tempo de trabalho.[22] Mas essa disposição sobre a quantidade anormal de trabalho não pago, ultrapassando o nível social médio, torna-se instrumento de concorrência entre os próprios capitalistas. Uma parte do preço da mercadoria é constituída do preço do trabalho. A parte não paga correspondente à redução do preço do trabalho pode não ser computada no preço da mercadoria. Pode ser presenteada ao comprador da mercadoria. Este é o primeiro passo a que leva à concorrência. O segundo passo, a que ela força o capitalista, é o

---

21 Na Inglaterra, os operários que fazem pregos à mão, em virtude do baixo preço do trabalho, têm de trabalhar 15 horas por dia para conseguirem seu miserável salário semanal. "São muitas, muitas horas do dia, e durante todo o tempo têm de trabalhar duramente, para obter 11 pence ou 1 xelim, e deles se descontam 2½ a 3 pence por desgaste de ferramentas, combustível e desperdício de ferro." (*Child. Empl. Comm., III. Rep.*, p. 136, n. 671.) Trabalhando com o mesmo horário, as mulheres ganham por semana 5 xelins. (*Loc. cit.*, p. 137, n. 674.)

22 Se um trabalhador fabril se recusasse a trabalhar o número costumeiro e excessivo de horas, "seria logo substituído por alguém que aceitaria qualquer horário, e desse modo ficaria sem emprego". (*Reports of Insp. of Fact., 31st Oct. 1848*, depoimento, n. 33, n. 58.) "Se um homem faz o trabalho de dois [...] subirá em geral a taxa de lucro [...], pois essa oferta adicional de trabalho reduzirá seu preço." (*Senior, loc. cit.*, p. 15.)

O SALÁRIO POR TEMPO

de deduzir também do preço de venda da mercadoria, pelo menos, parte da mais-valia anormal produzida pelo prolongamento da jornada. Desse modo, se estabelece, de início esporadicamente, e pouco a pouco se generaliza e se fixa um preço de venda para a mercadoria, anormalmente baixo, que passa então a servir de base permanente para um salário miserável, com prolongamento excessivo do tempo de trabalho, efeitos estes que tinham sido primitivamente a causa da redução de preço. Apenas aludimos a esses fatos, pois não cabe aqui a análise da concorrência. Mas ouçamos de passagem o que dizem os capitalistas.

> "Em Birmingham, a concorrência entre os patrões é tão grande que muitos, em sua função de empregadores, são obrigados a fazer coisas de que se envergonhariam noutras circunstâncias; apesar disso, não se faz mais dinheiro, e o público é quem leva vantagem."[23]

Voltamos às duas espécies de donos de padaria de Londres: uma que vendia o pão pelo preço integral e outra que o vendia com rebaixa do preço normal. Os da primeira espécie denunciaram seus concorrentes perante a comissão parlamentar de inquérito:

> "Eles só existem porque defraudam o público e porque extraem 18 horas de trabalho pagando salários de 12 horas. [...] O trabalho não pago de seus empregados é o meio que utilizam para competir. [...] A concorrência entre os donos das padarias origina a dificuldade de se suprimir o trabalho noturno. Os que vendem o pão abaixo do preço de custo, que varia com o preço da farinha, procuram compensar-se extraindo mais trabalho de seus empregados. Se obtenho 12 horas de trabalho dos meus empregados, meu vizinho extrai dos dele 18 ou 20, e por isso terá um preço de venda menor. Se os trabalhadores pudessem reclamar o pagamento do tempo suplementar, seria suprimida imediatamente essa manobra. [...] Grande número dos empregados dos nossos concorrentes é de estrangeiros, menores e outros indivíduos forçados a aceitar qualquer salário."[24]

---

23 *Child. Empl. Comm., III. Rep.*, depoimento, p. 66, n. 22.

24 *Reports* [...] *Relative to the Grievances Complained of by the Journeymen Bakers*, Londres, 1862, p. LII e ib., depoimentos ns. 479, 359 e 27. Conforme já se mencionou e conforme confessa o próprio porta-voz dos donos de padarias que vendem o pão ao preço integral, põem estes seus empregados "a trabalhar às 11 horas da noite ou antes e prolongam muitas vezes o trabalho até as 7 horas da noite seguinte". (*Loc. cit.*, p. 22.)

O CAPITAL

Essas queixas são interessantes porque mostram que só a aparência das relações de produção se espelha no cérebro do capitalista. O capitalista não sabe que o preço normal do trabalho também envolve uma quantidade determinada de trabalho não pago e que justamente esse trabalho não pago é a fonte normal de seu lucro. Não existe para ele a categoria tempo de trabalho excedente, pois este está incluído na jornada normal que ele acredita pagar com o salário diário. O que existe para ele é o tempo extraordinário, o prolongamento da jornada de trabalho além do limite correspondente ao preço usual do trabalho. Diante de seu concorrente que vende abaixo do preço, até reclama pagamento extra para esse trabalho extraordinário. Também não sabe que esse pagamento suplementar envolve trabalho não pago, do mesmo modo que o preço da hora de trabalho ordinária. Sejam 3 pence o preço de uma hora da jornada de 12 horas, valor produzido por meia hora de trabalho; sejam 4 pence o preço da hora de trabalho extraordinário, valor produzido por dois terços da hora de trabalho. No primeiro caso, o capitalista se apropria gratuitamente da metade; no segundo caso, de um terço da hora de trabalho.

XIX.
Salário por peça

O salário por peça não passa de uma forma a que se converte o salário por tempo, do mesmo modo que o salário por tempo é a forma a que se converte o valor ou o preço da força de trabalho. O salário por peça dá, à primeira vista, a impressão de que o valor de uso vendido pelo trabalhador não é a função de sua força de trabalho, o trabalho vivo, mas o trabalho já materializado no produto, e de que o preço desse trabalho não é determinado, como no salário por tempo, pela fração $\dfrac{\text{valor diário da força de trabalho}}{\text{jornada de trabalho de determinado número de horas}}$, mas pela $\dfrac{\text{jornada de trabalho de detreminado número de horas}}{\text{capacidade de produção do trabalhador}}$ 25.

Os que acreditam nessa aparência terão sua fé, logo de início, fortemente abalada pela circunstância de existirem, ao mesmo tempo, as duas formas de salário nos mesmos ramos de atividade. Exemplifiquemos:

> "Os tipógrafos de Londres trabalham, em regra, pelo sistema de salário por peça, constituindo exceção entre eles o salário por tempo. No interior, ocorre o contrário com os tipógrafos: o salário por tempo é a regra, e o salário por peça, a exceção. Os carpinteiros de navios do porto de Londres recebem salário por peça; nos outros portos ingleses, por tempo."[26]

Em Londres, nas mesmas selarias, muitas vezes pelo mesmo trabalho, se paga aos trabalhadores franceses salário por peça e, aos ingleses, salário por tempo. Nas fábricas propriamente ditas em que predomina o salário por peça, certos tipos de trabalho não se ajustam a essa forma de salário e são, por isso, pagos por tempo.[27] É claro que a diversidade na forma de

---

25 "O sistema de trabalho por peça marca uma época na história do trabalhador: está a meio caminho entre a posição do simples jornaleiro que depende da vontade do capitalista e a do artesão cooperativo que, em futuro não distante, reunirá em sua pessoa o artesão e o capitalista. Os trabalhadores por peça são, na realidade, seus próprios patrões, mesmo quando trabalham com o capital do empregador." (John Watts, *Trade Societies and Strikes, Machinery and Cooperative Societies*, Manchester, 1865, pp. 52-53.) Cito esse opúsculo porque é um amontoado de velhos e batidos lugares-comuns apologéticos. O mesmo Watts fora antes adepto de Owen e publicou em 1843 outro opúsculo, *Facts and Fictions of Political Economy*, onde ele, entre outras coisas, sustenta que propriedade é roubo. Mas isso já foi há muito tempo.

26 T.J. Dunning, *Trades' Unions and Strikes*, Londres, 1860, p. 22.

27 A existência lado a lado dessas duas formas de salários favorece a trapaça dos fabricantes. "Uma fábrica emprega 400 pessoas, das quais a metade recebe salário por peça e tem interesse direto em prolongar o trabalho. As outras 200 são pagas por dia e trabalham no mesmo horário das que recebem por peça, sem nada ganhar por horas extraordinárias. [...] O trabalho dessas 200 pessoas durante um quarto de hora por dia equivale ao trabalho de uma pessoa durante 50 horas ou a 5/6 do trabalho semanalmente executado por uma pessoa e representa um ganho apreciável para o empregador." *(Reports of Insp. of Fact., 31st October, 1860, p. 9.)* "As horas extraordinárias prevalecem ainda em extensão

pagamento do salário em nada altera absolutamente sua natureza, embora uma forma possa ser mais favorável do que outra para o desenvolvimento da produção capitalista.

Admitamos que a jornada de trabalho normal seja de 12 horas, das quais 6 pagas e 6 não pagas. Seja o valor produzido de 6 xelins, sendo, portanto, o de uma hora de trabalho, de 6 pence. Suponhamos ainda que, de acordo com a experiência, um trabalhador produza, em 12 horas, 24 peças, separadas ou representadas por partes mensuráveis de uma produção contínua, trabalhando com o nível médio de intensidade e de habilidade, empregando, portanto, em sua produção o tempo de trabalho socialmente necessário. Desse modo, o valor dessas 24 peças, descontada a parte constante do capital nelas contida, é de 6 xelins, e o valor de cada peça, de 3 pence. O trabalhador ganha em cada peça 1½ pence e, em consequência, 3 xelins em 12 horas. No salário por tempo, tanto faz admitir que o trabalhador trabalhe 6 horas para si mesmo e 6 horas para o capitalista, ou que trabalhe, em cada hora, meia hora para si mesmo e meia hora para o capitalista. Do mesmo modo, no salário por peça, tanto faz dizer que, em cada peça, uma metade é paga e a outra não, ou que o preço de 12 peças é um equivalente da força de trabalho, incorporando-se a mais-valia nas outras 12 peças.

A forma de salário por peça é tão irracional quanto a de salário por tempo. No exemplo anterior, embora as duas peças, depois de descontado o valor dos meios de produção nelas consumidos, valham 6 pence como produto de uma hora de trabalho, o trabalhador recebe por elas um preço de 3 pence. O salário por peça, na realidade, não expressa diretamente nenhuma relação de valor. Não se trata de medir o valor da peça pelo tempo de trabalho nela corporificado, mas, ao contrário, o tempo despendido pelo trabalhador pelo número das peças que produziu. No salário por tempo, o trabalho se mede diretamente por sua duração; no salário por peça, pela quantidade de produtos em que o trabalho se materializa num dado espaço de tempo.[28] O preço do tempo de trabalho continua determinado pela equação: valor da jornada de trabalho = valor diário da força de trabalho. Salário por peça é, portanto, apenas uma forma modificada do salário por tempo.

---

considerável; e, na maioria dos casos, o patrão conta com a segurança, que a lei lhe proporciona, de que não será descoberto nem punido. Em muitos relatórios anteriores mostrei [...] o prejuízo que se causa a todos os trabalhadores que não recebem salário por peça, mas salário por semana." (Leonard Horner em *Reports of Insp. of Fact., 30th April 1859*, pp. 8-9.)

28 "O salário pode ser medido de dois modos, ou pela duração ou pelo produto do trabalho." (*Abrégé élémentaire des principes de l'écon. pol.*, Paris, 1796, p. 3a.) O autor dessa obra anônima é G. Garnier.

SALÁRIO POR PEÇA

Vejamos mais de perto as peculiaridades do salário por peça.

A qualidade do trabalho é controlada aqui pelo próprio resultado, que tem de possuir a qualidade média, a fim de que seja pago integralmente o salário por peça. Desse modo, o salário por peça se torna terrível instrumento de descontos salariais e de trapaça capitalista. Proporciona ao capitalista uma medida precisa da intensidade do trabalho. Só se considera, então, tempo de trabalho socialmente necessário, sendo como tal pago, o tempo de trabalho que se corporifica numa quantidade de mercadorias previamente determinada e fixada pela experiência. Nas grandes alfaiatarias de Londres, chama-se certa peça de trabalho, por exemplo, um colete etc., de uma hora, meia hora etc., a 6 pence por hora. Sabe-se pela prática qual é o produto médio de uma hora. Com novas modas, consertos etc. surge discussão entre empregador e trabalhador para saber se determinada peça é ou não equivalente a uma hora etc., até que a experiência decida o caso. O mesmo ocorre, em Londres, nas marcenarias etc. Se o trabalhador não tem a capacidade média de produção, não pode ele realizar certo mínimo de trabalho durante a jornada, e é despedido.[29]

Sendo a qualidade e a intensidade do trabalho controladas pela forma de salário, torna esta em grande parte desnecessário o trabalho de inspeção. O salário por peça constitui a base não só do trabalho doméstico moderno, do qual já falamos anteriormente, mas também de um sistema hierarquicamente organizado de exploração e opressão. Esse sistema possui duas formas fundamentais. Em uma, o salário por peça facilita que, entre o capitalista e o trabalhador assalariado, se insiram parasitas que subalugam o trabalho. O ganho dos intermediários decorre da diferença entre o preço do trabalho que o capitalista paga e a parte desse preço que ele realmente entrega ao trabalhador.[30] Chama-se a isto, na Inglaterra, de "sistema de suadouro" (*sweating system*). Em outra forma, o salário por peça permite ao capitalista contratar o trabalhador principal – na manufatura como chefe

---

29 "O fiandeiro recebe determinada quantidade de algodão e tem de fornecer, em certo espaço de tempo, determinado peso de fio ou de algodão fiado, com determinado padrão de qualidade, e recebe para cada libra-peso produzida determinada quantia. Se o trabalho apresenta defeitos na qualidade, ele sofre uma penalidade; se a quantidade produzida fica abaixo de um mínimo fixado para determinado espaço de tempo, ele é despedido e substituído por um trabalhador mais competente." (Ure, *loc. cit.*, pp. 316-317.)

30 "Quando a tarefa passa por várias mãos, cada uma delas se apropriando de uma parte do ganho, enquanto só a última executa realmente o trabalho, o pagamento que se faz por fim à mulher que trabalhou de fato é miseravelmente reduzido." (*Child. Empl. Comm., II Rep.*, p. LXX, n. 424.)

de um grupo, nas minas como extrator de carvão, na fábrica como operário que maneja a máquina etc. – estabelecendo um tanto por peça, um preço pelo qual o trabalhador principal se obriga a recrutar e a pagar seus auxiliares. A exploração dos trabalhadores pelo capital se realiza, então, por meio da exploração do trabalhador pelo trabalhador.[31]

Dado o salário por peça, é, naturalmente, interesse pessoal do trabalhador empregar sua força de trabalho o mais intensivamente possível, o que facilita ao capitalista elevar o grau normal de intensidade do trabalho.[31a] É também interesse pessoal do trabalhador prolongar a jornada de trabalho, a fim de aumentar seu salário diário ou semanal.[32] Ocorre, em consequência, a reação já descrita a propósito do salário por tempo. Além disso, o prolongamento da jornada, mesmo permanecendo constante o salário por peça, acarreta, por si mesmo, baixa no preço do trabalho.

No regime de salário por tempo, prevalece, com poucas exceções, salário igual para as mesmas funções, e, no regime de salário por peça, em que se mede o preço do tempo de trabalho por determinada quantidade de produto, o salário diário ou semanal varia com as diferenças individuais dos trabalhadores, de modo que, num determinado espaço de tempo, um produz o mínimo, outro, a média, e terceiro, mais do que a média. Surgem

---

31 Até o apologista Watts observa: "Seria grande progresso no sistema de salário por peça a participação no contrato de todos os que trabalham, cada um de acordo com sua habilidade, em vez de um só homem, em seu próprio proveito, fazer camaradas trabalharem além de todos os limites." (*Loc. cit.*, p. 53.) Para bem conhecer a vileza desse sistema, consultar *Child. Empl. Comm. Rep. III*, p. 66, n. 22; p. II, n. 124; p. XI, ns. 13, 53 e 59 etc.

31a Esse resultado espontâneo é muitas vezes incentivado artificialmente. No ramo de construção de máquinas, por exemplo, em Londres, um truque usual é o de "o capitalista escolher um homem de força e destreza superiores para chefe de um grupo. Paga-lhe um salário adicional, ou trimestralmente ou em outro prazo, com a condição de fazer todo o possível para incentivar seus colegas que apenas recebem o salário comum a imitarem seu esforço. [...] Isto explica, sem mais comentários, a queixa dos capitalistas, acusando as *trade unions* de emperrarem a atividade ou a habilidade e força de trabalho superiores." (Dunning, *loc. cit.*, pp. 22-23.) Sendo o autor trabalhador e também secretário de uma *trade union*, poder-se-ia considerar que está exagerando. Mas consulte-se a respeito a "altamente respeitável" enciclopédia agronômica de J. Ch. Morton, no artigo "Labourer", em que esses métodos são recomendados como eficazes aos arrendatários das terras.

32 "Todos os que trabalham a salário por peça [...] tiram vantagem transgredindo os limites legais do trabalho. Essa disposição de trabalhar horas extraordinárias se encontra especialmente nas mulheres que trabalham como tecelãs ou dobadeiras." (*Rep. of Insp. of Fact., 30th April 1858*, p. 9.) "Esse sistema de salário por peça, tão vantajoso para o capitalista [...] incentiva fortemente o jovem oleiro a trabalhar excessivamente, durante 4 ou 5 anos em que é pago por peça, mas a baixo salário. Esta é uma das principais causas da degeneração física dos oleiros." (*Child. Empl. Comm., I. Rep.*, p. XIII.)

SALÁRIO POR PEÇA

grandes diferenças quanto à receita obtida, conforme a habilidade, a força, a energia, a persistência de cada trabalhador individual.[33] Naturalmente, isso em nada altera a relação geral entre capital e trabalho assalariado. Primeiro, na oficina como um todo, se compensam as diferenças individuais, de modo que ela fornece, num determinado espaço de tempo, o produto médio, e o salário global pago corresponderá ao salário médio do ramo. Segundo, a proporção entre salário e mais-valia permanece inalterada, uma vez que ao salário individual de cada trabalhador corresponde a massa de mais-valia por ele fornecida. Mas a maior margem de ação proporcionada pelo salário por peça influi no sentido de desenvolver, de um lado, a individualidade dos trabalhadores – e, com ela, o sentimento de liberdade, a independência e o autocontrole – e, do outro, a concorrência e a emulação entre eles.

Por isso, o salário por peça tende a baixar o nível médio dos salários, elevando salários individuais. Mas, nos casos em que determinado salário por peça vigora habitualmente há muito tempo, sendo difícil rebaixá-lo, recorrem os patrões, excepcionalmente, à transformação compulsória em salário por tempo. Foi este o motivo, em 1860, da grande greve dos tecelões de fitas de Coventry.[34] O salário por peça, finalmente, é um dos principais arrimos do sistema de pagar o salário por hora, anteriormente referido.[35]

---

33 "Quando o trabalho em qualquer ramo é pago pelo número de peças, a um tanto por peça [...], os salários podem diferir, entre si, substancialmente. [...] Mas, para o salário por dia, há geralmente uma taxa uniforme [...] reconhecida como a norma dos salários para o trabalhador médio do ramo, tanto pelo empregador quanto pelo empregado." (Dunning, *loc. cit.*, p. 17.)

34 "O trabalho dos oficiais é regulado por dia ou por tarefa. [...] Os mestres sabem aproximadamente a quantidade de trabalho que o trabalhador pode realizar por dia em seu ofício, e por isso pagam-lhe muitas vezes na proporção da tarefa executada; desse modo, os oficiais trabalham o máximo que podem em seu próprio interesse, sem necessidade de fiscalização." (Cantillon, *Essai sur la nature du commerce en général*, ed. de Amsterdam, 1756, pp. 185 e 202; a primeira edição apareceu em 1755.) Quesnay, Sir James Stewart e A. Smith aproveitaram muita coisa de Cantillon. Este já considera o salário por peça mera forma modificada do salário por tempo. A edição francesa anuncia-se, no frontispício, como tradução da inglesa, mas esta, *The Analysis of Trade, Commerce* [...], *by Philip Cantillon late of the City of London, Merchant*, apareceu mais tarde, em 1759. Além disso, seu conteúdo prova que foi elaborada posteriormente. Assim, na edição francesa, Hume ainda não é mencionado, e na inglesa quase não aparece mais Petty. A edição inglesa é teoricamente menos importante, mas contém uma série de dados pormenorizados relativos ao comércio inglês, ao comércio de lingotes de ouro etc., o que falta no texto francês. As palavras no frontispício da edição inglesa, dizendo que a obra foi tirada principalmente dos manuscritos de um nobre já falecido, muito engenhoso, sendo adaptada etc., parecem, portanto, ser mera ficção, usual àquela época.

35 "Quantas vezes vemos empregado nos estabelecimentos industriais número bem maior de trabalhadores do que o realmente necessário? Muitas vezes, aceitam-se trabalhadores, na esperança de um trabalho ainda incerto e frequentemente apenas imaginário. Os que pagam por peça dizem que nada

O CAPITAL

Do exposto, evidencia-se que o salário por peça é a forma de salário mais adequada ao modo capitalista de produção. Embora não seja uma forma nova, pois figurava oficialmente, ao lado do salário por tempo, nos estatutos do trabalho ingleses e franceses do século XIV, sua aplicação só adquire maior amplitude no período manufatureiro propriamente dito. Na fase juvenil e tempestuosa da grande indústria, notadamente de 1797 a 1815, serve de meio para prolongar a jornada de trabalho e para rebaixar o salário. Material da maior importância sobre o movimento dos salários naquele período encontra-se nos livros azuis *Report and Evidence from the Select Committee on Petition Respecting the Corn Laws* (sessão parlamentar de 1813/14) e *Reports from the Lords' Committee, on the State of the Growth, Commerce, and Consumption of Grain, and All Laws Relating Thereto* (sessão parlamentar de 1814/15). Neles encontramos a prova documental da baixa contínua do preço do trabalho, a partir do início da guerra antijacobina. Na tecelagem, por exemplo, o salário por peça caiu tanto que, apesar da grande prolongação da jornada, o salário por dia baixou a um nível nunca antes atingido.

> "A receita real do tecelão é hoje muito menor do que antes. Sua superioridade sobre o trabalhador comum, que já foi muito grande, quase desapareceu inteiramente. Na realidade, a diferença entre o salário de um trabalhador habilitado e o de um trabalhador comum é muito menos importante hoje do que em qualquer outro período anterior."[36]

Aumentando a intensidade e a duração do trabalho, o salário por peça em nada beneficiou o proletariado rural. É o que demonstra o trecho que segue, tirado de um trabalho em favor dos donos das terras e dos arrendatários:

> "A maior parte dos trabalhos agrícolas é executada por pessoas contratadas por dia ou por peça. Seu salário semanal é de cerca de 12 xelins, e, embora se possa supor que um assalariado por peça, sob maior estímulo para trabalhar, ganhe por semana mais 1 xelim ou talvez mais 2 do que um assalariado remunerado por dia, verifica-se, avaliando-se sua receita total, que a diminuição de seu tempo de trabalho durante o ano representa uma perda maior do que a remuneração adicional que recebe. [...] Além disso, observa-se geralmente que

---

arriscam, pois todo tempo perdido fica por conta do desempregado." (H. Gregoir, *Les Typographes Devant le Tribunal Correctionnel de Bruxelles*, Bruxelas, 1865, p. 9.)

36 *Remarks on the Commercial Policy of Great Britain*, Londres, 1815, p. 9.

SALÁRIO POR PEÇA

os salários desses homens guardam certa proporção com o preço dos meios de subsistência necessários, de modo que um homem com dois filhos seja capaz de manter sua família sem recorrer à ajuda paroquial."[37]

Os fatos relacionados com o salário por peça, objeto na época de publicação do Parlamento, motivaram a seguinte declaração de Malthus:

"Confesso que vejo com desgosto estender-se cada vez mais o uso do salário por peça. Trabalho realmente duro, durante 12 ou 14 horas por dia ou por tempo mais longo, é demais para qualquer ser humano."[38]

Nos estabelecimentos subordinados à lei fabril, o salário por peça se torna a lei geral, pois neles o capital só pode aumentar a jornada de trabalho do ponto de vista da intensidade.[39]

Quando varia a produtividade do trabalho, a mesma quantidade de produto representa maior ou menor tempo de trabalho. O salário por peça também varia, pois exprime o preço de um determinado tempo de trabalho. Em nosso exemplo anterior, produziam-se 24 peças em 12 horas, sendo o valor produzido durante 12 horas de 6 xelins; o valor diário da força de trabalho, de 3 xelins; o preço da hora de trabalho, de 3 pence; e o salário por uma peça, de 1½ pence. Uma peça absorve ½ hora de trabalho. Se o mesmo dia de trabalho fornecesse, em virtude de duplicação da produtividade do trabalho, 48 peças em vez de 24, permanecendo invariáveis todas as demais circunstâncias, o salário por peça cairia de 1½ pence para ¾ de pêni, uma vez que cada peça representa agora apenas ¼ de hora de trabalho, em vez de ½. 24 x 1½ pence = 3 xelins, do mesmo modo que 48 x ¾ de pêni = 3 xelins. Em outras palavras, o salário por peça é rebaixado na mesma proporção em que aumenta o número das peças produzidas no mesmo tempo,[40] diminuindo, portanto, o tempo de trabalho empregado

---

37 *A Defence of the Landowners and Farmers of Great Britain*, Londres, 1814, pp. 4-5.

38 Malthus, *Inquiry Into the Nature [...] of Rent*, Londres, 1815, p. 49, nota.

39 "Os assalariados por peça constituem provavelmente ⁴/₅ de todos os trabalhadores das fábricas." (*Reports of Insp. of Fact. for 30th April 1858*, p. 9.)

40 "A produtividade de sua máquina de fiar é precisamente determinada, e o pagamento do trabalho com ela realizado diminui ao aumentar essa produtividade, embora essa diminuição não se faça na mesma proporção desse aumento." (Ure, *loc. cit.*, p. 317.) Mas é o próprio Ure que anula essa afirmação apologética. Ele admite que, com o alongamento da máquina de fiar *mule*, há um trabalho adicional. O trabalho, portanto, não diminui na mesma proporção em que aumenta a produtividade.

em cada peça. Essa variação do salário por peça, embora puramente nominal, provoca lutas constantes entre capitalista e trabalhador. Ou porque o capitalista aproveita o pretexto para rebaixar realmente o preço do trabalho, ou porque o aumento da produtividade do trabalho é acompanhado do aumento da intensidade. Ou ainda porque o trabalhador toma a sério a aparência do salário por peça, acreditando que lhe pagam o que produziu, e não sua força de trabalho, e por isso se opõe a uma redução salarial que não corresponde à redução do preço da mercadoria.

> "Os trabalhadores vigiam atentamente o preço da matéria-prima e o preço dos artigos fabricados, de modo que podem estimar com exatidão os lucros de seus patrões."[41]

O capital repele essas pretensões, taxando-as, acertadamente, de erro crasso quanto à natureza do trabalho assalariado.[42] Clama contra a insolência de se pretender tributar o progresso da indústria e declara, rotundamente, que a produtividade do trabalho é matéria que não diz respeito ao trabalhador.[43]

"Com esse alongamento, a produtividade da máquina aumenta de $1/5$. Em consequência, o fiandeiro não é mais pago pela mesma taxa que vigorava anteriormente para o trabalho realizado, mas, não tendo sido ela reduzida na proporção de $1/5$, aumenta a remuneração salarial para qualquer número determinado de horas de trabalho", mas, "há uma modificação a *fazer* nessa afirmativa [...] o fiandeiro tem de utilizar seu meio xelim adicional para pagar a ajuda adicional de *menores*, e ainda *ocorre* a dispensa de adultos." (*Loc. cit.*, pp. 320 e 321.) O que de nenhum modo constitui uma tendência para elevar o salário.

41 H. Fawcett, *The Economic Position of the British Labourer*, Cambridge e Londres, 1865, p. 178.

42 No *Standard* de Londres, de 26 de outubro de 1861, encontra-se o relato de uma ação que a firma John Bright & Co. moveu, perante os magistrados de Rochdale, "para processar judicialmente os representantes da *trade union* dos tecelões de tapetes, por usarem intimidação. Os sócios das firmas tinham introduzido maquinaria nova, capaz de produzir 240 jardas de tapete no tempo e com o trabalho (!) que antes eram necessários para a produção de 160 jardas. Os trabalhadores não tinham nenhum direito de participar nos lucros obtidos pelo investimento do capital de seu empregador na melhoria do equipamento mecânico. Por isso, a firma propunha reduzir o salário de 1½ pence por jarda para 1 pêni, de modo que a receita dos trabalhadores pelo mesmo trabalho continuasse igual à anterior. Mas isto era uma redução nominal da qual os trabalhadores, conforme se afirma, não receberam um justo aviso-prévio."

43 "As *trade unions*, procurando sustentar os salários, tentam participar do lucro oriundo da melhoria das máquinas!" (Que horror!) "Exigem maior salário, porque diminuiu o trabalho [...] em outras palavras, empenham-se em estabelecer um tributo sobre a melhoria do equipamento mecânico." (*On Combination of Trades*, nova ed., Londres, 1834, p. 42.)

XX.

Diversidade entre os salários das nações

No capítulo xv, estudamos as combinações que podem ocasionar uma variação tanto na magnitude absoluta do valor da força de trabalho quanto na magnitude relativa, comparada com a mais-valia. Simultaneamente com a variação do preço da força de trabalho, a quantidade dos meios de subsistência em que ele se realiza pode experimentar flutuações independentes[44] e diversas desse preço. Conforme já vimos, todas aquelas leis se transformam em leis do movimento do salário, bastando trasladar o valor ou o preço da força de trabalho para a forma aparente, manifesta do salário. Esse movimento, que resulta de uma série de diferentes combinações, pode apresentar-se, quando consideramos diversos países, através das diferenças simultâneas entre os salários nacionais. Quando se comparam os salários das diferentes nações, devem, portanto, ser levados em conta todos os fatores que determinam a variação da magnitude do valor da força de trabalho, tais como: o preço e a extensão das necessidades elementares da existência humana, naturais e historicamente desenvolvidas; os custos de formação do trabalhador; o papel desempenhado pelo trabalho das mulheres e das crianças; a produtividade do trabalho, sua duração e sua intensidade. Mesmo a comparação mais superficial exige, de início, que se reduza o salário diário médio dos mesmos ramos nos diversos países a jornada de trabalho de igual duração. Após essa redução dos salários diários a termos homogêneos, é mister transformar o salário por tempo em salário por peça, uma vez que só o último serve para medir os graus de produtividade e de intensidade do trabalho.

Em todo país existe certa intensidade média do trabalho, abaixo da qual o trabalho gasta, para produzir uma mercadoria, mais do que o tempo socialmente necessário, não sendo por isso considerado trabalho de qualidade normal. Num determinado país, a medida do valor pela mera duração do tempo de trabalho só é modificada por um grau de intensidade acima da média nacional. Mas assim não ocorre no mercado mundial, onde cada país é um elemento integrante. A intensidade média do trabalho varia de país para país; menor neste, maior naquele. Essas médias nacionais formam, portanto, uma gradação, cuja unidade de medida é a intensidade média do trabalho universal. Comparado com o trabalho nacional menos intenso, o mais intenso produz, portanto, no mesmo tempo, mais valor, que se expressa em mais dinheiro.

---

44 "Não é exato dizer que os salários [ele está se referindo à sua expressão monetária] aumentam por comprarem mais de um artigo mais barato." (David Bhuchanan, em sua edição de *Wealth* etc., de A. Smith, 1814, v. I, p. 417, nota.)

O CAPITAL

Em sua aplicação internacional, a lei do valor é ainda mais alterada, porque, no mercado mundial, o trabalho nacional mais produtivo se considera trabalho mais intenso, todas as vezes em que a nação mais produtiva não é compelida pela concorrência a baixar o preço de venda de sua mercadoria ao nível do valor desta.

Num país, a intensidade e a produtividade do trabalho nacional se elevam acima do nível internacional na medida em que nele está desenvolvida a produção capitalista.[44a] Por isso, as diferentes quantidades de mercadorias da mesma espécie produzidas em diferentes países, no mesmo espaço de tempo, têm valores internacionais desiguais, que, através dos preços, se exprimem em diferentes somas de dinheiro. Em consequência, o valor relativo do dinheiro será menor no país onde a produção capitalista é mais desenvolvida [e o trabalho, portanto, mais intenso] do que naquele em que é menos desenvolvida. Infere-se daí que o salário nominal, o equivalente da força de trabalho expresso em dinheiro, será mais alto no primeiro país do que no segundo; o que não significa que isto seja verdadeiro para o salário real, isto é, para os meios de subsistência postos à disposição do trabalhador.

Mas, além dessa diferença relativa no valor do dinheiro em diferentes países, verificar-se-á frequentemente que o salário por dia, por semana etc., no primeiro país, é mais alto do que no segundo, ao passo que o preço relativo do trabalho, isto é, o preço do trabalho em relação à mais-valia ou ao valor do produto, é menos elevado no primeiro país do que no segundo.[45]

J. W. Cowell, membro da comissão de inquérito sobre as fábricas, de 1833, após cuidadosa investigação nas fiações, concluiu que "[...] os salários na Inglaterra são, para o capitalista, virtualmente mais baixos e, para os operários, mais altos do que no Continente Europeu" (Ure, p. 314).

44a Mais adiante, examinaremos circunstâncias relacionadas com a produtividade que podem modificar essa lei no tocante a ramos isolados de produção.

45 Em polêmica com A. Smith, observa James Anderson: "Cabe também observar que, se o preço aparente do trabalho é usualmente mais baixo nos países pobres, onde a produção da terra e os cereais em geral são mais baratos, o preço real é neles, em regra, mais alto do que nos outros países. Não é o salário que se dá ao trabalhador diariamente que constitui o preço real do trabalho, embora seja o preço aparente. O preço real é o que custa realmente ao empregador certa quantidade de trabalho realizado; sob esse ângulo, o trabalho, em quase todos os casos, é mais barato nos países ricos do que nos países pobres, embora o preço dos cereais e de outros meios de subsistência seja mais barato nestes do que naqueles. [...] O trabalho apreçado por dia é mais barato na Escócia do que na Inglaterra. [...] O trabalho apreçado por peça é geralmente mais barato na Inglaterra." (James Anderson, *Observations on the Means of Exciting a Spirit of National Industry* etc., Edimburgo, 1777, pp. 350-351.) Os salários baixos produzem trabalho caro. "O trabalho na Irlanda é mais caro do que na Inglaterra [...] porque lá os salários são mais baixos." (Nº 2.074 em *Royal Commission on Railways, Minutes*, 1867.)

DIVERSIDADE ENTRE OS SALÁRIOS DAS NAÇÕES

Alexander Redgrave, inspetor de fábrica na Inglaterra, em seu relatório de 31 de outubro de 1866, demonstra, por meio de estatísticas comparativas, que os trabalhadores do Continente Europeu, apesar dos salários mais baixos e da duração bem mais longa da jornada de trabalho, são mais caros do que os ingleses em relação ao produto. Um diretor inglês de uma fiação de algodão em Oldenburg declara que o trabalho lá é de 5½ da manhã às 8 da noite, inclusive aos sábados, e que os trabalhadores, nesse horário, com supervisores ingleses, não produzem tanto quanto os operários ingleses em 10 horas, e, com supervisores alemães, muito menos. O salário é muito mais baixo que na Inglaterra, caindo em muitos casos a 50%, mas o número de trabalhadores em relação à maquinaria é muito maior, na proporção de 5 para 3, em diversas seções. Redgrave dá informações pormenorizadas e exatas sobre as fábricas têxteis de algodão da Rússia. Forneceu-lhe os dados um gerente inglês que há pouco tempo lá esteve empregado. Nesse solo russo, tão fértil em infâmias de todas as espécies, estão em pleno florescimento os velhos horrores da primeira fase das fábricas inglesas. Os diretores das fábricas russas são, naturalmente, ingleses, uma vez que o capitalista nativo russo não dá para esse tipo de atividade. Apesar do trabalho excessivo, ininterrupto, diurno e noturno, apesar dos miseráveis salários, os produtos russos só conseguem colocação no mercado interno porque é proibida sua importação do estrangeiro. Apresento a seguir um quadro em que Redgrave compara, por país, o número médio de fusos por fábrica e por fiandeiro. Redgrave observa que os dados foram colhidos há alguns anos e que, desde então, aumentaram o tamanho das fábricas e o número de fusos por trabalhador na Inglaterra. No entanto, admite que houve um progresso em igual proporção nos países continentais, de modo que os dados apresentados ainda servem para fins de comparação.

PAÍSES	Nº MÉDIO DE FUSOS POR FÁBRICA
INGLATERRA	12.600
SUÍÇA	8.000
ÁUSTRIA	7.000
SAXÔNIA	4.500
BÉLGICA	4.000
FRANÇA	1.500
RÚSSIA	1.500

O CAPITAL

PAÍSES	Nº MÉDIO DE FUSOS POR TRABALHADOR
FRANÇA	14
RÚSSIA	28
PRÚSSIA	37
BAVIERA	46
ÁUSTRIA	49
BÉLGICA	50
SAXÔNIA	50
ESTADOS ALEMÃS MENORES	55
SUÍÇA	55
GRÃ-BRETANHA	74

"Esta comparação", diz Redgrave, "está apresentada de maneira desfavorável à Grã-Bretanha, onde existe grande número de fábricas nas quais a fiação funciona em conjunto com a tecelagem mecanizada, não tendo sido deduzidos os tecelões nos cálculos feitos. As fábricas estrangeiras, na sua maioria, são apenas de fiação. Se fosse possível comparar estritamente igual, com igual apresentaria muitas fiações de algodão, em meu distrito, nas quais um supervisor e dois auxiliares tomam conta de máquinas de fiar (*pules*) com 2.200 fusos, produzindo por dia 220 libras de fio, com o comprimento de 400 milhas inglesas." (*Reports of Insp. of Fact., 31st Oct. 1866, pp. 31-37 passim.*)

Sabemos que, na Europa Oriental e na Ásia, companhias inglesas se encarregaram de construir ferrovias empregando, ao lado dos trabalhadores nativos, certo número de trabalhadores ingleses. Forçados pela necessidade de levar em conta as diferenças nacionais na intensidade do trabalho, não tiveram nenhum prejuízo com isso. A experiência ensinou-lhes que, se a elevação do salário corresponde mais ou menos à intensidade média do trabalho, o preço relativo do trabalho se move geralmente em sentido inverso.

Em um dos seus primeiros estudos econômicos,[46] H. Carey procura provar que os diferentes salários nacionais guardam entre si a mesma relação que existe entre os diferentes graus de produtividade das jornadas de trabalho nacionais, para extrair dessa relação internacional a conclusão de que o salário geralmente sobe e desce de acordo com a produtividade do trabalho.

---

46 *Essay on the Rate of Wages: with an Examination of the Causes of the Differences in the Conditions of the Labouring Population throughout the World*, Filadélfia, 1835.

DIVERSIDADE ENTRE OS SALÁRIOS DAS NAÇÕES

Toda a nossa análise da produção da mais-valia provaria o absurdo dessa conclusão, que continuaria absurda mesmo que Carey tivesse demonstrado suas premissas, em vez de, à sua moda, amontoar, confusa e profusamente, sem qualquer espírito crítico, material estatístico colhido a esmo. O melhor é que ele não afirma sucederem as coisas na realidade como deveriam suceder, de acordo com sua teoria. Segundo ele, a intervenção do Estado falsificou as relações econômicas naturais. Por isso, é necessário calcular os salários nacionais como se coubesse ao trabalhador a parte deles que vai para o Estado sob a forma de impostos. Não deveria Carey, prosseguindo em suas meditações, propor a si mesmo o problema de saber se esses custos do Estado não são frutos naturais do desenvolvimento capitalista? O tema é adequado para ele, pois proclama as relações da produção capitalista leis eternas da natureza e da razão, cujo funcionamento livre e harmonioso só é perturbado pela intervenção do estado. Mas, a seguir, descobre que a influência diabólica da Inglaterra no mercado mundial – influência que, a seu parecer, não decorre das leis naturais da produção capitalista – torna necessária a intervenção do Estado, isto é, a proteção daquelas leis da natureza e da razão pelo Estado ou, por outra, o sistema protecionista! Ele descobre ainda que os teoremas de Ricardo e de outros, em que se formulam as oposições e contradições socialmente existentes, não constituem ideias resultantes do movimento econômico real, mas, ao contrário, os aspectos opostos existentes na produção capitalista da Inglaterra e de outros países são o resultado das teorias de Ricardo e de outros! Descobre por fim que, em última instância, é o comércio quem destrói as belezas e harmonias inatas do modo capitalista de produção. Um passo mais, e ele descobrirá, talvez, que o único mal da produção capitalista é o próprio capital. Só um homem com essa espantosa falta de senso crítico e com essa pseudossapiência merecia, apesar de sua heresia protecionista, tornar-se o manancial secreto da sabedoria harmônica de um Bastiat e de todos os livre-cambistas panglossianos dos tempos atuais.

SÉTIMA SEÇÃO
ACUMULAÇÃO DE CAPITAL

A conversão de uma soma de dinheiro em meios de produção e força de trabalho é o primeiro passo dado por uma quantidade de valor que vai exercer a função de capital. Essa conversão ocorre no mercado, na esfera da circulação. O segundo passo, o processo de produção, consiste em transformar os meios de produção em mercadoria cujo valor ultrapassa o dos seus elementos componentes, contendo, portanto, o capital que foi desembolsado, acrescido de uma mais-valia. A seguir, essas mercadorias têm, por sua vez, de ser lançadas na esfera da circulação. Importa vendê-las, realizar seu valor em dinheiro, e converter de novo esse dinheiro em capital, repetindo continuamente as mesmas operações. Esse movimento circular que se realiza sempre através das mesmas fases sucessivas constitui a circulação do capital.

A primeira condição da acumulação é o capitalista conseguir vender suas mercadorias e reconverter a maior parte do dinheiro por elas recebido em capital. Doravante, pressupomos que o capital realiza normalmente seu processo de circulação. A análise pormenorizada desse processo ficará para o Livro 2.

O capitalista que produz a mais-valia, isto é, que extrai diretamente dos trabalhadores trabalho não pago, materializando-o em mercadorias, é quem primeiro se apropria dessa mais-valia, mas não é o último proprietário dela. Tem de dividi-la com capitalistas, que exercem outras funções no conjunto da produção social, com os proprietários de terras etc. A mais-valia se fragmenta, assim, em diversas partes. Suas frações cabem a diferentes categorias de pessoas e recebem, por isso, formas diversas, independentes entre si, tais como lucro, juros, ganho comercial, renda da terra etc. Essas formas a que se converte a mais-valia serão estudadas no Livro 3.

Por ora, pressupomos que o capitalista que produz a mercadoria vende-a pelo seu valor, sem nos preocuparmos em analisar sua volta ao mercado, ou as novas formas que o capital assume na esfera da circulação, ou as condições concretas da reprodução ocultas nessas formas. Pressupomos ainda que o produtor capitalista é o proprietário de toda a mais-valia ou o representante de todos os que participam com ele do butim. Encaramos a acumulação, de início, de um ponto de vista abstrato, como simples fase do processo imediato de produção.

Quando ocorre de fato a acumulação, é porque o capitalista conseguiu vender a mercadoria produzida e reconverter o dinheiro recebido em capital. Além disso, o fracionamento da mais-valia em diversas partes em nada muda a natureza dela nem as condições necessárias em que ela se torna fator de acumulação. Qualquer que seja a proporção da mais-valia que o produtor capitalista conserve para si mesmo ou ceda a outrem, é sempre ele quem dela primeiro se apropria. Nossos pressupostos para o estudo da acumulação constituem, portanto, pressupostos do processo real de acumulação. Por outro lado, o fracionamento da mais-valia e a circulação que serve de veículo à acumulação obscurecem a forma fundamental do processo de acumulação. A análise do processo em sua pureza exige, por isso, que se ponham de lado todos os fenômenos que dissimulam o funcionamento interno do seu mecanismo.

XXI.
Reprodução simples

Qualquer que seja a forma social do processo de produção, tem este de ser contínuo ou de percorrer, periódica e ininterruptamente, as mesmas fases. Uma sociedade não pode parar de consumir nem de produzir. Por isso, todo processo social de produção, encarado em suas conexões constantes e no fluxo contínuo de sua renovação, é, ao mesmo tempo, processo de reprodução.

As condições da produção são simultaneamente às da reprodução. Nenhuma sociedade pode produzir continuamente, isto é, reproduzir, sem reconverter, de maneira constante, parte de seus produtos em meios de produção ou elementos da produção nova. Permanecendo invariáveis as demais condições, só pode reproduzir ou manter sua riqueza no mesmo nível substituindo durante o ano, por exemplo, os meios de produção consumidos, isto é, instrumental de trabalho, matérias-primas e substâncias acessórias, por quantidade igual de artigos da mesma espécie, separados da produção anual e incorporados ao processo de produção que continua. Determinada parte do produto anual pertence, portanto, à produção. Destinada, desde a origem, ao consumo produtivo, essa parte possui formas que, em regra, tornam-na inteiramente inadequada ao consumo individual.

Se a produção tem a forma capitalista, também a terá a reprodução. No modo capitalista de produção, o processo de trabalho é apenas um meio de criar valor; analogamente, a reprodução é apenas um meio de reproduzir o valor antecipado como capital, isto é, como valor que se expande. Uma pessoa só assume a feição econômica de capitalista quando seu dinheiro funciona continuamente como capital. Se, por exemplo, no corrente ano, transforma 100 libras esterlinas em capital e produz 20 de mais-valia, terá, no próximo ano e nos subsequentes, de repetir a mesma operação. Como acréscimo periódico ao valor do capital, ou fruto periódico do capital em movimento, a mais-valia toma a forma de um rendimento que tem sua origem no capital.[1]

Se o capitalista só utiliza esse rendimento para consumo, gastando-o no mesmo período em que o ganha, ocorrerá então, não se alterando as demais circunstâncias, reprodução simples. Embora esta seja mera repetição do processo de produção na mesma escala, essa mera repetição ou continuidade

---

1 "Os ricos que consomem os produtos do trabalho dos outros recebem esses produtos por meio de troca (compras de mercadorias). Parecem, por isso, expostos a esgotar logo seus fundos de reserva. […] Mas, na ordem social, a riqueza adquiriu a propriedade de se reproduzir através do trabalho alheio. […] A riqueza, como o trabalho e por meio do trabalho, proporciona uma receita anual que pode ser destruída todo ano, sem que o rico empobreça. Essa receita é o rendimento que nasce do capital." (Sismondi, *Nouv. princ. d'écon. pol.*, t. I, pp. 81-82.)

O CAPITAL

imprime ao processo certos caracteres novos ou, antes, faz desaparecerem os caracteres aparentes que apresentava em sua ocorrência isolada.

O processo de produção se inicia com a compra da força de trabalho por determinado tempo, e esse começo se renova sempre que se extingue o prazo estipulado, tendo decorrido, assim, determinado período de produção, semana, mês etc. Mas o trabalhador só é pago depois de ter empregado sua força de trabalho e depois de se terem materializado nas mercadorias o valor dessa força e a mais-valia. Assim, produziu ele a mais-valia, provisoriamente considerada o fundo de consumo do capitalista, além de produzir o fundo para seu próprio pagamento, o capital variável, antes de este chegar às suas mãos sob a forma de salário. E só terá emprego enquanto reproduzir continuamente esse capital variável. Daí inferiram os economistas a fórmula II, apresentada no capítulo XVI, a qual apresenta o salário como participação no próprio produto.[2] O que vai para o trabalhador sob a forma de salário é uma parte do produto por ele constantemente reproduzido. Na verdade, o capitalista paga-lhe em dinheiro, mas esse dinheiro não é mais do que a forma na que se converte o produto do trabalho, ou, mais precisamente, uma parte dele. Enquanto o trabalhador transforma meios de produção em produto, seu produto anterior no mercado se transforma em dinheiro. É com o trabalho da semana anterior ou do semestre precedente que se paga o trabalho de hoje ou do semestre em curso. A ilusão gerada pela forma dinheiro desaparece logo que se consideram a classe capitalista e a classe trabalhadora, e não o capitalista e o trabalhador isoladamente. A classe capitalista dá constantemente à classe trabalhadora, sob a forma de dinheiro, letras que a habilitam a receber parte do produto que produziu e do qual aquela se apoderou. Mas o trabalhador devolve continuamente essas letras à classe capitalista, para receber a parte do produto dele mesmo, que lhe é atribuída. A forma mercadoria do produto e a forma dinheiro da mercadoria dissimulam a operação.

O capital variável, portanto, é uma forma histórica particular em que aparece o fundo dos meios de subsistência ou o fundo do trabalho, do qual precisa o trabalhador para manter-se e reproduzir-se e que ele mesmo tem de produzir e reproduzir em todos os sistemas de produção social. Esse fundo flui continuamente para ele sob a forma de meios de pagamento de

---

2 "Lucros e salários devem ser considerados partes do produto acabado." (Ramsay, *loc. cit.*, p. 142.) "A parte do produto que cabe ao trabalhador sob a forma de salário etc." J. Mill, *Eléments* etc., tradução de Parisot, Paris, 1823, pp. 33-34.)

REPRODUÇÃO SIMPLES

seu trabalho, pois seu próprio produto se afasta sempre dele sob a forma de capital. Mas a forma sob que aparece o fundo em nada altera a circunstância de o capitalista antecipar ao trabalhador o que já é, na realidade, trabalho materializado por este.[3] Vejamos o caso de um camponês no sistema feudal. Trabalha com seus próprios instrumentos de produção, em sua própria terra, digamos, 3 dias, por semana. Os outros 3 dias trabalha como servo, na terra senhorial. Reproduz constantemente seu próprio fundo de trabalho, e este nunca assume, para ele, a forma de meio de pagamento desembolsado por outra pessoa, em troca de seu trabalho. Em compensação, seu trabalho compulsório e gratuito nunca toma a forma de trabalho voluntário e pago. Se o senhor se apoderasse do campo, dos animais, sementes, enfim, dos meios de produção do servo, daí em diante este teria de vender-lhe a própria força de trabalho. Não se alterando as demais condições, teria de continuar trabalhando 6 dias na semana, 3 dias para si mesmo e 3 dias para o senhor transformado em capitalista. Continuaria utilizando os meios de produção e transferindo seu valor ao produto. Uma parte determinada do produto continuaria sendo utilizada na reprodução. Ao tomar o trabalho do servo a forma de trabalho assalariado, o fundo de trabalho que continua sendo produzido e reproduzido pelo camponês toma a forma de um capital desembolsado a seu favor pelo patrão. O economista burguês, cujo cérebro limitado não sabe distinguir entre a forma aparente e o que nela se oculta, fecha os olhos ao fato de constituir ainda hoje exceção o fundo de trabalho sob a forma de capital, se consideramos todo o mundo habitado.[4]

É verdade que o capital variável só perde a significação de um valor retirado do próprio fundo do capitalista,[4a] quando observamos o processo de produção capitalista no fluxo contínuo de sua renovação. Esse processo, porém, tem de começar num ponto qualquer do espaço e do tempo. Olhando as coisas da posição a que chegamos, parece provável que o capitalista, numa dada ocasião, tornou-se possuidor de dinheiro, em virtude de uma

---

3 "Quando se emprega capital para adiantar salários aos trabalhadores, nada é adicionado ao fundo para manutenção do trabalho." (Cazenove, em nota na sua ed. de Malthus, *Definitions in Polit. Econ.*, Londres, 1853, p. 22.)

4 "Menos de um quarto dos trabalhadores que existem na superfície da Terra se enquadra no regime de salários que são desembolsados pelos capitalistas." (Richard Jones, *Textbook of Lectures on the Polit. Economy of Nations*, Hertford, 1852, p. 36.)

4a "Embora o trabalhador da manufatura tenha seu salário antecipado pelo patrão, não tem este, na realidade, nenhuma despesa, uma vez que o valor dos salários, com um lucro, se reconstitui usualmente no valor aumentado do objeto a que foi aplicado o trabalho." (A. Smith, *loc. cit.*, Livro II, Cap. III, p. 355.)

O CAPITAL

acumulação primitiva, independentemente de trabalho alheio não pago, e, por isso, pode ir ao mercado para comprar força de trabalho. Mas, de qualquer modo, a simples continuidade do processo de produção capitalista, ou a simples reprodução, opera outras mudanças extraordinárias que atingem não só a parte variável do capital, mas também o capital por inteiro.

Se a mais-valia anualmente produzida por um capital de 1.000 libras esterlinas for de 200 libras esterlinas, e se toda a mais-valia for consumida durante um ano, é claro que, após a repetição do mesmo processo durante cinco anos, a soma da mais-valia consumida = 5 x 200, ou igual ao valor do capital primitivamente desembolsado, de 1.000 libras. Se a mais-valia anual só fosse consumida parcialmente, digamos, pela metade, ter-se-ia, no fim de uma década, o mesmo resultado, pois 10 x 100 = 1.000. Regra geral: o valor do capital antecipado dividido pela mais-valia consumida anualmente dá o número de anos ou o número de períodos de reprodução, ao fim dos quais o capital originalmente antecipado pelo capitalista é consumido, desaparecendo, portanto. A crença do capitalista de que consome o produto do trabalho alheio não pago, a mais-valia, e conserva o valor primitivo do capital em nada altera a realidade dos fatos. Após o decurso de certo número de anos, o valor do capital por ele possuído é igual à soma da mais-valia de que se apropriou no mesmo número de anos, sem compensá-la por um equivalente, e a soma de valor que consumiu é igual ao valor primitivo do capital. Na verdade, conserva um capital cuja magnitude não se modificou, do qual uma parte – edifícios, máquinas etc. – já existia quando iniciou o negócio. Mas trata-se agora do valor do capital, e não de seus componentes materiais. Quando alguém consome todo o seu patrimônio assumindo dívidas no mesmo valor desse patrimônio, é claro que este passa a representar apenas o valor global de suas dívidas. Do mesmo modo, quando o capitalista consumiu o equivalente do capital que desembolsou, o valor desse capital representa apenas a soma global da mais-valia de que se apoderou gratuitamente. Não subsiste mais nenhum átomo de valor do capital antigo.

Pondo-se de lado a acumulação propriamente dita, a mera continuidade do processo de produção, isto é, a reprodução simples transforma necessariamente qualquer capital, após um período mais ou menos longo, em capital acumulado ou mais-valia capitalizada. Se o capital, ao ser empregado no processo de produção, era produto do trabalho de seu investidor, torna--se ele, mais cedo ou mais tarde, valor adquirido sem equivalente, ou materialização, em dinheiro ou em outra forma, de trabalho alheio não pago.

REPRODUÇÃO SIMPLES

No Capítulo IV, vimos que, para transformar dinheiro em capital, não basta a existência da produção e da circulação de mercadorias. É necessário haver antes, de um lado, possuidor de valor ou de dinheiro e, do outro, possuidor da substância criadora de valor; de um lado, possuidor dos meios de produção e dos meios de subsistência e, do outro, possuidor apenas da força de trabalho, tendo ambos de se encontrar como comprador e vendedor. A separação entre o produto do trabalho e o próprio trabalho, entre as condições objetivas do trabalho e a força subjetiva do trabalho, é, portanto, o fundamento efetivo, o ponto de partida do processo de produção capitalista.

Mas o que no início é apenas ponto de partida torna-se, em virtude da mera continuidade do processo, a reprodução simples, o resultado peculiar, constantemente renovado e perpetuado, da produção capitalista. Por um lado, o processo de produção transforma continuamente a riqueza material em capital, em meio de expandir valor e em objetos de fruição do capitalista. Por outro lado, o trabalhador sai sempre do processo como nele entrou, fonte pessoal da riqueza, mas desprovido de todos os meios para realizá-la em seu proveito. Uma vez que, antes de entrar no processo, aliena seu próprio trabalho, que se torna propriedade do capitalista e se incorpora ao capital, seu trabalho durante o processo se materializa sempre em produtos alheios. Sendo o processo de produção, ao mesmo tempo, processo de consumo da força de trabalho pelo capitalista, o produto do trabalhador transforma-se continuamente não só em mercadoria, mas em capital, em valor que suga a força criadora de valor, em meios de subsistência que compram pessoas, em meios de produção que utilizam os produtores.[5] O próprio trabalhador produz, por isso, constantemente, riqueza objetiva, mas, sob a forma de capital, uma força que lhe é estranha o domina e explora, e o capitalista produz também constantemente a força de trabalho, mas sob a forma de uma fonte subjetiva de valor, separada dos objetos sem os quais não se pode realizar, abstrata, existente apenas na individualidade do trabalhador, em suma, o capitalista produz o trabalhador sob a forma de trabalhador assalariado.[6]

---

5 "O consumo produtivo tem essa notável e peculiar propriedade: o que é consumido produtivamente é capital, e torna-se capital através do consumo." (James Mill, *loc. cit.*, p. 242.) J. Mill, entretanto, não investiga "essa notável e peculiar propriedade".

6 "É incontestável que muitos pobres obtêm emprego quando se estabelece pela primeira vez uma manufatura, mas eles permanecem pobres, e a continuação dela faz muitos pobres." (*Reasons for a Limited Exportation of Wool*, Londres, 1677, p. 19.) "Ao arrendatário, afirma agora, absurdamente, que mantém os pobres. A realidade é que os pobres são mantidos na miséria." (*Reasons for the Late Increase of the Poor Rates: or a Comparative View of the Prices of Labour and Provisions*, Londres, 1777, p. 31.)

O CAPITAL

Essa reprodução constante, essa perpetuação do trabalhador é a condição necessária da produção capitalista.

O trabalhador realiza dois tipos de consumo. Na produção, consome meios de produção com seu trabalho e transforma-os em produtos de valor maior que o desembolsado pelo capital. Este é o consumo produtivo. Ele é, ao mesmo tempo, consumo de sua força de trabalho pelo capitalista que a comprou. Por outro lado, o trabalhador emprega o dinheiro pago para a compra da força de trabalho em meios de subsistência: este é seu consumo individual. O consumo produtivo e o individual do trabalhador são, portanto, totalmente diversos. No primeiro, opera como força propulsora do capital e pertence ao capitalista; no segundo, pertence a si mesmo e realiza funções vitais fora do processo de produção. O resultado de um é a vida do capitalista, e o do outro é a vida do próprio trabalhador.

Quando estudamos a jornada de trabalho, vimos que o trabalhador é às vezes forçado a tornar seu consumo individual mero incidente do processo de produção. Nesse caso, supre a si mesmo meios de subsistência, para manter sua força de trabalho em funcionamento, do mesmo modo que se fornecem carvão e água à máquina e óleo à roda. Os meios de consumo do trabalhador passam então a ser simples meios de consumo de um meio de produção, e seu consumo individual, consumo diretamente produtivo. Mas isto é um abuso que não parece ser inerente ao processo capitalista de produção.[7]

A coisa muda de aspecto quando consideramos não o capitalista e o trabalhador isolados, mas a classe capitalista e a classe trabalhadora; não o processo de produção isolado, mas o processo de produção capitalista em sua continuidade e em toda a sua extensão social. Quando o capitalista transforma parte de seu capital em força de trabalho, aumenta ele o valor do seu capital global. Com uma cajadada, mata dois coelhos. Lucra não só com o que recebe do trabalhador, mas também com o que lhe dá. O capital que fornece em troca da força de trabalho se converte em meios de subsistência, cujo consumo serve para reproduzir músculos, nervos, ossos e cérebro do trabalhador existente e para gerar novos trabalhadores. Dentro dos limites do absolutamente necessário, o consumo individual da classe trabalhadora, portanto, transforma os meios de subsistência, proporcionados pelo capital em troca de força de trabalho, em nova força de trabalho explorável pelo capital, produção e reprodução do meio de produção mais

---

7 Rossi não declamaria tanto contra isso, se tivesse penetrado realmente no segredo do "consumo produtivo".

REPRODUÇÃO SIMPLES

imprescindível ao capitalista, o próprio trabalhador. O consumo individual do trabalhador constitui fator da produção e reprodução do capital, processe-se dentro ou fora da oficina, da fábrica etc., dentro ou fora do processo de trabalho, do mesmo modo que a limpeza da máquina, ocorra ela no processo de produção ou em determinadas pausas. Pouco importa que o trabalhador realize seu consumo individual tendo em vista sua própria satisfação, e não a do capitalista. As bestas de carga saboreiam o que comem, mas seu consumo não deixa, por isso, de ser um elemento necessário do processo de produção. A conservação, a reprodução da classe trabalhadora, constitui condição necessária e permanente da reprodução do capital. O capitalista pode tranquilamente deixar o preenchimento dessa condição por conta dos instintos de conservação e de perpetuação dos trabalhadores. Sua verdadeira preocupação é restringir ao estritamente necessário o consumo individual dos trabalhadores, e está muito longe de imitar aqueles bárbaros sul-americanos que obrigam o trabalhador a substituir na sua alimentação o menos substancial pelo mais substancial.[8]

Por isso, o capitalista e seu ideólogo, o economista político, só consideram produtiva a parte do consumo individual do trabalhador necessária para perpetuar a classe trabalhadora, tendo, portanto, de ser realizada, a fim de que o capital possa consumir força de trabalho; o que o trabalhador vier a consumir, além disso, para seu próprio prazer, é consumo improdutivo.[9] Se a acumulação do capital causar uma elevação do salário e, em consequência, aumentar o consumo do trabalhador, sem consumo adicional de força de trabalho pelo capital, o capital suplementar seria consumido improdutivamente.[10] Na realidade, o consumo individual do trabalhador é, para ele mesmo, improdutivo, por isso reproduz o indivíduo necessitado; é produtivo para o capitalista e para o Estado, pois constitui a produção da força que cria a riqueza alheia.[11]

---

8 "Nas minas da América do Sul, a atividade diária dos trabalhadores (talvez a mais pesada do mundo) consiste em carregar sobre os ombros minério com peso de 180 a 200 libras, de uma profundidade de 450 pés para a superfície do solo. Vivem apenas de pão e feijão. Prefeririam alimentar-se apenas de pão, mas seus senhores verificaram que o rendimento de tão pesado trabalho é menor com a alimentação exclusiva de pão, e tratam os trabalhadores como cavalos, forçando-os a comerem feijão. O feijão é muito mais rico em fosfato de cal do que o pão." (Liebig, *loc. cit.*, Primeira Seção, p. 194, nota.)

9 James Mill, *loc. cit.*, pp. 238 e segs.

10 "Se o preço do trabalho sobe tanto que, apesar do acréscimo de capital, não se consegue empregar mais trabalho, diria que esse acréscimo de capital é consumido improdutivamente." (Ricardo, *loc. cit.*, p. 163.)

11 "O único consumo produtivo no verdadeiro sentido da palavra é o consumo ou a destruição da riqueza [refere-se aos meios de produção] pelo capitalista, tendo em vista a reprodução. [...] O trabalhador [...] é um consumidor produtivo para a pessoa que o emprega e para o Estado, mas não para ele mesmo, estritamente falando." (Malthus, *Definitions* etc., p. 30.)

O CAPITAL

Do ponto de vista social, portanto, a classe trabalhadora, mesmo quando não está diretamente empenhada no processo de trabalho, é um acessório do capital, do mesmo modo que o instrumental inanimado de trabalho. Dentro de certos limites, mesmo seu consumo individual não passa de um elemento do processo de reprodução do capital. Mas o processo procura evitar que lhe escapem esses instrumentos conscientes da produção, carreando continuamente o que produzem para o polo oposto do capital. O consumo individual assegura a conservação e reprodução dos trabalhadores e, destruindo os meios de subsistência, o contínuo reaparecimento dos trabalhadores no mercado de trabalho. O escravo romano era preso por grilhões; o trabalhador assalariado está preso a seu proprietário por fios invisíveis. A ilusão de sua independência se mantém pela mudança contínua dos seus patrões e com a ficção jurídica do contrato.

Antes, o capital recorria à coação legal, quando lhe parecia necessário, para impor seus direitos de propriedade sobre o trabalhador livre. Assim, por exemplo, foi proibida na Inglaterra, até 1815, a emigração de mecânicos, sob pena de punições severas.

A reprodução da classe trabalhadora envolve ao mesmo tempo a transferência e a acumulação da habilidade, de uma geração para outra.[12] O capitalista considera a existência de uma classe trabalhadora dotada de habilidade entre as condições de produção que lhe pertencem; vê nela a existência real de seu capital variável. É o que se comprova quando uma crise traz-lhe a ameaça de perdê-la. Com a Guerra Civil americana e a crise de algodão que a acompanhou, foi lançada à rua, conforme é notório, a maioria dos trabalhadores têxteis de Lancashire etc. Do seio da própria classe trabalhadora e de outras camadas sociais levantou-se o clamor pela proteção do Estado e por uma subscrição nacional voluntária, a fim de possibilitar a emigração dos trabalhadores supérfluos para as colônias inglesas ou para os Estados Unidos. O *Times* publicou, em 24 de março de 1863, uma carta de Edmund Potter, ex-presidente da Câmara de Comércio de Manchester. Na Câmara dos Comuns, sua carta foi considerada "o manifesto dos fabricantes".[13]

---

12 "A única coisa da qual se pode dizer que foi acumulada e preparada de antemão é a habilidade do trabalhador. [...] A acumulação e o armazenamento do trabalho qualificado, essa importantíssima operação, no tocante à grande massa dos trabalhadores, é levada a cabo sem a ajuda de qualquer capital." (Hodgskin, *Labour Defended* etc., pp. 12-13.)

13 "Essa carta pode ser considerada o manifesto dos fabricantes." (Ferrand, Moção sobre a crise de algodão, sessão da Câmara dos Comuns, de 27 de abril de 1863.)

REPRODUÇÃO SIMPLES

Reproduzimos alguns trechos característicos, em que se expressa, sem rebuços, o direito de propriedade do capital sobre a força de trabalho.

> "Pode-se dizer aos trabalhadores de algodão que são demais no mercado [...] que seu número deve ser talvez reduzido de um terço, quando se estabeleceria uma procura sadia para os dois terços restantes. [...] A opinião pública clama pela emigração. [...] O patrão não pode ver com boa vontade uma remoção de sua força de trabalho; pode considerá-la um erro e uma injustiça. [...] Se a emigração é apoiada com recursos oficiais, tem o patrão o direito de ser ouvido e talvez de protestar."

Potter discorreu sobre a utilidade da indústria têxtil algodoeira, que "drenou, sem dúvida, a população da Irlanda e dos distritos agrícolas ingleses"; sobre sua enorme extensão; sobre sua participação de ½ em toda a exportação inglesa, em 1860; sobre sua expansão nos próximos anos com a ampliação do mercado, especialmente o da Índia e sobre a obtenção de uma suficiente "oferta de algodão, a 6 pence a libra-peso". E prossegue:

> "O tempo, um, dois, três anos talvez, produzirá a quantidade necessária. [...] Perguntaria então: vale a pena manter essa indústria? Vale a pena conservar em ordem a maquinaria [as máquinas de trabalho vivas], e não será a maior loucura pensar em jogá-la fora? Penso que sim. Admito que os trabalhadores não são uma propriedade que pertença a Lancashire e ao patrão; mas eles são a força de ambos; são a força mental e treinada que não pode ser substituída numa geração; a outra maquinaria, entretanto, com que trabalham, poderia ser substituída em grande parte, com vantagem, e ainda aperfeiçoada em doze meses.[14] Que será do capitalista se a emigração da força de trabalho for encorajada ou permitida?"

Esse grito do fundo do coração nos lembra Kalb,[I] marechal da corte, em pânico diante da possibilidade de perder o bem-bom.

---

14 Não nos esqueçamos de que o capital, em circunstâncias ordinárias, fala outra linguagem quando se trata de reduzir salários. Então os patrões são unânimes em declarar (vide p. 484, nota 188): "Os trabalhadores das fábricas deveriam lembrar-se, agradecidos, de que seu trabalho é de baixa qualificação, não havendo nenhum outro mais fácil de ser adquirido ou mais bem-remunerado, considerada sua qualidade; nem mais fácil de ser aprendido pelo menos experimentado e pelo maior número. A maquinaria do patrão (que, conforme acabamos de ouvir, pode ser substituída e aperfeiçoada com vantagem em doze meses) desempenha de fato na atividade da produção papel muito mais importante que o trabalho e a habilidade do trabalhador (que agora não se pode obter em 30 anos), que se pode adquirir em 6 meses de instrução e está ao alcance de qualquer braceiro do campo."

I Personagem de Schiller, em *Kabale und Liebe*.

O CAPITAL

"[...] Tirai a nata dos trabalhadores, e o capital fixo se depreciará grandemente, e o capital de giro não se exporá à luta com a pequena oferta de trabalho de qualidade inferior. [...] Dizem que os próprios trabalhadores desejam a emigração. É natural que assim seja. [...] Se reduzirdes, se comprimirdes o ramo têxtil algodoeiro, tirando-lhe sua força de trabalho, diminuindo de $^1/_3$, digamos, seu dispêndio em salários, ou seja, de 5 milhões de libras, que será da classe que vem imediatamente acima dos trabalhadores, os pequenos merceeiros? Que ocorreria com a renda da terra, com o aluguel que os trabalhadores pagam para morar? [...] Com o pequeno arrendatário, com os melhores chefes de família e com o proprietário de terras? Haveria algum plano que fosse, para todas as classes do país, mais suicida do que esse de enfraquecer a nação, exportando seus melhores operários e depreciando parte de seu capital mais produtivo e de sua riqueza? [...] Sugiro um empréstimo de 5 a 6 milhões de libras esterlinas, repartindo-se por 2 ou 3 anos, administrado por comissários especiais, que funcionariam junto à administração de assistência aos pobres nos distritos têxteis algodoeiros, de acordo com uma regulamentação legal específica que estabelecesse trabalho compulsório, para manter o moral dos beneficiários do empréstimo. [...] Pode acontecer algo pior ao proprietário de terras ou ao patrão do que perder seus melhores trabalhadores e ver os restantes desmoralizados e frustrados por uma tensa emigração despovoante e por uma exaustão de valores e de capital em toda uma região?"

Potter, o porta-voz da indústria têxtil algodoeira, distingue duas espécies de maquinaria que pertencem ao capitalista: uma fica na fábrica; a outra fica fora dela à noite e aos domingos, em seus casebres. Uma é inanimada; a outra tem vida. A maquinaria inanimada deteriora-se e deprecia-se cada dia, mas, além disso, grande parte dela se torna obsoleta tão rapidamente, com o contínuo progresso técnico, que ela pode ser substituída vantajosamente, e em poucos meses, por nova maquinaria. A maquinaria viva, ao contrário, melhora à medida que dura, quanto mais acumula a habilidade de gerações. Retrucando a esse magnata da indústria, afirma o *Times*:

"O Sr. Edmund Potter está tão impressionado com a importância excepcional e suprema dos industriais de algodão que, para manter essa classe e perpetuar seu negócio, quer encerrar meio milhão de trabalhadores, contra a própria vontade, num asilo de trabalho que manterá o moral deles. 'Vale a pena manter essa indústria?', pergunta ele. 'Sem dúvida, por todos os meios honestos', respondemos. O Sr. Potter faz outra pergunta: 'Vale a pena manter a maquinaria

REPRODUÇÃO SIMPLES

em ordem?' Aí hesitamos. Por maquinaria, o Sr. Potter entende a maquinaria humana, assegurando não pretender considerá-la propriedade absoluta. Temos de confessar que achamos não valer a pena nem mesmo ser possível conservar a maquinaria humana em ordem, isto é, aprisioná-la e lubrificá-la até precisar-se dela. A maquinaria humana tem a propriedade de enferrujar na inatividade, por mais lubrificada e polida que seja. Além disso, a maquinaria humana, conforme acabamos de aprender, é capaz de aumentar a pressão do vapor, por impulso próprio, e estourar ou lançar-se furiosamente à destruição em nossas grandes cidades. Conforme diz o Sr. Potter, pode ser necessário algum tempo para reproduzir os trabalhadores, mas, com maquinistas e capitalistas à mão, encontraremos sempre homens econômicos, duros, industriosos para transformar de improviso em chefes de fábrica, numa quantidade maior do que a que poderemos precisar em qualquer ocasião. [...] O Sr. Potter fala de uma reanimação da indústria em um, dois, três anos e exige que não se estimule nem se permita a emigração da força de trabalho. Diz ser natural que os trabalhadores desejem emigrar; mas pensa que, apesar desse desejo, a nação deve manter esse meio milhão de trabalhadores com 700.000 dependentes confinados nos distritos têxteis algodoeiros; e, como consequência necessária, deve, naturalmente, achar que cabe à nação reprimir o descontentamento dos trabalhadores pela força e sustentá-las com esmolas, até o dia em que os patrões venham a precisar deles. [...] Chegou a hora em que a grande opinião pública destas ilhas tem de fazer alguma coisa para salvar essa força de trabalho daqueles que querem tratá-la como tratam carvão, ferro e algodão."[15]

O artigo do *Times* teve apenas a repercussão de seu brilho. O "grande público" achou, na realidade, de acordo com Potter, que os trabalhadores fabris já eram parte dos móveis das fábricas. A emigração dos trabalhadores foi impedida. Foram confinados, nesse asilo moral de trabalho, os distritos algodoeiros, e continuam a constituir "a força dos patrões da indústria têxtil algodoeira de Lancashire".[16]

---

15 *Times*, 24 de março de 1863.

16 O Parlamento não votou nenhum recurso para a emigração. Em compensação, promulgou leis que capacitaram as municipalidades a manter os trabalhadores entre a vida e a morte ou a explorá-los, sem pagar-lhes salários normais. Entretanto, três anos mais tarde, quando uma epidemia atacou o gado, o Parlamento violentou suas praxes e votou, num instante, milhões para indenizar os milionários proprietários das terras, cujos arrendatários conseguiram evitar prejuízos recorrendo apenas à elevação do preço da carne. Os mugidos bestiais dos proprietários das terras, ao abrir-se o Parlamento de 1866, demonstram que um ser humano pode adorar a vaca Sabala, sem ser hindu, e pode transformar-se em boi, sem ser Júpiter.

O CAPITAL

Com o próprio funcionamento, o processo capitalista de produção reproduz, portanto, a separação entre a força de trabalho e as condições de trabalho, perpetuando, assim, as condições de exploração do trabalhador. Compele sempre o trabalhador a vender sua força de trabalho para viver, e capacita sempre o capitalista a comprá-la, para enriquecer-se.[17] Não é mais o acaso que leva o trabalhador e o capitalista a se encontrarem no mercado, como vendedor e comprador. É o próprio processo que, continuamente, lança o primeiro como vendedor de sua força de trabalho no mercado e transforma seu produto em meio que o segundo utiliza para comprá-lo. Na realidade, o trabalhador pertence ao capital antes de vender-se ao capitalista. Sua servidão econômica[18] se concretiza e se dissimula, ao mesmo tempo, pela venda periódica de si mesmo, pela sua troca de patrões e pelas oscilações do preço do trabalho no mercado.[19]

A produção capitalista, encarada como um todo, ou como processo de reprodução, produz não só mercadoria, não só mais-valia; produz e reproduz a relação capitalista: de um lado, o capitalista e do outro, o assalariado.[20]

---

17 "O trabalhador precisava de meios de subsistência, para viver; o patrão precisava de trabalho, para ganhar." (Sismondi, *loc. cit.*, p. 91.)

18 No condado de Durham, existe uma forma rústica e grosseira dessa servidão. É um dos poucos condados em que as circunstâncias não asseguram ao proprietário direito incontestado de propriedade sobre os jornaleiros agrícolas. A indústria de mineração deixa a estes uma margem de escolha. Contrariando a regra, o empresário agrícola, nesse condado, só arrenda terras que tenham habitações para os trabalhadores. O aluguel do casebre constitui parte do salário. Chamam a esses casebres de "*hind's houses*". São alugados aos trabalhadores sob certas obrigações feudais, sob um contrato que tem o nome de "*bondage*" (servidão), e obriga o trabalhador, por exemplo, a colocar sua filha etc. em seu lugar, enquanto estiver trabalhando noutra parte. O próprio trabalhador é chamado de servo. Esse sistema de relação mostra, sob um aspecto inteiramente novo, como o consumo individual do trabalhador se torna consumo em favor do capital ou consumo produtivo: "É interessante observar que até as dejeções do servo fazem parte das prerrogativas do amo calculista. [...] O arrendatário não permite a existência de nenhuma privada, a não ser a sua, em toda a vizinhança, e a esse respeito não permite nenhum arranhão em seus direitos suseranos." (*Public Health. VII Rep.*, 1864 p. 188.)

19 Não esqueçamos que desaparece, no trabalho das crianças etc., a formalidade de o trabalhador realizar sua própria venda.

20 "O capital pressupõe o trabalho assalariado, e o trabalho assalariado pressupõe o capital. Eles se condicionam e se reproduzem, reciprocamente. Numa fábrica têxtil algodoeira, produz o trabalhador apenas artigos de algodão? Não, ele produz capital. Produz valores que servem de novo para comandar seu trabalho e para criar, através deles mesmos, novos valores." (Karl Marx, *Lohnarbeit und Kapital* em *N* [*eue*] *Rh* [*einische*] nº 266, 7 de abril de 1849.) Os artigos publicados sob esse título na *N. Rh. Z.*, tirei-os das palestras que fiz sobre o tema em 1847, na Associação dos Trabalhadores Alemães, em Bruxelas, e cuja impressão foi interrompida pela revolução de fevereiro.

XXII.
Transformação da mais-valia em capital

1. A REPRODUÇÃO AMPLIADA. TRANSMUTAÇÃO DO DIREITO DE PROPRIEDADE DA PRODUÇÃO MERCANTIL EM DIREITO DE PROPRIEDADE CAPITALISTA

Vimos como a mais-valia se origina do capital e veremos agora como o capital nasce da mais-valia. Aplicação de mais-valia como capital ou conversão de mais-valia em capital é o que se chama de acumulação de capital.[21]

Primeiro, examinemos essa operação do ponto de vista de um capitalista isolado. Um empresário de fiação, por exemplo, adiantou um capital de 10.000 libras esterlinas, quatro quintos das quais em algodão, máquinas etc. e um quinto em salários. Em consequência, produz por ano 240.000 libras-peso de fios, no valor de 12.000 libras esterlinas. Admitindo-se uma taxa de mais-valia de 100%, a mais-valia se corporifica no produto excedente ou produto líquido de 40.000 libras-peso de fio, a sexta parte do produto bruto, a qual tem um valor de 2.000 libras esterlinas, a ser realizado através da venda. Uma soma de 2.000 libras esterlinas é sempre uma soma de 2.000 libras esterlinas. Podemos cheirá-la e examiná-la e não descobriremos nela a mais-valia. Quando sabemos que determinado valor é mais-valia, sabemos como chegou às mãos de seu possuidor, mas isso em nada altera a natureza do valor ou do dinheiro.

Para transformar a quantia adicional de 2.000 libras esterlinas em capital, o empresário de fiação, não se alterando as demais condições, desembolsará quatro quintos dela para comprar algodão etc. e um quinto para comprar novos fiandeiros, que encontrarão no mercado os meios de subsistência cujo valor o patrão lhes adiantou. Então, funciona na fiação o novo capital de 2.000 libras esterlinas e produz, por sua vez, uma mais-valia de 400 libras esterlinas.

O valor do capital foi desembolsado originalmente sob a forma de dinheiro; a mais-valia, ao contrário, existe, em sua origem, como valor de determinada parte do produto bruto. Se este é vendido, transformado em dinheiro, o valor do capital readquire sua forma primitiva, e a mais-valia muda sua forma primitiva de existência. A partir desse momento, o valor do capital e a mais-valia são quantias de dinheiro e se opera do mesmo modo sua conversão ulterior em capital. O capitalista emprega ambas as

---

21 "Acumulação do capital: emprego de uma parte da renda como capital." (Malthus, *Definitions* etc., ed. Cazenove, p. 11.) "Transformação de renda em capital." (Malthus, *Princ. of Pol. Econ.*, 2ª ed, Londres, 1836, p. 320.)

quantias na compra de mercadorias que o capacitam a recomeçar a fabricação de seu artigo e, desta vez, em escala ampliada. Mas, para comprar essas mercadorias, tem de encontrá-las no mercado.

Seus fios só circulam porque ele, como fazem todos os capitalistas, lança no mercado sua produção anual. Mas, antes de chegarem ao mercado, as mercadorias já faziam parte do fundo anual de produção, isto é, da massa global de objetos de todas as espécies em que se transformara, no curso do ano, a soma de todos os capitais individuais ou todo o capital social, do qual cada capitalista possui apenas uma parte alíquota. As operações do mercado efetivam apenas o intercâmbio dos elementos componentes da produção anual, fazendo-os passar de mãos; mas não podem nem aumentar o total da produção do ano nem alterar a natureza dos objetos produzidos. O uso a que se pode prestar a produção do ano depende, portanto, de sua própria composição, e nunca da circulação.

A produção anual tem, primeiro, de fornecer todos os objetos, valores de uso, que servirão para substituir os elementos materiais do capital, consumidos no curso do ano. Depois de deduzir esses elementos, resta o produto excedente ou líquido em que se concretiza a mais-valia. E de que se compõe esse produto excedente? De coisas destinadas a satisfazer as necessidades e os prazeres da classe capitalista, constituindo seu fundo de consumo? Se fosse exatamente assim, haveria uma dissipação alegre e total da mais-valia e ocorreria apenas reprodução simples.

Para acumular, é necessário transformar parte do produto excedente em capital. Mas, sem fazer milagres, só se pode transformar em capital coisas que são aplicáveis no processo de trabalho, isto é, meios de produção, e coisas das quais o trabalhador precisa para manter-se, isto é, meios de subsistência. Em consequência, parte do trabalho anual excedente tem de ser transformado para produzir meios adicionais de produção e de subsistência acima da quantidade necessária para substituir o capital adiantado. Em suma, a mais-valia só pode ser transformada em capital porque o produto excedente, do qual ela é o valor, já contém os elementos materiais de um novo capital.[21a]

21a Omitimos aqui o comércio exterior, por meio do qual uma nação pode transformar artigos de luxo em meios de produção ou meios de subsistência e vice-versa. Para desembaraçar nossa análise de circunstâncias acessórias perturbadoras, consideramos todo o mundo comercial como se pertencesse a uma única nação, e pressupomos que a produção capitalista se estabeleceu por toda parte e apoderou-se de todos os ramos industriais.

TRANSFORMAÇÃO DA MAIS-VALIA EM CAPITAL

Para fazer esses elementos materiais funcionarem realmente como capital, a classe capitalista precisa apenas de um acréscimo de trabalho. Não sendo possível aumentar extensiva ou intensivamente a exploração dos trabalhadores já empregados, têm de ser utilizadas forças de trabalho adicionais. O mecanismo da produção capitalista já resolveu esse problema, reproduzindo a classe trabalhadora como classe que depende de salário e à qual este ordinariamente assegura não só a conservação, mas a multiplicação. O capital precisa apenas incorporar essas forças de trabalho adicionais anualmente fornecidas, em diversas idades, pela classe trabalhadora aos meios de produção adicionais já contidos na produção anual. Com isso, completa-se a transformação da mais-valia em capital. De um ponto de vista concreto, a acumulação não passa de reprodução do capital em escala que cresce progressivamente. O círculo em que se move a reprodução simples muda, então, sua forma e transforma-se, segundo a expressão de Sismondi, em espiral.[21b]

Voltemos ao nosso exemplo. É a velha história: Abraão gerou Isaac, Isaac gerou Jacó etc. O capital primitivo de 10.000 libras esterlinas produz mais-valia de 2.000 libras que é capitalizada. O novo capital de 2.000 libras produz mais-valia de 400 libras; esta quantia, por sua vez capitalizada, transformada num segundo capital adicional, produz nova mais-valia de 80 libras; e assim por diante.

Pomos de lado agora a parte da mais-valia consumida pelo capitalista. Tampouco nos interessa, no momento, saber se os capitais adicionais são juntados ao capital primitivo ou se funcionam separadamente; se são explorados pelo mesmo capitalista que os acumula ou por outro. Não devemos esquecer que, ao lado dos novos capitais, continua o capital primitivo a se reproduzir e a produzir mais-valia e que o mesmo é verdade para cada capital acumulado em relação ao capital adicional que produziu.

O capital primitivo era constituído da antecipação de 10.000 libras esterlinas. Como o obteve seu possuidor? Os corifeus da economia política[21c] respondem unanimemente: com seu próprio trabalho e o de seus antepassados. E essa suposição parece ser realmente a única que se harmoniza com as leis da produção de mercadorias.

21b Ao analisar a acumulação, Sismondi comete o erro de se contentar demasiadamente com a frase "transformação da renda em capital", sem examinar a fundo as condições materiais dessa operação.
21c "O trabalho primitivo a que o capital deveu sua origem." (Sismondi *loc. cit.*, ed. Paris, t. I, p. 109.)

O CAPITAL

Mas a coisa é totalmente diversa com o capital adicional de 2.000 libras. Sabemos precisamente como ele se originou. É mais-valia capitalizada. Desde a origem, não contém ela nenhuma partícula de valor que não derive de trabalho alheio não pago. Os meios de produção aos quais se incorpora a força de trabalho adicional e os meios de subsistência com os quais se mantém essa força não são mais do que elementos integrantes do produto excedente, do tributo que a classe capitalista anualmente extrai da classe trabalhadora. Quando aquela, com uma parte do tributo compra a força de trabalho adicional desta, mesmo pelo seu preço total, de modo que se troque equivalente por equivalente, volta a repetir-se o velho procedimento do conquistador, que paga as mercadorias fornecidas pelo vencido com o dinheiro que arrancou dele.

Quando o capital adicional emprega o trabalhador que o produziu, tem este de continuar a aumentar o valor do capital original e, além disso, de comprar a restituição do produto de seu trabalho anterior com mais trabalho do que aquele que o produto custou. Encarando-se como transação entre a classe capitalista e a classe trabalhadora, em nada muda a situação, a circunstância de se empregarem trabalhadores adicionais com o trabalho não pago dos que estavam empregados até então. O capitalista talvez transforme o capital adicional numa máquina que lançará na rua os que produziram esse capital adicional, substituindo-os por algumas crianças. De qualquer modo, a classe trabalhadora criou, com o trabalho excedente do corrente ano, o capital que empregará, no próximo ano, trabalho adicional.[22] Isto é o que se chama produzir capital com capital.

O pressuposto para a acumulação do primeiro capital adicional de 2.000 libras esterlinas foi uma quantia de 10.000 libras adiantada pelo capitalista, a ele pertencente em virtude de seu trabalho primitivo. O pressuposto do segundo capital adicional de 400 libras esterlinas foi a acumulação prévia das 2.000 libras, das quais as 400 libras são a mais-valia capitalizada. Patenteia-se aí que a única condição para o capitalista apropriar-se do trabalho vivo não pago em escala crescente é a propriedade sobre trabalho passado não pago. Quanto mais o capitalista tiver acumulado, mais poderá acumular.

---

22 "O trabalho cria o capital, antes de o capital empregar o trabalho." (E. G. Wakefield, *England and America*, Londres, 1833, VII, p. 110.)

TRANSFORMAÇÃO DA MAIS-VALIA EM CAPITAL

A mais-valia que constitui o capital adicional número I resulta da compra da força de trabalho por uma parte do capital original, compra que se enquadra nas leis da troca de mercadorias e que, encarada juridicamente, pressupõe livre disposição por parte do trabalhador de suas próprias faculdades e, do lado do possuidor de dinheiro e das mercadorias, livre disposição sobre os valores que lhe pertencem. O capital adicional número II resulta do número I, sendo, portanto, consequência da relação anterior. Cada transação particular corresponde sempre à lei da troca de mercadorias, comprando sempre o capitalista a força de trabalho e vendendo-a sempre o trabalhador, e admitiremos que pelo valor real. Nessas condições, é evidente que o direito de propriedade privada, baseado sobre a produção e circulação das mercadorias, se transmuta em seu oposto, em virtude de sua própria dialética interna, inexorável. No início, havia uma troca de equivalentes. Depois, a troca é apenas aparente: a parte do capital que se troca por força de trabalho é uma parte do produto do trabalho alheio do qual o capitalista se apropriou sem compensar com um equivalente; além disso, o trabalhador que produziu essa parte do capital tem de reproduzi-la, acrescentando um excedente. A relação de troca entre capitalista e trabalhador não passa de uma simples aparência que faz parte do processo de circulação, mera forma, alheia ao verdadeiro conteúdo, e que apenas o mistifica. A forma é a contínua compra e venda da força de trabalho. O conteúdo é o capitalista trocar sempre por quantidade maior de trabalho vivo uma parte do trabalho alheio já materializado, do qual se apropria ininterruptamente, sem dar a contrapartida de um equivalente. Originalmente, o direito de propriedade aparecia fundamentado sobre o próprio trabalho. Essa suposição era pelo menos necessária, uma vez que se confrontavam possuidores de mercadorias com iguais direitos, e o único meio de que uma pessoa dispõe para apropriar-se de mercadoria alheia é alienar a própria, e estas só podem ser produzidas com trabalho. Agora, do lado capitalista, a propriedade revela-se o direito de apropriar-se de trabalho alheio não pago ou do seu produto e, do lado do trabalhador, a impossibilidade de apropriar-se do produto de seu trabalho. A dissociação entre a propriedade e o trabalho se torna consequência necessária de uma lei que, claramente, derivava da identidade existente entre ambos.[23]

---

23 A propriedade do capitalista sobre o produto do trabalho alheio "é estrita consequência da lei da apropriação, cujo princípio fundamental era, ao contrário, o direito exclusivo de propriedade do

O CAPITAL

Por mais que o modo capitalista de apropriar-se do trabalho alheio pareça chocar-se com as primitivas leis da produção mercantil, ele não surge da transgressão delas, mas, ao contrário, de sua aplicação. Isto pode ser mais uma vez esclarecido através de um pequeno retrospecto sobre a sequência de fases cujo resultado é a acumulação capitalista.

Vimos primeiramente que a transformação original de uma soma de dinheiro em capital ocorreu estritamente de acordo com as leis da troca. Um contratante vende sua força de trabalho; o outro a compra. O primeiro recebe o valor de sua mercadoria, cujo valor de uso o trabalho aliena, em consequência disso, ao segundo. Este transforma então os meios de produção que já lhe pertencem, com a ajuda do trabalho de que se tornou proprietário, num produto que, de direito, também é dele.

O valor do produto inclui, primeiro, o valor dos meios de produção consumidos. O trabalho útil não pode consumir esses meios de produção sem transferir o valor deles ao novo produto; mas a força de trabalho, para ser vendável, tem de ser capaz de fornecer trabalho útil no ramo industrial onde é aplicada.

O valor do novo produto abrange ainda o equivalente ao valor da força de trabalho e uma mais-valia. Abrange esta porque a força de trabalho vendida por determinado espaço de tempo – dia, semana etc. – possui menos valor do que aquele que é criado nesse tempo com seu emprego. Mas o trabalhador recebeu em pagamento o valor de troca de sua força de trabalho, alienando por isso seu valor de uso, o que sucede em qualquer compra e venda.

A circunstância de essa mercadoria especial, a força de trabalho, possuir o valor de uso peculiar de fornecer trabalho e, portanto, criar valor em nada altera a lei geral da produção de mercadorias. Se a soma de valores adiantada em salários, além de reproduzida no produto, é acrescida de uma mais-valia, não provém isto de um logro ao vendedor, que recebeu o valor de sua mercadoria, mas do emprego que o comprador fez dessa mercadoria.

A lei da troca pressupõe igualdade apenas para os valores de troca das mercadorias que se intercambiam. Pressupõe mesmo diversidade entre seus valores de uso, e nada tem a ver com o emprego delas, que só começa depois de concluído o negócio.

---

trabalhador sobre o produto de seu trabalho". (Cherbuliez, *Richesse ou pauvreté*, Paris, 1841, p. 58.) Cherbuliez, entretanto, não acha a explicação exata para essa transmutação dialética.

TRANSFORMAÇÃO DA MAIS-VALIA EM CAPITAL

A primeira transformação do dinheiro em capital realiza-se, portanto, na mais perfeita concordância com as leis econômicas da produção de mercadorias e com o direito de propriedade que delas decorre. Apesar disso, essa transformação tem por consequência:

1) que o produto pertence ao capitalista, e não ao trabalhador;

2) que o valor desse produto abrange, além do valor do capital adiantado, uma mais-valia que ao trabalhador custou trabalho e ao capitalista, nada, a qual, entretanto, se torna propriedade legítima do capitalista;

3) que o trabalhador reproduziu sua força de trabalho e pode vendê-la novamente, se achar um comprador.

A reprodução simples é apenas a repetição periódica dessa primeira transformação; o dinheiro se transforma continuamente em capital. A lei não é violada; ao contrário, ela tem a oportunidade de operar permanentemente.

> "Muitas trocas sucessivas apenas fazem da última a representante da primeira." (Sismondi, *loc. cit.*, p. 70.)

Apesar disso, vimos que a reprodução simples basta para imprimir a essa transformação original, considerada como transação isolada, uma feição totalmente diversa.

> "Entre os que participam da renda nacional, uns [os trabalhadores] adquirem cada ano um novo direito contra ela por meio de um novo trabalho; os outros [os capitalistas] adquiriram anteriormente um direito permanente contra ela por meio de um primitivo trabalho." (Sismondi, *loc. cit.*, pp. 110-111.)

Por certo, não é só no domínio do trabalho que a primogenitura faz milagres.

Não importa que a reprodução simples seja substituída pela reprodução em escala ampliada, pela acumulação. Naquela, o capitalista consome toda a mais-valia; nesta, patenteia sua virtude burguesa consumindo apenas uma parte da mais-valia e transformando o resto em dinheiro.

A mais-valia é sua propriedade, sem ter pertencido a mais ninguém. Se a desembolsa para a produção, adianta recursos próprios do mesmo modo que no primeiro dia em que foi ao mercado. A circunstância de seus recursos, desta vez, derivarem do trabalho não pago de seus trabalhadores em nada altera a situação. Se o trabalhador *B* é empregado com a mais-valia produzida pelo trabalhador *A*, *A* terá fornecido essa mais-valia, sem que o justo preço de sua mercadoria tenha sofrido qualquer redução, e *B* nada terá a ver com esse negócio. O que *B* exige e tem direito de exigir é que o capitalista lhe pague o valor de sua força de trabalho.

> "Ambos saem ganhando: o operário, porque teve os frutos de seu trabalho adiantados [isto é, os frutos do trabalho gratuito de outros operários], antes de realizá-lo [isto é, antes de seu trabalho ter produzido frutos]; o patrão, porque o trabalho desse operário vale mais que o salário [isto é, produz valor superior ao do salário]." (Sismondi, *loc. cit.*, p. 135.)

Na verdade, a coisa muda inteiramente de aspecto quando observamos a produção capitalista no fluxo ininterrupto de sua renovação e, em lugar do capitalista isolado e do trabalhador isolado, consideramos a totalidade, a classe capitalista e, diante dela, a classe trabalhadora. Mas, desse modo, aplicaríamos um padrão de medida que é totalmente estranho à produção de mercadorias.

Na produção mercantil, confrontam-se vendedor e comprador, independentes entre si. Suas relações recíprocas cessam no mesmo dia em que acaba o contrato que fizeram. Se a transação se repetir, será em virtude de novo contrato, que nada tem a ver com o precedente, e só uma casualidade levará o mesmo comprador e o mesmo vendedor a se encontrarem novamente.

Para julgar, portanto, a produção de mercadorias ou um fenômeno que pertença à sua esfera, temos de considerar em si mesmo cada ato de troca, fora de qualquer conexão com o ato de troca que o precedeu e com o que o segue. E uma vez que compras e vendas só se realizam entre indivíduos, é inadmissível procurar nelas relações entre classes inteiras da sociedade.

Por maior que seja a sequência das reproduções periódicas e das acumulações percorridas pelo capital que hoje funciona, conserva ele sempre sua virgindade original. Enquanto se observam as leis da troca em cada ato de troca isoladamente considerado, pode o modo de apropriação experimentar uma transformação total sem que se fira de qualquer modo o direito de propriedade inerente à produção de mercadorias. Esse direito vigora não só na época inicial, em que o produto pertence a quem o produz e em que esse produtor, trocando equivalente por equivalente, só pode enriquecer-se com o próprio trabalho; esse direito vigora também no período capitalista, em que a riqueza social, em proporção cada vez maior, torna-se propriedade

TRANSFORMAÇÃO DA MAIS-VALIA EM CAPITAL

daqueles que estão em condições de apropriar-se continuamente de trabalho não pago.

Esse resultado torna-se inevitável quando a força de trabalho é vendida livremente como mercadoria pelo próprio trabalhador. Mas só a partir de então generaliza-se a produção de mercadorias que se torna forma típica de produção; só a partir de então todo produto que se faz é destinado à venda, desde a sua origem, e toda a riqueza produzida passa pela circulação. A produção de mercadorias só se impõe a toda a sociedade e desenvolve suas potencialidades ocultas quando o trabalho assalariado se torna sua base. Dizer que a interferência do trabalho assalariado vicia a produção de mercadorias é dizer que a produção de mercadorias, para manter-se pura, não deve desenvolver-se. Ela se desenvolve de acordo com suas leis imanentes, convertendo-se em produção capitalista, e, na mesma extensão, as leis da propriedade inerentes à produção de mercadorias se transformam em leis da apropriação capitalista.[24]

Vimos que, mesmo na reprodução simples, todo capital adiantado, como quer que tenha sido originalmente obtido, transforma-se em capital acumulado ou mais-valia capitalizada. No fluxo da produção, todo o capital originalmente adiantado se torna uma grandeza evanescente, em face do capital diretamente acumulado, isto é, da mais-valia ou do produto excedente que se converte em capital, seja nas mãos de quem produziu a mais-valia ou em mãos alheias. A economia política apresenta, por isso, o capital como "riqueza acumulada" (mais-valia ou renda transformadas), que se emprega para produzir nova mais-valia,[25] e o capitalista como "o possuidor do produto excedente".[26] Expressa o mesmo ponto de vista quem diz que todo o capital existente é constituído de juros acumulados ou capitalizados, pois os juros constituem uma fração da mais-valia.[27]

---

24 Admira a mágica de Proudhon, que quer eliminar a propriedade capitalista utilizando contra ela as leis eternas da propriedade que regem a produção de mercadorias.

25 "Capital é riqueza acumulada empregada para a obtenção de lucro." (Malthus, *loc. cit.*, [p. 262].) "O capital [...] é constituído de riqueza, economizada da renda e empregada para se obter lucro." (R. Jones, *Textbook of Lectures on the Political Economy of Nations*, Hertford, 1852, p. 16.)

26 "Os possuidores do produto excedente ou capital." (*The Source and Remedy of the National Difficulties. A Letter to Lord John Russell*, Londres, 1821, [p. 41].)

27 "Capital, formado com os juros compostos sobre cada porção do capital poupado, cresce tanto que toda a riqueza do mundo da qual deriva renda é constituída, há muito tempo, de juros que incidem sobre o capital." (*The Economist*, de Londres, 19 de julho de 1851.)

O CAPITAL

2. CONCEPÇÃO ERRÔNEA DA ECONOMIA POLÍTICA SOBRE A REPRODUÇÃO AMPLIADA

Antes de entrarmos em pormenores sobre a acumulação ou a conversão da mais-valia em capital, é mister eliminar a ambiguidade criada pelos economistas clássicos.

As mercadorias que o capitalista compra, para seu consumo, com uma parte da mais-valia não lhe servem, evidentemente, de meios de produção e de criação de valor, também não é trabalho produtivo o que ele compra para satisfazer suas necessidades naturais e sociais. Ao comprar essas mercadorias e esse tipo de trabalho, consome ou despende a mais-valia como renda, em vez de transformá-la em capital. A concepção da velha nobreza "consistia em consumir o que existe", segundo a acertada expressão de Hegel, e notadamente em ostentar luxo pessoal. Para a economia burguesa, ao contrário, é da maior importância proclamar a acumulação de capital como o primeiro dever de cidadania e pregar incansavelmente que não se pode acumular consumindo-se toda a renda e que se deve gastar boa parte dela no emprego de trabalhadores adicionais, cujo rendimento é superior ao custo. Além disso, os economistas burgueses tinham de combater o preconceito popular que confunde a produção capitalista com entesouramento[28] e imagina, por isso, que riqueza acumulada é riqueza que escapa à destruição, permanecendo em sua forma natural e deixando de ser consumida, ou riqueza que é retirada da circulação. A retirada do dinheiro da circulação impediria totalmente sua expansão como capital, e a acumulação de mercadorias com fins de entesouramento não passaria de uma loucura.[28a] As mercadorias se acumulam em grandes proporções quando a circulação paralisa-se ou há superprodução.[29] Impressiona a imaginação popular o quadro dos bens armazenados pelos ricos para consumo gradativo e também a formação de estoques, que ocorre em todos

---

28 "Nenhum economista hodierno pode identificar economizar com entesourar. Excluída essa identificação simplista, que não leva a nenhum resultado, só se pode imaginar, do ponto de vista da riqueza nacional, o emprego da palavra economizar relacionando-a com o modo de aplicação do que foi economizado, o qual se caracteriza por uma distinção entre as diferentes espécies de trabalho mantidas por essa aplicação." (Malthus, *loc. cit.*, pp. 38 e 39.)

28a Balzac, que analisou tão profundamente todos os matizes da avareza, criou a figura de Gobseck, o velho avarento que, na sua demência, começa a formar um tesouro acumulando mercadorias.

29 "Acumulação de estoques [...] cessação das trocas [...] superprodução." (Th. Colbet, *loc. cit.*, p. 104.)

os modos de produção e que examinaremos quando fizermos a análise do processo de circulação.

A economia clássica está certa quando põe em destaque que o consumo do produto excedente por trabalhadores produtivos, e não por trabalhadores improdutivos, é elemento característico do processo de acumulação. Mas seu erro começa justamente aí. Foi A. Smith quem lançou em moda a ideia de que a acumulação é apenas consumo do produto excedente por trabalhadores produtivos, ou seja, de que a capitalização da mais-valia é apenas a transformação desta em força de trabalho. Ouçamos, por exemplo, Ricardo:

> "Devemos compreender que todos os produtos de um país são consumidos; porém faz diferença maior do que se pode pensar saber se foram consumidos por aqueles que reproduzem outro valor, ou por aqueles que não o reproduzem. Quando dizemos que renda é economizada e adicionada ao capital, queremos dizer que a parte da renda da qual se afirma ter sido adicionada ao capital é consumida por trabalhadores produtivos, e não por trabalhadores improdutivos. Não há erro maior que o de supor que o capital aumenta por não ser consumido."[30]

Não há erro maior que esse que Ricardo e todos os economistas posteriores repetem, de acordo com A. Smith, que

> "[...] a parte da renda que se diz ter sido adicionada ao capital é consumida por trabalhadores produtivos."

De acordo com essa concepção, toda mais-valia que se transforma em capital converte-se em capital variável. Mas, bem ao contrário, ela se reparte, como o valor primitivamente adiantado, em capital constante e capital variável, em meios de produção e em força de trabalho. Força de trabalho é a forma em que o capital variável existe dentro do processo de produção. Nesse processo, ela é consumida pelo capitalista. Por sua vez, ela consome, com sua função, o trabalho, os meios de produção. Ao mesmo tempo, o dinheiro pago para comprar a força de trabalho se transforma em meios de subsistência que são consumidos não pelo trabalho produtivo,

---

30 Ricardo, *loc. cit.*, p. 163, nota.

O CAPITAL

mas pelo trabalhador produtivo. Através de uma análise fundamentalmente errada, chega A. Smith ao absurdo resultado de que, embora cada capital individual se divida em parte constante e parte variável, o capital social acaba sendo apenas capital variável ou é despendido apenas para pagar salários. Se um fabricante de toalhas transformar 2.000 libras em capital, utiliza uma parte do dinheiro para comprar tecelões e outra para comprar fios de algodão, máquinas etc. Mas as pessoas das quais ele compra fios e máquinas pagam salários com uma parte do dinheiro que recebem, e assim por diante, até que as 2.000 libras sejam por inteiro gastas no pagamento de salários, ou até que todo o produto representado pelas 2.000 libras esterlinas seja consumido por trabalhadores produtivos. Estamos vendo que todo o peso do argumento está na expressão "e assim por diante", que nos manda de Herodes para Pilatos. Na realidade, A. Smith interrompe a investigação justamente no ponto em que começa a dificuldade.[31]

Fica fácil de compreender o processo anual de reprodução, se atentamos apenas para o fundo global da produção anual. Mas todos os elementos componentes dessa produção têm de ser levados ao mercado, e aí começa a dificuldade. Os movimentos dos capitais das rendas pessoais cruzam-se, misturam-se, perdem-se numa troca geral de posições, na circulação da riqueza social, o que confunde a percepção e cria para o investigador problemas difíceis de resolver. Analisaremos esse processo, em suas verdadeiras conexões, na Terceira Seção do Livro 2. O grande mérito dos fisiocratas foi terem feito pela primeira vez, em seu Quadro Econômico, a tentativa de retratar a produção anual de acordo com a feição em que se manifesta através da circulação.[32]

---

31 Apesar de sua *Lógica*, J. St. Mill nunca atina com as falhas dessa análise errônea feita por seus predecessores, as quais clamam por correção, do ponto de vista do conhecimento econômico, mesmo dentro do horizonte burguês. Repete sempre, com o dogmatismo de discípulo, as divagações de seus mestres. A propósito, esta passagem: "A longo prazo, o capital se transforma inteiramente em salários e, quando se repõe com a venda dos produtos, converte-se de novo em salário."

32 Ao descrever o processo de reprodução e, em consequência, a acumulação, A. Smith revela, sob vários aspectos, que não progrediu, mas antes regrediu bastante em relação a seus antecessores, especialmente os fisiocratas. Está intimamente relacionado com a doutrina ilusória que acabamos de mencionar o dogma que legou à economia política, realmente fabuloso, segundo o qual o preço das mercadorias se compõe de salário, lucro (juro) e renda da terra, isto é, apenas de salário e mais-valia. Tomando por base esse dogma em suas investigações, Storch pelo menos confessa ingenuamente: "É impossível decompor o preço necessário em seus elementos mais simples." (Storch, *loc. cit.*, Petersburgo, ed. 1815, t. II, p. 141, nota.) Bela ciência econômica, que declara impossível decompor o preço das mercadorias em seus elementos mais simples! Apresentaremos pormenores sobre o assunto na Terceira Seção do Livro 2 e na Sétima Seção do Livro 3.

TRANSFORMAÇÃO DA MAIS-VALIA EM CAPITAL

É compreensível que a economia política, no interesse da classe capitalista, tenha procurado tirar todo o proveito possível da doutrina de A. Smith, segundo a qual, toda parte do produto excedente que se transforma em capital é consumida pela classe trabalhadora.

3. DIVISÃO DA MAIS-VALIA EM CAPITAL E RENDA. TEORIA DA ABSTINÊNCIA

No capítulo anterior, focalizamos a mais-valia ou o produto excedente como fundo de consumo individual do capitalista e, neste, consideramo-la, até agora, como fundo de acumulação. Na verdade, ela é ambas as coisas ao mesmo tempo. Uma parte da mais-valia é consumida como renda,[33] outra parte é empregada como capital ou acumulada.

Dada a quantidade de mais-valia, uma dessas partes é tanto maior quanto menor for a outra. Permanecendo iguais as demais circunstâncias, a proporção que existe entre essas partes determina a magnitude da acumulação. Mas quem realiza essa divisão é o proprietário da mais-valia, o capitalista, que pratica, assim, um ato de vontade. Com referência à parte desse tributo por ele acumulada, diz-se que a economiza porque não a consome, isto é, porque exerce sua função de capitalista, a função de enriquecer-se.

O capitalista só possui um valor perante a História e o direito histórico à existência enquanto funciona personificando o capital. Sua própria necessidade transitória, nessas condições, está ligada à necessidade transitória do modo capitalista de produção. Mas, ao personificar o capital, o que o impele não são os valores de uso de sua fruição, e sim o valor de troca e sua ampliação. Fanático da expansão do valor, compele impiedosamente a humanidade a produzir por produzir, a desenvolver as forças produtivas sociais e a criar as condições materiais de produção, que são os únicos fatores capazes de constituir a base real de uma forma social superior, tendo por princípio fundamental o desenvolvimento livre e integral de cada indivíduo. O capitalista é respeitável apenas quando personifica o capital. Nessa função, partilha com o entesourador a paixão da riqueza pela riqueza. Mas

---

33 O leitor deve ter reparado que usamos a palavra renda em dois sentidos: para designar a mais-valia como rendimento periódico do capital e para designar uma parte desse rendimento que o capitalista consome periodicamente ou adiciona a seu fundo de consumo. Mantenho o emprego da palavra nesses dois sentidos, porque se harmoniza com a terminologia dos economistas ingleses (*revenue*) e dos franceses (*revenu*).

O CAPITAL

o que neste é mania individual, é naquele uma resultante do mecanismo social. O capitalista é apenas uma das forças propulsoras desse mecanismo. Além disso, o desenvolvimento da produção capitalista torna necessária a elevação contínua do capital empregado num empreendimento industrial, e a concorrência impõe a cada capitalista as leis imanentes do modo capitalista de produção como leis coercitivas externas. Compele-o a expandir continuamente seu capital, para conservá-lo, e só pode expandi-lo por meio da acumulação progressiva.

Enquanto for consciência e vontade do capital em suas ações e omissões, verá no seu próprio consumo privado o equivalente a um roubo contra a acumulação. Aliás, no sistema de escrituração de partidas dobradas, as despesas particulares são lançadas contra o capital, no lado devedor da conta do capitalista. Acumular é empreender a conquista do mundo da riqueza social. Com a quantidade do material humano explorado, a acumulação amplia o domínio direto e indireto do capitalista.[34]

---

34 Descrevendo o usurário, o capitalista em sua feição arcaica embora sempre renovada, demonstra Lutero que a ambição de dominar é um dos fatores do impulso para enriquecer-se. "Os pagãos puderam, à luz da razão, concluir que um usurário é um ladrão quatro vezes e um assassino. Mas nós, cristãos, os temos em tão honrosa conta que quase os adoramos por causa de seu dinheiro. [...] Quem extrai, rouba e furta o alimento de outro é moralmente um homicida tal qual o que mata uma pessoa de fome ou a arruína totalmente. E é o que faz o usurário. Entretanto, senta-se tranquilamente em sua cadeira, quando, com justiça, deveria estar suspenso na forca e ser devorado por tantos corvos quantos fossem os florins por ele roubados, desde que tivesse carne suficiente que tão inumeráveis corvos pudessem perfurá-la e reparti-la entre si. Hoje em dia, enforcamos os pequenos ladrões. [...] Os pequenos ladrões são postos no tronco, os grandes ladrões ostentam ouro e sedas. [...] Não há sobre a terra maior inimigo do ser humano, depois do demônio, do que um avarento, um usurário, pois quer ser Deus dominando todos os homens. Os turcos, os guerreiros, os tiranos, são também homens maus, todavia têm de deixar os outros viverem e confessam que são maus e são inimigos. Podem e às vezes têm de se apiedar de alguns. Mas um usurário, com sua avareza, deseja que todo mundo pereça de fome e de sede, de luto e de miséria, o que faria se pudesse, de modo que possuísse tudo para si mesmo, e todos tivessem de recorrer a ele como a um deus e se tornassem eternamente seus servos. Ostenta mantos, correntes de ouro, anéis, aparenta uma limpeza impecável para ser visto e glorificado como homem estimado e piedoso. [...] O usurário é um monstro gigantesco, horrendo, um lobo insaciável que devasta tudo, mais do que Caco, Gerião ou Anteu. E adorna-se e quer passar por piedoso, e, para que não se veja para onde vão os bois que ele leva para seu esconderijo, puxa-os pela cauda, fazendo-os andar às arrecuas. Mas Hércules ouvirá o grito dos bois e dos prisioneiros, e procurará Caco nos rochedos e penhascos e libertará os bois do perverso. Caco, um perverso, é esse usurário piedoso que furta, rouba e devora tudo. E pretende não ter feito nada, e pensa que ninguém o descobrirá, porque os bois, puxados pela cauda para seu esconderijo, deixam um rastro como se dele tivessem saído. Do mesmo modo, o usurário quer devorar o mundo, como se fosse útil ao mundo e lhe desse bois, quando os toma todos para si mesmo e os come. [...] Uma vez que rodamos e decapitamos os assaltantes de estrada, os assassinos e os ladrões, com muito mais razão deveríamos rodar e matar [...] caçar, amaldiçoar e decapitar todos os usurários." (Martinho Lutero, *loc. cit.*)

TRANSFORMAÇÃO DA MAIS-VALIA EM CAPITAL

Mas, o pecado original se manifesta por toda parte. Com o desenvolvimento do modo capitalista de produção, da acumulação e da riqueza, deixa o capitalista de ser mera encarnação do capital. Sente compaixão por si mesmo e atinge um nível de educação que o leva a sorrir do apego à ascese, considerando-o preconceito do entesourador arcaico. Enquanto o capitalista clássico condena o consumo individual como pecado contra sua função e atentado contra a acumulação, o capitalista moderno é capaz de considerar a acumulação uma renúncia ao impulso de fruir a vida. "Em seu peito, coitadinho, moram duas almas que lutam por separar-se!"[I]

Nos primórdios históricos do modo capitalista de produção – e todo capitalista novo-rico percorre esse estágio –, dominam o impulso para enriquecer e a avareza como paixões absolutas. Mas o progresso da produção capitalista não cria apenas um mundo de fruições. Com a especulação e com o crédito, abre milhares de fontes de enriquecimento rápido. A certo nível de desenvolvimento, certa dose convencional de prodigalidade se torna necessária para o negócio do "infeliz" capitalista, a qual serve para exibir riqueza, sendo, por isso, meio de obter crédito. O luxo entra nos custos de representação do capital. Além disso, o capitalista se enriquece não como o entesourador, na proporção do seu trabalho pessoal e do que deixa de gastar consigo mesmo, mas na medida em que suga força de trabalho alheia e impõe ao trabalhador a renúncia à fruição da vida. Embora a prodigalidade do capitalista não tenha, por isso, o caráter de boa-fé que se encontra no senhor feudal esbanjador, embora oculte atrás dela a mais sórdida avareza e os cálculos mais mesquinhos, ela cresce com a acumulação, sem que uma restrinja necessariamente a outra. Assim, desenvolve-se no coração do capitalista um conflito fáustico entre o impulso de acumular e o de gozar a vida.

> "A indústria de Manchester", lê-se num trabalho do Dr. Aikin publicado em 1795, "pode ser dividida em quatro períodos. No primeiro, os fabricantes eram forçados a trabalhar duro para se manterem."

Enriqueceram-se principalmente furtando pais que lhes tinham de pagar somas apreciáveis, para que tomassem conta dos filhos como aprendizes. E esses aprendizes trabalhavam num regime de fome. Por outro lado, os

---

I Paródia a palavras de Fausto, em *Fausto*, de Goethe.

O CAPITAL

lucros médios eram baixos e a acumulação exigia grande espírito de poupança. Viviam como entesouradores e não consumiam nem mesmo os juros de seu capital.

> "No segundo período, começaram a adquirir pequenas fortunas, mas trabalhavam tão duramente quanto antes [pois, como sabe o feitor de escravos, custa trabalho explorar diretamente o trabalho] e continuavam vivendo no mesmo estilo frugal. [...] No terceiro período, começou o luxo, e ampliaram os negócios enviando viajantes a cavalo para obter encomendas em todas as praças do Reino. É provável que, antes de 1690, existissem poucos capitais ou mesmo nenhum, na faixa de 3.000 a 4.000 libras esterlinas, obtidos através da indústria. Todavia, por esse tempo ou um pouco mais tarde, já tinham os industriais acumulado dinheiro e começaram a construir casas de tijolos, e não de madeira e argamassa. [...] Ainda no início do século XVIII, um dono de manufatura de Manchester, que oferecera um quartilho de vinho estrangeiro a seus hóspedes, expôs-se aos comentários e às críticas de todos os vizinhos."

Antes de aparecer a maquinaria, o consumo individual dos manufatores à noite, nas tabernas onde se reuniam, nunca ultrapassava 6 pence para um copo de ponche e 1 pêni por um pedaço de fumo de rolo. Só em 1758, o que marcou época, viu-se "uma pessoa realmente engajada na indústria possuir uma carruagem própria".

> "O quarto período [o último terço do século XVIII] caracteriza-se por gastos e por grande luxo, alimentados pela expansão dos negócios."[35]

Que diria o bom doutor Aikin se ressuscitasse hoje em Manchester?

Acumulai, acumulai! Este é o mandamento principal. "A indústria fornece o material que a poupança acumula."[36] Poupai, portanto, poupai, transformai a maior quantidade possível da mais-valia ou do produto excedente em capital. Acumulação pela acumulação, produção pela produção, é a fórmula com que a economia clássica expressou a vocação histórica do

---

35 Dr. Aikin, *Description of the Country from 30 to 40 Miles Round Manchester*, Londres, 1795, pp. [181], 182 e segs.

36 A. Smith, *loc. cit.*, v. II, Cap. III, [p. 367].

TRANSFORMAÇÃO DA MAIS-VALIA EM CAPITAL

período burguês. Em nenhum momento ela se iludiu a si mesma a respeito das dores que causa o nascimento da riqueza,[37] mas de que adianta lamentar-se em face da necessidade histórica? Se, para a economia clássica, o operário é apenas máquina para produzir mais-valia, o capitalista, para ela, não passa de máquina para transformar essa mais-valia em capital excedente. Ela considera a função histórica do capitalista com uma seriedade amarga. Para imunizar o coração dele do conflito nefasto entre o impulso de gozar e o de enriquecer-se, defendeu Malthus, no começo da década dos vinte do século XIX, uma divisão de trabalho que atribui ao capitalista realmente engajado na produção a tarefa de acumular, e aos outros participantes da mais-valia, a aristocracia rural, os dignitários do Estado e da Igreja etc., a tarefa de gastar. É da maior importância, diz ele, "manter separadas a paixão de gastar e a de acumular".[38] Os capitalistas, que há muito tempo se tinham transformado em seres mundanos habituados a viver bem, protestaram. Mas como, exclama um de seus porta-vozes, um ricardiano, o Sr. Malthus prega arrendamentos altos, impostos elevados etc. para que os consumidores improdutivos esporeiem continuamente os industriais! Por certo, produzir, produzir em escala cada vez maior, é a palavra de ordem, mas

> "[...] com esse processo, a produção será mais embaraçada do que incentivada. Nem é justo manter na ociosidade certo número de pessoas, com o fim exclusivo de pressionar outras, propensas a funcionar com sucesso, se for possível forçá-las a serem ativas."[39]

Ele acha injusto incitar o capitalista industrial a acumular, tirando-lhe a azeitona da empada, mas, ao mesmo tempo, lhe parece necessário limitar ao mínimo possível o salário do trabalhador, "a fim de mantê-lo ativo". Também não oculta, em nenhum momento, que a apropriação do trabalho não pago é o segredo da formação da mais-valia.

---

37 O próprio J. B. Say diz: "As poupanças dos ricos são feitas à custa dos pobres." "O proletário romano vivia quase inteiramente à custa da sociedade. [...] Poder-se-ia quase dizer que a sociedade moderna vive à custa dos proletários, da parte que lhes toma ao pagar seu trabalho." (Sismondi, *Études* etc., t. I, p. 24.)

38 Malthus, *loc. cit.*, pp. 319 e 320.

39 *An Inquiry into Those Principles Respecting the Nature of Demand* etc., p. 67.

O CAPITAL

"A procura acrescida de trabalho pelo trabalhador nada mais significa do que a disposição deste de tomar para si mesmo a parte menor de seu próprio produto, deixando a parte maior para seu empregador; e, quando se diz que assim se diminui o consumo dos trabalhadores, provocando abarrotamento do mercado, superprodução, só posso responder que essa superabundância é sinônima de lucros elevados."[40]

Esse douto debate sobre o modo como distribuir entre o capitalista industrial e o proprietário ocioso das terras etc. o esbulho feito ao trabalhador, da maneira mais vantajosa para a acumulação, silenciou em face da revolução de julho. Pouco depois, ecoou a revolta do proletariado urbano em Lyon e o proletariado rural da Inglaterra começou a atear fogo nas propriedades agrícolas. Deste lado do Canal grassava o owenismo; do outro, o saint-simonismo e o fourierismo. Soou a hora da economia vulgar. Justamente um ano antes de inventar, em Manchester, a doutrina de que o lucro do capital, inclusive os juros, é produto da última hora de trabalho, a décima segunda, Nassau W. Senior anunciara ao mundo outra descoberta sua. "Substituo", disse ele solenemente, "a palavra capital, como instrumento de produção, pela palavra abstinência."[41] Esta é a maior das "descobertas" da economia vulgar. Substitui uma categoria econômica por uma impostura. Eis tudo. "Quando o selvagem", pontifica Senior, "fabrica arcos, exerce uma indústria, mas não pratica a abstinência." Com isso pretende explicar como e por que, nos estágios sociais anteriores, eram fabricados instrumentos de trabalho sem a abstinência do capitalista. "Quanto mais progride a sociedade, mais necessária é a abstinência",[42] mas, por certo, da parte daqueles que exercem a indústria de se apropriar da indústria alheia e do

---

40 *Loc. cit.*, p. 59.

41 Senior, *Principes fondamentaux de l'écon. pol.*, trad. Arrivabene, Paris, 1836, p. 309. Os partidários da velha escola clássica acharam que essa ideia ultrapassava todas as medidas. "O Sr. Senior substitui as expressões trabalho e capital pelas expressões trabalho e abstinência. [...] Abstinência é mera negação. Não é a abstinência, mas o emprego produtivo do capital, que constitui a fonte de lucros." (John Cazenove, *loc. cit.*, p. 130, nota.) John Stuart Mill, ao contrário, reproduz a teoria do lucro de Ricardo, mas, ao mesmo tempo, anexa a ela "a remuneração pela abstinência" de Senior. Desconhece a contradição hegeliana, fonte de toda a dialética, ao mesmo tempo que convive muito bem com as contradições da economia vulgar.
Adendo da 2ª edição: Nunca ocorreu ao economista vulgar a reflexão simples de que toda ação humana pode ser vista como o abster-se da ação oposta. Comer é abster-se de jejuar. Andar é abster-se de ficar parado, trabalhar é abster-se de ficar ocioso, ficar ocioso é absterse de trabalhar etc. Ele faria muito bem se meditasse um pouco sobre a proposição de Spinoza: *Determinatio est negatio*.

42 Senior, *loc. cit.*, pp. 342-343.

TRANSFORMAÇÃO DA MAIS-VALIA EM CAPITAL

produto desta. Todas as condições do processo de trabalho se transformam então em outras tantas práticas de abstinência do capitalista. Se o trigo não é consumido, mas semeado, é por causa da abstinência do capitalista. Se o vinho é guardado até acabar de fermentar, é por causa da abstinência do capitalista.[43] O capitalista se despoja a si mesmo quando "empresta ao trabalhador meios de produção", isto é, quando lhes aumenta o valor como capital, incorporando-lhes força de trabalho, em vez de repastar-se comendo as máquinas a vapor, o algodão, as ferrovias, os adubos, os animais de tração etc. ou, segundo a concepção infantil da economia vulgar, dissipar "seu valor" em luxo e em artigos de consumo.[44] Como a classe capitalista faria isso é um segredo até hoje muito bem guardado pela economia vulgar. Enfim, se o mundo ainda vive é porque se mortifica o capitalista, esse moderno penitente de Vishnu. Mas não só a acumulação, também a simples "conservação de um capital exige contínuo esforço para resistir à tentação de consumi-lo".[45] O mais elementar sentimento de humanidade ordena, sem dúvida, libertar o capitalista da tentação e do martírio. É o que ocorreu recentemente com o dono de escravos da Geórgia. A abolição da escravatura tirou-o do doloroso dilema: esbanjar em champanhe todo o produto excedente extraído dos escravos negros a chicote ou transformar pelo menos parte dele em mais negros e em mais terras.

Nas mais diversas formações econômico-sociais encontra-se não só a reprodução simples, mas também a reprodução ampliada. Produz-se mais e consome-se mais progressivamente, e quantidade maior da produção se converte em meios de produção. Contudo, esse processo não se apresenta como acumulação de capital nem tampouco como função do capitalista enquanto os meios de produção do trabalhador e, em consequência, seu produto e seus meios de subsistência não assumem perante ele a forma

---

43 "Nenhum ser humano [...] semeará o trigo deixando-o durante um ano embaixo da terra ou guardará seu vinho por vários anos na adega, em vez de os consumir imediatamente, se não espera obter com isso um valor adicional etc." (Scrope, *Polit. Econ.*, edição de A. Potter, Nova York, 1841, p. 133.)

44 "A privação que o capitalista se impõe ao emprestar seus meios de produção ao trabalhador [esse eufemismo é utilizado para, de acordo com o notório objetivo da economia vulgar, identificar o operário explorado pelo capitalista industrial com esse capitalista industrial que toma dinheiro emprestado ao capitalista prestamista], em vez de empregar o valor deles em seu próprio benefício, transformando-o em objetos úteis ou agradáveis." (G. de Molinari, *loc. cit.*, p. 36.)

45 "A conservação de um capital exige [...] esforço [...] constante para resistir à tentação de consumi-lo." (Courcelle-Seneuil, *loc. cit.*, p. 20.)

O CAPITAL

de capital.[46] Richard Jones, falecido há alguns anos, sucessor de Malthus na cadeira de Economia Política do Colégio de Haileybury, nas Índias Orientais, debate bem o assunto, apoiando-se em dois fatos importantes. A parte mais numerosa do povo da Índia é composta de camponeses que têm sua economia própria, e, por isso, seu produto, seus meios de trabalho e de subsistência nunca existem "sob a forma de um fundo, constituído de rendimento alheio economizado e decorrente, por isso, de um processo prévio de acumulação".[47] Por outro lado, os trabalhadores não agrícolas, nas províncias em que o domínio inglês menos alterou a tradição, são empregados pelos magnatas, que coletam, sob a forma de tributo ou de renda da terra, parte do produto excedente rural, dividindo-a em três porções: uma é consumida pelos magnatas em sua forma natural; outra é transformada para eles, pelos trabalhadores, em artigos de luxo e outros artigos de consumo; e a terceira destina-se a remunerar os trabalhadores, que são proprietários dos instrumentos de trabalho. Ocorrem a produção e a reprodução em escala ampliada sem qualquer interferência desse milagroso santo, esse cavaleiro da triste figura, o capitalista "abstinente".

4. CIRCUNSTÂNCIAS QUE DETERMINAM O MONTANTE DA ACUMULAÇÃO, INDEPENDENTEMENTE DA DIVISÃO PROPORCIONAL DA MAIS-VALIA EM CAPITAL E RENDA; GRAU DE EXPLORAÇÃO DA FORÇA DE TRABALHO; PRODUTIVIDADE DO TRABALHO; DIFERENÇA CRESCENTE ENTRE CAPITAL EMPREGADO E CONSUMIDO; GRANDEZA DO CAPITAL ADIANTADO

Sendo dada a proporção em que a mais-valia se divide em capital e renda, regula-se a magnitude do capital acumulado, evidentemente, pela magnitude absoluta da mais-valia. Admitindo-se que se capitalizem 80% e se consumam 20%, o capital acumulado será de 2.400 libras esterlinas ou

---

46 "As distintas classes de renda que mais contribuem para o progresso do capital nacional variam segundo os diversos estágios de desenvolvimento das nações e são, por isso, totalmente diferentes conforme a diversidade dos níveis de progresso dos países. [...] Lucro[...] fonte de acumulação sem importância, em relação a salários e renda das terras, nos estágios anteriores da sociedade. [...] Quando há um progresso considerável e efetivo nas forças da indústria nacional, aumenta a importância relativa do lucro como fonte de acumulação." (Richard Jones, *Textbook* etc., pp. 16-21.)

47 *Loc. cit.*, pp. 36 e segs.

Nota da 4ª edição: Deve haver um erro de citação, pois a passagem não foi encontrada. — F.E.

658

TRANSFORMAÇÃO DA MAIS-VALIA EM CAPITAL

1.200, se a mais-valia global for de 3.000 libras esterlinas ou 1.500. Por isso, todas as circunstâncias que determinam o montante da mais-valia concorrem para determinar a magnitude da acumulação. Vamos examiná-las mais uma vez, mas somente na medida em que ofereçam novos ângulos com referência à acumulação.

Já vimos que a taxa da mais-valia depende, em primeiro lugar, do grau de exploração da força de trabalho. A economia política dá tanta importância a esse fato que, ocasionalmente, identifica o aceleramento da acumulação motivado pela maior força produtiva do trabalho com o aceleramento decorrente da maior exploração do trabalhador.[48] Ao tratar da produção da mais-valia, temos pressuposto sempre que o salário tem um valor pelo menos igual ao da força de trabalho. A redução compulsória do salário abaixo desse valor, entretanto, desempenha, na prática, papel demasiadamente importante para não nos determos por um momento em sua análise. Dentro de certos limites, essa redução transforma efetivamente o fundo de consumo necessário à manutenção do trabalhador em fundo de acumulação do capital.

> "Os salários", diz J. St. Mill, "não têm nenhuma força produtiva; são o preço de uma força produtiva. Os salários que acompanham o trabalho, como os preços que acompanham as máquinas, não contribuem para produzir mercadorias. Se se pudesse obter trabalho sem comprá-lo, os salários seriam supérfluos."[49]

Se os trabalhadores pudessem viver do ar, não se poderia comprá-los por nenhum preço. Seu custo nulo é, portanto, um limite no sentido matemático, sempre inatingível, embora seja possível uma aproximação dele cada vez maior. É tendência constante do capital levar o custo do trabalho a aproximar-se dessa posição niilista. Um escritor do século XVIII por mim citado, autor de *An Essay on Trade and Commerce*, trai as aspirações mais

---

48 Diz Ricardo: "Em diversos estágios da sociedade, a acumulação do capital ou dos meios de empregar trabalho [isto é, de explorá-lo] é mais ou menos rápida e em todos os casos tem de depender das forças produtivas do trabalho. As forças produtivas do trabalho são em geral maiores onde há abundância de terras férteis. Comentando essa passagem, diz outro economista, se as forças produtivas do trabalho significam exiguidade de cota-parte de todo produto que cabe àqueles que o produziram com seu trabalho manual, então a sentença é tautológica, pois a parte restante é o fundo que o dono pode utilizar para acumular capital, se assim lhe apraz. Mas não é em regra o que ocorre nas regiões de terras mais férteis." (*Observations on Certain Verbal Disputes* etc., p. 74.)

49 J. St. Mill, *Essays on Some Unsettled Questions of Polit. Economy*, Londres, 1844, pp. 90-91.

O CAPITAL

íntimas e secretas do capital inglês, ao declarar que é tarefa vital da Inglaterra rebaixar o salário do trabalhador inglês ao nível do salário do trabalhador francês e do holandês.[50] Dentre outras coisas, diz ele, ingenuamente:

> "Se nossos pobres [expressão utilizada para designar trabalhadores] querem viver luxuosamente [...] seu trabalho tem de ser, por certo, mais caro [...] Basta observar a enorme quantidade de coisas supérfluas consumidas pelos trabalhadores de nossas manufaturas, como aguardente, gim, chá, açúcar, frutas estrangeiras, cerveja forte, linhos estampados, rapé, fumo etc."[51]

Cita o trabalho de um fabricante de Northamptonshire que, elevando os olhos ao céu, lamenta:

> "O trabalho na França é um terço mais barato que na Inglaterra, pois os franceses pobres trabalham duro, vestem-se da maneira mais simples e alimentam-se frugalmente, consumindo principalmente pão, frutas, ervas, raízes e peixe seco. É raro comerem peixe, e quando o trigo está caro, consomem muito pouco pão."[52] "Acresce ainda", prossegue o ensaísta, "que só bebem água ou bebidas fracas, de modo que gastam muito pouco dinheiro. [...] É difícil implantar esse estado de coisas; mas não é inexequível, uma vez que vigora na França e na Holanda."[53]

Duas décadas mais tarde, um farsante americano, o ianque Benjamin Thompson, elevado à nobiliarquia, transformado em conde de Rumford,

---

50 *An Essay on Trade and Commerce*, Londres, 1770, p. 44. Em dezembro de 1866 e janeiro de 1867, o *Times* publicou as efusões de contentamento dos proprietários de minas ingleses, ao descreverem a felicidade em que viviam os trabalhadores das minas na Bélgica, que nada mais exigiam nem recebiam além do estritamente necessário para viver para os seus patrões. Mas os mineiros belgas sofreram demais, para figurar no *Times* como trabalhadores modelares. No começo de fevereiro de 1867, veio a resposta: greve desses trabalhadores em Marchienne, reprimida a pólvora e o chumbo.

51 *Loc. cit.*, pp. 44 e 46.

52 O fabricante de Northamptonshire cometeu uma fraude piedosa, perdoável pelo arrebatamento de seu coração. Pretendeu comparar a vida do trabalhador da manufatura inglesa com a do trabalhador da manufatura francesa, mas descreveu, na realidade, os trabalhadores agrícolas franceses, conforme confessa depois aturdido.

53 *Loc. cit.*, pp. 70-71.
Nota da 3ª edição: Hoje, avançamos bastante nessa direção, graças à concorrência que se estabeleceu, desde então, no mercado mundial. "Se a China", declara o parlamentar Stapleton a seus eleitores, "se tornar um grande país industrial, não vejo como os trabalhadores europeus poderão sustentar a luta sem descer ao nível do seus concorrentes." (*Times*, 3 de setembro de 1873.) O objetivo almejado agora pelo capital inglês não é mais o nível dos salários do Continente, mas o chinês.

TRANSFORMAÇÃO DA MAIS-VALIA EM CAPITAL

sustentou a mesma diretriz filantrópica com grande contentamento de Deus e dos homens. Seus *Essays* são um livro com receitas culinárias de toda a espécie, tendo em vista substituir os alimentos normais, caros, do trabalhador, por sucedâneos. Umas das receitas notáveis desse estapafúrdio "filósofo" é a seguinte:

> "Cinco libras-peso de cevada, cinco libras-peso de milho, 3 pence de arenque, 1 pêni de sal, 1 pêni de vinagre, 2 pence de pimenta e ervas. Com uma despesa total de 20¾ pence, obtém-se uma sopa para 64 pessoas. Aos preços médios atuais dos cereais, a sopa pode ser obtida a ¼ de pêni por cabeça."[54]

Com o progresso da produção capitalista, a falsificação das mercadorias tornou desnecessárias as receitas ideais de Thompson.[55]

Nos fins do século XVIII e durante as primeiras décadas do século XIX, os arrendatários e senhores das terras da Inglaterra impuseram o salário absolutamente mínimo, pagando aos jornaleiros salário abaixo do mínimo, e o restante sob a forma de ajuda paroquial. Esses *Dogberries* exerciam um humor sádico, ao fixar a tarifa de salários "legal", conforme se vê no trecho seguinte:

> "Quando, em 1795, os senhores rurais fixaram os salários para Speenhamland, tinham almoçado ao meio-dia, mas evidentemente pensaram que os trabalhadores não tinham necessidade disso. [...] Decidiram que o salário semanal por homem seria de 3 xelins, se o pão com o peso de 8 libras e 11 onças custasse

---

54 Benjamin Thompson, *Essays, Political, Economical and Philosophical* etc., 3 vols., Londres, 1796 a 1802, v. I, p. 294. Em seu trabalho *The State of the Poor: or, an History of the Labouring Classes in England* etc., Sir F. M. Eden recomenda a sopa rumfordiana aos dirigentes dos asilos de trabalho para os pobres e, em tom de censura, adverte os trabalhadores ingleses, dizendo-lhes que "há muitas famílias na Escócia que, em vez de consumirem trigo, centeio e carne, vivem meses seguidos e muito confortavelmente, alimentando-se apenas com farinha de aveia e de cevada misturadas com água e sal". (*Loc. cit.*, v. I, Livro II, Cap. II, p. 503). Conselhos semelhantes aparecem no século XIX. Lemos, por exemplo: "Os trabalhadores agrícolas ingleses não querem comer misturas de cereais de espécie inferior. Na Escócia, onde há melhor educação, esse preconceito é provavelmente desconhecido." (Charles H. Parry, M. D., *The Question of the Necessity of the Existing Cornlaws Considered*, Londres, 1816, p. 69.) Mas o mesmo Parry queixa-se de que o trabalhador inglês decaiu muito em 1815, em comparação com a época de Eden (1797).

55 Pelos relatórios das últimas comissões parlamentares de inquérito sobre falsificação dos meios de subsistência, vê-se que a falsificação dos produtos farmacêuticos, na Inglaterra, constitui a regra, e não a exceção. Ao serem examinadas 34 amostras de ópio, compradas em outras tantas farmácias, verificou-se que 31 estavam falsificadas com ingredientes como cápsula de papoula, farinha de trigo, borracha, barro, areia etc. Muitas nada continham de morfina.

O CAPITAL

1 xelim; o salário se elevaria regularmente até que o pão custasse 1 xelim e 5 pence. Se esse preço fosse ultrapassado, o salário sofreria uma diminuição proporcional, e, quando o preço do pão chegasse a 2 xelins, a alimentação do trabalhador seria reduzida em um quinto."[56]

No comitê de inquérito da Câmara dos Lordes, em 1814, fez-se a um certo A. Bennett, grande arrendatário, magistrado, administrador de asilo e regulador de salários agrícolas, a seguinte pergunta: "Vigora alguma proporção entre o valor do trabalho diário e a ajuda paroquial dada ao trabalhador?" Resposta:

> "Sim. A remuneração semanal para cada família é completada, de modo que ela receba o preço do pão com o peso de 8 libras e 11 onças a 3 pence por cabeça. [...] Pressupomos que essa quantidade de pão é suficiente para manter toda pessoa da família durante a semana; os 3 pence são para roupas; e, quando a paróquia resolve fornecer as roupas, esses 3 pence são descontados. Essa prática vigora não só na parte ocidental de Wiltshire, mas, acredito, em todo o país."[57]
>
> "Desse modo", exclama um escritor burguês daquela época, "os arrendatários degradaram uma classe respeitável de seus conterrâneos, forçando-os a recorrer à ajuda paroquial. [...] Os arrendatários aumentaram seus próprios ganhos, ao mesmo tempo que impediam os trabalhadores de acumular o estritamente indispensável."[58]

O papel que desempenha atualmente o roubo direto ao fundo de consumo necessário à manutenção do trabalhador, com o fim de formar mais-valia e, portanto, o fundo de acumulação do capital, está evidenciado, por exemplo, no chamado trabalho em domicílio (vide Capítulo XIII, 8, D). Apresentaremos novos fatos com referência ao assunto.

Embora, em todos os ramos industriais, a parte do capital constante constituída de instrumental de trabalho tenha de ser suficiente para certo número de trabalhadores, determinado pela magnitude do empreendimento,

---

56 G.L. Newnham, advogado. *A Review of the Evidence Before the Committees of the Two Houses of Parliament on the Corn Laws*, Londres, 1815, p. 20, Nota.

57 *Loc. cit.*, pp. 19 e 20.

58 Ch. H. Parry, *loc. cit.*, pp. 77-69. Os senhores das terras não só "se indenizaram" pela guerra antijacobina que conduziram em nome da Inglaterra, mas ainda se enriqueceram enormemente. "Depois de 18 anos, suas rendas tinham duplicado, triplicado, quadruplicado e, excepcionalmente, sextuplicado." (*Loc. cit.*, pp. 100-101.)

TRANSFORMAÇÃO DA MAIS-VALIA EM CAPITAL

não é necessário que essa parte aumente sempre na mesma proporção da quantidade de trabalho empregado. Suponhamos que, numa fábrica, 100 trabalhadores, submetidos a um horário de 8 horas, forneçam 800 horas de trabalho. Se o capitalista quiser aumentar de metade o total das horas, poderá empregar 50 trabalhadores novos; mas terá, então, de adiantar novo capital, não só para salários, mas também para instrumental de trabalho. Poderá também fazer os 100 trabalhadores trabalharem 12 horas em vez de 8, e, nesse caso, são suficientes os instrumentos de trabalho que já existem, que então se desgastarão mais rapidamente. Desse modo, o trabalho adicional obtido com maior tensão da força de trabalho pode aumentar o produto excedente e a mais-valia, a substância da acumulação, sem o correspondente aumento prévio do capital constante.

Na indústria extrativa, na mineração, por exemplo, as matérias-primas não constituem parte componente do capital adiantado. O objeto de trabalho, nesse caso, não é produto de trabalho anterior, mas um presente gratuito da natureza, minérios, minerais, carvão, pedras etc. Aí o capital constante se constitui quase exclusivamente de instrumental de trabalho, capaz de suportar uma quantidade muito ampliada de trabalho, com turmas noturnas e diurnas de trabalhadores, por exemplo. Ficando invariáveis as demais circunstâncias, a quantidade e o valor do produto aumentam na razão direta do trabalho empregado. Como no primeiro dia de produção, conjugam-se o homem e a natureza, os fatores originais da riqueza, criando agora os elementos materiais do capital. Graças à elasticidade da força de trabalho, ampliou-se o domínio da acumulação sem haver aumento prévio do capital constante.

Na agricultura, não se pode aumentar a terra lavrada sem o fornecimento prévio de mais sementes e adubos. Mas, feita essa antecipação, o cultivo puramente mecânico do solo exerce efeito maravilhoso sobre a quantidade produzida. Maior quantidade de trabalho, despendida pelo mesmo número anterior de trabalhadores, aumentará então a fertilidade da terra sem necessidade de nova inversão em instrumental de trabalho. Assim, temos novamente, sobre a natureza, a ação direta do homem, que se torna fonte imediata de maior acumulação sem interferência de qualquer capital novo.

Por fim, na indústria propriamente dita, cada dispêndio adicional de trabalho pressupõe um dispêndio correspondente em matérias-primas, mas não necessariamente em instrumental de trabalho. E, uma vez que a indústria extrativa e a agricultura fornecem à indústria propriamente dita as matérias-primas desta e as matérias-primas de seu instrumental de trabalho, beneficia-a também o acréscimo de produção que aquelas conseguem sem capital adicional.

Resultado geral: ao incorporar as fontes originais da riqueza, a força de trabalho e a terra, adquire o capital uma força de expansão que lhe possibilita ampliar os elementos de sua acumulação além dos limites aparentemente estabelecidos por sua própria magnitude, fixados pelo valor e pela quantidade dos meios de produção já produzidos, através dos quais existe o capital.

Outro importante fator para a acumulação é o grau de produtividade do trabalho social.

Com a produtividade do trabalho, aumenta a quantidade produzida em que se corporifica determinado valor e, portanto, dada magnitude de mais-valia. Não se alterando a taxa da mais-valia e mesmo diminuindo, desde que sua queda seja menos veloz que a ascensão da produtividade do trabalho, aumenta a quantidade do produto excedente. Não se alterando a proporção em que este se divide em renda e capital adicional, pode então o consumo do capitalista aumentar sem decréscimo do fundo de acumulação. A magnitude proporcional do fundo de acumulação pode aumentar à custa do fundo de consumo, enquanto o barateamento das mercadorias põe à disposição do capitalista a mesma quantidade anterior, ou maior, de meios de fruição. Mas, conforme já vimos, com a produtividade crescente do trabalho ocorrem o barateamento do trabalhador e, em consequência, uma taxa crescente de mais-valia, mesmo quando se eleve o salário real. Este nunca sobe na mesma proporção da produtividade do trabalho. O mesmo valor em capital variável mobiliza, portanto, maior força de trabalho e, consequentemente, mais trabalho. O mesmo valor em capital constante incorpora-se em mais meios de produção, isto é, mais instrumental de trabalho, materiais de trabalho e materiais acessórios, fornecendo mais elementos para a produção tanto de valores de uso quanto de valor, ou seja, mais elementos que absorvem trabalho. Por isso, a acumulação se acelera, embora permaneça igual e até diminua o valor do capital adicional. Não só se amplia materialmente a escala de reprodução, mas ainda a produção de mais-valia cresce mais rápido que o valor do capital adicional.

O desenvolvimento da força produtiva do trabalho atua também sobre o capital original, o capital que já se encontra engajado no processo de produção. Uma parte do capital constante em funcionamento consiste em instrumentais de trabalho, tais como maquinaria etc., que, só em períodos relativamente longos se consomem e, em consequência, se reproduzem ou são substituídos por novos exemplares da mesma espécie. Mas todo ano morre uma parte desse instrumental, ou chega ao fim sua função produtiva. Ela atinge, nesse ano, o momento de sua reprodução periódica ou de sua substituição por novos exemplares da mesma espécie. Se a produtividade do trabalho aumentou nos estabelecimentos que produzem esses instrumentos de trabalho – e ela se desenvolve continuamente, com o progresso ininterrupto da ciência e da técnica –, máquinas, ferramentas, aparelhos etc. mais eficazes e, considerando sua eficiência, mais baratos substituem os velhos. O capital antigo se reproduz em forma mais produtiva, além de haver contínuas alterações de pormenor nos instrumentos de trabalho em uso. A outra parte do capital constante, as matérias-primas e os materiais acessórios, é constantemente reproduzida em menos de um ano; e, na sua maior parte, anualmente os que provêm da agricultura. Toda introdução de melhores métodos etc. atua, portanto, quase simultaneamente sobre o capital adicional e sobre o capital que já se encontra em funcionamento. Cada progresso da química multiplica o número dos materiais úteis e as aplicações dos já conhecidos, ampliando, com o crescimento do capital, seu campo de aplicação. Além disso, ensina como lançar de volta no ciclo do processo de reprodução os resíduos dos processos de produção e de consumo, criando, sem prévio dispêndio de capital, nova matéria explorável pelo capital. Do mesmo modo que a exploração incrementada das riquezas naturais por meio apenas de maior tensão da força de trabalho, constituem a ciência e a técnica uma potência para expandir o capital, independentemente da magnitude dada do capital em funcionamento. Ambas atuam ao mesmo tempo sobre a parte do capital original que esteja sendo renovada. O capital incorpora gratuitamente em sua nova forma o progresso social que se realizou sem qualquer interferência de sua forma antiga. Sem dúvida. Esse desenvolvimento da força produtiva é simultaneamente acompanhado de depreciação parcial dos capitais em funcionamento. Quando a concorrência agrava sensivelmente essa depreciação, a sobrecarga principal recai sobre o trabalhador, procurando o capitalista explorá-lo mais para compensar-se.

O trabalho transfere ao produto o valor dos meios de produção por ele consumidos. Demais, o valor e a quantidade dos meios de produção mobilizados por dada quantidade de trabalho aumentam na medida em

O CAPITAL

que este se torna mais produtivo. Se, portanto, a mesma quantidade de trabalho acrescenta a seus produtos sempre a mesma soma de valor novo, aumenta, todavia, o valor do capital antigo que o trabalho simultaneamente lhes transfere com sua maior produtividade.

Um fiandeiro inglês e um chinês podem trabalhar o mesmo número de horas com a mesma intensidade, produzindo ambos, numa semana, valores iguais. Apesar dessa igualdade, há uma enorme diferença entre o valor do produto semanal do inglês, que trabalha com uma poderosa máquina automática, e o do chinês, que trabalha com uma roda de fiar. No mesmo espaço de tempo em que o chinês fia uma libra-peso de algodão, consegue o inglês fiar várias centenas de libras-peso. Uma soma de valores precedentes várias centenas de vezes maior se contém no seu produto, em que são conservados em nova forma útil, podendo assim funcionar novamente como capital.

> "Em 1782", expõe F. Engels, "toda a colheita de lã dos três anos anteriores, na Inglaterra, ficara sem beneficiamento por falta de trabalhadores, e assim teria continuado, se não fosse a ajuda da nova maquinaria inventada que a fiou."[59]

O trabalho que se materializa sob a forma de maquinaria não fez surgir do chão novos homens, mas permitiu a um número pequeno de trabalhadores, com acréscimo relativamente reduzido de trabalho, consumir produtivamente a lã, acrescentar-lhe novo valor e conservar seu valor antigo sob a forma de fio etc. Forneceu com isso meios e incentivo para a reprodução ampliada da lã. É propriedade natural do trabalho vivo conservar o valor antigo acrescentando-lhe, ao mesmo tempo, valor novo. Por isso, com o aumento da eficácia, do volume e do valor dos seus meios de produção, com a acumulação, portanto, que acompanha o desenvolvimento de sua força produtiva, conserva e eterniza o trabalho um valor constantemente crescente do capital em forma sempre nova.[60] Essa força natural do trabalho

---

59 Friedrich Engels, *Lage der Arbeitenden Klasse in England*, p. 20.

60 A economia clássica, em virtude de sua análise deficiente do processo de trabalho e do processo de criação do valor, nunca compreendeu adequadamente esse importante fator da reprodução, conforme se pode verificar, por exemplo, em Ricardo. Diz ele que, qualquer que seja a variação da força produtiva, "um milhão de homens produzem sempre nas fábricas o mesmo valor". A afirmação é exata, se forem dados a duração e o grau de intensidade do trabalho. Além disso, em certas conclusões que tira, não vê Ricardo que um milhão de homens transformam em produtos quantidades diferentes de meios de produção, na medida em que varia a força produtiva de seu trabalho. Assim,

TRANSFORMAÇÃO DA MAIS-VALIA EM CAPITAL

assume a aparência de propriedade do capital a que se incorpora, de força do capital para conservar-se, do mesmo modo que as forças produtivas do trabalho social parecem ser propriedades do capital e o exercício contínuo da função capitalista de apropriar-se do trabalho excedente aparenta ser constante autoexpansão do capital. Todas as forças do trabalho aparecem como forças do capital, do mesmo modo que todas as forças de valor da mercadoria se mascaram em formas de dinheiro.

Com o crescimento do capital, aumenta a diferença entre o capital empregado e o consumido. Em outras palavras, aumentam o valor e o volume do instrumental de trabalho, como construções, maquinaria, tubulações de

---

a mesma quantidade de trabalho transfere aos produtos quantidades de valor bem diferentes, e varia consideravelmente o valor dos produtos que fornece. Ricardo, diga-se de passagem, procurou, com aquele exemplo, esclarecer J. B. Say sobre a diferença entre valor de uso, a que dá o nome de riqueza material, e valor de troca. Say responde: "Quanto à dificuldade levantada por Ricardo, dizendo que com melhores métodos um milhão de pessoas podem produzir duas ou três vezes mais riquezas, sem produzir mais valor, a dificuldade desaparece quando, como se deve, se considera a produção uma troca, em que damos os serviços produtivos de nosso trabalho, nossa terra e nosso capital para obter produtos. Por meio desses serviços produtivos, adquirimos todos os produtos que existem no mundo. [...] Portanto [...] somos tanto mais ricos, nossos serviços produtivos têm tanto mais valor, quanto maior a quantidade de coisas úteis que obtemos com eles na troca a que chamamos de produção." [...] (J. B. Say, *Lettres à M. Malthus*, Paris, 1820, pp. 168-169.) A dificuldade que pretende ter resolvido, existente para ele e não para Ricardo, se reduz ao seguinte: por que não aumenta o valor dos valores de uso quando aumenta sua quantidade, em virtude de maior força produtiva do trabalho? Resposta: a dificuldade é resolvida dando-se ao valor de uso o nome de valor de troca. Valor de troca é algo que, de qualquer modo, se relaciona com troca. Se consideramos a produção uma "troca" de trabalho e de meios de produção pelo produto, está claro como água que recebemos tanto mais valor de troca quanto mais valor de uso nos fornece a produção. Em outras palavras, quanto mais valores de uso, meias, por exemplo, obtém o fabricante num dia de trabalho, mais rico é em meias. Subitamente, ocorre a Say que, "com a maior quantidade" de meias, cai seu "preço" (que nada teria a ver com o valor de troca), "pois a concorrência força os produtores a entregar seus produtos pelo custo". Mas donde virá o lucro, se o capitalista vende as mercadorias pelo preço que lhe custaram? Deixemos isso de lado. Say declara que, em virtude da maior produtividade, cada comprador recebe agora em troca do mesmo equivalente, em vez de um par, dois pares de meias etc. Acaba assim fazendo a mesma afirmação de Ricardo, a qual queria refutar. Não satisfeito ainda com esse prodigioso esforço de raciocínio, declara solene e triunfante para Malthus: "Esta é, caro senhor, a doutrina de sólido fundamento, sem a qual, assim o declaro, é impossível resolver os problemas mais difíceis da economia política, e notadamente o de saber como pode uma nação ser mais rica quando seus produtos diminuem de valor, embora a riqueza represente valor." (*Loc. cit.*, p. 170.) Referindo-se aos artifícios desse gênero empregados por Say em suas *Lettres*, diz um economista inglês: "Esses modos afetados de expor formam aquilo que Say gosta de chamar sua doutrina, que recomenda calorosamente a Malthus, para que a ensine em Hertford, e que, segundo ele, é professada em várias partes da Europa. Diz Say: 'Se encontrardes em todas estas afirmações um aspecto paradoxal, atentai para as coisas que elas exprimem, e ouso acreditar que elas vos parecerão bem simples e bem razoáveis.' Sem dúvida, mas, se atentarmos mesmo para suas afirmações, elas parecerão ser tudo, menos originais." (*An Inquiry into Those Principles Respecting the Nature of Demand* etc., p. 110.)

O CAPITAL

drenagem, animais de tração, aparelhos de toda espécie que funcionam em períodos mais ou menos longos, em processos de produção que se repetem ininterruptamente, ou que servem para alcançar determinados efeitos úteis; mas, ao mesmo tempo, esse instrumental só se desgasta aos poucos, perdendo seu valor gradualmente, transferindo-o gradualmente ao produto. Na proporção em que esse instrumental de trabalho serve para elaborar produtos sem lhes transferir valor em que, portanto, é aplicado globalmente e consumido apenas parcialmente, realiza, conforme já vimos,[I] o mesmo serviço gratuito das forças naturais, a água, o vapor, o ar, a eletricidade etc. Esse serviço gratuito do trabalho anterior, quando utilizado e vivificado pelo trabalho vivo, aumenta com a escala crescente da acumulação.

Uma vez que o trabalho passado toma sempre a forma de capital, que o trabalho realizado por A, B, C etc. constitui ativo de X, que não trabalha, louvam burgueses e economistas políticos os méritos do trabalho passado, que, segundo o gênio escocês MacCulloch, deve mesmo receber remuneração especial, sob a forma de juros, lucros etc.[61] A importância sempre crescente do trabalho passado, que coopera no processo de trabalho vivo sob a forma de meios de produção, é atribuída à figura do capital, essa forma estranha ao trabalhador e que não é mais do que o trabalho deste, anteriormente realizado e não pago. Os agentes práticos da produção capitalista e seus ideólogos palradores são incapazes de imaginar, separados, os meios de produção e sua máscara social antagônica. São como o dono de escravos, que não separa o trabalhador de sua condição de escravo.

Dado o grau de exploração da força de trabalho, a quantidade de mais-valia é determinada pelo número de trabalhadores simultaneamente explorados, e esse número corresponde, embora em proporção variável, à magnitude do capital. Por isso, quanto mais cresce o capital, em virtude de acumulações sucessivas, mais aumenta o valor global que se reparte em fundo de consumo e fundo de acumulação. O capitalista pode viver, então, mais alegremente e, ao mesmo tempo, "renunciar" mais. E, por fim, todas as molas da produção funcionam com mais energia quanto mais aumenta sua escala com o montante do capital adiantado.

I Vide pp. 441-442.

61 MacCulloch inventou a expressão "salário de trabalho passado", muito antes de Senior ter patenteado a expressão "salário da abstinência".

5. O PRETENSO FUNDO DO TRABALHO[I]

No curso de nosso estudo, verificamos que o capital não é nenhuma magnitude fixa, mas uma parte da riqueza social, elástica e constantemente flutuante com a repartição da mais-valia em renda e capital adicional. Vimos ainda que, mesmo quando o capital em funcionamento conserva inalterada sua magnitude, a força de trabalho, a ciência e a terra (compreendidos nesta, economicamente, todos os objetos de trabalho existentes na natureza sem interferência humana) que a ele se incorporam constituem potências elásticas do capital, as quais, dentro de certos limites, lhe possibilitam ampliar seu raio de ação, independentemente de sua grandeza. Foram postos de lado todos os efeitos do processo de circulação, que podem ocasionar graus diversos de eficiência da mesma quantidade de capital. Uma vez que pressupomos os limites da produção capitalista, isto é, uma estrutura espontânea do processo social de produção, pusemos de lado qualquer combinação mais racional, realizável de maneira direta e planejada, entre os meios de produção e as forças de trabalho existentes. A economia clássica costumava considerar o capital social magnitude fixa com grau fixo de eficiência. Mas esse preconceito só se solidificou em dogma com o arquifilisteu Jeremy Bentham, o oráculo, no século XIX, da inteligência burguesa vulgar, insípido, pedante e loquaz.[62] Bentham é, entre os filósofos, o que Martin Tupper é entre os poetas. Ambos só poderiam ter nascido na Inglaterra.[63] Com seu dogma, tornam-se inteiramente ininteligíveis os

---

I Fundo do trabalho (*Arbeitsfonds*) é o que, na economia capitalista, se chama de fundo de salários. A expressão "fundo do trabalho" tem maior amplitude, pode aplicar-se aos mais diversos modos de produção. Vide pp. 663-664.

62 Vide, entre outros: J. Bentham, *Théorie des peines et des récompenses*, trad. Et. Dumont, 3ª edição, Paris, 1826, t. II, Livro IV, Cap. II.

63 Jeremy Bentham é um fenômeno puramente inglês. Mesmo sem excluir Christian Wolf de nossos filósofos, nunca houve, em tempo algum, em nenhum país, ninguém que, como ele, se pavoneasse tão presunçosamente com os lugares-comuns mais prosaicos. Nem o princípio da utilidade foi invenção de Bentham. Reproduziu, sem espírito, o que Helvetius e outros franceses do século XVIII tinham dito com agudeza intelectual. Se queremos, por exemplo, saber o que é útil a um cão, temos de conhecer antes sua natureza. Essa natureza não pode ser inferida do princípio de utilidade. Do mesmo modo, para julgar todas as ações, movimentos, relações etc. do homem pelo princípio da utilidade, temos de nos ocupar, antes, com a natureza humana em geral e ainda com a natureza humana historicamente modificada em cada época. Bentham não faz cerimônia. Com a mais ingênua simplicidade, supõe que o burguês moderno, especialmente o burguês da Inglaterra, é o ser humano normal. O que é útil a essa normalidade humana e a seu mundo, é útil de maneira absoluta. Por esse padrão julga o passado, o presente e o futuro. A religião cristã, por exemplo, é útil porque condena, no plano religioso, os mesmos delitos que o código penal pune no domínio jurídico. A crítica da arte

O CAPITAL

fenômenos mais corriqueiros do processo de produção, como as expansões e contrações súbitas, a própria acumulação.[64] Esse dogma foi explorado pelo próprio Bentham, por Malthus, James Mill, MacCulloch e outros, para fins apologéticos, notadamente para representar como magnitude fixa uma parte do capital, o capital variável, ou capital conversível em força de trabalho.

A existência material do capital variável, isto é, a massa de meios de subsistência que ele representa para o trabalhador, se tornou, mitologicamente, uma fração separada da riqueza social, fixada por leis naturais e imutável, o pretenso fundo do trabalho. Para mobilizar a parte da riqueza social que deve funcionar como capital constante ou, materialmente falando, como meios de produção, é necessária determinada quantidade de trabalho vivo. Essa quantidade é dada tecnologicamente. Mas o número de trabalhadores necessários para se obter essa quantidade de trabalho varia com o grau de exploração da força de trabalho individual. Varia também o preço dessa força de trabalho, sendo fixado apenas seu limite mínimo, que é, entretanto, muito elástico. Os fatos em que se apoia o dogma são estes: por um lado, o trabalhador não tem voz quando se trata de dividir a riqueza social em meios de fruição dos que não trabalham e em meios de produção; por outro lado, só em casos excepcionais favoráveis pode ele alimentar o pretenso fundo do trabalho à custa da renda dos ricos.[65]

é prejudicial porque perturba a admiração das pessoas honestas por Martin Tupper etc. Com ideias desse jaez, nosso valoroso homem, cuja divisa é *"nulla dies sine linea"*, escreveu montanhas de livros. Se eu tivesse a coragem de meu amigo H. Heine, chamaria Jeremy de gênio da estupidez burguesa.

64 "Economistas políticos são demasiadamente inclinados a considerar certa quantidade de capital e certo número de trabalhadores instrumentos de produção de força uniforme ou que operam com certa intensidade uniforme. [...] Aqueles que afirmam que as mercadorias são os únicos agentes da produção estarão provando que a produção não pode ser ampliada, pois para essa ampliação teriam de ser aumentados antes os meios de subsistência, as matérias-primas e as ferramentas. Isto equivale a dizer que não pode ocorrer nenhum aumento da produção sem que ela aumente antes, ou, em outras palavras, que nenhum aumento é possível." (S. Bailey, *Money and its Vicissitudes*, pp. 58-70.) Bailey critica esse dogma principalmente do ponto de vista do processo de circulação.

65 J. St. Mill diz em seus *Principles of Polit. Economy* [L. II. Cap. I, § 3]: "O produto do trabalho é hoje dividido na razão inversa do trabalho: a maior parte se destina àqueles que nunca trabalham, a segunda parte em importância àqueles cujo trabalho é quase puramente nominal e assim, em escala decrescente, a recompensa torna-se cada vez menor na medida em que o trabalho se torna mais duro e mais desagradável, até chegar a ponto em que o trabalho corporal mais cansativo e mais esgotante não pode contar com a certeza de obter os meios de subsistência indispensáveis." Para evitar mal-entendido, observaremos que, se homens como J. St. Mill merecem crítica pela contradição entre seus velhos dogmas econômicos e suas tendências modernas, seria absolutamente injusto confundi-los com a classe dos economistas vulgares.

TRANSFORMAÇÃO DA MAIS-VALIA EM CAPITAL

Considerar natural e social a rígida limitação capitalista ao fundo do trabalho leva a uma tautologia absurda, conforme se percebe nas seguintes palavras do Prof. Fawcett:

> "O capital circulante[66] de um país é seu fundo de salários. Por isso, para calcular o salário médio que cada trabalhador recebe, temos simplesmente de dividir esse capital pelo número de membros da população trabalhadora."[67]

Temos, assim, de somar primeiro os salários individuais realmente pagos, e afirmaremos então que essa soma é o fundo do trabalho imposto por Deus e pela natureza. Depois dividiremos essa soma pelo número dos trabalhadores, para saber quanto pode caber em média a cada trabalhador. Que artimanha singular! Não impede Fawcett de dizer, no mesmo fôlego:

> "A riqueza global acumulada anualmente na Inglaterra se divide em duas partes. Uma se aplica na Inglaterra para manter nossa própria indústria. A outra é exportada para outros países. [...] A parte aplicada em nossa indústria não constitui porção importante da riqueza anualmente acumulada neste país."[68]

A maior parte do produto excedente que acresce todo ano, extraída do trabalhador inglês, sem equivalente, não é capitalizada na Inglaterra, mas em países estrangeiros. Com o capital adicional assim exportado, vai também para o exterior uma parte desse fundo do trabalho, invenção de Deus e de Bentham.[69]

---

66 H. Fawcett, professor de Economia Política em Cambridge, *The Economic Position of the British Labourer*, Londres, 1865, p. 120.

67 Lembro ao leitor que fui o primeiro a empregar as categorias capital constante e capital variável. Desde A. Smith, a economia política confunde as distinções contidas nessas categorias com as diferenças de forma, oriundas do processo de circulação, existentes entre capital fixo e capital circulante. Pormenores sobre o assunto no Livro 2, Segunda Seção.

68 Fawcett, *loc. cit.*, pp. 123-122.

69 Poder-se-ia dizer que a Inglaterra exporta anualmente não só capital, mas também os trabalhadores que emigram. Mas não se fala, no texto, do pecúlio dos emigrantes, que, em grande parte, não são trabalhadores. Uma grande porção é constituída de filhos dos arrendatários. O capital adicional inglês que se manda anualmente para o exterior com o fim de obter juros representa da acumulação anual uma proporção muitíssimo maior do que a que existe entre a emigração anual e o acréscimo anual da população.

XXIII.

A lei geral da acumulação capitalista

1. NÃO SE ALTERANDO A COMPOSIÇÃO DO CAPITAL, A PROCURA DA FORÇA DE TRABALHO AUMENTA COM A ACUMULAÇÃO

Neste capítulo, examinaremos a influência que o aumento do capital tem sobre a sorte da classe trabalhadora. Os fatores mais importantes para este estudo são a composição do capital e as modificações que ele experimenta no curso do processo de acumulação.

A composição do capital tem de ser apreciada sob dois aspectos. Do ponto de vista do valor, é determinada pela proporção em que o capital se divide em constante, o valor dos meios de produção, e variável, o valor da força de trabalho, a soma global dos salários. Do ponto de vista da matéria que funciona no processo de produção, todo capital se decompõe em meios de produção e força de trabalho viva; essa composição é determinada pela relação entre a massa dos meios de produção empregados e a quantidade de trabalho necessária para eles serem empregados. Chamo a primeira composição de composição segundo o valor, e a segunda, de composição técnica. Há estreita correlação entre ambas. Para expressá-la, chamo a composição do capital segundo o valor, na medida em que é determinada pela composição técnica e reflete as modificações desta, de composição orgânica do capital. Ao falar simplesmente de composição do capital, estaremos sempre nos referindo à sua composição orgânica.

Os numerosos capitais empregados num determinado ramo industrial diferem mais ou menos entre si pela sua composição. A média de suas composições individuais dá-nos a composição do capital global desse ramo de produção. Por fim, a média geral das composições médias de todos os ramos de produção nos dá a composição do capital social de um país, e que fundamentalmente nos interessa no estudo que segue.

Acréscimo do capital implica acréscimo de sua parte variável, isto é, transformada em força de trabalho. Parte da mais-valia que se transforma em capital adicional tem sempre de metamorfosear-se especificamente em capital variável, em fundo adicional do trabalho. Suponhamos que não se modifique a composição do capital, isto é, determinada massa de meios de produção ou determinado capital constante exijam sempre, para funcionar, a mesma quantidade de força de trabalho, e admitamos ainda que fiquem inalteradas as demais condições. De acordo com estes pressupostos, a procura de trabalho e o fundo de subsistência dos trabalhadores aumentarão, evidentemente, na mesma proporção do capital, e tanto mais rapidamente quanto mais rápido for o crescimento do capital. O capital produz anualmente mais-valia, parte da qual se agrega todo ano ao capital original; esse acréscimo aumenta todo ano com o crescimento do capital que já está em funcionamento; além disso, a escala da acumulação pode ser ampliada, alterando-se apenas a repartição da mais-valia ou do produto excedente em capital e renda, se houver um incentivo especial ao impulso de enriquecimento, como, por exemplo, quando surgem novos mercados, novas esferas de aplicação do capital, em virtude do desenvolvimento de novas necessidades sociais etc. Esses fatores podem fazer as necessidades de acumulação do capital ultrapassarem o crescimento da força de trabalho ou do número de trabalhadores, a procura de trabalhadores ser maior que a oferta, ocasionando assim a elevação dos salários. É o que teria de ocorrer, caso não se alterasse a suposição que fizemos anteriormente. Sendo empregados, em cada ano, mais trabalhadores que no ano precedente, ter-se-á de chegar mais cedo ou mais tarde ao ponto em que as necessidades da acumulação superam a oferta ordinária de trabalho, subindo, em consequência, os salários. Contra essa elevação ouviram-se queixas na Inglaterra durante todo o século XVII e na primeira metade do século XVIII. As circunstâncias mais ou menos favoráveis em que se conservam e se reproduzem os assalariados em nada modificam o caráter fundamental da produção capitalista. A reprodução simples reproduz constantemente a mesma relação capitalista: capitalista de um lado e assalariado do outro. Do mesmo modo, a reprodução ampliada ou a acumulação reproduzem a mesma relação em escala ampliada: mais capitalistas ou capitalistas mais poderosos, num polo, e mais assalariados, no outro. A força de trabalho tem de incorporar-se continuamente ao capital como meio de expandi-lo; não pode livrar-se dele. Sua escravização ao capital se dissimula apenas com a mudança dos capitalistas a que se vende, e sua reprodução constitui, na realidade, um fator de reprodução do próprio capital. Acumular capital é, portanto, aumentar o proletariado.[70]

---

70 Karl Marx, *loc. cit.* "Havendo igual opressão das massas, um país é tanto mais rico quanto mais proletários possua." (Colins, *L'économie Politique, Source des Revolutions et des Utopies Prétendues Socialistes*, Paris, 1857, t. III, p. 331.) Por "proletário" deve entender-se economicamente o assalariado que produz e expande o capital e é lançado à rua logo que se torna supérfluo às necessidades de expansão do "*monsieur capital*", como o chama Pecqueur. "O proletário doentio da floresta virgem" não passa de uma curiosa fantasia de Roscher; o habitante da floresta virgem é proprietário dela e trata-a como sua propriedade, com a mesma liberdade de um orangotango. Ele não é um proletário, e só o seria se a floresta o explorasse, em vez de ser explorada por ele. Quanto a seu estado de saúde, resistiria bem a

A LEI GERAL DA ACUMULAÇÃO CAPITALISTA

A economia clássica compreendeu muito bem essa proposição, chegando A. Smith, Ricardo e outros, conforme já vimos, a identificar erroneamente a acumulação com o consumo de toda parte capitalizada do produto excedente pelos trabalhadores produtivos, ou com a conversão dela em assalariados suplementares. Já em 1696, dizia John Bellers:

> "Se alguém tivesse 100.000 acres de terra, o mesmo número de libras esterlinas e outro tanto de gado, que seria essa pessoa rica sem o trabalhador, senão um trabalhador? Uma vez que os trabalhadores fazem os ricos, quanto mais trabalhadores, maior será a riqueza... O trabalho do pobre é a mina do rico."[71]

No começo do século XVIII, Bernard de Mandeville se expressa no mesmo sentido:

> "Nos países onde a propriedade está bem protegida, é mais fácil viver sem dinheiro do que sem os pobres, pois quem faria o trabalho? [...] Se não se deve deixar os pobres morrerem de fome, não se lhes deve dar coisa alguma que lhes permita economizarem. Se esporadicamente um indivíduo, à custa de trabalho e de privações, se eleva acima das condições em que nasceu, ninguém lhe deve criar obstáculos: é inegável que, para todo indivíduo, para toda família, o mais sábio é praticar a frugalidade; mas é interesse de todas as nações ricas que a maior parte dos pobres nunca fique desocupada e que, ao mesmo tempo, gaste sempre tudo o que ganha. [...] Os que ganham sua vida com o trabalho quotidiano só têm como estímulo, para prestar seus serviços, suas necessidades. Por isso, é prudente mitiga-las, mas seria loucura curá-las. A única coisa que pode tornar ativo o trabalhador é um salário moderado. Um salário demasiadamente pequeno, segundo o temperamento do trabalhador, deprime-o ou desespera-o; um demasiadamente grande torna-o insolente e preguiçoso. [...] Numa nação livre onde se proíbe a escravatura, a riqueza mais segura é constituída de um grande número de pobres laboriosos. Constituem fonte inesgotável para o recrutamento da marinha e do exército; sem eles, nada se poderia fruir nem poderiam ser explorados os produtos de um país. Para tornar feliz a sociedade [isto é, os que não trabalham] e para que o povo viva contente, mesmo em

---

uma comparação com a do proletário moderno e mesmo com a de respeitáveis cavalheiros, sifilíticos e escrofulosos. Provavelmente, *Herr* Wilhelm Roscher entende por floresta os arredores campestres de Lüneburg, sua terra natal.

71 "As the Labourers make men rich, so the more Labourers, there will be the more rich men [...] the Labour of the Poor being the Mines of the Rich." (John Bellers, *loc. cit.*, p. 2.)

condições miseráveis, é necessário que a maioria permaneça ignorante e pobre. O saber aumenta e multiplica nossos desejos, e, quanto menos um homem deseje, mais fácil é satisfazer suas necessidades."[72]

O que Mandeville, homem honrado e lúcido, ainda não entende é que o mecanismo do próprio processo de acumulação aumenta, com o capital, a quantidade dos "pobres laboriosos", isto é, dos assalariados, que transformam sua força de trabalho em força de valorização crescente do capital que está sempre se expandindo. Com isso, eternizam necessariamente sua relação de dependência para com seu próprio produto, personificado no capitalista. Com relação a essa dependência, observa Sir F. Eden, em sua obra *The State of the Poor: or, an History of the Labouring Classes in England*:

> "Nossa zona exige trabalho para satisfazer as necessidades, e, por isso, pelo menos uma parte da sociedade tem de trabalhar sem descanso. [...] Alguns que não trabalham dispõem, contudo, dos produtos da atividade alheia. Mas estão isentos do trabalho em virtude apenas da civilização e da ordem; são criaturas das instituições burguesas.[73] Estas instituições reconheceram que as pessoas podem adquirir propriedade por vários outros meios além do trabalho. Pessoas independentes por sua fortuna devem sua posição superior não a habilidades superiores que possuam, mas quase inteiramente [...] ao trabalho dos outros. Não é a posse de terra ou de dinheiro, mas o comando sobre o trabalho, o que distingue os ricos dos pobres. [...] O que convém aos pobres não é uma situação servil e abjeta, mas uma relação de dependência cômoda e liberal, e o que é necessário às pessoas de posses é uma influência e autoridade suficientes sobre aqueles que para elas trabalham. [...] Essa relação de dependência é indispensável, como sabem os que conhecem a natureza humana, para o conforto dos próprios trabalhadores."[74]

---

72 B. de Mandeville, *The Fable of the Bees*, 5ª edição, Londres, 1728, Remarks, pp. 212, 213-328.) "Uma vida sóbria e um trabalho incessante são para o pobre o caminho da felicidade material [por isso recomenda ele a jornada de trabalho mais longa possível e a menor quantidade possível de meios de subsistência] e, para o Estado, o caminho da riqueza [isto é, para os proprietários das terras, para os capitalistas, para seus agentes dignitários políticos]." (*An Essay on Trade and Commerce*, Londres, 1770, p. 54.)

73 Eden não considerou que as "instituições burguesas" são também criaturas e, por isso, têm uma origem. De seu ponto de vista jurídico ilusório, ele não considera a lei produto das relações materiais de produção, mas, ao contrário, as relações de produção produto da lei. Linguet assentou um golpe demolidor sobre o ilusório *Esprit des lois*, de Montesquieu, dizendo: "O espírito das leis é a propriedade."

74 Eden, *loc. cit.*, V. 1, Livro 1, Cap. 1, pp. 1-2 e Prefácio, p. 20.

Sir F. Eden, diga-se de passagem, é o único discípulo de Adam Smith que realizou algo de importante durante o século XVIII.[75]

---

75 O leitor poderia lembrar Malthus, cujo *Essay on Population* foi publicado em 1798. Responderia, entretanto, que esse trabalho, em sua primeira forma, não passa de um plágio escolar, superficial, com tinturas sacerdotais, extraído de Defoe, Sir James Stewart, Townsend, Franklin, Wallace e outros, não contendo nenhuma proposição original. O grande sucesso alcançado por esse panfleto decorreu exclusivamente de paixões políticas. A revolução francesa encontrara no Reino Britânico ardorosos defensores; o "princípio da população", lentamente elaborado no século XVIII e, a seguir, anunciado com tambores e trombetas, em meio a uma grande crise social, como o antídoto infalível contra as doutrinas de Condorcet e outros, foi recebido jubilosamente pela oligarquia inglesa, que nele viu a grande força exterminadora de todas as aspirações no sentido do desenvolvimento humano. Malthus, profundamente surpreendido com seu sucesso, devotou-se a adicionar, ao velho trabalho, material compilado superficialmente, e a acrescentar-lhe coisas novas, não descobertas por ele, mas apenas anexadas. Um pormenor que tem sua importância. Embora Malthus fosse ministro da Igreja Anglicana, fizera o voto de celibato. Esta é uma das condições para ser membro da universidade protestante de Cambridge. "Não permitimos que os membros dos colégios sejam casados, e aquele que tome mulher deixará imediatamente de ser membro do colégio." (*Reports of Cambridge University Commission*, p. 172.) Essa circunstância dá a Malthus uma vantagem em relação aos outros pastores protestantes, que repelem o mandamento católico do celibato sacerdotal e adotaram como sua missão bíblica específica o princípio "crescei e multiplicai-vos", com tal empenho que contribuem, por toda parte, de maneira notável, para o aumento da população, ao mesmo tempo que pregam para os trabalhadores o "princípio da população". É curioso que os senhores da teologia protestante ou, melhor, a Igreja Protestante tenha monopolizado o pecado original, revestindo de roupagem econômica o "apetite premente" e "os obstáculos que servem para embotar as setas de Cupido", na expressão pândega do pastor Townsend. Com exceção do monge veneziano Ortes, escritor original e engenhoso, são pastores protestantes a maioria dos que pregam a doutrina da população. É o caso de Bruckner, com sua *Théorie du système animal*, Leyde, 1787, em que trata a fundo toda a teoria moderna da população, para a qual contribuiu com ideias o debate passageiro entre Quesnay e seu discípulo Mirabeau, pai. A seguir, vêm os pastores Wallace, Townsend, Malthus e seu aluno, o arcipreste Th. Chalmers, para não falarmos de outros de menor importância. Originalmente, dedicavam-se à economia política filósofos como Hobbes, Locke, Hume, homens de negócios e estadistas como Thomas Morus, Temple, Sully, de Witt, North, Law, Vanderlint, Cantillon, Franklin e, sobretudo teoricamente e com o maior sucesso, médicos, como Petty, Barbon, Mandeville, Quesnay. Ainda em meados do século XVIII, o reverendo Tucker, importante economista para sua época, desculpava-se por ocupar-se com Mammon. Mais tarde, e com o princípio da população, soou a hora de aparecerem em cena os pastores protestantes. Petty, que considera a população base da riqueza, inimigo declarado dos clérigos, pressentindo talvez sua interferência desastrosa, disse: "A religião floresce melhor quando os sacerdotes se mortificam mais, do mesmo modo que o direito floresce mais quando os advogados morrem de fome." Por isso, aconselha os pastores protestantes que não queiram seguir o exemplo do apóstolo Paulo e mortificar-se com o celibato "a não engendrarem mais pastores do que os que podem ser comportados pelos benefícios que estão fixados; se foram fixados apenas 12.000 benefícios para a Inglaterra e País de Gales, é imprudente gerar 24.000 pastores, pois os 12.000 que ficarem sem rendimento procurarão conseguir de qualquer modo seu sustento, e o recurso mais fácil seria dirigirem-se ao povo e convencerem-no de que os 12.000 que recebem os benefícios envenenam, arruínam suas almas, e desviam-nas do verdadeiro caminho do céu." (Petty, *A Treatise on Taxes and Contributions*, Londres, 1667, p. 57.) A posição de Adam Smith em relação ao clero protestante de seu tempo é caracterizada a seguir. Em *A Letter to A. Smith, LL. D. on the Life, Death and Philosophy of his Friend David Hume, by One of the People Called Christians*, 4ª edição, Oxford, 1784, Dr. Horne, bispo anglicano de Norwich, censura A. Smith por ter este, em carta aberta dirigida a Strahan, adornado seu "amigo David" (refere-se a Hume)

O CAPITAL

Nas condições de acumulação até agora admitidas, as mais favoráveis aos trabalhadores, sua relação de dependência para com o capital se reveste de formas suportáveis ou, conforme diz Eden, "cômodas e liberais". Essa submissão, em vez de mais intensa, se torna mais extensa ao crescer o capital, que amplia seu campo de exploração e de domínio com as próprias dimensões e com o número de seus vassalos. Estes recebem, sob a forma de meios de pagamento, uma porção importante do seu próprio produto excedente, que se expande e se transforma em quantidade cada vez maior de capital adicional. Desse modo, podem ampliar seus gastos, provendo-se melhor de roupas, móveis etc. e formar um pequeno fundo de reserva em dinheiro. Roupa, alimentação e tratamento melhores e maior pecúlio não eliminam a dependência e a exploração do escravo, nem as do assalariado. Elevação do preço do trabalho, em virtude da acumulação do capital, significa que a extensão e o peso dos grilhões de ouro que o assalariado forjou para si mesmo apenas permitem que fique menos rigidamente acorrentado. Nas controvérsias sobre o assunto, omite-se, em regra, o principal, o caráter específico da produção capitalista. Nesta, não se compra a força de trabalho para satisfazer as necessidades pessoais do adquirente por meio dos serviços que ela presta ou do que ela produz. O objetivo do comprador é aumentar seu capital, produzir mercadorias que contêm mais trabalho do que ele

---

com virtudes póstumas, contando ao público como "no seu leito de morte, Hume se entretinha com Luciano e Whist", e ousando ainda escrever: "Vi em Hume, durante sua vida e na hora de sua morte, um ser tão próximo do ideal de um homem absolutamente sábio e virtuoso quanto o possa permitir a fragilidade da natureza humana." O bispo exclama indignado: "É justo, caro senhor, retratar como perfeitamente sábio e virtuoso pelo seu caráter e pela sua conduta, um homem que era possuído de incurável antipatia contra tudo o que trouxesse o nome de religião e que fazia tudo o que estivesse a seu alcance até para extirpar esse nome do espírito dos homens?" (*Loc. cit.*, p. 8.) "Mas não vos intimideis, amantes da verdade, o ateísmo tem vida curta." (p. 17.) Adam Smith "pratica a horrenda perversidade de propagar o ateísmo no país [por meio de sua *Theory of Moral Sentiments*.] Sabemos qual é vossa intenção, meu caro doutor! Planejastes tudo muito bem, mas o tiro vos saiu pela culatra. Quereis nos fazer acreditar, por meio do exemplo de David Hume, que o ateísmo é a única bebida revigorante para um espírito abatido e o único antídoto contra o medo da morte. [...] Podeis sorrir sobre Babilônia em ruínas e congratular-vos com o Faraó, duro e perverso!" (*Loc. cit.*, pp. 21 e 22.) Depois da morte de A. Smith, um de seus alunos, de espírito ortodoxo, escreve: "A amizade de Smith por Hume o impediu de ser cristão. [...] Acreditava em tudo o que Hume dizia. Se Hume lhe dissesse que a lua era um queijo verde, ele acreditaria. Por isso, tinha fé em Hume quando ele afirmava que não existia Deus nem milagres. [...] Seus princípios políticos aproximavam-no do republicanismo." (*The Bee*, por James Anderson, 18 volumes, Edimburgo, 1791 a 1793, vol. 3, pp. 166-165.) O pastor Th. Chalmers suspeitava que A. Smith tinha inventado a categoria dos "trabalhadores improdutivos", por pura maldade, com o propósito de colocar nela os pastores protestantes, apesar do trabalho abençoado em que se empenham na vinha do Senhor.

A LEI GERAL DA ACUMULAÇÃO CAPITALISTA

paga e cuja venda realiza também a parte do valor obtida gratuitamente. Produzir mais-valia é a lei absoluta desse modo de produção. A força de trabalho só é vendável quando conserva os meios de produção como capital, reproduz seu próprio valor como capital e proporciona, com o trabalho não pago, uma fonte de capital adicional.[76] As condições de sua venda, mais favoráveis ou menos favoráveis ao trabalhador, implicam, portanto, a necessidade de sua revenda contínua e a reprodução constantemente ampliada da riqueza como capital. O salário, conforme vimos, pressupõe sempre, por sua natureza, o fornecimento de determinada quantidade de trabalho não pago por parte do trabalhador. Pondo-se de lado a elevação de salário associada a menor preço de trabalho etc., um acréscimo salarial significa, na melhor hipótese, apenas a redução quantitativa do trabalho gratuito que o trabalhador tem de realizar. Essa redução nunca pode chegar a ponto de ameaçar a existência do próprio sistema. Deixando-se de lado os violentos conflitos em torno da taxa do salário – e Adam Smith já demonstrou que, nesses conflitos, o patrão, de modo geral, é sempre o patrão – uma elevação do preço do trabalho, oriundo da acumulação do capital, leva à seguinte alternativa:

— Ou o preço do trabalho continua a elevar-se, por não perturbar essa alta o progresso da acumulação, e, nesse caso, nada há de surpreendente, pois, como diz A. Smith,

> "[...] mesmo com lucros reduzidos, os capitais aumentam, podendo crescer com maior velocidade que antes. [...] Um grande capital, embora com pequenos lucros, geralmente cresce mais do que um pequeno capital com grandes lucros". (*Loc. cit.*, V. i, p. 189.)

Nesse caso, é evidente que uma diminuição do trabalho gratuito não prejudica a expansão do domínio do capital.

— Ou, o outro lado da alternativa, a acumulação retarda-se em virtude de elevar-se o preço do trabalho, ficando embotado o aguilhão do lucro. A acumulação diminui, mas o decréscimo faz desaparecer a própria causa que o originou, a desproporção entre capital e força de trabalho explorável.

---

76 Nota da 2ª edição: "O limite para empregar os trabalhadores industriais e agrícolas é o mesmo: a possibilidade de o empregador extrair um lucro do produto do trabalho deles. Se a taxa do salário é tão alta que o lucro do patrão cai abaixo da média, cessa ele de empregá-los ou só os emprega se concordarem com uma redução de salário." (John Wade, *loc. cit.*, p. 240.)

O CAPITAL

O mecanismo da produção capitalista remove os obstáculos que ele mesmo cria temporariamente. O preço do trabalho volta de novo a um nível que corresponda às necessidades de expansão do capital, seja ele superior, igual ou inferior ao que era considerado normal, antes da elevação dos salários. No primeiro caso, não é a diminuição no crescimento absoluto ou proporcional da força de trabalho ou da população trabalhadora que torna o capital supérfluo, mas, ao contrário, é o aumento do capital que torna insuficiente a força de trabalho explorável. No último caso (preço de trabalho em nível inferior), não é o aumento que ocorre no crescimento absoluto ou proporcional da força de trabalho ou da população trabalhadora que torna o capital insuficiente, mas, ao contrário, é a diminuição do capital que torna superabundante a força de trabalho explorável, ou excessivo o seu preço. Esses movimentos absolutos da acumulação do capital, refletidos como movimentos relativos da massa da força de trabalho explorável, têm a aparência de provir da própria dinâmica dessa massa. Expressando matematicamente: a magnitude da acumulação é a variável independente, e o montante dos salários, a variável dependente, não sendo verdadeira a afirmação oposta. O fenômeno tem sua analogia com o que ocorre nas fases do ciclo industrial: nas crises, a queda geral dos preços das mercadorias aparece como elevação do valor relativo do dinheiro; nos períodos de prosperidade, a elevação geral desses preços é vista como queda do valor relativo do dinheiro. Daí a escola da *currency* conclui que circula dinheiro demais, quando os preços são altos, e de menos, quando são baixos. A ignorância e o completo desconhecimento dos fatos por parte dos defensores dessa teoria[77] encontram sua parelha nos economistas que interpretam esses fenômenos da acumulação afirmando que ora há trabalhadores de menos, ora há trabalhadores demais.

A lei da produção capitalista, que serve de base à pretensa lei natural da população, reduz-se simplesmente ao seguinte: a relação entre capital, acumulação e salários é apenas a relação entre o trabalho gratuito que se transforma em capital e o trabalho adicional necessário para pôr em movimento esse capital suplementar. Não é de modo nenhum uma relação entre duas grandezas independentes entre si, de um lado a magnitude do capital, do outro o número dos trabalhadores; em última análise, é apenas a relação entre trabalho não pago e trabalho pago da mesma população trabalhadora.

---

77 Vide Karl Marx, *Contribuição à crítica da economia política*, pp. 165 e segs.

A LEI GERAL DA ACUMULAÇÃO CAPITALISTA

Se cresce a quantidade do trabalho gratuito fornecido pela classe trabalhadora e acumulado pela classe capitalista, com velocidade bastante que só possa transformar-se em capital com um acréscimo extraordinário de trabalho pago, haverá então uma elevação de salário e, não se alterando as demais condições, decrescerá proporcionalmente o trabalho não pago. Mas, quando esse decréscimo atinge o ponto em que o capital não obtém mais em proporção normal o trabalho excedente que o alimenta, opera-se uma reação: capitaliza-se parte menor da renda, a acumulação enfraquece e surge uma pressão contra o movimento ascensional dos salários. A elevação do preço do trabalho fica, portanto, confinada em limites que mantêm intactos os fundamentos do sistema capitalista e asseguram sua reprodução em escala crescente. A lei da acumulação capitalista, mistificada em lei natural, na realidade só significa que sua natureza exclui todo decréscimo do grau de exploração do trabalho ou toda elevação do preço do trabalho que possam comprometer seriamente a reprodução contínua da relação capitalista e sua reprodução em escala sempre ampliada. E tem de ser assim, num modo de produção em que o trabalhador existe para as necessidades de expansão dos valores existentes, em vez de a riqueza material existir para as necessidades de desenvolvimento do trabalhador. Na religião, o ser humano é dominado por criações de seu próprio cérebro; analogamente, na produção capitalista, ele é subjugado pelos produtos de suas próprias mãos.[77a]

2. DECRÉSCIMO RELATIVO DA PARTE VARIÁVEL DO CAPITAL COM O PROGRESSO DA ACUMULAÇÃO E DA CONCENTRAÇÃO QUE A ACOMPANHA

De acordo com os próprios economistas, não é a magnitude da riqueza social existente nem a grandeza do capital já adquirido que levam a uma elevação dos salários, mas apenas o crescimento continuado da acumulação e a velocidade desse crescimento (A. Smith, Livro I, Cap. 8). Observamos até agora uma determinada fase desse processo, aquela em que se dá

[77a] "Voltando à nossa primeira investigação que demonstrou [...] ser o capital apenas produto do trabalho humano [...] parece-nos inteiramente incompreensível que o homem pudesse cair sob o domínio de seu próprio produto, o capital, ficando a ele subordinado. Sendo esta a realidade incontestável, assalta-nos a pergunta: como pode o trabalhador transformar-se de senhor do capital, de criador dele, em escravo do capital?" (Von Thünen, *Der Isolirte Staat*, Parte Segunda, Seção Segunda, Rostock, 1863, pp. 5-6.) O mérito de Thünen é ter formulado a pergunta. Sua resposta é simplesmente infantil.

acréscimo do capital sem se alterar a composição técnica do capital. Mas o processo ultrapassa essa fase.

Dados os fundamentos gerais do sistema capitalista, chega-se sempre, no curso da acumulação, a um ponto em que o desenvolvimento da produtividade do trabalho social se torna a mais poderosa alavanca da acumulação.

> "A mesma causa", diz A. Smith, "que eleva os salários, isto é, o aumento do capital, tende a aumentar as forças produtivas do trabalho e a capacitar menor quantidade de trabalho a fornecer maior quantidade de produto."

Pondo-se de lado as condições naturais, como a fertilidade do solo, e a habilidade de produtores que trabalham independentes e isolados, a qual se patenteia mais na qualidade do que na quantidade do que produzem, o grau de produtividade do trabalho, numa determinada sociedade, se expressa pelo volume relativo dos meios de produção que um trabalhador, num tempo dado, transforma em produto, com o mesmo dispêndio de força de trabalho. A massa dos meios de produção que ele transforma aumenta com a produtividade de seu trabalho. Esses meios de produção desempenham duplo papel. O incremento de uns é consequência; o de outros, condição da produtividade crescente do trabalho. Assim, por exemplo, com a divisão manufatureira do trabalho e o emprego das máquinas, transforma-se, no mesmo tempo, mais material e, por isso, quantidade maior, portanto, de matérias-primas e de materiais acessórios entram no processo de trabalho. Isto é consequência da produtividade crescente do trabalho. Por outro lado, a massa da maquinaria empregada, das bestas de carga, dos adubos minerais, das tubulações de drenagem etc. constitui condição para a produtividade crescente do trabalho. O mesmo se pode dizer com relação à massa dos meios de produção concentrados em edifícios, altos-fornos, meios de transporte etc. Mas, condição ou consequência, a grandeza crescente dos meios de produção, em relação à força de trabalho neles incorporada, expressa a produtividade crescente do trabalho. O aumento desta se patenteia, portanto, no decréscimo da quantidade de trabalho em relação à massa dos meios de produção que põe em movimento, ou na diminuição do fator subjetivo do processo de trabalho em relação aos seus fatores objetivos.

Essa mudança na composição técnica do capital, o aumento da massa nos meios de produção, comparada com a massa da força de trabalho que

A LEI GERAL DA ACUMULAÇÃO CAPITALISTA

os vivifica, reflete-se na composição do valor do capital, com o aumento da parte constante à custa da parte variável. Se, por exemplo, originalmente se despende 50% em meios de produção e 50% em força de trabalho, mais tarde, com o desenvolvimento da produtividade do trabalho, a percentagem poderá ser de 80% para os meios de produção e de 20% para a força de trabalho, e assim por diante. Esta lei do aumento crescente do capital constante em relação ao variável se confirma a cada passo, conforme já vimos, pela análise comparativa dos preços das mercadorias, não importando que se tomem diferentes épocas econômicas de um país ou diferentes nações na mesma época. No preço, a magnitude relativa do componente que representa o valor dos meios de produção consumidos ou a parte constante do capital está na razão direta, e a magnitude relativa do outro componente que paga o trabalho ou representa a parte variável do capital está geralmente na razão inversa do progresso da acumulação.

O decréscimo da parte variável do capital em comparação com a parte constante, essa mudança na composição do valor do capital, só revela de maneira aproximada a alteração ocorrida na composição técnica. Se, por exemplo, o valor do capital hoje aplicado numa fiação se constitui de $^1/_8$ de capital constante e $^7/_8$ de variável, quando no começo do século XVIII a proporção era de ½ constante e ½ variável, a massa de matérias-primas, de instrumental de trabalho etc. hoje produtivamente consumida por determinada quantidade de trabalho de fiação é muitas centenas de vezes maior do que no começo do século XVIII. A razão é simplesmente esta: com a produtividade crescente do trabalho não só aumenta o volume dos meios de produção que ele consome, mas cai o valor desses meios de produção em comparação com seu volume. Seu valor aumenta em termos absolutos, mas não em proporção com seu volume. O aumento da diferença entre capital constante e variável é, por isso, muito menor do que o aumento da diferença entre a massa dos meios de produção em que se converte o capital constante e a massa da força de trabalho em que se transforma o capital variável. A primeira diferença cresce com a segunda, porém em grau menor.

Mas, se o progresso da acumulação reduz a magnitude relativa da parte variável do capital, não exclui, com isso, o aumento de sua magnitude absoluta. Admitamos que, de início, o capital se divida em 50% constante e 50% variável e, mais tarde, em 80% constante e 20% variável. Se, nesse intervalo, o capital original se elevar de 6.000 libras esterlinas para 18.000, sua parte variável terá crescido de $^1/_5$. Era de 3.000 libras esterlinas e aumentou agora para 3.600. Mas, onde anteriormente bastava um acréscimo de capital de 20% para aumentar de 20% a procura de trabalho, é necessário agora a triplicação do capital primitivo.

Na Quarta Seção, mostramos que o desenvolvimento da produtividade do trabalho coletivo pressupõe a cooperação em grande escala; que apenas sob esse pressuposto se pode organizar a divisão e a combinação do trabalho, economizar os meios de produção através de sua concentração em massa, forjar instrumental de trabalho, como o sistema de maquinaria que só se presta materialmente para a utilização em comum, colocar a serviço da produção imensas forças naturais e transformar o processo de produção numa aplicação tecnológica da ciência. Na base da produção mercantil – em que os meios de produção constituem propriedade disseminada de indivíduos, de modo que o trabalhador manual produz mercadorias de maneira isolada e independente ou vende como mercadoria sua força de trabalho por não ter meios para explorá-la –, apenas se realiza aquele pressuposto da cooperação em grande escala ao crescerem os capitais individuais ou na medida em que os meios de produção social e os meios de subsistência se tornam propriedade particular de capitalistas. Só assumindo a forma capitalista pode a produção de mercadorias tornar-se produção em grande escala. Certa acumulação de capital em mãos de produtores particulares de mercadorias constitui condição preliminar do modo de produção especificamente capitalista. Por isso, temos de admiti-la na transição do artesanato para a exploração capitalista. Pode ser chamada de acumulação primitiva, pois, em vez de resultado histórico, é fundamento histórico da produção especificamente capitalista. Como ela surge, é matéria de que trataremos mais adiante. Basta saber, por ora, que ela constitui o ponto de partida. Mas todos os métodos para elevar a força produtiva social do trabalho, surgidos sobre esse fundamento, são ao mesmo tempo métodos para elevar a produção da mais-valia ou do produto excedente, que por sua vez é o fator constitutivo da acumulação. São, portanto, ao mesmo tempo métodos para produzir capital com capital ou métodos para acelerar sua acumulação. A conversão contínua da mais-valia em capital se patenteia na magnitude crescente do capital que entra no processo de produção e se torna base da produção em escala ampliada, dos métodos que a acompanham para elevar a força produtiva do trabalho e acelerar a produção de mais-valia. Se certo grau de acumulação do capital se revela condição do modo de produção especificamente capitalista, este, reagindo, causa acumulação acelerada do

A LEI GERAL DA ACUMULAÇÃO CAPITALISTA

capital. Com a acumulação do capital, desenvolve-se o modo de produção especificamente capitalista e, com o modo de produção especificamente capitalista, a acumulação do capital. Esses dois fatores, na proporção conjugada dos impulsos que se dão mutuamente, modificam a composição técnica do capital, e, desse modo, a parte variável se torna cada vez menor em relação à constante.

Todo capital individual é uma concentração maior ou menor dos meios de produção, com o comando correspondente sobre um exército maior ou menor de trabalhadores. Cada acumulação se torna meio de nova acumulação. Ao ampliar-se a massa de riqueza que funciona como capital, a acumulação aumenta a concentração dessa riqueza nas mãos de capitalistas individuais e, em consequência, a base da produção em grande escala e dos métodos de produção especificamente capitalistas. O crescimento do capital social realiza-se através do crescimento de muitos capitais individuais. Não se alterando as demais condições, os capitais individuais e, com eles, a concentração dos meios de produção aumentam enquanto o capital social acresce. Ao mesmo tempo, frações dos capitais originais destes se destacam e funcionam como novos capitais independentes. A divisão da fortuna nas famílias capitalistas, além de outros fatores, desempenha aí um papel importante. Com a acumulação do capital, cresce, portanto, em maior ou menor proporção, o número dos capitalistas. Dois pontos caracterizam essa espécie de concentração que depende diretamente da acumulação, ou melhor, se identifica com ela. Primeiro: a concentração crescente dos meios sociais de produção nas mãos de capitalistas individuais, não se alterando as demais circunstâncias, é limitada pelo grau de crescimento da riqueza social. Segundo: a parte do capital social localizada em cada ramo de produção reparte-se entre muitos capitalistas que se confrontam como produtores de mercadorias, independentes uns dos outros e concorrendo entre si. A acumulação e a concentração que a acompanha estão dispersas em muitos pontos, e, além disso, o aumento dos capitais em funcionamento é estorvado pela formação de novos e pela fragmentação de capitais existentes. Por isso, a acumulação aparece, de um lado, através da concentração crescente dos meios de produção e do comando sobre o trabalho e, do outro, através da repulsão recíproca de muitos capitais individuais.

Essa dispersão do capital social em muitos capitais individuais ou a repulsão entre seus fragmentos é contrariada pela força de atração existente entre eles. Não se trata mais da concentração simples dos meios de produção e de comando sobre o trabalho, a qual significa acumulação. O que temos agora é a concentração dos capitais já formados, a supressão de sua autonomia individual, a expropriação do capitalista pelo capitalista, a transformação de muitos capitais pequenos em poucos capitais grandes. Este processo se distingue do anterior porque pressupõe apenas alteração na repartição dos capitais que já existem e estão funcionando; seu campo de ação não está, portanto, limitado pelo acréscimo absoluto da riqueza social ou pelos limites absolutos da acumulação. O capital se acumula aqui nas mãos de um só, porque escapou das mãos de muitos noutra parte. Esta é a centralização propriamente dita, que não se confunde com a acumulação e a concentração.

Não podemos expor aqui as leis dessa centralização dos capitais ou da atração do capital pelo capital. Faremos apenas algumas indicações. A batalha da concorrência é conduzida por meio da redução dos preços das mercadorias. Não se alterando as demais circunstâncias, o barateamento das mercadorias depende da produtividade do trabalho, e este, da escala da produção. Os capitais grandes esmagam os pequenos. Demais, lembramos que, com o desenvolvimento do modo de produção capitalista, aumenta a dimensão mínima do capital individual exigido para se levar avante um negócio em condições normais. Os capitais pequenos lançam-se, assim, nos ramos de produção de que a grande indústria se apossou apenas de maneira esporádica ou incompleta. A concorrência acirra-se então na razão direta do número e na inversa da magnitude dos capitais que se rivalizam. E acaba sempre com a derrota de muitos capitalistas pequenos, cujos capitais ou soçobram ou se transferem para as mãos do vencedor. Além disso, a produção capitalista faz surgir uma força inteiramente nova: o crédito. Este, de início, insinua-se furtivamente, como auxiliar modesto da acumulação, e, por meio de fios invisíveis, leva para as mãos de capitalistas isolados ou associados os meios financeiros dispersos, em proporções maiores ou menores, pela sociedade, para logo se tornar uma arma nova e terrível na luta da concorrência e transformar-se, por fim, num imenso mecanismo social de centralização dos capitais.

A concorrência e o crédito, as duas mais poderosas alavancas da centralização, desenvolvem-se na proporção em que se amplia a produção capitalista e a acumulação. Além disso, o progresso da acumulação aumenta a matéria que pode ser centralizada, isto é, os capitais individuais, ao passo que a expansão da produção capitalista cria a necessidade social e os meios

A LEI GERAL DA ACUMULAÇÃO CAPITALISTA

técnicos dessas gigantescas empresas industriais cuja viabilidade depende de uma prévia centralização do capital. Hoje em dia, portanto, é muito mais forte do que antes a atração recíproca dos capitais individuais e a tendência para a centralização. Mas, embora a expansão relativa e a energia do movimento de centralização sejam determinadas, até certo ponto, pela magnitude que a riqueza capitalista já atingiu e pela superioridade do mecanismo econômico, o progresso da centralização não depende, de maneira nenhuma, do incremento positivo do capital social. E é isto especialmente que distingue a centralização da concentração, que é apenas outra expressão para a reprodução em escala ampliada. Temos a centralização por mudar simplesmente a distribuição dos capitais já existentes, por alterar-se apenas o agrupamento quantitativo dos elementos componentes do capital social. O capital pode acumular-se numa só mão em proporções imensas, por ter escapado a muitas outras mãos que o detinham. Num dado ramo de atividades, a centralização terá alcançado seu limite extremo quando todos os capitais nele investidos se fundirem num único capital.[77b] Numa determinada sociedade só seria alcançado esse limite no momento em que todo o capital social ficasse submetido a um único controle, fosse ele de um capitalista individual ou de uma sociedade anônima.

A centralização completa a tarefa da acumulação, capacitando o capitalista industrial a ampliar a escala de suas operações. É o mesmo o efeito econômico dessa ampliação, decorra ele da acumulação ou da centralização. E tanto faz que a centralização se realize pela via compulsória da anexação, quando certos capitais se tornam centros de gravitação tão poderosos que quebram a coesão individual de outros capitais, absorvendo seus fragmentos, ou mediante a fusão de capitais já formados ou em formação, obtida por meio de processo mais suave de constituição de sociedades anônimas. O aumento do tamanho dos estabelecimentos individuais constitui, por toda parte, o ponto de partida para uma organização mais vasta do trabalho cooperativo que utilizam, para mais amplo desenvolvimento de suas forças materiais, isto é, para a transformação progressiva de processos de produção isolados e rotineiros em processos de produção socialmente combinados e cientificamente organizados.

77b Nota da 4ª edição: os recentes trustes ingleses e americanos já têm em mira esse objetivo, procurando juntar pelo menos todas as grandes empresas de um ramo industrial numa grande sociedade anônima, com monopólio efetivo. — F.E.

O CAPITAL

É evidente que a acumulação, o aumento progressivo do capital pela reprodução, que passa da forma circular para a de espiral, é processo bastante lento, comparado com a centralização, que precisa apenas alterar o agrupamento quantitativo das partes integrantes do capital social. O mundo ainda estaria sem estradas de ferro se tivesse de esperar que a acumulação capacitasse alguns capitais isolados para a construção de uma ferrovia. A centralização, entretanto, por meio da organização de sociedades anônimas, cria num instante as condições para uma tarefa dessa ordem. Aumentando e acelerando os efeitos da acumulação, a centralização amplia e acelera ao mesmo tempo as transformações na composição técnica do capital, as quais aumentam a parte constante à custa da parte variável, reduzindo assim a procura relativa de trabalho.

As massas de capital amalgamadas, da noite para o dia, pela centralização reproduzem-se e aumentam como as outras, mas com maior rapidez, de modo que se tornam novas alavancas poderosas da acumulação social. Ao falar hoje em dia do progresso da acumulação social, devemos considerar nela implícitos os efeitos da centralização.

Os capitais adicionais que se formam no curso da acumulação normal (vide capítulo XXII, item 1) servem preferentemente de veículo para explorar novos inventos e descobertas, para introduzir aperfeiçoamentos industriais em geral. Mas também o capital velho chega, com o tempo, ao momento de renovar-se, de mudar de pele e de renascer com feição técnica aperfeiçoada, que reduz a quantidade de trabalho e põe em movimento maior quantidade de maquinaria e de matérias-primas. A redução absoluta da procura de trabalho que necessariamente daí decorre será, evidentemente, tanto maior quanto mais tenha o movimento de centralização combinado os capitais que percorrem esse processo de renovação.

O capital adicional formado no curso da acumulação atrai, relativamente à sua grandeza, cada vez menos trabalhadores. E o velho capital periodicamente reproduzido com nova composição repele, cada vez mais, trabalhadores que antes empregava.

3. PRODUÇÃO PROGRESSIVA DE UMA SUPERPOPULAÇÃO RELATIVA OU DE UM EXÉRCITO INDUSTRIAL DE RESERVA

A acumulação do capital, vista de início como uma ampliação puramente quantitativa, realiza-se, conforme vimos, com contínua mudança qualita-

A LEI GERAL DA ACUMULAÇÃO CAPITALISTA

tiva de sua composição, ocorrendo constante acréscimo de sua parte constante à custa da parte variável.[77c]

O modo de produção especificamente capitalista, o correspondente desenvolvimento da força produtiva do trabalho e a mudança consequente na composição orgânica do capital não acompanham apenas o progresso da acumulação ou o crescimento da riqueza social. Avançam com rapidez muito maior, porque a acumulação simples do capital ou o aumento absoluto do capital total são acompanhados pela centralização de seus elementos individuais, e a transformação técnica do capital adicional é seguida pela transformação técnica do capital primitivo. Com o progresso da acumulação, varia a relação entre capital constante e capital variável. De 1:1 originalmente, ela passa, digamos, para 2:1, 3:1, 4:1, 5:1, 6:1, 7:1. Desse modo, ao crescer o capital, emprega-se em força de trabalho, em vez de 1:1 de seu valor global, progressivamente, apenas 1:2, 1:3, 1:4, 1:5, 1:6 e 1:7, e, por outro lado, aplica-se em meios de produção 1:7, 1:6, 1:5, 1:4, 1:3 e 1:2 desse mesmo valor. Sendo a procura de trabalho determinada não pela magnitude do capital global, mas pela magnitude de sua parte variável, ela cai progressivamente com o aumento do capital global, em vez de crescer proporcionalmente com ele, conforme supusemos anteriormente. Diminui em relação à grandeza do capital global e em progressão acelerada quando essa grandeza aumenta. Com o aumento do capital global, cresce também sua parte variável, ou a força de trabalho que nele se incorpora, mas em proporção cada vez menor. Reduzem-se os intervalos em que a acumulação resulta da ampliação da produção sem alterar-se a base técnica. É necessário que a acumulação do capital global seja acelerada em progressão crescente para absorver um número adicional determinado de trabalhadores ou mesmo, em virtude da constante metamorfose do capital velho, para continuar ocupando os trabalhadores que se encontram empregados. Demais, essa acumulação crescente e a própria centralização causam novas mudanças na composição do capital ou nova redução acelerada de sua parte variável em relação à constante. Essa redução relativa da parte variável do capital, acelerada com o aumento do capital global, e que é mais rápida do

---

77c Nota da 3ª edição: no exemplar de uso pessoal de Marx, encontramos a seguinte anotação à margem: "Para desenvolver mais tarde: se a ampliação é puramente quantitativa, os lucros no mesmo ramo de negócios comportam-se, em relação aos capitais grandes e pequenos, de conformidade com as magnitudes dos capitais adiantados. Se a ampliação quantitativa resulta em mudança qualitativa, a taxa do lucro aumenta simultaneamente para o capital maior." — F.E.

O CAPITAL

que este aumento, assume, por outro lado, a aparência de um crescimento absoluto da população trabalhadora muito mais rápido que o do capital variável ou dos meios de ocupação dessa população. Mas a verdade é que a acumulação capitalista sempre produz, e na proporção da sua energia e de sua extensão, uma população trabalhadora supérflua relativamente, isto é, que ultrapassa as necessidades médias da expansão do capital, tornando-se, desse modo, excedente.

Observando o capital social global, verificamos que ora o movimento de sua acumulação provoca mudanças periódicas, que influem em sua totalidade, ora causa mudanças simultâneas e diferentes nos diversos ramos de produção. Em alguns ramos, ocorre mudança na composição do capital, sem aumentar sua magnitude absoluta, em virtude de mera centralização; em outros, o crescimento absoluto do capital corre paralelo com a redução absoluta de sua parte variável ou da força de trabalho por ele absorvida; em outros, ora o capital prossegue aumentando em dada base técnica e atrai força de trabalho adicional à proporção que cresce, ora ocorre mudança orgânica, contraindo-se sua parte variável. Em todos os ramos, o aumento do capital variável, ou seja, do número de trabalhadores empregados, está sempre associado a flutuações violentas e à formação transitória de superpopulação, pelo processo mais contundente de repulsão dos trabalhadores já empregados, ou pelo menos visível, porém não menos real, da absorção mais difícil da população trabalhadora adicional pelos canais costumeiros.[78] Com a magnitude do capital social já em funcionamento e seu grau de crescimento, com a ampliação da escala de produção e da massa dos trabalhadores

---

78 Dados extraídos do censo da Inglaterra e País de Gales, relativos ao número de empregados: total das pessoas empregadas na agricultura (inclusive proprietários, arrendatários, hortelãos, pastores etc.): em 1851, 2.011.447; 1861, 1.924.110; redução, 87.837. Fiação de lã: em 1851, 102.714; 1861, 79.242. Fábricas de seda: 1851, 111.940; 1861, 101.678. Indústria de tecidos estampados: 1851, 12.098; 1861, 12.556; pequeno aumento de empregados, mas a enorme expansão dos negócios indica que houve uma grande queda relativa no seu número. Fabricação de chapéus: 1851, 15.957; 1861, 13.814. Confecção de chapéus de palha e adornos de cabeça: 1851, 20.393; 1861, 18.176. Produção de malte: 1851, 10.566; 1861, 10.677. Fabricação de velas: 1851, 4.949; 1861, 4.686; decréscimo causado em parte pelo aumento da iluminação a gás. Confecção de pentes: 1851, 2.038; 1861, 1.478. Serradores: 1851, 30.552; 1861, 31.647; pequeno acréscimo em virtude da aplicação crescente de serras mecânicas. Confecção de pregos: 1851, 26.940; 1861, 26.130; queda em virtude da concorrência da máquina. Minas de zinco e cobre: 1851, 31.360; 1861, 32.041. Temos, entretanto, fiação e tecelagem de algodão, com 371.777, em 1851, e 456.646, em 1861, e mineração de carvão, com 183.389, em 1851, e 246.613, em 1861. "Desde 1851, o aumento dos trabalhadores é, em regra, maior nos ramos onde até agora não se aplicou maquinaria com sucesso." (*Census of England and Wales for 1861*, vol. III, Londres, 1863, pp. 85 a 89.)

A LEI GERAL DA ACUMULAÇÃO CAPITALISTA

mobilizados, com o desenvolvimento da produtividade do trabalho, com o fluxo mais vasto e mais completo dos mananciais da riqueza, amplia-se a escala em que a atração maior dos trabalhadores pelo capital está ligada à maior repulsão deles. Além disso, aumenta a velocidade das mudanças na composição orgânica do capital e na sua forma técnica, e número crescente de ramos de produção é atingido, simultânea ou alternativamente, por essas mudanças. Por isso, a população trabalhadora, ao produzir a acumulação do capital, produz, em proporções crescentes, os meios que fazem dela, relativamente, uma população supérflua.[79] Esta é uma lei da população peculiar ao modo capitalista de produção. Na realidade, todo modo histórico de produção tem suas leis próprias de população, válidas dentro de limites históricos. Uma lei abstrata da população só existe para plantas e animais, e apenas na medida em que esteja excluída a ação humana.

Mas, se uma população trabalhadora excedente é produto necessário da acumulação ou do desenvolvimento da riqueza no sistema capitalista, ela se torna, por sua vez, a alavanca da acumulação capitalista e, mesmo, condição de existência do modo de produção capitalista. Ela constitui um

---

79 A lei do decréscimo progressivo da magnitude relativa do capital variável e seus efeitos sobre a situação da classe trabalhadora foram percebidos intuitivamente por alguns destacados economistas da escola clássica, embora não chegassem a ser realmente compreendidos. A esse respeito, o maior mérito cabe a John Barton, embora ele, como todos os outros, confundisse o capital constante com o fixo, e o variável com o circulante. Diz ele: "A procura de trabalho depende do aumento do capital circulante, e não do fixo. Se fosse verdade que a relação entre ambas as espécies de capital é igual em todos os tempos e sob todas as circunstâncias, então resultaria daí que o número dos trabalhadores empregados guarda proporção com a riqueza do Estado. Mas essa proposição não tem probabilidade de ser verdadeira. Na medida em que se desenvolvem as ciências naturais e se expande a civilização, aumenta o capital fixo numa proporção cada vez maior em relação ao circulante. O montante de capital fixo empregado quando se produz uma peça de musselina inglesa é pelo menos cem vezes, provavelmente mil vezes, maior que o empregado para produzir uma peça semelhante de musselina indiana. E a proporção de capital circulante é cem ou mil vezes menor. [...] Se a totalidade das poupanças anuais fossem investidas em capital fixo, não teria nenhum efeito no sentido de aumentar a procura de trabalho." (John Barton, *Observations on the Circumstances Which Influence the Condition of the Labouring Classes of Society*, Londres, 1817, pp. 16 e 17.) "A mesma causa que pode aumentar a renda líquida do país pode ao mesmo tempo tornar supérflua a população, e deteriorar a situação do trabalhador." (Ricardo, *loc. cit.*, p. 469.) Com o acréscimo do capital, "a procura de trabalho se processa em proporção decrescente." (*Loc. cit.*, p. 480, nota.) "O montante de capital destinado a manter o trabalho pode variar independentemente de qualquer mudança no montante global do capital. [...] Grandes flutuações no número de trabalhadores empregados e grandes sofrimentos podem se tornar mais frequentes quando o capital se torna mais abundante." (Richard Jones, *An Introductory Lecture on Pol. Econ.*, Londres, 1833, p. 12.) "A procura de trabalho não aumenta na proporção da acumulação do capital global. [...] Por isso, com o progresso da sociedade, todo aumento de capital nacional, destinado à reprodução, influi cada vez menos na situação do trabalhador." (Ramsay, *loc. cit.*, pp. 90-91.)

O CAPITAL

exército industrial de reserva disponível, que pertence ao capital de maneira tão absoluta como se fosse criado e mantido por ele. Ela proporciona o material humano a serviço das necessidades variáveis de expansão do capital e sempre pronto para ser explorado, independentemente dos limites do verdadeiro incremento da população. Com a acumulação e com o desenvolvimento da produtividade do trabalho que a acompanha, cresce a força de expansão súbita do capital. Essa força de expansão cresce em virtude das seguintes causas: aumentam a elasticidade do capital em funcionamento e a riqueza absoluta da qual o capital constitui apenas uma parte elástica; o crédito, sob qualquer incentivo especial, põe à disposição da produção, como capital adicional, num instante, parte considerável dessa riqueza; as condições técnicas do próprio processo de produção, a maquinaria, os meios de transportes etc. possibilitam a transformação mais rápida, na mais larga escala, do produto excedente em meios de produção adicionais. A massa de riqueza social que se torna transbordante com o progresso da acumulação e pode ser transformada em capital adicional lança-se freneticamente aos ramos de produção antigos, cujo mercado se amplia subitamente, ou aos novos, como ferrovias etc., cuja necessidade decorre do desenvolvimento dos antigos. Nesses casos, grandes massas humanas têm de estar disponíveis para serem lançadas nos pontos decisivos, sem prejudicar a escala de produção nos outros ramos. A superpopulação fornece-as. O curso característico da indústria moderna, um ciclo decenal, com a intercorrência de movimentos oscilatórios menores, constituído de fases de atividade média, de produção a todo vapor, de crise e de estagnação, baseia-se na formação contínua, na maior ou menor absorção e na reconstituição do exército industrial de reserva, a população supérflua, excedente. As alternativas do ciclo industrial recrutam a população excedente e se tornam os mais poderosos agentes de sua reprodução.

Esse curso peculiar da indústria moderna, que não encontramos em nenhuma época anterior da humanidade, era impossível no período infantil da produção capitalista. Só muito lentamente se alterava a composição do capital. Por isso, à sua acumulação correspondia antes, de modo geral, o crescimento proporcional da procura de trabalho. Sendo lento o progresso dessa acumulação, comparado com o da época moderna, encontrava ele obstáculos naturais na população trabalhadora explorável, os quais só puderam ser removidos por medidas violentas, de que trataremos mais adiante. A expansão súbita e intermitente da escala de produção é condição

A LEI GERAL DA ACUMULAÇÃO CAPITALISTA

para sua contração súbita; esta provoca novamente aquela, mas aquela é impossível sem material humano disponível, sem aumento dos trabalhadores, independentemente do crescimento absoluto da população. Esse aumento é criado pelo simples processo de "liberar" continuamente parte dos trabalhadores, com métodos que diminuem o número dos empregados em relação à produção aumentada. Toda a forma do movimento da indústria moderna nasce, portanto, da transformação constante de uma parte da população trabalhadora em desempregados ou parcialmente empregados. A superficialidade da economia política evidencia-se, entre outras coisas, na circunstância de ela considerar causas do ciclo industrial a expansão e a contração do crédito, simples sintoma das alternativas do ciclo industrial. Os corpos celestes, lançados num determinado movimento, repetem-no sempre, e do mesmo modo se comporta a produção social, uma vez projetada nesse movimento de expansão e contração alternadas. Efeitos se tornam, por sua vez, causas, e as alternativas de todo o processo, que reproduz sempre suas próprias condições, assumem a forma de periodicidade.[I] Uma vez estabelecida esta, a própria economia política compreende que a produção de uma população excedente em relação às necessidades médias de expansão do capital é condição vital para a indústria moderna.

> "Admitamos", diz H. Merivale, ex-professor de Economia Política em Oxford, mais tarde funcionário do Ministério das Colônias da Inglaterra, "que, por ocasião de uma crise, a nação decida fazer o esforço de libertar-se pela emigração de várias centenas de milhares de braços supérfluos, qual seria a consequência? A de haver carência quando se reanimasse a procura de trabalho. Por mais rápida que seja a reprodução de seres humanos, é necessário sempre o intervalo de uma geração para substituir trabalhadores adultos. Ora, os lucros de nossos fabricantes dependem principalmente da possibilidade de explorar o momento

---

I Na tradução francesa autorizada, Marx intercalou aí o seguinte trecho: "Mas isto só ocorre a partir do momento em que a indústria mecânica se enraizou tão profundamente que exerce influência preponderante sobre toda a produção nacional; em que, graças a essa indústria, o comércio exterior começa a avantajar-se ao comércio interno; em que o mercado mundial se apossa sucessivamente de vastas regiões do Novo Mundo, da Ásia e da Austrália; em que, finalmente, as nações industriais que surgem na arena se tornam suficientemente numerosas. Só a partir desse momento começam a aparecer aqueles ciclos que se reproduzem continuamente, cujas fases sucessivas compreendem anos, e que desembocam sempre numa crise geral, o fim de um ciclo e o começo de outro. Até agora, a duração desses ciclos é de 10 ou 11 anos, mas não há nenhum fundamento para se considerar constante essa duração. Ao contrário, das leis capitalistas, segundo as acabamos de expor, temos de inferir que ela é variável e que o período dos ciclos se irá encurtando gradualmente."

O CAPITAL

favorável em que a procura é intensa, para se compensarem dos períodos de estagnação. Só o comando sobre maquinaria e trabalho manual assegura-lhes essa possibilidade. É necessário que eles tenham à mão braços disponíveis; que estejam capacitados a intensificar ou a abrandar suas atividades, segundo a situação do mercado; do contrário, não poderão manter na luta da concorrência a preponderância em que se baseia a riqueza do país."[80]

O próprio Malthus reconhece que é necessária à indústria moderna a superpopulação, que ele, com sua concepção estreita, considera um excedente absoluto, e não um excedente relativo da população trabalhadora. Diz ele:

"Hábitos prudentes com relação ao casamento, observados além de certo limite pela classe trabalhadora de um país que dependa substancialmente da indústria e do comércio, poderiam prejudicar esse país. [...] De acordo com a natureza da população, uma procura especial de emprego não pode conduzir ao mercado um acréscimo de trabalhadores, antes de 16 ou 18 anos, mas a conversão de renda em capital, por meio da poupança, pode ocorrer muito mais rapidamente. Um país está sempre sujeito a ver seu fundo de manutenção dos trabalhadores aumentar mais rápido que sua população."[81]

Depois de ter demonstrado que a produção contínua de uma superpopulação relativa de trabalhadores é uma necessidade da acumulação capitalista, a economia política, essa velha solteirona, põe na boca do príncipe dos seus sonhos, o capitalista, as seguintes palavras dirigidas aos trabalhadores supérfluos, lançados à rua pelo capital adicional que eles mesmos criaram:

"Nós, fabricantes, fazemos por vós o que podemos, ao aumentar o capital de que precisais para viver; a vós cabe fazer o resto, adaptando vosso número aos meios de subsistência."[82]

---

80 H. Merivale, *Lectures on Colonization and Colonies*, Londres, 1841 e 1842, V. I, p. 148.
81 "Prudential habits with regard to marriage, carried to a considerable extent among the labouring class of a country mainly depending upon manufactures and commerce, might injure it. [...] From the nature of a population, an increase of labourers cannot be brought into market, in consequence of a particular demand, till after the lapse of 16 or 18 years, and the conversion of revenue into capital, by saving, may take place much more rapidly; a country is always liable to an increase in the quantity of the funds for the maintenance of labour faster than the increase of population." (Malthus, *Princ. of Pol. Econ.*, pp. 215, 319-320.) Nessa obra, Malthus descobre por fim, graças a Sismondi, a bela trindade da produção capitalista: superprodução, superpopulação, superconsumo, três monstros muito delicados. Vide F. Engels, *Umrisse zu einer Kritik der Nationalökonomie, loc. cit.*, pp. 107 e segs.
82 Harriet Martineau, *The Manchester strike*, 1832, p. 101.

A LEI GERAL DA ACUMULAÇÃO CAPITALISTA

Não basta à produção capitalista a quantidade de força de trabalho disponível, fornecida pelo incremento natural da população. Para funcionar à sua vontade, precisa ela de um exército industrial de reserva que não dependa desse limite natural.

Até agora, admitimos que ao acréscimo e ao decréscimo do capital variável correspondem exatamente o acréscimo ou o decréscimo do número de trabalhadores empregados.

Permanecendo o mesmo o número dos trabalhadores empregados ou até diminuindo, o capital variável aumenta se o trabalhador individual fornece mais trabalho, aumentando assim seu salário, embora permaneça o mesmo o preço do trabalho, ou até caia, desde que essa queda seja mais lenta que o incremento da quantidade de trabalho. O acréscimo do capital variável é então índice de mais trabalho, mas não de mais trabalhadores empregados. Cada capitalista tem absoluto interesse em extrair determinada quantidade de trabalho de menor número de trabalhadores, desde que o custo salarial de maior número seja igual ou até menor. Com maior número, aumenta o dispêndio de capital constante em relação à quantidade de trabalho mobilizado, se o número é menor, esse dispêndio crescerá muito mais lentamente. Quanto maior a escala da produção, mais decisivo é este motivo. Seu peso aumenta com a acumulação do capital.

Vimos que o desenvolvimento do modo capitalista de produção e da força produtiva do trabalho, causa e efeito ao mesmo tempo da acumulação, capacita o capitalista a pôr em ação maior quantidade de trabalho com o mesmo dispêndio de capital variável, explorando mais, extensiva ou intensivamente, as forças de trabalho individuais. Vimos também que ele compra mais forças de trabalho com o mesmo capital ao substituir progressivamente trabalhadores qualificados por trabalhadores menos hábeis, mão de obra amadurecida por mão de obra incipiente, a força de trabalho masculina pela feminina, a adulta pela dos jovens ou crianças.

Assim, com o progresso da acumulação, vemos que: um capital variável maior põe em movimento maior quantidade de trabalho sem recrutar mais trabalhadores; um capital variável da mesma magnitude põe mais trabalho em ação, utilizando a mesma quantidade de força de trabalho e, finalmente, mobiliza maior quantidade de forças de trabalho inferiores, expulsando as de nível superior.

Por isso, a produção de uma superpopulação relativa ou a liberação de trabalhadores avança mais rapidamente do que a transformação técnica do

O CAPITAL

processo de produção, acelerada com o progresso da acumulação, e do que o correspondente decréscimo proporcional do capital variável em relação ao constante. Se os meios de produção, ao aumentarem sua extensão e sua eficácia, se tornam em menor grau meios de emprego dos trabalhadores, temos de considerar ainda que essa relação é modificada pelo fato de o capital, à medida que cresce a produtividade do trabalho, aumentar sua obtenção de trabalho mais rapidamente que sua procura de trabalhadores. O trabalho excessivo da parte empregada da classe trabalhadora engrossa as fileiras de seu exército de reserva, enquanto, inversamente, a forte pressão que este exerce sobre aquela, através da concorrência, compele-a ao trabalho excessivo e a sujeitar-se às exigências do capital. A condenação de uma parte da classe trabalhadora à ociosidade forçada, em virtude do trabalho excessivo da outra parte, torna-se fonte de enriquecimento individual dos capitalistas[83] e acelera ao mesmo tempo a produção do exército industrial de reserva, numa escala correspondente ao progresso da acumulação social. A Inglaterra, por exemplo, demonstra a importância do trabalho excessivo para a formação da superpopulação relativa. São colossais seus meios de economizar trabalho. Contudo, se o trabalho for amanhã reduzido a uma dimensão racional e distribuído pelas diferentes camadas da classe trabalhadora de acordo com idade e sexo, a população trabalhadora existente será absolutamente insuficiente para prosseguir com a produção nacional

---

83 Encontramos violentos protestos contra o trabalho excessivo, até mesmo na crise algodoeira de 1863, num panfleto dos fiandeiros de algodão de Blackburn. As vítimas, por força da lei fabril, eram naturalmente adultos: "Os trabalhadores adultos da fábrica foram intimados a trabalhar de 12 a 13 horas por dia, enquanto há centenas compelidos a ficar ociosos, mas que se prontificam a trabalhar em tempo parcial para manter suas famílias e salvar seus companheiros de morte prematura em virtude de trabalho em excesso. Perguntaríamos se a prática de trabalho excessivo gerará sentimentos amistosos entre patrões e empregados. Os sacrificados pelo trabalho em excesso sentem a injustiça do mesmo modo que os que estão condenados à ociosidade forçada. Nesse constrito há ocupação suficiente para empregar todos parcialmente, se o trabalho fosse adequadamente distribuído. Pleiteamos apenas um direito, quando pedimos aos patrões para organizar um sistema de trabalho parcial, pelo menos enquanto permaneça a situação atual, em vez de obrigar uns ao trabalho excessivo enquanto outros, em virtude da falta de ocupação, ficam constrangidos a viver da caridade alheia." (*Reports of Insp. of Fact. 31st Oct. 1863*, p. 8.) O autor de *Essay on Trade and Commerce*, com seu costumeiro e infalível instinto burguês, percebe quais são os efeitos de uma superpopulação relativa sobre os trabalhadores empregados. "Outra causa da ociosidade neste Reino é a falta de um número suficiente de braços. Sempre que há uma procura extraordinária de produtos e a quantidade de trabalho se torna insuficiente, sentem os trabalhadores sua própria importância e procuram impô-la aos patrões. É de surpreender o que acontece. São tão corruptas as disposições desses gajos que, nessas ocasiões, formam-se grupos de trabalhadores para atormentar o patrão, ficando ociosos um dia inteiro." (*Essay* etc., pp. 27-28.) O que os gajos estavam fazendo mesmo era pleitear um aumento de salário.

A LEI GERAL DA ACUMULAÇÃO CAPITALISTA

na sua escala atual. A maioria dos atuais trabalhadores "improdutivos" (empregados domésticos etc.) teriam de tornar-se trabalhadores "produtivos".

Da mesma forma, os movimentos gerais dos salários se regulam exclusivamente pela expansão e contração do exército industrial de reserva, correspondentes às mudanças periódicas do ciclo industrial. Não são, portanto, determinados pelas variações do número absoluto da população trabalhadora, mas pela proporção variável em que a classe trabalhadora se divide em exército da ativa e exército da reserva, pelo acréscimo e decréscimo da magnitude relativa da superpopulação, pela extensão em que ora é absorvida, ora é liberada. Para a indústria moderna, com seu ciclo decenal e as respectivas fases periódicas às quais se superpõem, no curso da acumulação, oscilações irregulares em sucessão cada vez mais rápida, seria na verdade uma linda lei a que fizesse o movimento do capital depender da variação absoluta da população, em vez de a oferta e a procura de trabalho serem as variáveis dependentes da expansão e contração do capital, das suas necessidades eventuais de expansão, ficando o mercado de trabalho ora relativamente deficitário, ora abarrotado, por expandir-se ou contrair-se o capital. Esse ponto de vista errôneo é, entretanto, dogma econômico. Segundo ele, os salários sobem em virtude da acumulação do capital. Os salários mais elevados incentivam o aumento mais rápido da população trabalhadora, e esse aumento prossegue até que o mercado de trabalho se abarrote, ficando o capital insuficiente em relação à oferta de trabalhadores. Caem então os salários, e aparece o reverso da medalha. Com a baixa dos salários, é dizimada progressivamente a população trabalhadora, de modo que o capital se torna de novo excessivo em relação a ela; ou, conforme explicam outros, a baixa dos salários e o acréscimo correspondente de exploração do trabalhador aceleram de novo a acumulação, enquanto os salários reduzidos contêm o crescimento da classe trabalhadora. Depois, reaparece a situação em que a oferta de trabalho é menor do que a procura, o salário sobe, e assim por diante. Como é belo esse modo de mover-se a produção capitalista desenvolvida! Antes de manifestar-se qualquer incremento positivo da população realmente apta para o trabalho, em virtude da elevação dos salários, passaria muitas vezes o prazo em que se teria de desfechar a campanha industrial, travar e decidir a batalha.

Entre 1849 e 1859, ocorreu, em conjunto com uma queda nos preços do trigo, uma elevação nos salários praticamente insignificante, nos distritos agrícolas ingleses. Em Wiltshire, o salário semanal subiu de 7 para

O CAPITAL

8 xelins; em Dorsetshire, de 7 ou 8 para 9 etc. Foi o resultado do êxodo extraordinário da superpopulação agrícola, em consequência do recrutamento para a guerra, da grande expansão que houve na construção de vias férreas, fábricas, na exploração de minas etc. Quanto mais baixos os salários, maior é a expressão percentual que assume um aumento, mesmo insignificante. Um salário semanal de 20 xelins que se elevou a 22 cresceu apenas de 10%; mas um salário semanal que sobe de 7 para 9 xelins tem um aumento de $28^4/_7\%$, o que soa como algo muito importante. Os patrões começaram logo a se exaltar, e o *The Economist*, de Londres,[84] falou com a maior seriedade sobre "uma alta geral e substancial", referindo-se a esses salários de fome. E que fizeram os patrões agrícolas? Esperaram, por acaso, que os trabalhadores rurais, em virtude dessa remuneração brilhante, se multiplicassem tanto que, pelo número, baixassem os salários, de acordo com o que prescreve a economia dogmática? De modo nenhum. Introduziram mais maquinaria, e num instante os trabalhadores ficaram supérfluos numa proporção conveniente aos patrões. Inverteu-se "mais capital" na agricultura, e de forma mais produtiva. Com isso, a procura de trabalho diminuiu tanto relativa quanto absolutamente.

Aquela ficção econômica transforma as leis que distribuem a população trabalhadora pelos diferentes ramos de produção em leis que regulam o movimento geral dos salários ou que exprimem as relações entre a classe trabalhadora, a força de trabalho global e o capital social global. Se, em virtude de conjuntura favorável, a acumulação se anima especialmente num ramo de produção determinado, nele se elevando os lucros acima da média e atraindo capital adicional, aumentarão naturalmente a procura de trabalho e o salário. O salário mais alto atrai parte maior da população trabalhadora para o ramo favorecido, até que este fique saturado e o salário volte ao nível médio ou caia abaixo dele, se a influência dos trabalhadores é demasiadamente forte. Então cessa a imigração de trabalhadores para o ramo em questão, e mais, impõe-se a emigração. O economista político acredita ter captado a essência do fenômeno, ao ver que o acréscimo de salário provoca um acréscimo absoluto de trabalhadores, e o acréscimo absoluto de trabalhadores, um decréscimo de salário, mas o que vê realmente são apenas as oscilações locais do mercado de trabalho de um ramo particular de produção, são apenas fenômenos de repartição da população

---

84 *The Economist*, 21 de janeiro de 1860.

A LEI GERAL DA ACUMULAÇÃO CAPITALISTA

trabalhadora nos diversos ramos em que se aplica o capital, de acordo com suas necessidades variáveis.

Durante os períodos de estagnação e de prosperidade média, o exército industrial de reserva pressiona sobre o exército dos trabalhadores em ação e, durante os períodos de superprodução e paroxismo, modera as exigências dos trabalhadores. A superpopulação relativa está sempre presente nos movimentos da oferta e da procura de trabalho. Ela mantém o funcionamento desta lei dentro de limites condizentes com os propósitos de exploração e de domínio do capital. É oportuno relembrar uma das façanhas da apologética econômica. Quando se introduz maquinaria nova ou se amplia a velha, parte do capital variável se transforma em constante. O economista apologético desfigura essa operação, que "imobiliza" capital e por isso despede trabalhadores, afirmando que ela libera capital para os trabalhadores. Só agora podemos avaliar em toda a extensão o cinismo dessa apologética. Ficam sem emprego não só os trabalhadores diretamente expulsos pela máquina, mas também seus sucessores e o contingente adicional que seria regularmente absorvido com a expansão ordinária do negócio em sua base antiga. Todos eles são agora "liberados", e qualquer novo capital desejoso de entrar em função pode dispor deles. Atraia estes ou outros trabalhadores, o efeito sobre a procura geral de trabalho será nulo, enquanto esse capital for apenas suficiente para retirar do mercado um número de trabalhadores igual ao nele lançado pelas máquinas. Se emprega número menor, aumenta a quantidade dos supérfluos; se emprega número maior, a procura geral de trabalho aumenta apenas da diferença entre os que foram empregados e os que foram "liberados". O impulso que capitais adicionais que procuram aplicação transmitem à procura de trabalho é neutralizado em cada caso, na medida em que é contrabalançado pela expulsão dos trabalhadores, ocasionada pelas máquinas. Isto significa que o mecanismo da produção capitalista opera de maneira que o incremento absoluto do capital não seja acompanhado por uma elevação correspondente da procura geral de trabalho. E o apologista chama a isto de compensação pela miséria, pelos sofrimentos e pela possível morte dos trabalhadores desempregados durante o período de transição que os joga no exército industrial de reserva. A procura de trabalho não se identifica com o crescimento do capital, nem a oferta de trabalho, com o crescimento da classe trabalhadora. Não há aí duas forças independentes, uma influindo sobre a outra. É um jogo com dados viciados. O capital age ao mesmo tempo dos dois lados. Se sua

O CAPITAL

acumulação aumenta a procura de trabalho, aumenta também a oferta de trabalhadores, "liberando-os", ao mesmo tempo que a pressão dos desempregados compele os empregados a fornecerem mais trabalho, tornando até certo ponto independente a obtenção, a oferta de trabalho da oferta de trabalhadores. Nessas condições, o movimento da lei da oferta e da procura de trabalho torna completo o despotismo do capital. Quando os trabalhadores descobrem que, quanto mais trabalham, mais produzem riquezas para os outros, quanto mais cresce a força produtiva de seu trabalho, mais precária se torna sua função de meio de expandir o capital; quando veem que a intensidade da concorrência entre eles mesmos depende totalmente da pressão da superpopulação relativa; quando, por isso, procuram organizar uma ação conjunta dos empregados e desempregados através dos sindicatos etc., para destruir ou enfraquecer as consequências ruinosas daquela lei natural da produção capitalista sobre sua classe, então protestam em altos brados o capital e seu defensor, o economista político, contra a violação da "eterna" e, por assim dizer, "sacrossanta" lei da oferta e da procura. Todo entendimento entre empregados e desempregados perturba o funcionamento puro dessa lei. Mas, quando circunstâncias adversas, nas colônias, por exemplo, impedem a formação do exército industrial de reserva e, por isso, a subordinação absoluta da classe trabalhadora à classe capitalista, o capital, de mãos dadas com seu escudeiro apregoador de lugares-comuns, rebela-se contra a lei "sacrossanta" da oferta e da procura e procura corrigi-la através de providências coercitivas.

4. FORMAS DE EXISTÊNCIA DA SUPERPOPULAÇÃO RELATIVA. A LEI GERAL DA ACUMULAÇÃO CAPITALISTA

A superpopulação relativa existe sob os mais variados matizes. Todo trabalhador dela faz parte durante o tempo em que está desempregado ou parcialmente empregado. As fases alternadas do ciclo industrial fazem-na aparecer ora em forma aguda, nas crises, ora em forma crônica, nos períodos de paralisação. Mas, além dessas formas principais que se reproduzem periodicamente, assume ela, continuamente, as três formas seguintes: flutuante, latente e estagnada.

Nos centros da indústria moderna, fábricas, manufaturas, usinas siderúrgicas e minas etc., os trabalhadores são ora repelidos, ora extraídos em quantidade maior, de modo que, como um todo, aumenta o número dos

A LEI GERAL DA ACUMULAÇÃO CAPITALISTA

empregados, embora em proporção que decresce com o aumento da escala da produção. Aí a superpopulação assume a forma flutuante.

Tanto nas fábricas propriamente ditas quanto em todas as grandes oficinas que já utilizam maquinaria ou que funcionam apenas na base da moderna divisão do trabalho, são empregados em massa meninos e rapazes até atingirem a idade adulta. Chegado a esse termo, só um número muito reduzido pode continuar empregado nos mesmos ramos de atividade, sendo a maioria ordinariamente despedida. Esses que são despedidos tornam-se elementos da superpopulação flutuante que aumenta ao crescer a indústria. Parte deles emigra e, na realidade, apenas segue o capital em sua emigração. Em consequência, a população feminina cresce mais rapidamente do que a masculina, conforme se verifica na Inglaterra. É uma contradição do próprio movimento do capital que o incremento natural da massa de trabalhadores não sature suas necessidades de acumulação e, apesar disso, ultrapasse-as. O capital precisa de maiores quantidades de trabalhadores jovens e menor número de adultos. Existe outra contradição ainda mais chocante: as queixas contra a falta de braços, quando muitos milhares estão desempregados porque a divisão do trabalho os acorrentou a determinado ramo industrial.[85] Além disso, o consumo da força de trabalho pelo capital é tão intenso que o trabalhador de mediana idade já está, em regra, bastante debilitado. Vai para as fileiras dos supérfluos ou é rebaixado de categoria. Encontramos a menor duração de vida justamente entre os trabalhadores da grande indústria.

> "O Dr. Lee, da saúde pública de Manchester, verificou que a duração média da vida, naquela cidade, na classe abastada era de 38 anos e na classe trabalhadora apenas de 17 anos. Em Liverpool, ela é de 35 para a primeira e 15 para a segunda. Infere-se daí que a classe privilegiada goza da vantagem de viver duas vezes mais que seus concidadãos menos favorecidos."[85a]

---

85 No último semestre de 1866, em Londres, foram despedidos 80 a 90 mil trabalhadores; entretanto, no relatório sobre as fábricas, referente ao mesmo semestre, lia-se: "Parece que não é de nenhum modo acertado dizer que a procura gera a oferta no exato momento em que dela precisa. Isto não ocorreu com o trabalho, pois muita maquinaria teve de ficar parada o ano passado, por falta de braços." (*Report of Inspt. of Fact. for 31st Oct. 1866*, p. 81.)

85a Discurso de abertura da Conferência Sanitária, Birmingham, 14 de janeiro de 1875, pronunciado por J. Chamberlain, ex-prefeito da cidade, atualmente (1883) ministro do Comércio.

O CAPITAL

Nessas circunstâncias, o crescimento absoluto dessa parte do proletariado exige que seus elementos aumentem com velocidade maior que aquela em que são consumidos. Rápida substituição, portanto, das gerações de trabalhadores (a mesma lei não se aplica às outras classes da população). Esta necessidade social é satisfeita por meio de casamentos prematuros, consequência necessária das condições em que vivem os trabalhadores da grande indústria, e pelos prêmios que a exploração das crianças proporciona à sua procriação.

Quando a produção capitalista se apodera da agricultura ou nela vai penetrando, diminui, à medida que se acumula o capital que nela funciona, a procura absoluta da população trabalhadora rural. Dá-se uma repulsão de trabalhadores, que não é contrabalançada por maior atração, como ocorre na indústria não agrícola. Por isso, parte da população rural encontra-se sempre na iminência de transferir-se para as fileiras do proletariado urbano ou da manufatura e na espreita de circunstâncias favoráveis a essa transferência (manufatura aqui significa todas as indústrias não agrícolas).[86] Está fluindo sempre esse manancial da superpopulação relativa. Mas, seu fluxo constante para as cidades pressupõe no próprio campo uma população supérflua sempre latente, cuja dimensão só se torna visível quando, em situações excepcionais, se abrem todas as comportas dos canais de drenagem. Por isso, o trabalhador rural é rebaixado ao nível mínimo de salário e está sempre com um pé no pântano do pauperismo.

A terceira categoria de superpopulação relativa, a estagnada, constitui parte do exército de trabalhadores em ação, mas com ocupação totalmente irregular. Ela proporciona ao capital reservatório inesgotável de força de trabalho disponível. Sua condição de vida se situa abaixo do nível médio normal da classe trabalhadora, e justamente isso torna-a base ampla de ramos especiais de exploração do capital. Duração máxima de trabalho e o mínimo de salário caracterizam sua existência. Conhecemos já sua configuração principal, sob o nome de trabalho em domicílio. São continuamente

---

86 No censo de 1861, da Inglaterra e País de Gales, "781 cidades continham 10.960.998 habitantes, enquanto a população das aldeias e das paróquias rurais era apenas de 9.105.226... Em 1851, figuravam no censo 580 cidades, cuja população era quase igual à das zonas rurais. Mas, enquanto a população do campo aumentou nos últimos 10 anos em apenas meio milhão, a das 580 cidades cresceu de 1.554.067. O acréscimo de população nas paróquias rurais é de 6,5% e, nas cidades, de 17,3%. A diferença na taxa de crescimento decorre da emigração do campo para a cidade. Três quartos do crescimento global da população pertencem às cidades." (*Census* etc., V. III, pp. 11 e 12.)

A LEI GERAL DA ACUMULAÇÃO CAPITALISTA

recrutados para suas fileiras os que se tornam supérfluos na grande indústria e na agricultura, e notadamente nos ramos de atividade em decadência, nos quais o artesanato é destruído pela manufatura ou esta pela indústria mecânica. A superpopulação estagnada se amplia à medida que o incremento e a energia da acumulação aumentam o número dos trabalhadores supérfluos. Ela se reproduz e se perpetua, e é o componente da classe trabalhadora que tem, no crescimento global dela, uma participação relativamente maior que a dos demais componentes. Na realidade, a quantidade de nascimentos e óbitos e o tamanho absoluto das famílias está na razão inversa do nível de salário e, portanto, da quantidade de meios de subsistência de que dispõem as diversas categorias de trabalhadores. Esta lei da sociedade capitalista não se encontra entre selvagens nem entre colonos civilizados. Lembra a reprodução em massa de espécies animais cujos indivíduos são débeis e constantemente perseguidos.[87]

Finalmente, o mais profundo sedimento da superpopulação relativa vegeta no inferno da indigência, do pauperismo. Pondo-se de lado os vagabundos, os criminosos, as prostitutas, o rebotalho do proletariado, em suma, essa camada social consiste em três categorias. Primeiro, os aptos para o trabalho. Basta olhar as estatísticas inglesas referentes ao pauperismo para se verificar que seu número aumenta em todas as crises e diminui quando os negócios se reanimam. Segundo, os órfãos e filhos de indigentes. Estes irão engrossar o exército industrial de reserva, e são recrutados rapidamente e em massa para o exército ativo dos trabalhadores em tempos de grande prosperidade, como em 1860, por exemplo. Terceiro, os degradados, desmoralizados, incapazes de trabalhar. São, notadamente, os indivíduos que sucumbem em virtude de sua incapacidade de adaptação, decorrente da divisão do trabalho; os que ultrapassam a idade normal de um trabalhador; e as vítimas da indústria, os mutilados, enfermos, viúvas etc., cujo número aumenta com as máquinas perigosas, as minas, as fábricas de produtos químicos etc. O pauperismo constitui o asilo dos inválidos

---

87 "A pobreza parece favorecer a procriação." (A. Smith.) Segundo o abade Galiani, espírito galante e perspicaz, esta é uma sábia disposição da providência divina: "Deus dispôs que os homens que exercem os misteres mais úteis nascessem em abundância." (Galiani, *loc. cit.*, p. 78.) "A miséria, levada ao seu grau mais extremo da fome e da peste, aumenta o crescimento da população, em vez de lhe pôr um freio." (S. Laing, *National Distress*, 1844, p. 69.) Depois de ilustrar estatisticamente sua afirmação, prossegue Laing: "Se todos os seres humanos vivessem em condições cômodas, o mundo estaria em pouco tempo despovoado." ("If the people were all in easy circumstances, the world would soon be depopulated.")

do exército ativo dos trabalhadores e o peso morto do exército industrial de reserva. Sua produção e sua necessidade se compreendem na produção e na necessidade da superpopulação relativa, e ambos constituem condição de existência da produção capitalista e do desenvolvimento da riqueza. O pauperismo faz parte das despesas extras da produção capitalista, mas o capital arranja sempre um meio de transferi-las para a classe trabalhadora e para a classe média inferior.

Quanto maiores a riqueza social, o capital em função, a dimensão e energia de seu crescimento e, consequentemente, a magnitude absoluta do proletariado e da força produtiva de seu trabalho, maior o exército industrial de reserva. A força de trabalho disponível é ampliada pelas mesmas causas que aumentam a força expansiva do capital. A magnitude relativa do exército industrial de reserva cresce, portanto, com as potências da riqueza, mas, quanto maior esse exército de reserva em relação ao exército ativo, maior a massa da superpopulação consolidada, cuja miséria está na razão inversa do suplício de seu trabalho. E, ainda, quanto maiores essa camada de lázaros da classe trabalhadora e o exército industrial de reserva, maior, usando-se a terminologia oficial, o pauperismo. *Esta é a lei geral, absoluta, da acumulação capitalista.* Como todas as outras leis, é modificada em seu funcionamento por muitas circunstâncias que não nos cabe analisar aqui.

Patenteia-se a insanidade da sabedoria do economista que prega aos trabalhadores adaptarem seu número às necessidades de expansão do capital. O mecanismo da produção capitalista e da acumulação adapta continuamente esse número a essas necessidades. O começo desse ajustamento é a criação de uma superpopulação relativa ou de um exército industrial de reserva, e o fim, a miséria de camadas cada vez maiores do exército ativo e o peso morto do pauperismo.

Graças ao progresso da produtividade do trabalho social, quantidade sempre crescente de meios de produção pode ser mobilizada com um dispêndio progressivamente menor de força humana. Este enunciado é uma lei na sociedade capitalista, onde o instrumental de trabalho emprega o trabalhador, e não este o instrumental. Esta lei se transmuta na seguinte: quanto maior a produtividade do trabalho, maior a pressão dos trabalhadores sobre os meios de emprego, mais precária, portanto, sua condição de existência, a saber, a venda da própria força para aumentar a riqueza alheia ou a expansão do capital. O crescimento dos meios de produção e

A LEI GERAL DA ACUMULAÇÃO CAPITALISTA

da produtividade do trabalho, mais rápido que o crescimento da população produtiva, expressa-se, de maneira inversa, na sociedade capitalista. Nesta a população trabalhadora aumenta sempre mais rapidamente do que as condições em que o capital pode empregar os acréscimos dessa população para expandir-se.

Ao analisar a produção da mais-valia relativa, na Quarta Seção, verificamos: dentro do sistema capitalista, todos os métodos para elevar a produtividade do trabalho coletivo são aplicados à custa do trabalhador individual; todos os meios para desenvolver a produção redundam em meios de dominar e explorar o produtor, mutilam o trabalhador, reduzindo-o a um fragmento de ser humano, degradam-no à categoria de peça de máquina, destroem o conteúdo de seu trabalho, transformado em tormento, tornam-lhe estranhas as potências intelectuais do processo de trabalho, na medida em que a este se incorpora a ciência, como força independente, desfiguram as condições em que trabalha, submetem-no constantemente a um despotismo mesquinho e odioso, transformam todas as horas de sua vida em horas de trabalho e lançam sua mulher e seus filhos sob o rolo compressor do capital. Mas todos os métodos para produzir mais-valia são, ao mesmo tempo, métodos de acumular, e todo aumento da acumulação torna-se, reciprocamente, meio de desenvolver aqueles métodos. Infere-se daí que, na medida em que se acumula o capital, tem de piorar a situação do trabalhador, suba ou desça sua remuneração. A lei que mantém a superpopulação relativa ou o exército industrial de reserva no nível adequado ao incremento e à energia da acumulação acorrenta o trabalhador ao capital mais firmemente do que os grilhões de Vulcano acorrentavam Prometeu ao Cáucaso. Determina uma acumulação de miséria correspondente à acumulação de capital. Acumulação de riqueza num polo é, ao mesmo tempo, acumulação de miséria, de trabalho atormentante, de escravatura, ignorância, brutalização e degradação moral, no polo oposto, constituído da classe cujo produto vira capital.

Esse caráter antagônico da produção capitalista[88] foi expresso sob diversas formas pelos economistas políticos, embora o misturassem com

---

88 "Cada dia se torna mais claro que as condições de produção em que se move a burguesia não têm caráter unitário, simples, mas dúplice; que, nas mesmas condições em que se produz a riqueza, produz-se também a miséria; que, nas mesmas condições em que se processa o desenvolvimento das forças produtivas, desenvolve-se também uma força repressiva; que essas condições só geram a riqueza burguesa, isto é, a riqueza da classe burguesa, com a destruição continuada da riqueza de membros

fenômenos até certo ponto análogos, mas diferentes, na sua substância, de modos de produção pré-capitalistas.

O monge veneziano Ortes, um dos grandes economistas do século XVIII, via no antagonismo da produção capitalista uma lei natural geral da riqueza social.

> "Numa nação, os bens e os males econômicos mantêm-se sempre em equilíbrio: a abundância de bens para uns corresponde sempre à falta deles para outros. Grande riqueza para alguns significa privação absoluta do necessário para muitos outros. A riqueza de uma nação está em correspondência com sua população, e sua miséria, em correspondência com sua riqueza. A diligência de uns leva outros à ociosidade. Os pobres e os ociosos são consequência necessária dos ricos e dos trabalhadores."[89]

Dez anos depois de Ortes, o pastor anglicano Townsend louvava, grotescamente, a pobreza como condição necessária para a riqueza.

> "O trabalho obtido por meio de coação legal exige grande dose de aborrecimentos, violência e barulho, enquanto a fome pressiona pacífica, silenciosa e incessantemente, sendo o motivo mais natural para a diligência e para o trabalho, leva a que se façam os maiores esforços."

Tudo o que importa é tornar a fome permanente na classe trabalhadora, e isto, segundo Townsend, é função do princípio da população, que vigora especialmente entre os pobres.

> "Parece uma lei natural que os pobres até certo ponto sejam imprevidentes [tão imprevidentes que venham ao mundo sem que lhes assegurem antes um berço de ouro], o que proporciona a existência de indivíduos para exercerem os ofícios mais servis, mais sórdidos e mais ignóbeis da comunidade. O cabedal de felicidade humana é ampliado quando os mais delicados ficam isentos do trabalho servil e podem realizar sua vocação superior sem interrupções. [...]

---

que integram essa classe e com a formação de um proletariado cada vez maior." (Karl Marx, *Misère de la philosophie*, p. 116.)

89 G. Ortes, *Della Economia Nazionalle Libri sei 1774*, em Custodi, Parte Moderna, t. XXI, pp. 6, 2, 22, 25 etc. Ortes diz: "Em vez de imaginar sistemas inúteis para a felicidade dos povos, prefiro limitar-me a perquirir as causas da infelicidade que os cerca." (*Loc. cit.*, p. 32.)

A LEI GERAL DA ACUMULAÇÃO CAPITALISTA

A lei de assistência aos pobres tende a destruir a harmonia e a beleza, a simetria e a ordem desse sistema que Deus e a natureza criaram no mundo."[90]

Se o monge veneziano via na fatalidade que eterniza a miséria a razão de ser da caridade cristã, do celibato, dos mosteiros e das instituições pias, o dignitário protestante, ao contrário, nela encontrava o motivo para condenar as leis que asseguravam ao pobre uma mísera assistência pública.

"O progresso da riqueza social", diz Storch, "gera aquela classe útil da sociedade [...] que executa as tarefas mais enfadonhas, mais sórdidas e repugnantes, em suma, se sobrecarrega com tudo o que a vida oferece de desagradável e de servil, proporcionando assim às outras classes lazer, alegria espiritual e aquela dignidade convencional de caráter [que bom!]."[91]

Storch pergunta a si mesmo qual seria a vantagem real dessa civilização capitalista, com sua miséria e degradação das massas, comparada com a barbárie. Só encontra uma resposta, a segurança. Sismondi, por sua vez, observa:

"Com o progresso da indústria e da ciência, todo trabalhador pode produzir diariamente muito mais do que precisa para seu consumo. Mas, embora seu trabalho produza riqueza, esta torná-lo-ia menos apto para o trabalho, se lhe fosse permitido consumi-la." Segundo ele, "os seres humanos [isto é, os ociosos] renunciariam provavelmente a todos os requintes das artes, a todas as comodidades criadas pela indústria, se tivessem de obtê-los por meio de um trabalho constante como o que recai sobre os ombros do trabalhador. [...] Os esforços estão hoje dissociados de sua recompensa, e o homem que repousa não é o que trabalha, e se alguém pode repousar é porque outro trabalha. [...]

---

90 *A Dissertation on the Poor Laws, by a Wellwisher of Mankind* (Rev. Mr. J. Townsend), 1786, reeditado em Londres, 1817, pp. 15, 39 e 41. Da obra citada e também de sua *Journey Through Spain*, reproduz Malthus páginas e páginas inteiras. Por sua vez, Townsend, esse "delicado" pastor, tomou de empréstimo a maior parte de sua doutrina a Sir J. Stewart, cujo pensamento deformou. Quando Stewart, por exemplo, diz: "Na escravatura existia um método violento para forçar os seres humanos a trabalharem [para aqueles que não trabalham]. Outrora, os homens eram forçados a trabalhar [gratuitamente para os outros], porque eram escravos de outros; os seres humanos são agora forçados a trabalhar [gratuitamente para os que não trabalham] porque são escravos de suas próprias necessidades." Mas Stewart não concluiu daí, como o rotundo prebendário, que os assalariados deviam viver num regime de fome. Ao contrário, ele pretendia aumentar suas necessidades, cujo número crescente serviria para incentivá-las a trabalharem para "os mais delicados".

91 Storch, *loc. cit.*, t. III, p. 223.

O CAPITAL

A multiplicação sem fim das forças produtivas do trabalho não pode ter outro resultado que o de aumentar o luxo e as comodidades dos ricos ociosos."[92]

Finalmente, Destutt de Tracy, o fleumático doutrinador burguês, diz abertamente:

"Nas nações pobres, o povo vive a seu gosto e, nas ricas, vive geralmente na pobreza."[93]

5. ILUSTRAÇÃO DA LEI GERAL DA ACUMULAÇÃO CAPITALISTA

a) Inglaterra de 1846 a 1866

Nenhum período da sociedade moderna é tão adequado para o estudo da acumulação capitalista do que o constituído dos últimos 20 anos. Houve nesse período um crescimento acelerado da riqueza. E o melhor exemplo desse progresso, oferece-nos a Inglaterra, que se destaca das demais nações por vários motivos: ocupa a posição mais importante no mercado mundial, é o único país em que se desenvolveu plenamente a produção capitalista e onde, finalmente, a implantação do milênio livre-cambista em 1846 redundou na destruição do último refúgio da economia vulgar. Na Quarta Seção apresentamos indicações suficientes sobre o progresso titânico da produção durante esse período, cuja segunda metade ultrapassou de muito a primeira.

Embora o crescimento absoluto da população inglesa tenha sido muito grande na segunda metade do século, seu incremento proporcional ou a taxa de crescimento veio caindo progressivamente, conforme se verifica na tabela a seguir, extraída do censo oficial.

TAXA ANUAL DE CRESCIMENTO DEMOGRÁFICO
NA INGLATERRA E NO PAÍS DE GALES

1811/1821	1,533%
1821/1831	1,446%
1831/1841	1,326%
1841/1851	1,216%
1851/1861	1,141%

---

92 Sismondi, *loc. cit.*, t. I, pp. 79, 90 e 85.

93 Destutt de Tracy, *loc. cit.*, p. 231. "Les nations pauvres, c'est là où le peuple est à son aise, et les nations riches, c'est là où il est ordinairement pauvre."

A LEI GERAL DA ACUMULAÇÃO CAPITALISTA

Vejamos agora o crescimento da riqueza. O melhor meio de avaliá-lo é a variação dos lucros, das rendas de terras etc., sujeitos a tributação. O aumento dos lucros tributáveis (excluem-se os arrendatários e outras categorias) na Grã-Bretanha, de 1853 a 1864, foi de 50,47% (4,58%, em média, por ano),[94] enquanto o da população, no mesmo período, foi de cerca de 12%. O acréscimo das rendas tributáveis da terra (inclusive casas, ferrovias, minas, pesca etc.) elevou-se, de 1853 a 1864, a 38% ou 3,454% por ano, destacando-se nesse aumento os seguintes itens:

	AUMENTO DO RENDIMENTO ANUAL NO PERÍODO DE 1853 A 1864	ACRÉSCIMO ANUAL
CASAS	38,60%	3,50%
PEDREIRAS	84,76%	7,70%
MINAS	68,85%	6,26%
FUNDIÇÕES	39,92%	3,63%
PESCA	57,37%	5,21%
USINAS DE GÁS	126,02%	11,45%
FERROVIAS	83,29%	7,57%[95]

Comparando os quadriênios do período 1853/1864, verificamos o aumento constante da taxa de crescimento da renda. Para os lucros tributáveis no quadriênio 1853/1857, o aumento anual médio foi de 1,73%; de 1857 a 1861, foi de 2,74%; e de 1861 a 1864, foi de 9,30%. A soma global dos rendimentos sujeitos à tributação no Reino Unido foi, em 1856, de 307.068.898 libras esterlinas; em 1859, 328.127.416; em 1862, 351.745.241; em 1863, 359.142.897; em 1864, 362.462.279; em 1865, 385.530.020.[96]

---

94 *Tenth Report of the Commissioners of H. M.'s Inland Revenue*, Londres, 1866, p. 38.

95 *Ibidem*.

96 Esses números servem para fins de comparação, mas, considerados em si mesmos, são falsos, uma vez que anualmente deixam de ser declarados rendimentos no valor provável de 100 milhões de libras esterlinas. As queixas dos comissários de rendas internas sobre a fraude sistemática, notadamente por parte da indústria e do comércio, repetem-se em todos os seus relatórios. Num deles lê-se: "Uma sociedade anônima declarou lucros tributáveis de 6.000 libras esterlinas, mas o revisor avaliou-os em 88.000, e o imposto foi pago de acordo com esse montante. Outra companhia declarou 190.000 libras esterlinas, mas foi compelida a confessar que o verdadeiro valor era de 250.000." (*Ibidem*, p. 42.)

O CAPITAL

A concentração e a centralização acompanhavam a acumulação do capital. As estatísticas agrícolas foram fornecidas espontaneamente por dez condados, não havendo nesse domínio estatísticas oficiais para a Inglaterra, embora a Irlanda as possua. Segundo os levantamentos dos condados, de 1851 a 1861, os arrendamentos com menos de 100 acres diminuíram de 31.583 para 26.567, havendo, portanto, a fusão de 5.016 em empresas agrícolas maiores.[97] De 1815 a 1825, nenhum imposto de transmissão *causa mortis* incidiu sobre fortuna mobiliária superior a 1 milhão de libras esterlinas; de 1825 a 1855, essa incidência ocorreu 8 vezes e, de 1855 a junho de 1859, 4 vezes num período de 4 anos e meio.[98] Percebe-se melhor a centralização analisando-se rapidamente a categoria D, relativa a lucros com exclusão de arrendatários etc., nos anos de 1864 e 1865. O imposto pode atingir os rendimentos dessa fonte até o nível de 60 libras esterlinas. Esses rendimentos tributáveis, na Inglaterra, no País de Gales e na Escócia, atingiram, em 1864, 95.844.222 libras esterlinas e, em 1865, 105.435.787;[99] o número correspondente de contribuintes foi, em 1864, de 308.416 pessoas para uma população global de 23.891.009; e, em 1865, de 332.431 para uma população de 24.127.003. A tabela a seguir dá a distribuição desses rendimentos nos dois anos referidos.

	ANO QUE ACABA EM 5 DE ABRIL DE 1864		ANO QUE ACABA EM 5 DE ABRIL DE 1865	
	RENDIMENTOS (LUCROS) EM LIBRAS ESTERLINAS	Nº DE PESSOAS	RENDIMENTOS (LUCROS) EM LIBRAS ESTERLINAS	Nº DE PESSOAS
1) RENDIMENTOS GLOBAIS	95.844.222	308.416	105.435.787	332.431
2) DE 1	57.028.290	22.334	64.554.291	24.075
3) DE 2	36.415.225	3.619	42.535.576	4.021
4) DE 3	22.809.781	822	27.555.313	913
5) DE 4	8.744.762	91	11.077.238	107

---

97 *Census* etc., *loc. cit.*, p. 29. Não foi até hoje refutada a afirmação de John Bright de que 150 proprietários possuem metade das terras inglesas, e 12, metade das terras escocesas.

98 *Fourth Report* etc. *of Inland Revenue*, Londres, 1860, p. 7.

99 Rendimentos líquidos, depois de feitas as deduções permitidas por lei.

A LEI GERAL DA ACUMULAÇÃO CAPITALISTA

No Reino Unido, produziram-se, em 1855, 61.453.079 toneladas de carvão, no valor de 16.113.267 libras esterlinas; em 1864, 92.787.873 toneladas, no valor de 23.197.968 libras; em 1855, 3.218.154 toneladas de ferro-gusa, no valor de 8.045.385 libras; em 1864, 4.767.951 toneladas, no valor de 11.919.877 libras. O Reino Unido tinha em funcionamento, em 1854, 8.054 milhas de estradas de ferro, com o capital realizado de 286.068.794 libras; em 1864, a extensão das ferrovias aumentou para 12.789 milhas, e o capital realizado, para 425.719.613 libras. A exportação e a importação do Reino Unido atingiram globalmente, em 1854, o valor de 268.210.145 libras, e em 1865, 489.923.285. A tabela abaixo dá a evolução das exportações em libras esterlinas.

1847	58.842.377
1849	63.596.052
1856	115.826.948
1860	135.842.817
1865	165.862.402
1866	188.917.583[100]

Por esses dados compreende-se o grito de triunfo do diretor-geral do registro civil do povo britânico:

"Embora a população aumentasse rapidamente, não cresceu no mesmo ritmo do progresso da indústria e da riqueza."[101]

Vejamos agora o que sucede com os agentes imediatos dessa indústria, com os produtores dessa riqueza, a classe trabalhadora.

"Uma das características mais melancólicas da situação social do país", diz Gladstone, "é que há um decréscimo no poder de consumo do povo, um au-

---

100 Neste momento, em março de 1867, os mercados da Índia e da China já estão de novo abarrotados com as consignações dos fabricantes ingleses da indústria têxtil algodoeira. Em 1866, houve uma redução de 5% nos salários dos trabalhadores do ramo e, em 1867, em virtude de rebaixamento de salário, ocorreu em Preston uma greve de 20.000 trabalhadores. (Era o prelúdio da crise que irrompeu pouco depois. — F.E.)

101 *Census* etc., *loc. cit.*, p. 11.

O CAPITAL

mento de privações e miséria para a classe trabalhadora e, ao mesmo tempo, acumulação constante de riqueza nas classes superiores e incremento contínuo de capital."[102]

Assim falou o untuoso ministro, na Câmara dos Comuns, em 13 de fevereiro de 1843. Vinte anos depois, em 16 de abril de 1863, no discurso em que apresentou o orçamento, disse:

"De 1842 a 1852, a renda tributável do país aumentou de 6%. [...] Nos 8 anos que vão de 1853 a 1861, esse aumento, tomando-se por base 1853, foi de 20%. O que aconteceu é tão surpreendente que é quase inacreditável. [...] Esse aumento embriagador de riqueza e poder [...] ficou totalmente limitado às classes possuidoras [...] mas tem de beneficiar indiretamente a população trabalhadora, pois barateia os artigos de consumo geral. Enquanto os ricos ficaram mais ricos, os pobres ficaram menos pobres. De qualquer modo, não ouso afirmar que tenham diminuído os extremos da pobreza."[103]

Ridícula artimanha! Se a classe trabalhadora continuou pobre, apenas menos pobre, ao produzir um aumento embriagador de riqueza e poder para a classe possuidora, não se modificou sua pobreza relativa. Se os extremos da pobreza não diminuíram, então aumentaram, por terem aumentado os extremos da riqueza. Quanto ao barateamento dos meios de subsistência, a estatística oficial, os dados, por exemplo, do Asilo dos Órfãos de Londres, mostram encarecimento de 20% para a média do triênio de 1860 a 1862, comparado com o triênio de 1851 a 1853. No triênio de 1863 a 1865, aumentaram progressivamente os preços de itens como carne, manteiga, leite,

---

102 Declaração de Gladstone na Câmara dos Comuns, em 13 de fevereiro de 1843: "It is one of the most melancholy features in the social state of this country that we see, beyond the possibility of denial, that while there is at this moment a decrease in the consuming powers of the people, an increase of the pressure of privations and distress, there is at the same time a constant accumulation of wealth in the upper classes, an increase in the luxuriousness of their habits, and of their means of enjoyment." (*Times*, 14 de fevereiro de 1843, e *Hunsard*, 13 de fevereiro.)

103 "From 1842 to 1852 the taxable income of the country increased by 6 per cent. [...] In the 8 years from 1853 to 1861, it had increased from the basis taken in 1853, 20 per cent! The fact is so astonishing as to be almost incredible [...] this intoxicating augmentation of wealth and power [...] entirely confined to classes of property [...] must be of indirect benefit to the labouring population, because it cheapens the commodities of general consumption — while the rich have been growing richer, the poor have been growing less poor! At any rate, whether the extremes of poverty are less, I do not presume to say." (Gladstone, na Câmara dos Comuns, 16 de abril de 1863. *Morning Star*, 17 de abril.)

A LEI GERAL DA ACUMULAÇÃO CAPITALISTA

açúcar, sal, carvão e outros artigos de primeira necessidade.[104] O discurso de Gladstone sobre o orçamento, de 7 de abril de 1864, é um ditirambo pindárico à produção da mais-valia e à felicidade do povo moderada pela pobreza. Ele fala de massas (à beira do pauperismo), de ramos de atividade em que "os salários não subiram", e sintetiza a felicidade da classe trabalhadora com as seguintes palavras:

> "Em noventa por cento dos casos, a vida humana não passa de uma luta para existir."[105]

O Prof. Fawcett, que não está preso a considerações de ordem oficial como Gladstone, diz abertamente:

> "Naturalmente, não nego que os salários monetários tenham subido com o aumento do capital [nas últimas décadas], mas essa vantagem aparente se perde em grande parte, porque os meios de subsistência se tornam cada vez mais caros [ele crê que a causa seja a queda do valor dos metais preciosos]. [...] Os ricos ficam rapidamente mais ricos, enquanto não se percebe nenhum acréscimo no conforto da classe trabalhadora. [...] Os trabalhadores se tornam quase escravos dos vendeiros, com os quais se endividam."[106]

Nos capítulos referentes ao dia de trabalho e à maquinaria, vimos em que circunstâncias a classe trabalhadora britânica criou esse "aumento embriagador de riqueza e de poder" para as classes possuidoras. Então,

---

104 Vide os dados oficiais no livro azul, *Miscellaneous Statistics of the Un. Kingdom, Part VI*, Londres, 1866, pp. 260 a 273 *passim*. Além das estatísticas dos asilos de órfãos etc., podem provar essa elevação de preços as justificações dos diários ministeriais, relativas às dotações para as crianças da Casa Real. Nunca esquecem o encarecimento dos meios de subsistência.

105 "Think of those who are on the border of that region [pauperism], wages [...] in others not increased [...] human life is but, in nine cases out of ten, a struggle for existence." (Gladstone, Câmara dos Comuns, 7 de abril de 1864.) Versão do *Hansard*: "Again: and yet more at large, what is human life but, in the majority of cases, a struggle for existence." Um escritor inglês [Henry Roy] retrata Gladstone, em face de suas repetidas e gritantes contradições, nos discursos em que apresentou os orçamentos de 1863 e 1864, com a seguinte citação de Molière:
"Assim é o homem; pula de um extremo ao outro,
Condena de manhã o que louvou de noite.
Importuno a todo mundo, incômodo a si mesmo,
Muda de opinião como muda de roupa."
(*The Theory of Exchanges* etc., Londres, 1864, p. 135.)

106 H. Fawcett, *loc. cit.*, pp. 67 e 82. Quanto à dependência crescente dos trabalhadores em relação ao vendeiro, é ela consequência das flutuações e interrupções cada vez mais frequentes de seu emprego.

O CAPITAL

estudamos sobretudo o trabalhador no exercício de sua função social. A
fim de esclarecer plenamente as leis da acumulação, é necessário examinar a
situação do trabalhador fora da fábrica, suas condições de alimentação e de
habitação. Os limites deste livro levam-nos a tratar, antes de tudo, a parte
mais mal paga do proletariado industrial e dos trabalhadores agrícolas, ou
seja, a maioria da classe trabalhadora.

Antes, uma palavra sobre o pauperismo oficial ou sobre aquela parte
da classe trabalhadora que perdeu a condição de sua existência, a venda
da força de trabalho, e vegeta na base da caridade pública. O censo dos
indigentes na Inglaterra[107] registrava, em 1855, 851.369 pessoas; em 1856,
877.767; em 1865, 971.433. Em virtude da crise algodoeira, seu número,
nos anos de 1863 e 1864, aumentou respectivamente para 1.079.382 e
1.014.978. A crise de 1866, que atingiu Londres mais severamente, gerou
nesse centro do mercado mundial, mais populoso que o reino da Escócia,
um acréscimo de 19,5% no número de indigentes em 1866, em relação ao
nível de 1865, e de 24,4%, em relação a 1864, e um acréscimo ainda maior
para os primeiros meses de 1867, em relação a 1866. A análise da estatística dos indigentes põe em evidência dois pontos. Primeiro, o aumento e
a diminuição da massa de indigentes refletem as mudanças periódicas do
ciclo industrial. Segundo, a estatística oficial vai deixando de registrar a
verdadeira extensão do pauperismo à medida que se desenvolve, com a
acumulação do capital, a luta de classes, e, em consequência, tomam os
trabalhadores consciência de sua própria dignidade. Os tratamentos bárbaros infligidos aos indigentes, contra os quais clamou a imprensa inglesa
(Times, Pall Mall Gazette etc.) nos dois últimos anos, vêm de velha data.
Em 1844, F. Engels verifica as mesmas atrocidades seguidas dos mesmos
clamores passageiros e hipócritas de uma literatura de sensação. Mas o terrível acréscimo de óbitos por fome em Londres, na última década, demonstra
incontestavelmente o horror crescente dos trabalhadores pela escravatura
do asilo de trabalho para os pobres, a casa de trabalho (*workhouse*),[108] essa
penitenciária da miséria.

---

107 Inglaterra compreende também País de Gales; Grã-Bretanha abrange Inglaterra, País de Gales e
Escócia. Reino Unido compreende esses três países mais a Irlanda.

108 Esclarece bastante a mudança ocorrida depois de A. Smith a circunstância de ele usar como
sinônimo as expressões *workhouse* (casa de trabalho) e manufatura. No começo de seu capítulo sobre a
divisão do trabalho, diz ele: "Aqueles que se ocupam em diferentes ramos de trabalho podem reunir-se
muitas vezes na mesma casa de trabalho (*workhouse*)."

b) As camadas miseravelmente pagas do proletariado industrial inglês

Examinemos agora as camadas miseravelmente pagas do proletariado industrial. Na crise algodoeira de 1862, o Dr. Smith foi encarregado pelo Conselho Privado de investigar as condições alimentares dos infelizes trabalhadores do ramo têxtil algodoeiro em Lancashire e Cheshire. Longos anos de observação tinham-no levado à conclusão de que, "para evitar as doenças oriundas de subnutrição", a alimentação diária de uma mulher média deve conter 3.900 grãos de carbono e 180 grãos de azoto, e a de um homem médio, pelo menos 4.300 grãos de carbono e 200 grãos de azoto. As mulheres precisam de uma quantidade de elementos nutritivos que se contêm em 2 libras-peso de bom pão de trigo; os homens, $^9/_{10}$ mais do que isso. Em média semanal, o mínimo indispensável para homens e mulheres adultos é de 28.700 grãos de carbono e 1.330 grãos de azoto. A estimativa do Dr. Smith foi surpreendentemente confirmada na prática, pois concordava com a miserável quantidade de alimentação a que a necessidade rebaixara o consumo dos trabalhadores da indústria têxtil algodoeira. Estes, em dezembro de 1862, consumiram, por semana, 29.211 grãos de carbono e 1.295 grãos de azoto.

Em 1863, o Conselho Privado mandou fazer uma pesquisa sobre a situação de penúria da parte mais malnutrida da classe trabalhadora inglesa. O Dr. Simon, médico-chefe do Conselho Privado, escolheu para essa tarefa o mencionado Dr. Smith. As pesquisas deste estenderam-se, de um lado, aos trabalhadores agrícolas e, do outro, aos tecelões de seda, às costureiras, aos luveiros que trabalham com pelica, tecelões de meias, tecelões de luvas e sapateiros. Excluindo-se trabalhadores agrícolas e tecelões de meias, todas as demais categorias são exclusivamente urbanas. Uma das normas da investigação foi a de escolher, em cada categoria, as famílias mais sadias e em situação relativamente melhor.

O resultado geral foi o seguinte:

"Só numa das categorias investigadas dos trabalhadores urbanos, o suprimento de azoto ultrapassou um pouco o padrão mínimo necessário para evitar doenças de subnutrição; em duas categorias, observou-se carência no suprimento, tanto de azoto quanto de carbono, e, numa delas, carência muito grave. Das famílias dos trabalhadores agrícolas investigadas, mais de 1/5 tinha alimentação com teor de carbono inferior ao indispensável; mais de 1/3,

O CAPITAL

alimentação com teor de azoto inferior ao indispensável. Em três condados, Berkshire, Oxfordshire e Somersetshire, verificou-se carência de azoto na dieta média local."[109]

Entre os trabalhadores agrícolas mais malnutridos figuravam os da Inglaterra, a parte mais rica do Reino Unido.[110] A subnutrição, entre os trabalhadores, incidia principalmente sobre as mulheres e as crianças, pois "o homem tem de comer para executar seu trabalho". Penúria ainda maior assolava as categorias investigadas de trabalhadores urbanos. "Estão tão mal alimentados que tem de haver entre eles muitos casos de privações cruéis e ruinosas para a saúde"[111] (consequência do "espírito de renúncia" do capitalista, isto é, sua renúncia a pagar a seus trabalhadores o que estes precisam apenas para vegetar).

A tabela a seguir mostra a situação alimentar de categorias dos trabalhadores urbanos anteriormente mencionadas e, para fins de comparação, a dos trabalhadores da indústria têxtil na época de maior necessidade e o padrão mínimo proposto pelo Dr. Smith.

OS DOIS SEXOS	MÉDIA SEMANAL DE CARBONO	MÉDIA SEMANAL DE AZOTO
	GRÃOS	GRÃOS
CINCO RAMOS INDUSTRIAIS URBANOS	28.876	1.192
DESEMPREGADOS DAS FÁBRICAS DE LANCASHIRE	28.211	1.295
PADRÃO MÍNIMO PROPOSTO PARA OS TRABALHADORES DE LANCASHIRE, ADMITIDO NÚMERO IGUAL DE HOMENS E MULHERES	28.600	1.330[112]

Metade, aliás $^{60}/_{125}$, das categorias investigadas no campo industrial não bebia cerveja, e 28% não tomavam leite. A média semanal dos alimentos líquidos nas famílias flutuava de 7 onças para as costureiras a 24¾ onças

---

109 *Public Health Sixth Report* [...] *for 1863*, Londres, 1864, p. 13.

110 *Loc. cit.*, p. 17.

111 *Loc. cit.*, p. 13.

112 *Loc. cit.*, Apêndice, p. 232.

para os tecelões de meias. A maioria dos que não bebiam leite era constituída das costureiras de Londres. O pão consumido por semana variava de 7¾ libras-peso para 11¼, respectivamente, para as costureiras e sapateiros, o que dava uma média global por semana, por adulto, de 9,9 libras-peso. O consumo de açúcar, melaço etc. variava semanalmente de 4 a 11 onças, respectivamente, para os luveiros que trabalham em pelica e para os tecelões de meias; a média global por semana, para todas as categorias, por adulto, era de 8 onças. O consumo médio global de manteiga, gorduras etc. era de 5 onças por adulto. O consumo médio de carne, toucinho etc., por adulto, oscilava entre 7¼ onças, para os tecelões de seda, e 18¼ onças, para os luveiros que trabalham em pelica; a média global para as diversas categorias era de 13,6 onças. O custo global da alimentação por adulto dava as seguintes cifras médias, 2 xelins e 2½ pence para os tecelões de seda, 2 xelins e 7 pence para as costureiras, 2 xelins e 9½ pence para os luveiros que trabalham em pelicas 2 xelins e 7¾ pence para os sapateiros, 2 xelins e 6¼ pence para os tecelões de meias. A média semanal para os tecelões de seda de Macclesfield era apenas de 1 xelim e 8½ pence. As categorias mais malnutridas eram as costureiras, os tecelões e os luveiros que trabalham em pelica.[113]

Em seu relatório sobre as condições sanitárias em geral, diz o Dr. Simon a respeito da situação alimentar:

"Todo aquele que está familiarizado com a clínica de indigentes ou com as enfermarias e clínicas dos hospitais pode confirmar que são numerosos os casos em que a dieta deficiente produz ou agrava doenças. [...] Mas temos de acrescentar a isto um conjunto muito importante de condições sanitárias. [...] Devemos lembrar que a privação de alimentos é difícil de suportar e que, em regra, uma dieta carente só ocorre depois de ter havido muitas privações anteriores. Muito antes de a insuficiência alimentar ter importância do ponto de vista da higiene, muito antes de o fisiólogo pensar em contar os grãos de azoto e carbono que marcam a diferença entre a vida e a morte pela fome, o lar já terá sido despojado de todo o conforto material. O vestuário e o aquecimento ter-se-ão se tornado ainda mais escassos do que os alimentos. Não haverá mais proteção contra as inclemências do tempo; os aposentos terão ficado tão reduzidos que produzirão ou agravarão doenças; quase nada mais restará dos

---

113 *Loc. cit.*, pp. 232 e 233.

O CAPITAL

utensílios e móveis de casa; a limpeza ter-se-á tornado extremamente custosa e difícil. E se se procura mantê-la, por um sentimento de desigualdade, esse esforço representará novos tormentos de fome. O lar terá de se instalar onde o teto for mais barato, em bairros onde a fiscalização sanitária é menos eficaz, onde há maior deficiência de esgotos, de limpeza, maiores imundícies, onde a água é escassa e da pior qualidade, e nas cidades onde há maior carência de luz e de ar. São estes os perigos sanitários a que se expõe inevitavelmente a pobreza quando esta se acompanha da míngua de alimentos. Se a soma desses perigos representa um tremendo fardo para a vida, a simples falta de alimentos é, em si mesma, horrenda. [...] Estas reflexões são dolorosas principalmente quando verificamos que a pobreza de que se trata não é a pobreza merecida dos ociosos. É a pobreza de trabalhadores. Além disso, com relação aos trabalhadores urbanos, o trabalho com que compram sua escassa alimentação é, em regra, excessivamente prolongado. Só num sentido muito limitado pode-se supor que esse trabalho dê para viver. [...] Visto numa escala bem ampla, esse sustento nominal pelo trabalho não passa de um rodeio mais ou menos curto para se cair no pauperismo."[114]

Só conhecendo as leis econômicas conseguimos descobrir a conexão íntima entre os tormentos da fome das camadas trabalhadoras mais laboriosas e a dilapidação dos ricos, grosseira ou refinada, baseada na acumulação capitalista. Já a situação habitacional é fácil de entender. Qualquer observador desprevenido percebe que, quanto maior a centralização dos meios de produção, maior o amontoamento correspondente de trabalhadores no mesmo espaço e, portanto, quanto mais rápida a acumulação capitalista, mais miseráveis as habitações dos trabalhadores. Os "melhoramentos" urbanos que acompanham o progresso da riqueza, a demolição de quarteirões mal construídos, a construção de palácios para bancos, lojas etc., o alargamento das ruas para o tráfego comercial e para as carruagens de luxo, o estabelecimento de linhas para bondes etc., desalojam, evidentemente, os pobres, expulsando-os para refúgios cada vez piores e mais abarrotados de gente. Além disso, todo mundo sabe que a carestia do espaço para morar está na razão inversa da qualidade da habitação e que os especuladores imobiliários exploram as minas da miséria com menos despesas e mais lucros que os obtidos em qualquer tempo com a lavra das minas de Potosí. O caráter antagônico da acumulação capitalista e, consequentemente, das relações capitalistas de

---

114 *Loc. cit.*, pp. 14 e 15.

A LEI GERAL DA ACUMULAÇÃO CAPITALISTA

propriedade[115] tornam-se aqui tão palpáveis que até os relatórios oficiais ingleses sobre esse assunto estão cheios de investidas heterodoxas à propriedade e a seus direitos. Com o desenvolvimento da indústria, da acumulação do capital, com o crescimento e o "embelezamento" das cidades, os males cresceram de tal modo que o simples medo das doenças contagiosas, que não poupam nem a respeitabilidade burguesa, motivou a promulgação pelo Parlamento de nada menos que 10 leis relativas à fiscalização sanitária, e a classe rica, aterrada em algumas cidades, como Liverpool, Glasgow etc., resolveu intervir por meio das municipalidades. Apesar disso, exclama o Dr. Simon, em seu relatório de 1865: "Falando de modo geral, pode-se dizer que os males na Inglaterra não estão controlados." Por ordem do Conselho Privado, realizou-se, em 1864, pesquisa sobre as condições de habitação dos trabalhadores agrícolas e, em 1865, sobre as dos trabalhadores mais pobres das cidades. Os trabalhos magistrais do Dr. Julian Hunter encontram-se nos relatórios sétimo e oitavo sobre saúde pública. Voltarei mais adiante aos trabalhadores agrícolas. Quanto à situação habitacional urbana, cito preliminarmente uma observação geral do Dr. Simon:

> "Embora, oficialmente, fale apenas como médico, o sentimento elementar de humanidade não me permite ignorar o outro lado do problema. Quando o abarrotamento das habitações ultrapassa certos limites, determina quase necessariamente uma eliminação de todas as delicadezas, uma confusão imunda de corpos e de funções fisiológicas, uma crua nudez animal e sexual, que não são humanas, mas bestiais. Ficar sujeito a essas influências é degradar-se, com uma intensidade tanto mais profunda quanto mais elas continuarem atuando. As crianças, nascidas sob essa maldição, recebem o batismo da infâmia. E ultrapassa as raias da esperança o desejo de ver pessoas, colocadas nessas circunstâncias, lutarem por aquela atmosfera de civilização cuja essência é a limpeza física e moral."[116]

Londres tem a primazia em habitações superlotadas, totalmente inadequadas para seres humanos.

---

115 "Em nenhum setor se sacrificaram tão aberta e cinicamente os direitos da pessoa ao direito de propriedade quanto nas condições de habitação da classe trabalhadora. Cada grande cidade é um local de sacrifício humano, um altar onde anualmente se imolam ao Moloch da avareza milhares de seres humanos." (S. Laing, *loc. cit.*, p. 150.)

116 *Public Health, Eighth Report*, Londres, 1866, p. 14, nota.

O CAPITAL

"Dois pontos", diz o Dr. Hunter, "estão claros: primeiro, há cerca de 20 grandes colônias em Londres, cada uma com 10.000 pessoas aproximadamente, cuja situação miserável ultrapassa tudo o que se possa ver em qualquer parte da Inglaterra e é consequência quase exclusiva de sua péssima moradia; segundo, as casas dessas colônias estão hoje mais superlotadas e mais deterioradas do que há 20 anos."[117]

"Não é exagero afirmar que a vida em muitas partes de Londres e Newcastle é um verdadeiro inferno."[118]

Mesmo a parte da classe trabalhadora em melhor situação, com os pequenos vendeiros e outros elementos da classe média inferior, sofre em Londres, cada vez mais, a maldição das condições vis de habitação, à medida que prosseguem os "melhoramentos" e a demolição de velhas casas e velhas ruas, à medida que aumentam as fábricas e o afluxo humano na metrópole e se elevam os aluguéis ao elevar-se a renda fundiária urbana.

"Os aluguéis subiram tanto que poucos trabalhadores podem pagar mais de uma peça."[119]

É difícil encontrar uma casa em Londres que não esteja cercada por um sem-número de corretores. O preço da terra em Londres é sempre mais elevado em relação à renda anual, pois todo comprador especula com a possibilidade de se desfazer da propriedade, mais cedo ou mais tarde, por um preço de expropriação fixado por um júri, ou de ganhar uma valorização extraordinária com a proximidade de qualquer grande empreendimento. Em consequência disso, há um comércio regular de compras de contratos de locação prestes a expirar.

---

117 *Loc. cit.*, p. 89. Com respeito às crianças dessas colônias, diz Dr. Hunter: "Não sabemos como foram educadas as crianças antes dessa era de densa aglomeração dos pobres, e quem quisesse ser profeta faria uma predição temerária sobre o comportamento a esperar de crianças que, neste país, em circunstâncias sem paralelo, recebem agora sua educação, para porem-na em prática no futuro como classes perigosas, convivendo hoje pela noite adentro com pessoas de todas as idades, bêbadas, obscenas e desordeiras." (*Loc. cit.*, p. 56.)

118 *Loc. cit.*, p. 62.

119 *Report of the Officer of Health of St. Martin's in the Fields*, 1865.

A LEI GERAL DA ACUMULAÇÃO CAPITALISTA

"Dos que traficam neste negócio não se pode esperar outra coisa a não ser extrair o máximo possível dos inquilinos e entregar a casa na pior condição possível aos seus sucessores."[120]

Os aluguéis são semanais, e esses senhores não correm nenhum risco. Em virtude da construção de linhas férreas dentro da cidade,

"[...] viu-se recentemente, na parte oriental de Londres, famílias vagando num sábado à noite por terem sido expulsas de suas casas, com seus poucos pertences às costas sem outro lugar para ir que o asilo dos pobres."[121]

Os asilos já estão superlotados, e os "melhoramentos" urbanos já aprovados pelo Parlamento apenas começaram. Quando os trabalhadores são expulsos de suas velhas casas por serem demolidas, não abandonam sua paróquia, ou se instalam no máximo nos seus limites ou na mais próxima.

"Procuram, naturalmente, morar o mais perto possível do local de trabalho. O resultado é que a família, em vez de dois, tem de alugar apenas um quarto. Mesmo pagando um aluguel maior, a habitação é pior do que a ruim de onde foi expulsa. A metade dos trabalhadores da orla marítima já precisa andar duas milhas para chegar ao local de trabalho."

Essa orla marítima, cuja rua principal causa no estrangeiro uma impressão imponente da riqueza de Londres, pode servir de exemplo do amontoamento de seres humanos na capital da Inglaterra. Numa paróquia de Londres, a Saúde Pública contou 581 pessoas por acre, embora incluísse no cálculo metade da largura do Tâmisa. É claro que toda providência de fiscalização sanitária que desaloja os trabalhadores das casas demolidas por inabitáveis, como é o caso de Londres, serve apenas para lançá-las em outro bairro onde a aglomeração ainda é maior.

"Temos", diz o Dr. Hunter, "de liquidar totalmente esses processos absurdos, ou então temos de despertar a compaixão pública para o que, sem exagero, podemos chamar de dever nacional, o de dar teto para pessoas que, por não disporem de capital, não podem construí-lo para si mesmas, embora possam

---

120 *Public Health, Eighth Report*, Londres, 1866, p. 91.
121 *Loc. cit.*, p. 88.

O CAPITAL

recompensar a quem esteja em condições de fazer isso, por meio de pagamentos periódicos."[122]

Admira a justiça capitalista! O proprietário de terras, de casas, o homem de negócios, quando expropriados pelos "melhoramentos", tais como estradas de ferro, abertura de ruas etc., não recebem apenas indenização plena e completa. De acordo com a lei humana e divina, têm ainda de ser consolados por sua "renúncia" forçada, mediante um lucro considerável. Mas o trabalhador, com mulher e filhos e seus pertences, é lançado à rua e, se acorre em massa para os bairros onde a municipalidade zela pela ordem, é perseguido pela polícia sanitária.

No começo do século XIX, não se considerando Londres, não havia na Inglaterra nenhuma cidade com 100.000 habitantes. Só cinco tinham mais de 50.000. Agora existem 28 cidades com mais de 50.000 habitantes.

> "O resultado dessa mudança foi o enorme acréscimo da população urbana e a transformação das velhas cidades pequenas, de ruas estreitas, em centros onde se constrói desordenadamente, bloqueando a ventilação. Não sendo mais agradáveis para os ricos, estes abandonam-nas, indo morar nas redondezas mais aprazíveis. Os trabalhadores passam então a ocupar as casas abandonadas pelos ricos, na razão de uma família por quarto, à qual ainda se agregam às vezes sublocatários. Assim, uma população é empilhada em casas que não lhe eram destinadas, totalmente inadequadas para ela. O ambiente em que passa a viver é realmente degradante para os adultos e pernicioso para as crianças."[123]

Quanto mais rápido se acumula o capital numa cidade industrial ou comercial, mais rápido é o afluxo do material humano explorável e tanto mais miseráveis as habitações improvisadas dos trabalhadores. Ocupa o segundo lugar nesse inferno habitacional, vindo depois de Londres, Newcastle-upon-Tyne, centro de um distrito carbonífero e de mineração cada vez mais produtivo. Moram lá mais de 34.000 seres humanos em habitações de uma só peça. Por serem totalmente nocivas à comunidade, foram recentemente demolidas pela polícia sanitária casas em grande número em Newcastle e Gateshead. Enquanto as casas são construídas em marcha lenta, os negócios avançam rapidamente. Por isso, em 1865, a cidade estava

---

122 *Loc. cit.*, p. 89.
123 *Loc. cit.*, p. 56.

724

A LEI GERAL DA ACUMULAÇÃO CAPITALISTA

superlotada como nunca esteve antes. Era difícil encontrar um quarto para alugar. O Dr. Embleton, do Hospital de Febres Infecciosas, diz:

> "Sem qualquer sombra de dúvida, a persistência e a propagação do tifo têm sua causa na excessiva aglomeração de seres humanos, na sujeira observada nas habitações. As casas onde, em regra, vivem os trabalhadores situam-se em becos e pátios confinados. São verdadeiros modelos de carência e de insalubridade com relação a luz, espaço e limpeza, uma vergonha para qualquer país civilizado. Os homens, mulheres e crianças dormem aí amontoados. Os homens ocupam as camas, num fluxo ininterrupto, em dois turnos, o da noite e o do dia, de modo que elas quase não chegam a esfriar. As casas estão mal providas de água e de latrinas, sujas, sem ventilação e pestilentas."[124]

O aluguel semanal desses cubículos varia de 8 pence a 3 xelins.

> "Newcastle-upon-Tyne", diz o Dr. Hunter, "proporciona o exemplo de uma das mais belas raças de nossos conterrâneos, mergulhada numa degradação quase selvagem por força de circunstâncias externas relacionadas com a casa e a rua."[125]

Em virtude do fluxo e refluxo do capital e do trabalho, a situação habitacional de uma cidade industrial pode ser hoje suportável, para se tornar repugnante amanhã. Ou a municipalidade pode finalmente decidir-se a eliminar os piores males e, num belo dia, aparecer uma praga de irlandeses andrajosos ou trabalhadores agrícolas ingleses decaídos. São jogados em porões e celeiros ou transformam-se os asilos de trabalhadores, antes respeitáveis, num alojamento onde o pessoal muda com a mesma rapidez dos soldados da Guerra dos Trinta Anos. Um exemplo disso é Bradford. Os burgueses da municipalidade estavam empenhados em reformar a cidade. Além disso, em 1861 havia lá 1.751 casas desabitadas. Mas eis que surge a grande prosperidade sobre a qual entoou tantos louvores o doce liberal Mr. Forster, o amigo dos negros. Com os bons negócios, as ondas do exército industrial de reserva ou da superpopulação relativa inundaram tudo. As horríveis habitações em porões e quartos, registradas nas listas que

---

124 *Loc. cit.*, p. 149.
125 *Loc. cit.*, p. 50.

O CAPITAL

o Dr. Hunter obteve do agente de uma companhia de seguros,[126] eram ocupadas na sua maior parte por trabalhadores bem pagos. Eles disseram que alugariam melhores habitações, se fosse possível encontrá-las. Entrementes, iam se degradando e caindo doentes, enquanto Forster, o suave liberal, membro da Câmara dos Comuns, vertia lágrimas de contentamento sobre as bênçãos do livre-cambismo e os lucros das eminentes figuras de Bradford obtidos em fiação de lã. No relatório de 5 de setembro de 1865, Dr. Bell, um dos médicos do ambulatório dos pobres de Bradford, atribui às condições de habitação a terrível mortalidade por febres em seu distrito:

> "Num porão de 1.500 pés cúbicos moram 10 pessoas. [...] Vincent Street, Green Air Place e Leys contêm 223 casas com 1.450 habitantes, 435 camas e 36 privadas. [...] As camas, entre as quais incluo qualquer amontoado de trapos sujos ou braçadas de aparas, são ocupadas, cada uma, por 3,3 pessoas em média, às vezes 4 e até 6. Muitos dormem diretamente sobre o soalho com suas roupas costumeiras, rapazes e moças, casados e solteiros, na maior promiscuidade. É necessário acrescentar que essas habitações são, em regra, sombrias, úmidas, sujas, fétidos cubículos, inteiramente inadequados para o abrigo de seres humanos. São os centros donde se irradiam as doenças e a morte, que também não poupam os abastados que permitem que esses focos pestilenciais atuem em nosso meio."[127]

No domínio da miséria habitacional, Bristol ocupa o terceiro lugar.

---

126 Lista organizada pelo agente de uma companhia de seguros de Bradford:

Vulcan Street nº 122	1 quarto	16 pessoas
Lumley Street nº 13	1 quarto	11 pessoas
Bower Street nº 41	1 quarto	11 pessoas
Portland Street nº 112	1 quarto	10 pessoas
Hardy Street nº 17	1 quarto	10 pessoas
North Street nº 18	1 quarto	16 pessoas
North Street nº 17	1 quarto	13 pessoas
Wymer Street nº 19	1 quarto	8 adultos
Jowett Street nº 56	1 quarto	12 pessoas
George Street nº 150	1 quarto	3 famílias
Rifle Court, Marygate nº 11	1 quarto	11 pessoas
Marshall Street nº 28	1 quarto	10 pessoas
Marshall Street nº 49	3 quartos	3 famílias
George Street nº 128	1 quarto	18 pessoas
George Street nº 130	1 quarto	16 pessoas
Edward Street nº 4	1 quarto	17 pessoas
George Street nº 49	1 quarto	2 famílias
York Street nº 34	1 quarto	2 famílias
Salt Pie Street	2 quartos	26 pessoas

127 *Loc. cit.*, p. 114.

A LEI GERAL DA ACUMULAÇÃO CAPITALISTA

"Em Bristol, a mais rica cidade da Europa, encontramos a maior pobreza e a mais completa miséria doméstica."[128]

c) A população nômade

Trataremos agora de uma camada da população, de origem rural, mas cuja ocupação é principalmente industrial. Ela constitui a infantaria ligeira do capital, que a lança ora num setor, ora noutro, de acordo com suas necessidades. Quando não está em marcha, acampa. O trabalho nômade é empregado em diversas atividades de construção e de drenagem, na produção de tijolos, para queimar cal, na construção de ferrovias etc. É uma coluna pestilencial que se desloca, levando para as cidades em cujas proximidades se instala varíola, tifo, cólera, escarlatina etc.[129] Quando os empreendimentos envolvem muito dispêndio de capital, como ferrovias etc., o próprio empresário fornece, em regra, a seu exército barracos de madeira ou construções semelhantes, verdadeiras aldeias improvisadas, sem qualquer preocupação de ordem sanitária, fora do controle das autoridades locais, e altamente rendosas para o empreiteiro, que explora duplamente os trabalhadores, como soldados da indústria e como locatários. O locatário do barraco de madeira, trabalhador em terraplenagem etc. tem de pagar por semana 2, 3, 4 xelins, conforme tenha o barraco um, dois ou três cubículos.[130] Basta um exemplo. Em setembro de 1864, conforme relata Dr. Simon, o presidente do Comitê de Fiscalização Sanitária da paróquia de Sevenoaks dirigiu ao ministro do Interior, Sir George Grey, a seguinte denúncia:

> "Até doze meses atrás, a varíola era totalmente desconhecida nesta paróquia. Pouco antes, iniciaram-se os trabalhos de construção de uma via férrea entre Lewisham e Tunbridge. Realizando-se os trabalhos principais nas vizinhanças desta cidade, escolheram-na para localizar o depósito central de todo o empreendimento. Empregou-se aqui grande número de pessoas. Sendo impossível alojá-las em casas, o empreiteiro, *Mr.* Jay, fez construir barracos destinados à habitação dos trabalhadores, em diversos pontos ao longo do traçado da linha férrea. Esses barracos não têm nem ventilação nem fossa ou esgoto e, além disso, ficaram abarrotados, porque cada locatário foi obrigado a compartilhar seu barraco com outras pessoas, por mais numerosa que fosse sua própria famí-

---

128 *Loc. cit.*, p. 50.
129 *Public Health, Seventh Report*, Londres, 1865, p. 18.
130 *Loc. cit.*, p. 165.

O CAPITAL

lia e embora a habitação só tivesse duas peças. Segundo o relatório médico que recebemos, esses pobres abrigados têm, em consequência disso, de sofrer todas as noites as torturas da sufocação, para evitar as emanações pestilenciais das águas estagnadas e imundas e das latrinas colocadas logo debaixo das janelas. Por fim, chegaram ao nosso Comitê queixas formuladas por um médico que teve oportunidade de visitar esses barracos. Falou sobre a situação deles nos termos mais severos e manifestou o receio das graves consequências que haveria, se não fossem tomadas certas providências sanitárias. Há quase um ano, o referido Jay comprometeu-se a construir uma casa onde seriam imediatamente isolados seus empregados que fossem acometidos de doença infecciosa. Repetiu essa promessa nos fins de julho passado, mas não deu o menor passo para cumpri-la, embora desde então tenham ocorrido em seus barracos diversos casos de varíola e, em consequência, duas mortes. A 9 de setembro, o Dr. Kelson informou-me de novos casos de varíola nos mesmos barracos, descrevendo sua horrível situação. Para sua informação [do ministro], devo acrescentar que nossa paróquia possui uma casa de isolamento, o lazareto, onde são cuidados os paroquianos que contraiam doenças infecciosas. Há muitos meses que o lazareto está continuamente superlotado de pacientes. Numa única família, cinco crianças morreram de varíola ou de febre. De 1º de abril a 1º de setembro deste ano, ocorreram nada menos de dez óbitos por varíola, sendo quatro nos referidos barracos, o foco de infecção. É impossível dar o número dos atacados por doenças infecciosas, pois as famílias atingidas procuram manter o maior segredo possível em torno do assunto."[131]

Os operários que trabalham em carvão e em outras minas figuram nas categorias mais bem pagas do proletariado britânico. Já vimos a que preço compram seu salário.[132] Veremos agora, rapidamente, suas condições de habitação. Em regra, o explorador da mina, proprietário ou arrendatário, constrói certo número de chalés para seus operários. Estes recebem moradia e carvão para seu consumo "gratuitamente", quer dizer, parte do salário

---

131 *Loc. cit.*, p. 18, nota. O encarregado da beneficência em Chapelen-le-Frith-Union relata ao diretor-geral do registro civil: "Em Doveholes, foram feitas pequenas cavernas numa grande colina formada por resíduos de uma caieira. Essas cavernas servem de habitação para os trabalhadores de terraplenagem ou que exerçam outras atividades na construção da ferrovia. As cavernas são estreitas, úmidas, sem escoamento para as imundícies e sem latrinas. Não possuem nenhuma ventilação, exceto um buraco aberto na parte superior, que serve de chaminé. Lá assola a varíola que já causou [entre os trogloditas) diversas mortes. (*Loc. cit.*, nota 2.)

132 Os pormenores apresentados nas páginas 559 a 567 se referem principalmente aos trabalhadores das minas de carvão. Sobre a situação ainda pior dos trabalhadores das minas, vide o consciencioso relatório da Comissão Real de 1864.

A LEI GERAL DA ACUMULAÇÃO CAPITALISTA

lhes é paga em carvão e aluguel. Os que não são alojados dentro desse sistema recebem, em compensação, 4 libras esterlinas por ano. Os distritos mineiros atraem rapidamente grande população, constituída dos mineiros propriamente ditos e dos artesãos, vendeiros etc., que se agregam em torno dos primeiros. A renda da terra é aí elevada, como ocorre em todo lugar em que há grande densidade de população. O empresário procura construir, no menor espaço possível de terreno junto à boca da mina, os chalés que sejam estritamente necessários para amontoar os trabalhadores e suas famílias. Se novas minas são abertas nas proximidades ou voltam-se a explorar velhas minas, aumenta a aglomeração. Na construção dessas habitações, vigora o princípio da "renúncia" do capitalista a todas as despesas em dinheiro que não sejam absolutamente inevitáveis.

> "As habitações dos mineiros e de outros operários que trabalham nas minas de Northumberland e Durham", diz Dr. Julian Hunter, "são talvez, como um todo, as piores e mais caras das que existem em grande escala nesse gênero na Inglaterra, excetuando-se distritos de Monmouthshire que têm atividades semelhantes. O que as torna péssimas é o grande número de seres humanos comprimidos numa só peça, o pequeno espaço de terreno em que se constrói grande número de casas, a falta de água e a ausência de latrinas, o método frequentemente empregado de construir uma casa em cima da outra [de modo que as diversas habitações formam andares colocados verticalmente um em cima do outro] ou de dividir cada casa em apartamentos. [...] O empresário trata toda a colônia como se ela estivesse acampada no local e não residisse ali."[133]
>
> "Cumprindo as instruções recebidas", diz Dr. Stevens, "visitei a maior parte das grandes aldeias mineiras de Durham Union. [...] Com raras exceções, a verdade é que não encontrei nelas nenhuma preocupação de salvaguardar a saúde dos habitantes. [...] Todos os trabalhadores das minas ficam durante 12 meses sujeitos (*bound*) ao arrendatário ou proprietário delas [*bound*, como *bondage*, que significa servidão, é expressão que se relacionava com a antiga sujeição feudal]. Quando dão vazão a seu descontamento ou importunam de qualquer modo o supervisor, ficam com seus nomes marcados ou assinalados no caderno deles para serem despedidos logo que expire o prazo de sua sujeição anual. [...] Parece-me que esse sistema de pagar com coisas ou utilidades parte do salário não poderia ser pior do que o que existe nesses distritos tão

---

133 *Loc. cit.*, pp. 180 e 182.

O CAPITAL

densamente povoados. O trabalhador é constrangido a aceitar como parte de seu salário uma casa exposta às influências mais pestilenciais. Nada pode fazer em sua defesa. Sob todos os aspectos, não passa de um servo. Parece duvidoso que alguém mais possa ajudá-lo além de seu proprietário, e este guia-se, antes de tudo, pela contabilidade de seu negócio, podendo-se assim prever, quase infalivelmente, qual seria sua decisão. O proprietário fornece água ao trabalhador. Seja esta boa ou má, suficiente ou escassa, tem de pagá-la, ou melhor, deixar que façam por isso uma dedução no seu salário."[134]

Em conflito com a opinião pública ou mesmo com a polícia sanitária, o capital não tem a menor cerimônia em justificar as condições perigosas ou degradantes a que submete a atividade e o lar do trabalhador, alegando que isso é necessário para explorá-lo mais lucrativamente. É o que faz o capital quando renuncia a providências para proteger o trabalhador contra máquinas perigosas nas fábricas, a disposições para ventilar e proporcionar segurança nas minas etc. O mesmo ocorre com a habitação dos trabalhadores das minas.

"A justificação apresentada", diz Dr. Simon, médico-chefe do Conselho Privado, em seu relatório oficial, "para as habitações degradantes é a de que as minas são exploradas por arrendamento, a prazo demasiadamente curto [nas minas de carvão, em regra, 21 anos] para que valha a pena ao arrendatário construir boas moradias para os trabalhadores, para os vendeiros e indivíduos de outras profissões atraídos pelo empreendimento. Se o arrendatário tivesse a intenção de agir liberalmente a esse respeito, sua disposição seria bloqueada pelo proprietário. Este, dizem, exigiria imediatamente o pagamento de uma exorbitante renda adicional, correspondente ao privilégio usufruído pelo arrendatário de construir uma aldeia decente e confortável para abrigar os operários que trabalham na propriedade subterrânea. Esse custo proibitivo, embora não seja uma proibição direta, afasta outros que, em outras circunstâncias, se prontificariam a construir. [...] Não desejo entrar na análise do valor dessa desculpa, nem determinar a quem deveria caber, no final de contas, as despesas pela construção de moradias decentes, se ao proprietário, ao arrendatário, aos trabalhadores ou ao público. [...] Mas, à vista dos vergonhosos fatos revelados nos relatórios anexos [dos Drs. Hunter, Stevens e outros], uma providência corretiva tem de ser adotada. [...] Os direitos de propriedade estão sendo utilizados para a prática de iniquidades públicas. O dono da terra, na sua qua-

---

134 *Loc. cit.*, pp. 515 e 517.

A LEI GERAL DA ACUMULAÇÃO CAPITALISTA

lidade de proprietário da mina, convida uma colônia industrial para trabalhar em seus domínios e depois, na qualidade de proprietário da superfície, torna impossível aos trabalhadores que ele reuniu encontrarem moradia adequada, indispensável à vida. O arrendatário das minas [o explorador capitalista] não tem nenhum interesse em se opor a essa duplicidade, pois sabe que as consequências não recaem sobre ele, mas sobre os trabalhadores, que não possuem educação suficiente para fazer valer seus direitos à saúde e que jamais fariam uma greve contra as habitações degradantes e contra o fornecimento das águas mais poluídas."[135]

d) Efeito das crises sobre a parte mais bem remunerada da classe trabalhadora

Antes de passar aos trabalhadores agrícolas, mostraremos, com um exemplo, os efeitos das crises sobre a parte mais bem remunerada da classe trabalhadora, a sua aristocracia. O ano 1857 trouxe uma das grandes crises com que se encerra todo ciclo industrial. A próxima recaiu em 1866. Já tendo sido antecipada nos distritos industriais propriamente ditos, com a crise algodoeira, que transferiu muito capital dos ramos costumeiros de investimentos para os grandes centros do mercado monetário, assumiu a crise, desta vez, um caráter predominantemente financeiro. Irrompeu em maio de 1866, com a bancarrota de um grande banco de Londres cuja quebra levou de roldão numerosas sociedades financeiras fraudulentas. A construção naval foi um dos grandes ramos de atividade atingidos em Londres pela catástrofe. Os magnatas desse negócio, durante o surto febril dos negócios, produziram em demasia e, por cima, firmaram imensos contratos de fornecimento, especulando com o fluxo contínuo de crédito em abundância correspondente. Surgiu uma terrível reação que prossegue hoje, em fins de março de 1867, atingindo outras indústrias de Londres.[136]

---

135 *Loc. cit.*, p. 16.

136 "Muitos pobres de Londres morrem de fome. [...] Nos últimos dias os muros de Londres estavam cobertos com grandes cartazes, com este curioso anúncio: 'Bois gordos, gente morrendo de fome! Bois gordos abandonam seus palácios de cristal para cevar os ricos em suas mansões luxuosas, enquanto gente faminta apodrece e morre em suas miseráveis tocas.' Os cartazes com essas terríveis palavras reaparecem continuamente. Quando são apagados ou recobertos, logo de novo surgem no mesmo lugar ou noutro onde sejam igualmente visíveis pelo público. [...] Lembram os presságios que prepararam o povo francês para os acontecimentos de 1789. [...] Neste momento, enquanto os trabalhadores ingleses com mulheres e filhos morrem de fome e de frio, milhões da fortuna inglesa, produto do trabalho inglês, são investidos em empreendimentos russos, espanhóis, italianos e de outros países estrangeiros." (*Reynolds' Newspaper*, 20 de janeiro de 1867.)

O CAPITAL

Caracterizam a situação dos trabalhadores os trechos que seguem do relato circunstanciado de um jornalista do *Morning Star*, que, no começo de 1867, visitou os lugares mais atingidos pelo infortúnio.

"Em Londres oriental, nos distritos de Poplar, Millwall, Greenwich, Deptford, Limehouse e Canning Town, há pelo menos 15.000 trabalhadores, com as respectivas famílias, num estado de extrema necessidade, encontrando-se entre eles 3.000 hábeis mecânicos. Seus recursos de reserva estão esgotados, por se encontrarem desempregados há seis ou oito meses. [...] Tive dificuldade de chegar ao portão do asilo de Poplar, pois se aglomerava em frente uma multidão faminta, à espera do vale de pão. Mas não tinha chegado ainda a hora da distribuição. O pátio do asilo é um imenso quadrado com um telheiro que corre em volta dos muros. Ao meio, grossas camadas de neve cobriam as pedras do pavimento. Havia pequenos espaços limitados por cercas de vime, parecendo currais de ovelhas, onde os homens trabalham quando o tempo está bom. No dia da minha visita, esses cercados estavam tão cobertos de neve que ninguém podia trabalhar neles. Os homens, entretanto, britavam pedras debaixo do telheiro. Cada um, sentado numa pedra grande, batia com pesado martelo sobre o granito coberto de geada, até britar um volume equivalente a cinco *bushels*. Concluía, então, seu dia de trabalho, recebendo 3 pence e um vale de pão. Noutra parte do pátio, havia uma casa de madeira baixa e pequena. Ao abrir a porta, vimos lá dentro homens comprimidos ombro a ombro, a fim de se manterem aquecidos. Desfiavam estopa e competiam para ver qual deles poderia trabalhar mais com um mínimo de alimentação, pois a resistência era para eles ponto de honra. Só neste asilo recebiam auxílio 7.000 trabalhadores, dentre os quais muitas centenas recebiam, há 6 ou 8 meses, os mais altos salários pagos neste país a trabalho qualificado. Seu número seria o dobro, se não houvesse muitos que, após esgotarem todas as suas reservas financeiras, recusam-se a procurar a paróquia enquanto tiverem algo para empenhar. [...] Deixando o asilo, passei a andar pelas ruas com casas, na sua maioria, de um só andar, tão numerosas em Poplar. Meu guia era membro do comitê dos desempregados. A primeira casa onde entramos foi a de um trabalhador da indústria siderúrgica, sem emprego há 27 semanas. Encontrei o homem sentado com toda a família num pequeno quarto aos fundos. O quarto não estava ainda despojado de todos os móveis, e dentro dele ainda ardia um fogo, necessário para evitar que se enregelassem os pés descalços das crianças, pois era um dia terrivelmente frio. Numa bandeja colocada defronte do fogo, havia certa quantidade de estopa que a mulher e as crianças desfiavam para ganhar o pão do asilo. O homem trabalhava britando pedras no asilo, por um vale de pão e 3 pence diários. Chegara agora para o almoço, com muita fome, dizia com um sorriso amargo e seu almoço consistiu em alguns pedaços de pão com gordura derretida e uma xícara de chá sem leite. [...] A próxima porta onde batemos foi aberta por uma senhora de meia-idade que, sem dizer uma palavra, levou-nos a um pequeno quarto aos fundos, onde estava sentada toda a família, de olhos pregados num fogo que estava se extinguindo rapidamente. Não desejo mais ver uma cena como a que presenciei, aquela consternação, aquele desespero que transparecia no rosto daquela gente e dominava o pequeno aposento. Há 26 semanas, disse a senhora, apontando para seus rapazes, que eles não conseguem ganhar nada, e todo o nosso dinheiro foi embora, todo o dinheiro que eu e o pai conseguimos guardar nos melhores tempos, pensando que nos seria útil quando parássemos de trabalhar. Veja, gritou ela selvagemente, mostrando sua caderneta bancária com os lançamentos regulares do dinheiro depositado ou retirado, e, assim, pudemos ver como a pequena fortuna crescera do primeiro depósito de 5 xelins até atingir 20 libras esterlinas e depois começou a cair de libras para xelins, até que o último lançamento tornara aquela caderneta sem valor algum, como um pedaço de papel em branco. Essa família recebia diariamente uma escassa refeição do asilo. [...] Nossa visita seguinte foi à senhora de um irlandês que trabalhara nos estaleiros navais. Encontramo-la doente por inanição, estendida com suas roupas sobre um colchão, pobremente coberta com um pedaço de tapete, pois toda a roupa de cama tinha sido penhorada. Suas crianças, em estado miserável, tomavam conta dela, e via-se que precisavam, por sua vez, dos cuidados maternos. Dezenove semanas de ociosidade forçada haviam reduzido a família a esse estado de extrema necessidade e, ao me contar ela sua história, gemia, como se tivesse perdido todas as esperanças. [...] Ao sair dessa casa, veio correndo ao meu encontro um jovem senhor e pediu-nos para ir até sua casa e ver se era possível fazer alguma coisa por ele. Uma jovem esposa, duas lindas crianças, um punhado de cautelas de penhor e um quarto frio e vazio era tudo o que tinha para mostrar."

Sobre a miséria que se seguiu à crise de 1866, apresentamos a seguir alguns trechos de um jornal conservador. A parte oriental de Londres em que se passam os fatos narrados é onde se localiza a construção naval e ainda o trabalho em domicílio pago abaixo do nível mínimo.

"Um terrível espetáculo desenrolou-se ontem numa parte da metrópole. Embora os milhares de desempregados da parte oriental não estivessem todos concentrados na sua parada com bandeiras negras, a torrente humana impressionava bastante. Consideremos o que sofre essa população. Morre de fome. Este é o fato simples e horripilante. São 40.000. [...] Em nossa época, num bairro desta maravilhosa metrópole, bem junto da maior acumulação de riqueza que o mundo jamais viu, junto de tudo isso, 40.000 seres humanos morrendo de fome, e não se encontra um meio de remediar isso. Esses milhares irrompem agora em outros bairros; sempre famintos, gritam sua dor em nossos ouvidos, clamam aos céus, falam-nos de suas miseráveis habitações, dizem-nos que é impossível para eles achar trabalho e inútil pedir esmolas. Os que contribuem localmente para a caixa dos pobres estão sendo levados às bordas do pauperismo, com as exigências das paróquias." (*Standard*, 5 de abril de 1867.)

Sendo moda entre os capitalistas ingleses apresentar a Bélgica como o paraíso do trabalhador, por lá não haver limitações à "liberdade de trabalho" ou, o que é o mesmo, à "liberdade do capital", impostas pelo despotismo das *trade unions* e pelas leis fabris, é oportuno dizer aqui algumas palavras sobre a "felicidade" do trabalhador belga. Não há ninguém, por certo, mais familiarizado com os mistérios dessa felicidade que o falecido Ducpétiaux, inspetor-geral das prisões belgas e das instituições de beneficência e membro da Comissão Central da estatística belga. Vejamos sua obra *Budgets économiques des classes ouvrières en Belgique*, Bruxelas, 1855. Dentre outras coisas, encontramos aí uma família trabalhadora belga normal, cujas receitas e despesas estão calculadas na base de dados exatos e cujas condições de alimentação são comparadas com as dos soldados, marinheiros e presidiários. A família "é constituída de pai, mãe e quatro filhos". Dessas seis pessoas, "quatro podem trabalhar como assalariados durante o ano inteiro". Pressupõe-se que "não há doentes nem incapazes para o trabalho", nem "despesas de ordem religiosa moral e intelectual, salvo uma contribuição ínfima para o culto", nem "participações em caixa econômica ou em caixa de aposentadoria", nem "dispêndios com luxo ou outras despesas supérfluas". Mas o pai e o filho mais velho fumam e, aos domingos, visitam a taverna, gastando semanalmente, para esses fins, 86 cêntimos.

> "Do levantamento geral dos dados relativos aos salários pagos aos trabalhadores das diversas profissões, infere-se [...] que a média mais alta de salário diário é de 1 franco e 56 cêntimos para os homens, 88 cêntimos para as mulheres,

A LEI GERAL DA ACUMULAÇÃO CAPITALISTA

56 cêntimos para os rapazes e 55 cêntimos para as moças. Nesta base, a receita anual da família atingiria no máximo 1.068 francos. [...] No orçamento doméstico que estamos considerando típico incluímos todas as receitas possíveis. Mas, se atribuímos à mãe um salário, tiramo-la da administração da casa; quem cuidaria da casa e das crianças ainda tenras? Quem iria cozinhar, lavar e fazer remendos? O trabalhadores estão todo dia diante desse dilema."

De acordo com as condições estabelecidas, a receita familiar é a seguinte:

PAI	300 DIAS DE TRABALHO A FR.	1,56=	468	FRANCOS
MÃE		0,89=	267	
FILHO		0,56=	168	
FILHA		0,55=	165	
		TOTAL=	1.068	FRANCOS

A despesa e o déficit anuais do orçamento doméstico aumentariam, respectivamente, para 1.828 e 760 francos, se o trabalhador tivesse a alimentação do marinheiro; para 1.473 e 405 francos, se o seu nível de alimentação fosse o do soldado; para 1.112 e 44 francos, se esse nível fosse o do presidiário.

"Poucas famílias de trabalhadores podem ter a alimentação, não diríamos do marinheiro ou do soldado, mas do próprio presidiário. Cada presidiário, no período de 1847 a 1849, custou diariamente, em média, na Bélgica, 63 cêntimos, o que dá a favor dele uma diferença de 13 cêntimos em comparação com os custos diários de manutenção do trabalhador. Os gastos de administração e vigilância correspondem ao aluguel que o prisioneiro não paga. [...] Como é possível então que grande número, poderíamos dizer, a maioria dos trabalhadores viva ainda com menos recursos? É que eles recorrem a expedientes dos quais só o trabalhador possui o segredo. Reduzem sua ração diária, comem pão de centeio e não de trigo, consomem menos carne ou nenhuma, o mesmo ocorrendo com manteiga e condimentos, instalam a família em um ou dois quartos onde os meninos e as meninas dormem juntos, muitas vezes sobre o mesmo saco de palha; economizam nos vestuários, na roupa branca, nos meios de limpeza; renunciam aos prazeres domingueiros e, em suma, aceitam as mais penosas privações. Chegados a esse extremo limite, o menor aumento nos preços dos meios de subsistência, uma parada de trabalho, uma doença, bastam para agravar a miséria do trabalhador e arruiná-lo totalmente.

O CAPITAL

Acumulam-se então as dívidas, o crédito se esgota, o vestuário, os móveis mais necessários vão para o penhor e, por fim, a família pede sua inscrição na lista dos indigentes."[137]

De fato, nesse paraíso capitalista, a menor alteração nos preços dos meios de subsistência mais necessários faz variar o número de óbitos e de crimes (vide *Manifest der Maatschappij: De Vlamingen Vooruit*, Bruxelas, 1860, p. 12). Há na Bélgica, segundo as estatísticas oficiais, 930.000 famílias, assim distribuídas: 90.000 ricas, com direito de voto = 450.000 pessoas; 390.000 famílias da pequena burguesia, em cidades e aldeias, com grande parte se proletarizando = 1.950.000 pessoas; e, por fim, 450.000 famílias de trabalhadores = 2.250.000 pessoas, das quais as modelares usufruem a felicidade descrita por Ducpétiaux. Dentre essas 450.000 famílias de trabalhadores, mais de 200.000 estão inscritas na lista dos indigentes.

e) O proletariado agrícola britânico

O caráter antagônico da produção e da acumulação capitalistas se revela mais brutal no progresso da agricultura inglesa, inclusive pecuária, e na decadência do trabalhador agrícola. Antes de analisarmos a situação atual desse trabalhador, um ligeiro retrospecto. Na Inglaterra, a agricultura moderna data de meados do século XVIII, embora a transformação do regime de propriedade territorial, ponto de partida do novo modo de produção agrícola, seja de época bem anterior.

De acordo com os dados de Arthur Young, observador cuidadoso, mas pensador superficial, relativos ao trabalhador agrícola de 1771, a condição deste é miserável, comparada com a de seu predecessor nos fins do século XIV, "o qual vivia em abundância e podia acumular riqueza",[138] para não falarmos do século XV, "a idade de ouro do trabalhador inglês na cidade e no campo". Mas não precisamos ir tão longe. Em substancioso trabalho de 1777, lê-se:

---

137 Ducpétiaux, *loc. cit.*, pp. 161, 154, 155 e 156.

138 James E. Th. Rogers, professor de economia política da Universidade de Oxford, *A History of Agriculture and Prices in England*, Oxford, 1866, V. I, p. 690. Essa obra, fruto de exaustivo trabalho, abarca, nos dois primeiros volumes até agora aparecidos, o período de 1259 a 1400. O segundo volume contém apenas material estatístico. É a primeira autêntica história dos preços de que se dispõe para aquela época.

A LEI GERAL DA ACUMULAÇÃO CAPITALISTA

> "O grande arrendatário quase se nivela ao *gentleman*, enquanto o pobre trabalhador agrícola é esmagado. Sua infeliz situação se evidencia fazendo-se uma comparação de suas condições de hoje com as de 40 anos atrás. [...] O proprietário territorial e o arrendatário atuam em conjunto para oprimir o trabalhador."[139]

Demonstra-se então, pormenorizadamente, que o salário real no país, de 1737 a 1777, caiu de quase ¼, ou 25%.

> "A política moderna", diz também Dr. Richard Price, "favorece as classes superiores; em consequência, mais cedo ou mais tarde, todo o Reino se comporá de senhores e mendigos, de grandes e escravos."[140]

Apesar disso, a situação do trabalhador agrícola inglês, de 1770 a 1780, do ponto de vista da alimentação, das condições de habitação, do sentimento de dignidade pessoal, das diversões etc., é um ideal que nunca mais voltou a ser atingido. Expresso em trigo, o salário médio representava, no período de 1770 a 1771, 90 pints de trigo; no tempo de Eden, em 1797, 65, e em 1808, apenas 60.[141]

Já nos referimos antes à situação do trabalhador agrícola no fim da guerra antijacobina, quando os aristocratas territoriais, os arrendatários, os fabricantes, os comerciantes, os banqueiros, os corretores de bolsas, os fornecedores do exército etc. enriqueceram-se extraordinariamente. O salário nominal subiu não só em virtude da depreciação dos bilhetes de banco, mas também de um aumento do preço dos gêneros de primeira necessidade, independentemente dessa depreciação. A variação real dos salários pode ser verificada de maneira simples, sem utilizarmos pormenores dispensáveis no caso. A lei de assistência aos pobres e sua administração

---

139 *Reasons for the Late Increase of the Poor-rates: or, a Comparative View of the Price of Labour and Provisions*, Londres, 1777, pp. 5-11.

140 Dr. Richard Price, *Observations on Reverdonary Payments*, 6ª edição, por W. Morgan, Londres, 1803, V. II, pp. 158-159. Observa Price à p. 159: "O preço nominal do trabalho diário é hoje não mais do que cerca de quatro vezes, ou, no máximo, cinco vezes mais alto que o vigorante no ano de 1514. Mas, de então para cá, o preço do trigo aumentou de sete vezes; o da carne e de vestuário, de quinze vezes aproximadamente. O preço do trabalho foi tão ultrapassado pelo aumento das despesas de manutenção que, confrontado com elas, não deve chegar para adquirir a metade daquilo que podia comprar antes."

141 Barton, *loc. cit.*, p. 26. Quanto aos fins do século XVIII, vide Eden, *loc. cit.*

eram as mesmas em 1795 e 1814. Recordemos como essa lei funcionava no campo: a paróquia completava, a título de esmola, o salário nominal, de modo que a soma recebida pelo trabalhador fosse suficiente para que ele apenas pudesse vegetar. A proporção entre o salário pago pelo arrendatário e o déficit coberto pela paróquia revela duas coisas: primeiro, a queda do salário abaixo do mínimo; segundo, o grau em que o trabalhador agrícola é um composto de assalariado e indigente, ou o grau em que foi transformado em servo de sua paróquia. Escolhemos um condado que representa a situação média de todos os outros. Em 1795, em Northamptonshire, o salário médio semanal era de 7 xelins e 6 pence; o dispêndio global anual de uma família de 6 pessoas, 36 libras esterlinas, 12 xelins e 5 pence; sua receita total, 29 libras esterlinas e 18 xelins; o déficit coberto pela paróquia, 6 libras esterlinas, 14 xelins e 5 pence. No mesmo condado, em 1814, o salário semanal era de 12 xelins e 2 pence; a despesa global anual de uma família de 5 pessoas, 54 libras esterlinas, 18 xelins e 4 pence; sua receita total, 36 libras esterlinas e 2 xelins; o déficit coberto pela paróquia, 18 libras esterlinas, 6 xelins e 4 pence.[142] Em 1795, o déficit representava ¼ do salário; em 1814, mais da metade. Nessas condições, é claro que o pequeno conforto que Eden viu na habitação do trabalhador agrícola desapareceu em 1814.[143] De todos os animais mantidos pelo arrendatário, o trabalhador, o único que pode falar, foi, desde então, o mais atormentado, o mais mal alimentado e o mais brutalmente tratado.

Essa situação prosseguiu tranquilamente, até que

"[...] as revoltas de 1830, com as chamas do fogo ateado aos palheiros de trigo, revelaram-nos [isto é, às classes dominantes] a miséria e o descontentamento sombrio e sedicioso, latentes na Inglaterra agrícola e na Inglaterra industrial."[144]

Na Câmara dos Comuns, Sadler batizou os trabalhadores agrícolas de "escravos brancos", e um bispo repetiu esse epíteto na Câmara dos Lordes. O mais importante economista político da época, E. G. Wakefield, disse:

---

142 Parry, *loc. cit.*, p. 80.

143 *Idem*, p. 213.

144 S. Laing, *loc. cit.*, p. 62.

A LEI GERAL DA ACUMULAÇÃO CAPITALISTA

"O trabalhador agrícola da Inglaterra meridional não é um escravo, não é um homem livre, é um indigente."[145]

O tempo que precede imediatamente à revogação das leis aduaneiras relativas aos cereais lançou nova luz sobre a situação dos trabalhadores agrícolas. Era interesse dos agitadores burgueses provar que aquelas leis em nada protegiam os verdadeiros produtores do trigo. A burguesia industrial bufava de raiva contra as denúncias, relativas às condições das fábricas, feitas pelos aristocratas das terras, contra a compaixão que esses fidalgos ociosos, corruptos e desalmados simulavam sentir pelos sofrimentos dos trabalhadores das fábricas, e contra seu "zelo velhaco" pela legislação fabril. Segundo um provérbio inglês, quando dois ladrões brigam, algo de útil acontece. Realmente, a luta ruidosa e apaixonada entre as duas facções da classe dominante, para determinar qual delas explorava mais cinicamente o trabalhador, serviu para revelar o que havia de verdadeiro dos dois lados. O conde de Shaftesbury, aliás Lord Ashley, chefiava a campanha aristocrática e filantrópica contra a exploração fabril. Ele foi, por isso, em 1844 e 1845, um tema predileto das revelações feitas pelo *Morning Chronicle* sobre as condições dos trabalhadores agrícolas. Esse jornal, então o órgão liberal de maior peso, mandou emissários especiais para os distritos rurais, que não se limitavam a descrições e a estatísticas de ordem geral, mas davam os nomes das famílias dos trabalhadores investigadas e dos donos de terras que as exploravam. O quadro a seguir dá os salários pagos em três aldeias na vizinhança de Blandford, Wimbourne e Poole.[146] As aldeias são de propriedade de G. Bankes e do conde de Shaftesbury. Observe-se que esse papa da Igreja Baixa Anglicana, a cabeça dos pietistas ingleses, do mesmo modo que o referido Bankes, embolsa ainda uma parte importante dos miseráveis salários dos trabalhadores, a título de aluguel.

A abolição das leis aduaneiras sobre cereais deu um extraordinário impulso à agricultura inglesa. Marcam essa época: a drenagem das terras em grande escala,[147] novo sistema de estabulação e de cultivo de forragens artificiais, a introdução de aparelhagem mecânica para adubação, o novo

---

145 *England and America*, Londres, 1833, V. I, p. 47.

146 *London Economist*, 29 de março de 1845, p. 290.

147 Para a drenagem, a aristocracia proprietária das terras obteve, a juros muito baixos e por via parlamentar, naturalmente, recursos do Tesouro, os quais transferia aos arrendatários para lhe pagarem depois pelo dobro.

O CAPITAL

tratamento da terra argilosa, o maior emprego de adubos minerais, a aplicação da máquina a vapor e de toda a espécie de maquinaria, em suma, a cultura mais intensa. O presidente da Sociedade Real de Agricultura, Mr. Pusey, afirmou que os custos relativos da produção agrícola foram reduzidos quase à metade, com a introdução da nova maquinaria; por outro lado, aumentou rapidamente o rendimento do solo. Maior dispêndio de capital por acre e, em consequência, concentração mais acelerada dos arrendamentos constituíam condição básica do novo método.[148] Ao mesmo tempo, a área cultivada, de 1846 a 1856, aumentou de 464.119 acres, não se levando em conta as grandes extensões dos condados orientais, que se transformaram miraculosamente de locais de criação de coelhos e de pobres pastagens em férteis campos de trigo. Já sabemos que, ao mesmo tempo, diminuiu o número de pessoas empregadas na agricultura. O número dos trabalhadores agrícolas propriamente ditos, de ambos os sexos e de todas as idades, caiu de 1.241.269, em 1851, para 1.163.217, em 1861.[149] O diretor-geral do registro civil observara, com razão, que "os arrendatários e os trabalhadores agrícolas, a partir de 1801, não aumentaram seu número na mesma proporção em que cresceu o produto agrícola".[150] Essa desproporção é bem maior nos últimos anos, quando o decréscimo da população trabalhadora agrícola acompanha a expansão da área cultivada, a cultura se torna mais intensiva, ocorre extraordinária acumulação do capital incorporado ao solo e destinado a cultivá-lo, o produto do solo experimenta um crescimento sem paralelo na história da agricultura inglesa, fluem rendas abundantes para os proprietários das terras e cresce a riqueza do arrendatário capitalista. Se considerarmos tudo isso em conjunto com a rápida e ininterrupta ampliação dos mercados urbanos e com o domínio do livre-cambismo, concluiremos, segundo as regras do exorcismo livre-cambista, que o trabalhador, depois de tantas peripécias, deve ter atingido uma situação que lhe assegure a maior felicidade do mundo.

---

148 O decréscimo dos arrendatários médios evidencia-se notadamente no item do censo, "filho, neto, irmão, sobrinho, filha, neta, irmã e sobrinha do arrendatário", em suma, os membros da família que eles empregam. Nessa categoria havia, em 1851, 216.851 pessoas; em 1861, 176.151. De 1851 a 1871, os arrendamentos na Inglaterra com menos de 20 acres diminuíram seu número de 300, os de 50 a 75 acres caíram de 8.253 a 6.370, observando-se também redução em todos os outros arrendamentos de menos de 100 acres. Entretanto, no mesmo período de 20 anos, aumentou o número dos grandes arrendamentos: os de 300 a 500 acres subiram de 7.771 para 8.410; os de mais de 500 acres, de 2.755 para 3.914, e os de mais de 1.000 acres, de 492 a 582.

149 O número de pastores de ovelhas aumentou de 12.517 para 25.559.

150 Census etc., *loc. cit.*, p. 36.

Nº DE CRIANÇAS	Nº DE PESSOAS DA FAMÍLIA	SALÁRIO SEMANAL DOS HOMENS	SALÁRIO SEMANAL DAS CRIANÇAS	RECEITA SEMANAL DA FAMÍLIA	ALUGUEL SEMANAL	RECEITA SALARIAL DA SEMANA DEPOIS DO DESCONTO DO ALUGUEL (E - F)	SALÁRIO SEMANAL POR CABEÇA (G / B)
A	B	C	D	E	F	G	H
				PRIMEIRA ALDEIA (X = XELINS; P = PENCE)			
	X	X P	X P	X P	X P	X P	X P
2	4	8	- -	8 -	2 -	6 -	1 6
3	5	8	- -	8 -	1 6	6 6	1 3$\frac{1}{2}$
2	4	8	- -	8 -	1 -	7 -	1 9
6	8	7	1 6	10 -	2 -	8 6	1 $\frac{3}{4}$
3	5	7	2 -	8 -	1 4	5 6	1 $\frac{1}{2}$
				SEGUNDA ALDEIA			
6	8	7	1 6	10 -	1 6	8 6	1 $\frac{3}{4}$
6	8	7	1 6	7 -	1 3$\frac{1}{2}$	5 8$\frac{1}{2}$	8$\frac{1}{2}$
8	10	7	- -	7 -	1 3$\frac{1}{2}$	5 8$\frac{1}{2}$	- 7
4	6	7	- -	7 -	1 6$\frac{1}{2}$	5 5$\frac{1}{2}$	- 11
3	5	7	- -	7 -	1 6$\frac{1}{2}$	5 $\frac{1}{2}$	1 1
				TERCEIRA ALDEIA			
4	6	7	- -	7 -	1 -	6 -	1 -
3	5	7	2 -	11 -	10 -	10 8	2 1$\frac{1}{2}$
0	2	5	2 6	5 -	1 -	4 -	2 -

O Prof. Rogers, entretanto, chegou à conclusão de que o trabalhador agrícola inglês hoje em dia, não se considerando seu antepassado da segunda metade do século XIV e do século XV, mas apenas seu antepassado do período de 1770 a 1780, piorou terrivelmente sua situação, de modo que "voltou a ser um servo", e um servo mais mal alimentado e mais malvestido.[151] Doutor Julian Hunter, em seu relatório notável sobre as condições de habitação dos trabalhadores agrícolas, diz:

> "O custo do *hind* [nome do trabalhador agrícola, que vem do tempo da servidão] é fixado de acordo com o mínimo que apenas lhe permita viver. [...] Seu salário e teto não são calculados na base do lucro a ser extraído dele. O trabalhador agrícola é um zero nos cálculos do arrendatário."[152]
>
> "Seus meios de subsistência são sempre considerados uma quantidade fixa."[153]
>
> "Ele pode dizer, com referência a qualquer redução de sua receita: Nada tenho, nada me importa. Não tem medo do futuro, pois de nada dispõe além do absolutamente necessário à sua existência. Chegou ao ponto zero, o ponto de partida de todos os cálculos do arrendatário. Venha o que vier, não tem nenhuma participação nem na prosperidade nem na adversidade."[154]

Em 1863, houve um inquérito oficial sobre as condições de alimentação e de trabalho dos criminosos condenados ao degredo ou a trabalhos forçados. Os resultados da investigação constam de dois volumosos livros azuis.

> "Uma comparação cuidadosa", lê-se aí, "entre a dieta dos condenados às prisões na Inglaterra, de um lado, e a dieta dos pobres nos asilos e dos trabalhadores agrícolas livres, do outro, mostra, sem sombra de dúvida, que os primeiros são muito mais bem alimentados do que qualquer elemento das duas outras categorias."[155]

---

151 Rogers, *loc. cit.*, p. 693. "The peasant has again become a serf." *Loc. cit.*, p. 10. Mr. Rogers pertence à escola liberal, é amigo pessoal de Cobden e Bright, sem ter, portanto, nenhum apego ao passado.

152 Public Health, Seventh Report, Londres, 1865, p. 242. "The cost of the hind is fixed at the lowest possible amount on which he can live [...] the supplies of wages or shelter are not calculated on the profit to be derived from him. He is a zero in farming calculations." Por isso, não é nada fora do comum que o locador aumente o aluguel a ser pago pelo trabalhador, quando sabe que este ganha um pouco mais, ou que o arrendatário das terras diminua o salário do trabalhador, "porque sua mulher arranjou um emprego". (*Loc. cit.*)

153 *Loc. cit.*, p. 135.

154 *Loc. cit.*, p. 134.

155 *Report of the Commissioners* [...] *Relating to Transportation and Penal Servitude*, Londres, 1863, p. 42, n. 50.

> "Além disso, a quantidade de trabalho exigida de um sentenciado a trabalhos forçados é quase a metade da que executa ordinariamente o trabalhador agrícola."[156]

Depoimentos marcantes, prestados pelo diretor da penitenciária de Edimburgo, John Smith:

> "Nº 5.056: A dieta nas penitenciárias inglesas é muito melhor que a dos trabalhadores agrícolas comuns. Nº 5.057: A verdade é que o trabalhador agrícola comum da Escócia muito raramente consome qualquer espécie de carne. Nº 3.047: Vê o senhor alguma razão que justifique serem os criminosos muito mais bem alimentados do que os trabalhadores agrícolas comuns? – Nenhuma. Nº 3.048: Acha conveniente fazer experiências a fim de averiguar se é possível aproximar a dieta dos sentenciados a trabalhos forçados da dieta dos trabalhadores agrícolas?"[157]

> "O trabalhador agrícola poderia dizer: Trabalho duramente e não ganho o suficiente para comer. Quando estive preso, não trabalhei tanto e comi à farta; é melhor para mim estar na cadeia do que fora dela."[158]

Organizei o quadro comparativo a seguir, com os dados das tabelas anexadas ao primeiro volume do relatório.

QUANTIDADE DA ALIMENTAÇÃO SEMANAL (EM ONÇAS)

	COMPONENTES PROVIDOS DE AZOTO	COMPONENTES DESPROVIDOS DE AZOTO	COMPONENTES MINERAIS	TOTAL
CRIMINOSO DA PENITENCIÁRIA DE PORTLAND	28,95	150,6	4,68	183,69
MARINHEIRO DA MARINHA REAL	29,63	152,91	4,52	187,06
SOLDADO............	25,55	114,49	3,94	143,98
SEGEIRO (OPERÁRIO).........	24,53	162,06	4,23	190,82
TIPÓGRAFO.........	21,24	100,83	3,12	125,19
TRABALHADOR AGRÍCOLA............	17,73	118,03	3,29	139,08[158a]

---

156 *Loc. cit.*, p. 77, *Memorandum by the Lord Chief Justice.*

157 *Loc. cit.*, V. ii, Evidence.

158 *Loc. cit.*, V. i, Apêndice, p. 280.

158a *Loc. cit.*, pp. 274 e 275.

Já vimos os resultados gerais da pesquisa da comissão médica de 1863 sobre as condições de nutrição das camadas do povo mais mal alimentadas. Recordemos que a dieta de grande parte das famílias dos trabalhadores agrícolas está abaixo do mínimo necessário "para evitar as doenças de inanição". É o que ocorre, sobretudo, em todos os distritos puramente agrícolas de Cornwall, Devon, Somerset, Wilts, Stafford, Oxford, Berks e Herts.

> "A alimentação do trabalhador agrícola", diz o Dr. Smith, "é maior do que indica a média, pois consome, para poder executar seu trabalho, parte maior dos meios de subsistência que a consumida para cada um dos outros membros da família, comendo quase toda a carne ou toucinho, nos distritos mais pobres. A quantidade de alimentos que cabe à mulher e aos filhos no período de crescimento rápido é, em muitos casos e em quase todos os condados, insuficiente, sobretudo em azoto."[159]

Os criados e criadas que moram com os arrendatários alimentam-se bem. Seu número caiu de 288.277, em 1851, para 204.962, em 1861.

> "Quaisquer que sejam as desvantagens do trabalho da mulher no campo", diz o Dr. Smith, "é de grande proveito para a família nas atuais circunstâncias, pois ela assim fornece recursos para a aquisição de calçados e roupas, para o aluguel, possibilitando à família alimentar-se melhor."[160]

Um dos resultados mais impressionantes dessa investigação é ter revelado que o trabalhador agrícola da Inglaterra é, de longe, o mais mal alimentado de todo o Reino Unido, conforme se verifica na tabela a seguir.

CONSUMO SEMANAL DE CARBONO E AZOTO DO TRABALHADOR AGRÍCOLA MÉDIO (EM GRÃOS)

	CARBONO	AZOTO
INGLATERRA	40.673	1.594
PAÍS DE GALES	48.354	2.031
ESCÓCIA	48.980	2.348
IRLANDA	43.366	2.434[161]

---

159 *Public Health, Sixth Report, 1863*, pp. 238, 249, 261 e 262.

160 *Loc. cit.*, p. 262.

161 *Loc. cit.*, p. 17. O trabalhador agrícola inglês só consome ¼ do leite e ½ do pão obtidos pelo irlandês. Já no começo do século XIX, verificara A. Young a melhor situação alimentar do irlandês. A razão é simples: o arrendatário irlandês pobre é incomparavelmente mais humano do que o inglês rico.

A LEI GERAL DA ACUMULAÇÃO CAPITALISTA

"Cada página do relatório do Dr. Hunter", diz o Dr. Simon, em seu relatório oficial sobre as condições sanitárias, "testemunha a quantidade insuficiente e a qualidade miserável das habitações do nosso trabalhador agrícola. Há muitos anos que sua situação a esse respeito vem piorando progressivamente. Hoje, é muito mais difícil para ele encontrar onde morar, e, quando encontra, a habitação é muito menos adequada a suas necessidades do que ocorria provavelmente séculos atrás. Sobretudo nos últimos 20 a 30 anos, o mal aumentou rapidamente, de modo que as condições de habitação do trabalhador rural são hoje profundamente deploráveis. Excetuando os que, enriquecidos

---

Com relação ao País de Gales, os dados anteriores não se aplicam à sua parte sudoeste. "Todos os médicos dessa região afirmam que o acréscimo da taxa de mortalidade por tuberculose, escrófula etc. se torna maior com a deterioração das condições físicas da população, e todos atribuem essa deterioração à pobreza. O custo diário do trabalhador agrícola de lá é estimado em 5 pence e, em muitos distritos, o arrendatário (ele mesmo miserável) paga menos. Um pouco de carne salgada ou de toucinho, secos até ficarem com a dureza do mogno, dificilmente digeríveis, serve de condimento para grande quantidade de caldo ou papa de farinha e alho, constituindo o almoço quotidiano do trabalhador agrícola. [...] Nesse clima severo e úmido, o progresso da indústria teve para ele o efeito de substituir o pano solidamente tecido em casa pelos tecidos baratos de algodão, e às bebidas fortes, por um chá muito fraco. [...] Depois de se expor longas horas ao vento e à chuva, o lavrador volta à sua cabana, para sentar-se ao pé de um fogo de turfa ou de bolas formadas de barro e resíduos de carvão, o qual lança espessas nuvens de ácidos carbônico e sulfuroso. As paredes da cabana são de barro e pedras, e o chão é a própria terra que já estava ali antes de construir-se a cabana; o teto é uma massa de palha solta e inchada. Toda fresta é fechada para conservar o calor. Faz sua ceia com mulher e filhos numa atmosfera de emanações diabólicas, pisando num chão lamacento, muitas vezes com suas únicas roupas secando sobre o corpo. Os parteiros que são obrigados a passar parte da noite nessas cabanas dizem que seus pés afundavam no lamaçal do chão e que foram compelidos, fácil trabalho, a fazer um buraco na parede, para poder respirar um pouco. Numerosas testemunhas de categorias diversas atestam que o lavrador subnutrido está exposto todas as noites a essas e a outras influências prejudiciais à saúde e não faltam provas do resultado disso: um povo débil e escrofuloso. [...] As comunicações feitas pelos encarregados da assistência paroquial em Caermarthenshire e Cardiganshire evidenciam, de maneira contundente, que existe nesses lugares o mesmo estado de coisas. Todos esses males são agravados por uma praga mais horrível, o grande número de idiotas. Uma palavra sobre as condições climáticas. Ventos do sudoeste açoitam toda a região durante 8 a 9 meses do ano, trazendo chuvas torrenciais que desabam principalmente sobre as encostas ocidentais das colinas. Escasseiam as árvores, exceto em lugares protegidos; onde não há anteparos, são destroçadas pelo vento. As cabanas se escondem atrás de barreiras naturais, muitas vezes em barrancos ou em pedreiras, e só podem viver nas pastagens ovelhas raquíticas e o gado nativo. [...] Os jovens emigram para os distritos mineiros orientais de Glamorgan e Monmouth. [...] Caermarthenshire é o viveiro e, ao mesmo tempo, o asilo de inválidos da população mineira. [...] Por isso, a população dificilmente mantém seu número. Dados a respeito para Cardiganshire:

	1851	1861
Sexo masculino	45.155	44.446
Sexo feminino	52.459	52.955
	97.614	97.401."

(Relatório do Dr. Hunter em *Public Health, Seventh Report, 1864*, Londres, 1865, **pp. 498-502** *passim*.)

O CAPITAL

com o trabalho dele, consideram valer a pena tratá-lo com uma espécie de misericórdia piedosa, ele se encontra inteiramente desamparado. Encontrar uma habitação para seres humanos ou um chiqueiro na terra que lavra, cultivar uma pequena horta, que tanto alivia a opressão da pobreza, tudo isso não depende de sua disposição ou capacidade de pagar um aluguel adequado, mas da maneira como outros usam o direito de dispor, a seu arbítrio, da propriedade dele. Por maior que seja a extensão do arrendamento, não existe nenhuma lei que estabeleça a instalação nele de uma determinada proporção de casas para os trabalhadores e, muito menos, de casas decentes. A lei não reconhece ao trabalhador o menor direito ao solo, que tanto necessita de seu trabalho como de chuva e sol. [...] Uma circunstância extrínseca pesa terrivelmente contra ele [...] a influência das disposições da lei de assistência aos pobres, relativas ao domicílio dos indigentes e aos encargos impostos às paróquias.[162] Em virtude dessas disposições, toda paróquia tem interesse financeiro em reduzir ao mínimo o número dos trabalhadores agrícolas que lá residem, pois, infelizmente, o labor agrícola em vez de garantir ao trabalhador que moureja e à sua família uma independência permanente e segura, leva-o apenas, por um caminho mais ou menos curto, ao pauperismo, que logo surge ao aparecer uma doença ou qualquer falta ocasional de ocupação e o compele a recorrer à ajuda paroquial. A paróquia tem, assim, de aumentar os tributos para poder atender aos pobres, à medida que os trabalhadores agrícolas lá se estabelecem. [...] Basta aos grandes proprietários[163] decidir que não permitem habitações de trabalhadores em suas terras, e ficam imediatamente livres de metade de sua responsabilidade para com os pobres. Não pretendo examinar aqui até onde a constituição inglesa e a lei admitem essa espécie de propriedade absoluta, que permite ao proprietário de terras, que faz o que bem entende com o que é seu, tratar a quem as lavra como forasteiros, expulsando-os delas. [...] Esse poder de evicção não existe apenas na teoria. Transforma-se em realidade prática na mais ampla escala. É uma condição fundamental a considerar na solução do problema da habitação do trabalhador agrícola. [...] Pode-se aquilatar a extensão do mal pelos dados do último censo: a demolição de casas em 821 distritos da Inglaterra, apesar da expansão da procura local,

---

162 Em 1865, essa lei foi levemente melhorada. A experiência ensinará em breve que de nada adiantam remendos dessa ordem.

163 Para se compreender o que segue, é mister saber que aldeias fechadas são aquelas que só têm um ou dois grandes proprietários, e aldeias abertas, aquelas cujo solo pertence a muitos proprietários, naturalmente menores. É nestas que os especuladores da construção podem levantar suas casinholas ou barracos e hospedarias.

A LEI GERAL DA ACUMULAÇÃO CAPITALISTA

aumentou a tal ponto, nos últimos 10 anos, que, de 1851 a 1861, uma população com um acréscimo de $5^1/_3$% tinha de se alojar num espaço habitacional com um decréscimo de 4½%, não se levando em conta as pessoas que, embora trabalhassem nesses distritos, foram forçadas a não residir neles. [...] Quando o processo de despovoamento chega a seu fim, gera [diz o Dr. Hunter) uma aldeia fantasma onde as casinholas são reduzidas a um mínimo e onde só podem viver além dos pastores, jardineiros e guarda-caças, os serviçais regulares que recebem o bom tratamento dado usualmente à sua classe.[164] Mas a terra precisa de cultivo, e verificar-se-á que os trabalhadores que a lavram não estão domiciliados nela, mas vêm de uma aldeia aberta, provavelmente a 3 milhas de distância, onde foram alojados por pequenos proprietários após a destruição de suas casinholas nas aldeias fechadas. Enquanto as coisas evoluem para chegar a esse resultado, o aspecto miserável dos casebres indica que estão condenados à extinção. São encontrados nos diversos estágios de decadência provocada pelas forças naturais. Enquanto se mantém o teto, permite-se ao trabalhador morar no casebre, pagando aluguel, e ele fica geralmente bastante satisfeito por isso, mesmo quando lhe cobram um preço que corresponderia a um alojamento decente. Mas não se faz na habitação nenhum reparo nem melhoria fora daqueles que o miserável ocupante se dispõe a fazer. Quando ela se torna inteiramente inabitável, será uma habitação a mais destruída, e assim diminuirá o tributo que o proprietário paga para os pobres da paróquia. Enquanto este vai se livrando dessa tributação com o despovoamento das terras que controla, a cidadezinha mais próxima ou a aldeia aberta recebe os trabalhadores que ele expulsou; a mais próxima, dizemos, a que está a 3 ou 4 milhas da fazenda onde o trabalhador labuta diariamente. Acresce a seu trabalho diário, como se nada fosse, a obrigação quotidiana de andar 6 ou 8 milhas, a fim de poder ganhar o pão de cada dia. Todo trabalho agrícola realizado por sua mulher e por seus filhos está sujeito também a essa dolorosa condição. Mas não é este o único mal a enfrentar. Na aldeia aberta, os especuladores da construção compram pequenos lotes, onde amontoam verdadeiros casebres de custo mais barato possível. É nessas habitações miseráveis, que embora situadas no campo possuem as piores características das piores habitações urbanas, que se comprimem os trabalhadores

---

164 Essas aldeias fantasmas são pitorescas, mas tão irreais como aquelas que Catarina II viu em sua viagem à Crimeia. Ultimamente, até o pastor de ovelhas tem sido frequentemente expulso delas. Em Market Harborough, há uma fazenda de ovelhas com cerca de 500 acres, para a qual basta apenas o trabalho de um homem. Para reduzir as longas caminhadas nessas vastas planuras, as belas pastagens de Leicester e Northampton, o pastor tinha uma cabana na própria fazenda de criação de ovelhas. Agora recebe 13 xelins por semana para alojamento, que só vai achar bem longe, na aldeia aberta.

O CAPITAL

agrícolas da Inglaterra. [...][165] E não se imagine que o trabalhador domiciliado na terra que cultiva aí encontra a habitação adequada à sua vida laboriosa e produtiva. Mesmo nas propriedades rurais principescas, mora num miserável casebre. Há senhores de terras que consideram um chiqueiro bastante bom para seus trabalhadores e suas famílias, e não hesitam em cobrar por sua locação o maior preço possível.[166] Pode ser uma cabana arruinada com apenas um quarto de dormir, sem fogão, sem vaso sanitário, sem janelas que possam ser abertas, sem água além da que existe numa vala, sem horta, e o trabalhador não tem nenhum meio de se defender contra essa injustiça. Nossas leis sanitárias são letra morta. Sua execução depende dos proprietários que alugam essas pocilgas. [...] Não devemos nos deixar impressionar por exceções brilhantes, deixando de ver fatos deploráveis, de preponderância esmagadora, e que constituem uma vergonha para a civilização inglesa. A situação deve ser, na realidade, terrível, quando, apesar da visível monstruosidade das habitações atuais, observadores competentes chegam à conclusão

165 "As casas dos trabalhadores nas aldeias abertas, que estão sempre superlotadas, são geralmente construídas em filas, acabando os fundos em cima da linha que limita o lote que o especulador comprou. Por isso, não sobra espaço atrás para luz e ar, que só entram pela frente da habitação." (Relatório do Dr. Hunter, *loc. cit.*, p. 135.) "Muitas vezes o taberneiro ou vendeiro da aldeia é também locador de habitações. Nesse caso, o trabalhador agrícola encontra nele seu segundo patrão e, além disso, tem de ser seu freguês. Ganhando 10 xelins por semana e tendo de pagar um aluguel de 4 libras esterlinas por ano, é obrigado a comprar sua reduzida provisão de chá, açúcar, farinha, sabão, velas e cerveja aos preços estabelecidos pelo vendeiro." (*Loc. cit.*, p. 132.) Essas aldeias abertas constituem, na realidade, as colônias penais do proletariado agrícola inglês. Muitas das casas funcionam apenas como hospedarias por onde transita todo o rebotalho que vagabundeia pelas cercanias. O trabalhador rural e sua família, que muitas vezes consegue, surpreendentemente, conservar seu valor e sua pureza de caráter em meio às condições mais repugnantes, degradam-se aí de maneira completa. É, naturalmente, moda entre esses Shylocks aristocráticos encolher farisaicamente os ombros à vista do que fazem os especuladores e os pequenos proprietários de terras e do que se passa nas aldeias abertas. Mas eles sabem muito bem que suas aldeias fechadas e suas aldeias fantasmas é que fazem nascer as aldeias abertas e que sem estas não poderiam continuar existindo. "Sem os pequenos proprietários das aldeias abertas, a maior parte dos trabalhadores agrícolas teria de dormir debaixo das árvores das propriedades que lavram." (*Loc. cit.*, p. 135.) O sistema de aldeias abertas e aldeias fechadas domina toda a Inglaterra central e oriental.

166 "O locador, arrendatário ou proprietário das terras enriquece-se direta ou indiretamente com o trabalho de um homem a quem paga 10 xelins por semana, e ainda extorque desse pobre-diabo 4 ou 5 libras esterlinas de aluguel anual por uma habitação que, no mercado livre, não vale nem 20 libras esterlinas. Mas o preço do aluguel é imposto pelo poder que tem o proprietário de dizer: se não concordar com o aluguel, arrume sua trouxa, procure alojamento noutra parte e não conte com meu certificado de trabalho... Se um homem deseja melhorar de situação colocando trilhos na construção de uma via férrea ou trabalhando numa pedreira, o mesmo poder patronal lhe diz: Ou você trabalha para mim a esse baixo salário, ou me dá um aviso-prévio semanal para ir embora; se essa for sua decisão, leve seu porco com você e veja o que pode obter com as batatas que estão crescendo em sua horta. Há casos em que o proprietário ou o arrendatário considera conveniente aumentar o aluguel, como penalidade imposta ao trabalhador que deixa seu serviço." (Dr. Hunter, *loc. cit.*, p. 132.)

A LEI GERAL DA ACUMULAÇÃO CAPITALISTA

unânime de que o mal maior não é o péssimo estado das habitações mas sua carência numérica. Há anos que as habitações superlotadas dos trabalhadores agrícolas constituem objeto de profunda preocupação, não só das pessoas que estão voltadas para o problema da saúde, mas também daquelas que dão importância aos aspectos morais da vida. Com expressões tão uniformes que parecem estereotipadas, denunciam os relatórios que a propagação das epidemias nos distritos rurais tem por causa a superlotação das habitações, a qual torna inútil todo esforço de conter qualquer doença infecciosa que apareça. E ficou sempre demonstrado que, apesar das influências benéficas da vida no campo, a aglomeração nas habitações, além de acelerar a propagação das doenças contagiosas, concorre para o aparecimento de doenças não contagiosas. E as pessoas que denunciaram esse estado de coisas não silenciaram com referência a outros males. Mesmo quando seu tema inicial era apenas a higiene, foram praticamente compelidas a tratar de outros aspectos da situação. Ao mostrar a ocorrência frequente do amontoamento de adultos de ambos os sexos, casados ou não, em estreitos quartos de dormir, evidenciaram seus relatórios que, naquelas circunstâncias descritas, não havia lugar nem para decoro nem para moralidade.[167] [...] No apêndice de meu último relatório, há uma exposição do Dr. Ord sobre uma irrupção de febre em Wing, Buckinghamshire, na qual ele conta a chegada naquela localidade de um rapaz que viera com febre de Wingrave, indo dormir nos primeiros dias num quarto com mais nove pessoas. Em duas semanas várias pessoas foram atacadas pela febre, e, em poucas semanas, das nove que estavam ali alojadas, cinco ficaram doentes e um morreu. O Dr. Harvey, do St. George's Hospital, que fez a Wing uma visita de caráter profissional, por ocasião da mesma epidemia, forneceu-me uma informação semelhante: uma mulher jovem atacada de febre dormia à noite no mesmo quarto com o pai, a mãe, o filho natural, dois jovens irmãos dela, duas irmãs, cada uma com um filho natural, ao todo dez pessoas. Poucas semanas antes, treze pessoas dormiam no mesmo quarto."[168]

---

167 "Recém-casados num quarto de dormir não constituem, para irmãos e irmãs que dormem no mesmo aposento, espetáculo edificante; e, embora não caiba o registro dos casos, há informações suficientes para justificar a afirmação de que grande depressão e às vezes a morte aguardam as moças que participam do crime de incesto." (Dr. Hunter, *loc. cit.*, p. 137.) Um funcionário da polícia rural, que trabalhou durante muitos anos nos piores quarteirões de Londres, diz das moças de sua aldeia: "Sua grande imoralidade na idade precoce, seu atrevimento e despudor ultrapassam tudo o que vi na minha vida de policial nas piores zonas de Londres. [...] Vivem como porcos, rapazes e moças, pais e mães, tudo dorme junto no mesmo quarto. (*Child. Empl. Comm., Sixth Report*, Londres, 1867, Apêndice, n. 77, n. 155.)

168 *Public Health, Seventh Report, 1864*, pp. 9 a 14, *passim*.

O CAPITAL

O Dr. Hunter investigou 5.375 habitações de trabalhadores agrícolas, não só nos distritos puramente agrícolas, mas também em todos os condados da Inglaterra. Dessas 5.375, 2.195 só tinham um quarto de dormir, que muitas vezes servia de sala de estar; 2.930 tinham dois, e 250, mais de dois. Apresentarei a seguir amostras extraídas de uma dúzia de condados.

1. Bedfordshire

Wrestlingworth. – Dormitórios com uma área aproximada de 12 pés por 10, havendo muitos menores. Os pequenos casebres de um andar são divididos por tábuas em dois quartos de dormir, encontrando-se muitas vezes uma cama numa cozinha com 5 pés e 6 polegadas de altura. O aluguel desses casebres é de 3 libras esterlinas por ano. Os locatários têm de construir seu próprio vaso sanitário, fornecendo o senhorio apenas um buraco para esse fim. Quando um morador constrói um vaso sanitário, ele é utilizado por toda a vizinhança. Uma família de nome Richardson possuía uma casa maravilhosa. As paredes de argamassa se arqueavam como o vestido de gala de uma senhora que fizesse uma reverência. O espigão do telhado era convexo numa extremidade e côncavo na outra, onde aparecia desajeitadamente uma chaminé, um tubo retorcido de barro e madeira semelhante a uma tromba de elefante. Um longo pau servia de escora para evitar que a chaminé caísse. Portas e janelas tinham uma forma romboide. Das 17 casas visitadas, só 4 tinham mais de um dormitório, estando superlotadas. Os casebres com um único dormitório eram ocupados por 3 adultos e 3 crianças, ou por um casal com 6 crianças etc.

Dunton. – Aluguéis altos, de 4 a 5 libras esterlinas por ano; salário semanal dos homens, 10 xelins. Esperam obter o dinheiro do aluguel com o trabalho da família tecendo palha. Quanto mais elevado o aluguel, maior o número de pessoas que se têm de juntar para pagá-lo. Seis adultos que ocupam um dormitório com 4 crianças pagam 3 libras esterlinas por ano de aluguel. A casa mais barata de Dunton, medida pelo lado de fora, tem uma área de 15 pés por 10, estando alugada por 3 libras esterlinas anuais. Somente uma das 14 casas investigadas tinha dois dormitórios. Um pouco fora da aldeia, uma casa cujos habitantes fazem suas necessidades junto às paredes externas, carcomidas 9 polegadas abaixo da porta pela putrefação; a porta era uma abertura fechada engenhosamente à noite com alguns tijolos cobertos com esteiras. Metade de uma janela com vidro e moldura já tinha desaparecido. Sem móveis, amontoavam-se aí 3 adultos e 5 crianças. Dunton não é pior que o resto de Biggleswade Union.

A LEI GERAL DA ACUMULAÇÃO CAPITALISTA

2. Berkshire

Beenham. – Em junho de 1864, um homem, sua esposa e 4 filhos viviam num casebre de um andar. Uma filha chegou do emprego com febre escarlatina. Morreu. Uma criança adoeceu e morreu. A mãe e outra criança sofriam de tifo, quando chamaram o Dr. Hunter. O pai e um filho dormiam fora, mas a dificuldade de assegurar isolamento se patenteava com a circunstância de a roupa branca da casa atingida pela febre se encontrar no mercado apinhado da miserável aldeia, aguardando lavagem. Aluguel semanal da casa de H., 1 xelim; tem apenas um dormitório para um casal e 6 crianças. Casa alugada por 8 pence por semana: tem uma área de 10 pés e 6 polegadas por 7 pés, cozinha com 7 pés de altura, quarto de dormir sem janela, sem lareira nem porta, mas apenas uma abertura que dá para o corredor; não tem jardim. Um homem vivia ali, há pouco tempo, com duas filhas e um filho adultos, pai e filho dormiam na cama, as filhas no corredor. Quando elas moravam ali, cada uma teve um filho, e uma delas foi para o asilo dos pobres para fazer o parto.

3. Buckinghamshire

Trinta habitações, numa superfície de 1.000 acres, comportam cerca de 130 a 140 pessoas. A paróquia de Bradenham abrange 1.000 acres; em 1851, tinha 36 casas e uma população de 84 homens e 54 mulheres. Esse desequilíbrio foi corrigido em 1861, quando havia 98 homens e 87 mulheres; houve, em 10 anos, acréscimo de 14 homens e 33 mulheres. Apesar disso, diminuiu de 1 o número de casas.

Winslow. – Grande parte recentemente construída em bom estilo; a procura de casas parece ser grande, pois miseráveis casebres são alugados a 1 xelim e a 1 xelim e 3 pence por semana.

Water Eaton. – Os proprietários das terras, vendo que a população crescia, demoliram quase 20% das casas existentes. Um pobre trabalhador que tinha de andar 4 milhas para chegar ao local de trabalho, perguntado se não podia conseguir uma habitação menos afastada, respondeu: "Não, eles preferem alojar o diabo a aceitar um homem com a família grande que eu tenho."

Tinker's End, perto de Winslow. – Um dormitório ocupado por 4 adultos e 5 crianças, com uma área de 11 pés por 9 e com uma altura de 6 pés e 5 polegadas no ponto mais elevado; outro, com 11 pés e 7 polegadas por 9 pés e com uma altura de 5 pés e 10 polegadas, abrigava 6 pessoas. Cada indivíduo dessa família dispunha de menos espaço que o considerado necessário para

O CAPITAL

um sentenciado a galés. Nenhuma casa tem mais de um quarto de dormir e nenhuma delas tem porta aos fundos. Água muito escassa. Aluguel semanal de 1 xelim e 4 pence a 2 xelins. De 16 casas investigadas, só havia um inquilino que ganhava 10 xelins por semana. A quantidade de ar de que cada pessoa dispunha nessas circunstâncias corresponde à que teria se fosse encerrada numa caixa que tivesse 4 pés em cada uma das três dimensões. Em compensação, existe uma ventilação natural pelas frestas dessas velhas habitações.

4. Cambridgeshire

Gamblingay pertence a diversos proprietários. Contém os mais miseráveis casebres que possam ser encontrados. Aí tece-se muita palha. Uma lassidão mortal, uma resignação sem esperanças a viver na imundície reina em Gamblingay. O desmazelo que se encontra no centro vai-se transformando em tormento à medida que andamos para suas extremidades, para o norte e para o sul, onde as casas decaem e apodrecem. Os proprietários absentistas sangram os inquilinos até a última gota. Os aluguéis são muito altos; 8 a 9 pessoas amontoadas num único dormitório; em dois casos, 6 adultos com 1 ou 2 crianças ocupam um pequeno dormitório.

5. Essex

Nesse condado, há em muitas paróquias diminuição do número de pessoas e também de habitações. Todavia, em 22 paróquias, a demolição das casas não conteve o crescimento da população nem determinou a expulsão que ocorre em toda parte, sob o nome de êxodo, para as cidades. Em Fingringhoe, uma paróquia de 3.443 acres, havia, em 1851, 145 casas e, em 1861, 110, mas o povo não arredou pé e a população aumentou, mesmo nessas condições. Em Ramsden Crags, em 1851, 262 pessoas moravam em 61 casas e, em 1861, 262 pessoas estavam comprimidas em 49 casas. Em Basildon, viviam, em 1851, numa área de 1.827 acres, 157 pessoas em 35 casas; no fim do decênio, 180 pessoas em 27 casas. Nas paróquias de Fingringhoe, South Fambridge, Widford, Basildon e Ramsden Crags, numa superfície de 8.449 acres, viviam, em 1851, 1.392 pessoas em 316 casas; em 1861, na mesma área, 1.473 pessoas em 249 casas.

6. Herefordshire

Esse pequeno condado foi o que mais sofreu com o princípio da evicção. Em Madley, pertencem em grande parte aos arrendatários das terras as habitações abarrotadas, na maioria com dois dormitórios. Alugam-nas facilmente a 3 ou 4 libras esterlinas por ano e pagam um salário semanal de 9 xelins.

7. Huntingdonshire

Hartford tinha, em 1851, 87 casas. Pouco depois, foram demolidas 19 nessa pequena paróquia de 1.720 acres. A população, em 1831, era de 452 habitantes; em 1851, 382, e em 1861, 341. Investigados 14 casebres, cada um com um único dormitório. Num deles, um casal, 3 filhos adultos, uma filha adulta, 4 crianças, ao todo 10 pessoas; noutro, 3 adultos e 5 crianças. Um desses dormitórios, ocupado por 8 pessoas, tinha 12 pés e 10 polegadas por 12 pés e 2 polegadas, e altura de 6 pés e 9 polegadas; sem deduzir saliências dentro do quarto, havia em média, para cada pessoa, cerca de 130 pés cúbicos por cabeça. Os 14 dormitórios eram ocupados por 34 adultos e 33 crianças. Suas habitações raramente são providas de pequenos jardins, mas muitos dos moradores podiam arrendar um pequeno lote, a 10 ou 12 xelins por ¼ de acre. Esses lotes ficam longe das casas, que não têm vasos sanitários. A família ou é obrigada a ir até o lote, para depositar lá seus excrementos, ou a encher com eles a gaveta de um armário. Esta, quando cheia, é esvaziada em local onde seu conteúdo é necessário. No Japão, esse ciclo de transformações materiais necessárias à vida se processa de maneira mais decente.

8. Lincolnshire

Langtoft. – Um homem mora aqui na casa de Wright com mulher, sogra e 5 filhos; a casa tem cozinha na frente, copa, dormitório em cima da cozinha; a cozinha, do mesmo modo que o dormitório, tem uma área de 12 pés e 2 polegadas por 9 pés e 5 polegadas; a área edificada é de 21 pés e 3 polegadas por 9 pés e 5 polegadas. O dormitório é um desvão no teto. As paredes vão se estreitando em forma de cone na direção do teto, e uma trapeira se abre na frente do telhado. Por que ele mora aí? Por causa do jardim? Não, é muito pequeno. Por causa do aluguel? É elevado, 1 xelim e 3 pence por semana. Pela proximidade do trabalho? Não, deste dista 6 milhas, de modo que ele anda por dia 12 milhas, de ida e volta. Ele mora ali porque era uma habitação que podia ser alugada, e ele a queria apenas para si, qualquer que fosse a localização, o preço ou o estado. O quadro a seguir se refere a 12 casas em Langtoft, com 12 dormitórios, 38 adultos e 36 crianças:

O CAPITAL

12 CASAS EM LANGTOFT
(CADA UMA COM 1 DORMITÓRIO APENAS)

CASAS	ADULTOS	CRIANÇAS	Nº DE PESSOAS
Nº 1	3	5	8
Nº 2	4	3	7
Nº 3	4	4	8
Nº 4	5	4	9
Nº 5	2	2	4
Nº 6	5	3	8
Nº 7	3	3	6
Nº 8	3	2	5
Nº 9	2	0	2
Nº 10	2	3	5
Nº 11	2	3	6
Nº 12	2	4	6

9. Kent

Kennington, terrivelmente superlotada em 1859, quando surgiu a difteria e o médico da paróquia realizou investigação oficial sobre a situação da classe pobre. Verificou que, embora houvesse ali muita necessidade de trabalho, foram demolidas várias habitações, sem haver qualquer construção de novas. Num distrito, havia 4 casas, chamadas de gaiolas, cada uma com 4 peças com as seguintes dimensões:

Cozinha	9 pés 5 pol. x 8 pés 11 pol. X 6 pés 6 pol.
Copa	8 pés 6 pol. x 4 pés 6 pol. x 6 pés 6 pol.
Dormitório	8 pés 5 pol. x 5 pés 10 pol. x 6 pés 3 pol.
Dormitório	8 pés 3 pol. x 8 pés 4 pol. x 6 pés 3 pol.

10. Northamptonshire

Brinworth, Pickford e Floore. — No inverno, 20 a 30 homens perambulam por essas aldeias, por falta de trabalho. Nem todos os arrendatários lavram adequadamente as terras para trigo e para tubérculos, e o proprietário das terras achou conveniente transformar todos os arrendamentos em apenas 2 ou 3. Daí surgiu falta de trabalho. Enquanto os campos necessitam de trabalho, os trabalhadores deles afastados, logrados, olham angustiados para eles. Trabalho excessivo e intenso no verão, falta de trabalho e fome no

A LEI GERAL DA ACUMULAÇÃO CAPITALISTA

inverno, não é de admirar que digam, em seu dialeto, que "the parson and gentlefolks seem frit to death at them".[168a]

Floore. – Casos de casais com 4, 5 ou 6 filhos num dormitório extremamente pequeno; o mesmo se verificou com 3 adultos e 5 crianças, e com 1 casal, avô e 6 crianças doentes de escarlatina. Em duas casas com 2 dormitórios, 2 famílias, uma com 8 e outra com 9 adultos.

11. Wiltshire

Stratton. – Visitadas 31 casas; 8 só tinham 1 dormitório. Em Penhill, na mesma paróquia, havia uma habitação alugada por 1 xelim e 3 pence, ocupada por 4 adultos e 4 crianças, a qual, com exceção das paredes, nada tinha de bom, desde o chão de pedras toscas até o teto de palha apodrecida.

12. Worcestershire

A demolição de casas não foi ali tão excessiva. Todavia, de 1851 a 1861, o número de pessoas por casa aumentou de 4,2 para 4,6.
Badsey. – Muitas habitações e pequenos jardins. Alguns arrendatários declaram que elas são um grande mal, porque atraem os pobres. Diz um deles:

> "Os pobres não ficam em melhor situação com a construção de novas habitações; se forem construídas 500, eles as alugarão logo, e, quanto mais forem construídas, mais eles precisam delas."

Segundo essa opinião, as casas é que fazem surgir os habitantes, que, por uma lei natural, passam a pressionar sobre elas. A propósito desse ponto de vista, observa o Dr. Hunter:

> "Os pobres têm de vir de alguma parte, e não existindo nenhuma atração especial em Badsey, como subsídio, devem ser trazidos por uma repulsão de um lugar mais incômodo. Se achassem um pequeno lote nas proximidades de seu trabalho, não iriam para Badsey, onde pagam por seu punhado de terra o dobro relativamente ao que se cobra do empresário agrícola que arrenda as terras."

São acontecimentos que marcham juntos: a emigração constante para as cidades, a contínua formação de uma população supérflua nos campos, resultante da concentração dos arrendamentos, da transformação de lavouras em pastagens, do emprego da maquinaria etc.; e a ininterrupta

---

168a "O cura e os aristocratas parecem combinados para levá-los à morte."

O CAPITAL

evicção da população rural com a destruição de suas choupanas. Quanto mais o distrito for assim esvaziado, maior sua superpopulação relativa; maior a pressão desta sobre os meios de emprego; maior o excesso absoluto da população rural em relação às possibilidades de habitação; maior, portanto, a superpopulação das aldeias e o amontoamento pestilencial de seres humanos. O adensamento das aglomerações humanas nas aldeias e vilas disseminadas pelo interior corresponde ao brutal esvaziamento humano dos campos. O pauperismo dos trabalhadores agrícolas decorre de se tornarem continuamente supérfluos, apesar de diminuir seu número e, ao mesmo tempo, aumentar a quantidade global de sua produção. Seu pauperismo eventual é pretexto para a evicção e a fonte principal das suas miseráveis condições de habitação, que quebram sua última resistência e fazem deles simples escravos dos proprietários[169] e dos arrendatários, de modo que o mínimo de salário se torna para eles a lei natural. Por outro lado, apesar da constante superpopulação relativa do campo, está este ao mesmo tempo despovoado. A falta de braços é uma ocorrência local em zonas em que é rápido o afluxo humano na direção de cidades, minas, ferrovias etc., e uma ocorrência em todos os lugares, observada nas épocas de colheita, na primavera e no verão, nas numerosas ocasiões em que a cuidadosa e intensiva agricultura inglesa precisa de trabalhadores extras. Há sempre trabalhadores agrícolas demais para as necessidades médias e de menos para as necessidades excepcionais ou temporárias da lavoura.[170] Por isso, encontram-se, nos documentos oficiais, queixas contraditórias dos mesmos lugares, apontando ao mesmo tempo falta e excesso de trabalhadores. A falta sazonal ou local de trabalhadores não causa aumento de salário, mas força mulheres e crianças a

---

169 "A nobre ocupação do trabalhador rural imprime dignidade à sua posição. Não é um escravo, mas um soldado da paz e merece ter uma habitação adequada para homens casados, a ser proporcionada pelo dono das terras, uma vez que este se arroga o direito de compelilo ao trabalho, um dever análogo àquele que a pátria exige do soldado. Como o soldado, não recebe o preço de mercado do seu trabalho. Como o soldado, é recrutado jovem e ignorante, conhecendo apenas sua profissão e o lugar onde mora. O casamento prematuro e as leis sobre domicílio a que está sujeito estão para ele como o recrutamento e as leis militares para o soldado." (Dr. Hunter, *loc. cit.*, p. 132.) Às vezes, um grande proprietário de terras, de coração mole, se comove com a desolação que ele mesmo criou. "É melancólico estar sozinho em suas terras", disse o conde de Leicester, quando o felicitaram pela construção de Holkha. "Olho em volta e vejo apenas minha casa. Sou o gigante da torre e devorei todos os meus vizinhos."

170 Na França, nas últimas décadas, vem ocorrendo movimento semelhante, na medida em que a produção capitalista se apodera da agricultura e empurra a população rural supérflua para as cidades. Ali pioraram as condições de habitação e a situação geral por causa dos que ficaram supérfluos. Quanto ao peculiar proletariado rural, surgido em virtude do desmembramento das terras, vide, entre outros, o trabalho anteriormente citado de Colins, e de Karl Marx, *Der achtzehnte Brumaire des Louis Bonaparte*, 2ª ed., Hamburgo, 1869, pp. 88 e segs. Em 1846, a população urbana na França representava 24,42%, e a rural, 75,58% da população global; em 1861, a urbana aumentou para 28,86% e a

A LEI GERAL DA ACUMULAÇÃO CAPITALISTA

irem trabalhar na lavoura, e as crianças, em idade cada vez menor. À medida que se estende, o trabalho das mulheres e crianças vai tornando supérfluo o trabalhador adulto, o que permite manter baixo seu salário. Na Inglaterra oriental, encontramos um belo fruto desse círculo vicioso, o sistema dos bandos ambulantes de trabalhadores.[171]

O sistema de bandos viceja quase exclusivamente nos condados de Lincoln, Huntingdon, Cambridge, Norfolk, Suffolk e Nottingham e esporadicamente nos condados vizinhos de Northampton, Bedford e Rutland. Lincolnshire servir-nos-á de exemplo. Grande parte desse condado é de terra há pouco tempo pantanosa ou conquistada ao mar, como ocorreu em outros dos condados orientais citados. Foi maravilhosa a drenagem feita pela máquina a vapor. Onde havia antes pântanos e areia, vê-se hoje um mar exuberante de trigo, numa terra que proporciona agora as mais altas rendas. O mesmo se pode dizer dos terrenos aluvionários hoje conquistados para a agricultura, na ilha de Axholme e nas outras paróquias à margem do Trent. À medida que surgiam assim novas áreas agrícolas, não se construíam novas habitações; ao contrário, as antigas eram demolidas, e os trabalhadores passavam a ser recrutados nas aldeias abertas ao longo das estradas que serpenteiam pelas encostas das colinas. Somente lá encontrara a população proteção contra as demoradas cheias do inverno. Os trabalhadores que moram nos arrendamentos de 400 a 1.000 acres, chamados de "trabalhadores confinados", são empregados em tarefas agrícolas permanentes, difíceis e executadas com a ajuda de cavalos. Dificilmente se atinge a média de uma habitação por 100 acres. Um arrendatário de terras de baixada informa à comissão de inquérito:

> "Meu arrendamento se estende por 320 acres, tudo terra para plantar trigo. Não tem nenhuma habitação. Um trabalhador mora comigo. Quatro que trabalham com cavalos estão alojados nas proximidades. O trabalho leve é feito pelos bandos."[172]

---

rural caiu para 71,14%. Nos últimos 5 anos, é maior ainda o decréscimo da participação percentual da população rural. Já em 1846, cantava o poeta Pierre Dupont, em seus "Ouvriers":
"Malvestidos, morando em buracos,
sob tetos arruinados, em meio a escombros,
vivemos com as corujas e os ladrões,
amigos das sombras."

171 O sexto e último relatório da *Child. Emp. Comm.*, publicado em fins de março e 1867, trata apenas desse sistema de trabalho agrícola em bandos.

172 *Child. Empl. Comm., VI. Report*, Evidence, p. 37, n. 173.

O CAPITAL

A terra exige muito trabalho leve, como o de arrancar as ervas ruins, sachar, adubar, limpar o terreno de pedras etc. Essas tarefas são realizadas pelos grupos ou bandos organizados, sediados nas aldeias abertas.

O grupo é constituído de 10 a 40 ou 50 pessoas, mulheres, jovens de ambos os sexos entre 13 e 18 anos, embora os rapazes de 13 anos sejam, em regra, excluídos, e finalmente crianças de ambos os sexos entre 6 e 13 anos. À frente deles está o chefe do bando, um trabalhador agrícola comum, geralmente velhaco, debochado, boêmio, bêbado, mas com certo espírito de iniciativa e *savoir faire*. Ele recruta o bando, que trabalha sob suas ordens, e não sob as do arrendatário. Ajusta com este por empreitada, e seu ganho, que em média não ultrapassa de muito o de um trabalhador agrícola comum,[173] depende da habilidade de fazer seu bando realizar a tarefa contratada no menor tempo possível. Os arrendatários descobriram que as mulheres só trabalham com regularidade sob ditadura masculina, e que elas e as crianças, uma vez iniciada a tarefa, empregam impetuosamente suas forças, o que já observara Fourier, enquanto o homem adulto, espertamente, procura poupar-se no trabalho o máximo que pode. O chefe do bando vai de uma fazenda para outra, ocupando seus elementos durante 6 a 8 meses do ano. Por isso, é muito mais rendoso e mais seguro para as famílias dos trabalhadores servir com ele do que ajustar seu trabalho diretamente com o arrendatário, que só ocasionalmente emprega crianças. Essa circunstância lhe dá uma influência tão grande que, nas aldeias abertas, as crianças, em regra, só podem ser empregadas por seu intermédio. Ele consegue um ganho adicional empregando as crianças individualmente junto aos arrendatários.

O lado sombrio do sistema de bandos: o trabalho excessivo das crianças e dos jovens; as longas marchas diárias que fazem para as fazendas, distantes 5, 6 e às vezes 7 milhas; e, finalmente, a desmoralização do bando. Embora o chefe, chamado em alguns lugares de arrieiro, se arme de uma longa vara, não a aplica, e constituem exceção queixas de tratamento brutal. É um imperador democrático, procurando exercer uma atração como a do caçador de ratos de Hamelin. Precisa de popularidade entre seus súditos e os seduz com os atrativos da vida de ciganos que promove. Licenciosidade grosseira, dissolução alegre e a mais obscena impudência dão asas ao bando. Em regra, faz os pagamentos numa taberna e, ao sair cambaleante,

---

173 Há, entretanto, chefes de bando que conseguiram ser arrendatários de 500 acres ou proprietários de filas inteiras de casas.

A LEI GERAL DA ACUMULAÇÃO CAPITALISTA

vai apoiado de cada lado por uma mulher robusta, à frente do bando, e as crianças e os jovens seguem-no fazendo a maior algazarra e entoando cantigas zombeteiras e obscenas. A ordem do dia, no caminho de regresso, é a pública incontinência sexual. É frequente meninas de 13 e 14 anos ficarem grávidas de rapazes da mesma idade. As aldeias abertas, que fornecem os contingentes do bando, viram Sodomas e Gomorras,[174] e a taxa de nascimentos de filhos ilegítimos atinge nelas o dobro da observada nas demais áreas do Reino Unido. Já nos referimos antes ao procedimento das mulheres casadas que se formaram nessa escola. Seus filhos, se o ópio não os liquida, são os recrutas natos do bando.

O bando, em sua forma clássica, tal como o descrevemos, é o que chamam de bando público, comum ou ambulante. Há ainda os bandos particulares. Sua composição é a mesma do bando comum, mas têm menos pessoas, não sendo comandados por um chefe autônomo, mas por um velho criado para o qual o arrendatário não acha melhor ocupação. Desaparece o humor cigano, mas, de acordo com o que dizem todas as testemunhas, pioram o pagamento e o tratamento das crianças.

O sistema de bandos, que tem crescido nas últimas décadas,[175] não existe, evidentemente, para aprazer a seu chefe. Existe para enriquecer os grandes arrendatários[176] e, indiretamente, os proprietários das terras.[177] Para o arrendatário, é o método mais inteligente para reduzir a quantidade de pessoas que emprega e, apesar disso, ter sempre disponível braços extras para trabalho extra, obtendo trabalho com a menor quantidade possível de dinheiro[178] e tornando supérfluos os trabalhadores adultos masculinos. Do exposto, compreende-se que, de um lado, se admita a maior ou menor falta de emprego para o trabalhador agrícola e, do outro, se declare ao mesmo tempo necessário o sistema de bandos, em virtude da falta de homens para

---

174 "Os bandos puseram a perder metade das moças de Ludford." (*Loc. cit.*, Apêndice, p. 6, n. 32.)

175 "O sistema cresceu muito nas últimas décadas. Foi introduzido recentemente em alguns lugares e, onde existe há mais tempo, recruta maior número de crianças e em idade menor." (*Loc. cit.*, p. 79, n. 174.)

176 "Os pequenos arrendatários não utilizam o trabalho dos bandos." "Não é utilizado nas terras pobres, mas naquelas que dão uma renda por acre de 2 libras esterlinas a 2 libras esterlinas e 10 xelins." (*Loc. cit.*, pp. 17 e 14.)

177 Um deles tem tanto apego a suas rendas que declara indignado à comissão de inquérito decorrer toda a celeuma do nome do sistema. Tudo estaria muito bem, substituindo-se a designação de "bando" pela de "associação industrial agrícola cooperativa e autárquica da juventude".

178 "O trabalho dos bandos é mais barato que qualquer outro, e esta é a razão por que é utilizado", diz um antigo chefe de bando. (*Loc. cit.*, p. 17, n. 14.) "O sistema de bandos é, sem dúvida, o mais barato para o arrendatário e, sem dúvida, o mais nocivo para as crianças", diz um arrendatário. (*Loc. cit.*, p. 16, n. 13.)

O CAPITAL

trabalharem na agricultura e da sua migração para as cidades.[179] Os campos limpos de joio e a vegetação humana que se acumula em Lincolnshire etc. são os dois polos da produção capitalista que se contrapõem.[180]

f) Irlanda

Finalizaremos este capítulo com uma visita à Irlanda. Em primeiro lugar, os fatos que podem oferecer interesse.

A população da Irlanda, que, em 1841, era de 8.222.664 habitantes, caiu, em 1851, para 6.623.985 habitantes; em 1861, para 5.850.309; em 1866, para 5½ milhões, quase o nível de 1801. A diminuição começou com o ano da fome de 1846, perdendo a Irlanda, em menos de 20 anos, mais de $^5/_{16}$ de sua população.[181] A emigração, de maio de 1851 a julho de 1865, foi de 1.591.487 pessoas; no quinquênio de 1861 a 1865, mais de meio milhão.

---

179 "Incontestavelmente, muito trabalho hoje realizado pelas crianças dos bandos era antes executado por homens e mulheres. Onde se empregam mulheres e crianças, há hoje mais homens desempregados do que anteriormente." (*Loc. cit.*, p. 43, n. 202.) Em sentido contrário: "O problema do trabalho em muitos distritos agrícolas, principalmente os que produzem trigo, torna-se tão sério, com a emigração dos trabalhadores e com a facilidade que as vias férreas dão para o êxodo na direção das cidades, que eu [fala o administrador de um grande lorde] considero absolutamente indispensáveis os serviços das crianças." (*Loc. cit.*, p. 80, n. 180.) Desse modo, o problema do trabalho nos distritos agrícolas ingleses, diferindo do que ocorre no resto do mundo civilizado, apresenta-se como a questão seguinte dos proprietários e arrendatários: como, apesar do decréscimo cada vez maior da população rural, perpetuar no campo uma superpopulação relativa que seja satisfatória e permita manter o mínimo de salário para o trabalhador agrícola?

180 O *Public Health Report*, anteriormente citado, e que, a propósito da mortalidade infantil, alude ao sistema de bandos, permaneceu ignorado pela imprensa e pelo público inglês. Mas, o último relatório da *Child. Emp. Comm.* foi acolhido sensacionalmente pela imprensa. A imprensa liberal perguntava como os nobres cavalheiros, as nobres damas e os dignitários eclesiásticos, que abundam em Lincolnshire, toleravam esse sistema em suas propriedades, quando enviavam missões para o aperfeiçoamento moral dos selvagens dos Mares do Sul. Mas a imprensa mais distinta fazia apenas observações sobre a corrupção brutal da população dos campos, capaz de lançar seus filhos nessa escravatura. Mas, nessas malditas condições em que os mais distintos lançam o homem do campo, poder-se-ia até compreender que ele devorasse os próprios filhos. O que espanta realmente é o valor moral que a gente do campo, em sua maioria, ainda conserva. Os documentos oficiais demonstram que os pais, mesmo nos distritos onde existem esses bandos, repelem o sistema. "Pelos testemunhos recolhidos, fica abundantemente provado que os pais, em muitos casos, seriam gratos a uma lei que os capacitasse a resistir às tentações e às pressões a que estão muitas vezes submetidos. Ora o funcionário da paróquia, ora o empregador, com a ameaça de despedi-los, pressiona-os para mandarem os filhos para o trabalho, privando estes da escola. [...] Todo o tempo perdido, todos os esforços vãos, todos os tormentos do trabalhador e de sua família, gerados por um acréscimo inútil de fadiga, todos os casos em que os pais veem que a ruína moral de seus filhos está relacionada com a superlotação das habitações e com as influências nefastas do sistema de bandos, tudo isso incita sentimentos no coração dos pobres que trabalham, fáceis de compreender e que é desnecessário pormenorizar. Têm a consciência de que muitos sofrimentos físicos e espirituais derivam de circunstâncias pelas quais não têm a menor responsabilidade e que não admitiriam, se sua existência dependesse deles, e contra as quais são impotentes para lutar." (*Loc. cit.*, p. xx, n. 82 e xxiii, n. 96.)

181 População da Irlanda, em 1801, 5.319.867 habitantes; em 1811, 6.084.996; em 1821, 6.869.544; em 1831, 7.828.347; em 1841, 8.222.664.

760

TABELA A
GADO (Nº DE CABEÇAS)

ANO	EQUINO			BOVINO		
	TOTAL	DECRÉSCIMO		TOTAL	DECRÉSCIMO	ACRÉSCIMO
1860	619.81			3.606.374		
1861	614.232	5.579		3.471.688	134.686	
1862	603.894	11.538		3.254.890	216.798	
1863	579.978	22.916		3.144.231	110.659	
1864	562.158	17.820		3.262.294		118.063
1865	547.867	14.291		3.493.414		231.120

ANO	OVINO			SUÍNO		
	TOTAL	DECRÉSCIMO	ACRÉSCIMO	TOTAL	DECRÉSCIMO	ACRÉSCIMO
1860	3.542.080			1.271.072		
1861	3.556.050		13.970	1.102.042	169.030	
1862	3.456.132	99.918		1.154.324		52.282
1863	3.308.204	147.928		1.067.458	86.866	
1864	3.366.941		58.737	1.058.480	8.978	
1865	3.688.742		321.801	1.299.893		241.413

DOS DADOS ANTERIORES, CONCLUI-SE

EQUINO DECRÉSCIMO ABSOLUTO	*BOVINO* DECRÉSCIMO ABSOLUTO	*OVINO* ACRÉSCIMO ABSOLUTO	*SUÍNO* ACRÉSCIMO ABSOLUTO
71.944	112.960	146.662	28.821[182]

---

182 O resultado seria ainda mais desfavorável se recuássemos um pouco mais ao passado. Assim, o número de ovinos em 1856 era de 3.694.294 caindo para 3.688.742, em 1865; o de suínos em 1858 era de 1.409.883, diminuindo em 1865 para 1.299.893.

TABELA B
VARIAÇÃO DA ÁREA AGRICULTADA (EM ACRES)

ANO	CEREAIS	VERDURAS E HORTALIÇAS		PASTAGENS		LINHO		TOTAL DA ÁREA AGRICULTURADA	
	DECRÉSCIMO	DECRÉSCIMO	ACRÉSCIMO	DECRÉSCIMO	ACRÉSCIMO	DECRÉSCIMO	ACRÉSCIMO	DECRÉSCIMO	ACRÉSCIMO
1861	15.701	36.974		47.969			19.271	81.373	
1862	72.734	74.785			6.623		2.055	138.841	
1863	144.719	19.358			7.724		63.922	92.431	
1864	122.437	2.317			47.486		87.761		10.493
1865	72.450		25.421		68.970	50.159		28.218	
1861-65	428.041	108.013			82.834		122.850	330.370	

TABELA C
VARIAÇÃO DA ÁREA CULTIVADA, DA PRODUÇÃO POR ACRE E DA PRODUÇÃO TOTAL, DE 1864 PARA 1965[183]

PRODUTO	ÁREA CULTIVADA (EM ACRES)		ACRÉSCIMO (+) OU DECRÉSCIMO (–) EM	PRODUÇÃO POR ACRE		ACRÉSCIMO (+) OU DECRÉSCIMO (–) EM	PRODUÇÃO TOTAL		ACRÉSCIMO (+) OU DECRÉSCIMO (–) EM
	1864	1865	1865	1864	1865	1865	1864	1865	1865
				CWT.I	CWT.	CWT.	QUARTAS	QUARTAS	QUARTAS
TRIGO	276.483	266.989	– 9.494	13,3	13,0	-0,3	875.782	826.783	– 48.999
AVEIA	1.814.886	1.745,228	– 69.658	12,1	12.3	+0,2	7.826.332	7.659.727	– 166.605
CEVADA	172.700	177.102	+ 4.402	15,9	14.9	– 1,0	761.909	732.017	– 29.892
BERE				16,4	14.8	–1,6	15.160	13.989	–1.171
CENTEIO	8.894	10.091	+ 1.197	8,5	10,4	+ 1,9	12.680	18.364	+ 5.684
	TONS.I				TONS.	TONS.	TONS.	TONS.	TONS.
BATATAS	1.039.724	1.066.260	+ 26.536	4,1	3,6	-0.5	4.312.388	3.865.990	– 446.398
NABOS	337.355	334.212	– 3.134	10,3	9,9	-0.4	3.467.659	3.301.683	-165.976
ACELGA	14.073	14.389	+316	13,3	10,5	+2,8	147.284	191.937	+ 44.653
REPOLHO	31.821	33.622	+ 1.801	10,4	9,3	+ 1,1	297.375	350.252	+ 52.877
LINHO	301.693	251.433	– 50.260	34,2*	25,2*	– 9,0*	64.506	39.561	– 24.945
FENO	1.609.569	1.678.493	+ 68.924	1,6	1,8	+0.2	2.607.153	3.068.707	+ 461.554

* Stones
I Significado das medidas inglesas: cwt. = 112 libras = 50,802kg; quarta = 28 libras = 12,700kg; ton. = 1016,05kg; stone = 14 libras = 6,350kg; libra = 453,592g.

---

183 A tabela foi organizada com dados extraídos de *Agricultural Statistics, Ireland. General Abstracts*, Dublin, anos de 1860 e seguintes, e de *Agricultural Statistics, Ireland. Tables Showing the Estimated Average Produce* etc., Dublin, 1867. Essas publicações estatísticas oficiais são apresentadas anualmente ao Parlamento. Adendo à 2ª edição: Segundo a estatística oficial, houve, em 1872, decréscimo de 134.915 acres na área cultivada, tomando-se por base o ano de 1871. Ocorreu acréscimo no cultivo de verduras e hortaliças, nabos, acelgas etc.; decréscimo na área das culturas seguintes: trigo, 16.000 acres; aveia, 14.000 acres; cevada e centeio, 4.000; batatas, 66.632; linho, 34.667; pastos, trevo, ervilhas e colza, 30.000 acres. A área cultivada com trigo, nos últimos 5 anos, reduziu-se na seguinte progressão: 1868, 285.000 acres; 1869, 280.000; 1870, 259.000; 1871, 244.000; 1872, 228.000. Em 1872, houve, em números redondos, um acréscimo de 2.600 equinos, 80.000 bovinos, 68.600 ovinos e um decréscimo de 236.000 suínos.

TABELA D
RENDIMENTOS SUJEITOS A IMPOSTO DE RENDA (EM LIBRAS ESTERLINAS)[184]

	1860	1861	1862	1863	1864	1865
CÉDULA A RENDA DA TERRA	12.893.829	13.003.554	13.398.938	13.494.091	13.470.700	13.801.616
CÉDULA B LUCROS DOS ARRENDATÁRIOS	2.765.387	2.773.644	2.937.899	2.938.823	2.930.874	2.946.072
CÉDULA D LUCROS INDUSTRIAIS ETC.	4.891.652	4.836.203	4.858.800	4.846.497	4.546.147	4.850.199
TOTAL DAS CÉDULAS A A E	22.962.885	22.998.394	23.597.572	23.658.631	23.236.298	23.930.340

---

184 *Tenth Report of the Commissioners of Inland Revenue*, Londres, 1866.

O número de casas habitadas, de 1851 a 1861, reduziu para 52.990. De 1851 a 1861, o número de arrendamentos de 15 a 30 acres aumentou de 61.000; o de arrendamentos de mais de 30 acres, de 109.000. Ao mesmo tempo, o número global de arrendamentos diminuiu para 120.000, decréscimo decorrente da eliminação dos arrendamentos com menos de 15 acres, ou melhor, de sua centralização.

O decréscimo da população, *grosso modo*, foi, naturalmente, acompanhado de um decréscimo na produção. Para a investigação que temos em vista, basta observar o quinquênio de 1861 a 1865, quando emigrou mais de meio milhão de habitantes e a população absoluta diminuiu mais de 1/3 de milhão. Vide tabela A.

Vejamos agora a cultura da terra, que fornece os meios de existência do gado e do ser humano. Na tabela B, verifica-se o acréscimo ou decréscimo ocorrido em cada ano em relação ao anterior. A coluna de cereais abrange trigo, aveia, cevada, centeio, feijão e ervilha; a de verduras e hortaliças compreende batata, nabo, acelga, beterraba, repolho, cenoura, pastinaca, ervilhaca etc.

Em 1865, são incluídos no item "pastagens" 127.470 acres, principalmente por terem sido retirados 101.543 acres do item "turfeiras e terras abandonadas". Comparando-se 1865 com 1864, encontramos decréscimo na produção de cereais de 246.667 quartas, das quais 48.999 de trigo, 166.605 de aveia, 29.892 de cevada etc.; decréscimo de 446.398 toneladas na produção de batatas, embora sua área de cultivo tivesse aumentado em 1865. Vide tabela C.

Depois de observar o movimento da população e da produção agrícola da Irlanda, examinemos o que se passa no bolso dos proprietários de suas terras, dos grandes arrendatários e dos capitalistas industriais. Para esse fim, o melhor índice é o comportamento do imposto de renda. Para compreender-se a tabela D, convém saber que a cédula D (lucros, excluídos os dos arrendatários) abrange os rendimentos profissionais, isto é, os ganhos dos advogados, médicos etc.; as cédulas C e E, que não estão mencionadas no quadro, abarcam os rendimentos de funcionários, oficiais das forças armadas, sinecuristas do Estado, credores do Estado etc.

O acréscimo anual médio dos rendimentos da cédula D, de 1853 a 1864, foi de 0,93%, enquanto, na Grã-Bretanha, foi de 4,58%. A tabela apresenta a distribuição dos lucros, excluídos os dos arrendatários, nos anos de 1864 e 1865.

O CAPITAL

A Inglaterra, país de produção capitalista desenvolvida e sobretudo industrial, esvair-se-ia mortalmente se sua população sofresse uma sangria igual à irlandesa. Mas, atualmente, a Irlanda não passa de um distrito agrícola da Inglaterra, dela separado por um amplo canal, fornecendo-lhe cereais, lã, gado, trabalhadores e soldados.

Em virtude do despovoamento, muita terra ficou sem cultivo, diminuiu muito a produção agrícola;[185] apesar de ter sua área ampliada, a criação experimentou decréscimo absoluto em alguns de seus ramos e, em outros, reduzido progresso entrecortado por retrocessos constantes. Contudo, simultaneamente, com o decréscimo da população, subiram de

TABELA E
RENDIMENTOS DA CÉDULA D (LUCROS INDUSTRIAIS ETC.), ACIMA DE 60 LIBRAS[186]

	1864		1865	
	LIBRAS ESTERLINAS	Nº DOS RECEBEDORES	LIBRAS ESTERLINAS	Nº DOS RECEBEDORES
1) TOTAL DOS RENDIMENTOS ANUAIS	4.368.610	17.467	4.669.979	18.081
2) RENDIMENTOS ANUAIS ACIMA DE 60 E ABAIXO DE 100 LIBRAS ESTERLINAS (CONSTITUEM PARCELA DE 1)	238.726	5.015	222.575	4.703
3) DE 1	1.979.006	11.321	2.028.571	12.184
4) DE 1	2.150.818	1.131	2.418.833	1.194
5) DE 4	1.073.906	1.010	1.097.927	1.044
6) DE 4	1.076.912	121	1.320.906	150
7) DE 6	430.535	95	584.458	122
8) DE 6	646.377	26	736.448	28
9) DE 8	262.819	3	274.528	3

---

185 O total dos rendimentos anuais da cédula D difere do apresentado na tabela anterior, em virtude de certas deduções legalmente permitidas.

186 Se diminui a produção por acre, não devemos esquecer que, há um século e meio, a Inglaterra exportou indiretamente o solo da Irlanda, sem ao menos compensar esse esgotamento, pondo à disposição dos cultivadores os meios de restauração necessários.

maneira constante a renda da terra e os lucros dos arrendatários, embora estes tivessem subido com menos firmeza que aquela. Compreende-se facilmente por que isso ocorreu. De um lado, com a fusão de arrendamentos e a conversão de áreas de lavoura em pastagens, parte maior do produto total se transformou em produto excedente. Aumentou o produto excedente, embora tenha diminuído o produto total, do qual constitui uma fração. Por outro lado, o valor monetário desse produto excedente cresceu mais rapidamente que sua quantidade, em virtude de os preços da carne, lã etc. terem subido no mercado inglês, nos últimos 20 anos e principalmente na última década.

Não constituem capital os meios de produção dispersos que não incorporam trabalho alheio que lhes aumente o valor, mas apenas servem de meios de ocupação e de subsistência dos próprios produtores. Do mesmo modo, não é mercadoria o produto consumido pelo próprio produtor. Se, ao diminuir a população, decresceu também a quantidade dos meios de produção aplicados na agricultura, aumentou, por outro lado, a quantidade de capital nela aplicado, porque parte dos meios de produção antes dispersos se converteu em capital.

Todo o capital da Irlanda aplicado fora da agricultura, na indústria e no comércio, acumulou-se nas duas últimas décadas, lentamente e com grandes e constantes flutuações. Mas processou-se mais rapidamente a concentração dos componentes desse capital global. Por fim, por reduzido que fosse seu crescimento absoluto, aumentou bastante em relação à população decrescente.

Aos nossos olhos, desenrola-se ali, em grande escala, um processo na medida dos desejos da economia ortodoxa, para demonstrar seu dogma de que a miséria decorre da superpopulação absoluta, sendo o equilíbrio restabelecido pelo despovoamento. É este um experimento muito mais importante que a peste dos meados do século XIV, tão glorificada pelos malthusianos. Uma observação: querer impor às condições de produção e de população do século XIX os padrões do século XIV é uma ingenuidade de mestre-escola, que se torna mais simplista ainda quando não considera que aquela peste, que dizimou a população, trouxe para a população agrícola deste lado do canal, da Inglaterra, enriquecimento e liberdade, e para a do outro lado, da França, mais servidão e mais miséria.[186a]

186a Sendo a Irlanda o modelo ideal para os adeptos do "princípio da população", Th. Sadler achou oportuno publicar seu célebre livro *Ireland, Its Evils and Their Remedies*, 2ª edição, Londres, 1829, antes de dar à luz sua obra sobre população. Naquele livro, compara as estatísticas das diferentes províncias e, em cada província, as dos diferentes condados, demonstrando que a miséria lá reina na razão inversa do número de habitantes, e não na direta, como quer Malthus.

O CAPITAL

Em 1846, na Irlanda, a epidemia de fome matou mais de 1 milhão de seres humanos, todos pobres-diabos. Não houve, por isso, o menor prejuízo à riqueza do país. O êxodo ocorrido nas duas décadas seguintes continua a aumentar e não fez desaparecer os meios de produção com a população que era eliminada, conforme se observou, por exemplo, na Guerra dos Trinta Anos. O gênio irlandês inventou um novo método de transportar, como por encanto, um povo miserável a milhas de distância do cenário de sua miséria. Os emigrantes transplantados para os Estados Unidos enviam, todo ano, dinheiro para casa, a fim de financiar a viagem dos que ficaram na Irlanda. A multidão que emigra num ano leva outra multidão no ano seguinte. A emigração nada custa à Irlanda, constituindo, ao contrário, um dos seus mais rendosos ramos de exportação. É um processo sistemático, cujos efeitos não são passageiros, retirando, todo ano, mais gente do que a natalidade pode compensar, de modo que o número de habitantes diminui progressivamente.[186b]

Quais foram as consequências para os que ficaram, para os trabalhadores irlandeses libertados dessa superpopulação? Estas: a população relativa é hoje tão grande quanto em 1846, o salário continua baixo, o trabalho excessivo aumentou, a miséria está levando o país a nova crise. As causas são simples. A revolução na agricultura marchou com a emigração. A produção da superpopulação relativa se processou mais rápido que o despovoamento absoluto. Um exame da tabela C revela que a transformação da lavoura em pastagens na Irlanda tem efeitos necessariamente mais graves que na Inglaterra. Nesta, a cultura de verduras e hortaliças aumenta com a pecuária; naquela, diminui quando a pecuária aumenta. Na Irlanda, são abandonadas grandes áreas de lavoura ou transformadas em pastagens, e grande parte das terras incultas e das turfeiras que não eram utilizadas serve para a criação de gado. Os pequenos e médios arrendatários, isto é, os que não cultivam mais de 100 acres, constituem ainda cerca de $8/_{10}$ do total dos arrendatários.[186c] São progressivamente esmagados pela agricultura capitalista, numa intensidade até então desconhecida, e assim vão se transformando em assalariados. A fabricação de linho, a única indústria irlandesa de grande porte, precisa de uma quantidade relativamente pequena de trabalhadores adultos do sexo masculino e, apesar de sua expansão, a partir do encarecimento do algodão no período de 1861 a 1866, emprega apenas

---

186b De 1851 a 1874, o número total de emigrantes atingiu 2.325.922.

186c Nota da 2ª edição: segundo uma tabela da obra de Murphy, *Ireland, Industrial, Political, and Social*, 1870, 94,6% das propriedades arrendadas não ultrapassam 100 acres, e 5,4% excedem 100 acres.

A LEI GERAL DA ACUMULAÇÃO CAPITALISTA

parte insignificante da população. Como qualquer outra grande indústria, produz, através de flutuações contínuas, uma superpopulação relativa em sua própria área de domínio, mesmo quando cresce a quantidade de seres humanos que absorve. A miséria da população rural constitui a base de gigantescas fábricas de camisas etc., com exércitos de trabalhadores na sua maioria esparsos pelos campos. Encontramos aí o já descrito sistema de trabalho em domicílio, que cria trabalhadores supérfluos por meio de salários de fome e de trabalho excessivo. Finalmente, embora o despovoamento não tenha efeitos tão destruidores quanto num país de produção capitalista desenvolvida, exerce, entretanto, contínuas repercussões sobre o mercado interno. O vazio nele criado pela emigração não só restringe a procura local de trabalho, mas também os rendimentos dos pequenos vendeiros, dos artesãos e das pequenas indústrias em geral. Daí o retrocesso dos rendimentos entre 60 e 100 libras esterlinas, na tabela E.

Uma exposição clara da situação do jornaleiro agrícola da Irlanda encontra-se nos relatórios dos inspetores da administração irlandesa de assistência aos pobres (1870).[186d] Funcionários de um governo que se mantém apenas pelas baionetas e pelo estado de sítio, ora aberto, ora dissimulado, têm necessariamente de observar todas as precauções de linguagem, que não são levadas em conta pelos seus colegas da Inglaterra. Mas, apesar disso, não permitem que seu governo se embale em ilusões. O salário na Irlanda, ainda muito baixo, elevou-se, nas duas últimas décadas, em 50% a 60%, e é atualmente, em média, de 6 a 9 xelins por semana. Por trás dessa elevação aparente, entretanto, oculta-se verdadeira queda do salário, pois não compensa a elevação de preços dos meios de subsistência. É o que demonstram os dados a seguir, extraídos da contabilidade oficial de um asilo irlandês.

	CUSTO SEMANAL MÉDIO POR PESSOA		
ANO	ALIMENTAÇÃO	VESTUÁRIO	TOTAL
29/9/1848 A 29/9/1849	1 XELIM E $3^{1}/_{4}$ PENCE	3 PENCE	1 XELIM E $6^{1}/_{4}$ PENCE
29/9/1868 A 29/9/1869	2 XELIM E $7^{1}/_{4}$ PENCE	6 PENCE	3 XELINS E $1^{1}/_{4}$ PENCE

186d *Reports from the Poor Law Inspectors on the Wages of Agricultural Labourers in Ireland*, Dublin, 1870. Vide também *Agricultural Labourers (Ireland) Return* etc. 8 de março de 1861.

O CAPITAL

Em relação ao nível de 20 anos antes, o preço dos alimentos subiu cerca de duas vezes, e o de vestuário, exatamente duas vezes.

Mesmo pondo-se de lado essa desproporção, comparar simplesmente os salários pagos em dinheiro não levará a conclusões exatas. Antes da epidemia de fome, a maior parte do salário rural era paga *in natura*, e o dinheiro constituía apenas um pequeno suplemento; hoje, a regra é o pagamento em dinheiro. Infere-se daí que, qualquer que tenha sido o movimento dos salários reais, a remuneração salarial em dinheiro tinha necessariamente de subir.

> "Antes da epidemia de fome, o jornaleiro agrícola possuía um lote onde plantava batatas e criava porcos e aves. Hoje, não só tem de comprar todos os seus alimentos, mas também de privar-se das receitas que auferia com os porcos, as aves e os ovos."[187]

Antes, os trabalhadores agrícolas se confundiam, na realidade, com os pequenos arrendatários e formavam a retaguarda dos arrendamentos médios e grandes, onde encontravam ocupação. Só depois da catástrofe de 1846 é que começaram a constituir uma fração da classe dos assalariados puros, um grupo social vinculado ao patrão apenas pelo salário em dinheiro.

Já sabemos qual era sua situação habitacional em 1846. Piorou, desde então. Parte dos jornaleiros agrícolas, cujo número decresce dia a dia, ainda mora nas terras dos arrendatários, em choupanas superlotadas, que, com seus horrores, ultrapassam o que há de pior no gênero nos distritos rurais ingleses. E, com exceção de algumas zonas de Ulster, é o que encontramos de modo geral, ao sul, nos condados de Cork, Limerick, Kilkenny etc.; a leste, em Wicklow, Wexford etc.; no centro, nos condados de King e Queen, Dublin etc.; a oeste, em Sligo, Roscommon, Mayo, Galway etc. "É uma vergonha para a religião e para a civilização deste país", exclama um dos inspetores. A fim de aumentar o encanto dos casebres dos trabalhadores agrícolas, confiscam-lhes sistematicamente o lote de terra que desde tempos imemoriais faz parte de sua habitação.

> "A consciência da proscrição a que os condenam o proprietário das terras e seus administradores despertou nos jornaleiros agrícolas sentimentos de oposição e de ódio contra aqueles que os tratam como uma raça sem direitos."[187a]

---

187 *Loc. cit.*, p. 29, I.
187a *Loc. cit.*, p. 12.

770

A LEI GERAL DA ACUMULAÇÃO CAPITALISTA

A revolução agrícola, numa ação em grande escala, começou arrasando todas as choupanas das fazendas, como se obedecesse a um comando unificado. Muitos trabalhadores foram forçados a procurar refúgio nas aldeias e vilas. Ali foram lançados como refugos humanos em desvãos, buracos, porões e nas espeluncas dos piores quarteirões. Milhares de famílias irlandesas, que, segundo testemunham mesmo os ingleses imbuídos de preconceitos nacionais, se destacam pelo grande apego ao lar, pela alegria despreocupada e pela pureza dos costumes domésticos, encontraram-se subitamente jogadas nos antros dos vícios. Os homens tinham então de procurar trabalho nas fazendas vizinhas, sendo contratados por dia, a forma mais precária de salário. Além disso,

> "[...] tinham de percorrer a longa distância que os separava da fazenda, indo e voltando, muitas vezes encharcados, e expostos ainda a outras intempéries que frequentemente traziam fraquezas, doenças e miséria."[187b]
>
> "Todo ano, as cidades tinham de receber o que se considerava excedente dos trabalhadores",[187c] e havia gente que se surpreendia "por haver excesso de trabalhadores nas cidades e aldeias e carência nos campos".[187d] A verdade é que só se sente essa carência "por ocasião de trabalhos prementes da lavoura, na primavera e no outono, ficando muitos braços ociosos no resto do ano";[187e] que "após a colheita, de outubro até a primavera, praticamente não há emprego",[187f] e que os trabalhadores durante o tempo em que estão ocupados "frequentemente perdem dias inteiros e ficam sujeitos a toda espécie de interrupções."[187g]

As consequências da transformação das terras de lavoura em pastagens, da aplicação da maquinaria, da economia mais severa do trabalho, em suma, da revolução agrícola são ainda agravadas pelos proprietários de terra modelares, aqueles que, em vez de irem consumir suas rendas no exterior, concedem a mercê de residir em seus domínios na Irlanda. A fim de não tocar na lei da oferta e da procura, esses senhores

> "[...] extraem todo o trabalho de que precisam de seus pequenos arrendatários, os quais são assim forçados a mourejar para servir a seus patrões a um salário

---

187b *Loc. cit.*, p. 25.
187c *Loc. cit.*, p. 27.
187d P. 26.
187e P. 1.
187f P. 32.
187g P. 25.

O CAPITAL

em regra inferior ao do jornaleiro comum, sacrificando comodidades e sofrendo prejuízos decorrentes de serem constrangidos a abandonar em ocasiões críticas a semeadura ou a colheita de sua lavoura."[187h]

A incerteza e a irregularidade da ocupação, as interrupções do trabalho, frequentemente repetidas e longas, todos esses sintomas de uma superpopulação relativa figuram nos relatórios dos inspetores da administração de assistência aos pobres como outros tantos males do proletariado agrícola irlandês. Encontramos fenômenos semelhantes na vida do proletariado rural da Inglaterra. Mas há uma diferença: na Inglaterra, país industrial, sua reserva industrial é recrutada nos campos; na Irlanda, país agrícola, a reserva da agricultura é recrutada nas cidades, onde se refugiam os trabalhadores agrícolas enxotados. No primeiro país, os braços supérfluos da agricultura se convertem em trabalhadores de fábrica; no segundo, os que foram tangidos para as cidades, ao mesmo tempo que pressionam no sentido de rebaixar os salários urbanos, continuam sendo trabalhadores agrícolas e voltam constantemente aos campos à procura de trabalho.

Os inspetores oficiais resumem a situação material do jornaleiro agrícola como segue:

> "Embora vivam na mais extrema frugalidade, o salário mal chega para a alimentação da família e para o aluguel; necessitam de arranjar outras receitas para o vestuário. [...] A atmosfera dessas habitações e outras privações a que estão sujeitos tornam essa classe presa fácil do tifo e da tuberculose."[187i]

Não admira que, segundo o testemunho unânime dos inspetores, um descontentamento sombrio envolva os elementos dessa classe, que ela tenha saudades do passado, odeie o presente, desespere do futuro, "entregue-se às influências maléficas dos demagogos" e esteja dominada por uma ideia fixa, a de viajar para a América. Esse é o maravilhoso país a que ficou reduzida a verde Erin, graças à grande panaceia malthusiana, o despovoamento. Para se ter uma ideia da vida maravilhosa do operário industrial irlandês, basta um exemplo:

> "Em minha recente inspeção ao norte da Irlanda", diz Robert Baker, inspetor de fábrica inglês, "feriram minha atenção os esforços de um operário qualificado irlandês para dar educação a seus filhos, apesar de sua pobreza de

---

187h P. 30.
187i Pp. 21 e 13.

A LEI GERAL DA ACUMULAÇÃO CAPITALISTA

recursos. Reproduzi literalmente seu depoimento, sem alterar as palavras que ele me disse. Seu encargo de trabalhar no acabamento de artigos destinados ao mercado de Manchester já revela que ele é um operário hábil. Seu nome é Johnson. Diz ele: 'Trabalho das 6 da manhã às 11 da noite, de segunda a sexta; aos sábados, terminamos às 6 da tarde e temos 3 horas para refeições e repouso. Tenho 5 filhos. Pelo meu trabalho, recebo semanalmente 10 xelins e 6 pence; minha esposa trabalha e ganha 5 xelins por semana. A filha mais velha, de 12 anos, administra a casa. Ela é nossa cozinheira e única empregada. Ela arruma os irmãos que têm de ir para a escola. Minha esposa se levanta e sai comigo. Uma jovem que passa na minha porta acorda-me às 5½ da manhã. Não tomamos nenhuma refeição antes de ir para o trabalho. Minha menina de 12 anos, durante todo o dia, toma conta dos menores que ficam em casa. Às 8 da manhã, voltamos em casa para tomar nossa primeira refeição. Temos chá uma vez por semana; em regra, comemos uma papa, às vezes de aveia, às vezes de milho, conforme o que podemos conseguir. No inverno, acrescentamos um pouco de açúcar e água à nossa farinha de milho. No verão, colhemos algumas batatas que plantamos num pequeno pedaço de terra e, quando elas acabam, voltamos à papa. É sempre assim todos os dias, o ano inteiro, nos dias de trabalho e nos domingos. Estou sempre exausto à noite, ao terminar meu trabalho na fábrica. Uma vez ou outra vemos um pedaço de carne, mas muito raramente. Três dos nossos filhos frequentam a escola, à qual pagamos semanalmente 1 pêni cada um. Nosso aluguel custa 9 pence por semana; a turfa para aquecimento, 1 xelim, e 6 pence quinzenalmente, pelo menos.'"[188]

Temos aí os salários irlandeses, a vida irlandesa.

Na Inglaterra, a miséria da Irlanda é novamente assunto do dia. Nos fins de 1866 e no começo de 1867, um dos magnatas das terras, Lord Dufferin, lançou-se, no *Times*, à solução do problema. "Quanta humanidade revela esse grande senhor!"

Segundo a tabela E, três fabricantes de mais-valia embolsaram 262.819 libras esterlinas do total dos lucros de 4.368.610 do ano de 1864; esses três virtuosos da "renúncia capitalista" apossaram-se, em 1865, de 274.528 libras dos lucros totais de 4.669.979 libras. Vinte e seis industriais da mais-valia embolsaram 646.377 libras, em 1864; 28, 736.448 libras, em 1865; 121, 1.076.912 libras, em 1864; 150, 1.320.906 libras, em 1865; 1.131, 2.150.818 libras, em 1864, quase a metade de todos os lucros

---

188 *Reports of Insp. of Fact. for 31ˢᵗ Oct. 1866*, p. 96.

anuais; 1.194, 2.418.833 libras, em 1865, mais da metade de todos os lucros anuais. Mas a parte do leão que um número ínfimo de magnatas das terras da Inglaterra, Escócia e Irlanda tira do produto nacional é tão monstruosa que o Estado inglês, com sua prudência peculiar, achou conveniente não dar sobre a renda da terra informação análoga à que fornece sobre o modo como se distribuem os lucros. Lord Dufferin figura entre os leoninos magnatas das terras. Para ele, é desrespeitoso e malsão imaginar que exista a possibilidade de serem excessivos a renda da terra e os lucros, ou que sua pletora esteja ligada à pletora de miséria do povo. Atém-se a fatos. A realidade é que, na medida em que decresce a população irlandesa, aumenta a renda da terra; que o despovoamento beneficia o proprietário do solo, portanto, o solo e, consequentemente, o povo, mero acessório do solo. Por isso, declara que a Irlanda continua superpovoada e que a corrente emigratória flui ainda com demasiada lentidão. Para ser feliz, a Irlanda tem de dispensar, pelo menos, um terço de milhão de trabalhadores. Não se pense que esse lorde, poeta nas horas vagas, seja uma espécie de doutor Sangrado que prescreve sempre nova sangria, quando o doente não melhora, até que este, ao ficar sem sangue, se livre de sua doença. Lord Dufferin prescreve nova sangria de apenas um terço de milhão, em vez da sangria de quase 2 milhões, que seria necessária para que se implante o paraíso na Irlanda. E a prova é fácil.

NÚMERO E TAMANHO DOS ARRENDAMENTOS NA IRLANDA, EM 1864

	NÚMERO	ACRES
1) ATÉ 1 ACRE	48.653	25.394
2) MAIS DE 1 ATÉ 5 ACRES	82.037	188.916
3) MAIS DE 5 ATÉ 15 ACRES	176.368	1.836.310
4) MAIS DE 15 ATÉ 30 ACRES	136.578	3.051.343
5) MAIS DE 30 ATÉ 50 ACRES	71.961	2.906.274
6) MAIS DE 50 ATÉ 100 ACRES	54.247	3.923.880
7) MAIS DE 100 ACRES	31.927	8.227.807
8) SUPERFÍCIE TOTAL		20.319.924[188a]

188a A área total inclui turfeiras e terras incultas.

A LEI GERAL DA ACUMULAÇÃO CAPITALISTA

De 1851 a 1861, a centralização destruiu principalmente os arrendamentos das três primeiras categorias, de menos de 1 acre e até 15 acres.

Antes de tudo, esses têm de desaparecer. Com isso, tornam-se supérfluos 307.058 arrendatários, e, admitindo-se média modesta de 4 pessoas por família, temos 1.228.232 pessoas. Admitido o extravagante pressuposto de que a quarta parte delas pode ser absorvida depois de concluída a revolução agrícola, restam para emigrar 921.174 pessoas. Os arrendamentos das categorias 4, 5 e 6, de mais de 15 e até 100 acres, são, como há longo tempo se sabe na Inglaterra, pequenos demais para a triticultura e ínfimos para a criação de ovinos. Nas mesmas condições, terão de emigrar mais 788.761 pessoas, perfazendo-se assim uma soma de 1.709.532. Com as vantagens que daí advirão para os grandes proprietários, aumentar-lhes-á o apetite. Assim, quando a Irlanda ficar reduzida a 3½ milhões de habitantes, logo descobrirão que ela continua miserável, e miserável por estar ainda superpovoada, tendo de prosseguir seu despovoamento até que esteja em condições de realizar sua vocação, a de ser uma imensa pastagem de ovelhas e de gado em geral.[188b]

Esse método lucrativo tem seus inconvenientes, como todas as coisas vantajosas deste mundo. Com a acumulação da renda das terras na Irlanda,

---

188b Mostrarei pormenorizadamente, no Livro 3 desta obra, na parte relativa à propriedade da terra, como a epidemia de fome e suas consequências foram utilizadas deliberadamente pelos proprietários das terras e pela legislação inglesa, para levar avante, pela violência, a revolução da agricultura e reduzir a população da Irlanda ao nível conveniente aos *landlords*. Volto a tratar ali da situação dos pequenos proprietários e dos trabalhadores agrícolas. Por ora, apenas uma citação. Em sua obra *Journals, Conversations and Essay Relating to Ireland*, 2 vols., Londres, 1868, V. II, p. 282, diz Nassau W. Senior: "Conforme observava com acerto Dr. G., dispomos de nossa lei de assistência aos pobres, poderoso instrumento para assegurar a vitória dos *landlords*; outro é a emigração. Nenhum amigo da Irlanda pode desejar que a guerra [entre os *landlords* e os pequenos arrendatários celtas] se prolongue, muito menos que termine com a vitória dos arrendatários. [...] Quanto mais rápida for a guerra, mais rapidamente a Irlanda se transformará num país de pastagens com um número de habitantes relativamente reduzido, como convém a um país de criação de gado, e tanto melhor para todas as classes." As leis aduaneiras relativas a cereais, de 1815, asseguravam à Irlanda o monopólio da venda de trigo à Grã-Bretanha, livre de direitos. Elas favoreceram artificialmente, portanto, o cultivo de trigo. Esse monopólio foi eliminado subitamente em 1846, com a abolição dessas leis. Pondo-se de lado todas as outras circunstâncias, bastava esse acontecimento para dar poderoso impulso à transformação, na Irlanda, das terras de lavoura em pastagens, à concentração dos arrendamentos e à expulsão dos pequenos camponeses. De 1815 a 1846, louvou-se e proclamou-se publicamente a fecundidade do solo irlandês, seus dons naturais específicos para a cultura do trigo. Ao fim desse período, os agrônomos, economistas e políticos ingleses descobrem, subitamente, que o solo irlandês só serve para produzir torragem. Léonce de Lavergne apressou-se em repetir isso na França. Era necessário um homem como Lavergne para se deixar levar por essas puerilidades.

cresce a acumulação de irlandeses na América. O irlandês enxotado pelas ovelhas e pelos bois é o feniano que reaparece do outro lado do Atlântico. E, diante da velha rainha dos mares, ergue-se cada vez mais ameaçadora a jovem república gigante.

Acerba fata Romanos agunt
Scelusque fraternae necis.[1]

I "Perseguem aos romanos acerbos fados
E o crime de fatricídio."

XXIV.
A chamada acumulação primitiva

1) O SEGREDO DA ACUMULAÇÃO PRIMITIVA

Vimos como o dinheiro se transforma em capital, como se produz mais-valia com capital, e mais capital com mais-valia. Mas a acumulação do capital pressupõe a mais-valia, a mais-valia, a produção capitalista, e esta, a existência de grandes quantidades de capital e de força de trabalho nas mãos dos produtores de mercadorias. Todo esse movimento tem, assim, a aparência de um círculo vicioso, do qual só poderemos escapar admitindo uma acumulação primitiva, anterior à acumulação capitalista (*"previous accumulation"*, segundo Adam Smith), uma acumulação que não decorre do modo capitalista de produção, mas é seu ponto de partida.

Essa acumulação primitiva desempenha na economia política um papel análogo ao do pecado original na teologia. Adão mordeu a maçã e, por isso, o pecado contaminou a humanidade inteira. Pretende-se explicar a origem da acumulação por meio de uma história ocorrida em passado distante. Havia outrora, em tempos muito remotos, duas espécies de gente: uma elite laboriosa, inteligente e sobretudo econômica, e uma população constituída de vadios, trapalhões que gastavam mais do que tinham. A lenda teológica conta-nos que o homem foi condenado a comer o pão com o suor de seu rosto. Mas a lenda econômica explica-nos o motivo por que existem pessoas que escapam a esse mandamento divino. Aconteceu que a elite foi acumulando riquezas, e a população vadia ficou finalmente sem ter outra coisa para vender além da própria pele. Temos aí o pecado original da economia. Por causa dele, a grande massa é pobre e, apesar de se esfalfar, só tem para vender a própria força de trabalho, enquanto cresce continuamente a riqueza de poucos, embora tenham esses poucos parado de trabalhar há muito tempo. Thiers, com toda a untuosidade presidencial, defende a propriedade, servindo aos franceses, outrora tão espirituosos, essas puerilidades insulsas. Mas, quando está em jogo a questão da propriedade, torna-se dever sagrado a defesa intransigente da doutrina infantil do abecedário capitalista, como a única legítima para todas as idades e para todos os estágios de desenvolvimento. É sabido o grande papel desempenhado na verdadeira história pela conquista, pela escravização, pela rapina e pelo assassinato, em suma, pela violência. Na suave economia política, o idílio reina desde os primórdios. Desde o início da humanidade, o direito e o trabalho são os únicos meios de enriquecimento, excetuando-se naturalmente o ano corrente. Na realidade, os métodos da acumulação primitiva nada têm de idílicos.

O CAPITAL

Como os meios de produção e os de subsistência, dinheiro e mercadoria em si mesmos não são capital. Tem de haver antes uma transformação que só pode ocorrer em determinadas circunstâncias. Vejamos, logo a seguir, a que se reduzem, em suma, essas circunstâncias. Duas espécies bem diferentes de possuidores de mercadorias têm de confrontar-se e entrar em contato: de um lado, o proprietário de dinheiro, de meios de produção e de meios de subsistência, empenhado em aumentar a soma de valores que possui, comprando a força de trabalho alheia; e, do outro, os trabalhadores livres, vendedores da própria força de trabalho e, portanto, de trabalho. Trabalhadores livres em dois sentidos, porque não são parte direta dos meios de produção, como os escravos e servos, e porque não são donos dos meios de produção, como o camponês autônomo, estando assim livres e desembaraçados deles. Estabelecidos esses dois polos do mercado, ficam dadas as condições básicas da produção capitalista. O sistema capitalista pressupõe a dissociação entre os trabalhadores e a propriedade dos meios pelos quais realizam o trabalho. Quando a produção capitalista se torna independente, não se limita a manter essa dissociação, mas a reproduz em escala cada vez maior. O processo que cria o sistema capitalista consiste apenas no processo que retira ao trabalhador a propriedade de seus meios de trabalho, um processo que transforma em capital os meios sociais de subsistência e os de produção e converte em assalariados os produtores diretos. A chamada acumulação primitiva é apenas o processo histórico que dissocia o trabalhador dos meios de produção. É considerada primitiva porque constitui a pré-história do capital e do modo de produção capitalista.

A estrutura econômica da sociedade capitalista nasceu da estrutura econômica da sociedade feudal. A decomposição desta liberou elementos para a formação daquela.

O produtor direto, o trabalhador, só pode dispor de sua pessoa depois que deixou de estar vinculado à gleba e de ser escravo ou servo de outra pessoa. Para vender livremente sua força de trabalho, levando sua mercadoria a qualquer mercado, tinha ainda de livrar-se do domínio das corporações, dos regulamentos a que elas subordinavam os aprendizes e oficiais e das prescrições com que entravavam o trabalho. Desse modo, um dos aspectos desse movimento histórico que transformou os produtores em assalariados é a libertação da servidão e da coerção corporativa; e esse aspecto é o único que existe para nossos historiadores burgueses. Mas os que se emanciparam só se tornaram vendedores de si mesmos depois que lhes roubaram todos os seus meios de produção e os privaram de todas as garantias que as velhas

A CHAMADA ACUMULAÇÃO PRIMITIVA

instituições feudais asseguravam à sua existência. E a história da expropriação que sofreram foi inscrita a sangue e fogo nos anais da humanidade.

Os capitalistas industriais, esses novos potentados, tiveram de remover os mestres das corporações e os senhores feudais, que possuíam o domínio dos mananciais das riquezas. Sob esse aspecto, representa-se sua ascensão como uma luta vitoriosa contra o poder feudal e seus privilégios revoltantes, contra as corporações e os embaraços que elas criavam ao livre desenvolvimento da produção e à livre exploração do homem pelo homem. Todavia, os cavaleiros da indústria só conseguiram expulsar os cavaleiros da espada explorando acontecimentos para os quais em nada tinham concorrido. Subiram por meios tão vis quanto os empregados outrora pelo liberto romano para se tornar senhor de seu *patronus*.[I]

O processo que produz o assalariado e o capitalista tem suas raízes na sujeição do trabalhador. O progresso consistiu numa metamorfose dessa sujeição, na transformação da exploração feudal em exploração capitalista. Para compreender sua marcha, não precisamos ir muito longe na história. Embora os prenúncios da produção capitalista já apareçam, nos séculos xiv e xv, em algumas cidades mediterrâneas, a era capitalista data do século xvi. Onde ela surge, a servidão já está abolida há muito tempo, e já estão em plena decadência as cidades soberanas que representam o apogeu da Idade Média.

Marcam época, na história da acumulação primitiva, todas as transformações que servem de alavanca à classe capitalista em formação, sobretudo aqueles deslocamentos de grandes massas humanas, súbita e violentamente privadas de seus meios de subsistência e lançadas no mercado de trabalho como levas de proletários destituídas de direitos. A expropriação do produtor rural, do camponês, que fica assim privado de suas terras, constitui a base de todo o processo. A história dessa expropriação assume matizes diversos nos diferentes países, percorre várias fases em sequência diversa e em épocas históricas diferentes. Encontramos sua forma clássica na Inglaterra, que, por isso, nos servirá de exemplo.[189]

I Senhor que libertou seu escravo.

189 Na Itália, onde a produção capitalista se desenvolveu mais cedo, ocorre também mais cedo a dissolução das relações de servidão. O servo italiano foi emancipado sem ter chegado a assegurar-se, por prescrição, de qualquer direito à terra. Sua emancipação transformou-o imediatamente num proletário sem direitos, que já encontrava novos senhores à sua espera nas cidades, que, em sua maioria, vinham dos tempos dos romanos. Quando a revolução no mercado mundial destruiu, nos fins do século xv, a supremacia comercial do Norte da Itália, surge um movimento populacional em sentido inverso. Os trabalhadores das cidades foram enxotados para os campos, onde deram um impulso nunca visto à pequena agricultura de hortas e jardins.

O CAPITAL

2. EXPROPRIAÇÃO DOS CAMPONESES

Nos fins do século XIV, a servidão tinha praticamente desaparecido da Inglaterra. Então, e mais ainda no século XV, a maioria da população[190] consistia em camponeses proprietários, qualquer que fosse o título feudal com que se revestissem seus direitos de propriedade sobre a terra que lavravam. Nos grandes domínios senhoriais, o *bailiff*, ainda um servo, foi substituído pelo arrendatário livre. Eram assalariados da agricultura os camponeses que utilizavam seu tempo de lazer trabalhando para os grandes proprietários, e os assalariados propriamente ditos, uma classe independente, relativa e absolutamente pouco numerosa. Mas estes, ao mesmo tempo, eram de fato lavradores independentes, pois, além do salário, recebiam uma habitação e uma área para lavrar de 4 e mais acres. Demais, com os camponeses propriamente ditos, dispunham do usufruto das terras comuns, onde pastava seu gado e de onde retiravam o combustível, lenha, turfa etc.[191] Em todos os países da Europa, a produção feudal se caracteriza pela repartição da terra pelo maior número possível de camponeses. O poder do senhor feudal, como o dos soberanos, não depende da magnitude de suas rendas, mas do número de seus súditos, ou melhor, do número de camponeses estabelecidos em seus domínios.[192] Embora o solo inglês, depois da conquista normanda, se repartisse em baronias gigantescas, havendo casos de

---

190 "Os pequenos proprietários que cultivavam suas terras com as próprias mãos e fruíam um modesto bem-estar [...] constituíam, em comparação com os tempos atuais, uma parte muito mais importante da nação. [...] Não menos de 160.000 proprietários, que com suas famílias deviam representar mais de $1/7$ da população, tiravam sua subsistência de pequenas áreas das quais tinham a propriedade alodial. Cada um desses pequenos proprietários dispunha de um rendimento médio estimado em 60 a 70 libras esterlinas por ano. Calculou-se que o número daqueles que exploravam sua própria terra era maior que o dos arrendatários que lavravam terra alheia." (Macaulay, *Hist. of England*, 10ª ed., Londres, 1854, I, pp. 333 e 334.) Ainda no último terço do século XVII, a população rural inglesa constituía $4/5$ da população total. (*Loc. cit.*, p. 413.) Cito Macauley porque ele procura reduzir a importância de fatos dessa natureza, com seu sistema de falsificar a história.

191 Nunca devemos esquecer que mesmo o servo, embora sujeito ao tributo de vassalagem, era proprietário do lote vinculado à sua habitação e ainda coproprietário das terras comuns. "Lá [na Silésia] o camponês é servo. Não obstante, os servos dessa província prussiana possuem terras comuns. Não se pôde até agora induzir os silesianos a repartirem as terras comuns. Entretanto, na nova Marca não existe uma aldeia onde não se tenha efetuado essa repartição com o maior sucesso." (Mirabeau, *De la Monarchie Prussianne*, Londres 1788, t. II, pp. 125-126.)

192 O Japão, com seu sistema puramente feudal de propriedade das terras e de pequenas empresas agrícolas desenvolvidas, oferece um quadro muito mais fiel da Idade Média europeia do que todos os nossos livros de História, dominados em sua maioria por preconceitos burgueses. É muito fácil ser liberal à custa da Idade Média.

A CHAMADA ACUMULAÇÃO PRIMITIVA

uma só abranger 900 antigos senhorios anglo-saxônicos, estava ele coalhado de sítios dos camponeses, embora separados a espaços pelas grandes áreas senhoriais. Essas condições, com o florescimento das cidades, característico do século XV, propiciavam ao povo aquela riqueza que o chanceler Fortescue descreve com tanta eloquência em sua obra *Laudibus Legum Angliae*, mas excluíam a riqueza capitalista.

O prelúdio da revolução que criou a base do modo capitalista de produção ocorreu no último terço do século XV e nas primeiras décadas do século XVI. Com a dissolução das vassalagens feudais, é lançada ao mercado de trabalho uma massa de proletários, de indivíduos sem direitos, que "por toda parte enchiam inutilmente os solares", conforme observa acertadamente Sir James Stewart. Embora o poder real, produto do desenvolvimento burguês, em seu esforço pela soberania absoluta, acelerasse pela força a dissolução das vassalagens, não foi de modo algum a causa única dela. Opondo-se arrogantemente ao Rei e ao Parlamento, o grande senhor feudal criou um proletariado incomparavelmente maior, usurpando as terras comuns e expulsando os camponeses das terras, os quais possuíam direitos sobre elas, baseados, como os do próprio senhor, nos mesmos institutos feudais. O florescimento da manufatura de lã, com a elevação consequente dos preços da lã, impulsionou diretamente essas violências na Inglaterra. A velha nobreza fora devorada pelas guerras feudais. A nova era um produto do seu tempo, e, para ela, o dinheiro era o poder dos poderes. Sua preocupação, por isso, era transformar as terras de lavoura em pastagens. Em sua obra *Description of England. Prefixed to Holinshed's Chronicles*, descreve Harrison como a expropriação dos pequenos camponeses arruína o país. "Mas que importa isso aos nossos grandes usurpadores!" As habitações dos camponeses e as choupanas dos trabalhadores foram violentamente demolidas ou abandonadas à decadência total.

> "Quando confrontamos", diz Harrison, "os velhos inventários dos senhores, verificamos que desapareceram inúmeras casas e pequenas lavouras, de modo que a terra alimenta muito menos gente, muitas cidades decaíram, embora floresçam algumas novas. [...] Poderia falar de cidades e de aldeias transformadas em pastos de ovelhas e onde apenas se encontram as mansões senhoriais."

Aquelas velhas crônicas exageram as queixas, mas traduzem exatamente a impressão causada sobre os contemporâneos pela revolução nas condições

O CAPITAL

de produção. Uma comparação entre as obras dos chanceleres Fortescue e Thomas Morus revela o abismo que separava os séculos XV e XVI. A classe trabalhadora inglesa foi lançada, sem transições, da idade do ouro, na expressão acertada de Thornton, para a idade do ferro.

Essa revolução fazia estremecerem os próprios legisladores. Não tinham chegado ainda àquele nível de civilização em que a riqueza nacional, isto é, a formação de capital, a exploração impiedosa e o empobrecimento da massa popular, constitui a razão última da sabedoria política. Em sua história de Henrique VII, diz Bacon:

> "Nessa época [1489] aumentaram as queixas sobre a transformação de terras de lavoura em pastos [para ovelhas etc.], para os quais bastavam poucos pastores; e áreas arrendadas por tempo indeterminado, por ano ou vitaliciamente, das quais vivia grande parte dos lavradores independentes (*yeomen*), transformam-se em terras ocupadas pelo senhorio. Isso provocou decadência do povo e, em consequência, decadência de cidades, igrejas, queda de dízimos. [...] Foi admirável a sabedoria do Rei e do Parlamento aplicada, nessa época, à cura desses males. [...] Adotaram medidas contra a usurpação das terras comuns, que provocava o despovoamento, e contra a expansão das pastagens, que produzia os mesmos efeitos."

Em 1489, lei de Henrique VII, capítulo 19, proibia a demolição de todas as casas de camponeses às quais estivessem vinculados pelo menos 20 acres de terra. Renova-a Henrique VIII, no ano 25 de seu reinado, com outra lei em que se lê:

> "Muitos arrendamentos e grandes pastagens, especialmente de ovelhas, estão concentrados em poucas mãos; por isso, muito aumentou a renda da terra, decaindo a lavoura; casas e igrejas foram demolidas, e um número imenso de pessoas ficaram impedidas de prover seu próprio sustento e o de suas famílias."

A lei determina a reconstituição das culturas e de suas instalações, fixa a relação entre área de lavoura e área de pastagem etc. Lei de 1533 deplora haver proprietários possuindo 24.000 ovelhas e limita o número destas a 2.000 por proprietário.[193] As queixas populares e as leis que, a partir de

---

193 Em sua *Utopia*, Thomas Morus fala de um país singular em que "as ovelhas devoram os seres humanos". (*Utopia*, tradução de Robinson, ed. Arber, Londres, 1869, p. 41.)

A CHAMADA ACUMULAÇÃO PRIMITIVA

Henrique VII, durante 150 anos, se destinavam a coibir a expropriação dos pequenos arrendatários e dos camponeses não atingiram nenhum resultado prático. Bacon, sem o saber, revela-nos o segredo dessa ineficácia, em seus *Essays, Civil and Moral*, seção 29.

> "A lei de Henrique VII", diz ele, "era profunda e digna de admiração, ao criar lavouras e casas de lavradores de determinado padrão, isto é, ao garantir aos lavradores área que lhes permita colocarem no mundo súditos com recursos suficientes e não sujeitos à condição servil, pondo assim o arado em mãos de proprietários e não de mercenários."[193a]

Mas o sistema capitalista exigia, ao contrário, a subordinação servil da massa popular, sua transformação em mercenários e a conversão de seu instrumental de trabalho em capital. Durante esse período de transição, a legislação procurou manter o lote de 4 acres junto à choupana do trabalhador agrícola, e proibiu-lhe nela abrigar inquilinos. Ainda em 1627, no reinado de Carlos I, Roger Crocker de Fontmill foi condenado por ter construído uma casa para lavrador no seu feudo sem acrescentar-lhe, em caráter permanente, uma área de 4 acres; ainda no reinado de Carlos I, em 1638, foi nomeada uma comissão real encarregada de impor a aplicação das velhas leis, notadamente com relação a essa área de 4 acres, e Cromwell proibiu que se construíssem, na periferia de Londres até 4 milhas da cidade, casas que não estivessem dotadas de uma área adicional de 4 acres. Ainda na primeira metade do século XVIII, ouvem-se queixas quando a choupana do trabalhador não dispõe de um terreno anexo de 1 a 2 acres. Hoje em

---

193a Bacon analisa a relação existente entre uma classe livre e abastada de camponeses e uma boa infantaria. "Era da maior importância, para o poderio e a manutenção do reino, terem os arrendamentos área suficiente para manter homens capazes a coberto de necessidades, e serem as terras do reino, em grande parte, ocupadas pela *yeomanry*, uma classe de pessoas situadas no meio, entre nobres, de um lado, e agregados e braceiros, do outro. [...] É opinião geral dos que mais entendem da arte da guerra [...] que a principal força de um exército está na infantaria, nos que combatem a pé. Mas, para formar uma boa infantaria, são necessárias pessoas que tenham crescido não em condições servis ou de indigência, mas livres e com certo bem-estar. Quando um Estado favorece exageradamente os nobres e os gentis-homens, enquanto os lavradores não passam de trabalhadores e criados a serviço deles, ou de agregados, isto é, de indigentes que moram em seus domínios senhoriais, pode-se ter uma boa cavalaria, mas nunca se terá uma infantaria resoluta. [...] É o que se vê na França e na Itália e em outros países estrangeiros onde só se encontra a nobreza de um lado e, do outro, camponeses miseráveis. Desse modo, são esses países obrigados a empregar mercenários suíços e de outras procedências. Vê-se por aí que essas nações possuem muita gente e poucos soldados." (*The Reign of Henry VII* [...] *Verbatim Reprint from Xennet's England, edição 1719*, Londres, 1870, p. 308.)

O CAPITAL

dia, ele se considera muito feliz se sua habitação dispõe de um pequeno jardim ou horta, junto à sua habitação, ou se pode arrendar um lote de terra liliputiano.

> "Os senhorios e os arrendatários", diz o Dr. Hunter, "agem em conjunto. Poucos acres junto à choupana tornariam o trabalhador demasiadamente independente."[194]

O processo violento de expropriação do povo recebeu um terrível impulso, no século XVI, com a Reforma e o imenso saque dos bens da Igreja que a acompanhou. À época da reforma, a Igreja Católica era proprietária feudal de grande parte do solo inglês. A supressão dos conventos etc. enxotou os habitantes de suas terras, os quais passaram a engrossar o proletariado. Os bens eclesiásticos foram amplamente doados a vorazes favoritos da Corte ou vendidos a preço ridículo a especuladores, agricultores ou burgueses, que expulsaram em massa os velhos moradores hereditários e fundiram seus sítios. O direito legalmente explícito dos lavradores empobrecidos a uma parte dos dízimos da Igreja foi confiscado tacitamente.[195] *"Pauper ubique jacet"*,[I] exclamou a rainha Elizabeth após uma viagem através da Inglaterra. No ano 43 de seu reinado, foi o governo por fim compelido a reconhecer oficialmente o pauperismo, introduzindo o imposto de assistência aos pobres.

> "Os autores dessa lei não ousaram apresentar as razões dela e, contra toda a tradição, trouxeram-na ao mundo sem qualquer exposição de motivos."[196]

Tornou-a definitiva a lei nº 4, do ano 16 do reinado de Carlos I, e só veio a ser modificada em 1834, quando foram adotadas prescrições mais severas.[197] Mas, a Reforma ainda teve outros efeitos mais poderosos.

---

194 Dr. Hunter. *loc. cit.*, p. 134.
"A quantidade de terra que era atribuída aos trabalhadores [nas velhas leis] seria hoje considerada grande demais e suscetível de convertê-los em pequenos agricultores." (George Roberts, *The Social History of the People of the Southern Counties of England in Past Centuries*, Londres, 1850, p. 184.)

195 "O direito dos pobres a uma parte dos dízimos da Igreja está fixado nos velhos estatutos." (Tuckett, *loc. cit.*, V. II, pp. 804-805.)

I "O pobre está prostrado por toda parte."

196 William Cobbett, *A History of the Protestant Reformation*, § 471.

197 O espírito protestante se retrata bem no seguinte caso. No Sul da Inglaterra, proprietários de terras e arrendatários abastados se reuniram e formularam 10 questões sobre a interpretação a ser dada à lei de assistência aos pobres de Elizabeth, submetendo-as ao parecer de um célebre jurista da época, Sergeant Snigge, que foi nomeado juiz no reinado de Jaime I. "Nona questão: Alguns dos

A CHAMADA ACUMULAÇÃO PRIMITIVA

A propriedade da Igreja constituía o baluarte religioso das antigas relações de propriedade. Ao cair aquela, estas não poderiam mais se manter.[198]

Ainda nas últimas décadas do século XVII, a *yeomanry*, uma classe de camponeses independentes, era mais numerosa que a dos arrendatários. Constituíra a principal força de Cromwell e, segundo reconhece o próprio Macaulay, contrastava vantajosamente com os fidalgotes beberrões e seus lacaios, os párocos de aldeia, que tinham de arranjar casamentos para as criadas preferidas desses gentis-homens. A essa época, os trabalhadores rurais ainda eram coproprietários das terras comuns. Por volta de 1750, desaparecera a *yeomanry*[199] e, nas últimas décadas do século XVIII, os

---

ricos arrendatários da paróquia imaginaram um método engenhoso com o qual se pode afastar todas as confusões que ocorrem na aplicação da lei. Propõem que se construa uma cadeia na paróquia. Será negada qualquer ajuda ao pobre que nela não se deixar encarcerar. Então toda a vizinhança será avisada de que qualquer pessoa que queira alugar os pobres dessa paróquia deve apresentar propostas lacradas, num dia determinado, fixando o menor preço pelo qual ficaria com eles. Os autores desse plano supõem existirem nos condados próximos pessoas que gostariam de viver sem trabalhar, mas não podem realizar seu desejo por não disporem de recursos ou crédito suficiente para arrendar terras ou conseguir um barco. Elas estariam inclinadas a fazer propostas vantajosas à paróquia. Se pobres morrerem aos cuidados do contratante, a falta recairá sobre ele, uma vez que a paróquia já terá cumprido seus deveres em relação a eles. Receamos que a lei em vigor, do ano 43 de Elizabeth, não permita uma solução prudente como a que estamos imaginando. Informamos-lhe, entretanto, que os demais proprietários alodiais desse condado e dos adjacentes se juntarão a nós para levar seus representantes à Câmara dos Comuns a propor uma lei que permita o encarceramento e o trabalho compulsório dos pobres, de modo que ficará sem direito a qualquer auxílio aquele que se opuser ao encarceramento. Com isso, esperamos que pessoas na miséria se abstenham de requerer socorro." (R. Blakey, *The History of Political Literature from the Earliest Times*, Londres, 1855, V. II, pp. 84-85.) Na Escócia, a servidão foi abolida séculos depois de ter sido eliminada na Inglaterra. Em 1698, declarava Fletcher de Saltoun no Parlamento escocês: "É estimado em pelo menos 200.000 o número de indigentes da Escócia. Republicano por princípio, só vejo um remédio para essa situação: restaurar a velha servidão e transformar em escravos todos os que sejam incapazes de prover a própria subsistência." No mesmo sentido escreve Eden, *loc. cit.*, V. I, Cap. I, pp. 60-61: "O pauperismo surge com a liberdade do lavrador. [...] As manufaturas e o comércio são os pais dos nossos pobres." Eden comete o mesmo erro daquele escocês, republicano por princípio, pois o lavrador se torna proletário ou indigente não por ter sido eliminada a servidão, mas por ter sido suprimida a propriedade que tinha do solo que cultivava. Na França, onde a expropriação seguiu outro processo, a ordenança de Moulin de 1566 e o edito de 1656 correspondiam às leis inglesas de assistência aos pobres.

198 O Prof. Rogers, embora tivesse exercido a cátedra de Economia Política da Universidade de Oxford, o foco da ortodoxia protestante, acentua, em seu prefácio a *History of Agriculture* a pauperização da massa do povo pela reforma.

199 *A Letter to Sir T. C. Bunbury, Brt.: on the High Price of Provisions. By a Suffolk gentleman*, Ipswich 1795, p. 4. Mesmo defensor fanático do sistema de grandes arrendamentos, diz [J. Arbuthnot], autor do *Inquiry into the Connection of Large Farms* etc., Londres, 1773, p. 139: "Deploro a perda de nossa *yeomanry*, aquela classe de homens que sustentavam, na realidade, a independência desta nação; e lamento ver suas terras, agora nas mãos monopolizadoras dos lordes, serem arrendadas a pequenos lavradores em condições parecidas com as de vassalos, que têm de atender a chamados em todas as ocasiões críticas."

O CAPITAL

vestígios que ainda restavam da propriedade comunal dos lavradores. Deixamos de lado as forças propulsoras puramente econômicas da revolução agrícola, e estamos nos ocupando apenas dos meios coercivos utilizados para promovê-la.

Com a restauração dos Stuart, os proprietários das terras, utilizando processos legais, levaram a cabo uma usurpação como a que se efetivou depois no Continente, mas sem qualquer formalidade jurídica. Aboliram as disposições feudais relativas ao solo. Transferiram para o Estado deveres que estavam vinculados à propriedade do solo, "indenizaram" o Estado com tributos incidentes sobre os camponeses e sobre o resto do povo, submeteram ao regime da moderna propriedade privada os bens em relação aos quais possuíam apenas título feudal e impuseram, por fim, aquelas leis de domicílio que, com as variações impostas pelas circunstâncias, tinham sobre os lavradores ingleses os mesmos efeitos que o edito do tártaro Bóris Godunov sobre os camponeses russos.

A "gloriosa revolução" trouxe ao poder, com Guilherme III de Orange,[200] os proprietários da mais-valia, nobres e capitalistas. Inauguraram a nova era em que expandiram em escala colossal os roubos às terras do Estado, até então praticados em dimensões mais modestas. Essas terras foram presenteadas, vendidas a preços irrisórios ou simplesmente roubadas mediante anexação direta a propriedades particulares.[201] Tudo isso ocorreu sem qualquer observância da etiqueta legal. Essa usurpação das terras da Coroa e o saque aos bens da Igreja, quando os detentores destes bens saqueados não os perderam na revolução republicana, constituem a origem dos grandes domínios atuais da oligarquia inglesa.[202] Os capitalistas

---

200 Ilustra a moral privada desse herói burguês o seguinte: "As grandes concessões de terras feitas a *Lady* Orkney na Irlanda, no ano de 1695, são uma demonstração pública da afeição do rei e da influência da *lady*. [...] Os serviços valiosos de *Lady* Orkney consistiram, conforme é sabido, em "*foeda labiorum ministeria*", os sujos serviços dos lábios. Extraído da *Sloane Manuscript Collection*, que se encontra no Museu Britânico, n. 4.224. Título do manuscrito: *The Charakter and Behaviour of King William, Sunderland* etc. *As Represented in Original Letters to the Duke of Shrewsbury from Somers, Halifax, Oxford, Secretary Vernon* etc. Está cheio de coisas curiosas.

201 "A alienação ilegal dos bens da Coroa, por venda ou por doação, constitui um capítulo escandaloso da história inglesa [...] uma fraude gigantesca contra a nação." (F.W. Newman, *Lectures on Political Econ.*, Londres, 1851, pp. 129 e 130.) – (Quanto a pormenores sobre a maneira como os atuais grandes proprietários de terras se apoderaram delas, vide *Our Old Nobility. By Noblesse Oblige*, de [N.H. Evans], Londres, 1879. — F.E.)

202 Vide, por exemplo, o panfleto de E. Burke sobre a casa ducal de Bedford. Seu descendente é Lord John Russell, "o chapim (*tomtit*) do liberalismo".

A CHAMADA ACUMULAÇÃO PRIMITIVA

burgueses favoreceram a usurpação, dentre outros motivos, para transformar a terra em mero artigo de comércio, ampliar a área da grande exploração agrícola, aumentar o suprimento dos proletários sem direitos, enxotados das terras etc. Além disso, a nova aristocracia das terras era a aliada natural da nova bancocracia, da alta finança que acabara de romper a casca do ovo e da burguesia manufatureira que dependia, então, da proteção aduaneira. A burguesia inglesa defendia seus interesses tão acertadamente quanto os burgueses suecos, que, ao contrário, solidários com seu baluarte econômico, os camponeses, apoiaram os reis na sua retomada violenta dos bens da Coroa que se encontravam em mãos da oligarquia, luta que começou em 1604 e prosseguiu com Carlos x e Carlos xi.

A propriedade comunal (isto é, as terras comuns), absolutamente diversa da propriedade da Coroa ou do Estado, da qual falamos, era uma velha instituição germânica que continuou a existir sob cobertura feudal. Conforme vimos, a violência que se assenhoreia das terras comuns, seguida, em regra, pela transformação das lavouras em pastagens, começa no fim do século xv e prossegue no século xvi. Mas, então, o processo se efetivava por meio da violência individual, contra a qual a legislação lutou em vão durante 150 anos. O progresso do século xviii consiste em ter tornado a própria lei o veículo do roubo das terras pertencentes ao povo, embora os grandes arrendatários empregassem simultânea e independentemente seus pequenos métodos particulares.[203] O roubo assume a forma parlamentar que lhe dão as leis relativas ao cercamento das terras comuns, ou melhor, os decretos com que os senhores das terras se presenteiam com os bens que pertencem ao povo, tornando-os sua propriedade particular, decretos de expropriação do povo. Sir F. M. Eden se contradiz, em sua cavilosa argumentação jurídica: configura na propriedade comunal a propriedade privada dos lordes latifundiários sucessores dos lordes feudais e, ao mesmo tempo, pleiteia "lei geral do Parlamento para cercar as terras comuns", admitindo, portanto, ser necessário um golpe parlamentar para transformá-las em propriedade

---

203 "Os arrendatários proíbem aos que moram na área arrendada manterem em suas habitações qualquer ser vivo além deles, sob o pretexto de que, se esses moradores tiverem gado ou aves, irão cevá-los com alimento furtado do celeiro. Os arrendatários dizem que os moradores têm de ser pobres para trabalhar ativamente. A verdade, entretanto, é que os arrendatários usurpam, por esse modo, todos os direitos que os trabalhadores têm às terras comuns." (*A Political Enquiry into the Consequences of Enclosing Waste Lands*, Londres, 1785, p. 75.)

O CAPITAL

privada. E continua a contradizer-se, ao pedir ao legislador uma indenização para os pobres expropriados.[204]

Os *yeomen*, os abastados camponeses independentes, foram substituídos por pequenos arrendatários, com contratos anualmente rescindíveis, gente servil, dependente do arbítrio do grande proprietário. Demais, o roubo sistemático das terras comuns, aliado ao furto das terras da Coroa, contribuiu para aumentar aqueles grandes arrendamentos, chamados, no século XVIII, de fazendas de capital[205] ou fazendas comerciais,[206] e que tornavam a população agrícola disponível para a indústria.

O século XVIII não reconhecia ainda, na mesma extensão que o XIX, a identidade entre riqueza nacional e pobreza do povo. Daí as polêmicas mais violentas na literatura econômica daquela época sobre "o cercamento das terras comuns". Do abundante material disponível sobre a matéria, apresento algumas passagens que proporcionam uma impressão viva do que aconteceu.

> "Em muitas paróquias de Hertfordshire", escreve uma testemunha indignada, "24 arrendamentos, cada um com 50 a 150 acres em média, foram fundidos em 3 apenas."[207] "Em Northamptonshire e Lincolnshire, cercaram as terras comuns na mais ampla escala e a maior parte dos novos senhorios daí surgidos estão transformados em pastagens; por isso, muitos senhorios não têm 50 acres arados onde existiam antes 1.500. [...] Ruínas de antigas habitações, celeiros, estábulos etc." são os únicos vestígios dos antigos habitantes. "Em muitos lugares, centenas de casas e famílias foram reduzidas [...] a 8 ou 10. [...] Os proprietários das terras, na maioria das paróquias onde o cercamento foi introduzido há 15 ou 20 anos, são hoje em número bem menor em relação aos que existiam antes. Não é raro ver 4 ou 5 ricos criadores que recentemente usurparam e cercaram terras que se encontravam em mãos de 20 a 30 lavradores arrendatários e outros tantos pequenos proprietários e colonos. Esses lavradores e suas famílias foram enxotados dos bens imóveis que possuíam, com muitas outras famílias que empregavam e mantinham."[208]

---

204 Eden, *loc. cit.*, Prefácio [pp. XVII-XIX].

205 "Capital farms" (*Two Letters on the Flour Trade and the Dearness of Corn. By a Person in Business*, Londres, 1767, pp. 19 e 20.)

206 "Merchant-farms." *An Enquiry into the Present High Prices of Provisions*, Londres, 1767, p. 11, nota. Essa obra excelente, que apareceu anonimamente, é da autoria do Rev. Nathaniel Forster.

207 Thomas Wright, *A Short Address to the Public on the Monopoly of Large Farms*, 1779, pp. 2-3.

208 Rev. Addington, *Enquiry into the Reasons for or Against Enclosing Open Fields*, Londres, 1772, pp. 37-43 *passim*.

O lorde latifundiário vizinho, sob o pretexto de cercamento, não anexava apenas a terra inculta, mas muitas vezes a cultivava em comum ou mediante arrendamento à comunidade.

> "Falo aqui do cercamento dos campos e terras abertos que já estão cultivados. Até os defensores do cercamento admitem, nesse caso, que ele aumenta o monopólio das terras, eleva os preços dos meios de subsistência e produz o despovoamento [...] e mesmo o cercamento de terras incultas, como atualmente se pratica, rouba aos pobres parte de seus meios de subsistência e amplia as áreas arrendadas que já são grandes demais."[209]
>
> "Se", diz o Dr. Price, "todas as terras caírem nas mãos de alguns poucos grandes arrendatários, os pequenos lavradores [segundo ele os define, 'uma multidão de pequenos proprietários e arrendatários que se mantêm e sustentam suas famílias com o produto da terra que cultivam, com ovelhas, aves, porcos etc. que criam nas terras comuns, precisando poucas vezes de comprar meios de subsistência'] serão transformados em pessoas que terão de ganhar a vida trabalhando para os outros e forçadas a ir ao mercado para comprar tudo de que precisam. [...] Haverá talvez mais trabalho, pois a coação será maior. [...] Aumentarão as cidades e as manufaturas, pois mais gente afluirá para elas procurando emprego. Este é o sentido em que o açambarcamento das terras naturalmente atua e em que, há muitos anos, tem realmente atuado neste reino."[210]

Resumindo os efeitos do cercamento, diz ele:

> "De modo geral, a situação das classes inferiores do povo piorou em todos os sentidos: os pequenos proprietários de terra e os pequenos arrendatários foram rebaixados à condição de jornaleiros e assalariados, e, ao mesmo tempo, se tornou mais difícil para eles ganharem a vida nessa situação."[211]

---

209 Dr. R. Price, *loc. cit.*, V. II, pp. 155-156. Veja Forster, Addington, Kent, Price e James Anderson, e compare o que escrevem com a pobre tagarelice do sicofanta MacCulloch em seu catálogo *The Literature of Political Economy*, Londres, 1845.

210 *Loc. cit.*, pp. 147-148.

211 *Loc. cit.*, pp. 159-160. Lembra a velha Roma. "Os ricos tinham se apossado das terras comuns. Confiando nas circunstâncias do tempo, achavam que elas não lhes seriam retomadas, e por isso compravam os lotes dos pobres nas proximidades, empregando a persuasão ou a violência. Desse modo, transformaram suas propriedades em vastos domínios. Precisavam então de escravos para a lavoura e para a pecuária, pois as pessoas livres foram retiradas do trabalho para o serviço militar. Trazia-lhes grande lucro a propriedade de escravos, pois estes, isentos do serviço militar, podiam se multiplicar livremente, produzindo muitos filhos. Assim, os poderosos apoderaram-se de toda a

O CAPITAL

A usurpação das terras comuns e a revolução agrícola que a acompanha agravaram de tal modo a situação do trabalhador agrícola que, segundo o próprio Eden, seu salário, entre 1765 e 1780, começou a cair abaixo do mínimo e a ser complementado pela assistência oficial aos indigentes. Seu salário, diz ele, "bastava apenas para as necessidades absolutamente indispensáveis".

Ouçamos ainda um defensor do sistema de cercamento e adversário do Dr. Price.

> "Não é lícito concluir que exista o despovoamento por não haver mais gente trabalhando em campos abertos. [...] Quando os pequenos lavradores se transformam em pessoas que têm de trabalhar para os outros, mobiliza-se mais trabalho, uma vantagem que a nação [à qual, naturalmente, não pertencem aqueles lavradores] só pode receber com agrado. [...] O produto é maior quando o trabalho conjunto deles se emprega num só arrendamento. Forma-se, assim, produto excedente para as manufaturas, tornando-se estas uma das minas de ouro deste país, expandindo-se na proporção da quantidade produzida de cereais."[212]

A serenidade estoica com que o economista político presencia as violações mais cínicas do "sagrado direito de propriedade" e as violências mais contundentes contra as pessoas, desde que necessárias para estabelecer as bases do modo capitalista de produção, encontramos configurada, por exemplo, no conservador e filantropo Sir F. M. Eden. Toda a série de rapinas, horrores e tormentos do povo, que acompanham as expropriações violentas do último terço do século xv aos fins do século xvIII, servem apenas para levá-lo a esta "reconfortante" reflexão final:

---

riqueza, e todo o país estava cheio de escravos. Os ítalos, entretanto, foram sendo reduzidos, dizimados pela pobreza, pelos tributos e pela guerra. Nas épocas de paz, eram condenados à completa inatividade, pois a posse das terras estava com os ricos, e estes não precisavam, para a agricultura, de pessoas livres mas de escravos." (Apiano, *Guerras civis romanas*, I, 7.) Essa passagem se refere ao tempo que precedeu a lei licínia. O serviço militar, que tanto acelerou a decadência da plebe romana, foi o principal meio utilizado por Carlos Magno para transformar os livres camponeses germânicos em servos e vassalos.

212 [J. Arbuthnot,] *An Enquiry into the Connection between the Present Prices of Provisions* etc., pp. 123-124. Observação semelhante, mas de tendência oposta: "Os trabalhadores são expulsos de suas habitações e forçados a procurar ocupação nas cidades; mas obtém-se, então, um excedente maior, aumentando assim o capital." ([R. B. Seeley,] *The Perils of the Nation*, 2ª edição, Londres, 1843, p. xiv.)

A CHAMADA ACUMULAÇÃO PRIMITIVA

"A proporção adequada entre as terras de lavoura e as de pastagem tinha de ser estabelecida. Ainda no decurso do século xiv e na maior parte do século xv, havia 1 acre de pastagem para 2, 3 e até 4 acres de terras de lavoura. Em meados do século xvi, a proporção mudou, havendo 2 acres de pastagem para 2 de terras de lavoura; mais tarde, 2 acres de pastagem para 1 acre de terras de lavoura, até que finalmente se ficou a justa proporção de 3 acres para 1."

No século xix, perdeu-se naturalmente a lembrança da conexão que existia entre agricultura e terra comunal. Para não falar de tempos mais próximos, perguntaríamos que indenização recebeu a população dos campos quando, entre 1810 e 1831, foi espoliada em 3.511.770 acres de terras comuns, com os quais, através do Parlamento, os *landlords* presentearam os *landlords*?

O último grande processo de expropriação dos camponeses é finalmente a chamada limpeza das propriedades, a qual consiste em varrer destas os seres humanos. Todos os métodos ingleses até agora observados culminaram nessa "limpeza". Conforme vimos anteriormente, ao descrever as condições modernas em que não há mais camponeses independentes para enxotar, a limpeza prossegue para demolir as choupanas, de modo que os trabalhadores agrícolas não encontram mais na terra que lavram o espaço necessário para sua própria habitação. Mas a "limpeza das propriedades", no seu verdadeiro sentido, vamos encontrar mesmo na região dileta da literatura novelesca moderna, a Escócia serrana. A operação lá se destaca pelo caráter sistemático, pela magnitude da escala em que se executa de um só golpe (na Irlanda, houve proprietários que demoliram várias aldeias ao mesmo tempo: na Escócia, houve casos de áreas do tamanho de ducados alemães), e finalmente pela forma peculiar da propriedade que é usurpada.

Os celtas da região montanhosa da Escócia estão organizados em clãs, cada um deles proprietário do solo que ocupa. O representante do clã, seu chefe ou "grande homem", era apenas o proprietário titular desse solo, como a Rainha da Inglaterra é a proprietária titular de todo o território inglês. Quando o governo inglês conseguiu acabar com as guerras internas desses "grandes homens" e com suas incursões contínuas às planícies da Baixa Escócia, não renunciaram eles ao velho ofício de bandoleiro; mudaram apenas a forma. Por conta própria, transformaram seu direito titular ao solo em direito de propriedade privada e, como encontrassem

O CAPITAL

resistência nos membros do clã, resolveram enxotá-los com o emprego direto da violência.

"Um rei da Inglaterra poderia, com o mesmo direito, pretender lançar seus súditos ao mar", diz professor Newman.[213] Essa revolução, que começou na Escócia depois do último levante dos partidários do pretendente à Coroa da Inglaterra, pode ser acompanhada em suas primeiras fases, através de Sir James Stewart[214] e James Anderson.[215] No século XVIII, foi proibida a emigração dos gaélicos expulsos de suas terras, a fim de tangê-los compulsoriamente para Glasgow e para outras cidades industriais.[216] Para ilustrar o método dominante do século XIX,[217] basta citar as "limpezas" levadas a cabo pela duquesa de Sutherland. Economicamente instruída, ela resolveu, ao assumir a direção de seus domínios, empreender uma cura radical, transformando em pastagem de ovelhas todo o condado cuja população já fora reduzida antes, por processos semelhantes, a 15.000 habitantes. De 1814 a 1820, esses 15.000 habitantes, cerca de 3.000 famílias, foram sistema-

---

213 "A king of England might as well claim to drive his subjects into the sea." (F. W. Newman, *loc. cit.*, p. 132.)

214 Diz Stewart: "A renda dessas terras [confunde erroneamente essa categoria econômica com o tributo que os taksmen, os vassalos, pagam ao chefe do clã] é insignificante em relação à sua extensão. Mas, se comparamos o número de pessoas alimentadas pela terra, veremos que uma propriedade da região montanhosa escocesa sustenta, talvez, dez vezes mais gente que outra do mesmo valor nas províncias mais férteis." (*Loc. cit.*, V. I, Cap. XVI, p. 104.)

215 James Anderson, *Observations on the Means of Exciting a Spirit of National Industry* etc., Edimburgo, 1777.

216 Em 1860, pessoas violentamente expropriadas foram exportadas para o Canadá sob falsas promessas. Uns fugiram para as montanhas ou ilhas vizinhas. Foram perseguidos pela polícia, entraram em choque com ela e conseguiram escapar.

217 "Nas terras altas da Escócia", diz Buchanan, comentador de Adam Smith, "é diariamente subvertida a antiga situação da propriedade. [...] O *landlord*, sem qualquer consideração com os rendeiros hereditários [usa erroneamente essa categoria], arrenda a terra ao que faz o maior lanço e, se esse licitante é um inovador, introduz imediatamente novo sistema de cultura. A terra, antes coberta por pequenos lavradores, estava povoada na proporção do que produzia; no novo sistema de melhor cultivo e de maiores rendimentos, obtém-se a maior produção possível, com a menor despesa possível e, para esse fim, são afastados os braços que se tornaram inúteis. [...] Os que são enxotados da terra procuram sua subsistência nas cidades industriais etc." (David Buchanan, *Observations on [...] A. Smith's Wealth of Nations*, Edimburgo, 1814, vol. IV, p. 144.) "Os grandes da Escócia expropriaram famílias como se fossem erva ruim, trataram aldeias e suas populações como indianos enraivecidos atacam as feras acuadas em seus refúgios. [...] O ser humano vale uma pele de carneiro ou uma perna de carneiro ou menos ainda. [...] Quando os mongóis invadiram as províncias setentrionais da China, propôs-se, em seu conselho, exterminar os habitantes e transformar suas terras em pastagens. Essa proposta foi posta em execução por muitos *landlords* escoceses, em suas próprias terras, contra seus próprios conterrâneos." (George Ensor, *An Inquiry Concerning the Population or Nations*, Londres, 1818, pp. 215-216.)

794

A CHAMADA ACUMULAÇÃO PRIMITIVA

ticamente enxotados e expulsos. Todas as suas aldeias foram destruídas e reduzidas a cinzas; todas as suas lavouras, convertidas em pastagens. Soldados britânicos intervieram para executar a expulsão e entraram em choque com os nativos. Uma velha morreu no meio das chamas de sua cabana, que se recusara a abandonar. Assim, apossou-se essa fidalga de 794.000 acres de terra que pertencia ao clã, desde tempos imemoriais. Aos aborígenes expulsos mandou que se localizassem em 6.000 acres da orla marítima, a 2 acres por família. Esses 6.000 acres tinham permanecido incultos até então, sem proporcionar qualquer renda. Em sua fidalguia, a duquesa foi a ponto de cobrar 2 xelins e 6 pence de renda, em média, por acre, a ser paga por membros do clã, que, há séculos, tinham vertido seu sangue em defesa de seus nobres antepassados. Ela dividiu toda a terra roubada ao clã em 29 grandes arrendamentos para criação de ovelhas, cada um habitado apenas por uma família, em regra oriunda da criadagem dos arrendatários ingleses. Em 1825, os 15.000 aborígenes gaélicos estavam substituídos por 131.000 ovelhas. Os que foram lançados na orla marítima procuraram viver de pesca. Transformaram-se em anfíbios e, na expressão de um escritor inglês, viviam uma meia-vida constituída de duas partes, uma em água e outra em terra.[218]

Mas a brava gente gaélica devia pagar ainda mais caro pela idolatria que seu romantismo serrano votava aos "grandes homens" do clã. O cheiro de peixe chegou ao nariz dos grandes homens. Farejaram algo lucrativo atrás dele e arrendaram a orla marítima aos grandes mercadores de peixe de Londres. Os gaélicos foram enxotados pela segunda vez.[219]

Por fim, uma parte das pastagens vem a transformar-se em reserva de caça. Sabemos que não há verdadeiras florestas na Inglaterra. A caça nos parques dos grandes senhores já se tornou gado doméstico, gordo como os edis londrinos. Por isso, a Escócia é o último asilo da "nobre paixão".

---

218 A atual duquesa de Sutherland recebeu em Londres, faustosamente, a autora de *A cabana do Pai Tomás*, Harriet Beecher Stowe, a fim de expressar sua simpatia pela causa dos escravos negros da República Americana, simpatia que, prudentemente, ocultou, como os demais aristocratas, durante a Guerra de Secessão, quando o coração dos nobres ingleses pulsava a favor dos escravocratas. Naquela ocasião, expus, no *New York Tribune*, as condições dos escravos de Sutherland (Carey incluiu alguns dados do meu trabalho em sua obra *The Slave Trade*, Filadélfia, 1853, pp. 202-203.) Um jornal escocês reproduziu meu artigo e teve de sustentar forte polêmica com os sicofantas dos Sutherlands.
219 Pormenores interessantes sobre o assunto encontramos em *Portfolio, New Series*, de David Urquhart. Nassau W. Senior, em sua obra póstuma já citada, classifica "os métodos utilizados em Sutherland como uma das limpezas mais benéficas de que se tem memória." (*Loc. cit.*, p. 282.)

O CAPITAL

"Nas terras altas da Escócia", diz Somers, em 1848, "aumentaram muito as florestas de caça.[219a] De um lado de Gaick encontra-se a nova floresta de Glenfeshie e, do outro, a de Ardverikie. Continuando para a frente, temos o Bleak Mount, um vasto e imenso ermo, surgido recentemente. De leste para oeste, das vizinhanças de Aberdeen até os penhascos de Oban, temos agora uma linha contínua de florestas e, em outras partes das terras altas, as novas florestas de Loch Archaig, Glengarry, Glenmoriston etc. [...] A transformação de suas terras em pastagens [...] expulsou os gaélicos para terras estéreis. Agora, a caça começa a substituir a ovelha e, por isso, eles são empurrados para uma miséria mais triturante. [...] Essas florestas de caça e o povo não podem coexistir. Um dos dois tem de ceder. Se os campos de caça crescerem, no próximo quartel do século, na mesma proporção do passado, não sobrará mais nenhum gaélico em sua terra natal. Esse movimento entre os proprietários das terras altas decorre, nuns, de moda, de mania aristocrática, de vã paixão pela caça etc. e, noutros, do interesse do lucro que auferem no negócio de caça. Em muitos casos, é incomparavelmente mais lucrativo utilizar uma área nas montanhas para caça do que reservá-la para pastagem de ovelhas. [...] O entusiasta que procura um campo de caça só tem um limite para a sua oferta, o tamanho de sua bolsa. [...] Impuseram-se nas terras altas sofrimentos que não eram menos cruéis que os impostos pelos reis normandos à Inglaterra. Os cervos dispõem de espaços livres, enquanto os seres humanos são acossados para um círculo cada vez mais estreito. [...] Roubam ao povo uma liberdade atrás da outra. [...] E a opressão cresce diariamente. Expulsar e dispersar gente é um princípio inabalável dos proprietários, que o consideram uma necessidade agrícola igual à de extirpar as árvores e os arbustos nas florestas virgens da América e da Austrália; e a operação segue sua marcha tranquila como se fosse um negócio regular."[220]

219a As florestas de caça da Escócia não possuem uma única árvore. As ovelhas expulsas são substituídas pelos cervos nas montanhas desnudas que recebem então o nome de floresta de caça. Não há, portanto, nem mesmo silvicultura.

220 Robert Somers, *Letters from the Highlands; or, the Famine of 1847*, Londres, 1848, pp. 12-28 *passim*. Essas cartas apareceram originalmente no *Times*. Os economistas ingleses, naturalmente, atribuíram a epidemia de fome dos gaélicos, em 1847, à sua superpopulação. Em todo caso, eles "pressionavam" sobre a oferta de alimentos. A limpeza das propriedades, ou a expropriação dos camponeses pelos nobres, na Alemanha, tornou-se sobretudo vigorosa na Guerra dos Trinta Anos e provocou, em 1790, revoltas dos camponeses no Eleitorado da Saxônia. A expropriação prevaleceu principalmente na Alemanha Oriental. Na maior parte das províncias da Prússia, Frederico II assegurou, pela primeira vez, aos camponeses o direito de propriedade. Depois de conquistar a Silésia, obrigou os proprietários das terras a reconstruírem as habitações, os celeiros etc. e a proverem os camponeses de gado e instrumentos agrícolas. Precisava de soldados para o exército e de contribuintes para o tesouro. A vida agradável dos camponeses, sob a tirania financeira de Frederico e sua mistura de despotismo, burocracia e feudalismo, pode ser inferida através da seguinte passagem de Mirabeau, que tanto o admirava: "O linho representa, portanto, uma das grandes riquezas do lavrador na Alemanha

A CHAMADA ACUMULAÇÃO PRIMITIVA

O roubo dos bens da Igreja, a alienação fraudulenta dos domínios do Estado, a ladroeira das terras comuns e a transformação da propriedade feudal e do clã em propriedade privada moderna, levada a cabo com terrorismo implacável, figuram entre os métodos idílicos da acumulação primitiva.

Setentrional. Infelizmente para a espécie humana, constitui apenas um recurso contra a miséria, e não um meio de bem-estar. Os impostos diretos, as corveias e os serviços compulsórios de toda a espécie esmagam o camponês alemão, que ainda paga impostos indiretos em tudo o que compra [...] e, para completar sua ruína, não se atreve a vender seus produtos onde e como quer; não se atreve a comprar o que precisa nos comerciantes que podem lhe vender mais barato. Todas essas causas o arruínam lenta e seguramente, e sem a fiação estaria impossibilitado de pagar os impostos diretos no dia do vencimento; ela lhe oferece uma ajuda, proporcionando ocupação útil a sua mulher, seus filhos, suas criadas, seus criados e a ele mesmo. Apesar dessa ajuda, que vida sacrificada leva ele! No verão, trabalha como um condenado, na lavoura e na colheita; vai deitar-se às 9 horas da noite e levanta-se às 2 da manhã para dar conta de seus trabalhos; no inverno, deveria recuperar suas forças com um longo repouso; mas faltar-lhe-iam grãos para o pão e para a semeadura, se os vendesse para pagar os impostos. Teriam de fazer isso, se não houvesse uma saída, fiar [...] e com o maior afinco. Assim, no inverno, o camponês deita-se à meia-noite ou à 1 da manhã e levanta-se às 5 ou às 6, ou deita-se às 9 da noite e levanta-se às 2 da manhã. E isso, todos os dias de sua vida, exceto aos domingos. Esse excesso de vigília e de trabalhos esgota o ser humano, de modo que os homens e as mulheres envelhecem no campo muito mais rapidamente do que na cidade." (Mirabeau, *loc. cit.*, t. III, pp. 212 e segs.)

Adendo à 2ª edição: Em março de 1866, 18 anos após a publicação da obra de Robert Somers citada, o Prof. Leone Levi fez uma conferência na Society of Arts sobre a transformação das pastagens de ovelhas em campos de caça, descrevendo a desolação crescente das terras altas da Escócia. Disse ele: "O despovoamento e a transformação das lavouras em meros pastos de ovinos ofereceram o meio mais cômodo para um rendimento sem despesas. [...] Tornouse moda, depois, transformar os pastos em campos de caça. As ovelhas são expulsas pelos animais de caça, do mesmo modo que os seres humanos foram enxotados antes para dar lugar às ovelhas. [...] Podemos ir das propriedades do conde de Dalhousie em Forfarshire até John o'Groats, sem perder de vista os campos de caça. Em muitos deles habitam a raposa, o gato selvagem, a marta, a fuinha, a doninha, a lebre alpina; chegaram depois o coelho, o esquilo e o rato-do-mato. Imensas áreas que figuravam na estatística da Escócia como pastagens de excepcionais fertilidade e extensão não são cultivadas nem melhoradas, estando reservadas exclusivamente para algumas pessoas terem o prazer da caça em período curto e determinado do ano."

O *Economist* de Londres, de 2 de junho de 1866, transcreve a seguinte notícia publicada num jornal escocês, na semana anterior: "Uma das melhores pastagens de ovelhas em Sutherlandshire, pela qual se ofereceu recentemente uma renda anual de 1.200 libras esterlinas ao término do contrato de arrendamento, transforma-se em campo de caça." E comenta: "Manifestam-se os instintos feudais [...] como nos tempos dos conquistadores normandos [...] que destruíram 36 aldeias para criar a Nova Floresta. [...] Dois milhões de acres que incluem algumas das terras mais férteis da Escócia se transformaram em áreas incultas. As pastagens naturais de Glen Tilt figuravam entre as mais nutritivas do condado de Perth; o campo de caça de Ben Aulder era a melhor pastagem do vasto distrito de Badenoch, uma parte da área de caça de Black Mount era a melhor pastagem escocesa para ovelhas de cara preta. Para se formar uma ideia da extensão dos imensos espaços ermos destinados à paixão da caça, basta verificar que abrangem uma área muito maior que todo o condado de Perth. Para se avaliar a perda causada à produção do país por essa devastação violenta, é suficiente observar que o campo de caça de Ben Aulder podia alimentar 15.000 ovelhas e que ele constitui apenas $^1/_{30}$ das reservas de caça da Escócia. [...] Toda essa área de caça é absolutamente improdutiva [...] e poderia estar submergida no Mar do Norte sem fazer falta. É chegada a hora de a lei intervir para acabar com essas áreas que se tornam propositalmente incultas, com esses ermos improvisados."

O CAPITAL

Conquistaram o campo para a agricultura capitalista, incorporaram as terras ao capital e proporcionaram à indústria das cidades a oferta necessária de proletários sem direitos.

3. LEGISLAÇÃO SANGUINÁRIA CONTRA OS EXPROPRIADOS, A PARTIR DO SÉCULO XV. LEIS PARA REBAIXAR OS SALÁRIOS

Os que foram expulsos de suas terras com a dissolução das vassalagens feudais e com a expropriação intermitente e violenta – esse proletariado sem direitos – não podiam ser absorvidos pela manufatura nascente com a mesma rapidez com que se tornavam disponíveis. Bruscamente arrancados das suas condições habituais de existência, não podiam enquadrar-se, da noite para o dia, na disciplina exigida pela nova situação. Muitos se transformaram em mendigos, ladrões, vagabundos, em parte por inclinação, mas, na maioria dos casos, por força das circunstâncias. Daí ter surgido em toda a Europa Ocidental, no fim do século xv e no decurso do xvi, uma legislação sanguinária contra a vadiagem. Os ancestrais da classe trabalhadora atual foram punidos inicialmente por se transformarem em vagabundos e indigentes, transformação que lhes era imposta. A legislação os tratava como pessoas que escolhem propositalmente o caminho do crime, como se dependesse da vontade deles prosseguirem trabalhando nas velhas condições que não mais existiam.

Essa legislação começou na Inglaterra, no reinado de Henrique vii.

Henrique viii, lei de 1530. – Mendigos velhos e incapacitados para trabalhar têm direito a uma licença para pedir esmolas. Os vagabundos sadios serão flagelados e encarcerados. Serão amarrados atrás de um carro e açoitados até que o sangue lhes corra pelo corpo; em seguida, prestarão juramento de voltar à sua terra natal ou ao lugar onde moraram nos últimos 3 anos, "para se porem a trabalhar". Que ironia cruel! Essa lei é modificada, com acréscimos ainda mais inexoráveis, no ano 27 do reinado de Henrique viii. Na primeira reincidência de vagabundagem, além da pena de flagelação, metade da orelha será cortada; na segunda, o culpado será enforcado como criminoso irrecuperável e inimigo da comunidade.

Eduardo vi. – Uma lei do primeiro ano de seu governo, 1547, estabelece que, se alguém se recusar a trabalhar, será condenado como escravo da pessoa que o tenha denunciado como vadio. O dono deve alimentar seu escravo com pão e água, bebidas fracas e restos de carne, conforme achar conveniente. Tem o direito de forçá-la a executar qualquer trabalho, por mais repugnante que seja, flagelando-o e pondo-o a ferros. Se o escravo desaparecer por duas semanas, será condenado à escravatura por toda a vida e será marcado a ferro, na testa e nas costas, com a letra S; se escapar pela terceira vez, será enforcado como traidor. O dono pode vendê-la, legá-la, alugá-la, como qualquer bem móvel ou gado. Se o escravo tentar qualquer coisa contra seu senhor, será também enforcado. Os juízes de paz, quando informados, devem providenciar a busca dos velhacos. Se se verificar que um vagabundo está vadiando há 3 dias, será ele levado à sua terra natal, marcado com ferro em brasa no peito com a inicial V e lá posto a trabalhar a ferros, na rua ou em outros serviços. Se informar falsamente o lugar de nascimento, será condenado a escravo vitalício desse lugar, dos seus habitantes ou da comunidade e marcado com S. Todas as pessoas têm o direito de tomar os filhos dos vagabundos e mantê-las como aprendizes, os rapazes até a idade de 24 anos, e as moças, até 20. Se fugirem, tornar-se-ão, até essa idade, escravos do mestre, que pode pô-las a ferro, açoitá-las etc., conforme quiser. O dono pode colocar um anel de ferro no pescoço, nos braços ou pernas de seu escravo, para reconhecê-la mais facilmente e ficar mais seguro dele.[221] A última parte da lei prevê que certos indigentes podem ser empregados por comunidades ou pessoas que tenham a intenção de lhes dar de comer e de beber e de arranjar-lhes trabalho. Essa espécie de escravos de paróquia subsistiu por muito tempo, chegando até o século XIX, sob o nome de rondantes (*roundsmen*).

Elizabeth, 1572. – Mendigos sem licença e com mais de 14 anos serão flagelados severamente e terão suas orelhas marcadas a ferro, se ninguém quiser tomá-las a serviço por 2 anos; em caso de reincidência, se têm mais de 18 anos, serão enforcados, se ninguém quiser tomá-las a serviço por 2 anos; na terceira vez, serão enforcados, sem mercê, como traidores. Leis análogas, a nº 13, do ano 18 do reinado de Elizabeth, e a do ano de 1597.[221a]

---

221 O autor de *Essay on Trade* etc., 1770, observa: "No governo de Eduardo VI, os ingleses parecem ter levado a sério fomentar as manufaturas e empregar os pobres. É o que inferimos de uma lei digna de reparo, a qual prevê que todos os vagabundos devem ser marcados a ferro." (*Loc. cit.*, p. 5.)

221a Thomas Morus diz em sua *Utopia* [pp. 41-42]: "Um voraz e insaciável avarento, terrível praga de sua terra natal, trama e consegue apossar-se de milhares de acres, contorna-os e fecha-os com cercas e valados, expulsa os lavradores que os ocupavam, utilizando a fraude e a violência, ou os atormenta de tal modo que os força a lhe venderem tudo. De um modo ou de outro, por bem ou por mal, forçou-os a irem embora, pobres, simples e desventuradas almas! Homens, mulheres, esposos, esposas, órfãos, viúvas, mães chorosas com crianças de peito, famílias inteiras, pobres, mas numerosas, pois a

O CAPITAL

Jaime I. – Quem perambule e mendigue será declarado vadio e vagabundo. Os juízes de paz, em suas sessões, estão autorizados a mandar açoitá-lo e encarcerá-lo por 6 meses, na primeira vez, e por 2 anos, na segunda. Na prisão, receberão tantas vezes tantas chicotadas quantas os juízes de paz acharem adequadas. [...] Os vagabundos incorrigíveis e perigosos serão ferreteados com um R sobre o ombro esquerdo e condenados a trabalhos forçados; se novamente forem surpreendidos mendigando, serão enforcados sem mercê. Essas prescrições legais subsistiram até o começo da segunda década do século XVIII, quando foram revogadas pela lei nº 23, do ano 12 do reinado de Ana.

Houve leis análogas na França. Nos meados do século XVII, estabelecera-se em Paris um reino dos vagabundos. Ainda no início do reinado de Luís XVI, pela ordenança de 13 de julho de 1777, todo homem válido de 16 a 60 anos, sem meios de existência e sem exercer uma profissão, devia ser mandado para as galés. Eram de natureza semelhante o edito de Carlos V, de outubro de 1537, para os Países Baixos, o primeiro edito dos Estados e Cidades de Holanda, de 19 de março de 1614, e o das Províncias Unidas, de 25 de junho de 1649 etc.

Assim, a população rural, expropriada e expulsa de suas terras, compelida à vagabundagem, foi enquadrada na disciplina exigida pelo sistema de trabalho assalariado, por meio de um grotesco terrorismo legalizado que empregava o açoite, o ferro em brasa e a tortura.

---

lavoura exigia muitos braços. Carregando seus haveres, afastam-se lenta e penosamente dos lugares conhecidos e amados, e não encontram adiante onde repousar. A venda de todos os seus pertences, embora de pouco valor, poderia lhes proporcionar certos recursos, noutras circunstâncias; mas, subitamente, lançados ao ar, têm de se desfazer deles a preço irrisório. E quando vagueiam depois de consumir o último ceitil, que poderão fazer além de roubar (e então, meu Deus, ser enforcados com todas as formalidades jurídicas) ou pedir esmolas? E, se mendigarem, serão lançados ao cárcere como vagabundos, por estarem perambulando sem trabalhar; eles, a quem ninguém quer dar trabalho por mais que implorem." Desses seres erradios, compelidos a roubar, segundo o depoimento de Thomas Morus, "72.000 foram enforcados como ladrões grandes e pequenos no reinado de Henrique VIII". (Holinshed, *Description of England*, v. I, p. 186.) Na época de Elizabeth, "vagabundos foram enforcados em série, e geralmente não havia um ano em que 300 ou 400 não fossem levados à forca". (Strype, *Annals of the Reformation and Establishment of Religion, and Other Various Occurrences in the Church of England During Queen Elizabeth's Happy Reign*, 2ª edição, 1725, vol. II.) Ainda segundo Strype, em Somersetshire, num único ano, foram enforcadas 40 pessoas, ferreteadas 35, flageladas 37, e postos em liberdade 183 "criminosos incorrigíveis". Apesar disso, observa ele: "Esse grande número de réus não compreende nem mesmo a quinta parte de todos os criminosos, em virtude da negligência dos juízes de paz e da compaixão estúpida do povo." Acrescenta: "Os demais condados da Inglaterra não estão em melhor situação que Somersetshire, e muitos, até em pior."

A CHAMADA ACUMULAÇÃO PRIMITIVA

Não basta que haja, de um lado, condições de trabalho sob a forma de capital e, do outro, seres humanos que nada têm para vender além de sua força de trabalho. Tampouco basta forçá-los a se venderem livremente. Ao progredir a produção capitalista, desenvolve-se uma classe trabalhadora que, por educação, tradição e costume, aceita as exigências daquele modo de produção como leis naturais evidentes. A organização do processo de produção capitalista, em seu pleno desenvolvimento, quebra toda a resistência; a produção contínua de uma superpopulação relativa mantém a lei da oferta e da procura de trabalho e, portanto, o salário em harmonia com as necessidades de expansão do capital e a coação surda das relações econômicas consolida o domínio do capitalista sobre o trabalhador. Ainda se empregará a violência direta, à margem das leis econômicas, mas doravante apenas em caráter excepcional. Para a marcha ordinária das coisas, basta deixar o trabalhador entregue às "leis naturais da produção", isto é, à sua dependência do capital, a qual decorre das próprias condições de produção e é assegurada e perpetuada por essas condições. Mas as coisas corriam de modo diverso durante a gênese histórica da produção capitalista. A burguesia nascente precisava e empregava a força do Estado, para "regular" o salário, isto é, comprimi-lo dentro dos limites convenientes à produção de mais-valia, para prolongar a jornada de trabalho e para manter o próprio trabalhador num grau adequado de dependência. Temos aí um fator fundamental da chamada acumulação primitiva.

A classe dos assalariados que surgiu na segunda metade do século xiv constituía então, e ainda no século seguinte, apenas fração diminuta do povo, com sua posição protegida, no campo, pela economia camponesa independente e, na cidade, pela organização corporativa. Na cidade e no campo, patrões e trabalhadores estavam próximos socialmente. A subordinação do trabalho ao capital era apenas formal, isto é, o próprio modo de produção não possuía ainda caráter especificamente capitalista. A parte variável do capital predominava muito sobre a constante. Por isso, a procura de trabalho assalariado crescia rápido com toda a acumulação e era seguida lentamente pela oferta. Grande parte do produto nacional, a qual se transforma mais tarde em fundo de acumulação do capital, ainda alimentava então o fundo de consumo do trabalhador.

Na Inglaterra, começa pelo "Estatuto dos Trabalhadores" de Eduardo iii, de 1349, a legislação sobre trabalho assalariado, a qual, desde a origem, visa

O CAPITAL

explorar o trabalhador e prossegue sempre hostil a ele.[222] Na França, esse estatuto encontra seu correspondente na ordenança de 1350, publicada em nome do rei João. A legislação inglesa e a francesa seguem os mesmos rumos e são idênticas em seu conteúdo. Não tratarei das disposições dessas leis quando se refiram ao prolongamento compulsório do dia de trabalho, matéria de que já nos ocupamos no Capítulo VIII, item 5.

O Estatuto dos Trabalhadores foi aprovado em virtude das queixas crescentes da Câmara dos Comuns.

> "Outrora", diz ingenuamente um deputado *tory*, "os salários exigidos pelos pobres eram tão altos que ameaçavam a indústria e a riqueza. Hoje, os salários estão tão baixos que ameaçam a indústria e a riqueza igualmente ou talvez mais, embora de outro modo."[223]

Foi estabelecida uma tarifa legal de salários para a cidade e para o campo, para trabalho por peça e por dia. Os trabalhadores rurais deviam alugar-se por ano; os da cidade, "no mercado livre". Proibiu-se, sob pena de prisão, pagar salários acima dos legais, e quem os recebesse era punido mais severamente do que quem os pagasse. Assim, o Estatuto dos Aprendizes de Elizabeth, nas seções 18 e 19, impunha 10 dias de cadeia a quem pagasse salários acima dos legais, e 21 dias a quem os recebesse. Uma lei de 1360 tornou as penas mais severas e autorizava o patrão a recorrer à coação física para obter o trabalho de acordo com a tarifa legal. Foram declarados nulos de pleno direito todas as combinações, os contratos, os juramentos etc. pelos quais pedreiros e carpinteiros estabelecessem normas comuns obrigatórias para o exercício de suas profissões. A coligação de trabalhadores é considerada crime grave, desde o século XIV até 1825, ano em que foram abolidas as leis contra a coligação ou associação dos trabalhadores. O espírito do Estatuto dos Trabalhadores de 1349 e de seus rebentos posteriores se patenteia na circunstância de o Estado ditar um máximo para os salários, mas nunca um mínimo.

---

222 "Sempre que a legislação procura regular as diferenças entre patrões e trabalhadores, os conselheiros são os patrões", diz A. Smith. "O espírito das leis é a propriedade", diz Linguet.

223 [J. B. Byles,] *Sophisms of Free Trade. By a Barrister*, Londres, 1850, p. 206. Mas o deputado acrescenta maliciosamente: "Estivemos sempre prontos a interferir em defesa do empregador. E os empregados, não se pode fazer nada por eles?"

A CHAMADA ACUMULAÇÃO PRIMITIVA

Conforme sabemos, piorou muito a situação do trabalhador no século XVIII. Subiu muito o salário em dinheiro, mas não proporcionalmente à depreciação deste e à correspondente elevação dos preços das mercadorias. O salário real, portanto, caiu. Não obstante, continuaram em vigor as leis destinadas a rebaixá-lo com as punições de cortar orelhas e de ferretear, aplicadas àqueles "que ninguém queira tomar a seu serviço". O Estatuto dos Aprendizes de Elizabeth (lei nº 3 do ano 5 do seu reinado) autorizava os juízes de paz a fixar certos salários e modificá-los de acordo com as estações do ano e os preços das mercadorias. Jaime I estendeu essa disposição aos tecelões, fiandeiros e a todas as categorias possíveis de trabalhadores,[224] Jorge II submeteu todas as manufaturas às leis contra a coligação de trabalhadores.

No período manufatureiro propriamente dito, o modo capitalista de produção estava suficientemente forte para dispensar, por impraticáveis e supérfluas, as leis reguladoras do salário. Entretanto, guardaram-se as armas do velho arsenal, para o caso de necessidade, e ainda se promulgaram disposições sobre remuneração do trabalho. Jorge II, no ano 8 de seu reinado, proibiu que os oficiais de alfaiataria recebessem um salário diário superior a 2 xelins e 7½ pence, excetuados os casos de luto geral; Jorge III, pela lei nº 68 do ano 13 de seu reinado, transferiu a regulamentação dos salários dos tecelões de seda para os juízes de paz; em 1796, eram necessárias duas sentenças dos tribunais superiores para decidir se eram também aplicáveis aos trabalhadores não agrícolas as determinações dos juízes de paz sobre salários; em 1799, uma lei do Parlamento estabeleceu que o salário dos

---

224 De acordo com uma cláusula da lei nº 6 do ano 2 do reinado de Jaime I, verifica-se que certos fabricantes de pano tomaram em suas mãos ditar, na qualidade de juízes de paz, a tarifa oficial de salários a vigorar em suas próprias oficinas. Na Alemanha, notadamente durante a Guerra dos Trinta Anos, eram frequentes estatutos para manter baixos os salários. "Nas terras despovoadas, seus proprietários sentiam muito a falta de criados e trabalhadores. Proibiu-se aos habitantes das aldeias alugarem quartos a homens e mulheres solteiros, e todos esses hóspedes deviam ser denunciados à autoridade e, se recusassem emprego de criado, postos na cadeia, ainda que tivessem outra atividade, como a de trabalhar a jornal na semeadura para camponeses ou mesmo a de negociar com dinheiro e trigo. (*Privilégios e sanções imperiais para a Silésia*, I,125.) Durante um século inteiro, nos decretos dos príncipes alemães, repetem-se queixas amargas contra a ralé perversa e petulante que não quer se ajustar às condições severas que lhe são impostas nem se contenta com o salário legal. É proibido ao proprietário da terra pagar salário superior ao fixado pela tarifa do Estado. Apesar disso, as condições de trabalho, depois da guerra, eram às vezes melhores do que 100 anos depois; em 1652, na Silésia, os criados recebiam carne duas vezes por semana, quando, ainda em nosso século, havia lá distritos em que eles só recebiam carne três vezes ao ano. Depois da guerra, o salário diário era mais alto que os dos séculos posteriores." (G. Freytag.)

O CAPITAL

trabalhadores das minas na Escócia continuava a ser regulado por uma lei de Elizabeth e por duas leis escocesas de 1661 e 1671. Mas a situação tinha mudado muito. É o que demonstra um acontecimento inaudito na Câmara dos Comuns. Ali, onde há mais de 400 anos se fabricavam leis fixando o máximo que o salário em nenhuma hipótese podia ultrapassar, propôs Whitbread, em 1796, um salário mínimo legal para o jornaleiro agrícola. Pitt opôs-se, embora reconhecesse "ser cruel a situação dos pobres". Em 1813, foram abolidas finalmente as leis que regulavam os salários. Eram uma anomalia ridícula, uma vez que o capitalista passara a decretar nas fábricas sua legislação particular e recorria à taxa de assistência aos pobres para reduzir o salário do trabalhador agrícola ao mínimo indispensável. As disposições dos Estatutos dos Trabalhadores, relativas a contratos entre patrões e assalariados, a aviso-prévio e matérias análogas, e que, por quebra contratual, permitem ação criminal contra o trabalhador em falta e apenas uma ação civil contra o patrão que viola o contrato, continuam até hoje em pleno vigor.

As leis cruéis contra as coligações dos trabalhadores foram abolidas em 1825, ante a atitude ameaçadora do proletariado. Mas apenas em parte. Alguns belos resíduos dos velhos estatutos só desapareceram em 1859. Finalmente, a lei do Parlamento, de 29 de junho de 1871, pretendeu eliminar os últimos vestígios dessa legislação de classe com o reconhecimento legal das *trade unions*. Mas uma lei do Parlamento, da mesma data (destinada a modificar a legislação criminal na parte relativa a violências, ameaças e ofensas), restabelece, na realidade, a situação anterior, sob nova forma. Com essa escamoteação parlamentar, os meios que podem ser utilizados pelos trabalhadores em caso de greve ou *lockout* (greve feita pelos fabricantes fechando todos ao mesmo tempo suas fábricas) foram subtraídos ao domínio do direito comum e colocados sob uma legislação penal de exceção, a ser interpretada pelos próprios fabricantes, na sua qualidade de juízes de paz. Dois anos antes, a mesma Câmara dos Comuns e o mesmo Gladstone, com a costumeira honradez parlamentar, tinham elaborado projeto de lei para abolir a legislação penal de exceção contra a classe trabalhadora. Mas não se deixou o projeto chegar à segunda leitura, e a coisa foi sendo protelada até que finalmente o "Grande Partido Liberal", aliado aos *tories*, resolveu voltar-se em cheio contra o mesmo proletariado que o guindou ao poder. E não satisfeito com essa traição, o "Grande Partido Liberal" permitiu aos juízes ingleses, eternos serviçais das classes dominantes, desenterrarem as

A CHAMADA ACUMULAÇÃO PRIMITIVA

leis arcaicas sobre "conspirações" e aplicá-las às coligações dos trabalhadores. Está claro: de má vontade e pressionado pelas massas, o Parlamento inglês revogou as leis contra as greves e as *trade unions*, depois de ter, durante cinco séculos, com cínico egoísmo, sustentado a posição de uma permanente *trade union* dos capitalistas contra os trabalhadores.

Logo no começo da tormenta revolucionária, a burguesia francesa teve a audácia de abolir o direito de associação dos trabalhadores, que acabara de ser conquistado. Com o decreto de 14 de junho de 1791, declarou toda coligação dos trabalhadores um "atentado à liberdade e à declaração dos direitos do homem", a ser punido com a multa de 500 francos e a privação dos direitos da cidadania por um ano.[225] Essa lei que, por meio da coação policial, comprime a competição entre o capital e o trabalho dentro de limites convenientes ao capital sobreviveu a revoluções e a mudanças de dinastias. Mesmo o regime do terror deixou-a intacta. Só recentemente foi essa norma proibitiva excluída do código penal. Nada caracteriza melhor a mentalidade burguesa do que o pretexto desse golpe de Estado. Le Chapelier, o relator da lei, diz "ser desejável que o salário esteja mais alto do que está atualmente, a fim de que o assalariado não fique nessa dependência absoluta causada pela privação dos meios de subsistência indispensáveis, e que é quase a dependência da escravidão". Entretanto, segundo ele, não devem os trabalhadores ter a permissão de estabelecerem entendimentos entre si sobre seus próprios interesses, de agirem em comum e assim moderarem sua "dependência absoluta que é quase de escravidão", pois sua coligação fere "a liberdade dos empresários, os antigos mestres corporativos" (a liberdade de manterem os trabalhadores na escravidão!), e uma associação contra o despotismo dos ex-mestres (adivinhem!) é uma restauração das corporações abolidas pela Constituição francesa.[226]

---

225 O artigo 1º dessa lei diz: "Sendo uma das bases fundamentais da Constituição francesa a eliminação de todas as espécies de corporações da mesma classe e profissão, fica proibido restabelecê-las sob qualquer pretexto ou qualquer forma." O artigo 4º declara que "se cidadãos da mesma profissão, arte ou ofício tomarem deliberações, fizerem convenções, com o fim de conjuntamente se recusarem a fornecer os serviços de sua indústria ou seus trabalhos, ou de fornecê-los a um preço determinado, essas deliberações e convenções serão declaradas inconstitucionais, atentatórias à liberdade e à declaração dos direitos do homem etc.", crimes contra o Estado, portanto, exatamente conforme já prescreviam os velhos estatutos dos trabalhadores. (*Révolutions de Paris*, Paris, 1791, t. III, p. 523.)

226 Buchez e Roux, *Histoire parlementaire*, t. x, pp. 193 a 195, *passim*.

O CAPITAL

4. GÊNESE DO ARRENDATÁRIO CAPITALISTA

Vimos como se processou a criação violenta dos proletários sem direitos, a disciplina sanguinária que os transformou em assalariados, a ação grotesca e sórdida que aumenta o grau de exploração do trabalho por métodos policiais a fim de acelerar a acumulação do capital; mas precisamos agora saber como se originaram os capitalistas. A expropriação da população rural cria imediatamente apenas grandes proprietários de terras. Quanto à origem do arrendatário, podemos, por assim dizer, senti-la com o tato, pois evolveu lentamente através de muitos séculos. Os próprios servos, do mesmo modo que os pequenos proprietários livres, tinham a posse da terra a títulos os mais diversos e, por isso, emanciparam-se sob as condições econômicas mais diversas.

Na Inglaterra, o ponto de partida das transformações que culminam com o aparecimento da figura do arrendatário capitalista, seu germe mais primitivo, é o *bailiff*, ainda servo. Sua posição é análoga à do *villicus* da velha Roma, embora com uma esfera menor de atribuições. Durante a segunda metade do século XIV, é substituído por um colono a quem o *landlord* fornece sementes, gado e instrumentos agrícolas. Sua situação não é muito diferente da do camponês. Apenas explora mais trabalho assalariado. Logo se torna parceiro, um tipo que se parece mais com o verdadeiro arrendatário. O parceiro fornece uma parte do capital; o *landlord*, a outra. Ambos dividem o produto total em proporção contratualmente estabelecida. Essa forma desaparece rapidamente na Inglaterra para dar lugar ao arrendatário propriamente dito, que procura expandir seu próprio capital empregando trabalhadores assalariados e entrega ao *landlord* uma parte do produto excedente, em dinheiro ou em produtos, como renda da terra.

No século XV, enquanto o camponês independente e, ao seu lado, o trabalhador do campo trabalhando para si mesmo e por salário se enriquecem com seu labor, a situação do arrendatário e sua escala de produção permanecem num nível monotonamente modesto. Mas a revolução agrícola do último terço daquele século, que prossegue por todo o século XVI, com exceção de suas últimas décadas, enriqueceu o arrendatário com a mesma rapidez com que empobreceu a população rural.[227] A usurpação

---

227 Em sua *Description of England*, diz Harrison: "Arrendatários que antes tinham dificuldades em pagar uma renda de 4 libras esterlinas, pagam hoje 40, 50, 100 libras esterlinas e acham que fizeram um mau negócio quando, no fim do contrato, não economizaram o equivalente a 6 ou 7 anos de renda."

A CHAMADA ACUMULAÇÃO PRIMITIVA

das pastagens comuns etc. permitiu-lhe aumentar muito seu gado quase sem despesas, ao mesmo tempo que o gado lhe fornecia maior quantidade de adubos para o cultivo da terra.

No século XVI, intervém ainda outro fator de decisiva importância. Os contratos de arrendamento da época tinham prazo muito longo, muitas vezes 99 anos. A depreciação contínua dos metais preciosos e, em consequência, do dinheiro trouxe ao arrendatário pomos dourados. Rebaixou os salários, independentemente de todas aquelas circunstâncias que já foram examinadas. O montante de redução real dos salários serviu então para acrescer os lucros dos arrendatários. A elevação contínua dos preços do trigo, da lã, da carne, enfim de todos os produtos agrícolas, dilatou o capital monetário do arrendatário sem qualquer intervenção de sua parte, enquanto a renda que tinha de pagar ao dono da terra estava fixada pelo valor monetário antigo.[228] Assim, enriqueceu-se à custa dos assalariados e do *landlord*. Não admira, portanto, que a Inglaterra possuísse, nos fins do século XVI, uma classe de capitalistas arrendatários, ricos em face das condições da época.[229]

---

228 Sobre a influência da depreciação da moeda no século XVI nas diversas classes sociais, vide: *A Compendious or Briefe Examination of Certayne Ordinary Complaints of Diverse of Our Countrymen in These Our Days. By W. S. Gentleman*, Londres, 1581. A forma dialogada desse trabalho contribuiu, durante muito tempo, para que se atribuísse sua autoria a Shakespeare e fosse reeditado em seu nome, ainda em 1751. Seu autor é William Stafford. Num trecho, um personagem, o cavaleiro, raciocina como segue:
O cavaleiro: "Você, vizinho lavrador, você negociante, você compadre latoeiro, vocês, como todos os artesãos, sabem se defender muito bem. Quando as coisas sobem de preço, vocês aumentam proporcionalmente os preços das mercadorias e dos serviços que vendem. Mas nós nada temos para vender, e não podemos contrabalançar com o aumento do preço do que vendêssemos as maiores despesas com as coisas que temos necessariamente de comprar." Noutra passagem, o cavaleiro pergunta ao doutor: "Por favor, de que espécie de gente o senhor está falando?" — O doutor: "Refiro-me àqueles que vivem de comprar e vender, pois, na medida em que compram caro, também vendem caro." — O cavaleiro: "E qual é o outro grupo que, a seu ver, sai ganhando nesta situação?" — O doutor: "Todos os arrendatários que cultivam as terras arrendadas de acordo com a renda antiga, pois, enquanto pagam esta, vendem na base da renda nova, isto é, a terra lhes sai barata e vendem caro tudo o que nela cresce..." — O cavaleiro: "E quem, na sua opinião, sai perdendo enquanto esses ganham?" — O doutor: "Todos os nobres, gentis-homens, e todas as demais pessoas que vivem de uma renda fixa ou de um estipêndio, ou que não cultivam a terra ou que não exercem o ofício de comprar e vender."

229 Na França, o *regisseur*, administrador e coletor dos tributos devidos ao senhor feudal e que aparece nos primórdios da Idade Média, logo se torna um *homme d'affaires* que se transforma em capitalista, por meio de extorsões, fraudes etc. Às vezes, esses *regisseurs* eram nobres. Exemplo: "Contas que o Sr. Jacques de Thoralsse, governador do castelo de Besançon, presta ao nobre senhor que em Dijon administra os bens do senhor duque e conde de Borgonha, contas relativas às rendas da referida castelania, de 25 de dezembro de 1359 até 28 de dezembro de 1360." (Alexis Monteil, *Histoire des matériaux manuscrits* etc., pp. 234 e 235.) A parte do leão já se encaminha aí para o intermediário,

O CAPITAL

5. REPERCUSSÕES DA REVOLUÇÃO AGRÍCOLA NA INDÚSTRIA. FORMAÇÃO DO MERCADO INTERNO PARA O CAPITAL INDUSTRIAL

Conforme vimos, a expropriação e a expulsão da população rural, renovadas, intermitentes, proporcionaram à indústria urbana massas sempre novas de proletários inteiramente desligados da esfera corporativa. Em sua história do comércio, o velho A. Anderson (que não se deve confundir com James Anderson) vê nesse fato uma intervenção direta da Providência. Devemos deter-nos um pouco no exame desse fator da acumulação primitiva. O escasseamento dos camponeses independentes que mantinham sua própria cultura correspondia ao adensamento do proletariado industrial, do mesmo modo que, segundo Geoffroy Saint-Hilaire, a condensação da matéria num ponto explica sua rarefação noutro.[230] Apesar da diminuição de seus cultivadores, o solo proporcionava a mesma quantidade de produção ou maior, porque a revolução no regime de propriedade territorial corria paralela com a melhoria dos métodos de cultura, com maior cooperação, concentração dos meios de produção etc., e porque os assalariados tinham de trabalhar mais intensivamente,[231] dispondo de uma área cada vez menor em que podiam trabalhar para si mesmos. Parte dos habitantes rurais se torna disponível e se desvincula dos meios de subsistência com que se abastecia. Esses meios se transformam então em elemento material do capital variável. Os camponeses expulsos das lavouras têm de comprar o valor desses meios,

---

conforme se observa em todas as esferas da vida social. No domínio econômico, os agentes financeiros, os especuladores de bolsa, os comerciantes, os vendeiros, tiram para si a melhor parte; no direito burguês, o advogado tosquia seu cliente: na política, o representante é mais importante que seus eleitores, o ministro, mais que o soberano; na religião, o "mediador" põe Deus em segundo plano, sendo aquele por sua vez empurrado para trás pelo cura, o intermediário indispensável entre o "bom pastor" e suas ovelhas. Na França, como sucedeu na Inglaterra, os grandes territórios feudais foram repartidos em inúmeras pequenas explorações agrícolas, mas em condições incomparavelmente mais desfavoráveis para a população rural. No século XIV, apareceram os arrendamentos ou *terriers*. Seu número aumentou continuamente, indo muito além de 100.000. Pagavam em dinheiro ou em produtos uma renda que variava de $1/12$ a $1/5$ da produção. Os *terriers*, ou arrendamentos, eram divisões e subdivisões de feudos etc., havendo muitos que, de acordo com o valor e a extensão do domínio, continham apenas poucos *arpents*.[1] Todos esses *terriers* possuíam um grau qualquer de jurisdição sobre a população; havia quatro graus. Compreende-se a opressão em que vivia a população rural sob o domínio de tantos tiranetes. Monteil diz que havia, então, na França, 160.000 jurisdições, onde hoje bastam 4.000 jurisdições, inclusive as dos juízes de paz.

I *Arpent*, antiga medida agrária francesa cujo valor variava, conforme a região, de 50 a 51 ares.

230 Em suas *Notions de philosophie naturelle*, Paris, 1838.

231 Um ponto salientado por Sir James Stewart.

A CHAMADA ACUMULAÇÃO PRIMITIVA

sob a forma de salário, a seu novo senhor, o capitalista industrial. O que sucede com os meios de subsistência ocorre com as matérias-primas que a agricultura indígena fornece à indústria. Elas se transformam em elemento do capital constante.

Imaginemos que uma parte dos camponeses da Westfália, que, no tempo de Frederico II, fiavam todo o linho que produziam, fosse violentamente expropriada e expulsa de suas terras, sendo os restantes que lá ficassem transformados em jornaleiros de grandes arrendatários. Suponhamos ainda que se construam grandes fiações e tecelagens, onde esses expropriados passem a trabalhar como assalariados. O linho não mudou materialmente em nada. Não se modificou nenhuma de suas fibras, mas uma nova alma social entrou no seu corpo. Constitui agora parte do capital constante do patrão manufatureiro. Antes, repartia-se entre os inumeráveis pequenos produtores que o cultivavam e fiavam em pequenas porções com suas famílias; agora, concentra-se nas mãos de um capitalista para quem outras pessoas o fiam e tecem. Antes, o trabalho extra despendido na fiação do linho se concretizava em rendimento extra de inúmeras famílias camponesas e, no tempo de Frederico II, também em impostos para o rei da Prússia. Agora, se concretiza em lucro de alguns capitalistas. Os fusos e teares, antes espalhados pelos campos, estão agora reunidos em algumas grandes casernas de trabalho, o mesmo ocorrendo com os trabalhadores e a matéria-prima. Os fusos, os teares e as matérias-primas se transformam, de meios de existência independente de fiandeiros e tecelões, em meios de comandá-los[232] e de extrair deles trabalho não pago. As grandes manufaturas e os grandes arrendamentos não mostram à primeira vista que são uma soma de numerosos centros diminutos de produção, tendo sido formados pela expropriação de muitos produtores pequenos e independentes. Mas a observação imparcial não se deixa enganar. Ao tempo de Mirabeau, o leão revolucionário, as manufaturas ainda eram chamadas de *manufactures réunies*, oficinas reunidas como as terras que foram expropriadas.

> "Só se dá atenção", diz Mirabeau, "às grandes manufaturas, onde centenas de pessoas trabalham sob uma única direção, comumente chamadas de

---

232 "Concedo-vos", diz o capitalista, "a honra de me servir, desde que me deis o pouco que vos resta pelo trabalho que tenho de vos comandar." (J.-J. Rousseau, *Discours sur l'économie politique*, [Genebra, 1760, p. 70].)

O CAPITAL

manufaturas reunidas. Mas ninguém dá importância àquelas em que trabalham dispersos, cada um por sua conta, um número muito grande de obreiros. São colocadas a uma distância infinita das manufaturas reunidas. É um grande erro, pois só as manufaturas individuais dispersas constituem um componente realmente importante da riqueza do povo. [...] A fábrica reunida [*fabrique réunie*] enriquece maravilhosamente um ou dois empresários, mas os trabalhadores não passam de jornaleiros, com seus pobres salários variáveis, e não participam do bem-estar do empresário. Na fábrica separada [*fabrique séparée*], ao contrário, embora ninguém se torne rico, um bom número de trabalhadores alcança uma boa situação. [...] Aumenta o número dos industriosos e dos econômicos, pois veem na sua situação, e não de ganhar um pequeno aumento de salário, que nunca tem importância para o futuro, mas, na melhor hipóteses, capacita ao trabalhador viver um pouco melhor imediatamente. As manufaturas individuais dispersas, geralmente conjugadas com uma pequena exploração agrícola, é que são livres."[233]

A expropriação e a expulsão de uma parte da população rural libera trabalhadores, seus meios de subsistência e seus meios de trabalho, em benefício do capitalista industrial; além disso, cria o mercado interno.

Na realidade, os acontecimentos que transformam os pequenos lavradores em assalariados e seus meios de subsistência e meios de trabalho em elementos materiais do capital criam ao mesmo tempo, para este, o mercado interno. Antes, a família camponesa produzia e elaborava os meios de subsistência e matérias-primas, que eram, na sua maior parte, consumidos por ela mesma. Esses meios de subsistência e matérias-primas transformam-se agora em mercadorias; o arrendatário vende-as no mercado gerado pelas manufaturas. Fios, tecidos de linho, panos grosseiros de lã – coisas cujas matérias-primas estavam ao alcance de toda a família camponesa, fiadas e tecidas por esta para o próprio consumo – são agora artigos de manufatura que encontram seu mercado exatamente nos distritos rurais. A numerosa clientela antes extremamente fragmentada, dependente de uma quantidade imensa de pequenos produtores que trabalhavam por sua própria conta, concentra-se agora num vasto mercado, abastecido

---

233 Mirabeau, *loc. cit.*, p. III, pp. 20 a 109, *passim*. A situação de grande parte das manufaturas continentais naquela época explica a razão de Mirabeau ter considerado as manufaturas separadas mais econômicas e produtivas do que as "reunidas", e ter visto nestas um produto meramente artificial da intervenção do Estado.

A CHAMADA ACUMULAÇÃO PRIMITIVA

pelo capital industrial.[234] Assim, à expropriação dos camponeses que trabalhavam antes por conta própria e ao divórcio entre eles e seus meios de produção correspondem a ruína da indústria doméstica rural e o processo de dissociação entre a manufatura e a agricultura. E só a destruição da indústria doméstica rural pode proporcionar ao mercado interno de um país a extensão e a solidez exigidas pelo modo capitalista de produção. Todavia, o período manufatureiro propriamente dito não chega a realizar uma transformação radical. Recordemos que a manufatura só se apodera da produção nacional de maneira muito fragmentária, encontrando sua base principal nos ofícios urbanos e na indústria doméstica rural. Quando destrói uma forma dessa indústria doméstica num ramo específico, em determinados lugares, a manufatura provoca seu renascimento em outros, pois precisa dela, dentro de certos limites, para a preparação de matérias-primas. A manufatura produz, por isso, uma nova classe de pequenos lavradores, para os quais o cultivo do solo é a atividade acessória, sendo a principal o trabalho industrial, cujos produtos a ela são vendidos diretamente ou por meio de um negociante. Isto é causa, mas não a principal, de um fenômeno que confunde o pesquisador da história inglesa. Do último terço do século xv em diante, encontra ele queixas contínuas, interrompidas apenas em certos intervalos, contra a crescente exploração capitalista da terra e a destruição progressiva dos camponeses. Por outro lado, essa classe camponesa reaparece constantemente, embora mais reduzida e em pior situação.[235] Causa principal: na Inglaterra, ora predomina a produção de trigo, ora a criação de gado, em períodos alternados, variando com estes a extensão da atividade rural. Só a indústria moderna, com as máquinas, proporciona a base sólida da agricultura capitalista, expropria radicalmente a imensa maioria dos habitantes do campo e consuma a dissociação entre agricultura e indústria

---

234 Vinte libras-peso de lã, imperceptivelmente transformadas pela família de um trabalhador em roupas que preenchem suas necessidades anuais, nos intervalos de outras tarefas, não causam assombro. Mas, se a lã é levada ao mercado, encaminhada à fábrica, daí ao atacadista e depois ao lojista, teremos grandes operações comerciais, e o capital nominal nelas envolvido representará vinte vezes o valor da lã. [...] A classe trabalhadora é explorada para manter uma população operária miserável, lojistas e vendeiros parasitas e um sistema comercial, monetário e financeiro absolutamente fictício." (David Urquhart, *loc. cit.*, p. 120.)

235 O tempo de Cromwell é uma exceção a esse respeito. Enquanto durou a república, a massa do povo inglês, em todas as suas camadas, ergueu-se acima da degradação a que fora lançada pelos Tudors.

O CAPITAL

doméstica rurais cujas raízes, a fiação e a tecelagem, são extirpadas.[236] Por isso, só ela consegue se apoderar do mercado interno por inteiro para o capital industrial.[237]

6. GÊNESE DO CAPITALISTA INDUSTRIAL

A gênese do capitalista industrial[238] não se processou de maneira gradativa como a do arrendatário. Sem dúvida, certo número de mestres de corporações, número maior de artesãos independentes e, ainda, assalariados se transformaram em capitalistas rudimentares e, através da exploração progressivamente mais ampliada do trabalho assalariado e da correspondente acumulação, chegam a assumir realmente a figura do capitalista. Na infância da produção capitalista, as coisas se passaram, muitas vezes, como nos primórdios das cidades medievais, onde a classificação dos foragidos da gleba em mestres e criados era decidida em grande parte pelo tempo decorrido após a fuga. A marcha lenta do período infantil do capitalismo não se coadunava com as necessidades do novo mercado mundial criado pelas grandes descobertas dos fins do século xv. A Idade Média fornecera duas formas de capital que amadurecem nas mais diferentes formações

---

236 Tuckett sabe que a moderna indústria de lã surgiu das manufaturas propriamente ditas e da destruição das indústrias rurais ou domésticas (Tuckett, *loc. cit.*, v. I, pp. 139 a 144.) "O arado, o jugo, eram invenções dos deuses e instrumentos de trabalho dos heróis. O tear, o fuso e a roca serão por acaso de origem menos nobre? Separai a roca e o arado, o fuso e o jugo, e tereis fábricas e asilos de indigentes, crédito e pânico, duas nações inimigas, uma agrícola e outra comercial." (David Urquhart, *loc. cit.*, p. 122.) Aparece então Carey e acusa a Inglaterra, com razão, de procurar transformar os demais países em nações puramente agrícolas, das quais a Inglaterra é o fornecedor industrial. Sustenta ele que a Turquia foi por isso arruinada, pois a Inglaterra impediu "aos proprietários e cultivadores do solo turco fortalecerem-se por meio da aliança natural entre o arado e o tear, o martelo e a grade. (*The Slave Trade*, p. 125.) Segundo ele, o próprio Urquhart é um dos principais agentes da ruína da Turquia, onde fez propaganda do livre-cambismo para servir aos interesses da Inglaterra. O melhor é que Carey, aliás um grande russófilo, quer impedir, com o sistema de proteção aduaneira, o processo de dissociação que o sistema protecionista acelera.

237 Os filantropos da economia inglesa, como Mill, Rogers, Goldwin, Smith e Fawcett, e os fabricantes liberais, como John Bright e companhia, lembram Deus interrogando Caim a respeito do irmão Abel desaparecido, ao perguntarem aos aristocratas ingleses, donos das terras, para onde foram os milhares de *freeholders* (proprietários de alódio) que existiam antigamente. Seria melhor que esses filantropos e liberais perguntassem a si mesmos de onde é que vieram, senão da destruição daqueles *freeholders*, e que fossem mais adiante, procurando saber para onde foram os tecelões, fiandeiros e artesãos independentes.

238 Industrial aqui se opõe a agrícola. Mas o arrendatário agrícola se inclui na categoria de capitalista industrial, do mesmo modo que o fabricante.

A CHAMADA ACUMULAÇÃO PRIMITIVA

econômico-sociais e foram as que emergiram como capital antes de despontar a era capitalista, a saber, o capital usurário e o capital mercantil.

> "Atualmente, toda a riqueza da sociedade vai para as mãos do capitalista [...] ele paga a renda da terra ao proprietário, o salário ao trabalhador, os tributos ao coletor de impostos e de dízimos e guarda para si mesmo grande parte do produto anual do trabalho, na realidade a parte maior, que aumenta a cada dia. Hoje, pode-se dizer que o capitalista é quem primeiro se apropria de toda a riqueza social, embora nenhuma lei lhe tenha concedido esse direito. [...] Essa mudança na propriedade ocorreu em virtude da cobrança de juros sobre o capital [...] e admira que os legisladores de toda a Europa tenham procurado impedir isso por meio de leis contra a usura. [...] O poder do capitalista sobre toda a riqueza do país significa uma revolução completa no direito de propriedade; mas por que lei ou por que série de leis foi ela efetivada?"[239]

O autor deveria ter visto que revoluções não se fazem com leis.

O capital dinheiro, formado por meio da usura e do comércio, era impedido de se transformar em capital industrial pelo sistema feudal no campo e pela organização corporativa na cidade.[240] Esses entraves caíram com a dissolução das vassalagens feudais, com a expropriação e a expulsão parcial das populações rurais. As novas manufaturas instalaram-se nos portos marítimos ligados ao comércio de exportação ou em pontos do interior do país fora do controle do velho sistema urbano e da organização corporativa. Verificou-se, então, na Inglaterra, uma luta exasperada entre as cidades corporativas e esses novos centros manufatureiros.

As descobertas de ouro e de prata na América, o extermínio, a escravização das populações indígenas, forçadas a trabalhar no interior das minas, o início da conquista e pilhagem das Índias Orientais e a transformação da África num vasto campo de caçada lucrativa são os acontecimentos que marcam os albores da era da produção capitalista. Esses processos idílicos são fatores fundamentais da acumulação primitiva. Logo segue a guerra comercial entre as nações europeias, tendo o mundo por palco. Inicia-se

---

239 *The Natural and Artificial Rights of Property Contrasted*, Londres, 1832, pp. 98-99. Obra anônima, mas cujo autor é Th. Hodgskin.

240 Ainda em 1794, os pequenos fabricantes de panos da cidade de Leeds mandaram uma delegação ao Parlamento para pedir uma lei que proibisse todo comerciante de se transformar em fabricante. (Dr. Aikin, *loc. cit.*)

O CAPITAL

com a revolução dos Países Baixos contra a Espanha, assume enormes dimensões com a guerra antijacobina da Inglaterra, prossegue com a guerra do ópio contra a China etc.

Os diferentes meios propulsores da acumulação primitiva se repartem numa ordem mais ou menos cronológica por diferentes países, principalmente Espanha, Portugal, Holanda, França e Inglaterra. Na Inglaterra, nos fins do século XVII, são coordenados através de vários sistemas: o colonial, o das dívidas públicas, o moderno regime tributário e o protecionismo. Esses métodos se baseiam em parte na violência mais brutal, como é o caso do sistema colonial. Mas todos eles utilizavam o poder do Estado, a força concentrada e organizada da sociedade para ativar artificialmente o processo de transformação do modo feudal de produção no modo capitalista, abreviando assim as etapas de transição. A força é o parteiro de toda sociedade velha que traz uma nova em suas entranhas. Ela mesma é uma potência econômica.

A propósito do sistema colonial cristão, diz W. Howitt, que se especializou em cristianismo:

> "As barbaridades e as implacáveis atrocidades praticadas pelas chamadas nações cristãs, em todas as regiões do mundo e contra todos os povos que elas conseguem submeter, não encontram paralelo em nenhum período da história universal, em nenhuma raça, por mais feroz, ignorante, cruel e cínica que se tenha revelado."[241]

A história da colonização holandesa, e a Holanda foi a nação capitalista modelar do século XVII, "desenrola aos nossos olhos um quadro insuperável de traições, corrupções, massacres e vilezas".[242] Caracteriza bem essa colonização o sistema de roubo de seres humanos em Célebes, a fim de prover Java com escravos. Os raptores eram treinados para essa profissão. O raptor, o intérprete e o vendedor eram os agentes principais

---

241 William Howitt, *Colonization and Christianity. A Popular History of the Treatment of the Natives by the Europeans in All Their Colonies*, Londres, 1838, p. 9. Encontra-se uma boa compilação sobre o tratamento dado aos escravos, em Charles Comte, *Traité de la Legislation*, 2ª edição, Bruxelas, 1837. Temos de estudá-la detidamente para ver o que o burguês faz de si mesmo e do trabalhador quando fica à sua vontade para modelar o mundo à sua imagem e semelhança.

242 *The History of Java*, Londres, 1817 [V. II, pp. CXC e CXCI], por Thomas Stamford Raffles, mais tarde governador dessa ilha.

A CHAMADA ACUMULAÇÃO PRIMITIVA

desse comércio, sendo os príncipes nativos os principais vendedores. Os meninos raptados eram escondidos nas cadeias secretas de Célebes até que estivessem na idade de serem expedidos para os navios de escravos. Diz um relatório oficial:

> "Só a cidade de Macássar, por exemplo, está cheia de prisões secretas, uma mais horrenda que a outra, entulhadas de miseráveis, vítimas da cupidez e da tirania, postos a ferros, violentamente arrancados de suas famílias."

Para se apoderar de Malaca, os holandeses subornaram o governador português que, em 1641, os deixou entrar na cidade. Correram logo à sua casa, assassinaram-no, a fim de se absterem de lhe pagar a soma do suborno, 21.875 libras esterlinas. Onde punham o pé, vinham a devastação e o despovoamento. Banjuwangi, província de Java, tinha, em 1750, 80.000 habitantes e, em 1811, apenas 8.000. Este era o doce comércio.

A Companhia Inglesa das Índias Orientais, como se sabe, obteve, além do poder político na Índia, o monopólio exclusivo do comércio de chá, do comércio chinês em geral e do transporte de mercadorias da Europa e para a Europa. Mas a navegação costeira da Índia e entre as ilhas e o comércio do interior da Índia se tornaram monopólio dos altos funcionários da companhia. Os monopólios de sal, ópio, bétele e de outras mercadorias eram minas inesgotáveis de enriquecimento. Os próprios funcionários fixavam os preços e esfolavam a seu bel-prazer os infelizes hindus. O governador-geral tomava parte nesses negócios particulares. Seus favoritos obtinham contratos sob condições em que, mais sagazes que os alquimistas, faziam ouro de nada. Grandes fortunas brotavam num dia como cogumelos; processava-se a acumulação primitiva sem ser necessário desembolsar um centavo. O processo judicial contra Warren Hastings está repleto desses exemplos. Citaremos apenas um caso. Certo Sullivan conseguiu um contrato de ópio no momento em que tinha de viajar em função oficial para uma parte da Índia muito afastada das zonas onde se produz a mercadoria. Sullivan vende seu contrato por 40.000 libras esterlinas a Binn, este transfere-o no mesmo dia por 60.000 libras e o último cessionário e executor do contrato declara que ainda conseguiu um lucro descomunal. Segundo uma lista apresentada ao Parlamento, a Companhia e seus funcionários, de 1757 a 1766, conseguiram que os hindus lhes presenteassem 6 milhões de libras esterlinas! Entre 1769 e 1770, os ingleses fabricaram na Índia uma epidemia de fome,

O CAPITAL

açambarcando todo o arroz e retardando depois sua venda, de modo a obter preços fabulosos.[243]

O tratamento que se dava aos nativos era, naturalmente, mais terrível nas plantações destinadas apenas ao comércio de exportação, como as das Índias Ocidentais, e nos países ricos e densamente povoados, entregues à matança e à pilhagem, como México e Índias Orientais. Todavia, mesmo nas colônias propriamente ditas, não se desmentia o espírito cristão da acumulação primitiva. Aqueles protestantes virtuosos e austeros, os puritanos da Nova Inglaterra, estabeleceram, em 1703, por deliberação de sua assembleia, prêmio de 40 libras esterlinas por escalpo de pele-vermelha ou por pele-vermelha feito prisioneiro; em 1720, um prêmio de 100 libras por escalpo; em 1744, depois de Massachusetts Bay ter declarado certa tribo em rebelião, os seguintes preços: 100 libras de nova cunhagem por escalpo masculino, de 12 anos ou mais, 105 libras por homem capturado e 50 libras por mulher ou criança capturada, e, por escalpo de mulheres ou de crianças, 50 libras! Algumas décadas mais tarde, o sistema colonial descarregou sua ferocidade sobre os descendentes desses piedosos colonizadores, os Pilgrim Fathers. Instigados e pagos pelos ingleses, os índios empenhavam-se em matá-los com seus machados de guerra. O Parlamento inglês considerou o cão policial e o escalpo, "meios que Deus e a natureza puseram em suas mãos".

O sistema colonial fez prosperar o comércio e a navegação. As sociedades dotadas de monopólio, de que já falava Lutero, eram poderosas alavancas de concentração do capital. As colônias asseguravam mercado às manufaturas em expansão e, graças ao monopólio, uma acumulação acelerada. As riquezas apresadas fora da Europa pela pilhagem, escravização e massacre refluíam para a metrópole, onde se transformavam em capital. A Holanda, que, pela primeira vez, desenvolveu plenamente o sistema colonial atingira, em 1648, o apogeu de sua grandeza comercial. Tinha então

> "[...] a posse quase exclusiva do comércio das Índias Orientais e do intercâmbio entre o Sudoeste e o Nordeste da Europa. Sua indústria de pesca, a marinha e as manufaturas ultrapassavam as de qualquer outro país. Os capitais da república holandesa eram talvez superiores aos de toda a Europa reunidos."

---

243 Em 1866, morreram de fome mais de 1 milhão de hindus numa única província, a de Orissa. Não obstante, procurou-se enriquecer o erário com os preços a que se vendiam os gêneros à gente faminta.

A CHAMADA ACUMULAÇÃO PRIMITIVA

Gülich esquece de acrescentar que, em 1648, o povo holandês era o mais sobrecarregado de trabalho, o mais pobre e o mais brutalmente oprimido de toda a Europa.

Hoje em dia, a supremacia industrial traz a supremacia comercial. No período manufatureiro, ao contrário, é a supremacia comercial que proporciona o predomínio industrial. Então, o sistema colonial desempenhava o papel preponderante. Era o "deus estrangeiro" que subiu ao altar onde se encontravam os velhos ídolos da Europa e, um belo dia, com um empurrão, joga a todos eles por terra. Proclamou a produção da mais-valia último e único objetivo da humanidade.

O sistema de crédito público, isto é, da dívida pública, cujas origens já vamos encontrar na Idade Média, em Gênova e Veneza, apoderou-se de toda a Europa durante o período manufatureiro. Impulsionava-o o sistema colonial, com seu comércio marítimo e suas guerras comerciais. O regime de dívida pública implantou-se primeiro na Holanda. A dívida do Estado, a venda deste, seja ele despótico, constitucional ou republicano, imprime sua marca à era capitalista. A única parte da chamada riqueza nacional que é realmente objeto da posse coletiva dos povos modernos é... a dívida pública.[243a] Por isso, a doutrina moderna revela coerência perfeita, ao sustentar que uma nação é tanto mais rica quanto mais está endividada. O crédito público torna-se o credo do capital. E o pecado contra o Espírito Santo, para o qual não há perdão, é substituído pelo de não ter fé na dívida pública.

A dívida pública converte-se numa das alavancas mais poderosas da acumulação primitiva. Como uma varinha de condão, ela dota o dinheiro de capacidade criadora, transformando-o assim em capital, sem ser necessário que seu dono se exponha aos aborrecimentos e riscos inseparáveis das aplicações industriais e mesmo usurárias. Os credores do Estado nada dão na realidade, pois a soma emprestada converte-se em títulos de dívida pública facilmente transferíveis, que continuam a funcionar em suas mãos como se fossem dinheiro. A dívida pública criou uma classe de capitalistas ociosos, enriqueceu, de improviso, os agentes financeiros que servem de intermediários entre o governo e a nação. As parcelas de sua emissão adquiridas pelos arrematantes de impostos, comerciantes e fabricantes

---

243a William Cobbett observa que, na Inglaterra, chamam de "reais" todas as instituições públicas, mas, em compensação, chamam de "nacional" a dívida pública.

O CAPITAL

particulares lhes proporcionam o serviço de um capital caído do céu. Mas, além de tudo isso, a dívida pública fez prosperar as sociedades anônimas, o comércio com os títulos negociáveis de toda a espécie, a agiotagem, em suma, o jogo de bolsa e a moderna bancocracia.

Desde sua origem, os grandes bancos ornados com títulos nacionais não passavam de sociedades de especuladores particulares que cooperavam com os governos e, graças aos privilégios recebidos, ficavam em condições de adiantar-lhes dinheiro. Por isso, a acumulação da dívida pública tem sua mensuração mais infalível nas altas sucessivas das ações desses bancos, que se desenvolvem plenamente a partir da fundação do Banco da Inglaterra, em 1694. O Banco da Inglaterra começou emprestando seu dinheiro ao governo a juros de 8%; ao mesmo tempo, foi autorizado pelo Parlamento a cunhar moedas utilizando o capital emprestado ao governo. Passou então a emprestar o mesmo capital ao público sob a forma de bilhetes de banco, tendo sido autorizado a utilizar esses bilhetes para descontar letras, emprestar com garantia de mercadorias e comprar metais preciosos. Não passou muito tempo para o banco fazer empréstimos ao Estado nessa moeda fiduciária que fabricava e para pagar com ela, por conta do Estado, os juros da dívida pública. Não bastava que o banco recebesse muito mais do que dava; ainda recebendo, continuava credor eterno da nação até o último centavo adiantado. Progressivamente, tornou-se o guardião inevitável dos tesouros metálicos do país e o centro de gravitação de todo o crédito comercial. Na Inglaterra, quando deixaram de queimar feiticeiras, começaram a enforcar falsificadores de bilhetes de banco. Os documentos da época, notadamente os escritos de Bolingbroke, põem em evidência a impressão causada sobre seus contemporâneos por essa fauna, que aparece subitamente, de banco-cratas, agentes financeiros, *rentiers*, corretores, agiotas e lobos de bolsa.[243b]

Com a dívida pública, nasceu um sistema internacional de crédito, que frequentemente dissimulava uma das fontes da acumulação primitiva neste ou naquele país. Assim, as vilezas do sistema veneziano de rapina constituíram uma das bases ocultas dos abundantes capitais da Holanda, a quem Veneza decadente emprestou grandes somas de dinheiro. O mesmo aconteceu entre a Holanda e a Inglaterra. Já no começo do século XVIII, as manufaturas da Holanda tinham sido bastante ultrapassadas, e a Holanda

---

243b "Se os tártaros inundassem hoje a Europa, seria muito difícil explicar-lhes o que é entre nós um agente financeiro." (Montesquieu, *Esprit des lois*, t. IV, p. 33, ed. Londres, 1769.)

A CHAMADA ACUMULAÇÃO PRIMITIVA

cessara de ser a nação dominante no comércio e na indústria. De 1701 a 1776, um de seus negócios principais é, por isso, emprestar enormes capitais, especialmente a seu concorrente mais poderoso, a Inglaterra. Fenômeno análogo sucede hoje entre Inglaterra e Estados Unidos. Muito capital que aparece hoje nos Estados Unidos, sem certidão de nascimento, era ontem, na Inglaterra, sangue infantil capitalizado.

Apoiando-se a dívida pública na receita pública, que tem de cobrir os juros e demais pagamentos anuais, tornou-se o moderno sistema tributário o complemento indispensável do sistema de empréstimos nacionais. Os empréstimos capacitam o governo a enfrentar despesas extraordinárias, sem recorrer imediatamente ao contribuinte, mas acabam levando o governo a aumentar posteriormente os impostos. Por outro lado, o aumento de impostos, causado pela acumulação de dívidas sucessivamente contraídas, força o governo a tomar novos empréstimos sempre que aparecem novas despesas extraordinárias. O regime fiscal moderno encontra seu eixo nos impostos que recaem sobre os meios de subsistência mais necessários, encarecendo-os, portanto, e traz em si mesmo o germe da progressão automática. A tributação excessiva não é um incidente; é um princípio. Na Holanda, onde se implantou esse regime pela primeira vez, o grande patriota de Witt louvou-o em suas máximas, proclamando-o o melhor sistema para manter o assalariado submisso, frugal, ativo e... sobrecarregado de trabalho. Mas não é a influência destruidora que exerce sobre a situação dos trabalhadores o que mais importa ao estudo do tema que estamos considerando, e sim a violência com que expropria o camponês, o artesão, enfim, todos os componentes da classe média inferior. Sobre o assunto não há duas opiniões, nem mesmo entre os economistas burgueses. Sua eficácia expropriante é ainda fortalecida pelo sistema protecionista, que constitui uma de suas partes integrantes.

O grande papel que a dívida pública e o correspondente regime fiscal desempenham na capitalização da riqueza e na expropriação das massas levou muitos escritores, como Cobbett, Doubleday e outros, a procurarem erroneamente neles a causa fundamental da miséria dos povos modernos.

O sistema protecionista era um meio artificial de fabricar fabricantes, de expropriar trabalhadores independentes, de capitalizar meios de produção e meios de subsistência, de encurtar a transição do velho modo de produção para o moderno. Esse invento criou uma grande disputa entre os Estados europeus, que, uma vez colocados a serviço dos fabricantes de mais-valia,

O CAPITAL

não se limitaram a espoliar seu próprio povo, indiretamente, através de impostos aduaneiros, e diretamente, através de prêmios à exportação etc. Nos países secundários deles dependentes, extirparam violentamente cada indústria, como foi o caso, por exemplo, da manufatura de lã irlandesa eliminada pela Inglaterra. No Continente Europeu, o processo foi muito mais simplificado, de acordo com o modelo de Colbert. Aí o capital primitivo do industrial flui em parte diretamente do erário público.

> "Por que", pergunta Mirabeau, "ir tão longe procurar a causa do esplendor manufatureiro da Saxônia antes da Guerra dos Sete Anos? 180 milhões de dívidas contraídas pelos soberanos!"[244]

O sistema colonial, a dívida pública, os impostos pesados, o protecionismo, as guerras comerciais etc., esses rebentos do período manufatureiro, desenvolvem-se extraordinariamente no período infantil da indústria moderna. Festeja-se o nascimento desta com o grande rapto herodiano de crianças. As fábricas, tal como a marinha real, recrutam seus contingentes à força. Embora indiferente aos horrores da expropriação da gente do campo, desde o último terço do século xv até sua época, fins do século xviii, embora se sentisse feliz considerando esse processo "necessário" para estabelecer a agricultura capitalista e "a correta proporção entre terras de lavoura e da pastagem", Sir F. M. Eden já não utiliza o mesmo raciocínio econômico relativamente à necessidade do roubo e da escravização das crianças para transformar a exploração manufatureira em exploração industrial e estabelecer assim a correta proporção entre capital e força de trabalho. Diz ele:

> "É uma questão que provavelmente merece a consideração do público, a de saber se pode aumentar a soma de felicidade nacional e individual uma manufatura que, para funcionar com sucesso, precisa arrancar pobres crianças de choupanas e de asilos, empregá-las em turmas que se revezam durante a maior parte da noite, roubando-lhes o repouso indispensável e, além disso, tem de juntar pessoas de sexo, idade e inclinações diferentes, de tal maneira que o convívio com os maus exemplos impele-as necessariamente à depravação e à libertinagem."[245]

---

244 "Pourquoi aller chercher si loin la cause de l'éclat manufacturier de la Saxe avant la guerre? Cent quatre-vingt millions de dettes faites par les souverains!" (Mirabeau, *loc. cit.*, t. vi, p. 101.)
245 Eden, *loc. cit.*, V. ii, Cap. i, p. 421.

A CHAMADA ACUMULAÇÃO PRIMITIVA

Em Derbyshire, Nottinghamshire e sobretudo em Lancashire", diz Fielden, "a maquinaria recentemente inventada foi utilizada em grandes fábricas construídas à margem de correntes capazes de fazerem funcionar a roda hidráulica. Milhares de braços tornaram-se de súbito necessários nesses lugares, distantes das cidades; e Lancashire, em especial, até então relativamente pouco povoada e improdutiva, tinha necessidade premente de uma população. Procuravam-se principalmente dedos pequenos e ágeis. Por isso, surgiu logo o costume de requisitar aprendizes (!) dos diversos asilos paroquiais de pobres, em Londres, Birmingham e em outras cidades. Muitos, muitos milhares desses pequenos seres infelizes, de 7 a 13 ou 14 anos, foram despachados para o Norte. O costume era o mestre [o ladrão de crianças] vesti-los, alimentá-los e alojá-los na casa de aprendizes junto à fábrica. Foram designados supervisores para lhes vigiar o trabalho. Era interesse desses feitores de escravos fazerem as crianças trabalhar o máximo possível, pois sua remuneração era proporcional à quantidade de trabalho que delas podiam extrair. A consequência natural disso era a crueldade. [...] Em muitos distritos industriais, especialmente Lancashire, empregavam-se torturas de dilacerar o coração, contra essas crianças inofensivas e desamparadas, consignadas ao dono da fábrica. Esgotadas por excesso de trabalho até a morte [...] eram açoitadas, postas a ferro e torturadas com estranhos requintes de perversidade; em muitos casos ficavam à míngua de alimentos até aparecerem os ossos, sendo obrigadas a trabalhar a chicote. [...] Sim, em alguns casos as crianças foram impelidas ao suicídio! [...] Os belos e românticos vales de Derbyshire, Nottinghamshire e Lancashire, segregados ao público, converteram-se em solidões sinistras de tortura e muitas vezes de morte! [...] Os lucros dos fabricantes eram enormes, mas isto apenas aguçava-lhes a voracidade lupina. Começaram então a prática do trabalho noturno, revezando, sem solução de continuidade, a turma do dia pela da noite; o grupo diurno ia se estender nas camas ainda quentes que o grupo noturno acabara de deixar, e vice-versa. Todo mundo diz em Lancashire que as camas nunca esfriam."[246]

---

246 John Fielden, *loc. cit.*, pp. 5 e 6. Sobre as torpezas iniciais do sistema fabril, vide Dr. Aikin, 1795, *loc. cit.*, p. 219, e Gisborne, *Enquiry into the Duties of Men*, 1795, V. II. – Tendo a máquina a vapor transplantado as fábricas das zonas rurais onde havia quedas-d'água para as cidades, o produtor da mais-valia, com seu espírito de renúncia, absteve-se de requisitar como escravos as crianças dos asilos, uma vez que passou a ter à mão o material infantil. – Quando, em 1815, Sir R. Peel, pai do ministro da plausibilidade, apresentou seu projeto de lei de proteção à criança, F. Horner, o lúmen do comitê monetário e íntimo amigo de Ricardo, declarou na Câmara dos Comuns: "Em certa falência, e esse fato é público e notório, uma malta, se me permitem usar a palavra, de crianças de fábricas foi anunciada e leiloada em hasta pública como parte da massa falida. Há dois anos, em 1813, foi à Corte Suprema um sórdido caso de meninos que uma paróquia de Londres entregara como aprendizes a um fabricante, e este os transferira a outro. Foram, por fim, encontrados em estado de completa inanição

O CAPITAL

Com o desenvolvimento da produção capitalista durante o período manufatureiro, perdeu a opinião pública europeia o que lhe restara de pudor e de consciência. As nações se jactavam cinicamente com cada ignomínia que lhe servisse para acumular capital. Vejamos, por exemplo, os ingênuos anais do comércio, do probo A. Anderson. Ali trombeteia-se como triunfo da sabedoria política ter a Inglaterra, na paz de Utrecht, extorquido dos espanhóis, com o tratado de Asiento, o privilégio de explorar o tráfico negreiro entre a África e a América Espanhola, o qual ela realizara até então apenas entre a África e as Índias Ocidentais inglesas. A Inglaterra conseguiu a concessão de fornecer anualmente à América Espanhola, até o ano de 1743, 4.800 negros. Isto servia, ao mesmo tempo, para encobrir sob o manto oficial o contrabando britânico. Na base do tráfico negreiro, Liverpool teve um grande crescimento. O tráfico constituía seu método de acumulação primitiva. E até hoje a "gente respeitável" de Liverpool canta loas ao tráfico negreiro (vide a obra do Dr. Aikin, de 1795, já citada), o qual "incentiva até a paixão o espírito de empreendimento comercial, gera famosos marinheiros e traz grandes fortunas". Liverpool empregava 15 navios no tráfico negreiro, em 1730; 53, em 1751; 74, em 1760; 96, em 1770, e 132, em 1792.

A indústria algodoeira têxtil, ao introduzir a escravidão infantil na Inglaterra, impulsionava ao mesmo tempo a transformação da escravatura negra dos Estados Unidos, que, antes, era mais ou menos patriarcal, num sistema de exploração mercantil. De fato, a escravidão dissimulada dos assalariados na Europa precisava fundamentar-se na escravatura, sem rebuços, no Novo Mundo.[247]

Com tão imenso custo, estabeleceram-se as "eternas leis naturais" do modo capitalista de produção, completou-se o processo de dissociação entre os trabalhadores e suas condições de trabalho, os meios sociais de produção e de subsistência se transformaram em capital, num polo, e, no polo oposto, a massa da população se converteu em assalariados livres, em "pobres que

---

por pessoas dotadas de sentimento de humanidade. Outro caso, mais sórdido ainda, chegou a meu conhecimento, quando membro de uma comissão parlamentar de inquérito. Não há muitos anos, uma paróquia de Londres e um fabricante de Lancashire fizeram um contrato em que se estipulava que uma criança idiota seria incluída em cada lote de 20 sadias."

247 Em 1790, havia, nas Índias Ocidentais inglesas, 10 escravos para 1 homem livre; nas francesas, 14 para 1; nas holandesas, 23 para 1. (Henry Brougham, *An Inquiry into the Colonial Policy of the European Powers*, Edimburgo, 1803, V. II, p. 74.)

A CHAMADA ACUMULAÇÃO PRIMITIVA

trabalham", essa obra-prima da indústria moderna.[248] Se o dinheiro, segundo Augier, "vem ao mundo com uma mancha natural de sangue numa de suas faces",[249] o capital, ao surgir, escorrem-lhe sangue e sujeira por todos os poros, da cabeça aos pés.[250]

7. TENDÊNCIA HISTÓRICA DA ACUMULAÇÃO CAPITALISTA

A que se reduz, em última análise, a acumulação primitiva, a origem histórica do capital? Quando não é transformação direta de escravos e servos em assalariados, mera mudança de forma, significa apenas a expropriação dos produtores diretos, isto é, a dissolução da propriedade privada baseada no trabalho pessoal, próprio.

A propriedade privada, antítese da propriedade coletiva, social, só existe quando o instrumental e as outras condições externas do trabalho pertencem a particulares. Assume caráter diferente conforme esses particulares, sejam trabalhadores ou não. Os matizes inumeráveis que a propriedade privada oferece à primeira vista refletem apenas os estados intermediários que existem entre esses dois extremos, a propriedade privada de trabalhadores e a de não trabalhadores.

---

248 A expressão *"labouring poor"* (pobres que trabalham) aparece na legislação inglesa desde quando a classe dos trabalhadores assalariados começa a despertar atenção. Os *"labouring poor"* se distinguem dos *"idle poor"*, mendigos etc., e dos trabalhadores que ainda não foram despojados, proprietários, portanto, do seu instrumental de trabalho. Do domínio legal, a expressão *"labouring poor"* passou para a economia política e foi sendo utilizada por Culpepper, J. Child etc., até A. Smith e Eden. Por aí se vê a "boa-fé" do "execrável embusteiro político" Edmund Burke, quando classifica a expressão *"labouring poor"* de "execrável embuste político". Esse sicofanta, que, a soldo da oligarquia inglesa, bancou o adversário romântico da Revolução Francesa, do mesmo modo que, a soldo das colônias norte-americanas, no início dos tumultos que lá se desencadearam, desempenhou o papel de liberal contra a oligarquia inglesa, não passava de um burguês ordinário e completo: "As leis do comércio são as leis da natureza e consequentemente as leis de Deus." (E. Burke, *loc. cit.*, pp. 31-32.) Sendo fiel às leis de Deus e da natureza, não admira que se vendesse pelo melhor preço do mercado! O Rev. Tucker, pastor protestante e *tory*, homem honesto e competente economista político, apresenta, em seus escritos, um bom retrato de Edmund Burke, no tempo em que este era paladino do liberalismo. Em face da vergonhosa falta de caráter que reina hoje em dia e da devoção total às "leis do comércio", é necessário estigmatizar os Burkes, que só se distinguem de seus sucessores por uma coisa: o talento.
249 Marie Augier, *Du crédit public*, [Paris, 1842, p. 265].
250 "O *Quarterly Reviewer* diz que o capital foge à turbulência e à cizânia, sendo tímido por natureza. Isto é apenas parte da verdade. O capital tem horror à ausência de lucro ou ao lucro muito pequeno, como a natureza tem horror ao vácuo. Com lucro adequado, o capital cria coragem. Dez por cento certos, e fica assegurado seu emprego em qualquer parte; com 20%, infla-se de entusiasmo; com 50%, é positivamente audacioso; com 100%, calça a seus pés todas as leis humanas; com 300%, não se detém diante de nenhum crime, mesmo sob o risco da forca. Se a turbulência e a cizânia produzem lucros, encorajará a ambas. Prova: contrabando e tráfico de escravos." (T.J. Dunning, *loc. cit.*, pp. 35-36.)

O CAPITAL

A propriedade privada do trabalhador sobre os meios de produção serve de base à pequena indústria, e esta é uma condição necessária para desenvolver-se a produção social e a livre individualidade do trabalhador. Sem dúvida, encontramos essa pequena indústria nos sistemas de escravatura, servidão e em outras relações de dependência. Mas ela só floresce, só desenvolve todas as suas energias, só conquista a adequada forma clássica quando o trabalhador é o proprietário livre das condições de trabalho (meios e objeto de trabalho) com as quais opera, a saber, o camponês é dono da terra que cultiva, e o artesão, dos instrumentos que maneja com perícia.

Esse modo de produção supõe parcelamento da terra e dispersão dos demais meios de produção. Exclui, além da concentração desses meios, a cooperação, a divisão do trabalho dentro do mesmo processo de produção, o domínio social e o controle da natureza, o livre desenvolvimento das forças produtivas da sociedade. Só é compatível com limitações estreitas e ingênuas à produção e à sociedade. Pretender eternizá-lo significaria, conforme a acertada expressão de Pecqueur, "decretar a mediocridade universal". Chegado a certo grau de desenvolvimento, esse modo de produção gera os meios materiais de seu próprio aniquilamento. A partir desse momento, agitam-se no seio da sociedade forças e paixões que se sentem acorrentadas por ele. Tem de ser destruído e é destruído. Sua destruição, a transformação dos meios de produção individualmente dispersos em meios socialmente concentrados, da propriedade minúscula de muitos na propriedade gigantesca de poucos; a expropriação da grande massa da população, despojada de suas terras, de seus meios de subsistência e de seus instrumentos de trabalho; essa terrível e difícil expropriação constitui a pré-história do capital. Ela se realiza através de uma série de métodos violentos dos quais examinamos apenas aqueles que marcaram sua época como processos de acumulação primitiva do capital. A expropriação do produtor direto é levada a cabo com o vandalismo mais implacável, sob o impulso das paixões mais infames, mais vis e mais mesquinhamente odiosas. A propriedade privada, obtida com o esforço pessoal, baseada, por assim dizer, na identificação do trabalhador individual isolado e independente com suas condições de trabalho, é suplantada pela propriedade capitalista, fundamentada na exploração do trabalho alheio, livre apenas formalmente.[251]

---

251 "Chegamos a uma situação inteiramente nova na sociedade. [...] Tendemos a separar toda espécie de propriedade de toda espécie de trabalho." (Sismondi, *Nouveaux principes de l'écon. polit.*, t. II, p. 434.)

A CHAMADA ACUMULAÇÃO PRIMITIVA

Desintegrada a velha sociedade, de alto a baixo, por esse processo de transformação, convertidos os trabalhadores em proletários e suas condições de trabalho em capital, posto o modo capitalista de produção a andar com seus próprios pés, passa a desdobrar-se outra etapa em que prosseguem, sob nova forma, a socialização do trabalho, a conversão do solo e de outros meios de produção em meios de produção coletivamente empregados, em comum, e, consequentemente, a expropriação dos proprietários particulares. O que tem de ser expropriado agora não é mais aquele trabalhador independente, e sim o capitalista que explora muitos trabalhadores.

Essa expropriação se opera pela ação das leis imanentes à própria produção capitalista, pela centralização dos capitais. Cada capitalista elimina muitos outros capitalistas. Ao lado dessa centralização ou da expropriação de muitos capitalistas por poucos, desenvolve-se, cada vez mais, a forma cooperativa do processo de trabalho, a aplicação consciente da ciência ao progresso tecnológico, a exploração planejada do solo, a transformação dos meios de trabalho em meios que só podem ser utilizados em comum, o emprego econômico de todos os meios de produção manejados pelo trabalho combinado, social, o envolvimento de todos os povos na rede do mercado mundial e, com isso, o caráter internacional do regime capitalista. À medida que diminui o número dos magnatas capitalistas que usurpam e monopolizam todas as vantagens desse processo de transformação, aumentam a miséria, a opressão, a escravização, a degradação, a exploração; mas cresce também a revolta da classe trabalhadora, cada vez mais numerosa, disciplinada, unida e organizada pelo mecanismo do próprio processo capitalista de produção. O monopólio do capital passa a entravar o modo de produção que floresceu com ele e sob ele. A centralização dos meios de produção e a socialização do trabalho alcançam um ponto em que se tornam incompatíveis com o envoltório capitalista. O invólucro rompe-se. Soa a hora final da propriedade particular capitalista. Os expropriadores são expropriados.

O modo capitalista de apropriar-se dos bens, decorrente do modo capitalista de produção, ou seja, a propriedade privada capitalista, é a primeira negação da propriedade privada individual, baseada no trabalho próprio. Mas a produção capitalista gera sua própria negação, com a fatalidade de um processo natural. É a negação da negação. Esta segunda negação não restabelece a propriedade privada, mas a propriedade individual tendo por fundamento a conquista da era capitalista: a cooperação e a posse comum do solo e dos meios de produção gerados pelo próprio trabalho.

O CAPITAL

A transformação da propriedade particular esparsa, baseada no trabalho próprio dos indivíduos, em propriedade privada capitalista constitui, naturalmente, um processo muito mais longo, mais duro e mais difícil que a transformação em propriedade social da propriedade capitalista que efetivamente já se baseia sobre um modo coletivo de produção. Antes, houve a expropriação da massa do povo por poucos usurpadores; hoje, trata-se da expropriação de poucos usurpadores pela massa do povo.[252]

---

252 "O progresso industrial – e a burguesia é o portador inconsciente e passivo desse progresso – transmuta a separação dos trabalhadores pela concorrência na sua unificação revolucionária através da associação. Ao desenvolver-se a grande indústria, a burguesia sente que lhe foge aos pés o fundamento da produção capitalista, em virtude do qual se apropria dos produtos. Ela produz, antes de tudo, seus próprios coveiros. Sua ruína e o triunfo do proletariado são igualmente inevitáveis. [...] Entre todas as classes que hoje se confrontam com a burguesia, a única realmente revolucionária é o proletariado. As outras decaem e desaparecem com a expansão da grande indústria, enquanto o proletariado é desta o produto mais autêntico. Todos os setores da classe média, o pequeno industrial, o pequeno comerciante, o artesão, o camponês, combatem a burguesia para assegurar sua existência como classe média em face da extinção que os ameaça. [...] São reacionários, pois procuram fazer andar para trás a roda da história. (Karl Marx e F. Engels, *Manifesto do Partido Comunista*. Londres, 1848, pp. 11-9.)

XXV.
A teoria moderna da colonização[253]

---

253 Tratamos aqui das verdadeiras colônias, terras virgens, colonizadas por imigrantes livres. Do ponto de vista econômico, os Estados Unidos ainda são uma colônia da Europa. Incluímos também nessa categoria as velhas plantações onde as condições foram inteiramente modificadas com a abolição da escravatura.

Por princípio, a economia política confunde duas espécies muito diferentes de propriedade: a que se baseia sobre o trabalho do próprio produtor e a sua antítese direta, a que se fundamenta na exploração do trabalho alheio. Esquece que esta só cresce sobre o túmulo daquela.

Na Europa Ocidental, o berço da economia política, o processo da acumulação primitiva está mais ou menos concluído. Ali, o regime capitalista ou apoderou-se diretamente de toda a produção nacional, ou, onde as condições econômicas estão menos desenvolvidas, controla, pelo menos indiretamente, aquelas camadas da sociedade que, embora submetidas ao antigo modo de produção, continuam a existir ao lado dele, em decadência contínua. Nesse mundo do capital, pronto e acabado, o economista político aplica as concepções de direito e de propriedade do mundo pré-capitalista, com tanto mais zelo e unção tanto maior quanto mais alto ululam os fatos contra sua ideologia.

Nas colônias, a coisa é diferente. Nelas o regime capitalista esbarra no obstáculo do produtor, que, possuindo suas próprias condições de trabalho, enriquece com seu trabalho a si mesmo, e não ao capitalista. A contradição entre esses dois sistemas econômicos diametralmente opostos se patenteia, na prática, na luta que se trava entre eles. Quando o capitalista se apoia no poder da mãe-pátria, procura afastar do caminho, pela força, o modo de produzir os bens e de apropriar-se deles, baseado no trabalho próprio. O mesmo interesse que, na mãe-pátria, induz o sicofanta do capital, o economista político, a identificar teoricamente o modo capitalista de produção com o modo oposto, leva-o, nas colônias, a confessar tudo e a proclamar bem alto o antagonismo entre os dois modos de produção. Demonstra, então, como o desenvolvimento da força produtiva social do trabalho, a cooperação, a divisão do trabalho, a aplicação da maquinaria em grande escala etc. são impossíveis sem a expropriação dos trabalhadores e a correspondente conversão de seus meios de produção em capital. No interesse da chamada riqueza nacional, procura meios artificiais que estabeleçam a pobreza do povo. Sua arma. Dura apologética passa a esfarelar-se como frágil e seca folhagem.

Grande mérito de E. G. Wakefield é ter descoberto não algo novo sobre as colônias,[254] mas a verdade, nas colônias, sobre as relações capitalistas

---

254 As poucas observações lúcidas de Wakefield sobre a colonização já tinham sido feitas por Mirabeau pai, o fisiocrata, e mesmo antes por economistas ingleses.

O CAPITAL

na mãe-pátria. O sistema protecionista, em suas origens,[255] tinha em mira fabricar capitalistas na mãe-pátria, e a teoria da colonização de Wakefield, que a Inglaterra procurou por algum tempo pôr em prática através de leis, tem por objetivo fabricar assalariados nas colônias. Chama a isso "colonização sistemática".

De início, descobriu Wakefield, nas colônias, que a propriedade de dinheiro, de meios de subsistência, de máquinas e de outros meios de produção não transforma um homem em capitalista, se lhe falta o complemento, o trabalhador assalariado, o outro homem que é forçado a vender-se a si mesmo voluntariamente. Descobriu que o capital não é uma coisa, mas uma relação social entre pessoas, efetivada através de coisas.[256] Um cavalheiro de nome Peel, conta ele com tristeza, levou víveres e meios de produção no valor de 50.000 libras esterlinas da Inglaterra para Swan River, na Austrália Ocidental. Peel foi prudente a ponto de levar consigo, além disso, 3.000 pessoas da classe trabalhadora, homens, mulheres e crianças. Chegado ao lugar de destino, "ficou Peel sem um criado para fazer sua cama ou trazer-lhe água do rio".[257] Infeliz Peel, que previu tudo, menos trazer as relações de produção da Inglaterra para Swan River!

Para melhor compreensão de outras descobertas de Wakefield, duas observações prévias. Sabemos que não constituem capital os meios de produção e de subsistência, de propriedade do produtor direto. Só se tornam capital em condições nas quais sirvam também de meios para explorar e dominar o trabalhador. Mas, na mente do economista político, a alma capitalista que se encarna nesses meios está tão intimamente unida à sua substância material que ele os batiza, em todas as circunstâncias, com o nome de capital, mesmo quando são a antítese direta deste. É o que faz Wakefield. Chama de divisão igual do capital a dispersão dos meios de produção como propriedade individual de muitos trabalhadores independentes entre si, trabalhando cada um por sua própria conta. O procedimento do

---

255 Mais tarde, torna-se uma necessidade temporária da competição internacional. Qualquer que seja o motivo do protecionismo, suas consequências permanecem as mesmas.

256 "Um negro é um negro. Só se converte em escravo se houver certas condições. Uma máquina de fiar algodão é uma máquina de fiar algodão. Só em certas condições se transforma em capital. Fora dessas condições, não é capital, como o ouro em si mesmo e por si mesmo não é dinheiro ou o açúcar não é preço do açúcar [...] o capital é uma relação social de produção. É uma relação histórica de produção." (Karl Marx, "Lohnarbeit und Kapital", *N[eue] Rh[einische] Z[eitung]*, Nº 266, de 7 de abril de 1849.)

257 E. G. Walcefield, *England and America*, V. II, p. 33.

A TEORIA MODERNA DA COLONIZAÇÃO

economista político é análogo ao do jurista feudal. Este pregava suas etiquetas jurídicas feudais a relações puramente monetárias.

> "Se o capital", diz Wakefield, "fosse dividido igualmente por todos os membros da sociedade, ninguém teria interesse em acumular mais capital do que o que pode empregar com suas próprias mãos. Até certo ponto, é o que ocorre com as novas colônias americanas, onde a paixão pela propriedade da terra impede que exista uma classe de assalariados."[258]

Quando o trabalhador, portanto, pode acumular para si mesmo, o que pode fazer quando é o proprietário de seus meios de produção, são impossíveis a acumulação capitalista e o modo de produção capitalista: falta para isso a imprescindível classe dos assalariados. Como se realizou, então, na velha Europa a expropriação do trabalhador de suas condições de trabalho, estabelecendo-se a coexistência entre capital e trabalho assalariado? Por meio de um contrato social de uma espécie muito peculiar.

> "A humanidade [...] adotou um método simples para incentivar a acumulação do capital", a qual, desde os tempos de Adão, já se prefigurava em seu espírito como o fim último e único de sua existência; "ela se dividiu em proprietários de capital e proprietários de trabalho. [...] Essa divisão resultou de um entendimento voluntário, de uma combinação."[259]

Em suma, a massa da humanidade expropriou-se a si mesma, imolando-se "à acumulação do capital". Deveríamos então acreditar que esse instinto de abnegação fanática encontraria o campo livre para expandir-se, sobretudo nas colônias, únicas regiões onde encontramos pessoas e coisas em condições que tornariam possível a transferência desse contrato social do reino do sonho para o da realidade. Se isso fosse verdade, não seria necessário substituir a colonização espontânea pelo seu oposto, a "colonização sistemática". Mas, mas...

> "[...] nos estados setentrionais da União Americana, é duvidoso que chegue a um décimo a parte da população que pertence à categoria dos trabalhadores assalariados. [...] Na Inglaterra [...] o grosso da população se constitui de assalariados."[260]

---

258 *Loc. cit.*, v. I, p. 17.
259 *Loc. cit.*, p. 18.
260 *Loc. cit.*, pp. 42-44.

O CAPITAL

Não possuindo a humanidade trabalhadora esse instinto de expropriar-se a si mesma, em holocausto ao capital, a única base natural da riqueza colonial, mesmo segundo Wakefield, é a escravatura. Sua colonização sistemática é mero expediente, pois, no caso, estão em jogo indivíduos livres, e não escravos.

> "Os primeiros colonizadores espanhóis em São Domingos não recebiam trabalhadores da Espanha. Mas, sem trabalhadores [isto é, sem escravos] teriam perdido seu capital, ou este, na melhor hipótese, ficaria reduzido a pequenas parcelas que cada pessoa pudesse empregar com suas próprias mãos. Isto ocorreu realmente na última colônia fundada pelos ingleses, onde um grande capital em sementes, gado e instrumentos perdeu-se por falta de assalariados e onde nenhum colonizador conservou capital bem acima do que podia empregar com suas próprias mãos."[261]

Conforme vimos, a expropriação da massa do povo, que fica assim sem terra, forma a base do modo capitalista de produção. Uma colônia livre se caracteriza por serem comuns grandes extensões de seus territórios, podendo cada colonizador transformar um pedaço de terra em sua propriedade privada e meio individual do produção, sem impedir o que vem depois de fazer a mesma coisa.[262] Este é o segredo tanto do florescimento das colônias quanto do mal que as devora, sua resistência à colonização ao capital.

> "Onde a terra é muito barata e todos os indivíduos são livres, onde cada um pode obter à vontade um pedaço de terra, o trabalho é muito caro relativamente à participação do trabalhador no produto, e, além disso, é difícil conseguir trabalho combinado, qualquer que seja o preço por ele oferecido."[263]

Nas colônias, não havendo ainda a dissociação entre o trabalhador e suas condições de trabalho inclusive a raiz destas, a terra, ou ocorrendo ela apenas esporadicamente ou em escala limitada, também não há a separação entre agricultura e indústria, nem se verifica a destruição da indústria doméstica rural. De onde viria então o mercado interno para o capital?

---

261 *Loc. cit.*, V. II, p. 5.
262 "A terra, para ser um elemento de colonização, não tem apenas de ser inculta; tem de ser também propriedade pública, possível de ser convertida em propriedade privada." (*Loc. cit.*, V. III, p. 125.)
263 *Loc. cit.*, V. I, p. 247.

A TEORIA MODERNA DA COLONIZAÇÃO

"Nenhuma parte da população da América é exclusivamente agrícola, excetuados os escravos e seus empregadores que combinam o capital e o trabalho em grandes empreendimentos. Americanos livres que cultivam diretamente a terra exercem, ao mesmo tempo, muitas outras ocupações. Parte dos móveis e instrumentos que utilizam é feita por eles mesmos. Frequentemente, constroem as próprias casas e levam ao mercado, qualquer que seja a distância, o produto de sua indústria. São fiandeiros e tecelões, fabricam sabão e velas, sapatos e roupas para o próprio uso. Na América, a agricultura constitui muitas vezes negócio secundário de um ferreiro, de um moleiro ou de um vendeiro."[264]

No meio dessa gente estranha, que é que resta para o "abnegado" capitalista?

A grande beleza da produção capitalista reside não só em reproduzir constantemente o assalariado como assalariado, mas também em produzir uma superpopulação relativa de assalariados, isto é, em relação à acumulação de capital. Assim, a lei da oferta e da procura de trabalho fica mantida nos trilhos certos; a oscilação salarial, confinada dentro dos limites convenientes à exploração capitalista; e, finalmente, garantida a imprescindível dependência social do trabalhador para com o capitalista, uma relação de dependência absoluta, que o economista político em casa, na mãe-pátria, pode metamorfosear em relação contratual entre comprador e vendedor, entre dois possuidores igualmente independentes de mercadorias, o detentor da mercadoria capital e o detentor da mercadoria trabalho. A população absoluta cresce nas colônias muito mais rapidamente que na mãe-pátria, pois muitos trabalhadores lá chegam já adultos, mas, apesar disso, há escassez no mercado de trabalho. A lei da oferta e da procura não funciona nas colônias de acordo com o esquema capitalista. Por um lado, o Velho Mundo lança continuamente capitais ávidos de exploração e sedentos de "abstinência"; por outro, a reprodução regular dos assalariados como assalariados encontra os obstáculos mais impertinentes e em parte invencíveis. E nem mesmo falemos na produção de assalariados supérfluos em relação à acumulação de capital! O assalariado de hoje é o camponês ou artesão independente de amanhã, trabalhando por conta própria. Desaparece do

---

264 *Loc. cit.*, pp. 21-22.

O CAPITAL

mercado de trabalho, mas não para recolher-se ao asilo de indigentes. Essa transformação constante dos assalariados em produtores independentes, que trabalham para si mesmos e não para o capital e que enriquecem a si mesmos e não ao capitalista, repercute de maneira absolutamente desvantajosa sobre a situação do mercado de trabalho. Além de ficar num nível indecentemente baixo o grau de exploração do assalariado, este perde, com a relação de dependência, o sentimento de dependência para com o abnegado capitalista. Daí todos os males descritos de maneira tão eloquente e patética pelo bravo E. G. Wakefield.

A oferta de trabalho assalariado, deplora ele, não é nem constante, nem regular, nem suficiente. "É sempre reduzida e insegura."[265]

> "Embora seja grande o produto a ser dividido entre trabalhador e capitalista, o trabalhador fica com uma parte tão grande que rapidamente se transforma em capitalista. [...] Poucos podem, mesmo quando têm vida muito longa, acumular grandes riquezas."[266]

Os trabalhadores não permitem absolutamente que o capitalista seja tão desprendido a ponto de renunciar a lhes pagar a maior parte do trabalho que executam. Não adianta, para ele, a esperteza de trazer da Europa, com seu capital, seus próprios trabalhadores.

> "Logo deixam de ser assalariados, logo se transformam em camponeses independentes ou mesmo em concorrentes dos antigos patrões, no próprio mercado de trabalho."[267]

Que horror! O bravo capitalista importou da Europa, com seu bom dinheiro, seu próprio concorrente em carne e osso! É o fim. Não admira que Wakefield se queixe da falta de disciplina e do sentimento de dependência dos assalariados nas colônias. Em virtude dos salários altos, diz seu discípulo Merivale, "existe nas colônias um premente desejo de obter trabalho mais barato e mais submisso, reclama-se uma classe à qual o capitalista possa ditar as condições, em vez de aceitar aquelas que lhe são impostas. [...] Nos

---

265 *Loc. cit.*, V. II, p. 116.
266 *Loc. cit.*, V. I, p. 131.
267 *Loc. cit.*, V. II, p. 5.

A TEORIA MODERNA DA COLONIZAÇÃO

velhos países civilizados, o trabalhador, embora livre, subordina-se por uma lei natural ao capitalista; nas colônias, essa dependência tem de ser criada por meios artificiais".[268]

Quais são as consequências, segundo Wakefield, dessa "anomalia" das colônias? Um "bárbaro sistema de dispersão" de produtores e da riqueza nacional.[269] A dispersão dos meios de produção entre inumeráveis proprietários que trabalham por conta própria impede a concentração capitalista e elimina, assim, toda a possibilidade de trabalho combinado. Todo empreendimento de grande envergadura, que se estenda por vários anos e exija apreciável dispêndio de capital fixo, tropeça em obstáculos que impedem sua execução. Na Europa, o capital não hesita um instante, pois a classe trabalhadora constitui seu acessório vivo, com elementos em excesso sempre à sua disposição. Nos países coloniais, é diferente. Wakefield conta-nos um caso comovente. Esteve com alguns capitalistas do Canadá e do Estado de Nova York, onde as levas de imigrantes muitas vezes encalham, formando um sedimento de trabalhadores "supérfluos".

> "Nosso capital...", suspira um dos personagens do melodrama, "nosso capital estava pronto para muitas operações que exigem prazo muito longo para sua execução; mas podíamos começar essas operações com trabalhadores que, sabíamos, logo nos dariam as costas? Se tivéramos, então, a certeza de contar com o trabalho continuado desses imigrantes, imediatamente e com satisfação os

---

268 Merivale, *loc. cit.*, V. ii, pp. 235-314, *passim*. Mesmo o economista vulgar Molinari, o suave livre-cambista, diz: "Nas colônias onde foi abolida a escravatura, sem ter sido substituído o trabalho compulsório por quantidade correspondente de trabalho livre, temos observado exatamente o oposto daquilo que, entre nós, se passa quotidianamente. Nelas vimos simples trabalhadores explorarem empresários, exigindo salários que não guardam nenhuma proporção com a parte legítima que lhes cabe no produto. Não tendo os empresários podido obter preço satisfatório para seu açúcar, a fim de cobrir a elevação de salários, foram obrigados a pagar o excesso, de início, com seus próprios lucros e, depois, lançando mão de seus capitais. Grande parte deles se arruinou, enquanto outros encerraram seus negócios ante a quebra iminente. [...] Sem dúvida, é melhor ver soçobrarem acumulações de capitais que gerações humanas [que generosidade!], mas não seria melhor que não se destruíssem nem os capitais nem os seres humanos?" (Molinari, *loc. cit.*, pp. 51-52.) Mas, caro Molinari, que vai ser dos Dez Mandamentos, de Moisés e dos profetas, da lei da oferta e da procura, se o empresário, na Europa, pode diminuir a parte legítima do trabalhador, e o trabalhador, nas Índias Ocidentais, a parte legítima do empresário? E, por favor, que parte legítima é essa que, segundo você mesmo, o capitalista na Europa deixa quotidianamente de pagar? De acordo com os ardorosos desejos de Molinari, convém dar uma ajuda policial à lei da oferta e da procura, que opera tão bem noutras latitudes, a fim de que funcione corretamente nas colônias, onde trabalhadores são bastante simples para explorarem os capitalistas.

269 Wakefield, *loc., cit.*, V. ii, p. 52.

835

teríamos contratado, e a alto preço. Aliás, para contratá-las não era empecilho a certeza de perdê-las; bastava-nos saber que contávamos com novo suprimento de trabalhadores, segundo nossas necessidades."[270]

Depois de confrontar a agricultura capitalista inglesa e seu trabalho combinado com a dispersa economia agrícola americana, dando aquela ostentosa proeminência, Wakefield deixa escapar o reverso da medalha. Descreve o bem-estar, a independência, o espírito empreendedor e a relativa instrução da massa do povo americano, enquanto

> "[...] o trabalhador agrícola inglês é um joão-ninguém miserável, paupérrimo. [...] Em que país, exceto a América do Norte e algumas colônias novas, ultrapassa o salário pago ao trabalho livre empregado na agricultura o valor dos meios de subsistência mais necessários ao trabalhador? [...] Sem dúvida, na Inglaterra, os cavalos de tração, por serem propriedade valiosa, são mais bem alimentados que o trabalhador agrícola."[271]

Não é mister aduzir novos fatos. Mais uma vez, a riqueza nacional se identifica, por sua natureza, com a miséria do povo.

Como curar a doença anticapitalista que grassa nas colônias? Se, de um golpe, se transformassem todas as terras de propriedade comum em terras de propriedade privada, destruir-se-ia o mal pela raiz, mas as colônias seriam também destruídas. O artifício proposto para resolver o caso mata dois coelhos com uma só cajadada. O governo fixaria para as terras virgens um preço artificial, independentemente da lei da oferta e da procura. O imigrante teria de trabalhar longo tempo como assalariado até obter dinheiro suficiente para comprar terra[272] e transformar-se num lavrador independente. Assim, constitui-se, com a venda de terrenos a um preço relativamente proibitivo para o assalariado, um fundo extorquido do salário, com a violação da lei sagrada da oferta e da procura. O governo utilizaria

---

270 *Loc. cit.*, pp. 191-192.

271 *Loc. cit.*, v. I, pp. 47 e 246.

272 "Acrescentais que, graças à propriedade privada da terra e do capital, aquele que nada possui, além de suas mãos, pode arranjar trabalho e ganhar a vida. Bem ao contrário, é graças à propriedade privada da terra que existem pessoas que nada possuem, além de suas mãos. [...] Quando colocais um homem no vácuo, vós o privais da atmosfera. E, quando vos apossais da terra, [...] estais colocando seres humanos no vácuo onde não há riquezas, a fim de que só possam viver de acordo com vossa vontade." (Colins, *loc. cit.*, t. III, pp. 267-271, *passim*.)

A TEORIA MODERNA DA COLONIZAÇÃO

esse fundo à medida que crescesse, para importar pobres da Europa e assim manter cheio para os senhores capitalistas o mercado de trabalho. Nessas circunstâncias, tudo seria pelo melhor, no melhor dos mundos possíveis. Este é o grande segredo da "colonização sistemática".

> "Segundo o plano", exclama jubiloso Wakefield, "a oferta de trabalho tem de ser constante e regular. Primeiro, não sendo nenhum trabalhador capaz de adquirir terra antes de trabalhar por dinheiro, todos os imigrantes que trabalhem, durante algum tempo, por salário e em combinação produziriam capital, habilitando seu empregador a contratar mais trabalhadores. Segundo, todo trabalhador que deixar de trabalhar por salário e se tornar proprietário de terra, ao comprá-la, fornecerá recursos para trazer novos trabalhadores para a colônia."[273]

O preço da terra imposto pelo Estado deve, naturalmente, ser suficiente, isto é, tão alto "que impeça os trabalhadores de se tornarem agricultores independentes até chegarem outros que tomem seu lugar no mercado de trabalho".[274] Esse "preço suficiente da terra" não passa de um eufemismo para designar o dinheiro do resgate que o trabalhador paga ao capitalista pela permissão de abandonar o mercado de trabalho e ir cultivar a terra. Primeiro, o trabalhador tem de criar o capital para o capitalista, a fim de que este possa explorar mais trabalhadores, e, em seguida, tem de colocar no mercado de trabalho um substituto que o governo faz vir de além-mar, à sua custa, para servir a seu ex-patrão. É extremamente significativo que o governo inglês tenha posto em prática, anos a fio, esse método de "acumulação primitiva", prescrito por Wakefield, para uso específico das colônias. O fiasco foi naturalmente tão grande quanto o da lei bancária de Peel, o "Bank Act". O fluxo da emigração foi simplesmente desviado para os Estados Unidos. Entrementes, o progresso da produção capitalista na Europa, acompanhado de pressão governamental crescente, tornou supérflua a receita de Wakefield. As enormes e contínuas levas humanas, impelidas todos os anos para a América, deixam um sedimento estacionário no Leste dos Estados Unidos, a onda imigratória oriunda da Europa lança aí no mercado de trabalho mais gente do que a que pode ser absorvida pela

---

273 Wakefield, *loc. cit.*, V. ii, p. 192.
274 *Loc. cit.*, p. 45.

O CAPITAL

onda emigratória que daí parte em busca do Oeste. A Guerra Civil americana acarretou uma dívida pública gigantesca. Com esta, vieram a pressão tributária, a mais vil aristocracia financeira, a entrega de parte enorme das terras de domínio público às sociedades de especulação para explorarem estradas de ferro, minas etc., em suma, a mais rápida centralização do capital. A Grande República deixou de ser a terra prometida dos trabalhadores emigrantes. A produção capitalista avança lá a passos de gigante, embora o rebaixamento de salários e a dependência do assalariado não tenham de modo nenhum atingido os níveis normais europeus.

Foi denunciada pelo próprio Wakefield a vergonhosa prodigalidade do governo inglês, a de malbaratar, em favor de aristocratas e capitalistas, as terras incultas destinadas à colonização. Foi sobretudo na Austrália[275] que esse malbarato – com as levas humanas atraídas pela descoberta do ouro e com a concorrência que a importação das mercadorias inglesas faz ao mais ínfimo artesão – produziu uma satisfatória "superpopulação relativa de trabalhadores", a tal ponto que a mala postal está sempre trazendo notícias funestas relativas ao abarrotamento do mercado de trabalho. E mais: lá, em vários lugares, a prostituição medra tão exuberantemente quanto no Haymarket de Londres.

Mas não estamos tratando aqui de examinar a situação das colônias. Interessa-nos apenas o segredo que a economia política do Velho Mundo descobriu no Novo e proclamou bem alto: o modo capitalista de produção e de acumulação e, portanto, a propriedade privada capitalista exigem, como condição existencial, o aniquilamento da propriedade privada baseada no trabalho próprio, isto é, a expropriação do trabalhador.

---

275 Logo que a Austrália adquiriu o poder de legislar, promulgou, naturalmente, leis favoráveis aos colonizadores, mas o malbarato das terras já consumado estorva os efeitos dessa legislação. "O primeiro e principal objetivo da nova lei de terras de 1862 é proporcionar maiores facilidades ao estabelecimento dos colonos." (*The Land Law of Victoria*, by the Hon. G. Duffy, Minister of Public Lands, Londres, 1862, [p. 3].)

TABELA DE PESOS, MEDIDAS E MOEDAS INGLESES

PESOS

TONELADA	= 20 QUINTAIS INGLESES (*HUNDREDWEIGHTS*)	=	1 016,050 KG
QUINTAL INGLÊS (HUNDREDWEIGHT, *CWT*)	= 112 LIBRAS	=	50,802 KG
QUARTA	= 28 LIBRAS	=	12,700 KG
STONE	= 14 LIBRAS	=	6,350 KG
LIBRA	= 16 ONÇAS	=	453,592 KG
ONÇA		=	28,349 KG

PESOS *TROY* (PARA METAIS NOBRES, PEDRAS PRECIOSAS E MEDICAMENTOS

LIBRA *TROY*	= 12 ONÇAS *TROY*	=	372,240 G
ONÇA *TROY*		=	31,103 G
GRÃO		=	0,065 G

MEDIDAS

MILHA	= 5.280 PÉS	=	1 609,329 M
JARDA	= 3 PÉS	=	91,439 CM
PÉ	= 12 POLEGADAS	=	30,480 CM
POLEGADAS		=	2,540 CM

DE SUPERFÍCIE

ACRE	= 4 *ROODS*	=	4046,7 M^2
ROOD		=	1011,7 M^2
PÉ QUADRADO		=	9,29 DM^2

O CAPITAL

DE CAPACIDADE

BUSHEL	= 8 GALÕES	=	36,349 L
GALÃO	= 8 QUARTILHOS (*PINTS*)	=	4,544 L
QUARTILO (*PINT*)		=	0,568 L
PÉ CÚBICO		=	28,317 DM^2

DE POTÊNCIA

CAVALO-VAPOR (HP)............... = 33.000 LIBRAS-PÉ = 76 KGM/S POR MINUTO

OBSERVAÇÃO – O CAVALO-VAPOR MÉTRICO (CV) = 75 KGM/S

MOEDAS

LIBRA ESTERLINA	= 10 XELINS
XELIM	= 12 PENCE
PÊNI	= 4 *FARTHINGS*
GUINÉU	= 21 XELINS
SOBERANO	= 1 LIBRA ESTERLINA

ÍNDICE ONOMÁSTICO

Addington, Stephen, 790, 791
Aikin, John, 653, 654, 813, 821, 822
Alexandra, 287
Anacharsis, 119
Anderson, Adam, 808, 822
Anderson, James, 544, 614, 680, 791, 794, 808
Anna (Stuart), 182
Antípatro (de Tessalônica), 446
Apiano (de Alexandria), 792
Arbuthnot, John, 338, 363, 365, 787, 792
Ariosto, Ludovico, 45
Aristóteles, 76, 77, 97, 104, 172-173, 184, 363, 445
Arkwright, Sir Richard, 406, 415, 419, 462, 466, 527
Arquíloco, 403
Arquimedes, 335
Arrivabene, Jean (Giovanni), 656
Ashley, A.C., conde de Shattesbury, 440, 450, 451, 739
Ashworth, Henry, 316, 443, 444
Athenaeus (de Naucratis), 119, 149
Augier, Marie, 823
Aveling, Edward, 37

Babbage, Charles, 385, 387, 388, 413, 428, 442
Bacon, Francis, 427, 428, 784, 785
Bailey, Samuel, 67, 73, 98, 99, 583, 670
Baker, Robert, 328, 437, 464, 486, 772
Ballard, Edward, 508
Balzac, Honoré de, 648
Bankes, George, 739
Barbon, Nicholas, 53-55, 141, 146, 160, 161, 679
Barton, John, 693, 737
Bastiat, Frédéric, 22, 78, 97, 215, 446, 617
Baynes, John, 426, 428
Bebel, Auguste, 43
Beccaria, Cesare, 403
Bedford, 788
Beecher-Stowe, Harriet, 795
Bekker, Immanuel, 173
Bell, Sir Charles, 307, 726

Bentham, Jeremy, 194, 195, 669-671
Berkeley, George, 371, 392
Bidaut J.N., 355
Biese, Franz, 446
Blaise, Adolphe Gustave, 376
Blakey, Robert, 787
Blanqui, Jérôme Adolphe, 305, 376
Blanqui, Louis Auguste, 305
Block, Maurice, 24
Boileau, Étienne, 525
Boisguillebert, Pierre de, 147, 157
Bolingbroke, Henry Saint John, 818
Bonaparte, ver Napoleão III
Boulton, Matthew, 415, 426
Boxhorn, M.S., 466
Bray, John Francis, 85
Brentano, Lujo, 44-46
Bright, John, 22, 284, 311, 610, 712, 742, 812
Brindley, James, 387
Broadhurst, J., 72
Brodie, Sir Benjamin Collins, 307
Brougham, Henry, 822
Bruckner, J., 679
Buchanan, David, 143, 794
Buchez, Philippe, 805
Burke, Edmund, 232, 263, 359, 360, 788, 823
Butler, Samuel, 54
Byles, Sir John Barnard, 300, 802

Cairnes. J.E., 219, 295, 369
Campbell, George, 396
Cantillon, Philip, 607
Cantillon, Richard, 607, 679
Carey, Henry Charles, 244, 577, 616-617, 795, 812
Carli, G.R., 366
Carlisle, Sir, 307
Carlos I, 785, 786
Carlos II, 142
Carlos V, 800
Carlos VI, 466
Carlos X, 789
Carlos XI, 789

O CAPITAL

Carlos Magno, 792
Carlyle, Thomas, 284
Castlereagh, Robert Stewart, 466
Catarina II, 747
Cazenove, John, 221, 352, 565, 627, 639, 656
Carlos Chalmers, Thomas, 173, 182, 679, 680
Chamberlain, Joseph, 703
Cherbuliez, A.E., 205, 209, 644
Tchernichevski, Nikolai Gavrilovich, 22
Chevallier, J.B.A., 277
Child, Sir Josiah, 108, 823
Cícero, Marco Túlio, 446
Cincinato, 208
Claussen, Pieter, 410
Clement, Simon, 108
Cobbett, William, 317, 786, 817, 819
Cobden, Richard, 22, 284, 311, 742
Colbert, Jean Baptiste, 339, 820
Colins, J.G. Hippolyte, 676, 756, 836
Colombo, Cristóvão, 148
Comte, François Charles, 814
Comte, Isidore Auguste François Marie, 369
Condillac, E.B. de, 178, 179
Condorcet, Marie Jean, 679
Colbet, Th., 648
Corbon. A., 527

Courcelle-Seneuil, J.G., 261, 657
Cromwell, Oliver, 785, 787, 811
Culpepper, Sir Thomas, 823
Custodi, Pietro, 61, 107, 109, 173, 178, 403, 708
Cuvier, Georges, 554

Daire, Louis François Eugène, 54, 108, 126, 127, 157, 348
Dante, Alighieri, 18, 121, 275
Darwin, Charles, 380, 410
Daumer, Georg Friedrich, 316
De Cous, Salomon, 414
Defoe, Daniel, 157, 679
De Quincey, Thomas, 433
Derby, Edward G. Stanley, 493
Descartes, René, 427, 428
Destutt de Tracy, Antoine, 96, 177, 182, 362, 364, 710
Diderot, Denis, 150
Dietzgen, Joseph, 23
Diodoro de Sicília, 159, 263, 378, 404, 553
Doubleday, Thomas, 819
Dryden, John, 270
Ducpétiaux, Edouard, 734, 736

Dufferin, Lord, 773
Duffy, Gavan, 838
Dunning, T.J., 603, 606, 607, 823
Dupont, Pierre, 757

Eden, Sir Frederic Morton, 271, 661, 678, 679, 680, 737, 738, 787, 789, 790, 792, 820, 823
Eduardo III, 115, 300, 801
Eduardo VI, 798, 799
Elizabeth I, 300, 786, 787, 799, 800, 802-804
Emery, Charles Edward, 421
Engels, Friedrich, 13, 33-46, 59, 64, 91, 159, 160, 172, 183, 243, 265, 267, 272, 282, 296, 320, 330, 339, 376, 389, 426, 434, 437, 460, 461, 463, 468, 483, 490, 526, 542, 558, 561, 576, 658, 666, 689, 691, 696, 713, 716, 788, 826
Ensor, George, 794
Epicuro, 95
Eschwege, Wilhelm Ludwig von, 58
Evans, N.H., 788
Everet, 466

Fahrenheit, G.D., 278, 288, 324
Fairbairn, Sir William, 473
Farre, J.R., 307
Faulhaber, Johann, 414
Fawcett, Henry, 610, 671, 715, 812
Ferguson, Adam, 141, 392, 399, 400
Ferrand, W.B., 295, 454, 632
Ferrier, F.L.A., 78
Fielden, John, 441, 450, 821
Philippe VI de Valois, 109
Fleetwood, William, 300
Fletcher, Andrew, 787
Fonteret, A.L., 401
Forbes, 429
Forbonnais, F. Véron de, 109
Forster Nathaniel, 302, 465, 554, 790, 791
Forster, William Edward, 725, 726
Fortescue, John, 783, 784
Fourier, François Charles, 319, 421, 465, 758
Franklin, Benjamin, 68, 183, 203, 363, 679
Freytag, Gustav, 803
Frederico II, 796, 809
Fullarton, John, 145, 158, 160
Fulton, Robert, 527

Gales, princesa de, *ver* Alexandra
Galiani, Ferdinando, 90, 107, 108, 118, 173, 178, 349, 705
Ganilh, Charles, 78, 97, 110, 193, 203, 485

ÍNDICE ONOMÁSTICO

Garnier, Germain, 400, 401, 604
Gaskell, Peter, 473, 482
Genovesi, Antonio, 173
Geoffroy, Saint-Hilaire, Étienne, 808
Gerhardt, Charles Frédéric, 339
Gillott, Joseph, 499
Gisborne, Thomas, 821
Gladstone, William, 42-46, 490, 713-715, 804
Godunov, Boris Feodorovich, 788
Gordon, Sir John William, 193
Grave, William Robert, 568
Grey, George, 317, 727
Gray, John (escritor), 180
Gray, John (socialista utópico), 85
Greenhow, E.H., 272, 273, 322, 455
Greg, Robert Hyde, 320
Gregoir, H., 608
Guilherme III (de Orange), 788
William IV, 317
Gülich, Gustav von, 20, 817
Guthrie, G., 307

Hall, Christopher Newman, 284
Haller, Carl Ludwig von, 427
Hamilton, Sir William, 355, 525
Hamm, Wilhelm von, 542
Hanssen, Georg, 265
Harris, James, 403
Harrison, William, 783, 806
Hassall, Arthur Hill, 193, 277
Hastings, Warren, 815
Hegel, Georg Wilhelm Friedrich, 24, 26, 62, 109, 121, 187, 202, 291, 339, 401, 648, 656
Heine, Heinrich, 670
Helvetius, Claude Adrien, 669
Henrique III, 149
Henrique VII, 300, 784-785, 798
Henrique VIII, 784, 798, 800
Heráclito, 123
Herrenschwand, Jean, 139
Hobbes, Thomas, 189, 428, 679
Hobhouse, John Cam, 317
Hodgskin, Thomas, 378, 391, 393, 584, 632, 813
Holinshed, Raphael, 783, 800
Homero, 79
Hopkins, Thomas, 255
Horne, George, 679
Horner, Francis, 821
Horner, Leonard, 250, 268, 269, 305, 309, 312-313, 316, 318, 323, 438, 439, 451, 452, 465, 604

Houghton, John, 465
Howard de Walden, Lord, 305
Howell, 253, 269, 319
Howitt, William, 814
Hume, David, 140, 141, 555, 607, 679-680
Hunter, Henry Julian, 436, 721-723, 725-726, 729, 730, 742, 745, 747, 748, 749, 750, 751, 755, 756, 786
Hutton, Charles, 409
Huxley, Thomas Henry, 522

Isócrates, 404

Jacob, William, 58, 245
Jaime I, 786, 800, 803
Jerônimo (São), 121
João, 802
Jones, Richard, 42, 339, 355, 365, 370, 627, 647, 658, 693
Juárez, Benito Pablo, 187

Kars von Kars, Williams, 142
Kent, Nathaniel, 791
Kincaid, Sir John, 438, 439
Kirchmann, Julius Hermann von, 576
Kisselev, Pavel Dmitrievich, 265
Kopp, Hermann, 339
Krupp, Alfred, 428
Kugelmann, Ludwig, 19
Kusa (Cuza), Alexander Johann, 187

Laborde, Alexandre de, 577
Lachâtre, Maurice, 33, 38
Laing, Samuel, 220, 705, 721, 738
Lancellotti, Secondo, 465
Lasker, Edward, 43
Lassalle, Ferdinand, 15, 123
Lauderdale, James, conde de, 387
Laurent, Auguste, 339
Lavergne, Léonce de, 542, 576, 775
Law, John, 108, 679
Le Chapelier, Isaac René Guy, 805
Lemontey, Pierre Edouart, 400
Lessing, Gothold Ephraim, 26
Letheby, Henry, 283
Le Trosne, Guillaume François, 54, 57, 109, 119, 129, 133, 137, 161, 177-180, 183, 235
Levi, Leone, 797
Licurgo, 463
Liebig, Justus von, 267, 365, 424, 544, 631
Linguet, Simon Nicolas Henri, 261, 316, 370, 678, 802

O CAPITAL

Locke, John, 53, 108, 119, 142, 171, 428, 679
Luciano, 680
Lucrécio (Titus Lucretius Carus), 242
Luís xiv, 157
Luís xvi, 800
Luís Bonaparte, *ver* Napoleão iii
Luís Felipe, duque d'Orléans, 306
Lutero, Martinho, 152, 226, 339, 652, 816

MacAulay, Thomas Babington, 301, 305, 782, 787
MacCulloch, John Ramsay, 160, 170, 173, 215, 302, 355, 446, 476, 480, 563, 668, 670, 791
MacGregor, John, 302
MacLaren, James, 116
MacLeod, Henry Dunning, 78, 174
Malthus, Thomas Robert, 182, 239, 348, 390, 544, 570, 609, 627, 631, 639, 647, 648, 655, 658, 667, 670, 679, 696, 709, 767, 772
Mandeville, Bernard de, 393, 677, 678, 679
Martineau, Harriet, 696
Marx, Karl, 13-14, 15-18, 33-46, 53, 57, 59, 91, 92, 94, 97, 107, 114, 115, 119, 125, 154, 155, 159, 172, 339, 376, 395, 398, 458, 526, 558, 575, 576, 585, 636, 676, 682, 691, 695, 708, 756, 826, 830
Marx-Aveling, Eleanor, 37, 41, 45, 46
Massie, Joseph, 555
Maudslay, Henry, 422
Maurer, Georg Ludwig von, 88, 265
Maximiliano de Habsburgo, 187
Mayer, Sigmund, 20
Meitzen, August, 265
Mendelssohn, Moses, 26
Menênio Agripa, 398
Mercier de La Rivière, Paul Pierre, 127, 128, 147, 168, 170, 177, 181, 214
Merivale, Herman, 695, 696, 834, 835
Meyer, Rudolf, 267, 576
Mill, James, 132, 142, 174, 209, 220, 391, 476, 544, 626, 629, 631, 670
Mill, John Stuart, 22, 142, 151, 409, 476, 544, 556-558, 656, 659, 670, 812
Mirabeau, Honoré, 516, 782, 796, 797, 809, 810, 820
Mirabeau, Victor R. de, 679, 829
Molesworth, William, 189
Molinari, Gustave de, 460, 461, 657, 835
Mommsen, Theodor, 186, 190
Montalembert, conde de, 508

Monteil, Amans Alexis, 807-808
Montesquieu, Charles de, 109, 141
Moore, Samuel, 37
Morus, Sir Thomas, 679, 784, 799
Morton, John Chalmers, 414, 606
Müller, Adam Heinrich, 142
Mun, John, 554
Mun, Thomas, 554
Murphy, John Nicolas, 768
Murray, Hugh, 379

Napoleão iii, 304
Nasmyth, James, 423, 452, 474
Newman, Francis William, 788, 794
Newman, Samuel Philips, 179, 232
Newmarch, William, 324
Newnham, G.L., 662
Niebuhr, Barthold Georg, 263
North, Dudley, 119, 139, 142, 151, 428, 679

Olmsted, Frederick Law, 219
Opdyke, George, 183
Orkney, Elizabeth Villiers, Lady, 788
Ortes, Giammaria, 679, 708
Overstone, Samuel Jones, 142, 160
Owen, Robert, 92, 113, 327, 441, 523, 541, 603, 656

Pagnini, Giovanni Francesco, 109
Palmerston, Henry John Temple, Lord, 493
Papillon, Thomas, 108
Parisot, Jacques Théodore, 626
Parry, Charles Henry, 661, 662, 738
Parry, William Edward, 114
Pecqueur, Constantin, 676
Peel, Robert, 821, 830
Peel, Robert, 22, 159, 260, 837
Péricles, 403
Peto, Sir Samuel Morton, 262
Petty, William, 61, 68, 97, 110, 119, 140, 158, 161, 190, 300, 301, 348, 381, 386, 403, 467, 607, 679
Pilatos, Pôncio, 650
Píndaro, 170, 457
Pinto, Isaac, 170
Pitt, William (Junior), 232, 804
Platão, 403, 404
Postlethwayt, Malachy, 302-303
Potter, Alonzo, 657
Potter, Edmund, 324, 632-635
Price, Richard, 302, 737, 791, 792
Protágoras, 277

ÍNDICE ONOMÁSTICO

Proudhon, Pierre Joseph, 85, 97, 103, 460, 555, 585, 647
Pusey, Philipp, 740

Quesnay, François, 21, 126, 354-355, 607, 679
Quételet, Lambert A., 360
Quincey, Thomas de, *ver* de Quincey, Thomas

Raffles, Thomas Stamford, 396, 814
Ramazzini, Bernardino, 401
Ramsay, George, 181, 184, 350, 552, 626, 693
Ravenstone, Piercy, 467, 552
Redgrave, Alexander, 296, 297, 415, 434, 440, 455, 471, 486, 493, 495, 496, 597, 615, 616
Reich, Eduard, 401
Ricardo, David, 21, 23, 72, 80, 92, 96, 99, 142, 160, 182, 185, 186, 211, 230-231, 254-255, 337, 425, 430, 431, 445, 468, 469, 476, 544, 556, 562, 563, 565, 569, 570, 576, 583, 617, 631, 649, 656, 659, 666-667, 677, 693, 821
Richardson, Benjamin, 283-284
Roberts, George, 786
Rodbertus (Jagetzow), Johann Karl, 576
Rogers, James Edwin Thorold, 736, 742, 787, 812
Rogier, Charles, 305
Roscher, Wilhelm, 110, 179, 231, 243, 254, 292, 361, 402, 676-677
Rossi, Pellegrino, 192, 630
Rouard de Card, Pie Marie, 278
Rousseau, Jean-Jacques, 809
Roux-Lavergne, Pierre Célestin, 805
Roy, Henry, 155, 715
Roy, Joseph, 31, 38
Rubens, Peter Paul, 325
Ruge, Arnold, 91, 172
Rumford, *ver* Thompson, Benjamin Russell, Lord John, 647, 788

Sadler, Michael Thomas, 738, 767
Saint-Simon, Claude Henri, conde de, 656
Saunders, Robert, 319, 329, 441
Say, Jean Baptiste, 96, 132, 173, 183, 215, 231, 400, 425, 479, 563, 585, 655, 667
Schorlemmer, Carl, 339
Schouw, Joakim, 555
Schulz, Wilhelm, 410
Schulze-Delitzsch, Hermann, 15
Scrope, George P., 657

Seeley, Robert Benton, 792
Senior, Nassau William, 250-254, 292, 355, 443, 444, 476, 522, 523, 531, 532, 594, 598, 656, 668, 775, 795
Sexto empírico, 403
Shaftesbury, *ver* Ashley, A.C.
Shakespeare, William, 65, 125, 149, 526, 807
Shee, William, 463
Shrewsbury, *ver* Talbot, Charles
Sidmouth, Henry Addington, 466
Sieber, Nikolai Ivanovitch, 23
Simon, John, 437, 503-504, 717-721, 727, 730, 745
Sismondi, Jean Charles Simonde de, 349, 584, 625, 636, 641, 645, 646, 655, 696, 709, 710, 824
Skarbek, Frédéric, 364, 389
Sloane, Hans, 788
Smith, Adam, 23, 64, 96, 140-142, 185, 301, 387, 392, 393, 400, 403, 425, 448, 498, 544, 563, 578, 584, 585, 588, 589, 607, 613, 614, 627, 649-651, 654, 671, 677, 679-681, 683, 684, 705, 716, 779, 794, 802, 823
Smith, Edward, 432, 717-718, 744
Smith, Goldwin, 812
Snigge, 786
Soetbeer, Georg Adolf, 34
Sófocles, 149
Somers, Robert, 796-797
Sorge, Friedrich Adolf, 38
Sparks, Jared, 183
Spinoza, Baruch, 26, 337, 656
Stafford, William, 807
Stapleton, 660
Steuart (Stewart), James, 42, 140, 160, 169, 202, 369, 390, 467, 607, 679, 709, 783, 794, 808
Stewart, James, 169
Stewart, Dugald, 355, 383, 398, 525
Stolberg, Christian, conde de, 446
Storch, Heinrich, 193, 205, 389, 398, 399, 650, 709
Strahan, William, 679
Strype, John, 800
Stuart, James, 317, 341
Sully, Maximilian de Béthune, 679
Sutherland, [Harriet Elisabeth], duquesa de, 794, 795

Talbot, Charles, duque de Shrewsbury, 788
Tamerlão, 292
Taylor, Sedley, 44-46

Temple, William, 679
Thiers, Louis Adolphe, 480, 779
Thompson, Benjamin, conde de Rumford, 661
Thompson, William, 399

Thornton, William Thomas, 190, 297, 784
Thünen, Johann Heinrich von, 683
Tito (Titus Flavius Vespasianus), 434
Tooke, Thomas, 324
Torrens, Robert, 181, 190, 208, 443, 476
Townsend, Joseph, 679, 708
Tremenheere, Hugh Seymour, 193, 278, 292
Tucídides, 243, 403
Tucker, Josiah, 302, 679, 823
Tuckett, John Debell, 400, 786, 812
Tudor, 811
Tupper, Martin, 670
Turgot, Anne Robert, 203, 348, 578

Ure, Andrew, 42, 253, 292, 301, 327, 355, 387-389, 405, 406, 418, 424, 442, 457-459, 462, 469, 470, 474-476, 605, 609, 614
Urquhart, David, 118, 401, 543, 795, 811, 812

Valentin, Gabriel Gustav, 522
Vanderlint, Jacob, 141, 147, 148, 161, 302, 304, 348, 367, 386, 679
Vauban, Sébastien le Prêtre de, 157
Vaucanson, Jacques de, 419
Verri, Pietro, 61, 108, 150

Vico, Giovanni Battista, 410
Villiers, Charles Pelham, 296
Vissering, Simon, 541
Vitória, 319

Wade, Benjamin Franklin, 18
Wade, John, 271, 300, 681
Wakefield, Edward Gibbon, 297, 362, 584, 642, 738, 829-838
Wallace, Robert, 390, 679
Ward, John, 295
Watson, John Forbes, 429
Watt, James, 413, 415, 419, 422, 426, 527
Watts, John, 603, 606
Wayland, Francis, 183, 232
Wedgwood, Josiah, 295
Wellington, Arthur Wellesley, Duque de, 142
West, Edward, 544, 569, 593, 594
Whitbread, Samuel, 804
Whitney, Eli, 421, 429
Wilks, Mark, 396
Wilson, James, 254, 379
Wirth, Max, 93
Witt, Johan de, 679, 819
Wolf, Christian, 669
Wright, Thomas, 790
Wyatt, John, 410

Xenofonte, 404

Yarranton, Andrew, 386
Young, Arthur, 140, 255, 302, 736, 744

ÍNDICE ANALÍTICO

acidentes, 464-65, 520-21, 538-41
acumulação do capital, 621-22, 639, 645-47, 650-53
   condições necessárias, 639-43
   grau de exploração da força de trabalho e, 658-66
   J. St. Mill, 650
   lei geral da acumulação capitalista, 675-78, 682-83, 706-8
   Malthus, 639, 655
   Ricardo, 649, 677
   Smith, 649-51, 654, 677, 681, 683-84; *ver* reprodução, ampliada
acumulação primitiva do capital
   fatores fundamentais da, 800-1, 808-9, 812-21, 829
   seus métodos, 466-67, 627-28, 644, 686, 779-826; *ver* legislação sanguinária
África, 294-95, 482, 813, 822
ágio, 115
agitação para revogar as leis aduaneiras sobre cereais, 309, 319
agricultura, 203, 205, 466-67, 663-64, 704-5, 739-40, 742, 808-12
   grande indústria e, 542-44, 811-12
   aplicação da maquinaria na, 413-14, 542-43, 739-40
   cooperação na, 364-65
   transformação da, 466-67, 488-89, 769-75
Alemanha, 339, 412
   classe trabalhadora, 20, 22
   desenvolvimento da produção capitalista, 16, 20
   economia política na, e suas peculiaridades, 20, 22-23
   estatística social, 17
   estatura decrescente dos soldados, 267
   estatutos para rebaixar salários, 802-4
   fábrica de fundição de aço da Krupp, 428
   guerra dos camponeses, 265
   invenção do moinho de tecer fita no século xvi, 465-66
   modelo da produção artesanal de papel, 419
   origem da servidão, 265
   pesos, medidas e moedas, 33-34

situação do trabalhador fabril prussiano, 297
trabalho das crianças, 301
transformação dos camponeses livres em servos por Carlos Magno, 792
alienação, 474-75, 629, 643-44, 668, 706-7; *ver* fetichismo
América
   agricultura e escravidão, 482, 822
   América do Sul, alimentação dos trabalhadores nas minas, 631
   Índias Ocidentais, 816, 822, 835; *ver* Canadá; Estados Unidos
análise, 25, 53, 67-68, 76, 92, 96-97, 240-41, 351, 362
   científica das formas da vida humana, 92
   das formas econômicas, 15-16; *ver* forma do valor; mercadoria; valor
anarquia da produção capitalista, 394, 516-17, 526, 541, 571
antagonismo, 16, 152, 320, 668
   entre explorador e explorados, 367-68
   modo capitalista de produção, 22, 369, 479, 577, 707-8, 720-21
Antiguidade, 76-77, 94-95, 97, 118, 148, 152, 157, 182, 186, 190, 316, 370, 386-87, 403-4, 553, 790
apologética econômica, 22, 132, 588, 603, 606, 609, 668-71, 701, 729, 822, 832-33
   apologistas do sistema fabril, 394
   teoria da compensação, 476-81
aprendizes, 301, 519, 524, 653
Arábia, 263
aristocracia da classe trabalhadora, 731, 737
aristocracia proprietária das terras, 739, 789-90
arrendamentos, concentração dos, 774-76
arrendatários, 812
   gênese do arrendatário capitalista, 806-7
artesanato, 359, 371-72, 375-80, 383, 404-6, 524-25, 528-29, 532-33, 541, 551, 603, 686, 705-6, 729, 812, 819, 824
   efeito da maquinaria sobre o, 485, 488-89
ascese, 653
Ásia, 147, 157, 182, 370, 396, 488-89, 492, 497, 555, 616, 695

O CAPITAL

asilos de trabalho e orfanatos, *ver* casa (asilo) de trabalho

astronomia, 554

ateísmo, 18

Atenas, 97, 403-4, 553

Austrália, 296, 489, 492, 695, 796, 830, 838

Áustria, 305

avareza, 648, 652-53

balança comercial, 160

bancocracia, 789, 818

bancos, 818
   nacionais, 159

base e superestrutura, 97, 103, 396, 410, 523, 679; *ver* superestrutura

Bélgica, 305, 327, 660, 734-36

bilhetes de banco, 144, 155-61, 737, 818

bimetalismo, 114-15, 159

bolsa, 154, 214, 818

branquearias e tinturarias, 514-15
   legislação fabril, 324, 404
   tempo extraordinário de trabalho nas branquearias escocesas, 597
   trabalho das mulheres, 324-25

Brasil, 58

burguesia, 20-22, 459, 462-63, 526, 707-8, 826

caça
   indústria extrativa, 205
   primeira forma de cooperação, 370

câmbio, *ver* curso do câmbio

campanha das dez horas, 250, 311-13, 319

campanha das oito horas, 328-29, 455

camponeses
   expropriação, 782-98, 819-20
   livres, 264-65, 782
   medievais, 58; *ver* feudalismo
   sujeitos à corveia, 587, 627
   transformação dos pequenos lavradores em assalariados, 819
   yeomanry, 785, 787-88; *ver* confiscação das terras dos camponeses; Guerra dos Camponeses

Canadá, 794

canalização, irrigação, 554

capital
   capital constante, 225-35, 239-42, 244-48, 336-37, 662-65, 670-71
   capital variável, 225-36, 239-46, 333-38, 626-28, 664, 670-71
   segundo o valor, 675, 684-85; orgânica, 234-35, 240-41, 335-36, 362, 397-98,

   481-82, 487-88, 675-76, 683-85, 690-94, 697-98; técnica, 675, 683-85, 687, 690
   circulação do, 171-72, 621-22
   comercial, 183, 551
   como valor que se expande, 340-41
   composição do, 675
   condições históricas para a existência do capital, 188-89
   dinheiro, primeira forma em que aparece o capital, 167-68
   fórmula geral do, 167-68
   contradições do, 175-85
   global de um ramo de produção, 675
   história do, 167, 812-14
   industrial, 175, 812-13
   James Mill, 174, 209
   mercantil, 167, 175, 397, 813
   que rende juros, 175, 184
   social de um país, 675
   uma relação social, 549-50, 833
   usurário, 167, 183-84, 550-51, 652, 813; *ver* acumulação do capital; concentração do capital; centralização do capital; deslocamento do capital; despotismo; fetichismo; juros

capital, O
   burguesia e, 17, 19-25, 26-27, 42-46
   classe trabalhadora e, 17, 19-25, 29, 39-40
   dialética em, 24-27
   maneira de citar de Marx, 34-35, 38-40

capital comercial, 183, 551

capital mercantil, 167, 175, 397, 813

capitalista
   capital personificado, 173, 260-61, 338-40, 651-52
   difere do entesourador, 173
   função do, 208-9, 217-19, 338-40, 367-69, 651-53
   gênese do capitalista industrial, 812-14

capitalistas ociosos, 817

carestia, 570

carta do povo, 309

casa (asilo) de trabalho, 296-97, 304, 434, 661-62, 716-17, 723, 725, 732-34, 820-21

casas de modas, 282-83

castas, 378, 404

categorias
   da economia burguesa, 92, 585-87
   econômicas e sua origem histórica, 188
   personificação das categorias econômicas, 17, 182

categorias dialéticas
   causa e efeito, 695, 697-98

848

ÍNDICE ANALÍTICO

conteúdo e forma, 54, 96-97, 368, 643
essência e fenômeno, 585-89, 593-600
necessidade e casualidade, 360
necessidade e liberdade, 94-96, 121
o singular, o particular e o geral (universal), 389-90
possibilidade e realidade, 131-32
catolicismo, 97
causa e efeito, 695, 697-98
"cavalo-vapor" (medida), 414, 426, 428, 452-53
celibato, 679, 709
centralização do capital, 687-90, 712, 825, 838
cerâmica
legislação fabril, 324, 514-15, 521
salário por peça, 606
situação do trabalhador, 272-74, 295
trabalho das crianças, 272-74
China, 88, 148, 660, 794, 814
fabricação de papel, 419
ciclo industrial, 21, 27, 516, 682, 695-96, 699, 702
periodicidade, 40, 694, 699
situação dos trabalhadores, 590-98
superpopulação, 693-95, 698-99; *ver* crises econômicas
cidade e campo, 390, 542-44
ciência, 20-21, 29
aplicação consciente da, 822
aplicação consciente da tecnologia na agricultura, 543
força independente do processo de trabalho, 707-8
força produtiva (produtividade) do trabalho e, 57-58, 399, 424-25, 664-65, 669-70, 686
métodos de pesquisa na ciência, 21-22
revolução nos termos científicos, 38
submetida ao serviço do capital, 399, 423-24, 474
uso dos termos científicos em sentidos diversos, 243; *ver* ciências naturais; técnica; tecnologia
ciências camerais, 20
ciências naturais
emprego consciente, 423-24, 499, 525
sistema métrico nas, 34; *ver* ciência
circulação de mercadorias, 129-48, 150-51, 167-84, 188-89
não é fonte de mais-valia, 178-84
simples, fórmula, 167-72

classe trabalhadora
alemã, 20, 22
capital e, 323-24, 340, 444-45, 447, 626-27, 643-44
inglesa, 16-17, 313, 326-28
revolução e, 17, 527, 825-26
sua reprodução, 629-32, 640-41; *ver* aristocracia da classe trabalhadora; luta de classes; proletariado
classes
classe média, 706, 722, 819, 826
eliminação das, 22-23; *ver* burguesia; camponeses; classe trabalhadora; proletariado
classes ideológicas, 484
coação econômica, 801
coligação
leis contrárias à, 492, 802-5; *ver trade union*
colônias, 370, 702, 816, 827, 829-38; *ver* colonização; sistema colonial
colonização, 489
teoria da, 829-38
comércio
atacadista, 513, 517, 519
exterior, 640, 695
interno, 695; *ver* balança comercial; comércio mundial; mercado mundial
comércio de trapos, 501-2
comércio mundial, 158, 160, 167, 483
Companhia das Índias Orientais, 492, 815-16
comunismo
desenvolvimento livre e integral de cada indivíduo, 651
distribuição no, 94-95
educação no, 522-23, 527
fundamento material necessário, 95-96
maquinaria no, 430
organização do trabalho social, 394, 402
propriedade no, 94-95, 825-26
relações de produção, 93-95
sociedade de homens livres, 94
tempo de trabalho no, 94-95
trabalho no, 570-71
concentração do capital, 398, 512-13, 516, 541, 687-89, 712
concentração dos meios de produção, 365-66, 393, 398, 513-14, 686-87, 824-25
concorrência, 384, 490-91, 510-11, 513-14, 529, 571, 598-600, 614, 659, 687-88, 692, 702, 826
alavanca da centralização do capital, 687-88
entre os trabalhadores, 598, 607, 609-10, 695-96
leis coativas da, 298-99

O CAPITAL

condições de ensino na Inglaterra, 437-40, 507-8, 530
condições de habitação, 502, 636, 716
   distritos mineiros, 728-31
   dos trabalhadores agrícolas, 744-56, 770-71
   dos trabalhadores urbanos, 720-26
condições de produção, 227
   sociais médias, 212
   sociais reinantes, 211
   ser humano e, 60-61, 87, 95-96, 201-2, 207, 409-10, 479-80, 543, 549, 663
   trabalho e, 60, 201-2
confiscação das terras dos camponeses, 468, 796-97
consciência burguesa, 97, 394
consciência social, formas de, 97
consertos, 230
consumo, 261
   individual, 207-9, 630-32, 636
   James Mill e, 629
   Malthus e, 631
   produtivo, 207-9, 232, 629-32, 636
consumo de ópio, 436-37
conteúdo e forma, 54, 96-97, 368, 643
contradições, 131, 154-55, 335, 337, 444-45, 479-80, 583-84, 586, 617
   contradição hegeliana, fonte de toda a dialética, 656
   desenvolvimento, único meio histórico de transformar uma forma de produção, 527
   método de resolvê-las, 122
   na troca de mercadorias, 120-21
   no movimento dos corpos, 122
   produção capitalista e suas, 526-27, 541
cooperação, 359-72, 377, 381-83, 423-24, 498, 686
   forma fundamental da produção capitalista, 372
   simples, 369-72, 375-77, 382-85, 398-99, 416, 418, 423, 512
cooperativas, *ver* cooperação; sociedades cooperativas
corporações, 338-39, 359, 376, 378, 396-97, 402, 466, 525, 780-81, 801, 805
corveia, 93, 263-66, 587, 797
crédito, 688, 731, 736, 818
   relações de crédito entre trabalhadores e capitalistas, 192-94
   sistema internacional de, 817-18
   sistema de crédito publico, *ver* sistema de dívida pública
crematística, 172, 183-84

crise de dinheiro, 154
crises econômicas
   crise de 1825, 21
   crise de 1846/47, 311
   crise de 1857/58, 269, 731
   crise de 1866, 716, 731-33
   efeitos sobre a situação da classe trabalhadora, 597, 731-36
   interrupções violentas do processo de trabalho, 232
   não moderam o empenho capitalista de prolongar a jornada de trabalho, 268-69
   paralisação da circulação, 648
   paralisação do mercado, 513
   paralisações do processo de produção e do processo de circulação, 138-39
   periodicidade, 40, 694, 699
   possibilidade e realidade das, 131-32; *ver* ciclo industrial; crise de dinheiro; indústria têxtil algodoeira; superprodução
cristianismo, 95
crítica, 18, 24-25
Cuba, 295
currency, 160
   escola da, 682
   teoria da, 160
curso do câmbio, 158-61
   Ricardo, 160
curso do dinheiro, 132-47, 167-73, 189
   Smith, 140-41; *ver* leis
custos de produção, 586

definições
   acumulação do capital, 631
   acumulação primitiva, 686
   capital, 174-75
   capital constante, 234
   capital mercantil, 175
   capital variável, 234, 333
   capitalista, 173-74
   centralização do capital, 688
   circulação das mercadorias, 130
   composição do capital, 675
   compra, 147
   concentração do capital, 686
   cooperação, 362
   cooperação simples, 364
   dinheiro, 132-33
   economia política clássica, 96-97
   economia vulgar, 96-97
   fetichismo da mercadoria, 88-89
   força de trabalho, 186

ÍNDICE ANALÍTICO

jornada de trabalho (dia de trabalho), 254-
-55, 259-60
jornada de trabalho social média, 359-60
mais-valia, 171, 239
mais-valia absoluta, 349
mais-valia relativa, 349
manufatura, 400-2
maquinaria, 410-11
materia-prima, 202, 205
média, 359
meio de trabalho, 202-3
mercadoria, 53, 57, 76
papel-moeda, 144
preço, 113-14
produção capitalista, 188
produtividade, 63-64
produto excedente, 254
renda (*revenue*), 651
taxa da mais-valia, 242
tempo de trabalho excedente, 243
tempo de trabalho necessário, 243
tempo de trabalho socialmente necessário,
56-57
trabalhador, 201
trabalho, 63-64, 201
trabalho excedente, 243
trabalho necessário, 243
trabalho útil, 59-60
valor, 64
valor da força de trabalho, 333
valor de uso, 53-54
valor do capital variável, 243, 333
deísmo, 95
denominação do dinheiro, 117-18
desemprego, 40, 459, 475-85, 695-96, 607,
676, 695, 701-4, 771; *ver* exército industrial de reserva; subemprego; superpopulação relativa; teoria da compensação
desenvolvimento no sentido sociológico, 16-
-17, 24-25
deslocamento do capital, 700
despotismo, 734, 796
da divisão manufatureira do trabalho do
capital, 368, 394, 440, 702, 707
desvalorização do dinheiro, 807
dialética
contradição hegeliana fonte de toda a dialética, 656
crítica e revolucionária, 27
hegeliana, 26
lei da transformação da quantidade em
qualidade, 339

método, 24-26; *ver* categorias dialéticas;
leis dialéticas
dinheiro, 75, 97, 108-10, 113-15, 189
circulação metálica, 114-15, 144, 151
determinação do valor do, 108-9
dinheiro de crédito, 144, 154-56
equivalente universal, 85-87, 105-8
fetichismo do, 92, 108-10, 149
funções do, 109, 144, 155-57, 159-60
dinheiro de conta, 119, 154, 176-77
dinheiro universal, 158-61
estalão dos preços, 116, 142-43
medida dos valores, 113-16, 122, 135-36,
146, 154
meio de circulação, 122-47, 151-56,
158-61, 177
meio de entesouramento, 147-51, 153,
158-61
meio de pagamento, 144, 151-61
"moeda-trabalho", 113
não tem preço, 114
papel-moeda, 143-46
produto necessário do processo de troca,
105
transformação do dinheiro em capital,
167-95
uma relação social, 98, 148-49, 154; *ver*
ágio; bilhetes de banco; bimetalismo;
curso do câmbio; curso do dinheiro; denominação do dinheiro; desvalorização
do dinheiro; falsificação do dinheiro;
forma dinheiro; símbolos de dinheiro;
teorias monetárias
direito
ao trabalho, 328
burguês, 194, 262, 589, 678, 721
de propriedade do capitalista, 625, 632,
642-47
exploração da força de trabalho, direito
fundamental do capital, 319, 340-41,
434-35
relações jurídicas da produção de mercadorias, 103; *ver* igualdade; justiça
dissipação
da força de trabalho, 430, 500-1, 569
de capitalistas, 653, 656-57, 720
de material, 368
de senhores feudais, 657; *ver* exploração
exaustiva
distribuição
de bens de consumo, 94-95
do trabalho, 94-95
distribuidor, 397

O CAPITAL

ditadura do proletariado, *ver* poder político e o proletariado

dívida pública, *ver* sistema de dívida pública

divisão do trabalho
   base física da, 554
   eliminação da velha, 527
   espontânea, 94, 124, 401
   geral, particular e singular, 389-90
   internacional, 489
   na fábrica, 60, 416-18, 423, 458-60, 523
   na manufatura, 375-406, 416-20, 458-60
   na oficina, 394-95, 404, 466-67
   na sociedade, 91, 389, 392, 394-97, 401-4, 483, 524-26
   Petty, 381, 403
   Platão, 403-4
   produção de mercadorias e, 59-60, 124-26, 188, 389-91
   reduz o valor da força de trabalho, 387-88, 467
   Smith, 387, 392-93, 400, 403
   territorial, 392
   trabalho intelectual e trabalho manual, 461

dogmatismo, 650

economia
   base material do mundo, 97
   do trabalho, 571
   dos meios de pagamento, 154, 157
   dos meios de produção, 361-66, 425, 464, 502-3, 511, 571, 825
   política e, 96-97

economia natural, 93-94, 146-47, 812

economia política
   alemã e suas peculiaridades, 20, 22-23
   clássica, 20-21, 648-49, 654-56, 666, 669, 829
   crítica da economia política, 21-23
   história da, 34-35, 402-3
   limites da economia política burguesa, 17, 20-21, 589
   opõe-se à economia vulgar, 97
   parcialidade da, 17, 19-22
   questão essencial da, 59
   terminologia da, 38

economia política clássica, *ver* economia política

economia rural, *ver* agricultura

economia vulgar, 21-22, 96-97, 130-31, 335, 337, 541, 556-58, 565, 586-88, 616-17, 656-57, 669-70
   alemã e *O capital*, 22
   desemprego e, 476-81

dinheiro e a, 109-10
   opõe-se à economia política clássica, 96-97
   origem da mais-valia e, 243-44
   pressupõe que oferta e procura coincidem, 178
   valor e a, 69-70
   vulgarização da teoria de Ricardo na Inglaterra, 21; *ver* apologética econômica; malthusianismo

educação politécnica, 522-24, 527

educação, 722
   combinação de trabalho produtivo com ensino e ginástica, 522-23
   comunismo e, 522-23, 527
   legislação fabril e, 437-40, 522-23, 527, 535-36
   Owen, 327, 523
   Smith e ensino popular, 400; *ver* condições de ensino na inglaterra

Egito, 263, 370, 378, 404, 553-54

emigração, 296, 405, 469, 489, 492, 632-35, 671, 695, 700, 703-4, 745, 755, 760
   de trabalhadores fabris, 497

empresas de seguro, 229

emulação, 353, 363, 365, 371

encardenação, 597

entesouramento, 147-51, 153, 158-61, 648, 651, 653-54

entrançamento de palha, moderno trabalho do domicílio, 504, 507-8
   escolas de entrançamento de palha, 507-8

Escócia, 158, 533, 597, 614, 661, 712, 743-44, 774, 793-99, 804
   abolição da servidão, 787

escravidão, 77, 107, 187, 219, 328-30, 368-69, 371, 482, 589, 654, 787, 791-92, 795-99, 820-22, 832, 835
   Aristóteles e o trabalho escravo, 97
   conservadores e a, 283-84, 795
   forma do trabalho excedente, 243-44, 263, 587
   instrumentos de trabalho na, 219; *ver* tráfico de escravos

Espanha, 271, 555, 814, 822, 832

especulação, 170, 214, 234, 298, 313, 355, 653, 731, 746-48, 786, 838

essência e fenômeno, 585-89, 593-600

Estado, poder do Estado, 298-99, 400-1, 617, 814
   controle do Estado sobre o capital, 528-29
   interferência do Estado nas fábricas, 434-35
   subsídios oficiais, 339; *ver* legislação fabril

852

ÍNDICE ANALÍTICO

Estado inca, 106
estados civilizados, 18
Estados Unidos, 497-98, 542-44, 819, 837-38
  desenvolvimento econômico, 490
  escravidão, 482, 822
  escravidão paralisava o movimento dos
    trabalhadores, 328
  imigração, 296-97, 775-76, 827, 835-38
  legislação fabril, 299
estamparias de algodão
  emprego de maquinaria, 428-29
  legislação fabril, 323-24, 328, 439-40
  número de empregados, 692
estatística social
  inglesa comparada com a da Alemanha e a
    dos demais países da Europa Ocidental, 17
estatutos dos trabalhadores, 298-301, 801-5
estoques, *ver* formação de estoques
Etiópia, 263
exército dos trabalhadores em atividade,
  694-95, 700-1, 704-7; *ver* exército industrial de reserva
exército industrial de reserva, 527, 540-42,
  690-710, 725, 727
  trabalho sazonal e, 517; *ver* superpopulação
    relativa
exploração
  do homem pelo homem, 781
  feudal e sua transformação em capitalista,
    780; *ver* força de trabalho; mais-valia;
    trabalho das crianças; trabalho das mu-
    lheres; trabalho em excesso; trabalho
    excedente; trapaça
exploração exaustiva, 266-68, 293, 398, 499-
  502, 526, 543-44, 658-59; *ver* dissipação
exportação de capital, 671
exportação de lã, 489
expropriação
  das terras, 782-98, 819-20
  dos expropriadores, 825-26
  dos produtores diretos, 780-81; *ver* acumu-
    lação primitiva

fábrica, 448-65, 485-88, 497-99
  capacidade do sistema fabril de expandir-se
    bruscamente, 488-90
  cárcere gigantesco de trabalho, 304-5
  cottage-factory, 498-99
  divisão do trabalho na, 60, 416-18, 423,
    458-60, 523
  sistema fabril
  Fourier e, 318-19

  Owen e, 523, 541
  Ure e, 418, 457-59, 462, 474-76
fabricação de papéis pintados, trabalho das
  crianças, 275-76
  legislação fabril, 324
  tempo extraordinário de trabalho, 597
fabricação de papel, 376, 383, 386, 419
  sistema de revezamento, 287-88
fabricação de vidros, 292-93, 385-86, 473
  legislação fabril, 326, 530-32
  sistema de revezamento, 287-88, 292
falsificação de mercadorias, 193, 277-79, 661
falsificação do dinheiro, 108-9, 118
família
  dissolução da família antiga no sistema
    capitalista, 528-29
  fundamentos econômicos da velha família,
    528-29
  seu caráter histórico, 389-90, 528
  trabalho em, 94
fenícios, 149
ferramentas, 379-80, 391, 409-14-20, 422-
  24; *ver* instrumentos de trabalho; meios
  de trabalho
  ferreiros, 282, 284
ferro, 119, 121, 481-82
ferrovias, 310, 422, 616, 690, 694, 700, 711,
  713, 723-24, 727, 838
  excesso de trabalho e acidentes, 281-82
  trabalho sazonal e, 517
fertilidade do solo, 543-44, 553-54, 569,
  663, 684, 740
fetichismo
  do capital, 98
  do dinheiro, 92, 108-10, 149
  da mercadoria, 87-99, 109-10; *ver* alienação
feudalismo
  características gerais, 93-94, 369-71, 627,
    653, 779-84, 788-89
  dissolução do, 467, 780-81, 788-89
  na Alemanha, 264, 468, 796-97, 803
  na França, 802, 807-8
  na Inglaterra, 738-39, 781-89, 801-2
  na Itália, 781, 785
  nos principados danubianos, 264-66
física, leis gerais da, 61
fisiocratas, 183, 578
  doutrina da improdutividade de todo tra-
    balho não agrícola, 214
  méritos dos, 650
  renda da terra e, 98
  trabalho produtivo e, 98

O CAPITAL

força (violência)
  como potência econômica, 814
  decide entre direitos iguais, 262
  direta, extraeconômica, 801
  do Estado, 801, 804, 814
  seu papel na história, 779
força de trabalho, 186, 207-8, 214, 216, 228, 232
  condições relativas à compra e venda da, 186-95, 201, 208-9, 216-19, 260-62, 329-30, 434, 680-81; *ver* mercado de trabalho
  desgaste da, 566, 568
  duração da, 261-62, 292-99
  mercadoria, 186-95
  pagamento abaixo do valor da, 276, 659; *ver* salário
  preço da, 191-94, 561, 564-68, 585-89
  reprodução da, 191-92, 242-43, 292, 333-34, 338, 348-50, 353, 432-33, 562-64, 583-88, 676
  valor da, 242-43, 333-37, 347-54, 362, 432, 561-69, 585-89, 593-98
  determinação do, 189-92, 242-43, 259, 292-93
  fator histórico e moral, 189-90
  limite mínimo do, 192, 564
  valor de uso da, 186, 191-94, 201, 209, 215-16, 232, 260, 644
força hidráulica, 326, 414-15, 668
força produtiva do trabalho, *ver* produtividade do trabalho
forças produtivas, *ver* cooperação; meios de trabalho; produtividade; tecnologia; trabalhador
forma de equivalente, *ver* forma do valor
forma dinheiro, 15, 65, 76, 86-87, 92, 97, 107-8, 113-14; *ver* forma do valor
forma do valor, 15-16, 58, 65-87, 96, 106, 108-9
  análise da, 67-68, 76
  Aristóteles, 76-77
  Bailey, 67
  desenvolvimento da, 65, 76
  extensiva, 79-82
  relativa, 79-85
  forma de equivalente, 66-67, 78-85, 109-10
  geral, 81-87, 106-7
  propriedades da, 73-77
  forma dinheiro, 15, 65, 76, 86-87, 92, 97, 107-8, 113-14
  relativa, 66-74, 78, 80, 84
  simples ou fortuita, 66-79

forma e conteúdo, 54, 96-97, 368, 643
forma mercadoria, a mais geral e mais elementar da produção burguesa, 98
formação de estoques, 648-49
formação econômico-social, 96-97, 188-89
  desenvolvimento como processo histórico-natural, 17-18
  distinguem-se pela forma do trabalho excedente, 243, 263-66
  divisão do trabalho nas mais diversas, 394-97
  importância dos meios de trabalho para o estudo das, 203; *ver* base e superestrutura; comunismo; escravidão; feudalismo; modo de produção; superestrutura
formas de consciência social, *ver* consciência social, formas de
formas de produção, 103, 157, 186
  desenvolvimento das contradições, único meio de transmutar uma forma histórica de produção, 527
  formas intermediárias, 514, 550-51
França, 18, 20-22, 386, 391-92, 785, 807-8
  estatura decrescente dos soldados, 267
  estatutos dos trabalhadores, 299
  impostos, 157
  insurreição de junho de Paris (1848), 313
  legislação, 787, 800, 802, 805, 807-8
  legislação fabril, 303-6, 327-28
  legislação sanguinária, 800
  modelo da manufatura de papel, 419
  obrigada a pagar indenização de guerra em dinheiro metálico, 160
  população, 756
  revolução de fevereiro (1848), 636
  revolução de julho (1830), 656
  Revolução Francesa (1789), 107, 542, 805
fundo de acumulação, 571, 651, 658-59, 662, 664, 668-70
fundo de consumo
  dos capitalistas, 626, 640, 648-49, 651, 659, 662
  dos trabalhadores, 662-63, 677, 680
fundo de produção, 650
fundo de reserva, 571, 626
fundo do trabalho, 626-27, 665, 675
  o pretenso, 669-71

gaélicos, 794-96
ganho comercial, 621
gerações de trabalhadores, revezamento rápido das, 297, 701
geral (o), o particular e o singular, 389

854

ÍNDICE ANALÍTICO

grau de exploração, *ver* mais-valia

Grécia, 77, 149

greve, 463-64, 473-75, 804
das tecelãs em Wiltshire (1863), 463
dos empregados de cerâmica (1866), 463
dos tecelões de fitas de Coventry (1860), 607
dos tecelões em Darwin (1863), 464
dos trabalhadores agrícolas em Buckinghamshire (1867), 281
dos trabalhadores em construção de Londres (1860/61), 262, 596-97, 606
dos trabalhadores em construção de máquinas (1851), 474
dos trabalhadores em minas na Bélgica (1867), 660
dos trabalhadores na indústria algodoeira têxtil (1853), 492

Guerra antijacobina, 662, 737, 814

Guerra Civil americana, *ver* Guerra de Secessão

Guerra da Independência dos Estados Unidos, 17

Guerra de Secessão, 17, 214, 219, 269, 284, 320, 328, 393, 432, 459, 470-72, 795, 587, 632, 838

Guerra do Ópio, 814-15

Guerra dos Camponeses, 264

Guerra dos Trinta Anos, 725, 768, 796, 803

guerra
o serviço militar apressou a ruína do plebeu romano e do camponês germânico, 792

habitação, *ver* condições de habitação

história
começo da história humana, 203
divisão da pré-história, 204
dois importantes períodos da história econômica, 39
épocas históricas não são separadas por linhas de demarcação rigorosas, 409
humana e história natural, 409

história da civilização, 25

Holanda, 814-19
aplicação do vento como força motriz, 412
estatuto dos trabalhadores, 299
história da economia colonial holandesa, 814-17
modelo da manufatura de papel propriamente dita, 419
modelo de nação capitalista no século XVII, 814
moderno sistema fiscal, 819
produção de lançadeiras, 391

homem, *ver* ser humano

humanismo
desenvolvimento integral do ser humano, 523, 527
sociedade de homens livres, 94, 96

Idade Média, 93, 109, 467, 551, 781-84, 807, 812, 817
cooperação na, 370-71
corporações na, 338-39, 396
europeia, características e catolicismo, 97
ruína do devedor feudal na, 152
virements em Lyon na, 154; *ver* feudalismo

Iluminismo, 109

imigração, 827, 835-38

imposto de renda, *764*, 765

impostos, 157-58, 563, 617
pagamentos em produtos transformam-se em pagamentos em dinheiro, 157; *ver* sistema tributário

Índia, 379, 469, 489, 658, 693, 813-16
comunidade indiana, 60, 94, 106, 365, 370, 395-96, 658
epidemia de fome, 391, 554, 815-16
feitura de papel, 419
forma ingênua de entesouramento, 147-48
importação e exportação de ouro e prata, 147-48, 151
influência da Companhia Inglesa das Índias Orientais, 813-16
produção de algodão, 429
regime de adução de águas, 554

indústria de lã, 392, 417, 460, 666
diminuição do trabalho das crianças, 306, 430-31
legislação fabril, 306
número dos empregados, 484-88, 692

indústria de linho
acidentes na indústria de linho da Irlanda, 520-21
legislação fabril, 306
número dos empregados, 484, 488
trabalho nas fiações de linho, 253

indústria de meias, *ver* meias, indústria de

indústria de seda, 375
legislação fabril, 306
número dos empregados, 484, 486, 488, 692
trabalho das crianças, 321-22, 500-1

indústria de transportes e mercado mundial, 483; *ver* transportes e comunicações

indústria metalúrgica, 501, 515
número dos empregados, 485

O CAPITAL

sistema de revezamento, 285-92; *ver* metalurgia

indústria moderna
agricultura e, 542-44, 811-12
divisão do trabalho e, 523-24, 526
maquinaria e, 409-544
seu ponto de partida, 409, 419-20, 432
sua base técnica é revolucionária, 525-26
transição da manufatura e do trabalho em domicílio modernos para a, 509-19

indústria química, *ver* química

indústria têxtil algodoeira, 295-98, 317, 323-26, 417, 428-29, 449-57, 459-73, 480-82, 633-36, 698, 713
escravatura e, 482
número dos empregados, 472-73, 484, 486-88, 692
sistema de revezamento, legislação fabril, crise na, 269, 432, 463, 471-73, 492-93, 632-34
situação dos trabalhadores, 321-23; *ver* tear

Inglaterra
comércio exterior, 489-94, 496, 640, 712, 813, 815-16
crescimento do Reino Unido, 710-16
estatutos dos trabalhadores, 299, 801-5
extensão do trabalho simples na, 220-21
extinção dos tecelões manuais, 468-69
história monetária da, 115, 159, 731
indústria, 454-59, 713
legislação fabril, 266-68, 298-301, 304-30, 434-35, 528-34
manufatura de lã, 417
modelo da fabricação automática de papel, 419
país clássico do capitalismo, desenvolvimento do sistema industrial e suas perspectivas na, 39-40
pesos e medidas ingleses no mercado mundial, 34
população, 484, 692, 704, 710, 782
têxtil algodoeira, 472-73, 486-87, 491-98
trabalhadores ingleses, campeões da moderna classe trabalhadora, 327

inspetores de fábricas, 17, 267, 533, 542
inspeção de minas, 539-41

instrumentos de trabalho, 208, 218-19
diferenciação dos, 391
diferenciação e especialização na manufatura, 379-80, 382
revolução dos, 402, 525-26; *ver* ferramentas; máquina; maquinaria; meios de trabalho

intensidade do trabalho, 446-56, 565-71, 605-6
grau normal da, 219, 551-52
média nos diferentes países, 613, 616

intermediário, 807-8

invenções
história das, 473
não são produto de um indivíduo isolado, 410
no período do artesanato, 386-87

Irlanda, 280-81, 457, 472-73, 520, 533, 744, 760-76, 820
decréscimo de sua população, 296, 482, 633, 760, 766-68, 774-76

Itália, 781, 785

Japão, 157, 753, 782

Java, 428, 814-15

jobagie, 266

jornada de trabalho
além do limite máximo, 292-94
leis que estabelecem compulsoriamente a, 298-301
limitação legal da, 326, 514-15, 520, 595-97; *ver* legislação fabril; lei das dez horas
limite máximo da, 260, 292-94, 443-45
limite mínimo da, 260, 570-71
magnitude variável, 259-60
média, limite absoluto, 335
Owen, 327
prolongamento da, 440-47, 550-51, 567-70, 596-600
redução da, 447-55, 567, 569-71
luta do trabalhador pela, 262, 280, 304-5, 308, 319-20, 447; *ver* campanha das oito horas; campanha das dez horas
trabalho necessário e trabalho excedente, 254-55, 347-49, 444-45, 550; *ver* sistema de revezamento; sistema de suadouro; sistema de turnos (múltiplos)

juros, 254, 427, 621, 654, 813, 818
Aristóteles, 184
fração da mais-valia, 647

justiça
no feudalismo, 369
tribunais e juízes ingleses, 279-82, 316-17, 319-20, 323, 463, 803, 807

lã, *ver* indústria de lã

legislação
contra a vadiagem, 798-800
relativa a contratos de trabalho, 187, 801-4; *ver* legislação fabril

856

ÍNDICE ANALÍTICO

legislação fabril, 17, 253-54, 266, 454-55, 464-65, 519, 541-42
acelera a ruína das pequenas empresas, 516
austríaca, 305
caráter inicial de exceção da, 325-26
disposições relativas à educação, 437-40, 522-23, 527, 535-36
disposições sanitárias, 520-21
estadunidense, 299
extensão a todos os ramos industriais, 513-14
francesa, 303-5, 327-28
inglesa, 17, 266-68, 298-301, 304-30, 434-35, 528-34
revolta dos fabricantes contra, 313-20, 323-24, 341, 459
suíça, 305, 542
legislação sanguinária, 798-802
lei bancária de 1844, 159, 837
lei da mais-valia
lei econômica do movimento da sociedade moderna, 17
leis que determinam a massa da maisvalia, 333-37
produzir mais-valia, lei absoluta do modo capitalista de produção, 681
lei da população, 25, 682-83, 693-94
lei das dez horas, 253-54, 311-14, 316-17, 319-20, 329-30, 597
lei do valor, 57-58, 90-92, 210, 336-37, 351--54, 394, 567, 583-86, 614
aplicação da lei do valor a diferentes jornadas de trabalho nacionais, 567, 614
leis
conversão das leis de propriedade da produção de mercadorias em leis da propriedade capitalista, 641-47
econômicas, 25, 91-92, 103-4, 641, 693
lei da mais-valia
lei econômica do movimento da sociedade moderna, 17
produção de mais-valia: lei absoluta do modo capitalista de produção, 681
lei da oferta e da procura, 478, 699-702, 771-72, 801, 833-37
lei da troca de mercadorias, 177-79, 185, 216-17, 261-62, 643-46
lei do curso do dinheiro, 137-41, 144, 154-55, 157-58
lei do modo capitalista de produção, 310
lei do rendimento decrescente do solo, 544
lei do salário, 593, 613-14
lei específica da circulação do papel-moeda, 144

lei geral da acumulação capitalista, 675-78, 682-83, 706-8
leis imanentes da produção capitalista impõem-se coercitivamente na concorrência, 298-99, 351
leis que determinam a quantidade de mais--valia, 333-37
tendências naturais sociais e, 16, 24-26, 91-92, 378, 526-27, 571; *ver* lei da população; lei do valor; leis dialéticas
leis contra a coligação, *ver* coligação
leis de assistência à pobreza, 469, 492, 737, 746-47, 786-87
Leis de proteção aduaneira aos cereais, 21, 775
revogação das, 309, 311, 492, 497, 739
leis dialéticas
negação da negação, 27, 825
transformação da quantidade em qualidade, 339
unidade e luta dos contrários, 131-33; *ver* antagonismos; contradições; oposição, *ver* desenvolvimento no sentido sociológico
leis fabris
de 1833, 250, 301, 304-11, 313-14
de 1842 (mineração), 533-34
de 1844, 309-11, 313-16, 321-22, 438-39, 451
de 1845 (estamparias de algodão), 323-24, 439-40
de 1850, 267, 297, 320-24
de 1860 (inspeção das minas), 534, 539-40
de 1861 (fabricação de rendas), 504-5
de 1863 (branquearia, panificação), 324
de 1864, 513-17, 521
de 1867, 530-33
de 1872 (mineração), 540-41
de 1878, 542; *ver* lei das dez horas
liberdade, 85, 194
do capital, 307, 394, 734
ilusões de liberdade no capitalismo, 588
necessidade e, 121
opressão à liberdade individual, 543-44
liga contra a proteção aduaneira aos cereais, 22
linho, *ver* indústria de linho
"little shilling men", 260
livre-cambismo, 22, 40, 267, 311-13, 322, 710, 726, 740
livre-cambistas, 319, 322, 492, 520, 587, 812

mascates (bufarinheiros) do livre-cambismo, 78, 505

lockout, 491, 597, 804

lucro, 38, 253-54, 488, 491, 621, 647, 650, 681, 691, 796

J. St. Mill e a origem do, 556-57

taxa de, 242, 244, 246, 269-70, 565, 691

luta de classes, 20-23

Antiguidade e, 152

desenvolve-se com a acumulação do capital, 716

dos trabalhadores para reduzir a jornada de trabalho, 262, 280, 304-5, 308, 319-20, 447

entre capitalistas e trabalhadores, 326, 465-66

movimento do proletariado agrícola inglês, 280

luxo, 653-54, 657-58

magna carta, 330

magnitude do valor, 57-58, 63-64, 70-72, 80, 82-83, 85, 88, 92, 96-97, 104, 106-7, 109-10, 120, 170-72, 174, 177, 583

mensuração da, 56-57, 90-91

possibilidade de divergência entre preço e, 120

mais-valia, 171-76, 209, 246-49, 639-51; absoluta, 446, 550-58

acréscimo ou excedente sobre o valor primitivo, 171

circulação de mercadorias não é fonte de, 176-85

crescimento da população e, 337

extraordinária, 352-53

fatores que determinam a massa (magnitude) da, 561-71

fisiocratas, 578

fórmulas da, 575-78

massa da, 333-37, 443-44, 658-59, 668-69

método de calcular a taxa da, 244-6

relativa, 347-54, 443-44, 447-48, 550-52

repartição da, 244-45, 621-22, 650, 668-69, 676

Ricardo, 556, 562-70, 649

Smith, 578

sua transformação em capital, 639-47

taxa da, 239-55, 259, 266, 333-36, 443-45, 551-52, 557, 565, 659, 664; *ver* lei da mais-valia; leis; processo de produzir mais-valia; trabalho excedente; valor

malthusianismo, 390, 544, 570, 679, 696, 767, 772-73

manufatura, 359, 369, 371, 423, 466, 498, 523-25, 704, 809-11, 822

artesanato, ponto de partida da, 375-76, 405-6, 409-11, 466-67

base técnica imediata da indústria moderna, 419-21

caráter capitalista da, 397-406

combinação de diferentes manufaturas, 384-86

divisão do trabalho na, 375-406, 416-20, 458-60, 523-25

duas formas fundamentais, heterogênea e orgânica, 380-89

dupla origem da, 375-77

estreita base técnica exclui análise científica do processo de produção, 377

maquinaria na, 386-87, 419-22

moderna, 499-504, 509-19

período manufatureiro, 39, 371, 404-5, 498-500, 783, 812, 817, 820, 822

produtividade do trabalho e, 379

queda do valor da força de trabalho, 387-89, 404-5

trabalhador parcial na, 376-89

manufatura de agulhas, 376, 382

manufatura de carruagens, 375

manufatura de fósforos

legislação fabril, 324, 515, 532

trabalho das crianças, 274-75, 515

manufatura de panos, 375

manufatura de relógios, exemplo clássico da manufatura heterogênea, 381-82

manufatura química, *ver* química

máquina, 230-31

desgaste físico da máquina, 227-30, 292, 294, 424, 441

desgaste médio da, 425

desgaste moral da, 441-42, 513, 633

difere da ferramenta, 409-12

dupla natureza da, 441-42

motor, 410-11, 413-16, 418, 420, 422, 458

produtividade da, 424-28, 440-41, 609

máquina a ar quente, 410, 498

máquina a vapor, 410, 413-15, 418-23, 428-29, 450, 452-53, 470, 473, 513, 515, 523, 527, 821

máquina de costura, 511-13

máquina de fiar, 410-12, 415, 418-19, 426, 428, 450-52, 460, 466-67, 473-74, 480, 482, 495, 609

máquina eletromagnética, 410

máquina-ferramenta, 410-18, 420, 422-23, 450, 458

ÍNDICE ANALÍTICO

mecanismo de transmissão, 410-11,
414-20, 450
ponto de partida da revolução industrial,
411; *ver* consertos; maquinaria; revolta
contra a máquina
maquinaria, 380, 386-87
apodera-se continuamente de novos domínios da produção, 469, 481-84
Babbage, 442
comunismo e, 430
cooperação de muitas máquinas da mesma
espécie, 416-17
efeitos sobre o trabalhador da aplicação
capitalista da, 457-85, 715-16
específica do período manufatureiro, 386-87
indústria moderna e, 409-544
J. St. Mill, 409
limite para seu uso no capitalismo, 430-31
máquinas que fabricam máquinas, 422
meio para produzir mais-valia, 409
papel no processo de trabalho difere do que
exerce no processo de produzir mais-valia, 424-27
partes componentes, 410-15
Petty, 467
prolongamento da jornada de trabalho e,
440-46
Proudhon, 460
repulsão e atração de trabalhadores, 485-98,
666
Ricardo, 425, 430-31, 445, 468, 476
Say, 425
seus efeitos sobre a intensidade do trabalho,
446-56
sobre o trabalhador e sua família, 432-40,
445
Stewart, 467; *ver* sistema de máquinas; sistema de máquinas automático
marxismo, influência sobre o movimento dos
trabalhadores, 39
material acessório (substâncias auxiliares),
205, 228, 234, 625
material de trabalho, 230-31, 233; *ver* objeto
de trabalho
materialismo histórico, 24-26
abstrato fundado nas ciências naturais, 410
matéria-prima, 208-9, 213, 227-28, 234-35,
247-48
consumo inadequado de, 219
objeto de trabalho preparado por trabalho
anterior, 202, 205
semiproduto ou produto intermediário,
206

substância principal ou acessória, 205
meias, indústria de, 717-19
introdução de maquinaria, 513-14
legislação fabril, 324
meios de produção, 187, 189, 204-9, 225-26,
246-48, 263, 365-66, 392-93, 551, 685-86,
824-25
figuras corpóreas do capital constante, 241
ponto de vista do processo de produzir
mais-valia, 284
produtividade do trabalho e, 57, 684-85;
ver instrumentos de trabalho; máquinas;
maquinaria; material-prima; meios de
trabalho
meios de trabalho, 202-5, 225-29, 234-35,
246-49, 459-62, 662-65
consumo impróprio dos, 319
desgaste físico dos, 227-30, 292, 294,
424, 441
desgaste moral dos, 441-42, 513, 633
importância para o estudo das formações
econômico-sociais extintas, 203
indicadores das condições sociais, 203
indicam o desenvolvimento da força de
trabalho, 203
mecânicos formam o sistema ósseo e muscular da produção, 203
sistema vascular da produção, 203-4; *ver*
ferramentas; instrumentos de trabalho;
máquina; maquinaria
mercado de dinheiro, 167
mercado de trabalho, 167, 186-89, 192-95,
208, 295-97, 329-30, 333-34, 432-35,
583-84, 597-98, 605-6, 631-33, 675-77,
690-710, 832-38
divisão especial do mercado de mercadorias, 188
influência da maquinaria sobre, 434
mercado mundial, 158-61, 167, 392, 421-22,
489-93, 518, 613-14, 617, 660, 695, 825
abarrotamento do, 472, 490
medidas e pesos ingleses no, 34
mercado
formação do mercado interno, 808-12
problema de, 39-40; *ver* mercado de dinheiro; mercado de trabalho; mercado
mundial; mercados coloniais; mercadoria
mercadoria, 130-31, 149-50
análise da, 15, 53, 87, 96-97, 188, 221
duplicação em mercadoria e dinheiro, 105,
113-14
duplo caráter da, 53-56, 59-64, 76-77,
87-89, 103-4

O CAPITAL

fetichismo da, 87-99, 109-10
produto de trabalhos privados, autônomos, independentes entre si, 60, 88-89; *ver* falsificação de mercadorias; forma mercadoria; metamorfose da mercadoria; realização das mercadorias
mercados coloniais, 421, 467, 510
mercantilismo, 160
definição de capital, 175
forma de equivalente e, 78
restaurado, valor e, 97
mercantilistas, 103-4, 160, 556-57
sistema de dinheiro, 155; *ver* mercantilismo
merceologia, 54
metafísica, 23, 87
metais preciosos, 135-36
equivalente universal, 107-8
teoria do valor imaginário dos, 108-9; *ver* ouro; prata
metalurgia, 386; *ver* indústria metalúrgica
metamorfose das mercadorias, 122-39, 146, 151-54
método
da apologética econômica, 132
de pesquisa e método de exposição, 23-24, 26
de resolver contradições, 122
dialético, 26
hegeliano, 26
materialista, 410
método empregado em *O capital*, 23-26, 29, 38-39
México, 159, 187, 219, 816
mineração, 205, 502, 533-41, 606, 631, 663
legislação sobre o trabalho nas minas, 531, 533-36, 539-41
número dos empregados, 481, 485, 692
pagamento de parte do salário em coisas ou utilidades (*trucksystem*) nas minas inglesas, 193-94, 728-29
situação dos trabalhadores, 327, 728-31
trabalho das crianças, 431, 534-35
trabalho das mulheres, 285, 431, 536-38
trabalho em minas de ouro, 263, 813
moda e trabalho sazonal, 516-19
modo de produção, 92, 96-97
arcaicos, sua sobrevivência, 16
capitalista, 16, 53, 779-81
seus limites, 521, 669-71
sua contradição imanente, 241
vida material e, 97; *ver* comunismo; escravidão; feudalismo; forças produtivas; relações de produção

moeda, 142-46; *ver* dinheiro
"moeda-trabalho", 113
moinho, 386
de água, 386, 414, 446
de fitas, 465-66
de trigo, 386
de vento, 410, 412
monopólio, 86-87, 492, 497, 521, 775, 815-16
do capital, 825
dos meios de produção, 263
inglês do mercado mundial, 570
mortalidade, 284
dos filhos dos trabalhadores, 435-36
dos impressores e alfaiates em Londres, 504
nos distritos industriais, comparada com os agrícolas, 322; *ver* morte por fome
morte por fome, 511, 519, 716, 719, 731, 816
movimento cartista, 311, 313
movimento luddita, 466
mundo antigo, *ver* Antiguidade

nação
força vital atacada pela capacidade, 267
livre, 677
nações industriais, 695
uma nação pode e deve aprender de outra, 17
natureza
condições naturais da produtividade do trabalho, 58, 553-56
forças naturais e a produtividade do trabalho, 423-25, 427, 686
ser humano e, 60-61, 87, 95-96, 201-2, 207, 409-10, 479-80, 543, 549, 663
trabalho e, 60, 201-2
navegação e trabalho sazonal, 517-19; *ver* transportes e comunicações
negação
da negação, 825
do existente, 27

objeto de trabalho, 201-5 213, 225, 549, 663
terra como objeto universal do trabalho humano, 202
obrigações, 153
oferta e procura, 335, 585, 588, 676, 690-95, 699-703
lei da, 478, 699-702, 771, 801, 833-37
olarias, 502, 531
oligarquia, 679, 788-89, 823

ÍNDICE ANALÍTICO

ópio, 153, 432, 436, 815; *ver* consumo de ópio
oposição, 84, 122-23, 152, 469, 617
    entre a cidade e o campo, 390, 542-44
    entre as classes, 21
    entre mercadoria e dinheiro, 105, 155
    entre trabalho intelectual e trabalho manual, 461
    entre valor de uso e valor, 78-79, 105, 122-23, 131, 147
    unidade e luta dos contrários, 131
ouro, 146-48, 159-60
    específica mercadoria equivalente, 113
    extração do, 159
    influência da variação do seu valor em sua função de dinheiro, 116-17
    mercadoria dinheiro, 113, 117, 121-22
    relação entre o valor do ouro e o da prata, 115, 159; *ver* dinheiro

países civilizados, *ver* estados civilizados
panificação, 277, 295, 515
    concorrência entre os donos de padaria, 599-600
    excesso de trabalho dos empregados de padaria, 278-81
    legislação fabril, 324-25
papéis pintados, *ver* fabricação de papéis pintados, trabalho das crianças
papel, *ver* fabricação de papel
parasitas (mediadores), 500, 605, 811
patologia industrial, 401
pauperismo, 468-69, 570, 634-35, 662, 703-6, 709-10, 713-34, 742, 746-47, 756, 786-87, 791, 811, 836; *ver* asilos e orfanatos; casa (asilo) de trabalho; lei de assistência à pobreza; vadiagem
pauperização, 220, 282, 468-69, 527, 543-44, 658-62, 676-78, 836; *ver* acumulação do capital; desemprego; exército industrial de reserva; pauperismo; superpopulação relativa; trabalho em excesso
penalidades, aplicadas aos trabalhadores de fábricas, 462-63
penas de aço, 499
peonagem, 187
pequena indústria (empresa), 530-32, 541, 824
pequena propriedade fundiária na França, 21, 756; *ver* propriedade fundiária
personificação
    das categorias econômicas, 17, 182
    das relações econômicas, 103, 131

peste, 300, 705, 767
poder político e o proletariado, 22, 527, 825-26
política econômica, 97
população, magnitude e densidade, 391; *ver* lei da população
possibilidade e realidade, 131
poupança, 219, 653-54
    economizar segundo Malthus, 648; *ver* economia
povos nômades, 107
prata, 159-61
    extração de, 159
    mercadoria dinheiro, 118
    relação de valor com o ouro, 115, 159
preço (a forma preço), 78-79, 87, 92, 103-10, 113-17, 119-21, 650, 685
    forma preço imaginária, 121
    magnitude do valor e, 120, 177
    preços do mercado, 185, 384, 583
    preços médios, 185, 246
    valor e, 120, 177-78, 180-81; *ver* dinheiro; forma do valor; variação de preço
pregos, feitura de, 326, 504, 598, 692
Principado do Danúbio, 264-66
processo de produção
    capitalista, unidade do processo de trabalho e do processo de produzir mais-valia, 219-20
    da mercadoria, unidade do processo de trabalho e do processo de formação do valor, 210, 219-20
processo de produzir mais-valia, 209-21, 232-34, 340, 367-68, 577-78
    maquinaria no, 423-24
processo de trabalho elementos componentes do, 201-7
    papel do capitalista no, 207-9, 217-20
    papel do ser humano no, 201-5
produção, *ver* condições de produção; custos de produção; formas de produção; fundo de produção; meios de produção; modo de produção; produção capitalista; produção de luxo; produção de mercadorias; relações de produção
produção capitalista
    ponto de partida, 359, 371-72, 628-29, 779-81
    produzir mais-valia, o fim que a determina, 174-75, 254-55, 259, 261, 293, 324-25, 337-38, 354, 368, 549-51, 675-76, 681, 817
    seus prenúncios nos séculos xiv e xv, 782; *ver* leis

O CAPITAL

produção de algodão, 391, 488
  maquinaria e, 417, 421, 428-29, 488-89
produção de luxo, 483
produção de mercadorias, 89, 91, 167, 188-89, 382-83, 646-47
  condição fundamental do modo capitalista de produção, 391
  condições históricas, 188-89
  diferentes modos de produção e, 132, 188
  divisão do trabalho na sociedade, condição existencial da, 60
produção mercantil, *ver* produção de mercadorias
produtividade do trabalho
  aumento da, 349-55, 365-66, 443-44
  decrescente, 569-70
  importante fator para acumulação de capital, 664-67, 683-87
  influência sobre a magnitude do valor, 58, 63, 70-71
  influência sobre a quantidade produzida, 58
  jornada coletiva e, 365-66
  magnitude da mais-valia e, 561-71
  maquinaria e, 424-29, 440-41
  perfeição das ferramentas e, 397-98
  social como produtividade inerente ao capital, 369-71, 397-98, 428, 549
  social, 362-63, 366, 523, 550, 667, 686, 706, 829
  valor da força de trabalho e, 349-55, 561-70
produto excedente, 254-55, 640, 647
produto intermediário, 206; *ver* material-prima
proletariado, 22-23, 655-56
  alemão e sua consciência teórica de classe, 23
  classe realmente revolucionária, 826
  coveiro da burguesia, 826
  desenvolvimento de sua emancipação de classe, 39
  economia clássica e, 654-55
  missão histórica do, 23; *ver* classe trabalhadora; poder político e o proletariado; rebotalho do proletariado; trabalhadores
propriedade
  capitalista, 208-9
  coletiva, 94, 265, 370-71
  comunal, 782, 787-93
  comunismo e, 94-95, 825-26
  dos meios de produção, 263
  negação da, 825
  privada, 106, 265, 823-26, 832

romana e germânica, 97
  social, coletiva, 823
  transformação da, originada em trabalho próprio em propriedade privada, 823-26, 829-38
  transformação da, 18
  usurpação da, 783-85, 787-94, 796, 798, 806-12; *ver* propriedade fundiária
propriedade fundiária, 97, 167, 736-40, 747, 781-82, 786-88, 792-93, 809; *ver* pequena propriedade fundiária; propriedade latifundiária
propriedade latifundiária, 21, 789-91; *ver* propriedade fundiária; proprietários de terras
propriedade privada, *ver* propriedade
proprietários da terra, 621, 635, 656; *ver* propriedade latifundiária
proteção aduaneira dos cereais, *ver* leis de proteção aduaneira aos cereais; liga contra a proteção aduaneira aos cereais
protecionismo, 617, 812, 814, 819-20
protestantismo, 95, 303
  princípio da população e, 679-80

Quadro Econômico, 650
qualidade, do trabalho, 605
qualidade, quantidade, 53-55, 339
química, 38, 68, 99, 241, 339, 418, 526, 665
  diferença entre a substância principal e a acessória desaparece na fabricação química, 204-5
  papel do sistema vascular da produção, 202
  trabalho noturno nas manufaturas químicas, 501

realização das mercadorias, 103, 120-21, 151
rebotalho do proletariado, 705
reforma, 786-87
relações
  econômicas, personificação das, 103, 131
  sociais na Idade Média europeia, 93
relações de produção, 92, 97
  Antiguidade e, 94
  capitalistas e, 706-7
  consumismo e, 93-4
  mercadorias e, 95; *ver* base e superestrutura; modo de produção; propriedade
religião, 95, 97, 265, 270, 281, 293, 395, 486, 669, 679-80, 683, 808
  história da, 410
renda, 711-14, 769
  da família dos trabalhadores, 594, 734-35
  dos trabalhadores, 482

862

ÍNDICE ANALÍTICO

nacional, sua repartição, 645

renda (*revenue*) do capitalismo, 648-51, 664

renda da terra, *ver* renda fundiária

renda fundiária, 255, 576, 650, 657-58

fisiocratas e, 98

renda da terra, 157, 309, 484, 550, 565, 569, 621, 729, 767, 773-76, 806-7, 813

transformação de renda natural em renda monetária, 157

urbana, 722

rendas, produção

escola de rendas, 507-8

estado de saúde dos trabalhadores, 504-5

exploração exaustiva, 263

legislação fabril, 324, 515

moderno trabalho em domicílio, 504-7

sistema de pagamento com gêneros, 508

tempo suplementar de trabalho, 596-97

transformação da produção de rendas, 513

representação simbólica do valor, 142-46, 228

reprodução, 157

ampliada, 639-71, 676, 680-81

capitalista e suas condições, 625-36

condição existencial de toda sociedade, 625

nas diferentes formações econômico-sociais, 657

simples, 625-36, 640-41, 645-47, 657, 676; *ver* acumulação do capital

revolta contra a máquina, 465-66, 469; *ver* movimento luddita

revolução

classe trabalhadora e, 17-18, 22

não se faz com leis, 813

por meios pacíficos e legais de 1848, 22

seu ponto de partida, o sistema fabril, 541; *ver* França

Revolução Industrial, 325-26, 410-13, 421, 432, 465-68, 487, 509-19

revolução socialista, 526, 541, 826

riqueza, 42-44, 53, 60-61, 63, 149-50, 155

casamento entre natureza e trabalho, 60

dinheiro, representante universal da riqueza material, 149-50, 159-60

dinheiro como expressão social da, 147-48

fontes de toda a riqueza, 544

Roma, 97, 118, 152, 157, 182, 190, 316, 791

Romênia 264-65

Rússia, 265, 615-16, 782

salário, 192-95, 209, 300-4, 323, 583-89, 593-600, 635-36, 644-47, 650, 698-700

aparência de preço do trabalho, 583

coexistência com o salário por peça, 603-4

descontos, rebaixamentos de, 311-12,

duração da jornada de trabalho e, 697-600, 603-6, 608-9

elevação do, 676, 681-83

forma a que se converte o salário por tempo, 603-5

história do, 607-9

J. Mill, 626

J. St. Mill, 659, 670

Malthus, 570, 609

nas diferentes nações, 613-17, 658, 660

nominal, 569, 593-94, 596, 598, 614, 737-38

por peça, 448-49, 452, 516, 603-10

por tempo, 603-5, 607-9, 613

produtividade do trabalho e, 609-10

propriedades características do, 603-8

real, 593, 614, 664

regulado em seus movimentos gerais pelo exército industrial de reserva, 699-701

regulamentação legal do, 801-4

relativo, 614

Smith, 627

unidade de medida do, 594

West, 593-94; *ver* sistema de pagamento em coisas ou utilidades

Santa Aliança, 21

seda, *ver* indústria de seda

ser humano

animal que faz instrumentos, segundo Franklin, 203, 363

natureza e, 60-61, 87, 95-96, 201-2, 207, 409-10, 479-80, 543, 549, 663

ser social por natureza, 363

servidão, 93, 742, 781-82

forma do trabalho excedente, 263-65, 587

sua abolição, 780-782, 787-88

shifting system, 319; *ver* sistema de turnos (múltiplos)

Sicília, 554

símbolos de dinheiro, 108-9, 144-46

sistema colonial, 392, 814-17, 820; *ver* colônias

sistema de bandos, 436, 757-60

sistema de dívida pública, 814, 817-20, 838

sistema de máquinas automáticas, 418-22, 456-62, 469-71, 473-74, 498, 666

sistema de máquinas, 416-20, 423

sistema de pagamento em coisas ou utilidades (*trucksystem*), 193-94, 508, 728-29

sistema de revezamento, 285-92; *ver* sistema de turnos (múltiplos)

sistema de suadouro, 605

863

O CAPITAL

sistema de turnos (múltiplos), 306-11, 316-21, 340-41; *ver* sistema de revezamento

sistema fiscal, *ver* sistema tributário

sistema tributário, 814-20; *ver* imposto de renda; impostos; tributos

situação alimentar dos trabalhadores, 716-20, 742

socialismo, *ver* comunismo

socialismo pequeno-burguês
  produção de mercadorias e, 103, 105
  utopia da permutabilidade direta das mercadorias, 85

socialização do trabalho, 825

sociedades anônimas, 689-90, 711, 818
  capitalista coletivo, 370
  sociedades precursoras, 339

sociedades cooperativas, 368

sofística, 22

subemprego, 595-96, 607

substância do valor, 56, 58, 61-63, 68, 71, 76, 83

Suécia, 789

Suíça
  fabricação de relógios, 381
  legislação fabril, 305, 542

superestrutura
  base e, 97, 103, 396, 410, 523, 679
  jurídica e política, 97

superpopulação relativa, 295-97, 431, 487-88, 690-707, 725, 768-69
  agrícola, 700, 755-57, 759-60, 768
  ciclo industrial e, 694-95, 699, 702
  consequência da aplicação capitalista da maquinaria, 444-45, 467-69, 570
  diferentes formas de existência, 702-7
  Ricardo, 469, 693; *ver* desemprego; exército industrial de reserva

superprodução, 648, 696, 701; *ver* crises econômicas

tear, 410-11, 419-21, 466-67, 469, 472-73, 580, 582, 486-88

técnica, 336, 339-40, 349, 377-78, 398, 413, 458, 469-70, 488-89, 500-1; *ver* máquina; maquinaria; tecnologia

tecnologia, 57, 516, 525-27, 543
  história da, 410; *ver* ciência; ciências naturais; cooperação; forças produtivas; máquinas; maquinaria; meios de trabalho

telegrafia, 517

tempo de trabalho
  comunismo e, 94-95
  excedente, 243, 259-60, 268-70, 599-600

medida do valor, 58

necessário, 243-49, 254-55, 259-60, 263-64, 266, 347-52, 383-84, 551, 553, 555-56, 571

socialmente necessário, 19, 56-60, 63-64, 71-73, 91, 125, 189, 211-13, 218, 225-27, 243, 352, 360, 383-84, 604

"última hora" de senior, 249-54

teologia, pecado original, 779

teoria da abstinência, 214, 254, 656-58, 668

teoria da colonização, 827, 829-38

teoria da compensação, 476-85, 701; *ver* desemprego

teorias monetárias
  currency
    escola da, 682
    teoria da, 160
  história das, 15-16
  os "*little shilling men*", 260

terminologia, 15, 38, 53

terra (solo)
  meio de trabalho, 202-3
  objeto universal do trabalho humano, 202

tipografia, 524

trabalhador
  acessório (peça) da máquina, 459-62, 543, 707
  aumento do número dos trabalhadores assalariados, 432, 675-76
  deformação física e espiritual do, 397-401
  divisão do trabalho e, 385-87, 394, 398-401, 523-27
  endividamento do, 715
  fabril, 455-63, 486-87
  livre em duplo sentido, 188, 780-81
  origem do trabalhador assalariado, 188-89, 371, 780, 800-1, 822-23
  principal, 458, 605-6
  sua relação de dependência, 632, 635, 678-80, 833-35; *ver* condições de habitação; gerações de trabalhadores; proletariado; situação alimentar; trabalhador principal; trabalhadores agrícolas; trabalhadores nômades

trabalhador principal, 458, 605-6

trabalhador rural, *ver* trabalhadores agrícolas

trabalhadores agrícolas, 190, 281, 294-97, 300-3, 482, 782
  emigração para a cidade, 704-5, 756
  número dos, 484
  salário dos, 608-9, 661-62, 700, 704
  situação dos, 543-44, 717-18, 736-58, 769-75, 785, 791-92

864

ÍNDICE ANALÍTICO

trabalhadores nômades, 727-28
trabalho
abstrato, 55-56, 62-65, 68-70, 75-76, 83-84, 93-96, 225-26
anterior (pretérito, morto), 202, 204-7, 211, 216, 218, 241, 261, 341, 461, 668
caráter social do, 75, 88-92, 113, 210
complexo (superior, potenciado), 60, 62, 220, 379
concreto (útil), 56, 59-60, 63-64, 68, 75-76, 81, 131, 218, 225, 588, 644
diretamente coletivizado, 94, 423
duplo caráter do, 59-64, 68, 75-77, 88-90, 96, 225-26, 587-88
função normal da vida, 64
improdutivo, 484
manual e intelectual, 401, 461-62, 532
não tem nenhum valor, 584, 587, 589
necessidade natural eterna, 60, 207
Petty, 61
privado, 76, 83, 89-92, 94-95, 113
processo entre o homem e a natureza, 201-2
produtivo, 204, 225-26, 231, 549-50, 648-50
Ricardo, 230
simples, social médio, 56-57, 62, 189, 191, 210, 212, 220-21, 353, 360-61, 366
Smith, 64
substância do valor, 56, 58, 61-63, 68, 71, 76, 584
vivo, 206-7, 216, 232, 241, 261, 340-41, 668; *ver* corveia; divisão do trabalho; intensidade do trabalho; produtividade do trabalho; qualidade do trabalho; socialização do trabalho; tempo de trabalho; trabalho em excesso; trabalho excedente
trabalho, divisão, *ver* divisão do trabalho
trabalho em domicílio, 94, 326, 527, 529, 531, 662, 769, 811-13
moderno, 498-513, 516, 541, 551, 605, 704-5
trabalho assalariado, 193, 195, 243, 583-84, 587-89, 800-1, 836
trabalho das crianças, 253-54, 269-77, 285-92, 296-99, 301, 430-31, 475-76, 500-2, 505-11, 513-16, 522-24, 527-28, 531-36, 570, 613, 704, 759-60, 820-22
leis relativas ao, 304-11, 315-16, 321-25, 434-35, 437-40, 541-42
no século XVII, 301
trabalho das mulheres, 283, 285, 288, 292, 309, 317-18, 321-25, 431-37, 440-41,

500-1, 504-11, 514, 520, 523, 528, 536-38, 542, 570, 598, 758-60
trabalho em excesso (tempo extraordinário de trabalho), 280-81, 501-2, 516-17, 595-600, 603-6, 698; *ver* sistema de revezamento; sistema de suadouro; sistema de turnos múltiplos
trabalho excedente, 243-49, 254-55, 259-76, 291, 293, 347-53, 550-56, 575-78, 587, 640, 642
épocas de crise e, 269-70
na Antiguidade, 263
na escravidão, 243-44, 263, 587
no feudalismo, 263-65, 587, 625-26
trabalho assalariado, forma de extrair, 243, 587-88
trabalho noturno, 285-92, 340, 501, 509, 517, 521, 599, 821
trabalho privado, *ver* trabalho
trabalho sazonal, 516-19
trade union, 281, 474, 606, 610; *ver trade unions*
reconhecimento legal, 804-5
tráfico de escravos, 294-95, 433-34, 482, 587, 589, 813-15
na acumulação primitiva, 821-23
transportes e comunicações, 391, 489, 518-19
transformados pela revolução no modo de produção da indústria e da agricultura, 421-22; *ver* indústria de transportes; navegação; telegrafia
trapaça, 603, 605
tributos, 182, 658; *ver* imposto de renda; impostos; sistema tributário
troca, 76-99, 103-5, 120-24, 177-85
de produtos, 89-91, 114, 123-24, 130, 170, 390
desenvolvimento da, 82-83, 104-7, 390
direta, 105-6, 110, 128
forma de equivalente e, 73, 76-79, 81-85
Ricardo, 92
Say, 183; *ver* leis
troca de produtos, *ver* troca
Turquia, 157, 501, 652, 812

usurário, 167, 183-84, 550-51, 652, 813
Lutero, 652

vadiagem, leis contra a, 798-800
valor, 53-99, 103-10, 113-14, 177-80, 183-85, 209-14, 225-31, 243-44, 349-50, 583
análise do, 96-97

Bailey, 73
economia vulgar e, 96-97
história da teoria do, 15
individual e social, 351-52
medida dos valores, 113-18
mera cristalização do trabalho humano em geral, 56, 62, 68-69, 75, 80, 83-84
Petty, 119
relação social, 65, 68-70, 73-80, 83, 88-92, 95-99, 110, 125-26
Ricardo, 96, 99, 211, 583, 666-67
Say, 585
Smith, 64, 96; *ver* intensidade do trabalho; lei do valor; magnitude do valor; representação simbólica do valor; substância do valor; tempo de trabalho; valor de troca; valor do produto; valor produzido; variação do valor
valor de troca, 53-56, 77-78, 81-82, 96, 98, 105-7, 120-21, 146-48, 170-72, 177-79, 263

forma fenomênica do valor, 55-56, 65; *ver* forma do valor
valor de uso, 53-64, 69-70, 73, 77-80, 96, 98-99, 103-6, 170, 177-79
conjunção de natureza e trabalho, 60-61
seu papel no processo de troca, 103-4
social, 58
veículo material do valor de troca, 53-54
valor do produto, 225, 232-33, 239-40, 575
valor excedente, *ver* mais-valia
valor produzido, 240, 565-68, 576-77, 588
variação de preço, 117, 134-41, 184-85, 394, 585-86, 681-83
variação do valor, 150
vida social
caráter histórico de suas formas, 92
fundamento de toda vida social, 204
vidros, *ver* fabricação de vidros
violência, *ver* força

Este livro foi composto na tipografia Adobe Garamond Pro,
em corpo 11,5/14, e impresso em
papel off-white no Sistema Cameron da
Divisão Gráfica da Distribuidora Record.

SOBRE O CAPITAL
SABRINA FERNANDES

CIVILIZAÇÃO
BRASILEIRA

SUMÁRIO

APRESENTAÇÃO   5

A IMPORTÂNCIA DE *O CAPITAL*: LIVROS 1, 2 E 3   7

O CAPITAL – LIVRO 1 (1867)   11

O CAPITAL – LIVRO 2 (1885)   15

O CAPITAL – LIVRO 3 (1894)   19

BIOGRAFIA DE KARL MARX (1818–1883)   23
　　Karl Marx por Friedrich Engels   23

BIOGRAFIA DE FRIEDRICH ENGELS (1820–1895)   31
　　Friedrich Engels por Vladimir Ilyich Lenin   31

BIBLIOGRAFIA DE APOIO   39

CRONOLOGIA   43

SOBRE A AUTORA   47

APRESENTAÇÃO

Este box especial da Editora Civilização Brasileira reapresenta *O capital*, de Karl Marx, ao público brasileiro. Traduzida diretamente do original em alemão para o português pelo economista Reginaldo Sant'Anna e publicada desde a década de 1960 em seis tomos, a obra agora foi reorganizada em três volumes, para facilitar a consulta e o referenciamento nos momentos de estudo e pesquisa.

Obra fundacional da economia política e central para a compreensão do pensamento marxiano e marxista, *O capital* contou com a leitura atenta de Friedrich Engels, cujo apoio foi essencial ao autor em sua jornada de estudos e escrita. Os livros 2 e 3, em especial, foram preparados por Engels para publicação após a morte de Marx, mas nem por isso são menos importantes que o primeiro volume no desenvolvimento da crítica ao capital e da compreensão da necessidade emancipatória de superá-lo.

A IMPORTÂNCIA DE *O CAPITAL*: LIVROS 1, 2 E 3

O século XXI apresenta à sociedade humana um contexto especialmente contraditório. Ao mesmo tempo que as forças de produção, as tecnologias e o conhecimento avançaram rapidamente, gerando repercussão mundial, o planeta se encontra em chamas, ameaçado pelas mudanças climáticas, que aceleram os impactos negativos das demais mazelas que atormentam uma maioria de trabalhadores, os quais são hoje bilhões de pessoas exploradas por todo o globo. O modo de produção capitalista, baseado na acumulação de capital e muito centrado na forma mercadoria, atravessa toda essa dinâmica. Mas não basta apenas afirmar que o capitalismo produz desigualdade, exploração e pobreza e que se sustenta através da degradação da natureza e de manobras entre o Estado e a classe dominante. É preciso compreender como isso surge, como ocorre, quais são os sujeitos envolvidos e, assim, formular conceitos e teorias que possam ser empregados estrategicamente por aqueles que desejam não somente interpretar o mundo, mas também transformá-lo. Os três livros de *O capital* são componentes essenciais para essa tarefa.

Enquanto o Livro 1 de *O capital* foi publicado em vida por Karl Marx, os dois volumes subsequentes foram fruto da organização e da preparação de Friedrich Engels após a morte de seu amigo e parceiro intelectual. De fato, o trabalho de Engels foi tamanho que seu nome deve sempre ter o devido reconhecimento e estar vinculado às interpretações do restante da obra. Os rascunhos para um quarto volume, que não chegou a vir à tona nas mãos de Engels, foram editados e publicados por Karl Kautsky em 1905, como *Theorien über den Mehrwert* ("Teorias sobre a mais-valia").

Também é importante destacar a contribuição de Jenny von Westphalen, esposa de Marx, para as atividades intelectuais e publicações dele. Jenny não somente coordenou o trabalho de cuidado na família para que Marx pudesse se dedicar à política e à teoria como, também, muitas vezes, passou a limpo os manuscritos do esposo, de forma a torná-los mais legíveis.

A publicação do Livro 1 por Marx e o cuidado extremo de Engels no preparo dos livros 2 e 3 tornaram os três primeiros volumes a sequência

SOBRE O CAPITAL

mais robusta de análise da formação do capital e dos detalhes da produção capitalista – e de suas classes – até hoje. O entendimento atual, por marxistas e não marxistas, do desenvolvimento capitalista não seria o mesmo se não fossem esses três livros. Daqui saíram fundamentos para a compreensão da mais-valia, da teoria do valor-trabalho, do fetichismo da mercadoria, e também discussões que apenas ganharam fôlego mais recentemente, como a sobre a ruptura metabólica e sobre a regulação do metabolismo social a partir do Livro 3.

Vejamos agora mais detidamente o conteúdo de cada um dos volumes.

Das Kapital.

Kritik der politischen Oekonomie.

Von

Karl Marx.

Erster Band.

Buch I: Der Produktionsprocess des Kapitals.

Das Recht der Uebersetzung wird vorbehalten.

Hamburg

Verlag von Otto Meissner.

1867.

New-York: L. W. Schmidt. 24 Barclay-Street.

Folha de rosto da primeira edição alemã do Livro 1, publicada em 1867.

O CAPITAL – LIVRO 1 (1867)

O capital. Crítica da economia política.
Primeiro volume. Livro 1: O processo de produção
do capital. 1867. Karl Marx.
Original: *Das Kapital. Kritik der politischen Oekonomie.*
Erster Band. Buch I: Der Produktionsprocess des Kapitals.

Produzido durante um período intenso de estudos e dificuldades familiares e
materiais, o primeiro livro de *O capital* foi publicado em 14 de setembro de
1867. Uma das obras teóricas mais relevantes da história, atualmente inscrito
no Programa Memória do Mundo da UNESCO, o livro tardou em obter reconhecimento significativo enquanto Marx era vivo. Hoje, é leitura essencial em
disciplinas de economia, teoria política, sociologia e, ainda, se mostra fundamental para qualquer pessoa interessada em um entendimento aprofundado
do funcionamento do capital e seu modo de produção associado.

É nesse livro que Marx detalha o surgimento e a produção da mercadoria, incluindo a força de trabalho e os meios de produção empregados.
Conceitos-chave e debates da perspectiva marxista sobre o sistema capitalista
são elaborados e detalhados nos capítulos do Livro 1, como a discussão do
valor de uso e do valor de troca, do fetichismo da mercadoria, da mais-valia,
da relação entre tempo de trabalho e exploração, do papel do dinheiro e o
surgimento do capital, entre outros.

Nesse volume, Marx oferece um apanhado histórico do sistema produtivo humano, voltando às discussões anteriores sobre a formação de
classes, o trabalho como condição humana, a base da acumulação primitiva
anterior ao capitalismo e a relação antagônica entre a classe trabalhadora e
a classe burguesa. O livro apresenta uma análise do que Marx chamava de
"lei geral da acumulação capitalista", determinante da reprodução do capital
e de processos de concentração de riqueza e desigualdade, pois, para se dar
o acúmulo de capital, é necessário reproduzir as condições de exploração
do proletariado. Destaque para uma passagem:

> A lei da acumulação capitalista, mistificada em lei natural, na realidade só
> significa que sua natureza exclui todo decréscimo do grau de exploração do

SOBRE O CAPITAL

trabalho ou toda elevação do preço do trabalho que possam comprometer seriamente a reprodução contínua da relação capitalista e sua reprodução em escala sempre ampliada. E tem de ser assim, num modo de produção em que o trabalhador existe para as necessidades de expansão dos valores existentes, em vez de a riqueza material existir para as necessidades de desenvolvimento do trabalhador. Na religião, o ser humano é dominado por criações de seu próprio cérebro; analogamente, na produção capitalista, ele é subjugado pelos produtos de suas próprias mãos.[1]

A leitura de *O capital – Livro 1* é de tamanha importância que até mesmo Mikhail Bakunin, revolucionário russo, anarquista, crítico e considerado rival de Marx, recomendou fortemente a obra:

> Essa obra precisará ser traduzida para o francês, porque não há nada, que eu saiba, que contenha uma análise tão profunda, tão luminosa, tão científica, tão decisiva e, se assim posso me expressar, uma exposição tão impiedosa da formação do capital burguês e da exploração sistemática e cruel que o capital continua exercendo sobre o trabalho do proletariado.

Bakunin, no entanto, criticou o estilo e a apresentação da análise empreendidas no livro, já que fugiam radicalmente à linguagem mais acessível e panfletária de *O manifesto comunista* ou dos artigos de Karl Marx nos vários jornais onde colaborava. Todavia, isso não deve tirar o mérito de *O capital*, já que consiste não em um tratado ou uma proposta de teses, mas, sim, em um estudo aprofundado – que também requer mais tempo e atenção na leitura. O desafio de quem lê, e principalmente dos marxistas, é traduzir as análises ali feitas para os exemplos cada vez mais atuais, mantendo a fidelidade ao compromisso que deu origem à obra em primeiro lugar: findar de uma vez por todas o jugo da exploração em massa de trabalhadores por uma minoria opressora.

---

1 Karl Marx, *O capital*, v. i, 2024, p. 683.

Das Kapital.

Kritik der politischen Oekonomie.

Von

Karl Marx.

Zweiter Band.

Buch II: Der Cirkulationsprocess des Kapitals.

Herausgegeben von Friedrich Engels.

Das Recht der Uebersetzung ist vorbehalten

Hamburg
Verlag von Otto Meissner.
1885.

Folha de rosto da primeira edição alemã do Livro 2, publicada em 1885.

O CAPITAL – LIVRO 2 (1885)

O capital. Crítica da economia política. Segundo volume. Livro 2: O processo de circulação do capital. 1885. Karl Marx (autor). Friedrich Engels (preparador). Original: *Das Kapital. Kritik der politischen Oekonomie. Zweiter Band. Buch II: Der Cirkulationsprocess des Kapitals.*

O Livro 2 de *O capital* (assim como o 3) foi finalizado após o falecimento de Marx, em 1883. Engels foi o responsável por preparar esses volumes de acordo com as anotações e os manuscritos do amigo, uma tarefa certamente árdua para um preparador preocupado em honrar a visão original do autor. No seu prefácio, Engels é sincero sobre essas dificuldades, já que Marx costumava redigir de forma fragmentada e elaborava análises e conceitos de forma relativamente desordenada. A proximidade entre Marx e Engels, portanto, foi essencial para que Engels se tornasse um excelente intérprete das ideias e da lógica do amigo, além do fato de que muito do que Marx analisou nos manuscritos antecederam sua partida fazia parte do contato cotidiano entre ambos e do longo histórico de colaboração teórica e política que havia entre eles. A leitura do prefácio de Engels é obrigatória para quem deseja compreender melhor o processo de produção da obra, razão pela qual Engels deve ser creditado explicitamente como editor e preparador. Não teríamos acesso a um segundo e terceiro volumes de *O capital* tão fiéis ao pensamento de Marx se não fosse pela tamanha dedicação de Engels.

Evidentemente, recomenda-se a leitura do segundo volume após o primeiro, embora saibamos que a ordem de elaboração dos vários fragmentos de manuscritos que formam a obra completa fosse mais caótica. O Livro 1 oferece fundamentos que evitam repetições posteriores e se relacionam diretamente com a análise do segundo volume, por exemplo, no caso da compreensão da escala ampliada da acumulação e reprodução do capital. É no Livro 2 que Marx expande a análise da mercadoria para a análise da circulação do capital, expondo seu modo integrado de reprodução e permitindo a evolução de conceitos para a compreensão do modo de produção

SOBRE O CAPITAL

capitalista: capital-dinheiro, capital-mercadoria, capital produtivo, capital industrial, entre muitos outros.

Obra fundamental para o entendimento do papel da crise no circuito do capital, o segundo volume elabora a crise capitalista não como exceção, mas como elemento previsto nas contradições desse modo de produção. Destaque para o trecho:

> Na produção capitalista, por ser a produção de mercadorias sua forma geral, desempenha o dinheiro o papel de meio de circulação e de capital-dinheiro, e se criam certas condições peculiares à troca normal, ao curso normal da reprodução em escala simples ou ampliada, as quais se convertem em outras tantas condições de curso anormal, em possibilidades de crises, uma vez que o próprio equilíbrio é casual no sistema espontâneo dessa produção.[2]

Não surpreende que o segundo volume tenha recebido mais atenção nos últimos anos, quando algumas crises capitalistas, em épocas de aparente estabilidade, causaram disrupções ao redor do mundo e convidaram o Estado a agir proativamente para salvar o sistema econômico e suas elites. Em tempos de policrise, quando cada crise acentua os danos e riscos oferecidos umas às outras, torna-se ainda mais relevante mergulhar na análise do Livro 2 e pensar a sua aplicabilidade global.

---

2 *Idem, O capital*, v. II, 2024, p. 542.

Das Kapital.

Kritik der politischen Oekonomie.

Von

Karl Marx.

Dritter Band, erster Theil.

Buch III:
Der Gesammtprocess der kapitalistischen Produktion.
Kapitel I bis XXVIII.

Herausgegeben von Friedrich Engels.

Das Recht der Uebersetzung ist vorbehalten.

Hamburg
Verlag von Otto Meissner.
1894.

Folha de rosto da primeira edição alemã da primeira parte do Livro 3, publicada em 1894.

O CAPITAL – LIVRO 3 (1894)

O capital. Crítica da economia política. Terceiro volume. Livro 3: O processo global de produção capitalista. 1894. Karl Marx (autor). Friedrich Engels (preparador). Original: *Das Kapital. Kritik der politischen Oekonomie. Dritter Band. Buch III: Der Gesammtprocess der kapitalistischen Produktion.*

O terceiro volume de *O capital* foi publicado 27 anos após o primeiro. A obra causou controvérsias entre marxistas sobre a fidelidade às anotações originais, pois houve modificações de Engels no texto original que não ficaram indicadas de forma explícita na publicação. Nesse volume, discutem-se a taxa de lucro e seu comportamento global. O livro também oferece a base para uma análise do capital diante de trocas comerciais coloniais.

Apesar dessa polêmica, assim como o segundo volume, o livro ganhou notável relevância nos últimos anos por causa de circunstâncias materiais e históricas. A crise climática e a crise ecológica em geral demandam que a análise do capital e do sistema de acumulação presunçosamente infinita ocorra também sob a lente dos limites físicos, materiais e metabólicos da natureza. Nesse sentido, muitos teóricos marxistas adeptos da ecologia se debruçaram sobre o Livro 3 para traçar ali, a partir do método do materialismo histórico e dialético – o método marxista em si –, a raiz para uma compreensão mais ecológica do modo de viver e produzir.

Nesse terceiro livro, encontramos não somente a discussão sobre uma ruptura (ou fratura) metabólica causada pelo modo de produção industrial e urbanizado do capital (e suas ramificações coloniais), mas, ainda, sobre a necessidade de regular a produção e a vida de acordo com esse metabolismo, de modo que a sociedade humana também floresça. Destaque para o trecho:

> A liberdade nesse domínio só pode consistir nisto: o homem social, os produtores associados regulam racionalmente o intercâmbio material com a natureza, controlam-no coletivamente, sem deixar que ele seja a força cega que os domina; efetuam-no com o menor dispêndio de energias e nas condições mais adequadas e mais condignas com a natureza humana. Mas, esse esforço situar-se-á sempre no reino da necessidade. Além dele começa o desenvolvi-

SOBRE O CAPITAL

mento das forças humanas como um fim em si mesmo, o reino genuíno da liberdade, o qual só pode florescer tendo por base o reino da necessidade. E a condição fundamental desse desenvolvimento humano é a redução da jornada de trabalho.[3]

Sendo o volume final da tríade (já que o quarto volume não se realizou), ele oferece observações que nos convencem sobre a impossibilidade do sistema capitalista, o qual se sustenta por um fio e nos carrega para condições cada vez mais desfavoráveis em relação ao planeta e à emancipação dos trabalhadores. Se o Livro 1 nos convida a rejeitar o capitalismo por sua exploração de uma maioria e o Livro 2 pela permanência e ubiquidade das crises, o Livro 3 nos serve argumentos conclusivos sobre o fato de que o capitalismo não é reparável. Enquanto gestores e elites promovem que seria possível reformar o capitalismo para salvá-lo, Marx alerta para a tendência de colapso do capitalismo, em razão das próprias contradições que lhe são inerentes.

---

3 *Idem, O capital*, v. III, 2024, pp. 940-941.

Folha de rosto da primeira edição de *Manifest der Kommunistischen Partei*, popularmente conhecido como *O manifesto comunista*, publicado em alemão e impresso em Londres, em 1848. Trata-se da colaboração mais bem-sucedida entre Karl Marx e Friedrich Engels.

BIOGRAFIA DE KARL MARX (1818–1883)

Karl Marx nasceu em 5 de maio de 1818, na cidade alemã de Trier (na época, Reino da Prússia). De família de origem judaica, chegou a estudar Direito, mas logo se interessou pelos debates hegelianos. Obteve um doutorado em Filosofia, em 1841, sob orientação de Bruno Bauer. Suas ambições de seguir a carreira docente acadêmica, no entanto, foram frustradas devido à perseguição do governo prussiano a figuras como Ludwig Feuerbach e Bruno Bauer. Marx teve, então, de mudar-se para Colônia, onde se tornou editor-chefe do jornal *Rheinische Zeitung*, que também foi suprimido pelo governo em 1843. Perseguição e censura seguiriam o pensador por toda a sua vida, impactando as oportunidades de emprego e as mudanças de cidade e país que teve de fazer com a família. Casado com Jenny von Westphalen, tiveram sete filhos, mas apenas as filhas Jenny, Laura e Eleanor chegaram à idade adulta. A amizade, camaradagem política e parceria profissional com Friedrich Engels proporcionaram a ambos diversas publicações e intervenções políticas, além de apoio mútuo ao longo dos anos.

O texto a seguir é uma breve biografia de Marx, escrita por Engels em 1868 e adaptada para a publicação no jornal *Die Zukunft* em 1869.[4] Foi traduzida para o português por Sabrina Fernandes, a partir da versão em inglês de Joan e Trevor Walmsley que se encontra no Marxists Internet Archive.

KARL MARX

Friedrich Engels

Karl Marx nasceu em 5 de maio de 1818, na cidade de Trier, onde recebeu uma educação clássica. Estudou Direito em Bonn, depois em Berlim. Seu interesse pela Filosofia, no entanto, logo o afastou do Direito. Em 1841, depois de passar cinco anos na "metrópole dos intelectuais", retornou a

---

4 Disponível em: <www.marxists.org/archive/marx/bio/marx/eng-1869.htm>. Acesso em 26 jul. 2024.

SOBRE O CAPITAL

Bonn com a intenção de se especializar. Naquela época, a primeira "Nova Era" estava em voga na Prússia. Frederico Guilherme IV havia declarado seu amor por uma oposição leal, e estavam sendo feitas tentativas de organização de uma oposição em vários setores da sociedade. Assim, o jornal *Rheinische Zeitung* foi fundado em Colônia. E Marx, com uma ousadia sem precedentes, usou-o para criticar as deliberações da Assembleia da Província do Reno, em artigos que atraíram muita atenção. No fim de 1842, ele veio a assumir a editoria, e tornou-se uma preocupação tão grande para os censores que eles lhe deram a honra de enviar um deles, Wilhelm Saint-Paul, de Berlim para vigiar o *Rheinische Zeitung*. Quando o tiro saiu pela culatra, o jornal foi submetido a uma censura dupla e, além do procedimento usual, cada edição passou a sofrer um segundo estágio de censura, efetuado pelo escritório do *Regierungspräsident*[5] de Colônia (Karl Heinrich von Gerlach). Mas essa medida também não foi suficiente para frear a "malevolência obstinada" do jornal, e, no início de 1843, o ministério emitiu um decreto declarando que o *Rheinische Zeitung* deveria parar de ser publicado no fim do primeiro trimestre. Marx pediu demissão na mesma hora, enquanto os acionistas tentavam um acordo, mas isso também não solucionou a questão e o jornal deixou de ser editado.

A crítica que Marx fez às deliberações da Assembleia da Província do Reno o obrigou a estudar questões de interesse material. Ao fazer isso, ele se viu confrontado com pontos de vista que nem a Jurisprudência nem a Filosofia haviam levado em conta ainda. Partindo, então, da Filosofia do Direito hegeliana, Marx chegou à conclusão de que não o Estado, descrito por Hegel como o "topo do edifício", mas sim a "sociedade civil", que Hegel havia desdenhado, era a esfera na qual deveria ser buscada a chave para a compreensão do processo de desenvolvimento histórico da humanidade. No entanto, a ciência que considerava e analisava a sociedade civil era a Economia Política, mas ela não poderia ser estudada na Alemanha. Apenas na Inglaterra ou na França seria possível estudá-la com profundidade.

No verão de 1843, depois de se casar com a filha do conselheiro privado Von Westphalen em Trier (irmã de Von Westphalen, que mais tarde se tornou ministro do Interior da Prússia), Marx mudou-se para Paris, onde se dedicou principalmente ao estudo da Economia Política e da história da

---

5 Presidente do governo do distrito administrativo.

BIOGRAFIA DE KARL MARX (1818-1883)

grande Revolução Francesa. Ao mesmo tempo, colaborou com [Arnold] Ruge na publicação do anuário franco-alemão *Deutsch-Französische Jahrbücher*, do qual, no entanto, só foi publicada uma edição.

Expulso da França por [François] Guizot em 1845, Marx foi para Bruxelas e lá permaneceu, prosseguindo com os mesmos estudos, até a eclosão da Revolução de Fevereiro. Ele pouco concordava com a versão comumente aceita do socialismo, mesmo em sua forma mais erudita, e isso foi demonstrado em sua crítica à principal obra de Proudhon, *Filosofia da miséria*, publicada em 1847, em Bruxelas e em Paris. Essa crítica em resposta ao ponto de vista de Proudhon levou o título de "Miséria da Filosofia". Nesse trabalho, já se encontravam muitos pontos essenciais da teoria que ele apresentará aqui em detalhes. *O manifesto comunista*, de 1848, escrito antes da Revolução de Fevereiro e adotado por um congresso de trabalhadores em Londres, também é substancialmente sua obra.

Expulso novamente, desta vez pelo governo belga, sob a alegação do pânico gerado pela Revolução de Fevereiro, Marx retornou a Paris a convite do governo provisório francês. A onda da revolução colocou todas as atividades científicas em segundo plano; o que importava naquele momento era se envolver no movimento. Depois de trabalhar durante aqueles primeiros dias turbulentos contra as noções absurdas dos agitadores, que queriam organizar os trabalhadores alemães da França como voluntários para lutar por uma república na Alemanha, Marx foi para Colônia com seus amigos e fundou lá o jornal *Neue Rheinische Zeitung*, que foi publicado até junho de 1849 e do qual as pessoas do Reno ainda se lembram bem até hoje. É provável que a liberdade de imprensa de 1848 não tenha sido explorada com tanto sucesso por esse jornal como na época em que enfrentaram uma fortaleza prussiana. Depois que o governo tentou, em vão, silenciar o jornal, perseguindo-o nos tribunais – Marx foi levado duas vezes a julgamento: por um delito contra as leis da imprensa e por incitar as pessoas a se recusarem a pagar impostos, mas foi absolvido em ambas as ocasiões –, o jornal teve de fechar exatamente na época das revoltas de maio de 1849, quando Marx foi expulso sob o pretexto de que não era mais um cidadão prussiano; e pretextos semelhantes foram usados para expulsar os outros editores também. Marx teve, portanto, de retornar a Paris, de onde foi novamente expulso, e dali se mudou para sua residência definitiva em Londres, no verão de 1849, por volta de 26 de agosto.

25

SOBRE O CAPITAL

Naquela época, os refugiados da mais alta classe de todas as nações do continente estavam reunidos em Londres. Comitês revolucionários de todos os tipos foram formados, combinações, governos provisórios *in partibus infidelium*.[6] Houve brigas e disputas de todo tipo, e os envolvidos, sem dúvida, consideram esse período como o mais malsucedido de suas vidas. Marx permaneceu distante de todas essas intrigas. Por um tempo, continuou publicando o *Neue Rheinische Zeitung* em forma de uma revista mensal (Hamburgo, 1850). Então, se retirou para o Museu Britânico e trabalhou na imensa biblioteca – até hoje não examinada em sua maior parte – em busca de tudo que pudesse encontrar ali sobre Economia Política. Ao mesmo tempo, ele contribuía regularmente para o *New York Tribune*, atuando, por assim dizer, como editor de política europeia até a eclosão da Guerra Civil Americana, nesse que era o principal jornal anglo-americano.

O golpe de Estado de 2 de dezembro de 1851 na França o induziu a escrever um panfleto, *O Dezoito de Brumário de Luís Bonaparte*, em 1852, que foi uma grande contribuição para a compreensão da posição insustentável em que Bonaparte se colocou na época. O herói do golpe de Estado é apresentado aqui como ele realmente é, despojado da glória com a qual seu sucesso momentâneo o cercou. O filisteu que considera seu Napoleão III o maior homem do século e que agora não consegue explicar a si mesmo como esse gênio espantoso de repente acabou cometendo um erro político após o outro – esse mesmo filisteu pôde consultar a obra mencionada acima para a sua edificação.

Embora durante toda a sua estadia em Londres Marx tenha optado por não se colocar em evidência, ele foi forçado por Karl Vogt, após a campanha italiana de 1859, a entrar em uma polêmica, que foi encerrada no escrito *Herr Vogt*, de Marx, publicado em Londres, em 1860. Mais ou menos nessa mesma época, seus estudos sobre economia política colhiam os primeiros frutos: o livro *Contribuição à crítica da economia política – Parte I*, de 1859. Esse trabalho contém apenas a teoria do dinheiro, apresentada sob aspectos completamente novos. A continuação demorou a chegar, pois o autor descobriu tanto material novo nesse meio-tempo que considerou necessário realizar mais estudos.

---

6 Em tradução livre: "Em partes habitadas por infiéis." Tais palavras eram acrescentadas ao título de bispos católicos romanos nomeados para dioceses puramente nominais em países não cristãos; aqui significa "no exílio".

BIOGRAFIA DE KARL MARX (1818-1883)

Finalmente, em 1867, apareceu em Hamburgo o livro *O capital: crítica da economia política*, primeiro volume. Essa obra reúne os resultados de estudos de uma vida inteira. E ali se apresenta a economia política da classe trabalhadora reduzida à sua formulação científica. A obra, então, não se preocupa com a criação de fraseologias panfletárias, mas sim com a articulação de deduções estritamente científicas. E, qualquer que seja a posição de uma pessoa em relação ao socialismo, nessa leitura ela terá de reconhecer que ali ele é apresentado, pela primeira vez, de forma científica e, também, que foi precisamente a Alemanha que permitiu esse tipo de análise. Qualquer pessoa que ainda queira combater o socialismo terá de lidar com Marx e, caso obtenha sucesso, não precisará mencionar os *dei minorum gentium* ["deuses de menor estirpe", ou seja, celebridades de menor estatura].

Há outro ponto de vista interessante nesse livro. Trata-se da primeira obra em que as relações reais existentes entre o capital e o trabalho, em sua forma clássica, tal como foram alcançadas na Inglaterra, são descritas em sua totalidade, de forma clara e gráfica. Os inquéritos parlamentares forneceram amplo material para isso, abrangendo um período de quase quarenta anos praticamente desconhecido até mesmo na Inglaterra, material que trata das condições dos trabalhadores em quase todos os ramos: da indústria ao trabalho feminino e ao infantil, passando pelo trabalho noturno etc. Tudo isso é disponibilizado pela primeira vez nessa obra. Há, ainda, a história da legislação envolvendo as fábricas na Inglaterra, que, desde o seu modesto início com as primeiras leis de 1802, chegou ao ponto de estabelecer as horas de trabalho em quase todas as indústrias de manufatura ou artesanais, estipulando uma carga horária de 60 horas por semana para mulheres e jovens com menos de dezoito anos e 39 horas por semana para crianças com menos de treze anos. Desse ponto de vista, o livro é de enorme interesse para todo industrialista.

Durante muitos anos, Marx foi o "mais difamado" dos escritores alemães, mas permaneceu inabalável em sua retaliação, ninguém pode negar, tanto que todos os golpes que desferiu atingiram o alvo com certa dose de vingança. A polêmica, com a qual ele tanto "lidava", era basicamente apenas um meio de autodefesa para ele. Em última análise, seu interesse real estava voltado para a sua ciência, à qual ele se dedicou por 25 anos com uma integridade incomparável, de modo que seu discernimento o impediu de apresentar suas descobertas ao público de forma sistemática até que elas o

SOBRE O CAPITAL

satisfizessem quanto à forma e ao conteúdo, até que ele estivesse convencido de que não havia deixado nenhum livro sem ler, nenhuma objeção sem considerar e que havia examinado cada ponto sob todos os seus aspectos. Pensadores originais são muito raros nesta era de discípulos; e quando um homem não é apenas um pensador original, mas também dispõe de um conhecimento inigualável no assunto que se propõe a estudar, ele merece ser duplamente reconhecido.

Como era de esperar, além de seus estudos, Marx se envolveu com o movimento dos trabalhadores; foi um dos fundadores da Associação Internacional dos Trabalhadores, que foi centro de bastante atenção, tendo demonstrado ser uma força reconhecida em mais de um país na Europa. Acreditamos que não estamos equivocados ao dizer que, nessa organização que marcou uma época, pelo menos no que diz respeito ao movimento dos trabalhadores, o elemento alemão – graças precisamente a Marx – ocupa a posição influente que lhe é devida.

ПРОЛЕТАРІИ ВСѢХЪ СТРАНЪ, СОЕДИНЯЙТЕСЬ!

РАБОТНИКЪ

№ № 1 и 2.

НЕПЕРІОДИЧЕСКІЙ СБОРНИКЪ

Съ портретомъ Фридриха Энгельса.

Изданіе „Союза Русскихъ Соціальдемократовъ".

ЖЕНЕВА
Типографія „Союзъ Русскихъ Соціальдемократовъ".
1896

Folha de rosto da revista *Rabotnik*, editada em Moscou, onde o obituário de Friedrich Engels por Vladimir Ilyich Lenin foi publicado pela primeira vez, em 1896.

BIOGRAFIA DE FRIEDRICH ENGELS (1820-1895)

Friedrich Engels nasceu em 28 de novembro de 1820, em Barmen, na então Prússia (hoje, Alemanha). Sua família era protestante e dona de fábricas têxteis em Barmen e na Inglaterra. Quando jovem adulto, seu pai o enviou para Bremen com o intuito de preparÃ¡-lo para gerenciar os negócios familiares. Lá, Engels se familiarizou com a obra de Georg Wilhelm Friedrich Hegel e passou a se engajar em publicações críticas, inclusive no jornal editado por Karl Marx, o *Rheinische Zeitung*. Marx e Engels enfim se conheceram em 1842.

Engels morou em muitas cidades: em Manchester, devido às demandas familiares e industriais; em Paris, Bruxelas e Londres, de acordo com suas atividades políticas e de escrita, entre outras. Entre suas obras mais conhecidas destacam-se *A situação da classe trabalhadora na Inglaterra* (1845) e *Dialética da natureza* (escrita antes de 1883, porém publicada apenas em 1925, em Moscou). Engels foi responsável pela compilação, edição e preparação dos livros 2 e 3 de *O capital*, após a morte de Marx, assim como pelas edições posteriores do Livro 1, além de outras publicações.

O texto a seguir é uma versão reduzida do obituário escrito em 1895 por Vladimir Ilyich Lenin na ocasião do falecimento de Engels em decorrência de um câncer na garganta. Foi publicado pela primeira vez em 1896, na *Rabotnik*.[7] Foi traduzida para o português por Sabrina Fernandes, a partir da versão em inglês que se encontra no Marxists Internet Archive.

FRIEDRICH ENGELS

Vladimir Ilyich Lenin

Que chama do espírito se apagou,
Que coração deixou de bater!

---

7 Disponível em: <www.marxists.org/archive/lenin/works/1895/misc/engels-bio.htm>. Acesso em 26 jul. 2024.

SOBRE O CAPITAL

Em 5 de agosto de 1895, Friedrich Engels veio a óbito em Londres. Depois de seu amigo Karl Marx (que faleceu em 1883), Engels foi o melhor acadêmico e professor do proletariado moderno em todo o mundo civilizado. Desde o momento em que o destino uniu ambos, os dois amigos dedicaram o trabalho de suas vidas a uma causa comum. Assim, para entender o que Friedrich Engels fez pelo proletariado, é preciso ter uma ideia clara da importância dos ensinamentos e do trabalho de Marx para o desenvolvimento do movimento contemporâneo da classe trabalhadora. Marx e Engels foram os primeiros a constatar que a classe trabalhadora e suas demandas eram um resultado essencial do sistema econômico atual, que, junto da burguesia, inevitavelmente cria e organiza o proletariado. Eles demonstraram que não são os esforços bem-intencionados de indivíduos éticos, mas a luta de classes do proletariado organizado que libertará a humanidade dos males que agora a oprimem no capitalismo. Em suas obras científicas, eles foram os primeiros a explicar que o socialismo não é um devaneio, mas o objetivo final e o resultado necessário do desenvolvimento das forças produtivas na sociedade moderna. Toda a história da humanidade registrada até então tem sido a da luta de classes, da sucessão do domínio e da vitória de determinadas classes sociais sobre as outras. E isso continuará até que os fundamentos dessa luta e da dominação de classe – propriedade privada e produção social anárquica – desapareçam. Os interesses do proletariado exigem a destruição desses fundamentos, e, portanto, a luta de classes consciente dos trabalhadores organizados deve ser dirigida contra tais fundamentos. E toda essa luta é uma luta política.

Esses pontos de vista de Marx e Engels foram adotados por todos os proletários que seguem lutando por sua emancipação. Mas, nos anos 1840, quando os dois amigos participaram da literatura socialista e dos movimentos sociais de sua época, essas ideias eram perspectivas totalmente novas. Naquela época, havia muitas pessoas, talentosas e não talentosas, honestas e desonestas, que, absorvidas na luta pela liberdade política, na luta contra o despotismo dos reis, da polícia e dos sacerdotes, não observavam o antagonismo entre os interesses da burguesia e os do proletariado. Essas pessoas não admitiam a ideia de que os trabalhadores atuassem como uma força social independente. Por outro lado, havia muitos sonhadores, alguns deles gênios, que acreditavam ser necessário apenas o convencimento dos governantes e das classes dirigentes acerca da injustiça da ordem social contemporânea, e, assim, seria fácil estabelecer a paz e o bem-estar geral no mundo. Eles sonhavam com um socialismo sem luta.

BIOGRAFIA DE FRIEDRICH ENGELS (1820-1895)

Por fim, geralmente quase todos os socialistas daquela época e os amigos da classe trabalhadora consideravam o proletariado apenas como uma *úlcera* e observavam com horror como ele disparava numericamente com o florescimento da indústria. Todos eles, portanto, buscavam um meio de interromper o crescimento industrial e do proletariado, um jeito de frear a "roda da história". Marx e Engels não compartilhavam desse medo generalizado em relação ao aumento do proletariado; pelo contrário, depositavam todas as esperanças em seu crescimento contínuo. Quanto mais proletários houvesse, maior seria sua força como classe revolucionária e mais próximo e possível tornar-se-ia o socialismo. A colaboração desses pensadores à classe trabalhadora, portanto, pode ser resumida da seguinte forma: eles ensinaram os trabalhadores a se reconhecerem, a terem consciência de si mesmos e, ainda, a substituírem seus sonhos pela ciência.

Por esses motivos, o nome e a vida de Engels, assim como de Marx, devem ser conhecidos por todos os trabalhadores. E, nesta coleção de artigos, cujo objetivo é despertar a consciência de classe nos trabalhadores russos, faremos um esboço especificamente da vida e obra de Friedrich Engels, um dos grandes professores do proletariado moderno.

Engels nasceu em 1820, em Barmen, na província do Reno, antigo Reino da Prússia. Seu pai era dono de fábrica. Em 1838, sem ter concluído os estudos secundários, Engels foi forçado, por circunstâncias familiares, a trabalhar como empregado em uma casa de comércio em Bremen. Isso não o impediu de prosseguir com sua educação científica e política. Ele passou a odiar a autocracia e a tirania dos burocratas ainda no ensino médio. O estudo de Filosofia o levou ainda mais longe. Naquela época, os ensinamentos de Hegel dominavam a Filosofia alemã, e Engels tornou-se seu seguidor. Embora o próprio Hegel fosse um admirador do Estado prussiano autocrático, a cujo serviço ele estava como professor na Universidade de Berlim, seus *ensinamentos* eram revolucionários. A fé do filósofo berlinense na razão humana e em seus direitos, e a tese fundamental de sua teoria que afirmava que o universo estava passando por um processo constante de mudança e de desenvolvimento, levou alguns de seus discípulos – aqueles que se recusavam a aceitar a situação existente – à ideia de que a luta contra essa situação, a luta contra o mal existente e predominante, também estaria enraizada na lei universal do desenvolvimento eterno. Se tudo que existe se desenvolve, se as instituições de determinado tipo dão lugar a outras, por que a autocracia do rei prussiano ou do czar russo, ou até o enriquecimento de uma minoria insignificante às custas da grande maioria, ou, ainda, a dominação da burguesia sobre o povo deveriam continuar para sempre?

A Filosofia hegeliana discorria sobre o aprimoramento da mente e das ideias, sendo *idealista*. Hegel deduziu, por exemplo, do desenvolvimento da mente o desenvolvimento da natureza, do homem e das relações sociais humanas. E, embora Marx e Engels tenham mantido a ideia original do autor sobre o eterno processo de aperfeiçoamento, eles rejeitaram sua visão idealista preconcebida; voltando-se para a vida, entenderam que não seria o desenvolvimento da mente que explicaria o desenvolvimento da natureza, mas, ao contrário, a explicação da mente deveria ser derivada da natureza, da matéria... Diferentemente de Hegel e de outros hegelianos, então, Marx e Engels eram materialistas.

Considerando o mundo e a humanidade de forma materialista, eles perceberam que, assim como as causas materiais estão por trás de todos os fenômenos naturais, a evolução da sociedade humana é condicionada pelo desenvolvimento das forças materiais, das forças produtivas. E, dessa progressão das forças produtivas, dependeriam as relações que os homens estabeleceriam uns com os outros na produção do que é fundamental para a satisfação das necessidades humanas. Nessas relações, está a explicação de todos os fenômenos da vida social: as aspirações humanas, ideias e leis. O desenvolvimento das forças produtivas, então, cria relações sociais baseadas na propriedade privada, mas agora vemos que isso priva a maioria das pessoas de sua propriedade, concentrando-a nas mãos de uma minoria insignificante. Esse tipo de desenvolvimento abole a propriedade privada, que é a base da ordem social moderna, e se esforça por atingir o mesmo objetivo que os socialistas estabeleceram para si mesmos. Tudo que os socialistas têm de fazer, portanto, é perceber qual força social, de acordo com a sua posição na sociedade moderna, está interessada em realizar o socialismo e, daí, transmitir a essa força a consciência de seus interesses e de sua tarefa histórica. Essa força, por sua vez, é o proletariado. Engels conheceu o proletariado na Inglaterra, bem no centro da indústria inglesa, em Manchester, onde se estabeleceu em 1842 e trabalhou numa empresa da qual o pai era acionista. Engels não apenas se sentou no escritório da fábrica como também circulou pelos cortiços em que os trabalhadores estavam enclausurados e viu a pobreza e a miséria deles com os próprios olhos. Mas ele não se limitou a essas observações pessoais. Acabou lendo tudo que havia sido revelado sobre a condição da classe trabalhadora britânica

BIOGRAFIA DE FRIEDRICH ENGELS (1820-1895)

e estudou com afinco todos os documentos oficiais em que pôs as mãos. O fruto desses estudos e observações virou um livro, que foi publicado em 1845: *A situação da classe trabalhadora na Inglaterra*. [...]

Foi somente quando chegou à Inglaterra que Engels se tornou socialista. Em Manchester, ele estabeleceu contato com ativistas do movimento trabalhista local da época e começou a escrever para publicações socialistas inglesas. Em 1844, enquanto retornava para a Alemanha, conheceu, em Paris, Marx, com quem já havia começado a se corresponder. Sob a influência dos socialistas franceses e da vida francesa, Marx também se tornou socialista. Foi ali, na cidade da luz, que os amigos escreveram juntos o livro intitulado *A sagrada família, ou crítica da crítica crítica*. Essa obra – publicada um ano antes de *A situação da classe trabalhadora na Inglaterra* –, que em sua maior parte foi escrita por Marx, contém os fundamentos do socialismo materialista revolucionário, cujas principais ideias expusemos anteriormente.

"A sagrada família" foi um apelido jocoso dado por Marx e Engels em seu livro homônimo para os irmãos Bauer, os filósofos e seus seguidores. Esses senhores propagavam uma crítica que estava acima de toda a realidade, acima dos partidos e da política, rejeitava toda atividade prática e apenas contemplava "criticamente" o mundo ao redor e os eventos que aconteciam nele. Esses senhores, os Bauer, desprezavam o proletariado como uma massa acrítica. Marx e Engels se opuseram vigorosamente a essa tendência disparatada e prejudicial. E, defendendo pessoas reais – o trabalhador, pisoteado pelas classes dominantes e pelo Estado –, eles exigiam não a contemplação, mas a luta pela melhor organização da sociedade. Consideravam, é claro, o proletariado como a força interessada nessa luta e capaz de travá-la. Antes mesmo do surgimento de *A sagrada família*, Engels havia publicado no jornal *Deutsch-Französische Jahrbücher*, de Marx e Ruge, o artigo *Ensaios críticos sobre economia política*, no qual ele examinava os principais fenômenos da ordem econômica vigente à época sob um ponto de vista socialista, considerando-os consequências inevitáveis do domínio da propriedade privada. O contato com Engels foi, sem dúvida, um fator que influenciou a decisão de Marx de estudar Economia Política, a ciência na qual suas obras produziram uma verdadeira revolução.

De 1845 a 1847, Engels viveu em Bruxelas e em Paris, conciliando o trabalho científico com atividades práticas entre os trabalhadores alemães residentes nesses locais. Foi em Bruxelas que Marx e Engels estabeleceram contato com a secreta Liga Comunista alemã, que os encarregou de expor ao

SOBRE O CAPITAL

proletariado os princípios fundamentais do socialismo que haviam elaborado. Assim, surgiu o aclamado *O manifesto comunista*, publicado em 1848. Esse panfleto vale por volumes inteiros: até hoje, seu significado inspira e orienta todo o proletariado organizado e combativo do mundo civilizado.

A Revolução de 1848, que eclodiu primeiro na França e, então, se espalhou por outros países da Europa Ocidental, levou Marx e Engels de volta ao seu país natal. Na Prússia Renana, eles assumiram o comando do jornal democrático *Neue Rheinische Zeitung*, publicado em Colônia. Os dois amigos foram a alma de todas as aspirações democráticas e revolucionárias na Prússia Renana. Eles lutaram com todas as forças em defesa da liberdade e dos interesses do povo contra a oposição. Esta última, como sabemos, teve melhor desempenho. As atividades no jornal *Neue Rheinische Zeitung* foram proibidas. Marx, que durante o exílio havia perdido a cidadania prussiana, foi deportado; Engels participou do levante popular armado, lutou pela liberdade em três batalhas e, após a derrota dos rebeldes, fugiu para Londres, via Suíça.

Marx também se estabeleceu em Londres. Engels logo voltou a ser empregado e, em seguida, virou acionista da mesma casa de comércio de Manchester onde já havia trabalhado. Morou em Manchester até 1870, enquanto Marx morava em Londres, mas isso não impediu que mantivessem um intenso intercâmbio de ideias: eles se correspondiam praticamente todo dia. Nessas cartas, os amigos trocavam opiniões e descobertas e continuaram colaborando na elaboração do socialismo científico. Em 1870, Engels se mudou para Londres, e a vida intelectual conjunta, da mais árdua natureza, seguiu até 1883, quando Marx faleceu. O fruto dessa relação profícua foi: por parte de Marx, *O capital*, a maior obra sobre Economia Política de nossa época; por parte de Engels, uma série de obras tanto grandes quanto pequenas.

Marx trabalhou na análise dos fenômenos complexos da economia capitalista. [...] E morreu antes que pudesse finalizar sua vasta obra sobre o capital. O rascunho, no entanto, já estava pronto e, após seu falecimento, Engels assumiu a onerosa tarefa de preparar e publicar o segundo e o terceiro volumes. Ele publicou o Livro 2 em 1885 e o Livro 3 em 1894 (sua morte impossibilitou a preparação do Livro 4). Esses dois volumes exigiram muito trabalho. [Alfred] Adler, o social-democrata austríaco, observou, e com razão, que, ao publicar os livros 2 e 3 de *O capital*, Engels ergueu um monumento majestoso ao gênio que havia sido seu amigo, um monumento no qual, sem intenção, ele gravou indelevelmente o próprio nome. De fato, esses dois volumes de *O capital* são o trabalho de dois homens: Marx e Engels. As lendas antigas contêm vários exemplos comoventes de amizade. O proletariado europeu pode dizer que sua ciência foi criada por dois estudiosos e lutadores, cujo relacionamento entre si supera as histórias mais comoventes dos antigos sobre a amizade humana. Engels sempre – e, de modo geral, com muita justiça – se colocou depois de Marx. "Durante a vida de Marx", escreveu ele a um velho amigo, "eu fui o segundo violino". Seu amor pelo amigo vivo e sua reverência pela memória do Marx morto eram ilimitados. Esse lutador severo e pensador austero possuía uma alma de profundo amor. [...]

Honremos sempre a memória de Friedrich Engels, um grande lutador e professor do proletariado!

BIBLIOGRAFIA DE APOIO

O capital não é uma obra introdutória, e existem diversas interpretações relativas à contribuição de Marx, seja por sua metodologia ou pelo desenvolvimento de conceitos. Isso, muitas vezes, requer a contextualização dos três livros através de outros manuscritos e rascunhos de Marx, como *Grundrisse*. Por isso, também é relevante estudar *O capital* com o apoio de intelectuais que dedicam, ou dedicaram, a vida à leitura e interpretação dos livros 1, 2 e 3. Aqui seguem sugestões de obras de apoio, com concordâncias e discordâncias entre si:

AZEVEDO, Raquel. "150 anos de leitura d'O Capital". *Kalagatos: Revista de Filosofia*, v. 14, n. 3, Fortaleza, pp. 47-53, 2017.

BENSAÏD, Daniel. *Marx, o intempestivo: grandezas e misérias de uma aventura crítica*. Rio de Janeiro: Civilização Brasileira, 1999.

BOTTOMORE, Tom. *Dicionário do pensamento marxista*. Rio de Janeiro: Zahar, 1988.

FONTES, Virgínia. "O capital, frações, tensões e composições". In: CAMPOS, Pedro Henrique Pedreira; BRANDÃO, Rafael Vaz da Motta (orgs.). *Dimensões do empresariado brasileiro: história, organizações e ação política*. Rio de Janeiro: Consequência, 2019.

HARVEY, David. *Para entender O Capital-livro 1*. São Paulo: Boitempo, 2015.

HEINRICH, Michael. "A edição de Engels do Livro 3 de O Capital e o manuscrito original de Marx". *Crítica Marxista*, n. 43, Campinas, pp. 29-43, 2016.

MUSTO, Marcello. *Repensar Marx e os marxismos: guia para novas leituras*. São Paulo: Boitempo, 2022.

NETTO, José Paulo. *O leitor de Marx*. Rio de Janeiro: Civilização Brasileira, 2022.

KARL MARX

O Capital

CRÍTICA DA ECONOMIA POLÍTICA

Livro Primeiro

O PROCESSO DE PRODUÇÃO DO CAPITAL

Volume I

Tradução de
REGINALDO SANT'ANNA

**civilização
brasileira**

Folha de rosto da primeira edição brasileira do Livro 1, publicada pela Civilização Brasileira, em 1968.

CRONOLOGIA

1818 – Nasce Karl Marx em Trier, Reino da Prússia.

1820 – Nasce Friedrich Engels em Barmen, Reino da Prússia.

1841 – Karl Marx recebe seu doutorado pela Universidade de Jena.

1842 – Karl Marx se torna editor-chefe do jornal *Rheinische Zeitung*. Friedrich Engels e ele se conhecem pessoalmente pela primeira vez.

1843 – Karl Marx se casa com Jenny von Westphalen. Marx e Jenny se mudam para Paris, pressionados pela perseguição e censura política do governo prussiano.

1844 – Karl Marx escreve os *Manuscritos econômico-filosóficos* (publicados apenas em 1932), onde estabelece sua base para uma crítica à Economia Política. Nasce a primeira filha de Marx e Jenny.

1845 – Karl Marx e sua família deixam a França por pressão do governo prussiano e se mudam para Bruxelas. Marx publica *Teses sobre Feuerbach*, no qual apresenta brevemente os pilares do materialismo histórico. Friedrich Engels publica *A situação da classe trabalhadora na Inglaterra*, a partir de seu estudo minucioso sobre a condição de vida e trabalho do proletariado industrial. Ao fim do ano, como resultado da perseguição política do governo, Marx renuncia sua cidadania prussiana.

1846 – Karl Marx e Friedrich Engels publicam *A ideologia alemã*, obra em que desenvolvem os pilares do materialismo histórico e dialético, partindo principalmente de sua crítica a pensadores como Bruno Bauer, Marx Stirner e Ludwig Feuerbach. O livro é censurado na Prússia.

1847 – Karl Marx e Friedrich Engels são convidados para a Liga dos Justos, cujo lema era "todos os homens são irmãos", com o objetivo de que contribuam para a reformulação da organização. Em congresso, a liga é renomeada Liga dos Comunistas e seu lema passa a ser "Trabalhadores do mundo, uni-vos!". A pedido da liga, Marx e Engels começam a trabalhar no que viria a ser *O manifesto comunista*.

1848 – Karl Marx e Friedrich Engels publicam *O manifesto comunista*, obra com o objetivo de analisar o contexto do conflito de classes

SOBRE O CAPITAL

na época, apresentando os antagonismos da sociedade burguesa, e agitar a classe trabalhadora a se organizar internacionalmente.

1849 – Karl Marx e sua família se estabelecem em Londres, após uma série de perseguições devido ao envolvimento de Marx e Engels nos processos revolucionários na Áustria, na Prússia e na França.

1852 – Karl Marx publica *O Dezoito de Brumário de Luís Bonaparte*, em consequência de intensos estudos e trabalho na Inglaterra. Na obra, Marx aplica o materialismo histórico e dialético para analisar o recente período revolucionário na França e ali trabalha com questões de organização de classe, a interação entre as instituições do Estado e os interesses das classes representadas (ou não), e os anseios autoritários de líderes que se aproveitam da contrarrevolução.

1857 – Karl Marx publica vários artigos sobre a crise econômica global com alcance na Europa e nos Estados Unidos.

1859 – Karl Marx publica o livro *Contribuição para a crítica da economia política*, cujo elementos serão incorporados por ele à obra *O capital*.

1863 – Karl Marx finaliza o rascunho de *Teorias sobre a mais-valia*, com planos de incluir seu teor em um eventual Livro 4 de *O capital*.

1864 – É fundada a Associação Internacional dos Trabalhadores, conhecida como Primeira Internacional. Karl Marx é um de seus dirigentes.

1867 – Publicação de *O capital – Livro 1*.

1868 – O congresso da Primeira Internacional passa uma resolução recomendando o estudo de *O capital* por trabalhadores de todo o mundo.

1870 – Friedrich Engels se muda para Londres e é subsequentemente eleito para o conselho geral da Primeira Internacional.

1871 – Uma revolução proletária dá início à Comuna de Paris. Marx produz *A guerra civil na França*, como posição do conselho geral da Primeira Internacional sobre a importância da Comuna de Paris.

1872 – É publicada a edição em russo de *O capital*, sendo a primeira tradução da obra. Começa a publicação, em 44 partes, da edição francesa, cuja tradução foi monitorada diretamente por Marx.

1873 – Publicação do conjunto da segunda edição em alemão de *O capital*.

1877 – Friedrich Engels publica a primeira versão de *Anti-Dühring*, uma de suas principais obras em defesa do materialismo histórico e dialético.

1881 – Falecimento de Jenny von Westphalen.

CRONOLOGIA

1882 – Karl Marx e Friedrich Engels escrevem juntos o prefácio para a edição russa de *O manifesto comunista*.

1883 – Falecimento de Karl Marx.

1885 – Publicação de *O capital – Livro 2*, escrito por Marx e preparado por Engels.

1887 – Primeira edição em inglês de *O capital – Livro 1*. A tradução de Samuel Moore e Edward Aveling foi supervisionada por Engels.

1894 – Publicação de *O capital – Livro 3*, escrito por Marx e preparado por Engels.

1895 – Falecimento de Friedrich Engels.

1968/ – Primeiras publicações no Brasil das edições dos livros 1, 2 e 3,
1974   traduzidos por Reginaldo Sant'Anna, editados por Ênio Silveira e publicados pela Editora Civilização Brasileira.

SOBRE A AUTORA

Sabrina Fernandes é socióloga e economista política, com doutorado pela Carleton University (Canadá) e chefe de pesquisa do Instituto Alameda. Pesquisa transições justas e ecologia há mais de uma década, com especialidade em América Latina e articulações internacionalistas. Foi *fellow* de pós-doutorado da Rosa Luxemburg Stiftung (Alemanha) e do Centro Maria Sibylla Merian de Estudios Latinoamericanos Avanzados (México). Foi editora-colaboradora da *Jacobin Magazine* e editora-chefe da *Jacobin Brasil*. É autora de *Sintomas mórbidos* (2019) e *Se quiser mudar o mundo* (2020). Pela Editora Paz & Terra, preparou as edições de *O manifesto comunista* (2021) e *O Dezoito de Brumário de Luís Bonaparte* (2023). Esta edição do box de *O capital* contou com sua colaboração.

Este livro foi composto na tipografia Adobe Garamond Pro,
em corpo 11,5/14, e impresso na Gráfica Cruzado.